NOUVEAU COURS DE NAVIGATION DES GLÉNANS

NOUVEAU COURS DE NAVIGATION DES GLÉNANS

SEUIL

ISBN 2.02.001912.4

Ce Nouveau Cours de navigation des Glénans, *qui fait suite au* Cours de navigation *que nous avions réalisé il y a quinze ans, est une œuvre collective, réalisée par des moniteurs et des chefs de bord des Glénans. Chacun de ses chapitres a fait l'objet de multiples discussions, critiques et vérifications. Certains, parmi ceux qui ont apporté leur concours, ont fait plus que d'autres. Ils ont néanmoins décidé de ne pas se détacher du nom qui nous unit : Les Glénans.*

Ce cours est une synthèse, et non une encyclopédie, pas plus qu'une compilation. Nous n'avons relaté que ce qui nous a paru essentiel dans l'expérience propre — de navigant comme d'enseignant — des générations qui se sont succédé aux Glénans pendant vingt-cinq ans.

Notre but a été de permettre au débutant de progresser quasiment seul. De même que les Glénans ne prétendent qu'à être un milieu favorable à qui veut apprendre à naviguer, et non une école étroitement structurée avec examens et diplômes, de même ce Nouveau Cours de navigation des Glénans *ne veut-il être qu'un compagnon qui accueille votre désir d'apprendre et réponde à votre inquiétude et parfois la suscite. Les moyens qu'il préconise sont, au moins pour l'initiation, accessibles à celui qui est isolé ou à une équipe de deux personnes, et c'est pourquoi, par exemple, il ne fait pas mention de la Caravelle, qui est pourtant la « jeep » des écoles de voile, parce que ce n'est pas un bateau adapté à celui qui commence seul.*

Notre but a été aussi d'apporter à celui qui sait déjà naviguer le moyen de vérifier et de compléter ses connaissances, et de découvrir certains arrière-plans. En ce sens, ce nouveau cours est un ouvrage assez complet. La pratique de nombreuses mers — du Cap Nord aux Canaries, de l'Irlande à la côte polonaise et de Gibraltar à la Turquie — a permis aux chefs de bord des Glénans de comprendre beaucoup de choses et donc de les enseigner. Mais certains domaines ont été écartés, comme la navigation astronomique, car nous avons estimé que d'excellents ouvrages existaient et que notre expérience en ce domaine n'apportait rien de neuf. Dans de tels cas, nous nous sommes bornés à donner des références commodes.

La présentation choisie permet une double lecture, celle des textes et celle des dessins et photos avec leurs légendes, les uns et les autres se répondant.

Un index détaillé permet de trouver immédiatement la définition ou le renseignement dont on a besoin.

Le Nouveau Cours de navigation des Glénans, *grâce aux efforts des divers acteurs, reste malgré son importance un livre accessible à tous. Nous espérons que, mieux encore que son prédécesseur, il contribuera à répandre dans le monde l'esprit de la mer.*

Centre nautique des Glénans.

1. Commencement, 11.

Le bateau

2. Styles de plaisance, types de bateaux, 49
3. Notions théoriques, 73.
4. Le gréement, 115.
5. La coque, 183.
6. Matériel d'armement, 205.
7. Désarmer, armer, 235.

La manœuvre

8. Conduite du bateau, 247.
9. Vircr dc bord, 285.
10. Partir, arriver, 305.
11. Changer de voilure, 351.
12. Manœuvres de mauvais temps, 379.
13. Godille, moteur, remorque, 393.

L'équipage

14. La sécurité, 411.
15. La vie à bord, 451.

Météorologie

16. La vie de l'atmosphère, 479.
17. Le temps qu'il fait, 517.

Navigation

18. Points de repère et documents, 603.
19. Navigation côtière, 643.
20. Navigation au large, 673.
21. La route, 701.
22. Les paysages marins, 737.

Index, 767.
Bibliographie, 774.
Table des chapitres, 777.

1. Commencement

Lorsqu'on veut naviguer à la voile, il faut d'abord ne pas trop se fier aux théories et aux écoles. La première chose à faire est d'apprendre à nager, puis de se procurer un bateau, de l'armer et de partir sur l'eau.

La navigation n'est certes pas une démarche naturelle dont on va reconnaître les principes en un instant ; la plupart des gestes que l'on doit accomplir sur un bateau ne sont pas évidents, certains d'entre eux vont même à l'inverse des réflexes habituels ; c'est bien pourquoi il ne paraît pas possible de les apprendre dans un livre.

Sur l'eau, on va se découvrir d'abord curieusement infirme, incapable, apparemment, de trouver des solutions aux problèmes étranges qui se posent. Il faudra pourtant se faire confiance (en toute modestie) ou plutôt faire confiance à une part de soi essentiellement sensitive, qui n'a guère l'occasion de s'exprimer dans l'ordinaire de l'existence. On lui donnera la barre. En d'autres termes, il va falloir sérieusement se réveiller.

Ce premier chapitre se propose de participer à ce réveil. On accompagnera d'abord le débutant dans la préparation de son bateau — c'est l'occasion de prendre contact avec un vocabulaire souvent stupéfiant, mais d'une grande rigueur — puis on embarquera pour faire un tour d'horizon, c'est-à-dire pour observer le comportement du bateau sur les 360° de l'aire des vents.

Sans doute un tel projet est-il parfaitement ambigu : on va indiquer la marche à suivre alors qu'on vient d'affirmer qu'il fallait la trouver tout seul; donner des conseils tout en prétendant qu'il faut s'en passer. C'est ainsi. En réalité, pour un équipage totalement novice, cette description sera peu instructive avant la première sortie, tout juste bonne à lui montrer la variété des essais auxquels il doit se livrer pour découvrir son bateau. Elle sera peut-être plus intéressante au retour, si l'on souhaite comprendre ce qui est arrivé. Plus intéressante aussi pour l'équipier qui a déjà navigué avec un barreur expérimenté, et qui s'interroge sur les gestes qu'il a vu accomplir. On espère enfin que le moniteur trouvera ici un schéma qui lui permettra de respecter le premier contact de ses élèves avec les éléments, ce qui n'exclut pas qu'il les mette en confiance et les guide discrètement. S'il a soif de transmettre ses connaissances, qu'il se rassure : il en aura largement l'occasion quand, à l'issue de cette première sortie, il se trouvera submergé par un flot de questions hétéroclites, toutes aiguisées par un vif sentiment d'urgence. Une théorie qui est réponse à des questions vécues est immédiatement assimilée, non plus comme une recette commode, mais comme une clef qui permet d'aller plus loin. Et le cours de navigation diffère alors franchement du cours de cuisine.

Choix du bateau d'initiation

Quels que soient les projets d'avenir, il paraît judicieux d'embarquer, pour commencer, sur un petit bateau du type **dériveur léger,** comme on en rencontre partout, sur les lacs, les rivières et les bords de mer.

L'appellation de dériveur ne doit pas éveiller les soupçons quant au comportement de ce genre de bateaux : elle indique simplement que leur coque est dotée d'un aileron mobile, plongeant verticalement dans l'eau, la **dérive.** L'épithète « léger », d'autre part, signale que ces bateaux n'ont pour lest que leur seul équipage, ce qui limite évidemment leurs possibilités.

On peut savoir dès maintenant qu'il existe deux autres catégories de bateaux, généralement destinés à la croisière :

- des bateaux lourds, dont l'aileron est fixe et lesté et se nomme **quille;**
- des bateaux de type intermédiaire, les **dériveurs lestés,** qui possèdent à la fois quille et dérive.

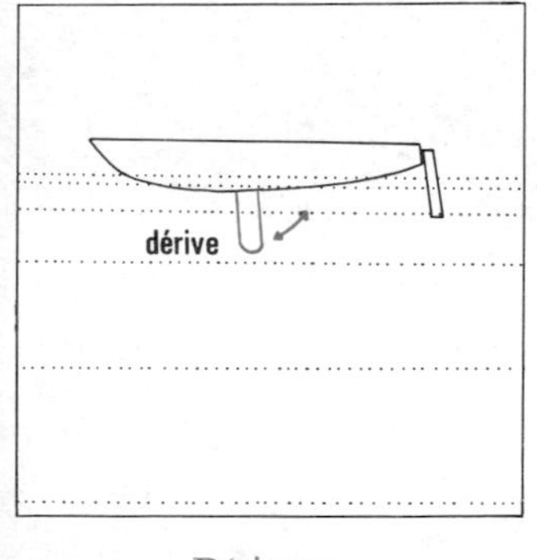

Dériveur.

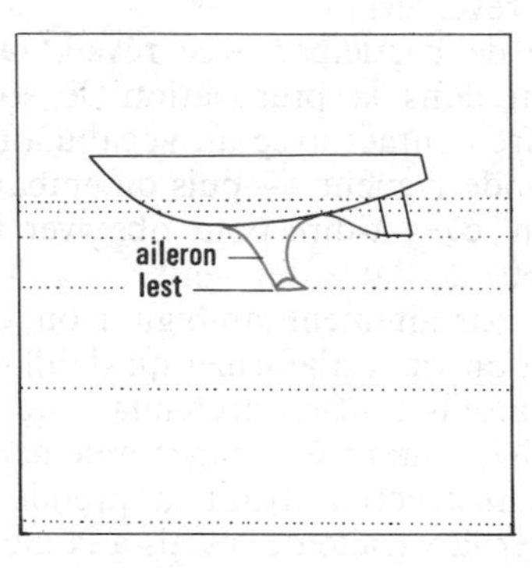

Bateau à quille.

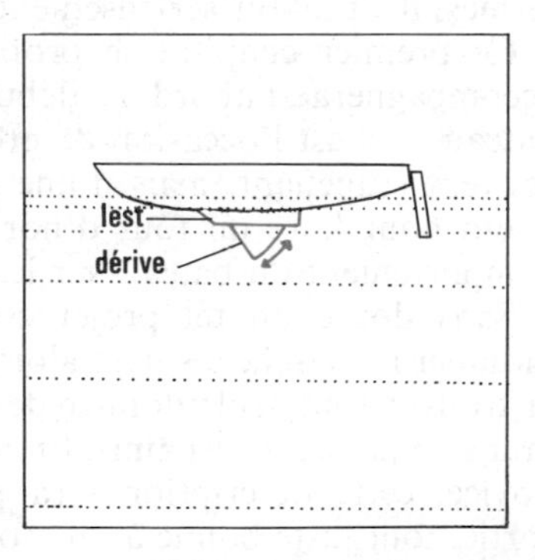

Dériveur lesté.

A bord d'un dériveur léger, la manœuvre n'est pas nécessairement plus simple que sur un bateau lesté, mais on a l'avantage de se trouver d'emblée au cœur du problème. On est très près de l'eau, les réactions du bateau sont vives et vivement ressenties,

Optimist.

les sanctions immédiates et sans gravité. Ce sont les conditions idéales pour acquérir de bons réflexes et pour entrer en familiarité avec le vent et la mer.

Le premier dériveur léger d'initiation auquel on pense est probablement l'OPTIMIST. En matière de construction navale, il paraît difficile d'imaginer plus simple que ce baquet, à voile unique, dont la silhouette cocasse sur l'eau fait croire un instant à une erreur de perspective. L'Optimist, au demeurant, navigue fort bien, mais il ne semble pas pouvoir être utilisé pour un apprentissage réfléchi. Sa taille le destine aux enfants ; ceux-ci n'ont nullement besoin d'un cours pour apprendre ce qu'il faut faire, ils trouvent tout spontanément. Lorsqu'on n'a pas eu la possibilité de s'insérer très jeune dans cette petite caisse, mieux vaut sans doute ne pas s'y contraindre : on y apprendrait le yoga, pas la voile.

On doit donc s'orienter vers un bateau plus grand, où les déplacements à bord soient non seulement possibles, mais perçus comme nécessaires à la bonne marche du bateau : la découverte de cette nécessité est essentielle.

Il est également préférable de choisir un bateau à deux voiles : un **sloop.** En dépit des apparences, les principes de la manœuvre y sont plus simples, et la notion d'équilibre sous voiles, autre point important, s'y trouve rapidement mise en évidence. Sans rechercher le paradoxe, on peut dire que le dériveur à voile unique, le **cat-boat,** est réservé aux enfants et aux champions. A la rigueur aux solitaires endurcis.

Les dériveurs à deux voiles sont conçus pour embarquer deux équipiers. Seul à bord, et débutant, il est probable qu'on ne pourra pas affronter correctement l'ensemble des problèmes, ni exploiter au mieux les ressources du bateau. On risque d'y souffrir en vain. L'apprentissage à deux est bien préférable. Il semble d'ailleurs convenir parfaitement à un moment de l'adolescence où la notion d'équipe — ici d'équipage — commence à prendre son sens. Nulle part cette notion n'est aussi clairement mise en valeur : bien mener un bateau à deux, en effet, ce n'est pas simplement « se répartir le travail » à bord, c'est éprouver constamment la relation qui existe entre l'action de l'un et celle de l'autre, actions qui s'influencent et fusionnent au point que l'apport de chacun n'est plus discernable de l'ensemble. S'engueuler est passionnant aussi. Etre penauds à deux constitue également une expérience fondamentale. Enfin, chavirer tout seul est déprimant.

La formule du dériveur léger à deux équipiers est la plus répandue à l'heure actuelle. Entre 3,50 m et 6 m, les **séries** se succèdent, centimètre par centimètre, ou presque. Faire un choix s'avère difficile. Pour débuter il paraît nécessaire, en tout cas, d'éviter les dériveurs de grande compétition, véritables machines à piéger le vent, légèrement sophistiquées et surtout hors de prix. Dans l'ensemble, il est prudent de fuir les bateaux trop capricieux, qui chavirent au premier geste inconsidéré : se retrouver dans l'eau toutes les deux minutes ne paraît pas être un moyen de faire des progrès véritables. On ne peut pas se contenter non plus d'un jouet de plage, trop modeste, souvent dangereux et inefficace.

Un bon bateau d'initiation doit avant tout favoriser l'acquisition du sens marin. Il doit pour cela posséder des qualités apparemment peu conciliables : être simple et cependant complet; stable, et néanmoins vivant; avoir des réactions franches sans exiger pour autant de son équipage une formation d'acrobate; présenter des garanties de sécurité particulières; enfin, être aussi peu coûteux que possible, tout en étant déjà un véritable bateau.

Il existe un certain nombre de bateaux possédant ces qualités à des degrés divers. Le VAURIEN, bateau en contreplaqué (également réalisé en plastique), est le plus célèbre d'entre eux. Ses qualités lui ont assuré depuis longtemps une vaste diffusion à l'échelon international. Défini par le Larousse comme « convenant parfaitement aux débutants et aux écoles de voile », son entrée dans les dictionnaires ne lui a rien fait perdre de sa verdeur. On est assuré de trouver des Vauriens sur tous les plans d'eau, ce qui permet de se livrer à des comparaisons intéressantes pour progresser, et plus tard à des régates de haut niveau. C'est donc un bateau qui, au-delà de l'initiation, peut demeurer passionnant longtemps.

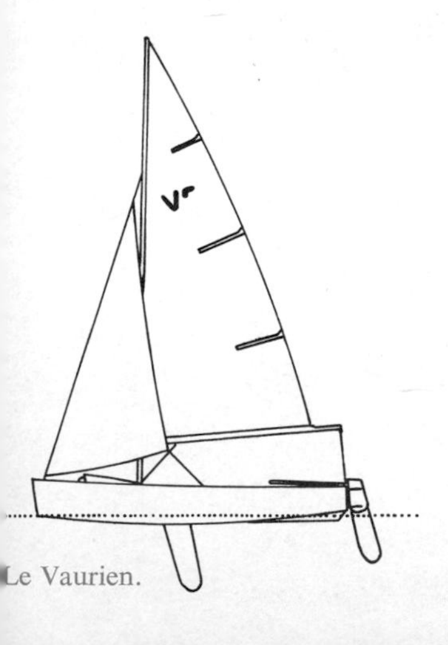

Le Vaurien.

Bien sûr, depuis le lancement du Vaurien, la construction de plaisance a évolué, en particulier avec l'apparition des matériaux plastiques. Les qualités de ces matériaux : étanchéité, facilité d'entretien, les ont rapidement imposés. Leur emploi s'est étendu à toutes les catégories de bateaux, depuis la petite embarcation qui évolue à la godille dans un port jusqu'aux bateaux lourds, en passant par les dériveurs de compétition. Il existe donc aussi des dériveurs d'initiation en plastique. Mais, outre qu'ils présentent souvent l'inconvénient d'être chers, nous n'en avons pas encore trouvé qui soient suffisamment robustes pour faire une carrière durable dans une école de voile.

Dans les pages suivantes, nous parlerons donc principalement du Vaurien, tout en donnant des indications sur d'autres types de bateaux dans la mesure où ils comportent, par rapport au Vaurien, un certain nombre de particularités.

Quel que soit le bateau utilisé, il faut en tout cas maintenant prendre contact avec lui et l'**armer,** c'est-à-dire le mettre en état de prendre la mer.

Armer le bateau

La vue d'un dériveur en pièces détachées ne doit pas inspirer l'effroi. L'assemblage du puzzle, s'il comporte des variantes d'un bateau à l'autre, se fait toujours selon le même principe : il s'agit essentiellement d'installer sur la coque un mât, en général maintenu par trois filins d'acier, les **haubans** et l'**étai;** d'y ajouter quatre cordages : deux **drisses** qui servent à hisser les voiles, deux **écoutes** pour orienter celles-ci selon la direction du vent; cet ensemble moteur est complété par une dérive, qui permet au bateau de se déplacer en avant plutôt qu'en travers, et d'un gouvernail qui l'aide à aller droit. C'est ainsi qu'on obtient un dériveur léger. On peut s'étonner qu'il ait fallu des siècles pour mettre au point un tel bateau, mais sans nul doute nos descendants nous prendront, nous aussi, pour des imbéciles.

Un bateau neuf est généralement livré avec une notice de montage, voire même un mode d'emploi. Il est sage de s'y conformer, en repoussant à plus tard l'envie de créer des gréements révolutionnaires. Avec la notice et un peu de jugeotte, on doit pouvoir s'en sortir. Il est souhaitable de ne pas se faire mâcher la besogne par quelqu'un d'autre : il faut se heurter directement aux choses, toucher, comparer, essayer, recommencer. Acquérir un regard actif, doué de pénétration et de mémoire. C'est ainsi que le bateau commence à exister vraiment, pour soi.

Il faut en même temps apprendre un langage. Le vocabulaire fait partie du matériel d'armement. Son emploi n'est pas une concession au folklore, ou un simple moyen d'épater l'homme des campagnes : les mots ont ici la même nécessité que les choses qu'ils désignent.

Un tel langage, né d'une exigence impérieuse, est forcément très concret, imagé, plein de saveur et de verve. On va commencer à le découvrir dans les pages suivantes.

Le Vaurien...

Architecte : Jean-Jacques Herbulot
Année de lancement : 1952
Longueur : 4,08 m
Largeur : 1,47 m
Poids : 95 kg
Surface de voilure : 8,80 m²

La coque du Vaurien est à **bouchain vif :** le bouchain, jonction entre le fond et les flancs du bateau, est à angle vif. La dérive est une simple planche profilée qui s'enfile (pan coupé en avant) dans le puits de dérive comme dans un fourreau : c'est une **dérive-sabre.**

Les **réserves de flottabilité** du Vaurien en contreplaqué sont constituées par des ballons gonflables. De part et d'autre du cockpit on installe trois ballons, d'une capacité de 40 litres chacun. Leur fixation doit être réalisée très soigneusement : si le bateau chavire, les ballons du côté immergé exercent une poussée de 120 kg vers le haut; bateau et équipage sont en quelque sorte suspendus à la fixation des ballons.

... et quelques autres.

La plupart des dériveurs actuels sont en plastique et diffèrent du Vaurien principalement sur les points suivants. Ils ont une coque **en forme :** le bouchain est arrondi. Ils sont en général munis d'une **dérive pivotante,** montée sur un axe. Relevée, cette dérive s'escamote à l'intérieur du puits.

Beaucoup d'entre eux possèdent une **barre d'écoute,** rail sur lequel peut se déplacer une poulie où passe l'écoute de grand-voile. Pour les premières sorties il vaut mieux ne pas tenir compte de ce dispositif : on bloque le chariot au milieu du rail.

L'insubmersibilité de ces bateaux est en général assurée par des caissons faisant partie intégrante de la coque. Ces caissons sont partiellement remplis de matériau expansé. Il arrive que de l'eau y pénètre, mais des trappes de vidange permettent de l'évacuer (ce qu'il faut faire avant chaque sortie).

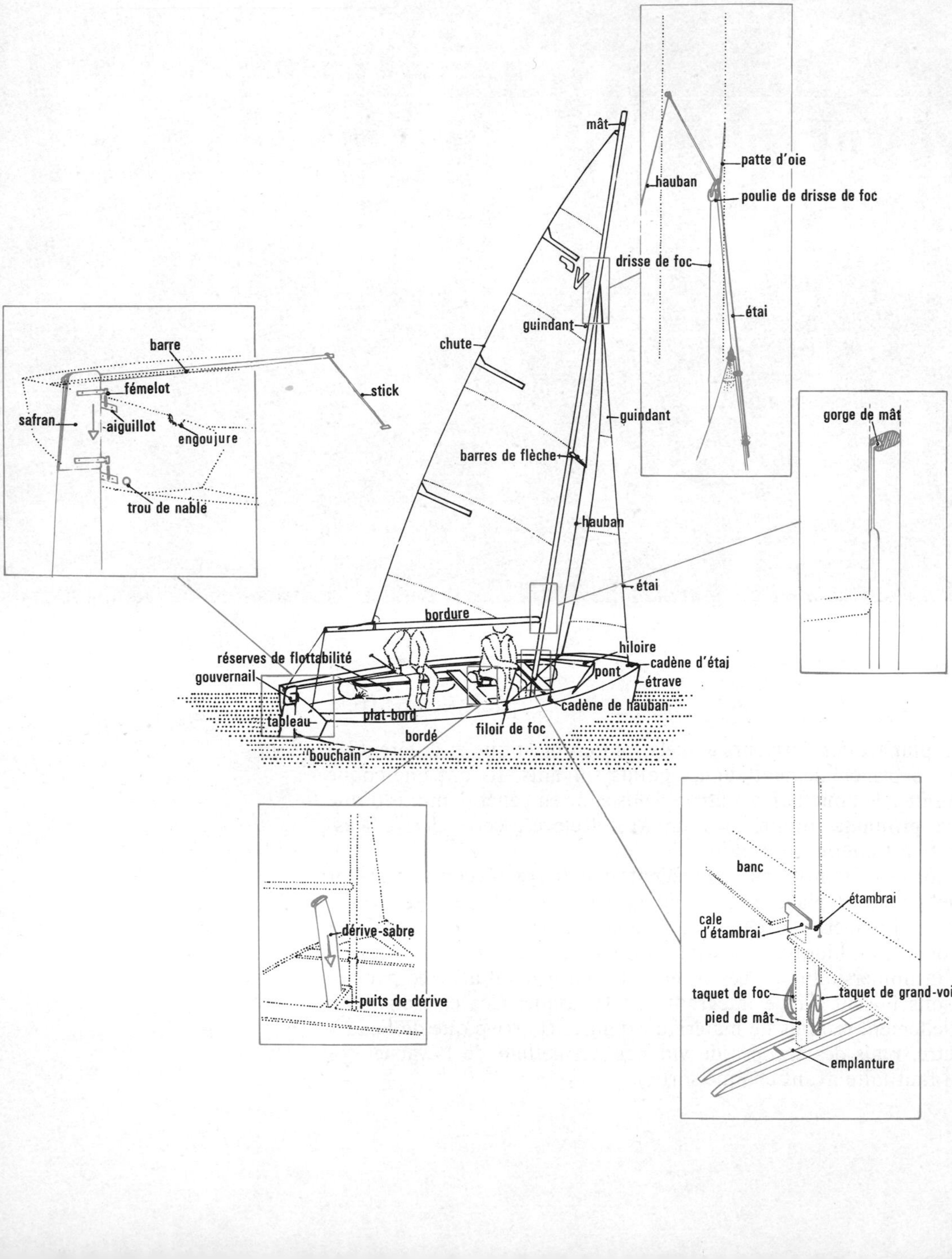

mât
patte d'oie
hauban
poulie de drisse de foc
drisse de foc
étai
guindant
chute
barre
fémelot
stick
safran
aiguillot
engoujure
trou de nable
guindant
gorge de mât
barres de flèche
hauban
étai
bordure
hiloire
réserves de flottabilité
cadène d'étai
gouvernail
pont
étrave
cadène de hauban
tableau
plat-bord
filoir de foc
bordé
bouchain
banc
étambrai
cale d'étambrai
dérive-sabre
taquet de foc
taquet de grand-voile
pied de mât
puits de dérive
emplanture

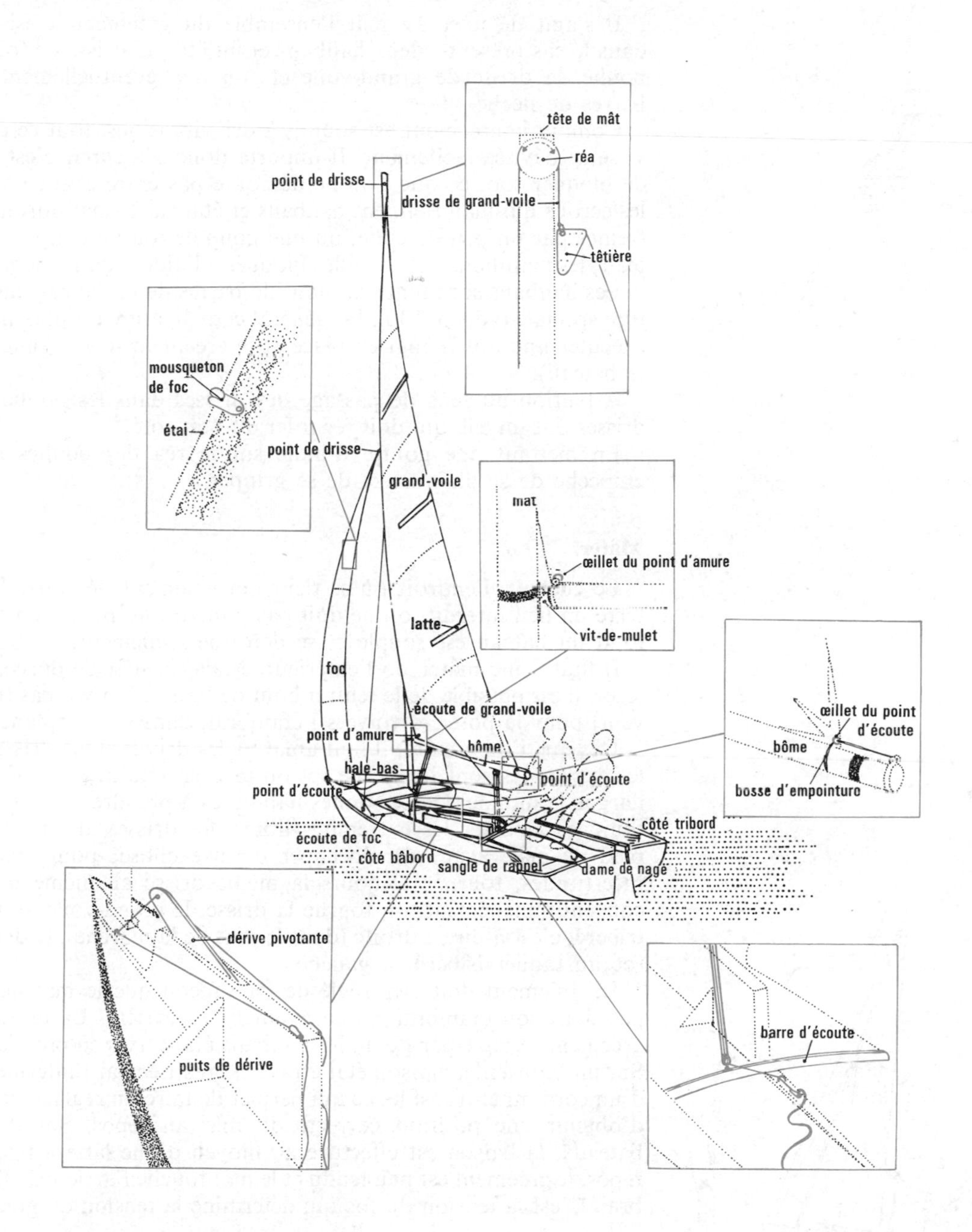
tête de mât
réa
point de drisse
drisse de grand-voile
têtière
mousqueton
de foc
étai
point de drisse
grand-voile
mât
œillet du point d'amure
vit-de-mulet
latte
foc
écoute de grand-voile
point d'amure
bôme
hale-bas
point d'écoute
point d'écoute
œillet du point
d'écoute
bôme
bosse d'empointure
côté tribord
écoute de foc
côté bâbord
sangle de rappel
dame de nage
dérive pivotante
puits de dérive
barre d'écoute

Assurer tout ce qui est susceptible de se dévisser.

Gréer le mât.

Il s'agit de fixer au mât l'ensemble du gréement, c'est-à-dire dans le cas présent : deux haubans et un étai, la drisse de foc et sa poulie, la drisse de grand-voile et son réa, éventuellement deux barres de flèche.

Comme le gréement est soumis à des vibrations, tout ce qui est vissé se dévisse facilement. Il importe donc d'**assurer,** c'est-à-dire de bloquer tout ce que l'on ne démonte pas entre chaque sortie : les écrous qui maintiennent haubans et étai sur le mât doivent être freinés par un peu de colle, ou une goupille, ou un coup de pointeau; les manillons des manilles bloqués à l'aide d'un fil métallique.

Les haubans sont tenus en bout de barres de flèche par une ligature spéciale (voir p. 130). En général cette ligature est plus facile à exécuter une fois le mât en place et le gréement tendu (on couche le bateau).

Attention au sens de passage des drisses dans les poulies. Ces drisses ont un œil, qui doit regarder du bon côté.

En mettant une goutte d'huile sur le réa des poulies on les empêche de se plaindre et de se gripper.

Mâter.

Le **cockpit,** l'endroit où se tient normalement l'équipage, est à terre un lieu interdit, on ne doit pas y mettre les pieds ; en effet le fond du bateau est souple et se déforme facilement.

Il faut donc mâter de l'extérieur. Mais un mât de dériveur est léger, il est possible de le tenir à bout de bras (s'il n'y a pas trop de vent) pour le poser, à travers l'étambrai, dans son emplanture.

Dès que l'on a mâté, il faut amarrer les drisses. Une drisse dont les extrémités sont libres file tôt ou tard en tête de mât, d'où elle nargue le monde. Deux bonnes habitudes à prendre tout de suite : toujours amarrer les extrémités libres des drisses aux taquets de pied de mât, avant de s'occuper d'autre chose; pour éviter les incertitudes, tourner toujours la même drisse au même taquet : conventionnellement, on tourne la drisse de grand-voile au taquet **tribord,** c'est-à-dire à droite (dans le sens de la marche), la drisse de foc au taquet **bâbord,** à gauche.

Le gréement doit être réglé de telle façon que le mât ne force pas dans son étambrai, ni en avant ni en arrière. La tension du gréement se règle par l'étai, les haubans étant fixés en premier lieu. Sur un Vaurien, la liaison étai-étrave est réalisée par l'intermédiaire d'un cordonnet transfilé, ce qui permet de faire un réglage précis et d'obtenir une position correcte du mât au repos. Sur d'autres bateaux, la liaison est effectuée au moyen d'une latte à trous; au repos, le gréement est peu tendu et le mât touche l'arrière de l'étambrai. C'est la tension du foc qui détermine la tension du gréement.

Gréer les voiles.

Il y a au moins deux moyens d'abîmer rapidement ses voiles avant même de les utiliser : les poser sur le sable (celui-ci se loge dans les coutures, et c'est un abrasif puissant); fumer en les manipulant.

Pour gréer la grand-voile. Chercher d'abord le point d'amure : c'est l'angle où se rencontrent les **ralingues** (cordages cousus sur le guindant et la bordure). C'est à cet endroit, également, que l'on trouve en général la marque du voilier.

Lorsque la bordure est **enverguée** dans la gorge de la bôme, et le point d'amure fixé sur son crochet, on tend modérément la toile et l'on amarre le point d'écoute avec la bosse d'empointure.

Cet angle de la voile étant particulièrement fragile, il faut faire l'amarrage comme le montre le dessin.

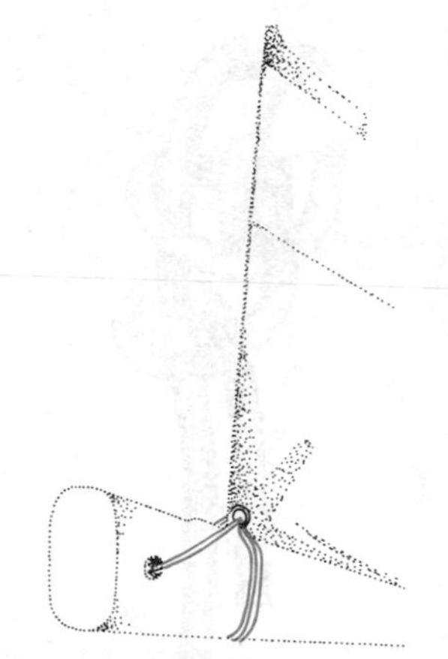

Les tours qui passent sous la bôme sont aussi indispensables que les autres.

La bordure mise en place, chercher le point de drisse en suivant de la main la ralingue de guindant, pour éviter de hisser une voile tire-bouchonnée.

Avant de **mailler** la manille de drisse sur la têtière, vérifier que cette drisse est bien **claire,** c'est-à-dire que son parcours est normal : elle doit descendre directement de la poulie de tête de mât, sans passer derrière un hauban ou une barre de flèche.

Enfiler les lattes avec précaution dans leurs goussets; elles ne doivent pas forcer du tout, car elles risquent de déchirer la voile. Il vaut mieux qu'elles soient trop courtes que trop longues (on peut admettre un bon centimètre de jeu).

L'écoute de grand-voile est la manœuvre la plus compliquée à installer, du moins sur certains bateaux; bien réfléchir au sens à adopter. Elle doit courir naturellement dans ses poulies, sans que ses brins se croisent ou que les poulies forcent sur leur axe.

Lorsque l'écoute est installée, faire un **nœud en 8** à son extrémité, qui la bloquera dans sa dernière poulie si elle tente de s'échapper. Un nœud ordinaire est à déconseiller, car il se serre, il se **souque** et l'on ne parvient plus à le défaire.

Installer enfin le hale-bas, entre bôme et mât. Comme son nom l'indique, ce hale-bas sert à maintenir la bôme horizontale, à l'empêcher de **se mâter.**

Pour gréer le foc. A partir du guindant, sur lequel sont cousus les mousquetons, chercher le point d'amure (c'est l'angle le moins aigu, il porte aussi la marque du voilier); le fixer à l'étrave, puis **endrailler** la voile, en crochant les mousquetons sur l'étai : on commence par le bas et on prend soin de les placer dans le bon sens (sans les tordre), sinon ils ne coulisseront pas sur l'étai. En principe, lorsque tous les mousquetons sont en place, toutes les tirettes doivent se trouver sur tribord.

Nœud en 8.

Avant de raccorder le point de drisse à la drisse, vérifier que celle-ci est claire; qu'elle ne fait pas un tour autour de l'étai, ou de son propre **courant** ou **retour** (partie de la drisse située entre la poulie et le taquet de pied de mât).

Passer les écoutes de part et d'autre dans les filoirs et faire un nœud en 8 à leur extrémité.

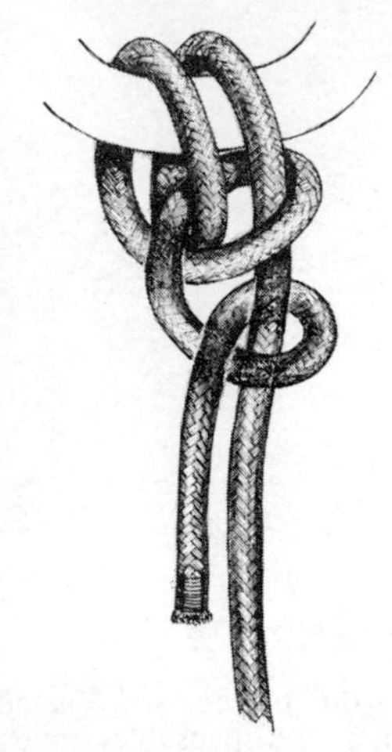

Nœud de grappin.

Hisser les voiles.

Placer d'abord le bateau **vent debout,** c'est-à-dire l'étrave tournée dans la direction d'où vient le vent. En effet, si le vent souffle sur le côté, la grand-voile, en montant, est déportée sur le côté opposé, la ralingue glisse mal dans la gorge, la têtière s'engage sous le hauban, on a toutes sortes d'ennuis; par vent frais on risque même de chavirer.

Pour mieux voir d'où vient le vent, on peut nouer des **pennons** dans les haubans (ces pennons se trouvent chez la mercière : deux bouts de laine dé 20 cm de long font l'affaire).

Pour hisser la grand-voile. Peser d'une main sur la drisse, de l'autre main guider la ralingue à l'entrée de la gorge du mât; hisser à petits coups. Ne pas forcer : si la voile ne monte pas, c'est que quelque chose accroche. Vérifier que la toile ne se pince pas dans la gorge (seule la ralingue doit y pénétrer), qu'une latte ne s'engage pas sous un banc, ou sous un plat-bord, ou derrière un hauban.

Lorsque la voile est presque complètement hissée, engager la bôme dans le vit-de-mulet, puis **étarquer,** c'est-à-dire tendre le guindant (sans excès). **Tourner** le retour de la drisse au taquet tribord. La voile doit battre librement dans le vent, écoute molle.

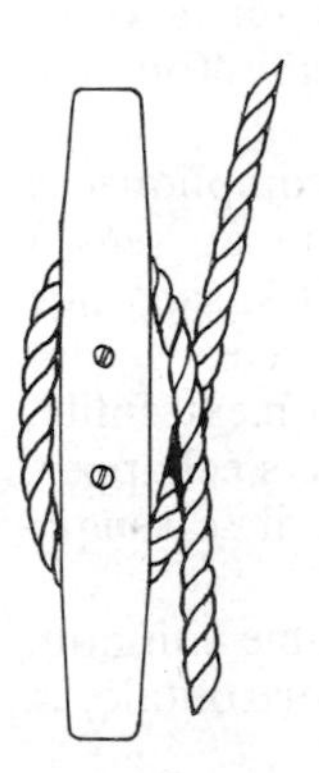

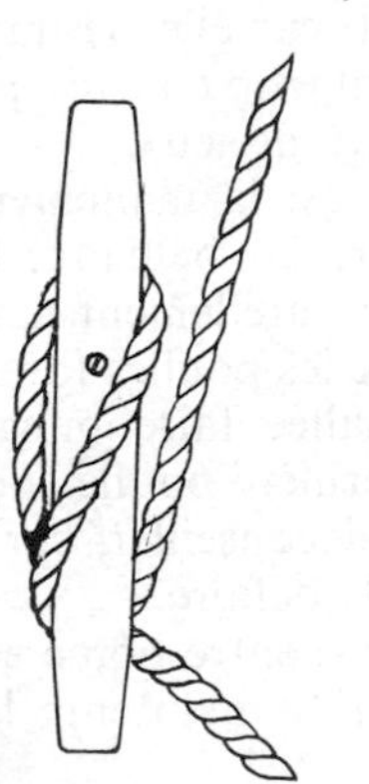

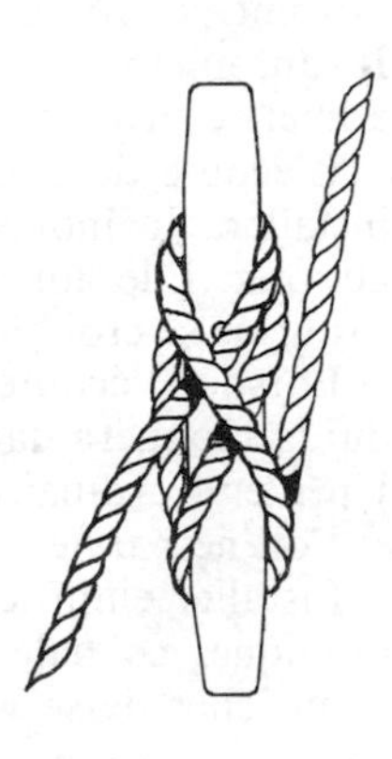

Tourner une drisse sur un taquet classique : un tour mort, un demi-huit, une demi-clef.
Si la manœuvre se souque, c'est pour l'une des trois raisons suivantes : pas de tour mort, plus d'un demi-huit, demi-clef tournée à l'envers.
Attention : pour tourner une écoute, on ne fait pas de demi-clef, mais un tour mort suivi de trois ou quatre huit.

Pour hisser le foc. On ne rencontre aucune difficulté si les mousquetons ont été placés correctement sur l'étai. Le foc doit être étarqué à fond, et sa drisse tournée au taquet bâbord.

Pour que l'armement soit complet il faut encore embarquer, en plus du gouvernail et de la dérive :

— Une ancre de 3 à 5 kg, accompagnée d'une ligne de mouillage de 30 à 50 mètres; celle-ci est reliée à l'ancre par un **nœud de grappin.** Ne pas oublier de fixer, on dit **frapper,** son autre extrémité à bord sur l'anneau prévu à cet effet, sinon au pied de l'étai. L'ensemble ancre-ligne de mouillage (celle-ci soigneusement rangée dans un petit sac de préférence) est installé en avant du mât.

— Un aviron si l'on sait godiller, ou deux pagaies.

— Une **écope,** récipient pour vider l'eau.

— Deux gilets de sauvetage; ceux-ci ne doivent pas rester dans le fond du bateau, mais être sur le dos des équipiers avant l'appareillage.

Désormais tout est prêt, et si les conditions sont bonnes, on peut appareiller sur-le-champ (il faut toutefois baisser les voiles, les **affaler,** pour transporter le bateau, et ne les hisser à nouveau que lorsque celui-ci est sur l'eau).

S'il fait mauvais, on peut toujours passer le temps en s'entraînant à faire des nœuds.

Conditions de la première sortie

L'événement que constitue cette première sortie doit se dérouler dans un endroit exempt de dangers, et par un temps particulièrement maniable. La première difficulté consiste à savoir apprécier de façon exacte ces conditions.

Il va falloir s'habituer à considérer le paysage et le temps qu'il fait d'une manière absolument nouvelle. C'est affaire d'attention, de sympathie, de patience. Au départ, on ne peut que suspecter son propre jugement, fondé sur les critères d'un autre monde.

Le lieu.

Il n'est pas toujours possible de débuter dans l'endroit « idéal » que constitue, par exemple, un petit lac, ou une rivière tranquille, ou encore, en mer, un golfe très fermé. Cela paraît souhaitable cependant, afin de ne pas courir le risque de se retrouver trop loin d'une côte.

Ces plans d'eau privilégiés peuvent eux-mêmes receler un certain nombre de traîtrises : courant trop violent, ou portant sur des dangers (écluses, cascades, Charybde, Scylla), vents irréguliers ou turbulents.

On doit veiller également à ne pas s'aventurer dans des endroits très encombrés, sillonnés de péniches ou de bateaux de pêche, ou simplement d'autres voiliers : il n'est pas prévu de hisser dans la mâture d'un dériveur les deux boules noires avertissant que l'on n'est pas maître de sa manœuvre...

A l'inverse, il ne faut pas non plus s'aventurer dans un endroit absolument désert, à l'insu de tout le monde. Même si l'on souhaite faire une première exhibition discrète, une surveillance est indispensable. L'idéal est de se faire accompagner par un bateau à moteur, qui observe les événements à quelque distance. Si cela n'est pas possible, il faut au moins avoir un ami à terre, qui soit au courant de l'entreprise et qui sache, en cas de nécessité, où trouver immédiatement de l'aide.

Échelle anémométrique Beaufort.

Chiffre Beaufort	Terme descriptif	Vitesse du vent à 10 m de hauteur Nœuds	Km/h	Spécification au large
0	**Calme**	< 1	< 1	La mer est comme un miroir.
1	**Très légère brise**	1-3	1-5	Il se forme des rides ressemblant à des écailles de poisson, mais sans aucune écume.
2	**Légère brise**	4-6	6-11	Vaguelettes, courtes encore, mais plus accusées. Leur crête a une apparence vitreuse, mais elles ne déferlent pas.
3	**Petite brise**	7-10	12-19	Très petites vagues. Les crêtes commencent à déferler. Ecume d'aspect vitreux. Parfois quelques moutons épars.
4	**Jolie brise**	11-16	20-28	Petites vagues devenant plus longues, moutons franchement nombreux.
5	**Bonne brise**	17-21	29-38	Vagues modérées prenant une forme plus nettement allongée. Naissance de nombreux moutons (éventuellement des embruns).
6	**Vent frais**	22-27	39-49	Des lames commencent à se former. Les crêtes d'écume blanche sont partout plus étendues. (Habituellement quelques embruns.)
7	**Grand frais**	28-33	50-61	La mer grossit. L'écume blanche qui provient des lames déferlantes commence à être soufflée en traînées qui s'orientent dans le lit du vent.
8	**Coup de vent**	34-40	62-74	Lames de hauteur moyenne et plus allongées. Du bord supérieur de leur crête commencent à se détacher des tourbillons d'embruns. L'écume est soufflée en très nettes traînées orientées dans le lit du vent.
9	**Fort coup de vent**	41-47	75-88	Grosses lames. Epaisses traînées d'écume dans le lit du vent. La crête des lames commence à vaciller, s'écrouler et déferler en rouleaux. Les embruns peuvent réduire la visibilité.
10	**Tempête**	48-55	89-102	Très grosses lames à longues crêtes en panache. L'écume produite s'agglomère en larges bancs et est soufflée dans le lit du vent en épaisses traînées blanches. Dans son ensemble, la surface des eaux semble blanche. Le déferlement en rouleaux devient intense et brutal. La visibilité est réduite.
11	**Violente tempête**	56-63	103-117	Lames exceptionnellement hautes (les navires de petit et de moyen tonnage peuvent, par instant, être perdus de vue). La mer est complètement recouverte de bancs d'écume blanche élongés dans la direction du vent. Partout, le bord de la crête des lames est soufflé et donne de la mousse. La visibilité est réduite.
12	**Ouragan**	64 et plus	118 et plus	L'air est plein d'écume et d'embruns. La mer est entièrement blanche du fait des bancs d'écume dérivante. La visibilité est très fortement réduite.

Ces dispositions prudentes ne gâcheront rien : elles permettent de conserver toute sa liberté d'esprit, et laissent d'ailleurs une grande marge à la surprise. On peut être sûr en effet que le plan d'eau qu'on contemple du bord *n'est pas* celui sur lequel on va naviguer. On croit cerner du regard une étendue précise, où les repères sont bien définis, les distances immuables, la lumière égale ; il n'en est rien. Le bateau sera le véritable révélateur du paysage. On verra que cet espace a un sens, qu'il est peuplé de lieux différents; que les repères se déplacent, que les distances changent avec le vent. Il y a de quoi s'étonner. On apprendra vite qu'un paysage marin n'est qu'un ensemble de propositions vacantes, qui se nouent et s'organisent de façon différente selon le temps qu'il fait, pour présenter sans cesse un nouveau visage. Et cela n'est pas une mince découverte.

Le temps.

Lorsqu'il y a beaucoup de soleil, sur un site aimable, on a souvent tendance à sous-estimer la force du vent. Sans aller jusqu'à recommander un départ par temps gris, il faut signaler ce fait : le « beau temps », tel qu'on le conçoit à terre, peut être un fort vilain temps sur l'eau.

On risque particulièrement de s'y laisser prendre lorsque le vent souffle de terre. Au bord de l'eau, à l'abri d'une dune ou d'une colline, on ne se doute de rien; à quelques mètres de la rive, tout change, et le bateau se trouve irrésistiblement entraîné vers le large.

Pour une première sortie il faut donc éviter d'appareiller dans ces conditions, à moins d'être sûr de pouvoir « se récupérer » en face, sur une rive proche et d'abord facile.

Par contre, en choisissant un jour où le vent souffle du large, on a peut-être quelques difficultés à partir, mais on est sûr de rentrer. En fait, l'idéal serait de débuter avec un vent soufflant parallèlement à la côte.

Il faut donc tout d'abord savoir repérer la direction du vent. Pour cela, le vieux truc du doigt mouillé tendu en l'air manque un peu de précision. On possède par contre d'excellents taste-vents, ce sont les oreilles. La moindre brise y est perceptible. Le bruit qu'y fait le vent varie selon la façon dont on s'oriente : au plus fort bourdonnement (et la pression égale sur les deux oreilles), on est plein vent debout, c'est-à-dire nez dans le vent, ou plein vent arrière.

On doit désormais s'entraîner à repérer la direction du vent jusqu'à ce que cela devienne un réflexe. **Pour le navigateur, la direction du vent est la seule constante; on doit apprendre à s'y référer comme à un axe immuable.** (Ce n'est pas le vent qui change, c'est le paysage qui tourne!) Lorsqu'on y parviendra, on s'étonnera d'avoir pu vivre tant d'années sans ce point de repère essentiel.

Pour désigner la direction d'où vient le vent, on se sert exclusivement des points cardinaux. Dire, par exemple : le vent vient en droite ligne de chez tante Nana, ne signifie strictement rien (sur le plan de la navigation), car un peu plus loin, sans qu'il ait varié, le vent viendra de chez Armande, puis de chez Finette. Mais si l'on dit que le vent vient de l'Ouest, cette indication reste valable quelles que soient les évolutions du bateau.

La direction du vent étant déterminée, il faut naturellement tenir compte de sa force. Avec trop de vent, la sortie n'est pas possible. Sans vent, on peut apprendre à godiller. Le vent idéal pour une première sortie est un vent de force 1 à 2 Beaufort. Un vent de force 2 est la « légère brise », de l'appellation officielle. Sur un bateau placé nez au vent les voiles battent, mais sans violence, dans un mouvement assez ample; le point d'écoute du foc, réputé pour sa nervosité, s'agite sans hargne et ne fait pas mal si on le reçoit dans la figure; les pennons se soulèvent mais ne se tendent pas à l'horizontale; les fumées s'inclinent sans s'effilocher; les cerfs-volants ne sont pas fringants, les baigneuses bronzent à vue d'œil; le vent est perceptible sur le visage mais on ne songe pas à s'en protéger. Le plan d'eau est calme, à peine parcouru de rides, ou de quelques vaguelettes s'il est vaste. (Il faut cependant noter que parfois, même sans vent, la mer peut déferler. S'il y a des rouleaux, mieux vaut ne pas partir.)

Encore faut-il que ce vent soit régulier, bien établi, que cette légère brise ne soit pas entrecoupée de rafales. Se méfier, par exemple, des ciels orageux, ou des ciels lumineux qui apparaissent immédiatement après le passage du mauvais temps : soleil et averses se succèdent alors, et sous les averses le vent souffle plus fort ; c'est le **temps à grains.**

On doit savoir enfin que le vent peut tourner. C'est une raison majeure pour qu'on ne s'éloigne pas de la côte, même si les conditions de départ étaient très bonnes. Le vent tourne d'ailleurs parfois selon un rythme connu. Les jours d'été par exemple, quand le beau temps est bien établi, il suit la marche du soleil. En fin d'après-midi il se trouve donc à l'Ouest. Lorsqu'on navigue devant une plage exposée au Sud, on bénéficie alors d'excellentes conditions (et l'heure est agréable). Mais vers 18 ou 19 heures, le vent passe brusquement au Nord et se renforce : la situation est complètement changée. Il vaut mieux rentrer de bonne heure.

Il y a encore beaucoup à dire sur le vent. Désormais, parler de la pluie ou du beau temps devient une affaire essentielle. Et nous n'avons pas fini d'en parler.

L'habillement.

Si, flairant le pire, ou souhaitant bronzer, on estime judicieux d'appareiller en simple maillot de bain, on a grand tort. Sauf par calme plat et soleil de plomb (auquel cas il est d'ailleurs vivement conseillé de se mettre à l'ombre), il ne fait jamais très chaud sur un bateau. Après un chavirage il fait encore moins chaud. Des vêtements, même trempés, valent mieux que rien du tout.

Les bottes sont à proscrire : elles entravent beaucoup la liberté de mouvement dans le bateau (et dans l'eau). Il est bon cependant d'avoir des chaussures légères, car se cogner les orteils à bord fait mal, et les sangles de rappel sont rugueuses aux pieds-tendres...

Le gilet de sauvetage.

Sur un dériveur, quel que soit le temps, on ne peut pas écarter l'éventualité d'un chavirage. **Porter un gilet de sauvetage est une simple question de bon sens.** Sans lui, il est très difficile de tenir longtemps dans l'eau, de dégréer son bateau, d'attendre. L'eau est toujours plus froide qu'on ne l'imagine et l'on s'épuise plus vite qu'on ne l'aurait cru. Encore faut-il disposer d'un gilet de sauvetage sérieux. Si cet accessoire semble encombrant, c'est une raison supplémentaire pour s'y habituer le plus tôt possible. Il est souvent peu élégant : mieux vaut pourtant flotter sans grâce que couler en beauté.

Première sortie

Préparatifs.

Beau temps. Le bateau est amené au bord de l'eau. On installe les voiles en reprenant dans l'ordre les opérations effectuées lors des essais, et l'on vérifie que tout le matériel est à bord : safran, barre, dérive, mouillage, pagaies, écope.

C'est le moment d'endosser, de **capeler** les gilets de sauvetage. Il est temps également de préciser les attributions de chaque membre de l'équipage : l'un sera **barreur,** il tiendra la barre et l'écoute de grand-voile; l'autre, **équipier** (ou focquier), s'occupera du foc et de la dérive.

Puisque le plan d'eau est calme, on porte le bateau dans l'eau avant de hisser les voiles (lorsqu'il y a des vagues, on est souvent obligé de hisser au sec : c'est moins facile car on ne doit pas monter dans le cockpit, il faut hisser de l'extérieur du bateau).

On porte le bateau, on ne le traîne pas : une coque égratignée n'est plus qu'une triste coque; de plus la dérive se bloque facilement dans un puits encombré de sable, d'herbe ou de gravier.

On porte le bateau jusqu'au bout, c'est-à-dire qu'on ne l'abandonne pas moitié sur l'eau, moitié sur la rive : dans cette position, il fatigue beaucoup.

Le bateau flotte donc entièrement tout de suite et le futur barreur le tient par l'étai. Pour hisser les voiles, il faut placer l'étrave face au vent — mais cette fois, inutile de consulter la girouette : sur l'eau en effet, un bateau retenu en un point **évite,** c'est-à-dire s'oriente de façon à présenter au vent le point par où on le retient.

Tenu par l'étai, le bateau se met docilement face au vent, et l'on peut alors hisser les voiles.

Tenu par l'arrière, il évite pour recevoir le vent de l'arrière, ce qui n'est jamais souhaitable d'ailleurs, car il est alors difficile à maîtriser (on ne tient pas un cheval par la queue). Tenu par l'étai au contraire, le bateau évite vent debout, et il n'y a aucun effort à faire pour le maintenir ainsi.

L'équipier embarque et entreprend de hisser les voiles. La grand-voile d'abord, en veillant à ce que leş lattes ne s'engagent nulle part, sous les plats-bords, ou les bancs, ou derrière les haubans. La voile hissée, il l'étarque modérément et tourne la drisse au taquet tribord. Il vérifie que l'écoute de grand-voile n'exerce aucune traction sur la bôme et qu'elle court librement dans ses poulies, puis il raidit, sans excès, le hale-bas de bôme.

Il hisse ensuite le foc, l'étarque à bloc (même s'il voit l'étai se détendre, cela n'a pas d'importance : à bloc), et tourne la drisse au taquet bâbord. Un coup d'œil d'ensemble : tous les cordages, drisses, écoutes, ligne de mouillage doivent être parfaitement clairs, c'est-à-dire immédiatement utilisables, chacun dans son rôle propre.

L'équipier installe enfin le safran et la barre. On peut désormais partir.

Le barreur embarque en poussant le bateau vers le large. Si cette première sortie a lieu sur un petit plan d'eau fermé, on choisit pour appareiller un endroit où le vent souffle de terre (la brise est légère, rappelons-le) ; ainsi le bateau s'écarte tout seul. Si l'on ne peut se placer dans ces conditions, le plus simple est de partir à la pagaie, et de s'éloigner suffisamment du bord pour avoir le temps de se livrer à quelques manœuvres de voiles avant que le bateau ne soit repoussé au sec.

Premiers ébats.

Dès les premiers instants, sans doute, le barreur et l'équipier auront fait une constatation décisive : le bateau n'est pas stable. Il vaut mieux éviter de s'asseoir tous les deux sur le même bord ; plutôt se tenir accroupis au milieu du bateau, et mesurer ses gestes.

Le problème en effet, avant même que l'on ne s'occupe des voiles, consiste à prendre possession de cet espace étroit et vacillant qu'est le cockpit. Instinctivement on s'efforce d'y restaurer son équilibre individuel. Mais les réflexes qui garantissent, sur la terre ferme, l'autonomie et la dignité de l'être pensant n'ont pas cours sur l'eau. Dans ce monde en mouvement, on ne peut être à l'aise qu'en entrant dans le jeu : le véritable équilibre est dynamique et ne se révèle qu'au moment où, vent dans les voiles, le bateau démarre. En attendant, même celui-ci a un air quelque peu emprunté — littéralement « désemparé », c'est-à-dire non tenu, sans lien avec ce qui lui confère normalement l'existence.

Le mot ne doit tout de même pas inquiéter : tant que l'on se tient au milieu du bateau et que les voiles battent, il n'y a rien à craindre! Ceci constitue d'ailleurs une première règle, dont il faudra se souvenir au cours des évolutions ultérieures : **chaque fois que l'on se trouve en difficulté** pour une raison quelconque, lorsqu'on sent que l'on va « perdre l'équilibre », au lieu d'obéir au réflexe ordinaire qui conduit à se raccrocher à tout ce que l'on trouve, **il faut tout lâcher, et se rapprocher du milieu du bateau.** Immédiatement celui-ci se calme, s'arrête et, voiles battantes, attend sagement que l'on reprenne ses esprits.

Il faut donc se lancer maintenant; mettre en position basse le safran et la dérive; prendre en main la barre, et chacun son écoute; et s'efforcer de présenter les voiles au vent pour voir ce que ce vent va faire.

S'il y a un moniteur dans les parages, qu'il regarde donc ailleurs. Qu'il évite en tout cas de hurler des conseils, mal venus en cet instant, forcément mal compris, qui sèment inutilement la panique (et qui empêchent les petits poissons de dormir). La célèbre formule : « Trouver d'abord, chercher ensuite », qui concerne à l'origine la création artistique, a toutes raisons d'être appliquée ici. Qu'on laisse donc chacun trouver seul.

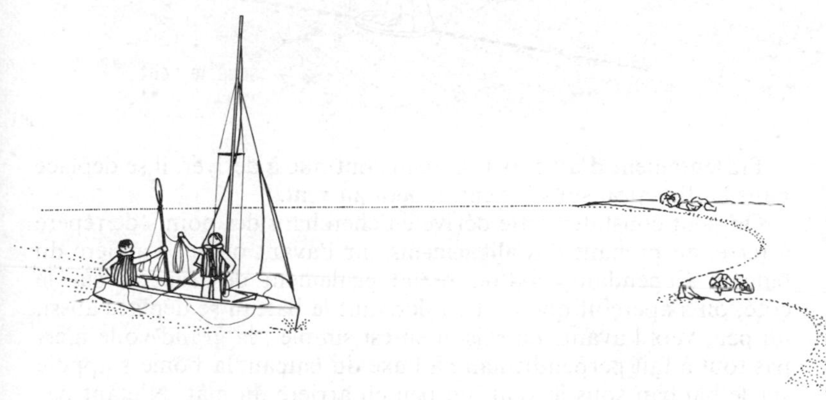

Il faut laisser le débutant faire ses propres expériences.

Quelques essais.

Les expériences auxquelles on souhaitait se livrer étant faites, on éprouvera sans doute le besoin de préciser certaines choses. Nous pouvons donc maintenant ramener notre science et suggérer quelques essais qui ne sont pas à réaliser nécessairement dans l'ordre, ni en une seule fois, mais qui peuvent permettre de se familiariser avec les diverses réactions du bateau.

Nous proposons d'abord de lâcher les écoutes, d'enlever la barre, de relever le safran et la dérive. En somme, de commencer dans le plus grand dénuement.

La position d'équilibre.

Le bateau est donc livré à lui-même, il dérive sous la poussée du vent, comme un vulgaire cageot. Toutefois, il ne dérive pas n'im-

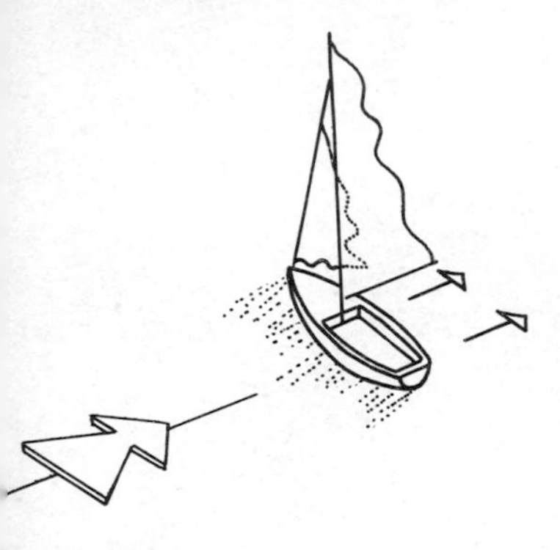

Quand on lâche les écoutes, le bateau ne gîte plus, se met en travers du vent et dérive doucement.

porte comment : assez vite il trouve une position d'équilibre, en présentant l'un de ses côtés au vent ; il dérive à peu près en travers du vent ; on dit qu'il **se met en travers.** Par la suite, chaque fois qu'on « lâchera tout », le bateau reviendra tout seul à cette position, en travers. Cela constitue un premier point de repère.

Les voiles, largement débordées, flottent comme des drapeaux dans le lit du vent; elles sont donc à peu près perpendiculaires à l'axe du bateau. Elles flottent sous le vent.

Est **au vent** tout ce qui, à partir de l'axe du bateau, figuré par la quille, se trouve du côté d'où vient le vent. Est **sous le vent** tout ce qui se trouve de l'autre côté de cet axe. Ainsi pour l'équipage, la quille du bateau divise-t-elle en toute simplicité la totalité du monde en deux : le monde au vent et le monde sous le vent, l'avenir d'un bord, le passé de l'autre; entre les deux, sur une ligne imaginaire, le fragile présent.

Présentement d'ailleurs le bateau continue à dériver, il se déplace dans la direction sous le vent, il **perd au vent.**

On peut constater cette dérive en cherchant des points de repère à terre, en prenant des **alignements** sur l'avant ou sur l'arrière du bateau. Cependant, si l'on prend également des repères sur le côté, on s'aperçoit que tout en dérivant le bateau se déplace aussi, un peu, vers l'avant. La raison en est simple : la grand-voile n'est pas tout à fait perpendiculaire à l'axe du bateau, la bôme s'appuie sur le hauban sous le vent, un peu en arrière du mât. N'étant pas complètement libre, la grand-voile recueille une petite partie du vent, elle dévie quelques filets d'air, et l'énergie infime ainsi recueillie fait déjà avancer le bateau.

Mise en place de la dérive.

On descend maintenant la dérive, complètement. Tout de suite, on constate que le bateau ne perd plus au vent aussi rapidement. La dérive s'oppose donc au déplacement latéral du bateau. Ce phénomène est sans mystère : lorsqu'on remue une planche dans un baquet d'eau, on réalise vite qu'elle se déplace facilement dans le sens de la tranche, mais qu'elle oppose une forte résistance dans le sens du plat. Il en est de même ici : la dérive (la mal nommée) empêche le bateau de dériver; c'est son rôle essentiel.

Il est possible, en même temps, de faire une constatation particulière. Au moment où l'on descend la dérive, l'étrave du bateau se

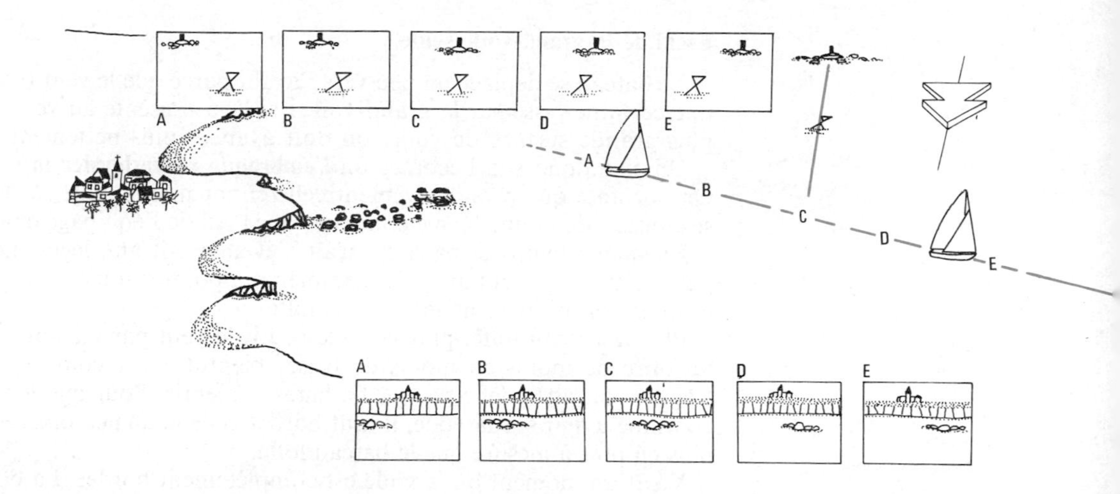

tourne légèrement dans la direction d'où vient le vent : le bateau **loffe.** Puis il revient lentement à sa position initiale.

C'est du moins ce qui se passe avec un bateau muni d'une dérive-sabre, comme le Vaurien. Un bateau dont la dérive est pivotante peut avoir une réaction légèrement différente. Lorsqu'on descend lentement sa dérive, dans un premier temps ce bateau, au lieu de loffer, s'écarte au contraire de la direction d'où vient le vent : il **abat.** Ensuite, dérive basse, il loffe un instant comme le Vaurien.

On peut vérifier que l'on obtient des réactions identiques, mais plus nettes, en déplaçant les poids à bord : si l'équipage se porte du côté sous le vent, le bateau **gîte** (s'incline sous le vent) et loffe. Si au contraire, on se porte du côté au vent, le bateau **gîte à contre** et abat.

Toutes ces réactions sont perceptibles parce que le bateau avance un peu. Elles sont faibles et lentes parce que la vitesse est presque nulle, mais elles donnent déjà une idée de ce que sera le comportement du bateau en route.

Lorsque deux points de repère fixes (deux **amers**) se profilent exactement l'un derrière l'autre, ils constituent un **alignement.** En C, on est sur l'alignement de la tourelle par la bouée.

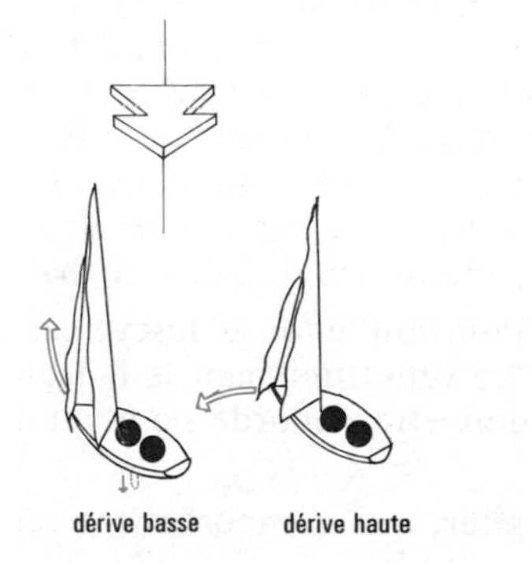

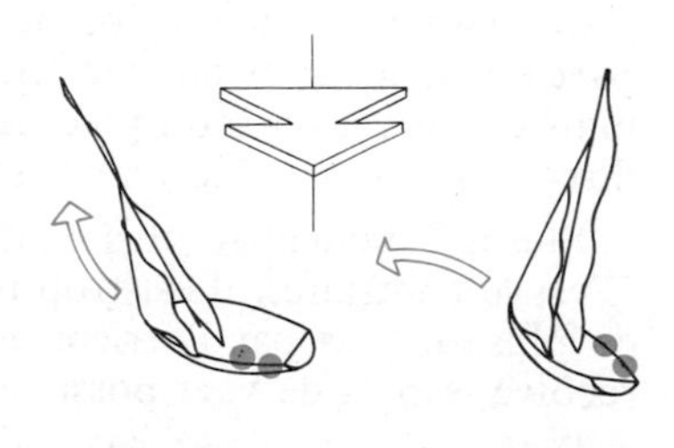

Les tendances du bateau à loffer ou à abattre se modifient selon la position de la dérive et la place des équipiers à bord.

Essai de la grand-voile seule.

Le bateau se déplace un peu vers l'avant parce que le vent trouve une certaine prise sur la grand-voile ; si l'on présente au vent une plus grande surface de voile, on doit avancer plus nettement.

On tire donc sur l'écoute, on l'**embraque** pour **border** la voile. On constate que progressivement celle-ci bat moins : elle se tend, se creuse, prend une forme concave pour l'œil de l'équipage ébloui.

En même temps le bateau paraît s'éveiller : il gîte légèrement, part en avant et, tout aussitôt, commence à pointer son étrave dans la direction d'où vient le vent ; il loffe.

Plus le bateau loffe, plus la voile reçoit le vent par l'avant : elle lui offre de moins en moins de prise; bientôt elle recommence à s'agiter, on dit qu'elle **faseye.** Le bateau ralentit. Pour que le vent continue à agir sur la voile, il faut border celle-ci un peu plus, et de plus en plus à mesure que le bateau loffe.

Vient un moment où la voile est complètement bordée. La bôme a été ramenée presque dans l'axe du bateau, l'écoute embraquée au maximum et le bateau loffe toujours, il poursuit son **auloffée.** Inévitablement la voile se remet à faseyer et cette fois on ne peut plus rien faire. Le bateau s'arrête, paraît hésiter un instant et lentement, comme malgré lui, repart d'où il était venu, son étrave s'écarte du lit du vent, il abat.

Au cours de cette **abattée**, le vent reprend dans la voile bordée ; le bateau gîte brusquement, repart en avant avec peine et loffe derechef pour venir à nouveau s'arrêter **bout' au vent.** Pour que cela ne continue pas indéfiniment, il faut **déborder** la voile, en **choquant** (en relâchant) son écoute. Par petit temps, il n'y a certes rien à craindre mais, par vent frais, le coup de gîte qui suit l'abattée peut fort bien mener au chavirage si l'on ne choque pas l'écoute assez vite.

On vient en tout cas de faire connaissance avec la **zone interdite du vent debout.** Elle s'étend environ à 45° de part et d'autre du lit du vent. Le bateau ne peut y progresser, malgré l'obstination singulière qu'il met à s'en rapprocher.

Essai du foc seul.

Ecoute choquée, grand-voile battante, le bateau retourne à sa position d'équilibre, vent par le travers. On décide maintenant de ne border que le foc. L'équipier embraque l'écoute sous le vent, juste assez pour que le foc ne faseye plus. Le bateau, cette fois, part en douceur et entame lentement un nouveau quart de tour mais en sens inverse du précédent : au lieu de se rapprocher de la direction d'où vient le vent, il s'en écarte; au lieu de loffer, il abat.

Plus le bateau abat, plus il ralentit. Pourtant le foc ne faseye pas. C'est le contraire : il est trop bordé. Le vent atteignant le bateau de plus en plus par l'arrière, le foc doit être débordé pour qu'il reçoive le plus de vent possible.

Le bateau n'a aucune tendance à gîter, son comportement est

paisible. Vient un moment où il a pivoté suffisamment pour que le vent prenne dans la grand-voile, bien que celle-ci soit complètement débordée contre le hauban sous le vent. Elle s'interpose en quelque sorte entre le vent et le foc, celui-ci manque d'air, s'étouffe.

L'action du vent sur la grand-voile a pour effet de faire loffer le bateau, comme on l'a vu. L'étrave repart donc lentement en sens inverse, commence à remonter en direction du vent; la grand-voile perd le vent, le foc le rattrape, interrompt l'auloffée et contraint le bateau à abattre de nouveau. Serait-il possible de créer un équilibre entre l'action des deux voiles, de façon que le bateau avance à peu près droit ?

Pour l'instant, tirons la première conclusion de ces essais : approximativement, tout se passe comme si la dérive était un axe autour duquel le bateau pivote, dans un sens ou dans l'autre selon qu'on borde la voile d'avant ou la voile d'arrière. Ni l'une ni l'autre de ces voiles ne nous a paru capable, à elle seule, d'assurer la bonne marche du bateau.

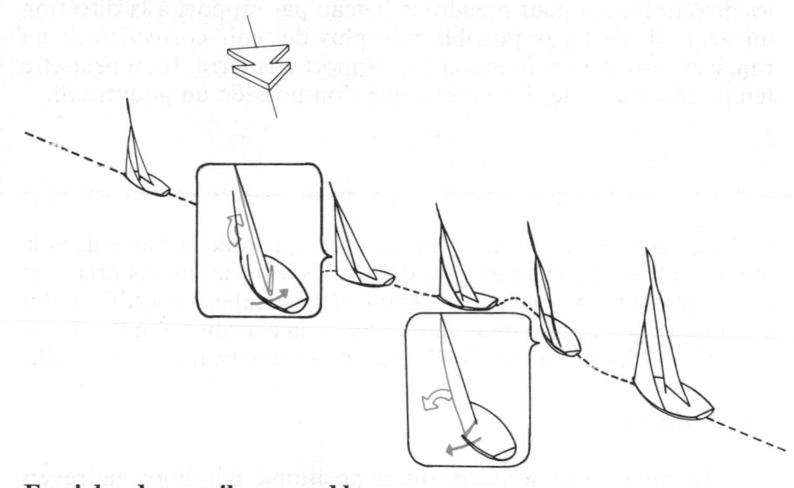

La grand-voile est un gouvernail : pour ne pas loffer on la déborde, pour ne pas abattre on la borde.

Essai des deux voiles ensemble.

Revenu à la position d'équilibre, vent de travers, on décide de border maintenant les deux voiles en même temps, en espérant que cette fois le bateau va marcher droit. On prend un point de repère à terre, situé dans l'axe. On borde les deux voiles en même temps, doucement. **Pour qu'une voile soit bien bordée, il suffit de faire disparaître son faseyement. Pas plus.**

Mais on constate que tout ne se passe pas comme on l'espérait. Alors même que la grand-voile faseye encore, qu'elle n'est pas bordée « comme il faut », son action l'emporte déjà sur celle du foc, pourtant bien plein. Le bateau démarre et loffe immédiatement : **l'action évolutive de la grand-voile est beaucoup plus importante que celle du foc.**

Si l'on veut aller droit, il faut donc, le foc étant bordé convenablement, laisser faseyer assez nettement la grand-voile ; il y a là

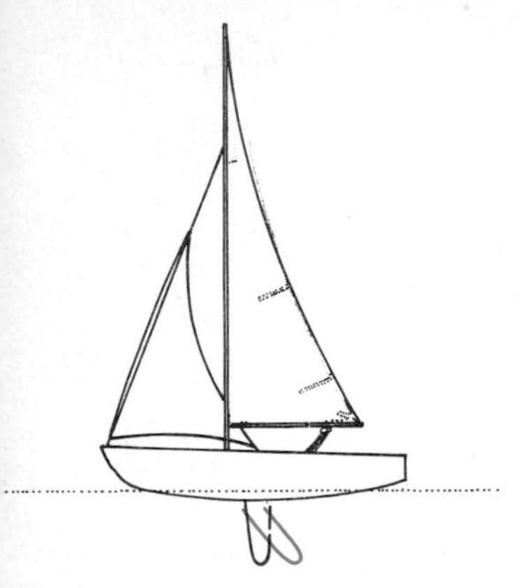

Sans gouvernail, un bateau à coque en forme ne trouve son équilibre que si l'on relève un peu la dérive.

un équilibre délicat à trouver. Le bateau fera des embardées mais on peut déjà tenter de rattraper ces embardées, sans toucher au foc, en modifiant légèrement le réglage de la grand-voile : si le bateau loffe, c'est que la grand-voile est trop bordée, il faut choquer un peu son écoute; si le bateau abat, il faut embraquer l'écoute légèrement. En somme, le foc semble assurer à lui seul la propulsion du bateau, tandis que la grand-voile sert de gouvernail.

Le Vaurien accepte beaucoup mieux que d'autres ce genre d'exercice. Sa forme anguleuse lui assure une certaine assise dans l'eau, qu'un bateau à coque en forme ne peut trouver. Ce dernier ne consent à naviguer ainsi que si l'on relève partiellement sa dérive : en déplaçant l'axe autour duquel le bateau pivote, on peut ajuster au mieux l'équilibre entre les deux voiles.

De toute manière, cette façon de procéder n'est pas pleinement satisfaisante : Vaurien ou autre, le bateau est loin de marcher à plein rendement. L'équilibre entre les voiles reste précaire et n'est d'ailleurs pas réalisable à toutes les **allures,** c'est-à-dire dans toutes les directions que peut prendre le bateau par rapport à la direction du vent. Il n'est pas possible non plus de tenir correctement un **cap,** c'est-à-dire une direction par rapport à la terre. Il est peut-être temps désormais de se souvenir que l'on possède un gouvernail.

Les allures

On installe le safran dans ses ferrures, on enfile la barre dans la tête du safran. Le barreur aura désormais les deux mains prises, ce qui risque de lui poser des problèmes, en particulier lorsqu'il voudra embraquer son écoute de grand-voile. Ici la coordination des gestes est affaire d'habitude essentiellement et de convenance personnelle.

Vent de travers.

Le bateau est une nouvelle fois en position d'équilibre, en travers du vent, voiles battantes. On choisit un point de repère sur la côte, face à l'étrave. On borde les voiles, toutes deux à la limite du faseyement. Le bateau démarre, le barreur s'asseoit sur le plat-bord, côté au vent. Il a donc la barre devant lui.

Immédiatement il va sentir que cette barre cherche à lui échapper, à partir sous le vent. S'il résiste et conserve simplement la **barre droite,** dans l'axe du bateau, réapparaît la tendance à loffer que le bateau affichait tout à l'heure (à la même allure mais sans gouvernail). S'il veut conserver l'allure du vent de travers, le barreur doit tirer la barre à lui, sans excès, simplement pour ramener le bateau dans sa direction initiale.

Cette fois, le bateau prend de la vitesse, les deux voiles sont bien pleines, elles **portent** bien. On peut naviguer un moment à cette allure du vent de travers pour s'habituer au maniement de la barre et pour étudier la meilleure position de l'équipage à bord.

Effets du gouvernail.

Première constatation, bien connue : si l'on met la barre à droite, le bateau tourne à gauche; si on la met à gauche, il tourne à droite. Ce phénomène déconcertant se comprend aisément si l'on songe à la manière dont l'eau exerce sa poussée sur le safran.

Le barreur, assis sur le côté au vent du bateau, pour abattre doit tirer la barre à lui; pour loffer, il lui suffit de ramener la barre dans l'axe du bateau. Il y a donc là un déséquilibre très net. C'est qu'un voilier à cette allure, en général, a plus tendance à loffer qu'à abattre. On caractérise cette tendance du bateau en disant qu'il est **ardent**. A l'opposé, un bateau qui a une tendance naturelle à abattre est un bateau **mou** (il est préférable, du moins pour débuter, d'avoir un bateau ardent, aux réactions nettes et franches).

En tout cas, l'efficacité de la barre apparaît si grande, après toute cette période de tâtonnements, qu'on risque fort au début d'en faire un usage hors de proportion avec les embardées du bateau. **Or, le safran, dès qu'il n'est plus dans l'axe du bateau, agit comme un frein.**

En somme, le gouvernail est à peine installé qu'il faut déjà se défier de lui. C'est pourtant lui qui permet de bien conduire le bateau. Mais, pour qu'il soit efficace sans être un frein, il faut d'abord que les voiles soient correctement orientées et que la coque soit équilibrée. Sur un bateau bien réglé, il n'est pas nécessaire de donner beaucoup de barre pour rester en route.

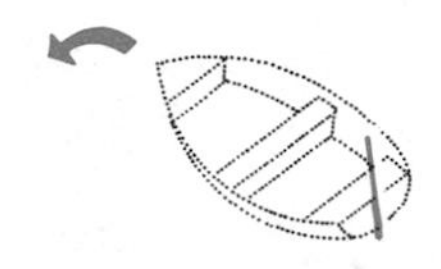

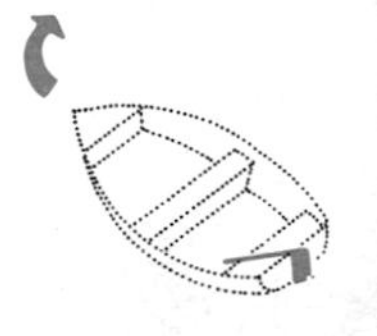

Barre à droite, le bateau tourne à gauche; barre à gauche, il tourne à droite.

Equilibre de la coque.

L'équipage est le seul lest du bateau. Mais c'est un lest mobile. En fonction des circonstances, il peut donc venir agir constamment au bon endroit et contrôler efficacement l'équilibre, tant latéral que longitudinal, du bateau.

Equilibre latéral. Au vent de travers, dès qu'il y a un peu de vent, l'équipage doit s'asseoir sur le plat-bord au vent pour compenser la gîte : il se place à la **contre-gîte.** Lorsque le vent est encore plus fort, on doit accentuer cette contre-gîte en se penchant à l'extérieur du bateau, les pieds passés sous les sangles : on fait du **rappel.** Sur les dériveurs de compétition, l'équipier finit même par se retrouver complètement en dehors du bateau, les orteils au liston, et pendu à un système nommé **trapèze.**

Cette contre-gîte est essentielle. Il n'est pas bon en effet que le bateau gîte de manière excessive : les remous qui apparaissent autour de la coque donnent une impression de vitesse mais ce n'est qu'une impression. Ces remous sont justement provoqués par la position anormale de la coque dans l'eau. De plus, la gîte, comme nous l'avons montré en commençant, rend le bateau ardent, le fait loffer : il faut alors compenser cette tendance à la barre, donc freiner encore plus le bateau. **Pour que le bateau marche bien, il faut le maintenir à plat sur l'eau.**

Bon équilibre latéral.

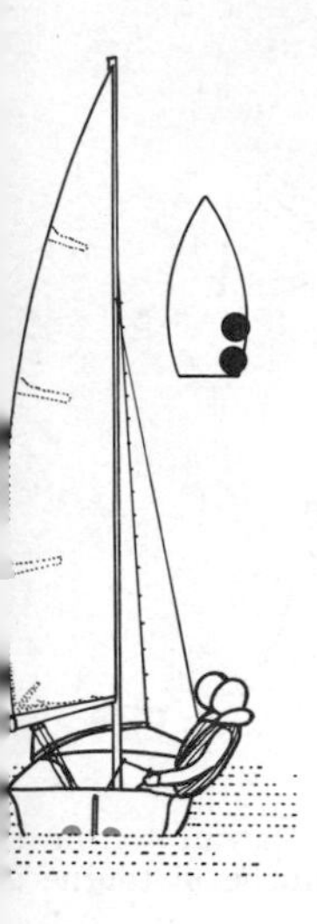

Equilibre longitudinal. On conçoit qu'un bateau trop chargé sur l'avant ne puisse pas fendre l'eau correctement. Mais il est tout aussi important que le bateau ne soit pas trop chargé sur l'arrière, que son tableau ne soit pas enfoncé dans l'eau. C'est d'ailleurs le défaut le plus courant chez les débutants. Avec une coque en forme, il s'avère particulièrement néfaste : trop chargé sur l'arrière, le bateau ne révèle pas la moitié de ses possibilités.

Vérifier que l'on occupe la bonne position n'est pas facile. Si l'on va regarder par-dessus le tableau, on constatera régulièrement qu'il est trop enfoncé... On peut éventuellement demander le renseignement à un ami qui croise dans les parages. L'importance du sillage fournit également une indication, à condition de posséder déjà des éléments de comparaison. Il existe enfin un moyen de vérification plus radical : il suffit de naviguer nables ouverts; l'équipage est placé correctement quand l'eau arrive au ras des nables mais ne pénètre pas dans le bateau. C'est simple. Bientôt on saura spontanément où se placer pour que la coque « passe » dans l'eau avec la plus grande aisance possible.

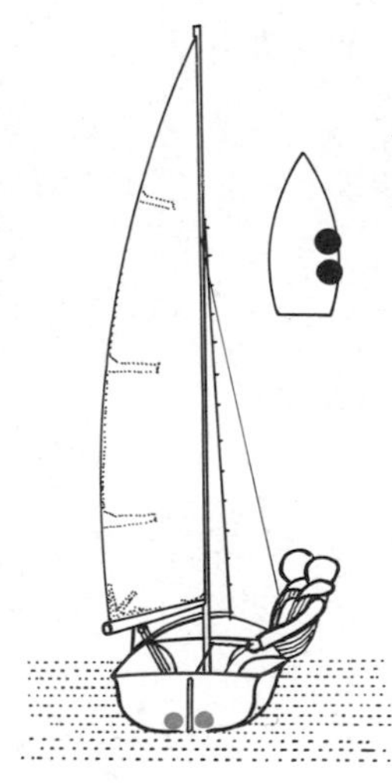

En haut, équipiers trop en arrière : le tableau s'enfonce. En bas, bonne position.

Il est probable qu'en faisant tous ces essais on aura exploré non seulement l'allure du vent de travers, mais aussi l'ensemble des allures dites de **largue :** un peu plus près du vent, le petit largue; un peu plus loin du vent, le largue proprement dit. Petit largue et largue diffèrent assez peu du vent de travers, aussi bien pour l'orientation à donner aux voiles que pour le comportement général du bateau. Il y a là toute une aire de vent dans laquelle celui-ci évolue avec aisance et rapidité. Mais il faut maintenant voir ce qui se passe au-delà, retourner vers les régions du vent debout et du vent arrière que nous avons naguère aperçues.

Les allures de près.

On décide de prendre une allure nettement plus proche du vent.
On laisse la barre revenir dans l'axe du bateau. Celui-ci loffe. Passé l'allure du petit largue, les voiles commencent à faseyer, il faut donc les border un peu jusqu'à ce que le faseyement cesse ; pas plus.

A partir de maintenant, on commence à gagner du terrain contre le vent, on **gagne dans le vent.** Celui-ci se révèle soudain plus vif, plus dense qu'on ne le soupçonnait au vent de travers. Le bateau, quand il est bien établi dans sa nouvelle allure, paraît plus allègre. Sa tendance à gîter augmente, en même temps qu'il semble s'appuyer fermement sur l'eau. Il est souple à la barre. La coque vibre légèrement au passage de l'eau et taille sa route avec beaucoup de verve et d'aisance. Les voiles sont rondes encore et bien pleines de vent : on est au **près bon plein,** allure royale, bonne vitesse, dérive faible. Eviter de saboter le travail en ayant des voiles trop bordées : choquer fréquemment les écoutes jusqu'à

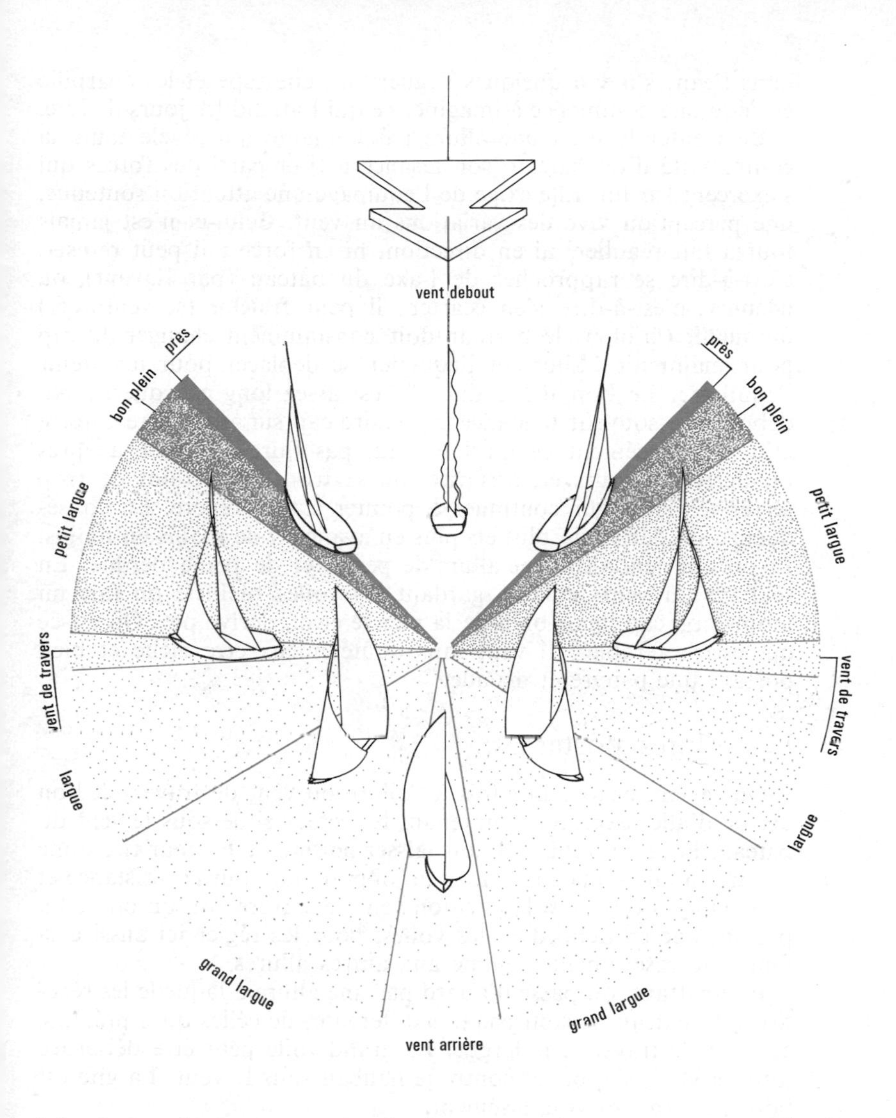

faire faseyer légèrement et border à nouveau, juste assez pour qu'il reste dans les voiles quelque chose comme le souvenir d'un frisson.

Les allures.
Au **près,** les voiles sont bordées plat; au **bon plein,** elles sont toujours bordées mais bien pleines de vent; ensuite on y « met du largue » en choquant progressivement les écoutes, d'où les expressions **petit largue, largue, grand largue;** elles sont débordées au maximum au **vent arrière.**

On peut se rapprocher plus encore du lit du vent, mais cette fois il faut border les voiles au maximum. Leur rondeur s'efface, elles sont **bordées plat.** On vient en bordure de la zone interdite du vent debout, on a atteint l'allure du **près.**

C'est une allure de combat où le bateau adopte une démarche plus nerveuse, plus tendue. La bonhomie du bon plein est déjà loin. Le vent semble se durcir et s'aiguiser contre les voiles. Le bateau gîte plus et, lorsqu'il y a un peu de vent, l'équipage doit faire un rappel énergique. Il faut donner de la barre au vent pour conserver l'allure. La coque se fraye plus difficilement un passage dans l'eau; s'il y a quelques vaguelettes, elle tape et les éparpille et l'équipier commence à imaginer ce qui l'attend les jours de fête.

Bien entendu c'est une allure passionnante qui révèle toute la combativité d'un bateau, son aisance à tirer parti des forces qui s'exercent sur lui. Elle exige de l'équipage une attention soutenue, une perception vive des variations du vent. Celui-ci n'est jamais tout à fait régulier, ni en direction, ni en force : il peut **refuser,** c'est-à-dire se rapprocher de l'axe du bateau (par l'avant), ou **adonner,** c'est-à-dire s'en écarter; il peut **fraîchir** (se renforcer) ou **mollir** (faiblir); le barreur doit constamment changer de cap pour maintenir l'allure et l'équipier se déplacer pour maintenir l'équilibre. Le bon usage du près est assez long à acquérir. Au début on a souvent tendance à prendre cap sur un repère à terre et c'est précisément ce qu'il ne faut pas faire. En effet, au près on dérive toujours et, très vite, on se trouve contraint de trop serrer le vent pour continuer à pointer sur ce repère. En conséquence on dérive de plus en plus en avançant de moins en moins. Le près devient alors une allure de peine, et de peine perdue. En se fiant au vent seul, en gardant les voiles pleines, on fait un moins bon cap, mais on a de la vitesse et on dérive peu. Qu'est-ce qui est préférable ? Il vaut sans doute mieux être riche et bien portant que pauvre et malade.

Les allures portantes.

On revient encore une fois à l'allure du vent de travers et l'on décide d'aller explorer maintenant le secteur situé sous le vent du bateau. Pour s'y rendre il faut **laisser porter.** Le barreur tire donc la barre à lui — mais le bateau lui oppose une sourde résistance et a tendance à revenir à la position vent de travers tant qu'on ne l'a pas soulagé en débordant les voiles, pour les régler ici aussi à la limite du faseyement, comme aux autres allures.

En abattant, on passe d'abord par une allure à laquelle les réactions du bateau ne sont pas très différentes de celles qu'il présente au vent de travers : le largue. La grand-voile peut être débordée jusqu'à venir s'appuyer contre le hauban sous le vent. La gîte est faible, on va très vite, aisément.

Si l'on abat encore, l'ambiance se modifie nettement. Tout se calme. Le vent paraît faiblir, il est moins perceptible sur le visage. La vitesse semble diminuer, et c'est en partie vrai. L'eau est plus lisse, la coque y glisse en douceur. Le bateau ne dérive plus (on peut relever la dérive) et le rappel n'est plus nécessaire. L'équipage s'installe à l'aise à l'intérieur du cockpit. Le vent et le bateau vont désormais « la main dans la main », on est au **grand-largue.**

Au vent arrière, on met les voiles en ciseaux.

On est peut-être même déjà au **vent arrière,** car dans ce secteur les points de repère manquent, il arrive qu'on abatte sans s'en rendre compte. La girouette est hésitante, les pennons ne donnent plus qu'une indication molle et lasse. L'incertitude règne. On peut essayer de faire passer le foc sur le bord opposé à la grand-voile (d'établir les voiles **en ciseaux**). S'il refuse de passer, cela indique que l'on n'est pas encore vent arrière. S'il passe, on est vent arrière; mais rien n'indique qu'on n'est pas *trop* vent arrière.

Le barreur doit ici faire preuve d'une grande discrétion dans l'usage de la barre. En se tenant debout la barre entre les jambes, il peut ressentir, dans les pieds, les plus fines réactions du bateau.

Cette allure *passive* du vent arrière, qui semble au premier abord beaucoup plus facile que les allures *actives* du près, n'est pas exempte de traîtrises :

— si l'on donne un coup de barre un peu trop appuyé sous le vent, le bateau peut partir dans une vive auloffée et venir en travers, le vent se révélant d'un seul coup plus fort qu'il n'y paraissait;

— à l'inverse, en donnant de la barre au vent, on peut dépasser la position vent arrière sans le savoir. Le bateau commence à recevoir le vent de l'autre côté, du côté où se trouve la grand-voile ; il prend celle-ci à revers et brusquement l'envoie sur l'autre bord, aussi vite et aussi simplement qu'on tourne la page d'un livre. Ici, la page se trouve lestée d'une trique nommée bôme qui, balayant l'étendue, ne manque pas de percuter au passage les têtes émergeant du cockpit, et va heurter plus ou moins violemment le

Dès qu'il y a un peu de vent, empannage rime souvent avec chavirage.

hauban du côté opposé. Cela s'appelle un **empannage.** Par petit temps il ne présente aucun danger. Mais le vent est parfois un lecteur nerveux : la bôme, en passant vivement d'un bord sur l'autre, risque d'engager le bateau dans une auloffée irrésistible sur le nouveau bord, et ce renversement de situation peut conduire au chavirage.

Quoi qu'il en soit, pour le moment, une page est effectivement tournée : jusqu'ici, du près au vent arrière, le bateau avait toujours reçu le vent du même côté ; pour la première fois il le reçoit désormais de l'autre. Le côté sous le vent est devenu le côté au vent, et réciproquement. Qu'on l'ait fait exprès ou non, on a **viré de bord.**

Les virements de bord

Il y a deux façons de virer de bord : en passant par la position vent arrière (virement lof pour lof), ou en passant par la zone interdite du vent debout, du près au près (virement vent debout).

L'expérience prouve que le débutant livré à lui-même fait beaucoup plus rapidement connaissance avec le virement lof pour lof qu'avec le virement vent debout, bien que celui-ci présente nettement moins d'aléas que celui-là.

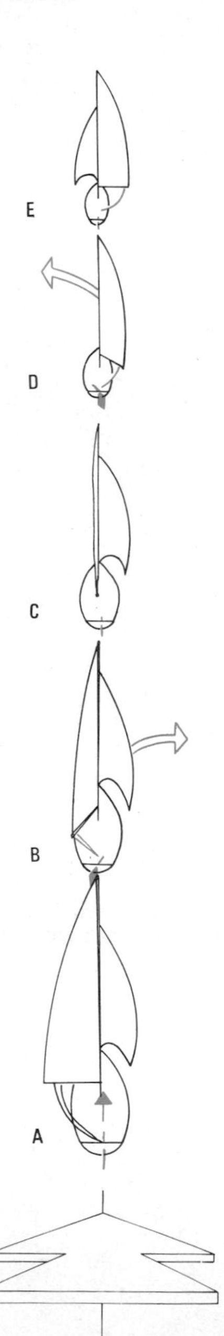

Le virement lof pour lof.

L'empannage, tel qu'on vient de le subir, n'est pas une solution pour virer de bord : il est surtout une mauvaise surprise, et l'on a généralement beaucoup de difficultés à reprendre tout de suite le contrôle du bateau quand il se produit. Plutôt que de l'essuyer passivement, comme un mal inévitable lorsqu'on veut virer vent arrière, il vaut mieux prendre ses dispositions pour le mener à bien en douceur, en conservant la maîtrise de la manœuvre. C'est toute la différence entre l'empannage et le virement lof pour lof : celui-ci est un empannage volontaire, prévu et organisé.

Pour virer lof pour lof, la principale difficulté demeure de trouver l'exacte position vent arrière. On observe la girouette. On s'efforce de repérer le vent sur ses oreilles. Lorsqu'on pense être plein vent arrière, on commence à border la grand-voile, progressivement, jusqu'à l'amener dans l'axe. Naturellement cette manœuvre a pour effet de modifier l'équilibre du bateau, il a tendance à loffer, surtout au début du mouvement. Il faut donner un peu de barre au vent, de façon à conserver le cap.

On avance sur un fil. Théoriquement, par vent léger, lorsque la grand-voile est complètement bordée, elle ne doit avoir tendance à se gonfler ni d'un côté ni de l'autre. Elle n'a plus aucun effet sur la marche du bateau, celui-ci continue à avancer sous la seule action du foc (qui n'est évidemment plus déventé).

Pratiquement, il est rare que l'on se trouve exactement vent arrière, ou que l'on parvienne à s'y maintenir.

— Si l'on est un peu trop vent arrière, la voile passe brusquement sur l'autre bord avant d'être complètement bordée : on fait un semi-empannage aux effets beaucoup plus contrôlables que l'em-

Virement lof pour lof.
A. Se mettre bien vent arrière.
B. Border progressivement la grand-voile, tout en contrariant à la barre la tendance du bateau à loffer.
C. Faire passer la voile.
D. Filer en grand son écoute, tout en contrariant à la barre la tendance du bateau à loffer sur le nouveau bord.
E. Faire passer le foc.

pannage intégral. Il faut alors lâcher immédiatement l'écoute pour que la grand-voile ne reste pas bordée sur le nouveau bord.

— Si l'on n'est pas tout à fait vent arrière, la voile, même complètement bordée, ne manifeste pas l'intention de passer de l'autre côté. On donne alors un léger coup de barre au vent pour que le bateau **arrive** un peu plus; la voile passe; tout aussitôt on file en grand l'écoute (attention à ne pas s'y prendre les pieds). A l'instant où la voile s'établit sur le nouveau bord, il est difficile de garder le bateau en position vent arrière, il a tendance à partir au lof sur le nouveau bord et cette auloffée est d'autant plus vive que la voile reste trop bordée. Il faut choquer l'écoute rapidement et compenser la tendance à loffer en poussant la barre sur le nouveau côté au vent (mais pas trop, sinon on risque d'empanner en sens inverse!). Il ne reste plus ensuite qu'à passer le foc, qui a été quelque peu négligé durant l'opération.

En somme le virement lof pour lof, pour être réussi, exige une conscience aiguë de l'équilibre du bateau, une certaine finesse dans l'appréciation du vent, des réflexes rapides. Il ne s'agit pas de le considérer comme une manœuvre périlleuse qu'on aborde les dents serrées. Mais il faut évoluer sur la pointe des pieds, ne rien brusquer, traiter la voile comme une page d'album rare et poser sur la barre un doigt de fée.

On s'entraînera longuement par beau temps, avant de s'y risquer par vent frais. En attendant, par vent frais, il faudra choisir de virer vent debout, même si cela doit rallonger la route. Le virement vent debout semble plus difficile à réaliser que le virement lof pour lof, mais il est franc comme l'or.

Le virement vent debout.

On a déjà constaté que le bateau parvenu à l'allure du près ne pouvait plus gagner au vent, approchait d'une zone interdite. Virer vent debout, c'est, partant du près, faire franchir à l'étrave cette zone interdite, pour que le bateau se retrouve au près, sur l'autre bord.

Puisque les voiles n'ont aucune action propulsive durant le passage de l'**angle mort,** on ne peut compter que sur l'élan, **l'erre** acquise par le bateau. Il faut donc avant tout que celui-ci possède une bonne vitesse.

On commence par repérer le cap que l'on devra suivre quand on sera au près sur l'autre bord. Ce cap se situe à environ 90° de la direction que l'on suit actuellement. On repère donc un point à terre, du côté au vent, c'est-à-dire derrière soi, par le travers du bateau.

On se présente au près, voiles correctement bordées, avec bonne vitesse. Au moment choisi, le barreur lâche la barre et embraque à deux mains l'écoute de grand-voile; dans le même temps, tout

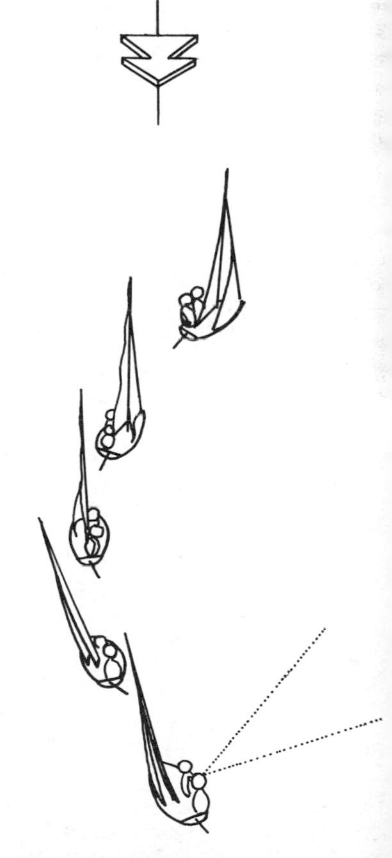

Virement vent debout.

le monde se rapproche de l'intérieur du bateau pour l'inciter à gîter un peu. Sous l'effet de la gîte et de la grand-voile très bordée, il loffe rapidement. Le focquier observe son foc, et ne le lâche pas tant qu'il n'a pas commencé à faseyer; dès qu'il faseye, le focquier choque l'écoute en grand, prend en main la **contre-écoute** (l'écoute au vent), sans l'embraquer. L'équipage commence à émerger sur l'autre bord lorsque le point d'écoute du foc, battant dans le lit du vent, passe de l'autre côté du mât. A ce moment le focquier borde le foc sur le nouveau bord. Le barreur, qui a dû transférer barre et écoute d'une main dans l'autre, retrouve la grand-voile bordée sous le vent, présentant au vent son autre face ; il la déborde un peu pour que le bateau reprenne de la vitesse. L'affaire est faite.

Au début, le virement de bord risque de s'effectuer dans une certaine confusion : les voiles battent, le bateau tourne, le vent vient d'on ne sait plus où, chaque équipier recherche sa place à tâtons sous la menace de la bôme. Le monde bascule et l'on est presque étonné de retrouver, à peu près face à l'étrave, le point de repère que l'on avait pris tout à l'heure.

Parfois, le virement est réussi de justesse : le bateau prend le vent sur le nouveau bord, mais n'a plus aucune vitesse. On doit alors choquer vivement les écoutes pour ne pas gîter brutalement, et laisser porter pour reprendre de la vitesse, avant tout autre chose. Il peut arriver aussi qu'on rate ce virement (aussi bien le millième que le premier) : le bateau ne parvient pas à franchir le lit du vent, s'arrête, et retombe en travers sur le bord qu'on voulait quitter. Ici aussi il faut choquer les écoutes en abattant, pour ne pas prendre un coup de gîte; puis tout recommencer, non sans s'être interrogé sur les causes de l'échec.

Tout d'abord, était-on bien au près ? Avait-on suffisamment de vitesse ? A-t-on bordé correctement la grand-voile au moment de virer ? L'action de celle-ci est en effet essentielle pour faire loffer le bateau.

La mauvaise manœuvre du foc reste l'erreur la plus fréquente. Si on choque son écoute avant qu'il ne faseye, le bateau perd de la vitesse au mauvais moment. Mais surtout, si on borde ce foc trop tôt sur le nouveau bord, alors que le bateau n'a pas encore franchi nettement le lit du vent, il va reprendre le vent sur le bord initial, stopper net l'évolution de l'étrave, et la ramener en arrière. C'est en général ici que les rapports entre le barreur et son équipier commencent à se dégrader. L'équipier doit donc bien observer le foc et ne pas se précipiter : le border sur le nouveau bord uniquement lorsqu'il le voit battre nettement de l'autre côté du mât, sur une ligne joignant l'étai au hauban.

D'autres erreurs sont possibles : au lieu de lâcher simplement la barre, on la pousse très violemment sous le vent, et le safran freine sans même faire évoluer le bateau; au contraire on la retient un peu, et le bateau épuise son élan dans une auloffée trop lente. Il se peut aussi que l'équipage demeure trop longtemps à la contre-gîte d'un bord, ou se précipite trop rapidement sur l'autre, alors que les voiles ne reçoivent plus ou pas encore de vent. Ici le virement de bord peut se trouver remis à une date ultérieure pour cause de chavirage.

Le déplacement correct de l'équipage dans le bateau est certainement problématique au départ : il doit être synchronisé avec le mouvement giratoire du bateau, et s'effectuer sans à-coup, d'un seul mouvement (un bon virement de bord est rapide, il dure de 5 à 10 secondes au plus). Les équipiers doivent se rapprocher du milieu du cockpit comme l'étrave se rapproche du lit du vent; être au milieu quand elle le franchit; passer sur l'autre bord quand le bateau abat sur la nouvelle **amure.**

Mais la réussite du virement vent debout est surtout basée sur l'action initiale du barreur : lâcher la barre, border la grand-voile à fond; le bateau en pivote sur place, tant il est surpris.

Les amures.

Lorsqu'un bateau reçoit le vent par la droite, on dit qu'il est **tribord amures;** lorsqu'il le reçoit par la gauche il est **bâbord amures.** Cette façon de dire peut surprendre, car sur les voiles triangulaires d'un dériveur, les points d'amure sont remarquablement fixes. Mais dans tous les cas le point d'amure est le point le plus au vent des voiles. En comparant sa position à celle du point d'écoute, on constate que, si le vent vient de tribord, le point d'amure est à tribord par rapport au point d'écoute : on est tribord amures. Et de même sur bâbord.

Lorsqu'on vire de bord, vent debout ou vent arrière, on change donc d'amure. Cette désignation de l'amure est utilisée également pour définir les règles de route : conventionnellement, lorsque deux bateaux naviguent sous des amures différentes et que leurs routes se croisent, le bateau qui est bâbord amures doit manœuvrer pour laisser passer le bateau tribord amures.

Le bateau bâbord amures doit s'écarter de la route du bateau tribord amures.

Le louvoyage.

Si l'on a appareillé avec un vent qui écartait de la côte, et que le vent n'a pas varié au cours de la sortie, pour revenir au point de départ il faut remonter contre le vent. Pas question de faire la route en ligne directe, puisque le bateau ne peut progresser à moins de 45° du lit du vent. Il faut donc courir au près sous une amure, puis sous l'autre, il faut **louvoyer.** On dit aussi : **tirer des bords.**

La route que l'on suit ainsi n'est évidemment pas idéale : le chemin à parcourir est beaucoup plus long et le bateau, au près, ne va pas très vite. *Au louvoyage, deux fois la route, trois fois le temps, quatre fois la rogne,* disait-on jadis. C'est cependant pour un voilier le seul moyen de gagner un point situé dans le lit du vent (il est concevable qu'à l'issue de cette première sortie on décide de s'acheter un bateau à moteur).

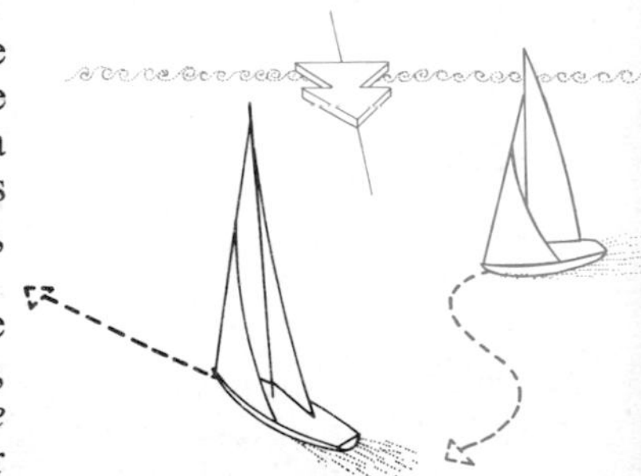

S'ils sont sous la même amure, c'est celui qui est le plus au vent qui doit se dérouter.

Il faut enfin pouvoir regagner la rive. Cela n'est pas simple lorsque le vent vient justement de l'endroit où l'on veut accoster. S'il n'y a pas beaucoup d'eau, on est obligé de relever la dérive pour approcher. Or, il faut savoir qu'à partir du moment où celle-ci sera relevée le bateau dérivera beaucoup : il sera impossible de remonter au vent. Le plus simple (pour aujourd'hui) est de relever dérive et safran avant qu'ils ne risquent de toucher, puis de terminer à la godille ou à la pagaie.

Dérive relevée, le bateau ne progresse plus dans le vent. On peut terminer à la godille, ou tout simplement débarquer : quand il n'y a plus assez d'eau pour la dérive, on a pied.

Si le vent souffle parallèlement à la rive, on peut rallier celle-ci sans problème, vent de travers, en relevant progressivement dérive et safran. Mais attention : il est préférable d'arrêter le bateau autrement qu'en heurtant la berge. Juste avant d'arriver on pousse la barre pour venir bout au vent, toutes écoutes choquées. Le bateau s'immobilise et l'on débarque aussitôt pour le retenir.

Enfin, si le vent souffle du large, il n'y a aucune difficulté. Il suffit de se replacer dans la situation du début de ce chapitre : lâcher tout, relever dérive et safran. Le bateau vient en travers du vent et dérive doucement jusqu'à la côte.

Le chavirage.

Il faisait tellement beau que l'on n'aura probablement pas eu l'occasion de chavirer au cours de cette première sortie. Néanmoins, comme cette éventualité a été plusieurs fois envisagée au cours du chapitre, il faut en parler avant de conclure.

Le plus souvent (mais non toujours), le bateau chavire sous le vent, à un moment où il se trouvait sans vitesse, voiles bordées, et gîtant au-delà des limites possibles.

Il se couche, et reste couché, coque soutenue par ses réserves de flottabilité, mâture à la surface de l'eau. L'équipage tombe en vrac sous le vent.

Première précaution : ne pas tenter de se raccrocher à l'intérieur du bateau, ni de prendre appui sur le mât ou sur le gréement. Le bateau risque alors de se retourner complètement; l'avenir du mât est très compromis s'il va se ficher au fond de l'eau, et le redressage devient très difficile sans aide extérieure.

Le bateau restant couché, l'un des équipiers en fait le tour pour venir peser sur la dérive. C'est en effet le seul point d'appui possible pour redresser le bateau (si l'on naviguait au vent arrière, dérive relevée, il faut donc d'abord parvenir à « baisser » celle-ci; l'un poussant, l'autre tirant : c'est du boulot).

Le préposé au redressage appuie sur la dérive et, la plupart du temps, le bateau se redresse sans difficulté. Si ce n'est pas le cas ou que le bateau rechavire plusieurs fois, il est bon qu'un des équipiers aille tenir l'étrave de façon à ce que le bateau évite vent debout. L'opération est alors plus facile.

Un bateau comme le Vaurien, lorsqu'il est redressé, contient encore une certaine quantité d'eau. La stabilité de la coque se trouve donc réduite, et l'on risque de chavirer à nouveau si l'on tente d'embarquer par le côté, ou d'embarquer à deux, et si l'on se déplace inopportunément à bord. Un seul équipier embarque donc, par le tableau, et vide le bateau en se tenant dans la partie la plus large du cockpit. Il aide ensuite son camarade à remonter, également par le tableau. On remet tout en ordre et l'on repart.

Pour un équipage entraîné, cette remise à flot est rapide. Pour des débutants c'est très différent. Avant toute chose, il peut être préférable de mouiller (d'ailleurs, l'ancre doit être placée à bord de telle façon qu'elle puisse tomber d'elle-même au fond, au moins lorsque le bateau se retourne complètement). Mouiller est, en tout cas, nécessaire si le vent pousse le bateau vers une côte dangereuse, ou vers le large.

Autre règle essentielle : si l'on chavire et que l'on ne parvient pas à redresser, **il ne faut jamais quitter le bateau.** La côte est toujours plus loin qu'on ne le croit; une coque se repère plus facilement sur l'eau qu'un nageur; cette coque constitue enfin la meilleure bouée qui soit, en attendant les secours.

On ne tardera pas à remarquer que, sur beaucoup de dériveurs, le redressage semble plus facile que sur le Vaurien. Certains bateaux sont dotés de réserves de flottabilité telles que l'eau n'arrive même pas jusqu'au cockpit lorsqu'ils chavirent. Quand ils se redressent ils sont vides et l'on peut repartir immédiatement. Cela paraît constituer un avantage, et en est effectivement un pour un équipage entraîné, capable de passer rapidement sur la coque au moment où le bateau se couche, de peser sur la dérive et de rentrer à bord avec un bel ensemble quand le bateau se redresse. Mais il est rare que des débutants parviennent à s'en sortir ainsi. Généralement, ils tombent à l'eau et les difficultés commencent : la coque flotte très haut sur l'eau, la dérive est difficile à atteindre, le bateau dérive rapidement, il peut échapper à l'équipage. L'assurance supplémentaire que paraissait représenter cette flottabilité totale n'en est soudain plus une. C'est en fait une raison de plus pour éviter de débuter sur ce genre de bateaux.

Sur un Vaurien, tout compte fait, les difficultés mêmes que présente la remise à flot du bateau font que l'on y regarde en général à deux fois avant de prendre le risque de chavirer. Nous pensons que pour un débutant c'est encore la meilleure façon d'aborder le problème. Il faut sans doute se préparer à l'éventualité d'un chavirage, et même s'y entraîner, sous surveillance, afin de ne pas être pris complètement au dépourvu le jour où cela se produira pour de bon. Mais il semble conforme à l'esprit marin de considérer que le chavirage est à éviter autant que possible. Il faut savoir que l'on s'épuise vite à redresser le bateau (lorsqu'on a déjà chaviré deux fois de suite il devient déraisonnable, pour un débutant, de s'obstiner avant de s'être reposé). Il est en tout cas stupide de rechercher le chavirage et plus encore d'en être fier. On ne chavire jamais que sur une faute de manœuvre : il n'y a donc pas de quoi pavoiser.

Il faut maintenant aller plus loin. Les principes de manœuvres exposés dans ce chapitre sont des principes rudimentaires qui auront besoin d'être complétés pour prendre toute leur valeur.

Certaines façons de faire, peut-être utiles au commencement, devront être révisées. Par exemple, il est souhaitable que l'on cesse bientôt de prendre des points de repère à la côte, comme nous l'avons parfois proposé ici, et que l'on s'applique à diriger le bateau uniquement en fonction du vent, de sa direction, de ses variations, des chances qu'il offre ou qu'il refuse.

Certaines notions devront être dépassées. Il serait dangereux, par exemple, de se créer des convictions trop solides, du genre : le foc fait abattre, la grand-voile fait loffer — comme nous l'avons laissé entendre ici. C'était exact dans le cas précis que nous avons évoqué, mais les rapports entre la voilure et l'équilibre du bateau sur sa route sont en fait beaucoup plus complexes (et l'on rencontrera des bateaux très ardents sous foc seul!).

Il importe surtout pour le moment de pressentir qu'un bateau et son équipage forment un tout, où chaque élément fonctionne en relation avec l'ensemble, à l'intérieur d'un réseau d'influences multiples. Nous n'avons mis en place que les grandes mailles du filet. Il faudra en nouer de plus fines pour saisir le meilleur de l'affaire.

première partie

Le bateau

Nous le savons maintenant : un bateau ne marche pas tout seul. Pour qu'il aille à peu près droit, on doit déjà se donner du mal; pour qu'il livre tous ses secrets il va falloir se passionner beaucoup plus, tenter de comprendre le jeu des forces qui l'animent, s'initier aux subtilités de son réglage. Ce n'est pas tout : il faudra apprendre aussi à connaître le bateau lui-même, et cet apprentissage-là nous semble essentiel. On doit tout de suite être persuadé d'une chose : un bateau n'est pas un objet qu'on prend puis qu'on laisse sans autre forme de procès. Le considérer ainsi, c'est se condamner à rester toujours un peu étranger au monde qu'on prétendait découvrir. Il n'y a pas de compréhension véritable de la mer sans compréhension du bateau. C'est peu dire qu'il faut y faire attention : les rapports que l'on doit entretenir avec lui sont de l'ordre de la connivence. Ou bien ce n'est pas la peine.

C'est pourquoi nous plaçons, presque en tête de ce livre, des chapitres qui sont habituellement relégués dans les fonds. Après avoir présenté quelques types de bateaux et analysé les raisons pour lesquelles un bateau avance, nous tenterons de faire le tour des connaissances pratiques qui nous semblent nécessaires. Il ne s'agit évidemment pas d'entreprendre ici un traité d'architecture navale, pas plus que de décrire un matériel à l'état pur, tel qu'on peut en voir dans les Salons. Notre point de vue sera délibérément utilitaire : on dispose de tel bateau, il faut connaître ses points sensibles, savoir comment il vit et comment il vieillit, et ce que l'on peut faire pour le garder en bonne santé. Il s'agit en fait d'acquérir les bases d'un certain discernement, capable de s'exercer à tous les niveaux : choix, mise au point, utilisation, entretien, réparations simples.

Ce discernement a des avantages divers. Il incite tout d'abord à compter sur soi. C'est indispensable en mer, où, lorsque quelque chose ne va pas, il n'est pas question de trouver un « responsable » sur lequel on puisse tomber à bras raccourcis (cette tournure d'esprit est à oublier aussi complètement que possible). Il permet d'autre part de considérer le bateau autrement que comme un objet de luxe qui ne s'entretient qu'à grands frais. En même temps, il rend possible une collaboration efficace avec les professionnels, permet d'obtenir d'eux exactement ce que l'on souhaite, et de les raffermir dans leur souci de fournir un travail de qualité.

Les questions évoquées ici sont variées et conduisent parfois à des analyses un peu austères. Cette partie n'est sans doute pas à lire d'une seule traite. Les deux premiers chapitres mis à part, elle constitue plutôt une réserve de renseignements, dans laquelle on peut puiser à l'aide de l'Index. Elle ne prétend pas être exhaustive : vouloir faire le tour d'un domaine où l'évolution est constante serait tout à fait illusoire. Telle quelle, elle s'efforce plutôt de reconstituer un parcours complexe, sinueux, marqué de temps d'arrêt et de retours en arrière, d'hésitations et de pressentiments, tel que peut l'être le parcours de l'œil du maître à bord.

2. Styles de plaisance, types de bateaux

La principale caractéristique d'un bateau à voile, de nos jours, est son inutilité flagrante. Il a perdu tous ses emplois traditionnels. Les passagers qu'il accueille n'ont aucune raison sérieuse d'entreprendre un voyage. Les marchandises qu'il transporte sont dévorées en cours de route. Lorsqu'on part vers l'Ouest, on sait où l'on va. Les pirates sont devenus rares. Les Corsaires se sont faits tout petits.

Reste l'envie de naviguer. Les bateaux à voile d'aujourd'hui sont faits (faut-il le rappeler ?) pour des hommes, et des femmes, qui éprouvent le besoin de courir les mers pour leur plaisir. Ce besoin est curieux, mais vif. Il peut revêtir des formes très diverses. Pour les uns, naviguer c'est d'abord l'occasion de faire du sport : rivière, lac ou mer, l'essentiel est de trouver un *plan d'eau* sur lequel on puisse s'ébattre, ruser avec le vent, les vagues et les confrères pour arriver le premier. Pour d'autres, ces plans d'eau sont avant tout des paysages : il est agréable de s'y promener, de pêcher, d'explorer les recoins de la côte, de découvrir la terre sous un aspect nouveau. Pour d'autres encore, naviguer c'est vivre de façon différente, et c'est vivre en mer, en croisière.

Ces différentes conceptions déterminent des styles de plaisance différents. Toutefois les limites entre ceux-ci sont imprécises. Elles tiennent, en fait, à une notion plus fondamentale : celle du degré d'autonomie dont on souhaite disposer, dans l'espace, dans le temps, et dans le mauvais temps. Jusqu'où veut-on aller, combien d'heures veut-on passer sur l'eau, dans quelle mesure accepte-t-on de rencontrer des difficultés ? Cette autonomie, liée aux souhaits d'un individu, se trouve limitée effectivement par ses capacités, sa résistance physique et morale. Elle dépend aussi du bateau qu'il utilise, de son aptitude à affronter la mer et des conditions de vie qu'il offre. Chaque bateau a sa dominante d'emploi, dont il ne peut guère s'écarter, ni dans un sens ni dans l'autre (ici, qui peut le plus ne peut pas forcément le moins).

En fait, si l'on veut définir avec une certaine précision un certain style de plaisance, il faut se livrer à un va-et-vient constant, dans la description, entre l'activité qui le caractérise et les bateaux qui permettent cette activité. Louvoyer en quelque sorte entre ses désirs et la réalité. C'est ce que nous allons tenter de faire, en présentant pour chaque style de plaisance un certain nombre de bateaux actuels.

Sans doute faut-il préciser tout de suite les limites de ce choix : ce sont celles de notre expérience. Le Centre nautique des Glénans est essentiellement une école d'initiation et de croisière. Nous avons déjà parlé des bateaux d'initiation. Nous ne ferons qu'évoquer le domaine des régates, de la promenade et de la pêche (quoique nous ne manquions pas d'augustes pêcheurs) et nous envisagerons plus en détail le monde de la croisière. Pour l'illustrer, nous présenterons uniquement des bateaux que nous connaissons bien : il en existe évidemment beaucoup d'autres, et d'excellents. Nous laisserons de côté les multicoques, catamarans, ou trimarans que nous n'avons pas eu l'occasion d'utiliser; de même les gros bateaux peu répandus, tels que yawl, ketch, goélette ou trois-mâts. Il ne s'agit de décrire que les styles de plaisance les plus classiques, et des bateaux qu'un plaisancier moyen peut utiliser couramment aujourd'hui.

Régates

Jadis, pour régater, on mettait un chapeau de paille et un veston de fantaisie; aujourd'hui on revêt une combinaison de plongeur sous-marin. Les temps ont bien changé, les bateaux aussi, et la façon de s'y tenir. Il faut aller de plus en plus vite. Toutes les caractéristiques d'un dériveur de compétition sont liées à cette exigence.

Sur une coque aussi légère que possible, on place donc un « gros moteur », c'est-à-dire une voilure considérable. La coque n'a rien d'un lieu de séjour, la plupart du temps elle est un simple support sur lequel l'équipage prend appui pour aller chercher à l'extérieur, et parfois très loin, l'équilibre qui fait cruellement défaut à l'ensemble. Que le bateau soit instable, personne toutefois ne songe à s'en plaindre : c'est justement ça qui est bien.

Sur un dériveur de compétition, tout peut être réglé en cours de route : le mât, le gréement, la voilure. Parvenir à contrôler cette structure frêle, sensible, qui tire du jeu des contraires une puissance énorme, est un objectif fascinant. Mais il faut d'abord savoir s'y retrouver, dans le fouillis des manœuvres et la multiplicité des pièces d'accastillage; savoir sortir au trapèze à bon escient, et maîtriser le **spinnaker,** cette bulle multicolore et capricieuse que l'on utilise du vent arrière jusqu'au petit largue.

Les régates sont un exercice subtil. Un dériveur doit être très maniable, avoir des réactions extrêmement vives. Par petit temps, il faut non seulement savoir utiliser le vent au mieux, mais manœuvrer au plus juste pour tenter de mettre les adversaires en mauvaise posture, tout en échappant soi-même aux guets-apens. Par vent frais, à l'esprit de finesse doivent s'allier des qualités athlétiques et

des réflexes rapides. Se maintenir sur l'eau (tout en fonçant comme un bolide) devient une préoccupation essentielle. La moindre faute de manœuvre est immédiatement sanctionnée : on chavire.

Le bateau doit être insubmersible : il faut pouvoir le redresser rapidement et repartir, ou tout au moins s'y accrocher en attendant les secours. Ici la véritable sécurité est à l'extérieur : elle est assurée par un quart à terre, et des embarcations à moteur capables d'intervenir rapidement. L'autonomie dont on dispose est très réduite, ses limites vite atteintes : un équipage très entraîné, sur un plan d'eau où la surveillance est particulièrement efficace, peut à la rigueur tenir encore par vent de force 6 à 7, mais à ce stade il s'agit surtout d'un exercice de virtuosité — enthousiasmant d'ailleurs.

Rapide, maniable, insubmersible, un dériveur de compétition doit également être transportable. Il a si peu d'existence propre, en effet, qu'il ne peut sans risques demeurer au mouillage. En principe, son équipage doit pouvoir le porter (mais bien souvent, un chariot approprié, ou quelques paires de bras supplémentaires s'avèrent utiles).

Dernier détail : pour qu'un dériveur de compétition soit intéressant, il doit appartenir à une série, bien représentée sur le plan d'eau où l'on navigue. Avec un engin hors-série, on aura peut-être quelques fugitives satisfactions d'amour-propre, mais régater tout seul est infiniment triste.

Nous présenterons ci-dessous deux dériveurs de compétition bien connus : l'un pour solitaire, le FINN ; l'autre pour deux équipiers, le 470.

Finn.

Architecte : Richard Sarby.
Année de lancement : 1949.
Longueur : 4,50 m.
Largeur : 1,51 m.
Surface de voile : 10 m².
Poids : 150 kg.

Bateau prestigieux, retenu dès son apparition pour les épreuves en solitaire des Jeux olympiques, le Finn est un cat-boat, à coque en forme, désormais réalisé en matière plastique. Il est relativement lourd. A la différence de la plupart des dériveurs, il possède une dérive métallique, qui joue dans une faible mesure le rôle de lest. Son gréement est très simple : aucun haubannage ne soutient le mât; la bôme est enfilée dans celui-ci, et l'ensemble mât-bôme pivote pour permettre d'orienter la voile.

En dépit de cette simplicité, le Finn est un bateau coûteux, car sa construction est particulièrement soignée; son réglage et sa manœuvre sont subtils et le réservent à des barreurs expérimentés, de préférence taillés en athlètes : si l'on pèse moins de 80 kg, on a beaucoup de mal à le maîtriser.

Il existe d'autres cat-boats — le Moth, la Yole OK par exemple — qui coûtent moins cher, et acceptent des solitaires moins gros.

470.

Architecte : André Cornu.
Année de lancement : 1965.
Longueur : 4,70 m.
Largeur : 1,68 m.
Surface de voilure au près : 12,70 m².
Spinnaker : 12,50 m².
Poids : 115 kg.

Le 470 est un sloop à deux équipiers, à coque en forme, en matière plastique. Il comporte un trapèze, un spinnaker, et tout le petit matériel d'accastillage en vigueur.

Entre le 420 d'une part, le 505 et le Flying-Dutchman d'autre part, c'est un dériveur de compétition « moyen ». Il ne requiert pas, pour être bien mené, des qualités physiques exceptionnelles : même un équipage léger peut y survivre. Son prix reste abordable. Très développée, la série des 470 a un statut international, et les régates sont de haute volée.

Lorsqu'on souhaite, l'âge venant, barrer des bateaux plus stables, tout en restant dans le domaine de la haute compétition, on est normalement tenté d'acquérir un bateau à quille du type Soling ou 5,5 m JI. Mais il faut savoir, tout en vieillissant, gagner un peu d'argent.

Promenade et pêche

Un bateau de promenade, un canot de pêche ont des caractéristiques très différentes de celles du dériveur de compétition. Leur première qualité doit être la stabilité. Ici, on n'embarque pas pour passer sa journée cramponné au plat-bord; on veut s'asseoir comme des êtres humains. On se moque de la performance, des voiles de haute couture et des gadgets coinceurs. On se promène, et il y a de tout dans le bateau, des jeunes et des vieux, des gros et des maigres, à boire et à manger. On souhaite pouvoir profiter du soleil, regarder le paysage, ou même ne pas le regarder ; être libre en somme, et à son aise (mais sait-on encore se balader ainsi ?).

Les bateaux doivent être larges et lestés, pour être stables; de faible tirant d'eau, pour permettre l'exploration des anfractuosités de la côte. Ils doivent être en même temps bons marcheurs, surtout le bateau de promenade : la vitesse fait partie du plaisir et du confort; c'est aussi un élément de sécurité : il faut pouvoir rentrer rapidement si le temps se gâte.

Un canot de pêche doit avoir un cockpit profond, où l'on puisse se tenir debout, spacieux pour éviter les coups de bambous; des plats-bords étroits pour que l'on puisse travailler au-dessus de l'eau (lever un casier, un filet, cueillir une grosse pièce dans l'épuisette...). Il est souhaitable qu'il ne chahute pas trop au mouillage. Qu'il dispose d'un diesel, car pêcher à la traîne sous voile n'est pas toujours possible.

Bateaux de promenade et canots de pêche sont souvent des bateaux ouverts : une vague peut les remplir. Ils doivent donc être insubmersibles; s'ils chavirent, il faut pouvoir les vider, remonter à bord et rentrer.

Dans cette catégorie de plaisance, le même bateau peut souvent servir à la fois pour la promenade et pour la pêche. Le FREHEL en est un bon exemple. Nous présenterons aussi un bateau de promenade plus sportif : le MARAUDEUR.

Fréhel.

Architecte : Henri Garreta.
Année de lancement : 1966.
Longueur hors-tout : 5,10 m.
Longueur à la flottaison : 4,25 m.
Largeur : 2 m.
Tirant d'eau : 0,65 m.
Lest : 150 kg.
Poids total : 550 kg.
Surface de voile : 17,50 m².
Moteur Diesel : 7 cv.

Le Fréhel est une version moderne du Canot breton. Réalisé en matière plastique, il est gréé en sloop franc, c'est-à-dire qu'il possède un gréement aurique : grand-voile à corne, surmontée d'une autre petite voile, le flèche, du plus réjouissant effet; foc amuré sur un boute-hors. Il existe également une version du même bateau avec une petite cabine et un gréement marconi.

Sous voiles marconi, le bateau remonte mieux au vent. Sous voiles auriques, il va plus vite aux allures portantes. De toute façon sa coque, large et bien défendue, n'est pas taillée pour la course, et l'on ne peut espérer avec ce genre de bateau faire un près très serré : il lui faut du vent dans les voiles.

Mais il est robuste et pratique. Sa quille longue lui assure une bonne stabilité de route, un échouage facile. Il est insubmersible.

Un tel bateau permet de s'éloigner à un ou deux milles de la côte, d'aller « aux îles » un jour de grand beau temps. Ses possibilités en tant que voilier sont toutefois assez limitées et le diesel est un auxiliaire indispensable.

On construit actuellement toutes sortes de canots du même genre, souvent dans un style résolument régionaliste : le PESCADOU par exemple, pour la Méditerranée.

Maraudeur.

Architecte : Jean-Jacques Herbulot.
Année de lancement : 1958.
Longueur : 4,86 m.
Largeur : 1,72 m.
Tirant d'eau — dérive haute : 0,33 m.
— dérive basse : 1,13 m.
Lest : 70 kg.
Poids total : 272 kg.
Surface de voilure : 14,30 m².

Le Maraudeur est un dériveur lesté, à coque en forme, en matière plastique, gréé en sloop. Il est ponté sur les 3/5e de sa longueur, et possède des superstructures : un **rouf,** abritant deux couchettes. Toutefois cette cabine n'est qu'un abri précaire, et n'est pas prévue pour que l'on y dorme en mer.

Conçu pour la promenade de la journée, le Maraudeur peut cependant progresser par petites étapes le long d'une côte, à condition de ne pas s'écarter à plus d'une heure ou deux d'un abri.

C'est un bateau rapide, remontant bien au vent; il est insubmersible, son cockpit est autovideur, mais son gréement diffère assez peu de celui d'un dériveur léger. Pour lui le mauvais temps est vite venu : un vent de force 5 est le maximum qu'il puisse supporter raisonnablement, et il faut rentrer en vitesse. Comme il n'est pas inchavirable, il ne doit entreprendre des randonnées un peu longues qu'en compagnie d'autres bateaux.

Notons qu'un bateau de ce genre peut parcourir un domaine de navigation extrêmement riche et varié, en se pliant à toutes sortes d'exigences. Il peut pénétrer dans les plus petites anfractuosités d'une côte. Dans le calme, un moteur de 3 CV suffit à le propulser, et ce moteur peut être rangé dans l'un des caissons du cockpit. Il échoue sans problème et peut facilement être tiré au sec le soir, à l'aide d'un rouleau de caoutchouc gonflable, un **roule** (accessoire presque indispensable). Léger, de faible encombrement, il est aisément remorquable, même derrière une voiture modeste. Un équipage sportif et ne craignant pas la vie rustique peut l'emmener n'importe où et se livrer grâce à lui, sur les plans d'eau intérieurs ou sur les mers étrangères, à un vagabondage formidable.

La croisière

Le domaine de la croisière est sans limite. On commence par faire du **cabotage,** sur un petit bateau, le long d'une côte, en partant très tôt le matin et en entrant dans un port inconnu à la nuit tombante. On se souviendra longtemps des dimensions de cette première journée. Plus tard, une fois, on ose appareiller de nuit, par temps clair, dans un endroit aux repères familiers. Le premier moment d'inquiétude passé, le paysage reprend une présence très forte à travers le langage elliptique et sûr de ses feux. Plus tard encore, sur un bateau plus grand, c'est deux jours, trois jours que l'on passe en mer, en **croisière côtière;** on devine qu'autre chose est possible, et que la terre est bien plus belle lorsqu'elle devient simple lieu d'escale. Comment s'arrêter ? On se trouve enfin au grand large, en **croisière hauturière,** sur un grand bateau. La mer est devenue quotidienne, et la notion d'autonomie prend tout son sens. La vie change de ton, de rythme, elle est une succession de veilles aiguës et de vastes paresses. Beau temps, mauvais temps. Quoi qu'on en pense, l'infini n'est pas un bon endroit pour agiter des idées générales : elles s'y abîment. Reste le bonheur de s'occuper uniquement de petits détails, dans l'immensité. Il en est qui font ainsi le tour du monde sans escale, sans presque s'en apercevoir.

D'autres, moins philosophes peut-être, exigeant sans cesse le meilleur de leur bateau et d'eux-mêmes parcourent les mers à bride abattue, en **course-croisière,** ultimes descendants de ceux-là qui s'en allaient naguère chercher au loin le thé et l'opium.

Le degré d'autonomie dont on dispose sur tel ou tel bateau de croisière n'est pas simple à définir. Ici la taille du bateau, son déplacement, le nombre d'équipiers qu'il peut embarquer, ne sont pas des données décisives. L'essentiel tient en fait à cette durée plus grande, élargie au-delà d'un jour, et qui englobe les besoins de la vie ordinaire : manger, dormir, éliminer la fatigue; qui fait apparaître en même temps le risque de se trouver confronté pour de bon au mauvais temps. A des degrés divers, tout bateau de croisière doit donc répondre à ces deux nécessités : être habitable, être sûr. Et posséder de surcroît les qualités marines que l'on est en droit d'attendre de tout bateau.

Toutes ces exigences vont de pair; les facteurs qui les garantissent se recoupent constamment. C'est simplement pour les besoins de l'analyse que nous les séparerons ici.

Habitabilité.

Pendant une durée plus ou moins longue, l'intérieur du bateau est le seul abri que l'on possède. Celui-ci peut être rudimentaire, et l'on y retrouve alors le plaisir des cabanes de l'enfance, mais il doit au moins contenir l'essentiel : le feu, la paillasse, une protection contre l'humidité et le froid.

Sans doute faut-il préciser : il s'agit bien d'habiter un bateau en mer. Il existe des palaces flottants où l'on peut mener une vie de rêve au port mais qui, passé les jetées, se transforment rapidement en bazars universels, puis en cercueils somptueux : un house-boat n'est pas un bateau de croisière.

On peut en naviguant se contenter de peu ; il faut du moins que chacun ait sa couchette et un endroit pour ranger ses affaires. Il faut aussi de la place pour la cuisine, et les vivres; pour le matériel de navigation; pour les voiles et le matériel de rechange; sans parler de la guitare ou du cornet à piston.

Au milieu de tout cela, on doit trouver un minimum de confort ; on demande simplement que le bateau soit étanche, bien aéré; que l'on puisse manger chaud et surtout bien dormir. Ce dernier point est capital et l'autonomie du bateau en dépend en grande partie : bien reposé, on tient longtemps.

Sécurité.

Bien reposé, on est prêt à affronter des coups durs, et on est de bonne humeur : la couchette est donc aussi un élément de sécurité.

Il en existe toutefois de plus fondamentaux. Ce ne sont pas, comme on l'a cru longtemps, la taille du bateau, ni son déplacement. On sait désormais qu'un petit bateau peut affronter les mêmes temps qu'un gros : Jean Lacombe sur son GOLIF de 6,50 m a participé à la même course transatlantique que Tabarly sur *Pen Duick II* (13,70 m). Il faut noter d'autre part qu'à taille égale, un bateau moderne est beaucoup plus sûr qu'un bateau ancien : il y a quinze ans, un bateau de 6,50 m était un Canot breton, non ponté, avec lequel il n'était pas question d'aller bien loin; aujourd'hui c'est, par exemple, un MOUSQUETAIRE.

De même, un bateau léger s'avère tout aussi marin qu'un bateau lourd. Par mauvais temps un gros bateau est difficile à manœuvrer; un bateau plus léger se met plus facilement à la cape, et soulage mieux à la lame que lui. La tendance actuelle est d'ailleurs à la disparition progressive des déplacements lourds, au profit des déplacements moyens et légers. *La Sereine* mesure 12,50 m et pèse 12 tonnes, *Red Rooster* a la même taille et n'en pèse que 9; un GOUVERNEUR, pour 12,20 m, pèse 6,5 tonnes.

La véritable sécurité est donc liée à d'autres qualités, qui sont essentiellement la flottabilité, la stabilité, l'étanchéité, la qualité du gréement. Ces notions seront analysées en détail tout au long de cette partie du livre. Il faut y ajouter la garantie ultime que constitue l'insubmersibilité. Celle-ci est généralement obtenue en installant à l'intérieur du volume clos une quantité de matériaux cellulaires suffisante pour faire flotter le bateau alors même qu'il est rempli d'eau. L'insubmersibilité est très réalisable pour de petites unités : grâce à elle, un Mousquetaire peut continuer à naviguer à la voile même si sa coque est crevée. Elle est plus difficile à obtenir sur un gros bateau, essentiellement parce que les volumes de flottabilité risquent d'y prendre une place très importante. On doit cependant la rechercher dans toute la mesure du possible : en cas d'avarie grave et soudaine (abordage en particulier), il faudrait au moins que le bateau se maintienne sur l'eau assez longtemps pour que l'équipage puisse en sortir et embarquer dans le canot de sauvetage.

En somme, il est souhaitable qu'un bateau de croisière soit : habitable au point d'être confortable, sûr au point d'être insubmersible. On peut évidemment avoir une conception du confort bien personnelle; par contre, on ne peut s'affranchir en aucun cas des conditions de sécurité élémentaires.

L'ensemble de ces exigences constitue d'ailleurs un cadre assez vaste, à l'intérieur duquel les préférences de chacun ont tout loisir de s'affirmer. C'est pourquoi il existe une si grande variété de bateaux de croisière, tous plus séduisants les uns que les autres. La recherche du bateau idéal, du bateau qui possède au suprême degré toutes les qualités requises, n'est pourtant pas près de se terminer...

Le cabotage

En régate, on ne restait en mer que le temps d'un effort; en promenade, on profitait des meilleures heures du jour; l'étape de cabotage, elle, peut couvrir la journée tout entière, de la pointe de l'aube jusqu'au bout du soir. On est équipé pour pouvoir demeurer en mer sans crainte si le vent tombe trop tôt et que la nuit survient. Mais en principe, la navigation ne déborde pas sur les heures de repos : tout le monde, à bord, peut rester éveillé d'un bout à l'autre de la traversée. Le soir on entre dans un port, ou dans une crique abritée, d'où l'on repart reposé, le lendemain, pour une nouvelle étape.

On ne s'éloigne jamais vraiment de la côte. On suit les routes qu'empruntaient naguère encore les caboteurs véritables, les *écraseurs de crabes*, qui passaient toujours « en dedans » des îles et n'affrontaient qu'exceptionnellement la mer.

Le Corsaire est un bateau particulièrement sûr et bien adapté à ce genre de navigation.

Corsaire.

Architecte : Jean-Jacques Herbulot.
Année de lancement : 1954.
Longueur : 5,50 m.
Largeur : 1,92 m.
Tirant d'eau — dérive haute : 0,55 m.
— dérive basse : 1,00 m.
Lest : 150 kg.
Poids total : 550 kg.
Surface de voilure : 16 m².

Le Corsaire est un dériveur lesté en contreplaqué, à bouchain vif. Il est gréé en sloop et comporte deux couchettes, avec possibilité d'en installer une troisième.

Stable jusqu'aux grands angles de gîte, inchavirable, insubmersible, muni d'un cockpit étanche, c'est déjà un véritable bateau de croisière.

Par temps correct, on peut y vivre une grande journée, deux à la rigueur. Il peut supporter pendant quelques heures un temps assez frais : force 6 aux allures de près, force 7 au largue.

Son autonomie ne va pas au-delà : son habitabilité est trop rudimentaire pour que l'on puisse manger et se reposer correctement dans le temps frais; son gréement n'est pas à toute épreuve. C'est un bateau fait pour des étapes de moins de 24 heures. Son faible tirant d'eau lui permet de se faufiler dans la plupart des petites criques et d'y trouver un abri suffisant.

Avec un tel bateau, on peut commencer à s'initier à la croisière en faisant de brèves étapes de l'ordre de 5 à 10 milles. Lorsqu'on est bien amariné, maître de son bateau et capable d'apprécier une situation météorologique, on peut envisager des étapes plus audacieuses. La traversée Penmarc'h-Audierne, par exemple, dangereuse en toutes circonstances pour un plaisancier moyen, est à la portée d'un équipage averti, doté d'un Corsaire bien équipé.

La croisière côtière

En croisière côtière, les étapes ne sont plus mesurées par la durée du jour. Quand l'heure de se reposer est venue, on navigue encore. Il arrive que la nuit passe et que l'on y soit toujours. Il faut donc pouvoir dormir à bord, à tour de rôle, et remplacer les sandwiches par une bonne soupe.

Désormais, on s'écarte souvent, jusqu'à naviguer en mer libre. On perd parfois un peu la terre de vue. On apprend à connaître le large.

La croisière côtière recouvre en fait un domaine de navigation très vaste; pour en montrer les possibilités, nous présenterons des bateaux bien différents : le MOUSQUETAIRE d'une part, la GALIOTE et le NAUTILE d'autre part.

Mousquetaire.

Architecte : Jean-Jacques Herbulot.
Année de lancement : 1963.
Longueur : 6,48 m.
Largeur : 2,30 m.
Tirant d'eau — dérive haute : 0,76 m.
— dérive basse : 1,34 m.
Lest — fonte 450 kg.
— dérive acier 50kg.
Poids total : 1 300 kg.
Surface de voilure : 19,30 m².

Le Mousquetaire est un dériveur lesté en contreplaqué, à bouchain vif, gréé en sloop. Il comporte 4 couchettes (5 au besoin) et une cuisine installée.

Il possède toutes les caractéristiques de sécurité du Corsaire, à un niveau plus élevé. C'est un bateau où l'on peut vivre, manger, se reposer correctement même dans un temps assez frais (force 5). Il peut couramment accomplir des étapes de plus de 24 heures. Il supporte facilement la force 7 au près, 8 au largue, et possède un vrai gréement de croiseur. Quoique un peu plus grand que le Corsaire, il peut lui aussi se contenter de très petits abris, faire une sorte de cabotage à plus grande échelle.

Son rayon d'action est déjà très étendu. Lorsque les côtes bretonnes ont livré tous leurs secrets, on peut — la hardiesse venant, et avec une bonne hypothèse météo — faire un saut jusqu'aux rives de la perfide Albion. Mais c'est une entreprise extrême.

Nautile.

Galiote.

Galiote et Nautile.

Architecte : Jean-Marie Finot.
Année de lancement : 1970.
Longueur : 8,30 m.
Largeur : 2,85 m.
Tirant d'eau : 1,35 m.
Lest : 900 kg.
Poids total : 2 100 kg.
Surface de voilure : 39,80 m².

Bateaux à quille, à double bouchain, la Galiote et le Nautile sont gréés en sloop, et comportent 5 à 8 couchettes. Ce sont deux versions d'un même bateau : la Galiote est en aluminium et comporte un rouf. Le Nautile (un peu plus long) est en contreplaqué et a un pont continu **(flush deck).**

Equipés d'une cuisine, de w.c. et d'une table à cartes, ces bateaux permettent d'entreprendre des croisières à longues étapes. D'un franc bord important, mieux clos que le Mousquetaire, ils sont aussi nettement plus spacieux. On peut s'y tenir debout, on a la **hauteur sous barrots.** Plusieurs activités sont possibles simultanément, cuisine et navigation par exemple. On parvient à conserver des habits secs. Sur le pont, on peut se tenir debout, et même se dégourdir les jambes.

Le simple cabotage n'est pas intéressant avec de tels bateaux. Leur tirant d'eau ne leur facilite pas l'accès des petits abris, il leur faut de vrais ports. On peut envisager des étapes très longues, comme Ouessant-Cap Finisterre, en sachant que l'on s'expose alors à des risques qui sont ceux de la croisière hauturière.

La croisière hauturière

La terre a disparu. On la retrouvera, mais rien ne presse. Les possibilités du bateau sont presque illimitées. On se prend à rêver de tout ce que l'on pourrait faire, si l'on osait.

Arpège.

Architecte : Michel Dufour.
Année de lancement : 1967.
Longueur : 9,25 m.
Largeur : 3,00 m.
Tirant d'eau : 1,35 m.
Poids total : 3 300 kg.
Lest : 1 200 kg.
Surface de voilure : 45 m².

L'Arpège est un « quillard » en plastique, à coque en forme, gréé en sloop et prévu pour 6 équipiers. La caractéristique principale de ce bateau est d'être remarquablement confortable. C'est presque un « trois-pièces » : la partie cuisine-navigation peut être isolée du carré, lui-même séparé du compartiment w.c.-voilerie.

A l'intérieur, on peut se tenir debout partout. Les équipiers qui dorment peuvent s'isoler de ceux qui veillent : atout considérable pour les grandes étapes.

On peut vivre en mer de longs jours. Mais il faut tout de même une autorisation spéciale pour traverser l'Atlantique. On peut également participer à des courses-croisières, car l'Arpège a été conçu en partie pour cela.

Notons que ce genre de bateau est difficile à insubmersibiliser, et doit donc être équipé d'un radeau pneumatique de sauvetage.

La Sereine.

Architecte : Eugène Dervin.
Année de lancement : 1952.
Longueur : 12,50 m.
Largeur : 3,40 m.
Tirant d'eau : 2,10 m.
Lest : 5 300 kg.
Poids total : 12 000 kg.
Surface de voilure : 73 m².

La Sereine est un côtre bermudien de construction classique, c'est-à-dire en bois massif. Dix équipiers peuvent y vivre. Le bateau comporte quatre pièces : chambre de navigation, cuisine, carré, w.c.-voilerie.

Ses performances sont très moyennes, mais le but est moins d'aller vite que de vivre en mer. Les escales sont superflues : on peut très bien faire sécher ses chaussettes à bord. Il est possible de s'isoler, on peut aussi marcher, se promener sur le pont.

La durée des traversées n'est limitée que par la possibilité d'embarquer des vivres en quantité suffisante. Le tirant d'eau du bateau le contraint à ne fréquenter que des ports profonds.

La course croisière

La course-croisière se définit avant tout par ses bateaux. Ceux-ci, en principe, n'ont pas de caractéristiques spéciales : ce sont des bateaux de croisière que l'on pousse au maximum de leurs possibilités. En réalité, il s'agit la plupart du temps de bateaux très spécialisés, où tout est subordonné à la vitesse. Ce choix se fait d'emblée, au stade même de la conception du bateau, car il faut avant tout « entrer dans la jauge ». La **jauge** est le système de mensuration qui permet d'évaluer les caractéristiques de marche d'un bateau, pour qu'il puisse se mesurer équitablement à des bateaux différents. On s'efforce d'exploiter au mieux les possibilités offertes par cette jauge ; c'est elle, finalement, qui détermine en grande partie le style des bateaux armés pour la course (des systèmes de jauge différents engendrent des types de bateaux différents). L'évolution de la plaisance est liée à ce fait. Les contraintes stimulent l'imagination des chercheurs. D'une année sur l'autre on trouve le moyen d'aller encore plus loin dans l'efficacité. Les voiles s'allongent, se raccourcissent, se subdivisent. Une mode se crée, d'autres bateaux suivent. Au-delà des modes, des améliorations importantes naissent de cette émulation.

Sport extrêmement coûteux — les bateaux devant, chaque année, « s'adapter ou périr » — la course-croisière constitue néanmoins l'un des pôles les plus fascinants de la navigation à voile. On rencontre dans ce milieu des bateaux admirables.

Red Rooster.

Architecte : Dick Carter.
Année de lancement : 1969.
Longueur : 12,56 m.
Largeur : 3,69 m.
Tirant d'eau — dérive haute : 0,82 m.
— dérive basse : 2,80 m.
Poids de la dérive : 2,5 t.
Poids total : 9 t.
Surface de la grand-voile : 23,50 m².
Triangle avant : 41 m².

A la différence des bateaux précédemment cités, *Red Rooster* ne fait pas partie de la flottille des Glénans...

Nous le présentons ici parce qu'il illustre de façon spectaculaire l'esprit de recherche qui anime le monde de la course-croisière. On ne peut toutefois assurer qu'il indique le sens de l'évolution. Rien n'est plus daté que ce genre de bateau : construit en 1969, vainqueur du Fastnet la même année, *Red Rooster* était « dépassé » l'année suivante et Dick Carter s'occupait déjà d'autre chose.

Red Rooster a la coque large, le pont dégagé, les superstructures très basses qui caractérisent le style de l'architecte américain. On peut y noter aussi la simplification presque insolente du gréement et de l'accastillage par rapport à « ce qui se fait » aujourd'hui : pas de hale-bas, une barre d'écoute rudimentaire — mais des winches prodigieux. La voilure correspond aux tendances actuelles : petite grand-voile, triangle avant très important.

Le bateau présente toutefois des particularités beaucoup plus curieuses : il comporte une dérive de 2,5 tonnes, que l'on manœuvre à l'aide d'un treuil. Son safran est également amovible, et se relève comme une dérive-sabre.

Dérive haute, *Red Rooster* peut naviguer dans moins de 1 m d'eau, mais surtout atteindre des vitesses stupéfiantes aux allures portantes : par petite brise de force 3, il file déjà plus de 9 nœuds. Par vent frais, il marche à 7 nœuds au près, comme les meilleurs ; mais à partir du vent de travers il dépasse en permanence les 10 nœuds, et disparaît rapidement à l'horizon.

Choix d'un bateau

Tout le monde ne peut s'offrir un *Red Rooster*, et il serait de toute façon imprudent de commencer par là. Avant même d'acheter le moindre bateau, la première chose à faire est de naviguer, et le plus possible, afin d'être sûr que l'on aime suffisamment cela pour accepter les soucis qui vont suivre. Notons d'ailleurs qu'il est très possible de naviguer toute sa vie sans être propriétaire. Il existe des clubs, des entreprises de location; de plus, comme beaucoup de gens s'obstinent à acheter des bateaux trop grands pour eux, le métier d'équipier ne risque pas de connaître le chômage.

Si un jour, cependant, l'envie d'être maître à bord devient trop pressante, il est bon d'envisager sereinement le problème. Celui-ci reste simple lorsqu'il s'agit d'acheter un dériveur léger : la somme engagée n'est pas telle que l'on se trouve condamné ensuite à se nourrir de biscuits de mer jusqu'à la fin de ses jours; entretenu sans grands frais un dériveur peut demeurer correct pendant dix ans; de toute façon une erreur n'est pas très grave, car un tel bateau se revend assez bien, du moins lorsqu'il appartient à une série vivante. Rien à dire non plus au sujet des canots de pêche : les pêcheurs sont gens sages, qui savent parfaitement de quel bateau ils ont besoin, et qui le gardent en général longtemps.

Au-delà les choses se compliquent. On peut hésiter à choisir entre un bateau de promenade et un bateau de petite croisière, ou entre deux croiseurs assez proches l'un de l'autre. Dans la série d'exemples que nous venons de donner il semble exister des différences nettes entre chaque type de bateau, mais en réalité elles sont subtiles : le pas à franchir pour passer d'une catégorie à l'autre n'est pas toujours de même longueur; à l'intérieur d'une même catégorie, le programme d'un bateau, tel que nous l'avons esquissé, peut varier considérablement en fonction de l'équipement et de l'équipage dont on dispose; les frais entraînés par la possession d'un bateau sont très différents selon que ce bateau est transportable ou non...

Pour être en mesure de se décider, il faut en fait pouvoir répondre en connaissance de cause à deux questions principales :

— Quelle sera l'utilisation exacte du bateau ?

— Quelle somme d'argent peut-on lui consacrer, non seulement à l'achat, mais aussi pour assurer chaque année son entretien ?

L'utilisation.

Un bateau de promenade comme le Maraudeur et un bateau de cabotage comme le Corsaire ne disposent pas de la même autonomie, nous l'avons dit. Cependant il existe encore entre eux une différence plus fondamentale : c'est une question d'état d'esprit.

Un Maraudeur est un bateau sans souci. On n'est pas tenu de l'aménager de façon raffinée puisqu'on n'y vit pas ; ni d'avoir à bord plus que le matériel de sécurité élémentaire, puisqu'on ne s'éloigne pas; ni même d'avoir des connaissances très étendues en matière de navigation. C'est un engin de simple évasion, qui permet de passer des moments agréables. Quand il est tiré au sec, on peut très bien n'y plus penser.

Un Corsaire réclame beaucoup plus d'attention, de soins, de temps ; son acquisition est liée à une logique différente. Faire de la croisière ne s'improvise pas : cela suppose que l'on a la volonté d'acquérir une technique, et d'installer à bord tout ce qu'il faut pour bien naviguer. Il s'agit, en fait, d'accorder au bateau une place assez importante dans sa vie.

Si l'on n'accepte pas cette logique, posséder un Corsaire est bien inutile. Avec un armement rudimentaire, un équipage incapable, on doit se contenter de petites sorties de la journée : le bateau est utilisé comme un Maraudeur, sans avoir les facilités d'échouage de celui-ci. On perd de l'argent en possédant un bateau plus cher que celui qui correspond à ses besoins réels; on n'utilise pas l'autonomie que l'on a achetée.

Au contraire, lorsqu'on décide de compléter et de perfectionner l'équipement du bateau, avec cuisine, jeu complet de voiles, instruments de navigation, documents nautiques, mouillage supplémentaire, poste radio, pompe, réflecteur radar, etc.; lorsque l'équipage est bien entraîné et qu'il fait preuve de résistance et de cohésion, le Corsaire peut dépasser son programme moyen, pratiquer une véritable croisière côtière comportant même de la navigation de nuit. Il est alors utilisé presque comme un Mousquetaire.

Avec des variantes, on pourrait effectuer le même parallèle entre d'autres catégories de bateaux. Concluons simplement : un bateau vaut en grande partie ce que valent son équipage et son équipement; plutôt que de le sous-employer, il est certainement préférable d'acheter un bateau du modèle en dessous, que l'on pourra sur-employer dans une certaine mesure.

Le prix.

Ce problème de l'utilisation étant précisé, il faut parler argent de façon plus nette. Un bateau coûte cher, c'est certain; d'abord à l'achat. Il ne faut pas oublier que la plupart du temps le prix-chantier ne comprend ni les couchettes, ni la cuisine, ni l'équipement de sécurité, ni les instruments de navigation, ni l'annexe, etc. Si l'on veut équiper parfaitement un petit croiseur, il faut savoir que le montant de cet équipement peut s'élever à 20 % ou même à 40 % du prix-chantier.

Ces frais sont néanmoins prévisibles. Mais il faut encore penser aux à-côtés qui vont surgir chaque année : assurance, droit de francisation, taxes portuaires; frais de manutention, de gardiennage et d'entretien durant la morte-saison.

Dès qu'il ne navigue plus, en effet, un bateau est une chose encombrante. C'est un point qu'il ne faut pas oublier au moment de l'achat. Les frais d'hivernage peuvent être très différents selon les bateaux et selon le port d'attache que l'on choisira.

Dans un port bien organisé, où il est possible de laisser le bateau à flot toute l'année, on évite les frais de mise au sec et de gardiennage; si la coque n'a pas besoin d'entretien (coque en plastique ou en aluminium non peint), on supprime également tous frais de manutention. Dans ces conditions, le coût de la morte-saison est assez facile à évaluer. Une seule inconnue demeure : l'entretien du gréement et de la voilure. Il peut représenter des sommes importantes, lorsqu'on veut « rester dans la course ».

Si le port est peu ou mal équipé, il faut sortir le bateau : démâtage, mise au sec, gardiennage, remise à l'eau, remâtage coûtent cher. On économise toutefois le prix du gardiennage si le bateau est transportable et qu'on dispose d'un endroit où le garer.

En définitive, il n'y a pas de vérité absolue, pas même en ce qui concerne le choix des matériaux. Lorsqu'on a la possibilité de laisser son bateau à flot toute l'année, il est intéressant d'avoir un bateau en plastique. D'un autre côté, un bateau en contreplaqué, généralement moins cher à l'achat, n'entraîne pas de frais trop lourds si on l'amarre durant la saison dans un port bon marché, si on peut le rentrer chez soi pour l'hiver et refaire soi-même la peinture.

Naturellement, bien d'autres considérations, et de tous ordres, interviennent au moment du choix. Il faut ainsi se demander si tel ou tel bateau convient bien à la région où l'on navigue; il faut encore être sûr de disposer de l'équipage qui convient, d'avoir soi-même le temps d'en être, etc. Tout cela est affaire de bon sens et, répétons-le, d'expérience préalable. Finalement, lorsqu'on a fait ses comptes, on est presque au bout de ses peines; il reste à choisir parmi tous les bateaux qui correspondent aux critères que l'on s'est fixé, mais ce n'est plus qu'une question de goût, de patience, de flair. Il faut vagabonder, courir les salons, visiter les chantiers, palabrer, revenir, palabrer encore, lire la suite de ce livre, et enfin se jeter à l'eau.

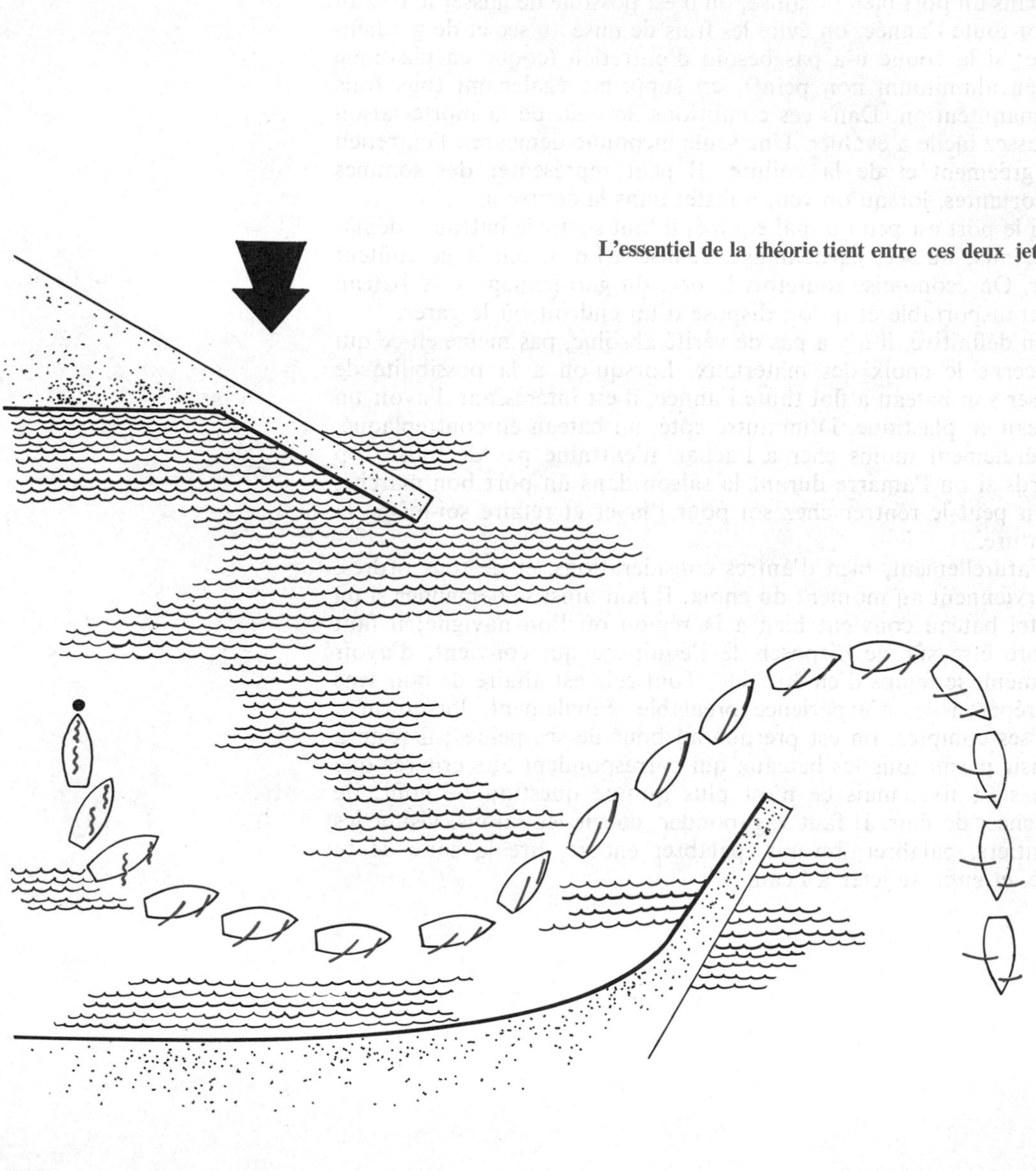

L'essentiel de la théorie tient entre ces deux jetées.

3. Notions théoriques

Pour comprendre comment marche un bateau, il faut d'abord tenter de discerner les principales forces qui s'exercent sur lui, et la manière dont elles se conjuguent. On peut s'en faire une idée assez précise, dans un port, en observant un bateau qui appareille.

Le bateau est au mouillage, voiles hissées, prêt à partir. Tenu par l'avant, son étrave est tournée dans la direction d'où vient le vent. Les voiles battent dans l'axe.

Le mouillage est largué. Le bateau cule : une force s'exerce sur tout ce qui dépasse de l'eau, coque, mâture, gréement, voiles battantes. On peut constater que cette force est dirigée dans le sens du vent.

Très vite, le bateau abat pour se rapprocher de sa position d'équilibre. Lorsqu'il est presque en travers, l'équipage borde légèrement les voiles. Le cap se stabilise, le bateau gîte un peu et, tout en dérivant beaucoup, part doucement en avant. Une nouvelle force est apparue, qui s'exerce sur les voiles bordées et cette force-là n'est pas dirigée dans le sens du vent.

Le bateau accélère peu à peu, mais dérive toujours. Le quai se rapproche. Personne ne bouge à bord. On attend. Le bateau accélère encore et soudain, sans raison apparente, tout change : il gîte un peu plus, cesse de dériver, part franchement en avant. Une nouvelle force est apparue; le vent, le cap, le réglage des voiles étant restés les mêmes, cette force ne peut être produite que par l'eau sur la quille. Elle s'oppose à la dérive et permet au bateau de prendre sa vitesse.

Désormais celui-ci est manœuvrant, et tout le monde paraît se réveiller. Le barreur fait loffer, l'équipage borde les voiles. Le bateau remonte contre le vent, il vient au près pour doubler la jetée. A cette allure il gîte plus nettement, mais ne va pas très vite, et sa dérive est à nouveau sensible.

Lorsque la jetée est parée, on laisse porter jusqu'au largue en débordant peu à peu les voiles. La gîte diminue, la dérive aussi. La vitesse augmente nettement : la force exercée par le vent sur les voiles semble plus efficace qu'à l'allure précédente.

Le bateau abat encore. Bientôt les voiles sont complètement débordées. La grand-voile s'appuie contre le hauban sous le vent. Vient un moment où elle dévente le foc; on fait passer celui-ci sur le bord au vent. Le bateau fait cap maintenant vers le large, voiles en ciseaux, plein vent arrière. Gîte et dérive ont complètement disparu. Cependant, et bien que toute la voilure soit largement offerte au vent, la vitesse est moins grande qu'auparavant : la force qui s'exerce sur les voiles a faibli.

Les premières réflexions que ce spectacle inspire sont rudimentaires, mais non dénuées d'importance. Elles peuvent se résumer ainsi :

— Le vent exerce sur les voiles une force dont la direction et l'intensité sont, pour un cap donné, fonction du réglage des voiles.

— L'eau exerce sur la quille une force qui tend à diminuer la dérive; l'intensité de cette force semble liée surtout à la vitesse du bateau.

— Les deux forces en s'opposant — l'une dans l'air, l'autre dans l'eau — font gîter le bateau.

En somme le bateau s'appuie sur l'eau par l'intermédiaire de sa quille pour tirer du vent l'énergie nécessaire à sa propulsion.

Pour en savoir plus, il faut maintenant tenter de préciser la nature des forces en présence, la façon dont elles apparaissent, leur direction et leur grandeur.

Le vent et la voile.

Une boule de billard courant sur un tapis, lorsqu'elle heurte une autre boule se trouve déviée de sa trajectoire; la boule heurtée est elle-même projetée sur le côté. A l'instant où elles se touchent, les boules exercent l'une sur l'autre une force égale et de sens opposé : c'est le principe de l'action et de la réaction.

De la même façon le vent, lorsqu'il rencontre un obstacle, une voile par exemple, se trouve dévié de sa direction initiale; la voile exerce une force sur le vent pour le dévier (ou le défléchir) et le vent exerce sur la voile une force égale et opposée. C'est cette dernière force qui nous intéresse ici.

Apparition de la force.

Prenons un paysage marin désert, sur lequel passe un vent constant et régulier. Les filets d'air sont matérialisés par des lignes parallèles. Si l'on divise le paysage en deux, on peut estimer que la quantité d'air passant entre a et b est égale à la quantité d'air passant entre b et c.

Un bateau pénètre dans le paysage. Sa voile impose une déflexion aux filets d'air. On peut faire les constatations suivantes :

— La déflexion se produit uniquement dans le voisinage immédiat de la voile; les filets d'air situés à une certaine distance, ou bien ne sont pas encore déviés, tel c-c', ou bien ont déjà retrouvé leur régularité, tel a-a'.

— L'air rencontrant la voile, côté au vent, est contraint à changer de direction. En conséquence, les filets d'air compris entre a et b s'échappent par un couloir a'-b' plus petit que a-b. **L'air passant au vent de la voile subit une compression lors de sa déflexion.**

— Côté sous le vent, si l'air continuait à s'écouler tout droit, il y aurait le vide derrière la voile. Pour combler ce vide, les filets d'air sont obligés de suivre la voile : ils sont donc également déviés. On constate que la quantité d'air passant entre b et c doit occuper un espace plus grand, correspondant à l'élargissement de b-c en b'-c' ; il en résulte, derrière la voile, une pression plus faible que la pression ambiante, **une dépression.** De ce fait, **le côté sous le vent de la voile est soumis à un effet de succion.** Pression au vent, succion sous le vent, ces deux effets s'additionnent et constituent la force totale exercée par le vent sur la voile, que nous appellerons désormais **force aérodynamique.**

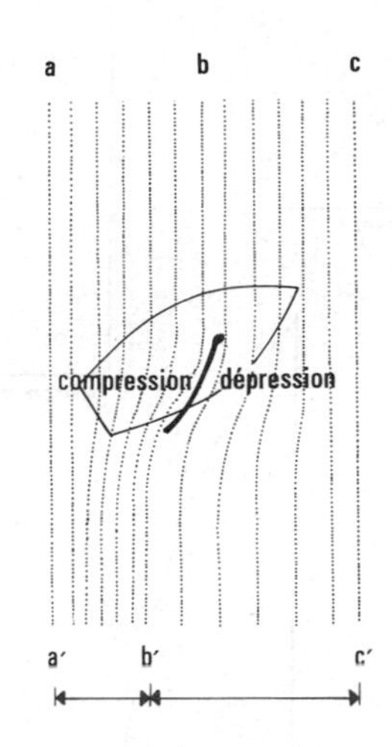

Compression + dépression = force aérodynamique.

Orientation.

La force qu'exerce un fluide en mouvement sur un plan est perpendiculaire à ce plan, et cela quel que soit l'angle d'incidence.

On peut donc dire que la force qui s'applique en chaque point de la voile est perpendiculaire à la surface alentour de ce point. En pratique, la résultante de toutes les forces de pression et de succion est sensiblement perpendiculaire à la corde de la voile.

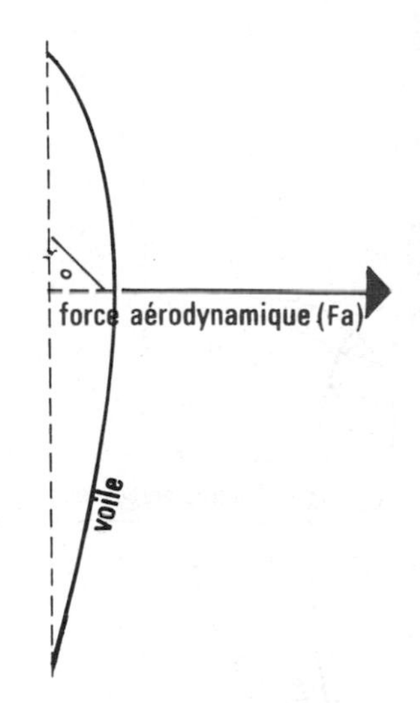

Orientation de la force aérodynamique.

Grandeur.

En restant dans le domaine des constatations générales, on peut dire encore que la force aérodynamique est :

— proportionnelle à la surface de la voile : si l'on réduit la voile de moitié, la force diminue de moitié;

— proportionnelle au carré de la vitesse du vent : si la vitesse du vent double, la force est quadruplée.

Selon le principe d'action et de réaction évoqué au début, on pourrait penser d'autre part que plus la voile défléchit le vent d'un angle important, plus la force exercée sur elle par le vent est grande. A l'usage, on s'aperçoit vite que cela n'est pas tout à fait exact. Lorsqu'on borde peu à peu une voile pour la présenter au vent, la force augmente effectivement dans un premier temps mais, au-delà d'un certain angle d'incidence, elle décroît brusquement, et conserve ensuite, pour des angles de plus en plus grands, une valeur sensiblement constante, et faible.

Cette rupture inattendue tient à un changement soudain dans la qualité de l'écoulement de l'air. Pour de faibles angles d'incidence, cet écoulement est **régulier,** ou **laminaire.** L'angle d'incidence augmentant, des tourbillons apparaissent. Tout d'abord, ils sont faibles et n'empêchent pas la force de croître. Puis, brusquement, se produit un **décrochage** : l'angle d'incidence est devenu trop grand pour que les filets d'air puissent s'écouler régulièrement ; au vent, ils rebondissent sur la voile; sous le vent ils ne parviennent

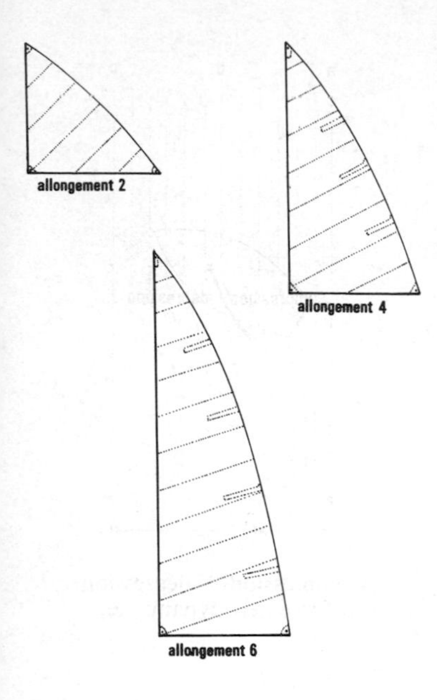

plus à combler le vide. De gros tourbillons se forment, l'écoulement est complètement **perturbé,** ou **turbulent.** Ces tourbillons désorganisent le champ de pression au voisinage de la voile, et affectent considérablement la force qui s'exerce sur elle.

Le phénomène du décrochage a un caractère irréversible. Si l'on déborde un peu la voile pour revenir à un angle d'incidence plus faible, on ne retrouve pas du tout les conditions antérieures : la force ne reprend pas la valeur qu'elle avait précédemment, l'écoulement demeure turbulent. Pour s'en sortir, il faut déborder la voile bien au-delà de l'angle critique et jusqu'à la laisser faseyer. Alors seulement, les tourbillons sont emportés au loin par le vent, l'écoulement de l'air se régularise; on peut recommencer à border.

La force aérodynamique dépend donc étroitement de l'angle d'incidence entre le vent et la voile. Il s'agit bien de défléchir le vent et non de le casser. On imagine facilement, dès lors, que la forme de la voile elle-même a de l'importance. Il faut tenir compte de sa concavité, c'est-à-dire de son **creux,** et d'autre part de son **allongement** [1]**.** Pour un même angle d'incidence, des voiles de forme différente recueillent une force différente; elles décrochent pour des angles d'incidence différents. Pour fixer les idées, signalons qu'à creux égal cet angle peut être de l'ordre de 15° pour une voile d'allongement 6 (grand allongement), de 20 à 25° pour une voile d'allongement 3 (allongement faible). Nous reviendrons en détail sur ces variables.

Pour le moment, la chose importante à retenir est celle-ci : quelle que soit la voile considérée, la force aérodynamique est d'autant plus grande que l'on parvient à défléchir le vent d'un angle important sans décrocher.

Toutes ces considérations concernent la grandeur totale de la force. Il faut enfin remarquer que cette force ne se répartit pas de façon égale sur l'ensemble de la voile. Les essais effectués en soufflerie permettent de préciser que :

— Les forces les plus grandes sont produites dans le premier tiers de la voile; autrement dit, une voile travaille plus efficacement au guindant qu'à la chute.

— La dépression sous le vent de la voile est nettement supérieure à la pression s'exerçant au vent. C'est la constatation la plus surprenante : une voile travaille plus par son côté sous le vent. que par son côté au vent.

Dans la pratique, il faudra donc éviter de perturber l'écoulement dans ces régions, et favoriser au contraire tout ce qui peut le rendre plus régulier.

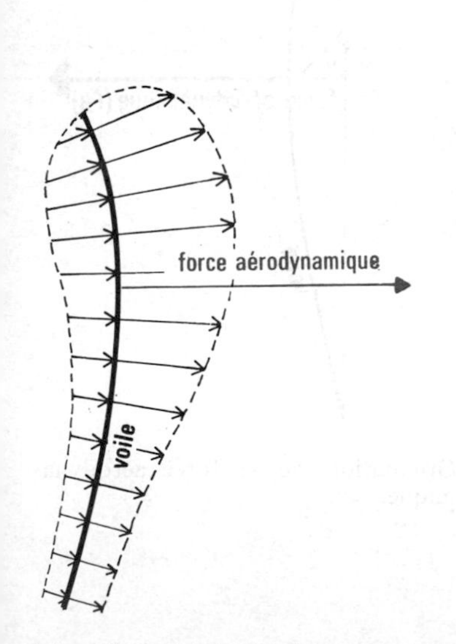

Répartition du champ de pression aux différents points d'une voile, au vent et sous le vent.

1. L'allongement est le rapport du carré de la hauteur à la surface $Al = H^2/S$. Pour les voiles triangulaires, on peut utiliser la formule simplifiée : $Al = 2H/B$, B étant la bordure de la voile.

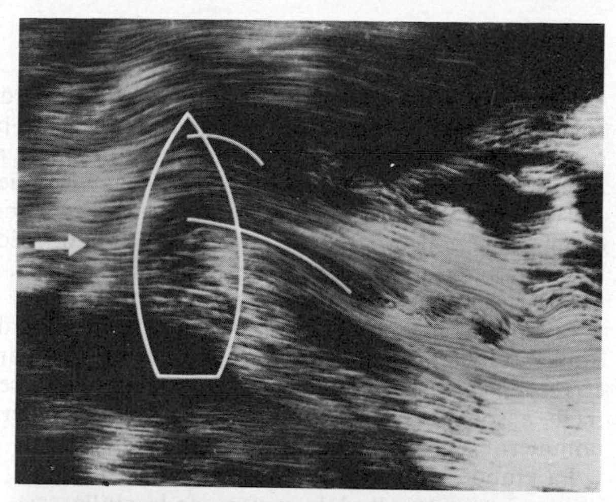

Aux faibles angles d'incidence, l'écoulement de l'air est laminaire; l'air s'écoule régulièrement le long des deux faces de chaque voile.

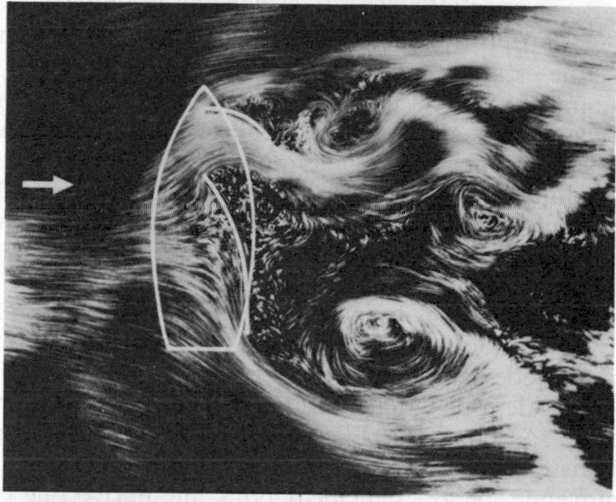

Si l'on borde trop les voiles, l'écoulement devient turbulent; le bateau avance moins vite.

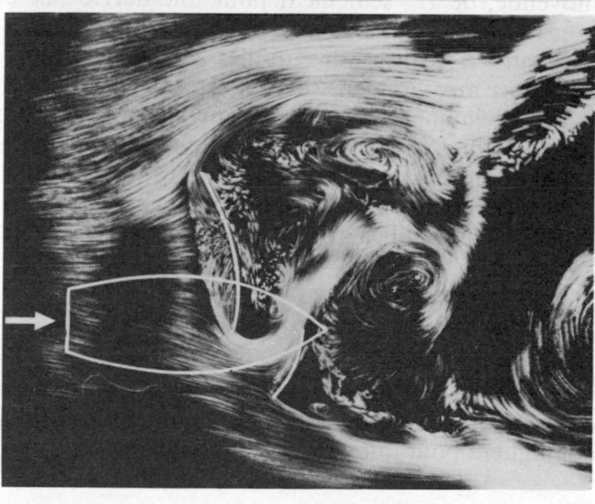

Au vent arrière, où l'angle d'incidence est très défavorable, l'écoulement est extrêmement turbulent.

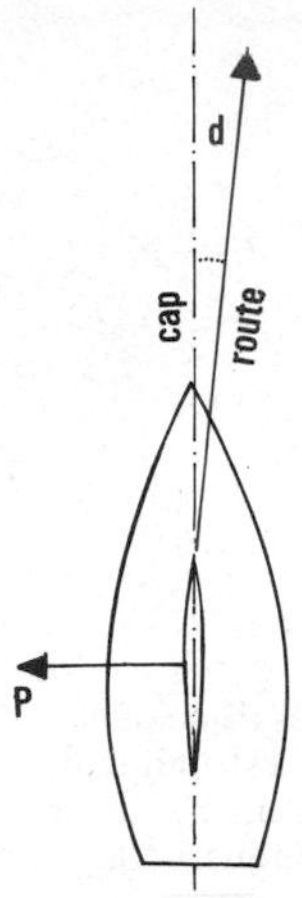

d = angle de dérive

P = portance

L'eau et la quille.

La dérive d'un dériveur et la quille d'un quillard ont le même rôle : empêcher le bateau de dériver. Le mot dérive pouvant prêter à confusion, nous utiliserons ici le terme de quille pour désigner, d'une façon générale, l'aileron disposé sous la coque du bateau.

Toutes proportions gardées, une quille fonctionne dans l'eau comme une voile dans l'air : au lieu d'un fluide s'écoulant sur un plan, il s'agit d'un plan qui se déplace dans un fluide, mais l'interaction est rigoureusement la même.

Lorsqu'un bateau dérive, il se déplace en biais dans l'eau : la quille attaque l'eau sous un certain angle (qui est l'angle de dérive) et recueille par réaction une force, s'appliquant perpendiculairement à son plan. Cette force est la **force anti-dérive,** que nous nommerons **portance** de la quille.

La grandeur de cette portance est :

— proportionnelle à la surface de la quille;

— proportionnelle au carré de la vitesse du bateau.

Elle est également fonction de l'angle de dérive. Plus la dérive augmente, plus la portance augmente, dans la mesure toutefois où l'écoulement de l'eau est régulier. Tout comme pour la voile, il existe en effet une valeur d'angle critique au-delà de laquelle se produit un décrochage : de gros tourbillons apparaissent au voisinage de la quille, la portance décroît brusquement et conserve ensuite, pour des angles de dérive plus grands, une valeur sensiblement constante et faible. Ici aussi, le phénomène a un caractère irréversible, dans la mesure où il faut abattre jusqu'à atteindre un angle de dérive très inférieur à l'angle critique pour que l'écoulement redevienne régulier.

La valeur de l'angle critique dépend de l'allongement de la quille et de son épaisseur. Elle peut être de 30° environ pour une quille épaisse et courte, de 20° pour une quille de longueur et d'épaisseur moyenne, de 12° seulement pour une dérive fine et allongée. Elle pourrait varier aussi avec le « creux » de la quille (et l'on cherche d'ailleurs à réaliser des quilles ayant un creux susceptible de s'inverser aux virements de bord).

Les phénomènes se produisant sur une quille sont beaucoup plus nets que ceux qui se produisent sur une voile : la quille est rigide et indéformable, et l'eau est 795 fois plus dense que l'air.

Notons enfin que la coque participe également à la portance. C'est pour simplifier que nous n'avons parlé que de la quille.

Comment marche un bateau.

Munis de ces renseignements, il nous est désormais possible d'analyser de façon plus précise comment les forces en présence se conjuguent pour faire avancer un bateau.

Départ.

Reprenons notre bateau du début et remettons-le au mouillage. Il appareille derechef, cule doucement, puis abat vers sa position d'équilibre, en dérivant beaucoup. L'eau est attaquée par la quille sous une incidence voisine de 90°, son régime d'écoulement est turbulent. La portance de la quille est très faible.

Le plus urgent est de prendre de la vitesse, pour qu'une portance réelle apparaisse et que le bateau ne continue pas en crabe jusqu'au quai. Le barreur laisse donc porter et l'équipage oriente les voiles de telle sorte que le vent ne pousse plus le bateau en travers, mais vers l'avant.

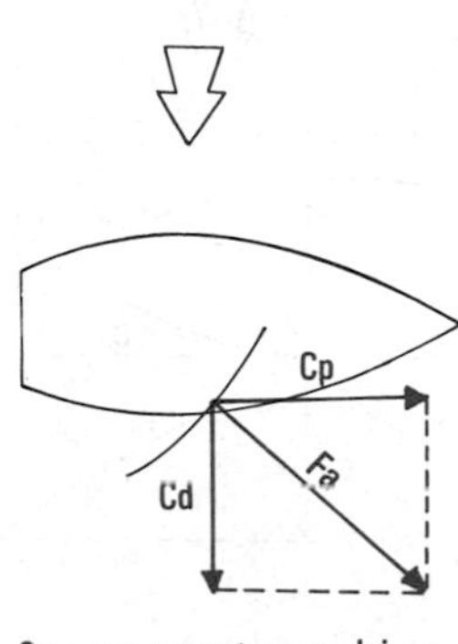

Cp = composante propulsive
Cd = composante de dérive

Pour comprendre le parti que l'on peut tirer de la force exercée par le vent sur la voile, il est bon de recourir ici à la règle du parallélogramme utilisée en physique, et de décomposer cette force selon les deux directions qui nous intéressent : l'une dans l'axe du bateau, c'est la **composante propulsive;** l'autre, perpendiculaire à cet axe, c'est la **composante de dérive.**

Si l'équipage, au lieu de laisser le bateau abattre, bordait les voiles tout de suite, on voit que la force serait dirigée trop en travers : la composante propulsive serait faible, la composante de dérive importante. Le bateau continuerait à dériver sans avancer, car la portance resterait toujours plus faible que la composante de dérive. L'affaire se terminerait contre le quai.

Mais l'équipage est au courant. Il ne borde les voiles que lorsque le bateau a abattu presque jusqu'au vent de travers. Dès lors, la force aérodynamique est très bien orientée : composante propulsive importante, composante de dérive faible. Elle est en même temps très grande, car les voiles ont été réglées au meilleur angle de déflexion.

Le bateau, tout en dérivant, commence à avancer. De ce fait, l'angle de dérive diminue. Lorsque cet angle atteint enfin une valeur très inférieure à la valeur critique, l'écoulement de l'eau sur la quille devient régulier. La portance s'accroît d'un seul coup. Elle équilibre la composante de dérive. Le bateau gîte et part en avant franchement. Il est désormais manœuvrant et ne dérive pratiquement plus. On peut loffer sans crainte.

Le fait que le bateau gîte au moment où il démarre peut s'expliquer facilement : portance et composante de dérive, en s'opposant, forment un couple qui a tendance à faire basculer le bateau. Tant que la portance est faible, le couple est faible, le bateau gîte peu. Dès que la quille « accroche », sa portance augmente, le couple devient plus fort, la gîte s'accentue. Notons que la valeur de la gîte étant surtout fonction de la composante de dérive, on nomme celle-ci : composante de dérive et de gîte.

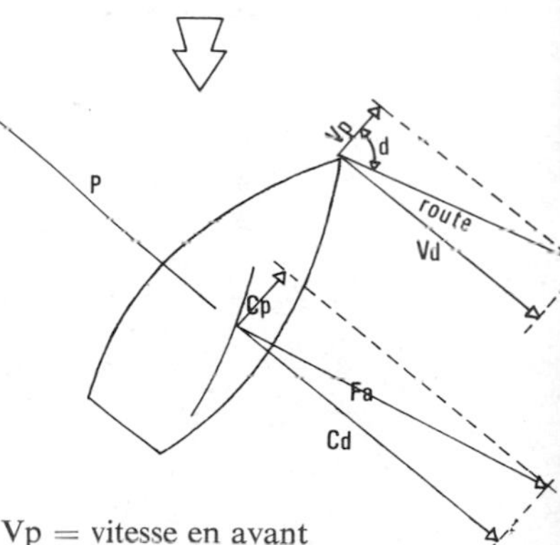

Vp = vitesse en avant
Vd = vitesse de dérive
Si l'on borde les voiles trop tôt quand le bateau est au près, la composante de dérive, très grande, exige pour être compensée une portance très grande. Celle-ci ne peut être obtenue qu'avec une grande vitesse de dérive. Comme la composante propulsive est faible la vitesse en avant reste faible, en conséquence l'angle de dérive est énorme et n'a aucune raison de diminuer.

Le jeu des forces à l'appareillage.

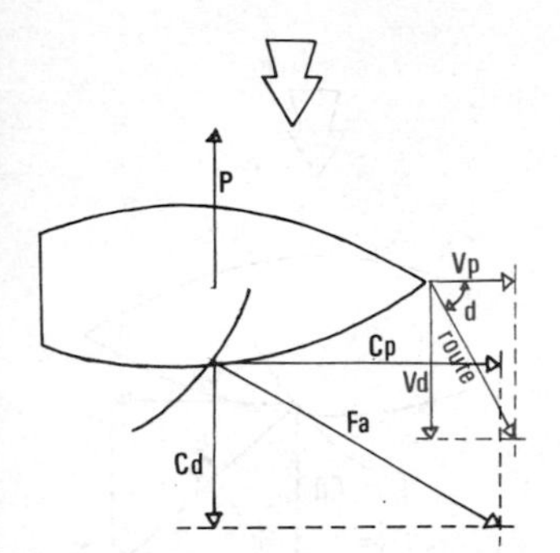

Au départ, on ne borde les voiles que lorsque le bateau a suffisamment abattu : la force aérodynamique est orientée au mieux, la composante de dérive est aussi limitée que possible. La portance exigée est faible mais ne peut cependant être obtenue qu'avec une vitesse de dérive grande car, l'écoulement étant turbulent, la quille travaille mal.

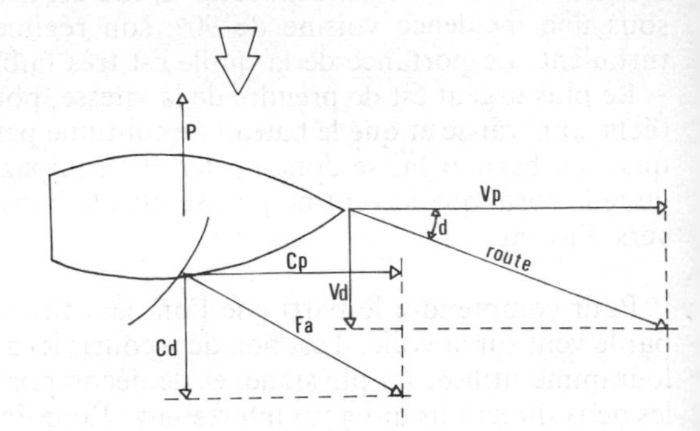

La vitesse augmente. La composante de dérive est toujours la même, la portance également. La vitesse de dérive ne diminue pas car l'écoulement est toujours turbulent, mais puisque le bateau avance plus vite l'angle de dérive diminue.

Au près.

Le bateau, désormais, remonte au vent; l'équipage a bordé les voiles un peu plus. La force aérodynamique est maintenant dirigée sur le côté. En décomposant cette force, toujours selon les directions choisies au début, on constate que la composante propulsive est moins forte qu'au vent de travers : le bateau va moins vite; que la composante de dérive est plus grande : le bateau gîte et, de nouveau, dérive sensiblement.

D'une façon ou d'une autre, il faut que la portance soit égale à la composante de dérive. Cette portance, nous le savons, dépend de la vitesse — mais justement la vitesse a diminué; elle dépend aussi de la surface de la quille — mais celle-ci ne change pas; elle dépend enfin de l'angle de dérive : tant que l'écoulement est régulier, un angle de dérive plus grand assure une portance plus grande; c'est cette dernière possibilité que le bateau utilise ici. **En somme, selon sa vitesse, le bateau adopte de lui-même l'angle de dérive convenable pour éprouver sur sa quille une force capable d'équilibrer la composante de la dérive.** Une diminution de la vitesse nécessite une augmentation de la dérive. En revanche, quand la vitesse augmente, la portance augmente avec elle, et la dérive peut diminuer.

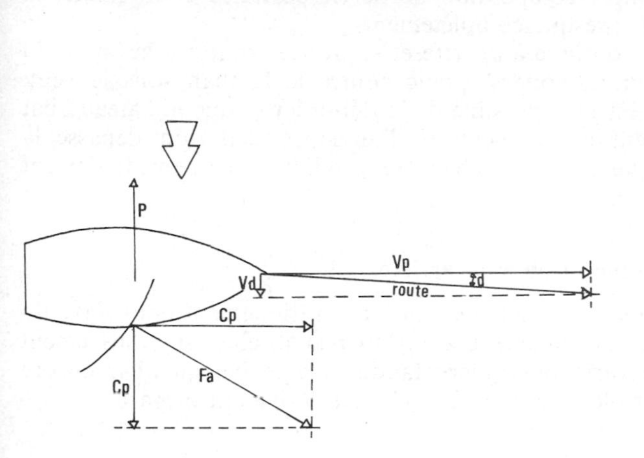

La vitesse augmente encore, l'angle de dérive diminue encore et tout à coup la quille « accroche » (l'écoulement est devenu laminaire). Brutalement la portance nécessaire est obtenue avec une vitesse de dérive faible : l'angle de dérive devient négligeable.

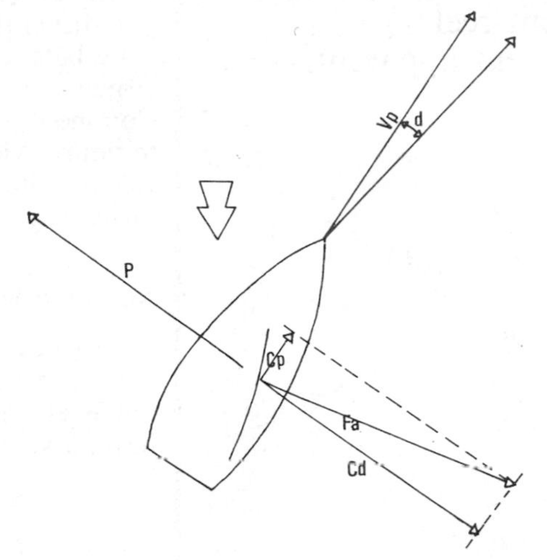

Maintenant on peut loffer, car en écoulement laminaire la portance peut croître assez pour équilibrer une composante de dérive importante. L'angle de dérive augmente simplement un peu.

On peut imaginer ce qui advient si on loffe trop : la composante propulsive devient de plus en plus faible, la composante de dérive augmente de plus en plus; le bateau ralentit et l'angle de dérive augmente. Bientôt cet angle devient trop grand, il dépasse la valeur critique et la quille décroche; d'un seul coup la portance devient très faible et le bateau part en travers, comme au début. On est obligé d'abattre franchement pour tout recommencer.

Notons enfin que le bateau gîte davantage au près qu'au vent de travers, puisque le couple composante de dérive-portance a augmenté.

Au largue.

Passé la jetée, tout devient plus facile. Le barreur laisse porter, l'équipage déborde les voiles au fur et à mesure pour qu'elles conservent toujours la meilleure orientation. La force aérodynamique s'oriente progressivement vers l'avant. La composante propulsive augmente, le bateau prend très nettement de la vitesse. La composante de dérive diminue, par conséquent la portance diminue aussi; comme la vitesse est grande, la dérive est à peu près

Vent réel et vent apparent.

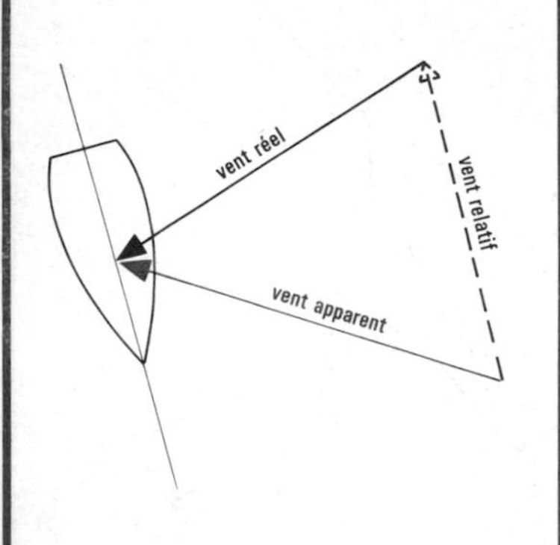

Le vent que reçoit un bateau faisant route n'a ni la même direction, ni la même force que le **vent réel.** Le vent créé par la vitesse du bateau (que l'on nomme **vent relatif**) se combine en effet au vent réel pour donner un **vent apparent.** C'est ce vent apparent qui agit effectivement sur les voiles. Par chance c'est également celui-ci qu'indique la girouette de tête de mât et c'est lui que ressent l'équipage. Le vent apparent est toujours plus **pointu,** c'est-à-dire plus proche de l'avant du bateau que le vent réel; la différence angulaire peut atteindre et même dépasser 35° aux allures de largue.
Il est plus fort au près, plus faible aux allures portantes que le vent réel et la différence peut varier de plus 30 % à moins 50 %. Cela se sent d'ailleurs très nettement quand on passe d'une allure à l'autre.

nulle. Le couple composante de dérive-portance étant faible, la gîte disparaît presque complètement.

Le bateau continue à abattre et se trouve bientôt à la limite du largue : la grand-voile s'appuie contre le hauban sous le vent. Comme il n'est plus possible de la déborder et que le bateau abat toujours, vient un moment où l'angle de déflexion dépasse la valeur critique : le décrochage se produit, l'écoulement devient turbulent.

Au grand largue et au vent arrière.

La force aérodynamique est dirigée pratiquement dans l'axe du bateau mais, l'écoulement étant turbulent, elle est relativement faible et ne varie plus guère tandis que le bateau abat encore jusqu'à venir plein vent arrière. Gîte et dérive ont disparu.

A l'issue de cette analyse, on peut se risquer à l'affirmation suivante : des deux principales forces qui se conjuguent pour faire avancer un bateau, l'une est franchement positive, c'est la force aérodynamique; l'autre, la portance de la quille, est en quelque sorte un « moindre mal ». Cette portance est nécessaire pour que le bateau trouve un appui dans l'eau, mais la quille fait payer les efforts qu'on lui demande : en avançant dans l'eau avec un certain biais, qui correspond à l'angle de dérive, elle agit aussi comme un frein.

Il faut alors imaginer l'état d'esprit de l'équipage tout au long de l'appareillage. Au départ, il sait qu'il a besoin de la quille pour que le bateau démarre, et son objectif est de la mettre tout de suite à contribution. Ensuite, lorsqu'elle a « accroché » il s'efforce de la faire travailler aussi peu que possible. Pour cela, il ne peut jouer que sur le réglage des voiles. **Selon l'allure suivie, l'important n'est pas toujours de régler les voiles de manière à obtenir une force aérodynamique maximum, car si cette force est orientée trop sur le côté, c'est-à-dire si sa composante de dérive est grande, la quille est très sollicitée. Il vaut mieux se contenter parfois d'une force plus faible, mais dirigée plus sur l'avant.** En d'autres termes, l'équipage doit considérer non seulement l'angle d'incidence entre le vent et les voiles (qui détermine la grandeur de la force aérodynamique) mais aussi l'angle entre les voiles et l'axe du bateau, qui détermine l'orientation de cette force. Il doit trouver un juste compromis entre les deux. Pratiquement, dans la plupart des cas, il s'avère qu'**une voile doit être aussi débordée que possible.** Cette règle simple vaut de l'or.

Remarquons pour finir que sur un bateau à voiles, tout est d'ailleurs affaire de compromis, aussi bien au stade de la construction que de la conduite. La mâture est nécessaire pour tenir les voiles, mais elle doit être aussi discrète que possible, car sa présence affecte beaucoup la grandeur et la direction de la force aérodynamique. La coque, d'autre part, est commode parce qu'elle flotte et qu'on peut y planter un mât (éventuellement même y habiter), mais elle constitue dans l'eau un frein important. Il faut donc sans cesse composer, pour résoudre les problèmes de stabilité, d'habitabilité, de sécurité, sans trop nuire au rendement de l'ensemble. Des esprits chagrins ne manqueraient pas de faire remarquer qu'en définitive ce rendement est désastreux. On peut considérer, à l'inverse, qu'un bateau à voiles tire un parti étonnant d'une situation fort peu favorable au départ, et surtout constater que son rendement peut varier dans des proportions considérables selon la façon dont il est mené. Dans cette optique, rechercher le meilleur réglage de voiles en toutes circonstances devient une entreprise passionnante. C'est ce que nous allons faire tout de suite.

Les voiles

Le rendement d'une voile.

En mer, il est malaisé d'isoler les facteurs qui influent sur le rendement d'une voile, d'évaluer leur action respective, faste ou néfaste, puis leur interaction. Cela se fait plutôt à tête reposée, dans des souffleries, à l'aide de modèles réduits. Les conditions dans lesquelles s'effectuent ces essais sont assez éloignées de la réalité, comme nous le verrons; les renseignements obtenus sont cependant intéressants, dans la mesure où ils font apparaître de façon claire les variations de la force aérodynamique développée par telle ou telle voile, selon son orientation par rapport au vent.

La mise en évidence des résultats obtenus se fait d'une manière très simple, qui ne doit pas effrayer le lecteur peu familier de l'invisible et de ses représentations dans l'art. Tous les graphiques suivants sont bâtis selon le même principe : on prend comme axe de référence la direction du **vent apparent,** et comme point d'origine le centre de la voile à tester; pour chaque angle d'incidence entre le vent et la voile, on trace dans la direction de la force relevée un vecteur de longueur proportionnelle à la grandeur de cette force; en reliant ensuite les extrémités de tous les vecteurs, on obtient une courbe, dite **courbe polaire,** qui montre les variations de grandeur de la force selon l'angle d'incidence [1].

---

1. Pour les puristes, notons que, dans l'exploitation ordinaire de ces courbes, le vecteur ne représente pas la force aérodynamique elle-même, mais un coefficient de proportionnalité qui permet de comparer non seulement des voiles de surface égale et de forme différente, mais encore, dans certaines limites, des voiles de surface différente. Le raisonnement demeure le même, de toute façon.

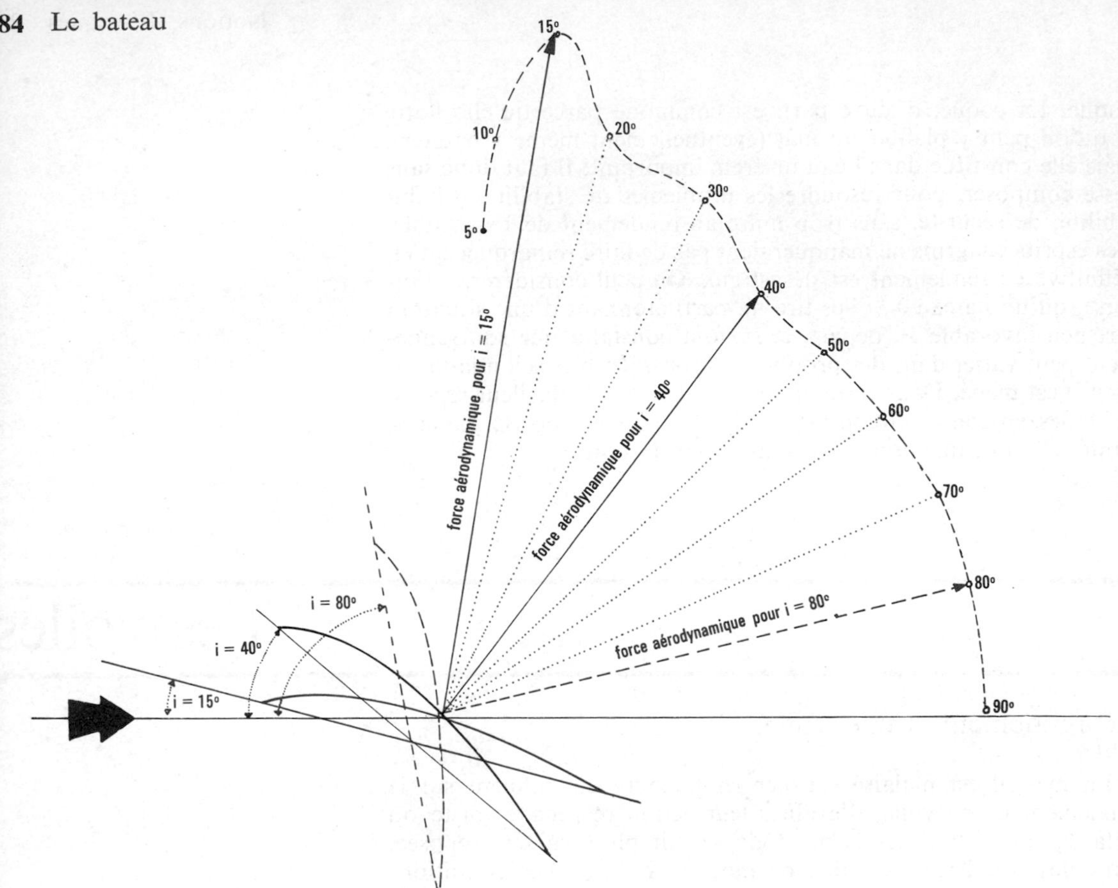

Rendement d'une voile marconi, d'allongement et de creux moyens, orientée à 15°, 40° et 80° du vent.

La première courbe, ci-dessus, montre le rendement d'une voile marconi d'allongement et de creux moyens. On peut confronter à la réalité décrite dans les pages précédentes les indications qu'elle donne sur la grandeur de la force obtenue. On constate qu'aux faibles angles d'incidence (correspondant à l'orientation de la voile pour les allures comprises entre le près et le largue) la force aérodynamique croît régulièrement avec l'angle, atteint un maximum à 15° et chute ensuite brusquement : pour la voile considérée, l'angle d'incidence de 15° est donc l'angle critique au-delà duquel survient le décrochage. L'écoulement de l'air sur la voile, jusqu'alors régulier, devient turbulent. Pour les angles supérieurs à 30° (correspondant à l'orientation de la voile au grand largue et au vent arrière), la force conserve une valeur sensiblement constante, et faible.

Il faut surtout remarquer l'aigu de la courbe, aux alentours de l'angle de 15° : dans ces parages, à une faible variation de l'angle d'incidence correspond une variation importante de la force aérodynamique. Pratiquement, cela signifie que **le réglage des voiles doit être d'une grande précision pour tous les angles de déflexion où l'écoulement de l'air peut être régulier;** au-delà, le réglage est moins critique.

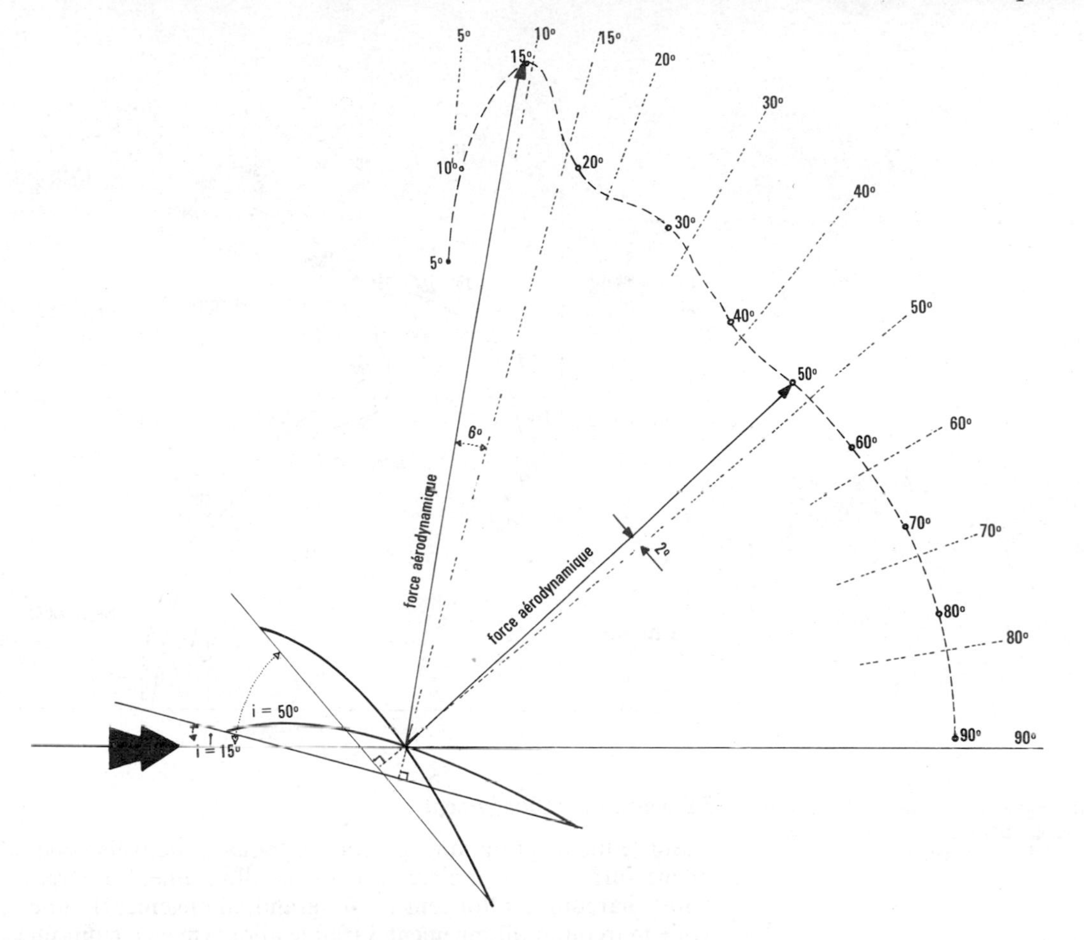

Orientation de la force aérodynamique en fonction de l'angle d'incidence.

A l'aide de la même courbe, on peut obtenir des précisions sur la direction de la force. Nous avons dit que celle-ci est sensiblement perpendiculaire à la corde de la voile. Cependant, si l'on trace (en pointillé), pour différentes valeurs d'angle d'incidence, des perpendiculaires à la corde de la voile, on constate que pour ces mêmes angles, **la force aérodynamique est dirigée presque toujours en avant de la perpendiculaire** (ce qui est évidemment intéressant). La différence est particulièrement nette à l'angle critique de 15°. Au-delà, elle s'atténue, et disparaît pour une déflexion de 90°.

Notons encore que pour les très faibles angles, à 5° par exemple, la force est dirigée en arrière de la perpendiculaire.

Tout cela ne concerne que la voile testée ici : voile marconi d'allongement et de creux moyen. Dans d'autres cas, la force aérodynamique peut se trouver orientée en arrière de la perpendiculaire pour des valeurs d'angles très différentes.

Mais le principal intérêt de ce système de représentation est évidemment de rendre possible la comparaison entre différentes formes de voiles. Il permet d'estimer en particulier l'influence de l'allongement et du creux sur le rendement.

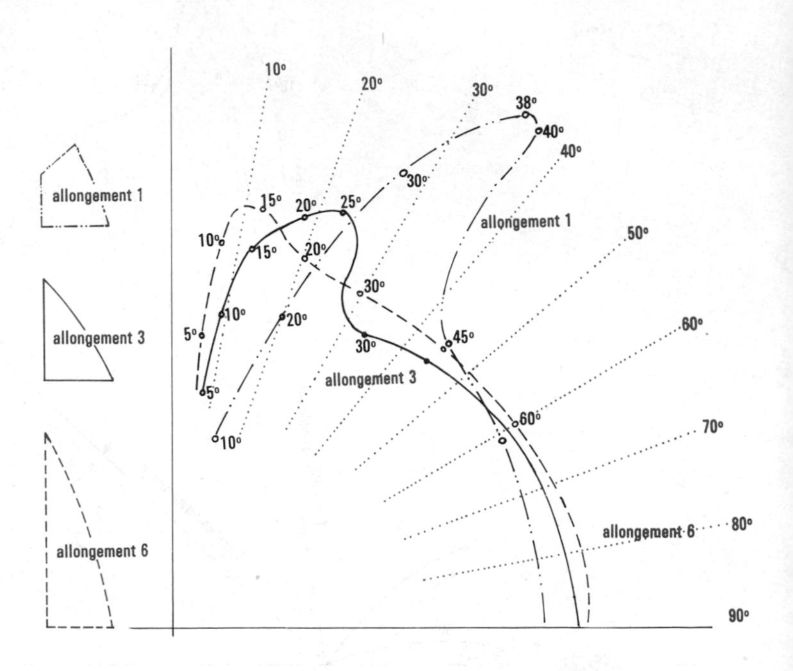

Différences de rendement de voiles d'allongement 6, 3 et 1, aux divers angles d'incidence.

Influence de l'allongement.

Sur le même graphique, portons les polaires de trois voiles ayant même surface et même creux, mais un allongement différent : une voile marconi d'allongement 6 (grand allongement), une autre voile marconi d'allongement 3 (faible allongement), enfin une voile aurique d'allongement 1. On peut faire les constatations suivantes :

— Aux faibles angles d'incidence, c'est la voile à grand allongement qui développe la force la plus importante, et la mieux orientée.

— Cette même voile décroche pour un angle de déflexion plus faible que les autres.

— Entre 25° et 45° d'incidence, la voile aurique développe une force beaucoup plus importante; elle ne décroche qu'à un angle de 38° (mais plus dure est la chute : noter le spectaculaire retour de la courbe). En approchant de 90°, les voiles plus allongées reprennent un léger avantage.

La voile marconi à grand allongement est donc nettement la plus efficace au près. Aux allures de largue, la voile marconi d'allongement faible permet d'abattre d'un angle plus grand sans décrocher (cet avantage est mince). La voile aurique est très puissante pour ces mêmes allures, mais son rendement au près est médiocre. La faculté de bien remonter au vent étant considérée actuellement comme l'une des principales qualités d'un bateau, l'adoption de voiles à grand allongement sur les voiliers modernes se trouve ici partiellement justifiée.

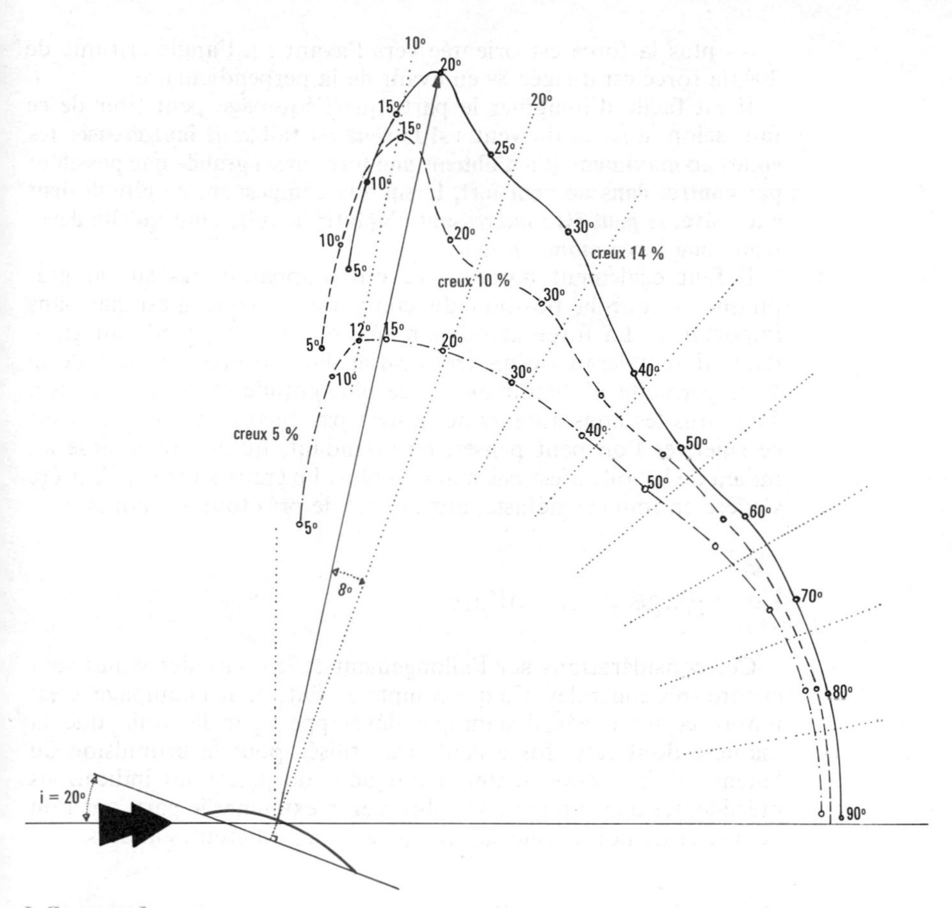

Influence du creux (réglé ici à 5%, 10% et 14%) sur la force développée par une même voile.

Influence du creux.

L'allongement d'une voile est choisi au stade de la conception même du bateau, et ce choix est le plus souvent du ressort de l'architecte. Pour le creux à donner à la voile, il en va tout autrement. Sur les voiles modernes, ce creux peut varier de façon considérable; la même voile peut devenir, à volonté, une « planche » ou un « sac ». Ce réglage incombe à l'équipage, et peut entraîner, comme nous allons le voir, des variations importantes de la force aérodynamique.

Prenons donc désormais une seule voile, marconi, d'allongement 4,6. Considérons, pour une même force de vent, trois polaires correspondant à trois réglages du creux de cette voile : 5 %, 10 % et 14 % (ce pourcentage indiquant la profondeur du creux par rapport à la longueur de la bordure). On constate immédiatement que, plus le creux est profond :

— plus la force développée par la voile est grande; la différence est surtout sensible aux faibles angles d'incidence;

— plus la voile peut défléchir le vent d'un angle important sans décrocher;

— plus la force est orientée vers l'avant : à l'angle critique de 20°, la force est dirigée 8° en avant de la perpendiculaire.

Il est facile d'imaginer le parti que l'équipage peut tirer de ce fait, selon la force du vent : **si le vent est faible, il faut creuser les voiles au maximum afin d'obtenir une force aussi grande que possible; par contre, dans un vent fort, lorsque la composante de gîte devient excessive, il peut être intéressant d'aplatir la voile pour qu'elle développe une force moins grande.**

Il faut également noter — ce qui n'apparaît pas sur le graphique — que la position du creux sur la voile n'est pas sans importance. La force aérodynamique étant plus grande au guindant, il semblerait qu'un creux situé dans le premier tiers de la voile permette d'obtenir une force plus grande et mieux orientée. Toutefois les bons auteurs ne se sont pas encore mis d'accord sur ce sujet, et l'on peut penser, en attendant, qu'un creux situé au milieu de la voile n'est pas mal non plus. Le creux situé sur l'arrière s'avère en tout cas néfaste, aux allures de près tout au moins.

Le réglage et les allures.

Ces considérations sur l'allongement et le creux des voiles sont encore très générales. Ce qui compte en fait, pour l'équipage, c'est moins la force aérodynamique développée par la voile que la manière dont cette force peut être utilisée pour la propulsion du bateau. Il faut donc tenter maintenant de placer les indications précédentes dans un contexte plus réel, d'examiner le parti que l'on peut tirer de notre voile sur un bateau, aux différentes allures.

Du vent de travers au petit largue.

Le bateau est au vent de travers (bateau noir), il fait cap à 90° du vent apparent. Sa voile, réglée au creux maximum de 14 %, peut être orientée au meilleur angle de déflexion : 20°. La force aérodynamique développée est donc maximum; si on la décompose selon le parallélogramme habituel, on constate de plus qu'elle est remarquablement orientée : la composante propulsive est énorme, la composante de dérive et de gîte reste faible. A cette allure, même si le vent fraîchit, on peut conserver longtemps le creux de 14 %.

Maintenant, le bateau loffe (bateau rouge) jusqu'à venir au petit largue. L'équipage borde un peu les voiles, l'angle d'incidence reste le même : 20°. Seul l'angle entre la voile et l'axe du bateau a changé. On constate que la force aérodynamique toujours aussi importante, est moins bien orientée : sa composante propulsive est moins grande qu'au vent de travers, sa composante de dérive et de gîte s'accroît nettement — au point même que, par temps frais, elle peut commencer à se faire sérieusement remarquer. Mais c'est au près que les choses se corsent.

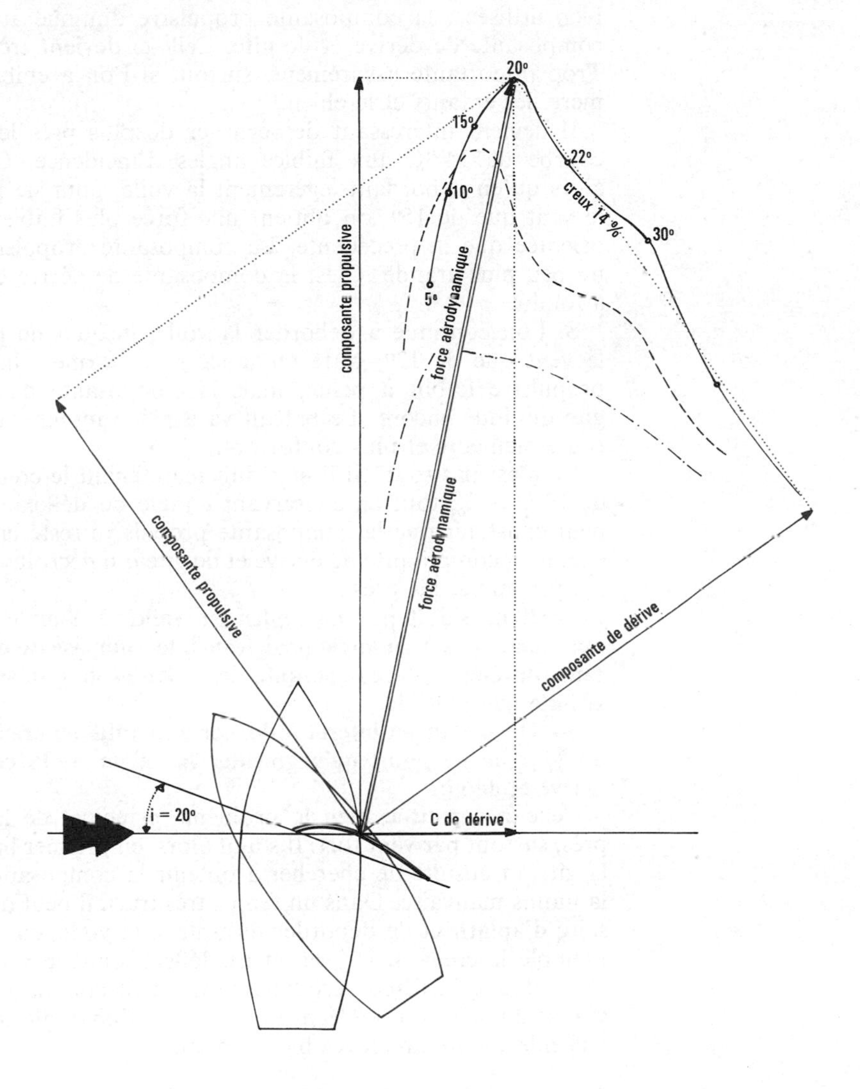

Orientation de la force aérodynamique au vent de travers et au petit largue.

Au près.

En venant au près, on peut encore border la voile de façon à conserver le même angle d'incidence de 20°, toujours avec le même creux de 14 %. Mais la force aérodynamique est de moins en moins bien utilisée : la composante propulsive diminue au profit de la composante de dérive et de gîte. Celle-ci devient très importante. Trop importante assurément, surtout si l'on a embarqué grand-mère, les enfants et le chien.

Il devient intéressant de regarder de plus près le profil de la courbe de 14 %, aux faibles angles d'incidence. On s'aperçoit alors qu'en débordant légèrement la voile, pour ne plus défléchir le vent que de 15°, on obtient une force plus faible, mais mieux orientée que la précédente. La composante propulsive est même un peu plus grande. C'est la composante de dérive et de gîte qui a fondu.

Si l'on continue à déborder la voile, jusqu'à ne plus défléchir le vent que de 12°, cette tendance se confirme : la composante propulsive faiblit à peine, mais la composante de dérive et de gîte diminue encore. Le bateau va à peine moins vite, il fait une route meilleure et plus confortable.

Ce n'est pas tout. Si l'on réduit maintenant le creux de la voile de 14 à 10 %, tout en conservant l'angle de déflexion de 12°, on peut constater que la composante propulsive reste la même, c'est encore la composante de dérive et de gîte qui décroît.

En somme, au près :

— **Il ne s'agit pas de régler les voiles à l'angle de déflexion optimum, mais à un angle pour lequel, la composante propulsive restant convenable, la composante de dérive et de gîte se trouve aussi réduite que possible.**

— **On n'a aucun intérêt à donner à la voile un creux supérieur à 10 % : on ne ferait qu'augmenter la valeur de la composante de dérive et de gîte.**

Celle-ci constitue bien le problème principal de la marche au près, surtout par vent fort. Il s'agit alors, en premier lieu, de limiter la gîte, et ensuite de chercher à obtenir la composante propulsive la moins mauvaise. Dans un temps très frais, il peut devenir nécessaire d'aplatir et de déborder davantage la voile, en réduisant par exemple le creux à 5 %, et en ne défléchissant le vent que de 7°. On sait que la force aérodynamique croît comme le carré de la vitesse du vent : en défléchissant le vent d'un angle très faible, on recueille encore une force bien suffisante.

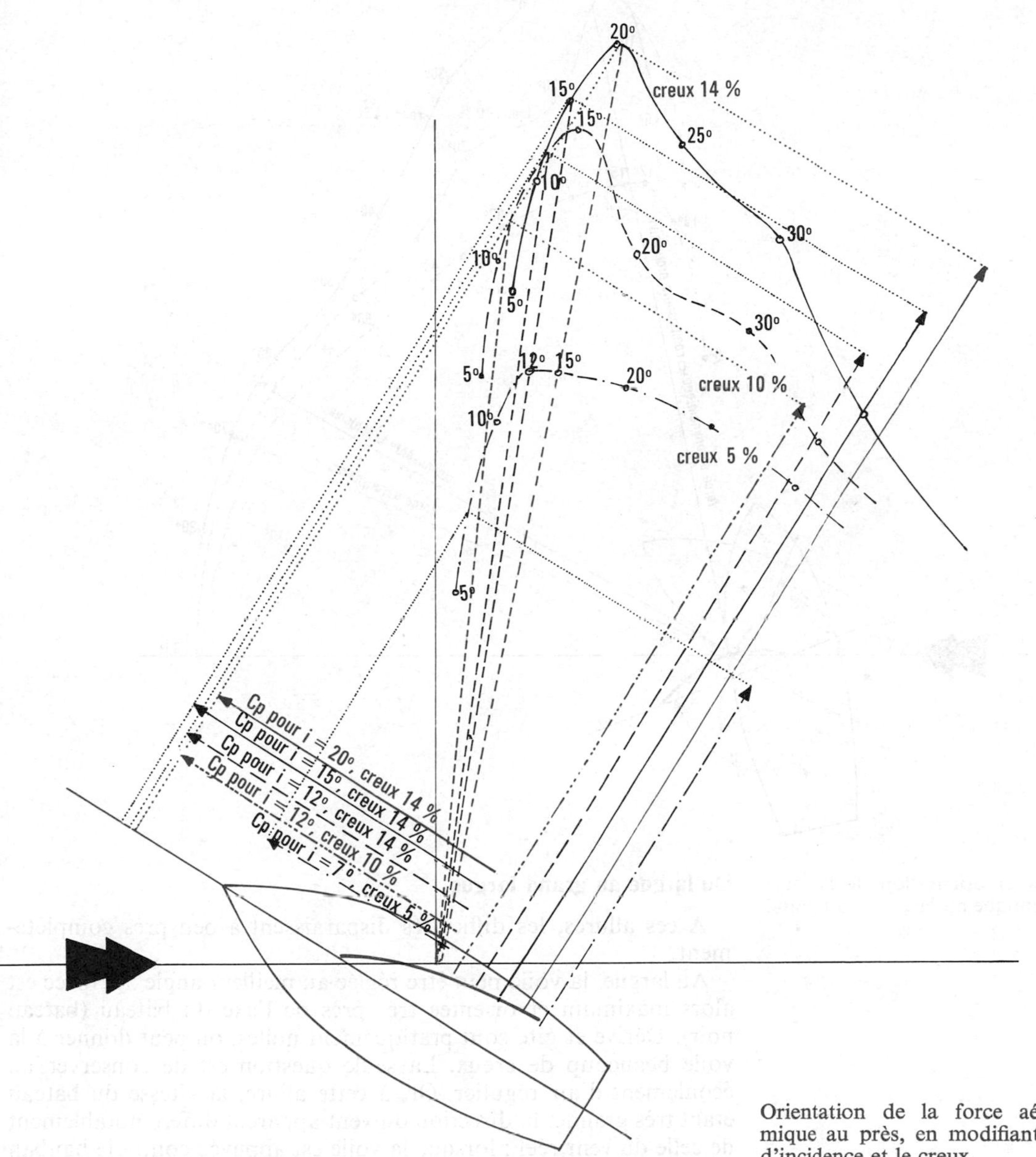

Orientation de la force aérodynamique au près, en modifiant l'angle d'incidence et le creux.

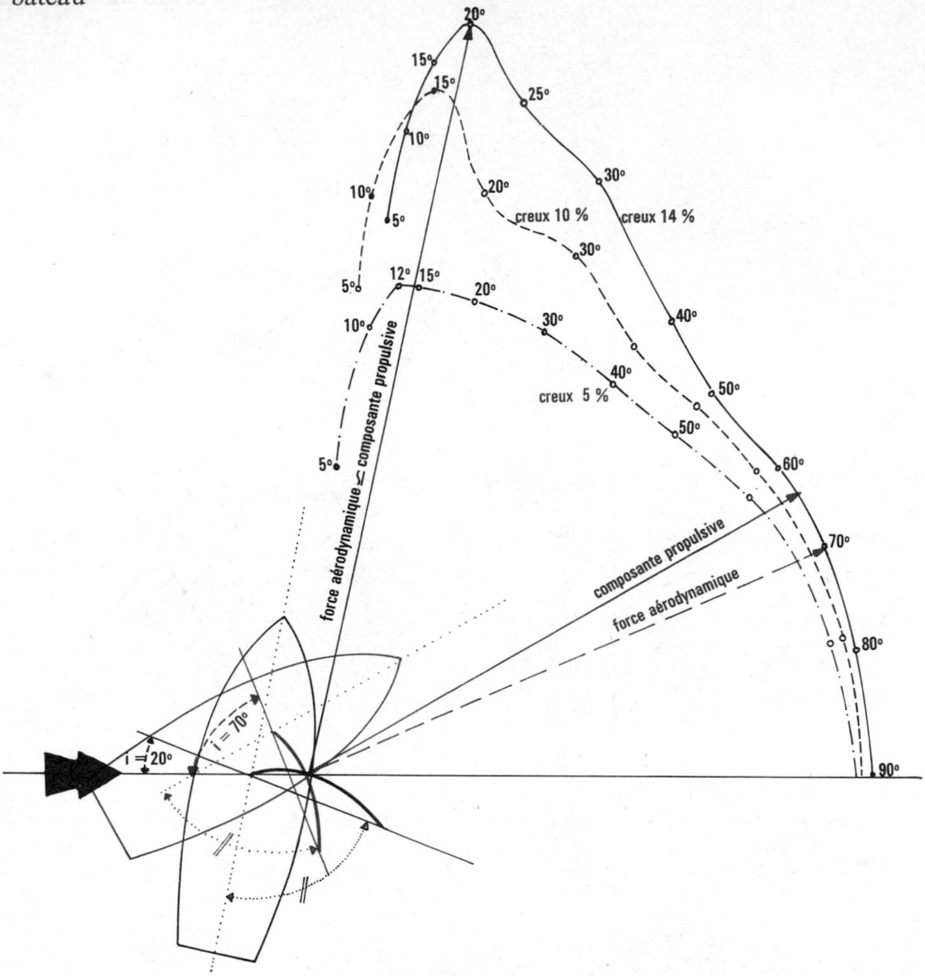

Grandeur et orientation de la force aérodynamique au largue et au grand largue.

Du largue au grand largue.

A ces allures, les difficultés disparaissent à peu près complètement.

Au largue, la voile peut être réglée au meilleur angle : la force est alors maximum et orientée très près de l'axe du bateau (bateau noir). Dérive et gîte sont pratiquement nulles, on peut donner à la voile beaucoup de creux. La seule question est de conserver un écoulement d'air régulier. Or, à cette allure, la vitesse du bateau étant très grande, la direction du vent apparent diffère notablement de celle du vent réel : lorsque la voile est appuyée contre le hauban sous le vent, réglée à 20° d'incidence, il suffit d'un renforcement du vent ou d'un ralentissement fortuit du bateau : le vent apparent adonne, il se rapproche du vent réel, l'angle d'incidence croît, le décrochage se produit.

On se trouve dès lors au grand largue (bateau rouge). L'écoulement est turbulent, la force aérodynamique est nettement plus faible. Ici l'orientation de la voile n'est plus critique; une modification du creux n'entraîne pas non plus de changement notable. A cette allure, comme au vent arrière, le seul moyen d'obtenir une force plus importante est d'augmenter la surface de la voilure. Les soucis de dérive et de gîte n'existent plus.

Les empêchements.

Toutes les courbes que nous venons d'examiner se rapportent à une force aérodynamique idéale, celle qui est produite par un vent de soufflerie sur une voile en tôle. Elles ont le mérite de mettre en évidence des principes, indiquant dans quel sens on peut agir pour améliorer le rendement d'une voile. Dans la réalité, cependant, les choses ne sont pas si claires.

La force aérodynamique, nous l'avons vu, est d'autant plus grande qu'il y a moins de tourbillons dans l'écoulement de l'air. Or, sur un bateau bien réel, aux prises avec des éléments mal éduqués, les causes de turbulence ne manquent pas :

— Le gréement et la mâture perturbent l'air avant que celui-ci n'atteigne la voile; le mât en particulier, de section importante, détériore l'écoulement le long du guindant, là où la force est théoriquement la plus grande.

— Le frottement même de l'air sur les voiles, surtout si celles-ci sont faites d'un matériau rugueux, crée des turbulences sur toute leur surface.

— Les mouvements du bateau entraînent des variations brutales du vent apparent, en force et en direction.

— Des facteurs plus fortuits peuvent intervenir : ainsi, la présence d'un équipier debout près du guindant, ou sous le vent de la voile, est-elle remarquablement néfaste (d'autant plus que le bateau est plus petit, et l'équipier plus grand).

Pour toutes ces raisons, la force aérodynamique réellement développée par la voile est nettement moins grande qu'on aurait pu l'espérer.

Il faut remarquer d'autre part que la mâture, les superstructures, la partie émergée de la coque, l'équipage, sont autant d'obstacles au vent. Ils constituent ce que l'on appelle le **fardage** du bateau, et recueillent pour eux-mêmes une force qui est dirigée dans le lit du vent. Cette force se combine à la force développée par les voiles. La résultante, c'est-à-dire la force aérodynamique totale, est toujours dirigée plus près du lit du vent que la force développée par les voiles seules. En conséquence, si le fardage peut être bénéfique aux allures portantes, il s'avère très néfaste aux allures proches du vent. Au près, dans le mauvais temps, lorsqu'on navigue sous voilure réduite, la force aérodynamique totale peut, à la limite, se trouver si mal orientée que le bateau refuse purement et simplement d'avancer.

Nous voilà loin de la force représentée sur les graphiques. Bon gré mal gré, c'est pourtant bien cette force aérodynamique totale qu'il faut considérer lorsqu'on parle de propulsion du bateau.

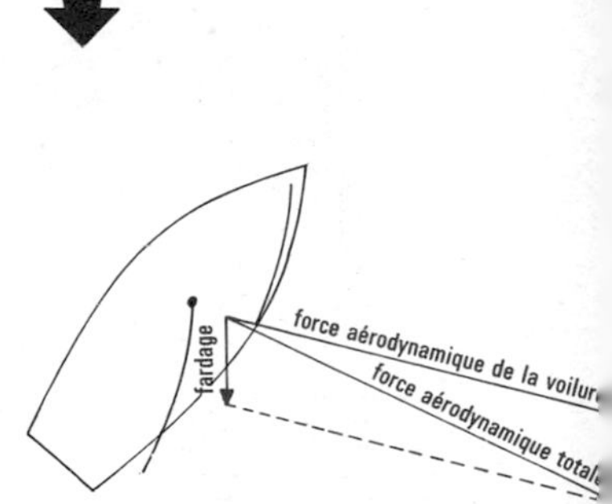

Au près, faire rentrer les gros équipiers dans la cabine, le fardage sera diminué d'autant.

Association de plusieurs voiles.

Le moyen le plus évident d'augmenter la force aérodynamique est d'augmenter la surface de voile. Mais l'utilisation de voiles très grandes présente des difficultés d'ordre technologique — en ce qui concerne la tenue du mât en particulier. La solution qui consiste à juxtaposer plusieurs voiles de dimensions raisonnables apparaît non seulement plus pratique, mais donne des résultats bien meilleurs. Nous examinerons ici le cas le plus courant : l'association d'une grand-voile et d'une voile d'avant, foc ou spinnaker selon les allures.

La place même du foc, à l'avant du bateau, suggère d'emblée quelques réflexions :

— Le foc est endraillé sur un étai de faible diamètre : l'écoulement du vent au guindant est donc très peu perturbé. Le foc travaille dans de meilleures conditions que la grand-voile.

— Le foc envoie sous la grand-voile les masses d'air qu'il a défléchies. Une voile travaillant surtout par son côté sous le vent, on conçoit que le foc puisse avoir une influence sur la façon dont travaille la grand-voile. Il apparaît en effet, principalement au près, **si la forme du couloir entre les deux voiles est correcte, le vent s'y trouve laminé, donc régularisé : cette amélioration de l'écoulement s'avère bénéfique, pour la grand-voile et pour le foc.** De plus, le resserrement du couloir près de la chute du foc provoque une accélération de l'air et un renforcement de la dépression sous le vent de la grand-voile : le rendement de celle-ci s'en trouve encore accru.

Nous allons voir les conditions dans lesquelles joue cette interaction aux différentes allures.

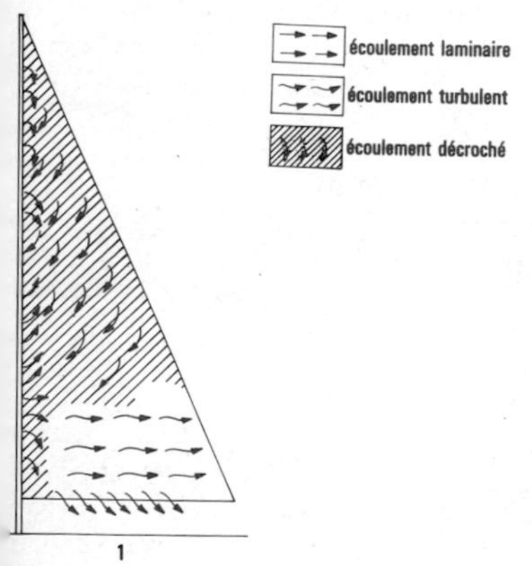

Au près.

Examinons d'abord les constatations faites, lors d'essais en soufflerie. L'écoulement figuré par des flèches sur les dessins est celui qui se produit sous le vent des voiles.

1. Le bateau est au près, sous grand-voile seule. Le mât perturbe considérablement l'écoulement de l'air. Celui-ci est presque complètement turbulent.

2. Sans changer le cap ni le réglage de la grand-voile, on rajoute un foc. On constate que l'écoulement est entièrement laminaire sous le vent du foc et qu'il est également devenu laminaire sous le vent de la grand-voile. Des turbulences subsistent :

— dans la partie supérieure de la grand-voile, qui ne bénéficie pas de l'action du foc;

— au point de drisse du foc lui-même : celui-ci est très étroit à cet endroit et le couloir entre les voiles est trop resserré.

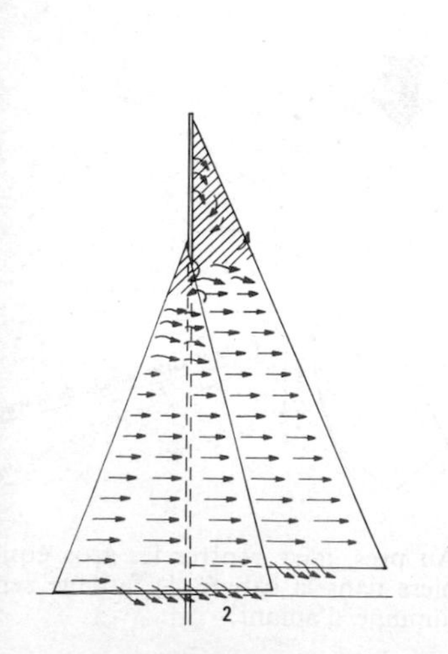

On peut noter également que l'air s'échappe entre le bas des voiles et le pont. Cette « fuite » est néfaste dans la mesure où elle tend à équilibrer les pressions entre les deux faces des voiles (en

LE NOUVEAU BALISAGE

Depuis avril 1977 apparaît sur les côtes Nord et Ouest d'Europe un nouveau système de balisage, dit système « A ». Il combine les principes des systèmes latéral et cardinal et comprend cinq types de marques :
— les marques latérales dont l'emploi est associé à celui d'un sens conventionnel de balisage, généralement utilisées pour des chenaux bien définis; ces marques indiquent les côtés bâbord et tribord de la route à suivre;
— les marques cardinales dont l'emploi est associé à celui du compas du navire et qui indiquent où le navire peut trouver des eaux saines;
— les marques de danger isolé signalant des dangers isolés d'étendue limitée autour desquels les eaux sont saines;
— les marques d'eaux saines indiquant qu'autour de telles marques, les eaux sont saines (par exemple, marques de milieu de chenal);
— les marques spéciales n'ayant pas pour but principal d'aider la navigation mais indiquant une zone ou une configuration mentionnée dans les documents nautiques.

Les dangers nouveaux sont balisés au moyen de l'une de ces marques; si le danger semble particulièrement grave, la marque employée est doublée par une marque en tous points identique, éventuellement dotée d'une balise-radar.

Le système « A » est progressivement mis en application le long des côtes de France métropolitaine :
— en avril 1977, au nord de l'embouchure de la Somme;
— en 1979, entre l'embouchure de la Somme et Audierne (Finistère), et les côtes Sud d'Angleterre;
— en 1980, entre Audierne et la frontière espagnole.

L'application du système à la Méditerranée n'est pas actuellement prévue.

Ce système est caractérisé par :
— une simplification importante de l'ancien système latéral;
— le remplacement du noir par le vert;
— le maintien du système des voyants;
— l'apparition sur les marques de la couleur jaune et d'une répartition différente des bandes de couleur : la position du noir correspond à l'orientation des voyants;
— la cohabitation des deux systèmes, latéral et cardinal, en particulier dans les chenaux compliqués.

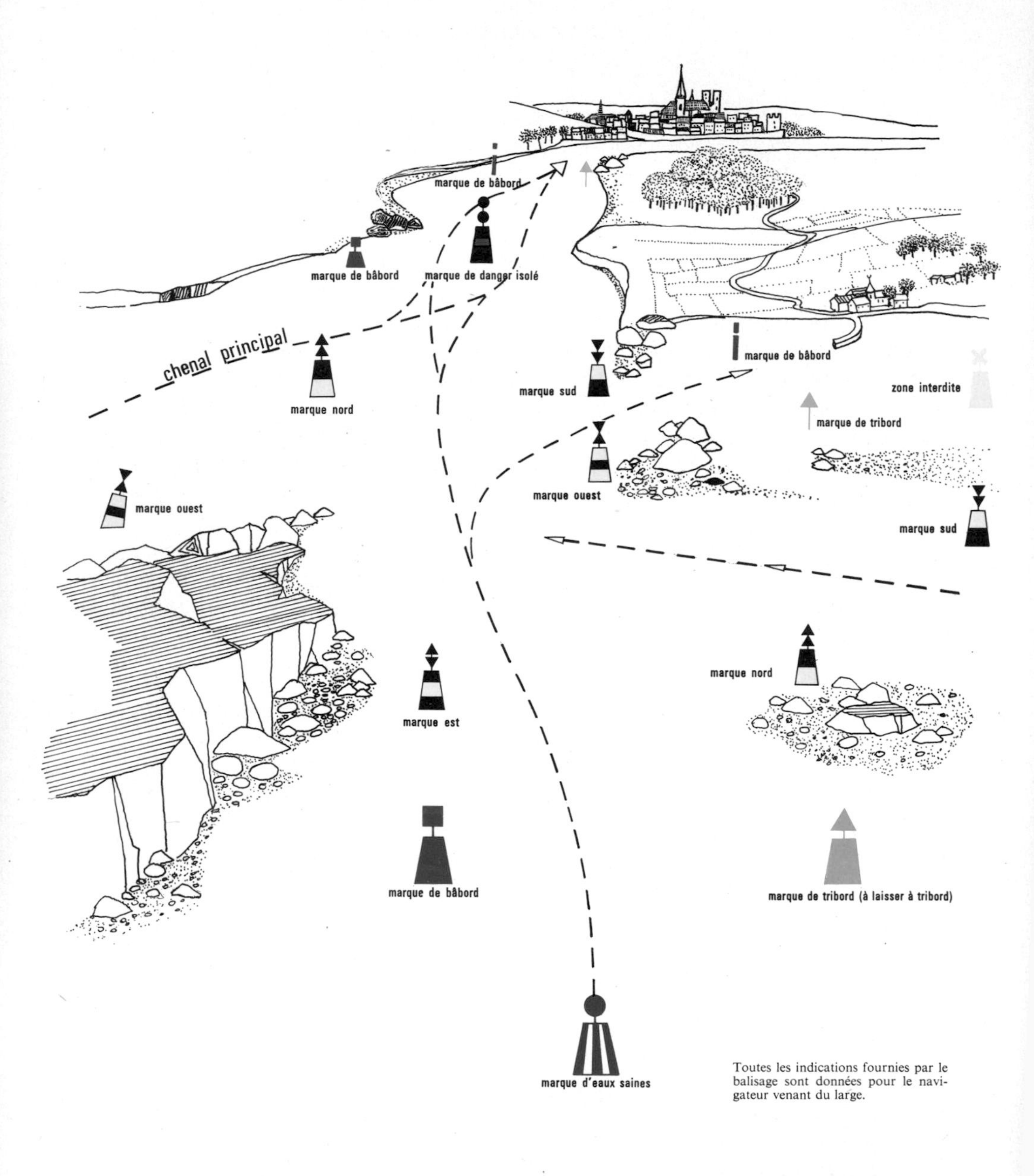

Toutes les indications fournies par le balisage sont données pour le navigateur venant du large.

pratique, on parvient à l'éliminer partiellement, en utilisant un génois à « bavette », dont la bordure repose sur le pont).

3. Le bateau abat de 5°. Les voiles sont débordées d'autant, de telle sorte que l'angle d'incidence reste le même. Rien ne change pour la grand-voile, mais sur le foc la zone de turbulence ne se limite plus au point de drisse : elle s'étend vers le bas.

4. Si le bateau abat encore de 5°, voiles débordées en conséquence, l'écoulement sous le vent du foc est entièrement instable ou décroché.

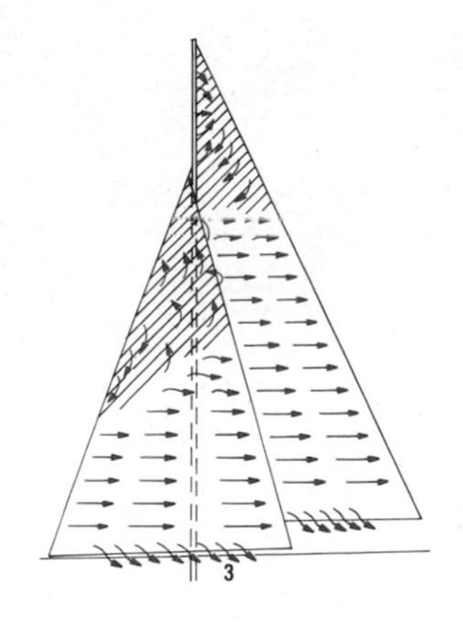

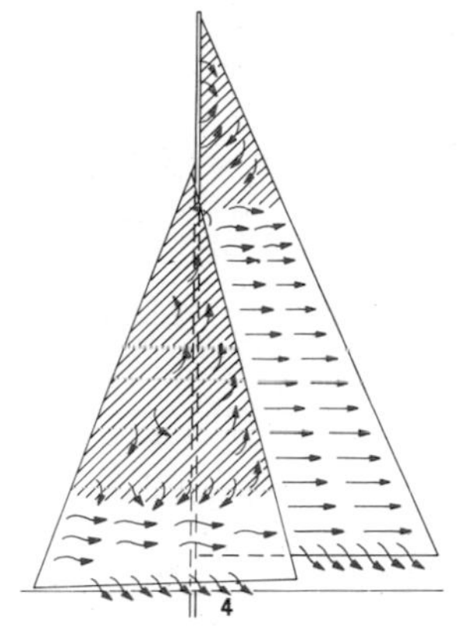

Lorsque le bateau abat, la forme du couloir entre les voiles se modifie sensiblement car la grand-voile pivote autour d'un axe vertical, le foc autour d'un axe oblique. La différence de largeur du couloir entre le haut et le bas des voiles s'accentue, tandis que la quantité d'air qui pénètre entre le guindant du foc et le mât augmente. En somme, plus le bateau abat, plus l'étroitesse du couloir dans le haut devient sensible, et néfaste à la régularité de l'écoulement.

Dans la pratique, on cherche donc à avoir entre les voiles un couloir aussi large que possible. On y parvient :

— en débordant le foc; pour cela les filoirs d'écoute doivent être écartés au maximum de l'axe du bateau;

— en bordant la grand-voile plus que le foc, ce qui est d'ailleurs nécessaire car la grand-voile reçoit sous son vent un air déjà défléchi.

C'est toutefois le réglage du foc qui est le plus critique. Les essais montrent que sur un bateau d'une dizaine de mètres, pour une écoute trop embraquée de trois centimètres la perte de rendement de l'ensemble de la voilure peut être de 20 %.

Le résultat est également très mauvais si le foc renvoie de l'air sous la grand-voile au point que le guindant de celle-ci gonfle à contre. Cela peut se produire pour diverses raisons : contre-écoute du foc mal filée, grand-voile pas assez bordée, mauvaise coupe du foc dont la chute referme. Il est évident aussi que le laminage de l'air entre les voiles se trouve très compromis si un équipier déambule dans le couloir.

Il faut enfin tenir compte ici d'un phénomène particulier, qui n'apparaît pas sur les voiles rigides des souffleries : le **dévers.** Les voiles réelles, dont la chute se trouve moins tenue dans le haut que dans le bas, ont tendance à prendre, sous la pression du vent, une forme hélicoïdale plus ou moins prononcée : leur partie haute tend à s'écarter de l'axe du bateau. Notons que ce dévers, s'il est bien contrôlé, n'est pas en soi une mauvaise chose : à quelques mètres de hauteur, le vent réel est plus fort qu'au ras de l'eau; le vent apparent est donc moins pointu et les voiles peuvent être moins bordées. Nous reparlerons de ce phénomène en manœuvre. Sur le point qui nous occupe ici, il apparaît surtout qu'il faut prendre soin d'harmoniser le dévers des deux voiles, pour que le couloir entre elles soit correct sur toute la hauteur.

En définitive, on peut relever les variations de la force aérodynamique au cours de ces essais :

— Lorsque le bateau est sous grand-voile seule, au près serré, la force est très faible; le bateau manque de puissance et parvient difficilement à faire du près.

— Lorsqu'on ajoute le foc, l'augmentation de la force est sans commune mesure avec l'augmentation de la surface de toile : le bateau se met à exister vraiment, et cela est dû essentiellement à la régularisation de l'écoulement de l'air sur l'ensemble de la voilure.

— Dès que le bateau abat un peu, l'écoulement de l'air sous le vent du foc devenant turbulent, la force développée par celui-ci diminue. Mais, grâce au foc, l'écoulement sous le vent de la grand-voile demeure laminaire et la force développée par celle-ci ne change pas. En définitive, les deux voiles ayant été débordées, la force aérodynamique totale est plus faible mais mieux orientée, et le bilan est encore favorable.

Sans foc : l'écoulement de l'air sous le vent de la grand-voile est turbulent, le rendement est mauvais.

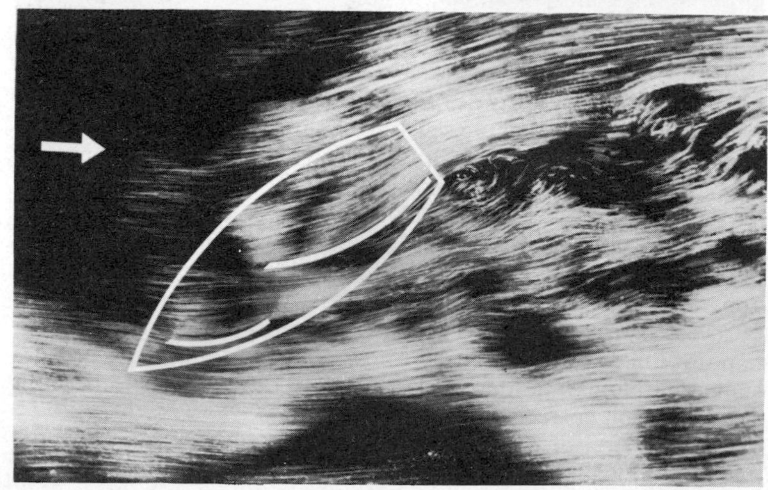

Avec foc : l'écoulement de l'air sous le vent de la grand-voile est laminaire, le rendement augmente considérablement.

Au largue.

A mesure que le bateau abat, les voiles sont débordées. Le foc « ballonne »; au petit largue, il tire mal, et ne lamine plus l'air pour la grand-voile. On peut tenter d'améliorer son rendement (et surtout la forme du couloir), en le tangonnant sous le vent ou en passant son écoute en bout de bôme. De toute façon, le bateau marche encore très bien, car il est possible d'orienter la grand-voile à l'angle d'incidence le meilleur; la force aérodynamique est presque entièrement utilisée pour la propulsion.

Au-delà du vent de travers, la quantité d'air passant entre le mât et l'étai diminue. Au largue, le foc commence à être déventé par la grand-voile. Au grand largue, il devient pratiquement inutile, et ne retrouve une certaine efficacité qu'au vent arrière, allure à laquelle on peut le tangonner au vent, du côté opposé à la grand-voile.

Mais dès le petit largue, il est possible, si le vent n'est pas trop fort, de remplacer le foc par une voile mieux adaptée aux allures de largue et de vent portant : le spinnaker. Cette voile, de grande surface, développe évidemment une force plus grande. Quelle que soit l'allure portante suivie, elle peut être orientée de façon à accueillir le maximum de vent. Très creuse et de faible allongement, elle peut d'autre part défléchir le vent d'un angle important sans décrocher complètement. Dans ces conditions, elle peut laminer l'air sous le vent de la grand-voile jusqu'à des angles pour lesquels celle-ci devrait avoir décroché depuis longtemps.

Au largue, le principe du réglage du spi est le même que celui du foc : il faut que le couloir entre les voiles soit aussi large que possible. On doit donc filer l'écoute et écarter son filoir au maximum (éventuellement passer l'écoute en bout de bôme). On ne peut toutefois, à cette allure, utiliser un spi trop creux, il refermerait et ne parviendrait pas à se vider. Par contre, un spi assez plat et bien réglé peut conserver en partie un régime d'écoulement régulier, et laminer l'air sous la grand-voile pour une incidence de l'ordre de 30° à 40°.

Au vent arrière.

Au grand largue et au vent arrière, l'écoulement de l'air sur les voiles est complètement décroché. Tout ce que l'on peut faire est d'étaler la plus grande surface de voilure possible. On peut utiliser un spi très creux et le seul problème est d'y faire circuler le plus de vent possible.

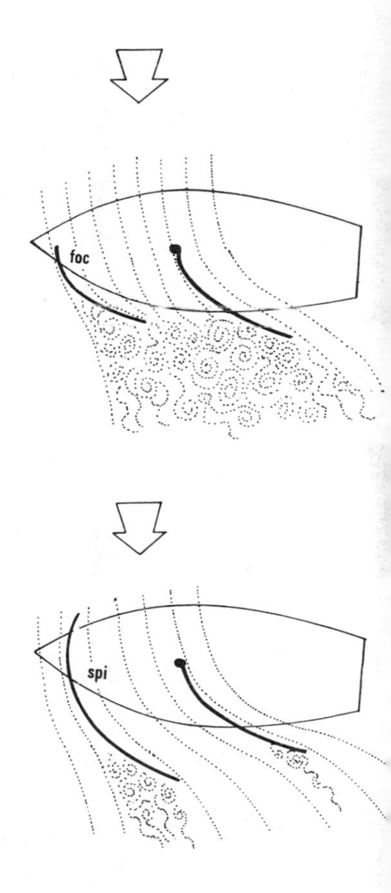

Au largue, le spi lamine l'air sous le vent de la grande-voile jusqu'à des angles d'incidence très importants.

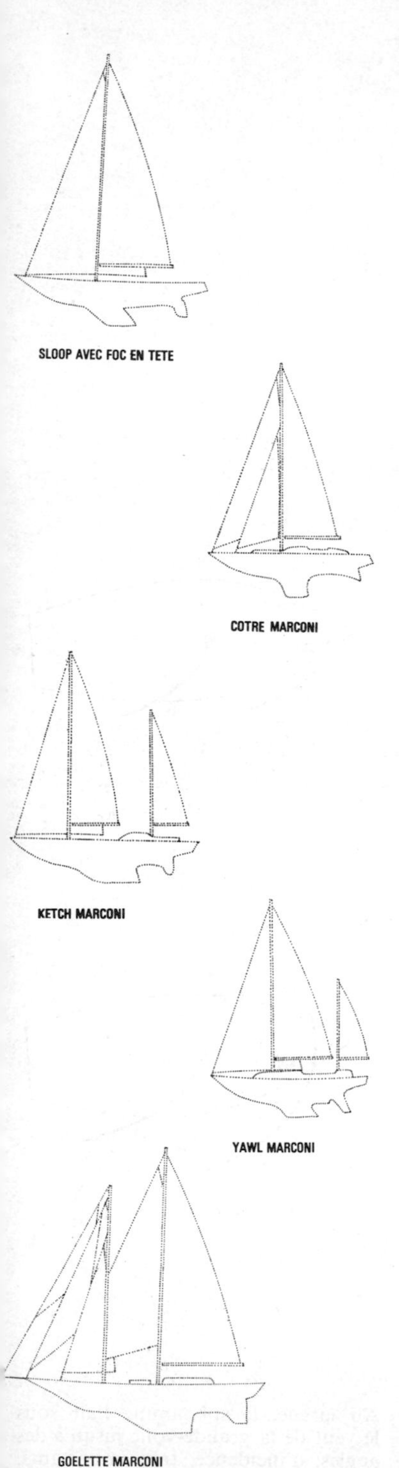

Types de gréement.

Dans l'exemple que nous avons pris pour illustrer l'interaction des voiles, le gréement choisi comportait un foc ne montant pas en tête de mât. On peut analyser brièvement, pour finir, quelques autres types de gréement, comportant des associations de voiles différentes.

Sloop à foc en tête. Lorsque le foc monte en tête de mât, l'écoulement, au près, est laminaire sur toute la face sous le vent de la grand-voile. La partie haute de celle-ci travaille donc, à cette allure, dans de meilleures conditions. A surface de voile égale, le sloop à foc en tête peut avoir un mât plus court que le sloop de notre exemple : le couple de gîte s'en trouve diminué d'autant.

Côtre marconi. Le fractionnement de la voile d'avant en deux voiles, foc et trinquette, présente des avantages du point de vue manœuvre : chaque voile est plus petite. Il offre surtout des possibilités très diverses : selon le vent et les allures on peut jouer sur la surface et la forme des deux voiles, ce qui confère au côtre une grande capacité d'adaptation aux circonstances. Du point de vue aérodynamique, cette disposition peut être rentable, si l'on sait s'en servir. Par petit temps, un génois peut transformer le côtre en sloop.

Ketch et Yawl. Sur ce type de gréement à deux mâts (grand mât et mât d'**artimon,** plus court, à l'arrière), la voile d'artimon est surtout une voile d'appoint. Aux allures allant du petit largue au vent arrière, l'artimon participe activement à la propulsion. Il est possible d'établir en plus une voile d'étai et la force développée par la voilure est alors nettement plus importante que celle d'une voilure de sloop de taille équivalente.

Au près, par contre, dès que le vent dépasse la force 3, l'artimon est peu utile et même néfaste : recevant un vent qui a été dévié par la grand-voile, il doit être bordé plus que celle-ci; la dérive et la gîte s'en trouvent sensiblement accrues.

Les bateaux munis de ce gréement peuvent dans tous les cas être utilisés en sloop.

Goélette. Ici le mât le plus court (mât de **misaine**) est en avant du grand mât. Le clin-foc lamine l'air pour le foc, le foc pour la trinquette, la trinquette pour la misaine, la misaine pour la grand-voile... Ce type de gréement n'est plus guère utilisé, dans la mesure où l'on ne fait plus de bateaux assez grands pour l'accueillir.

Naturellement, plus il y a de voiles, plus leur interaction devient difficile à estimer. Suivant les configurations adoptées, il se peut même qu'elles finissent par se déventer les unes les autres, et que la multiplicité s'avère néfaste. En fait, pour tous ces gréements, le meilleur réglage n'est vraiment trouvé qu'en mer, à force d'essais et de tâtonnements.

On peut d'ailleurs penser qu'il en est de même pour le bateau le plus simple.

La coque

Archimède l'a dit en un mot : « Tout corps plongé dans un liquide subit une poussée égale au poids du liquide déplacé. » Et voilà pourquoi votre bateau flotte.

« Cette poussée, ajouta-t-il, dirigée verticalement de bas en haut, s'applique au centre de gravité du volume d'eau déplacé. » De là vient qu'un bateau s'avère plus ou moins stable.

Remarquons enfin qu'un bateau présente toujours une certaine répugnance à se déplacer — ce à quoi Archimède n'a pas pensé, dans le cadre étroit où il se mouvait.

Flottabilité, stabilité, résistance à l'avancement : tels seront les trois points de notre étude des coques. Plus un point pour le gouvernail.

Le poids de la quantité d'eau déplacée par la carène est égal au poids total de l'embarcation.

Flottabilité.

Le poids d'un bateau est appelé **déplacement,** car il indique la quantité d'eau qu'un bateau déplace pour flotter. Le **volume de carène,** c'est-à-dire le volume de la partie immergée du bateau, dépend de ce déplacement et de la densité de l'eau. Un bateau pesant 1 000 kg, mis dans de l'eau de densité 1, s'enfonce jusqu'à ce que son volume immergé soit de 1 000 litres : le poids de l'eau déplacé est de 1 000 kg.

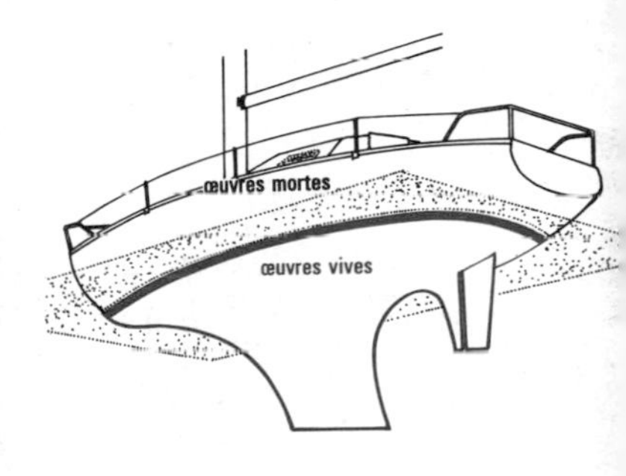

La partie immergée du bateau constitue ses **œuvres vives.** La partie émergée, les **œuvres mortes,** a également de l'importance dans ce qui nous occupe : elle constitue en quelque sorte une réserve de flottabilité. Si un bateau, dans des circonstances accidentelles, se trouve soudain complètement immergé, la poussée qui tend à le faire remonter en surface dépend en effet de son volume clos total : œuvres vives plus œuvres mortes. Il remonte d'autant plus vite que cette poussée, par rapport au poids du bateau, est grande.

En somme, un bateau est d'autant plus sûr que son volume clos total est grand par rapport à son volume de carène. Ce rapport, que l'on nomme **rapport de flottabilité,** est en quelque sorte le coefficient de sécurité du bateau.

Pour qu'un bateau ait un bon rapport de flottabilité, l'architecte peut jouer sur l'un ou l'autre de ces termes : soit augmenter le volume clos total, soit réduire le volume de carène.

Le volume clos total dépend :

— de la hauteur du **franc-bord,** c'est-à-dire de la hauteur des flancs du bateau au-dessus de l'eau (un franc-bord important présente, par ailleurs, l'avantage de s'opposer à l'embarquement des vagues déferlantes);

— des **élancements,** c'est-à-dire du prolongement des œuvres mortes au-delà de la flottaison, à l'avant et à l'arrière.

Mais un franc-bord et des élancements trop importants entraînent un fardage excessif. La solution qui consiste à réduire le volume de carène (c'est-à-dire à diminuer le déplacement) est la plus fréquemment adoptée aujourd'hui — d'autant que la légèreté confère aux bateaux de nombreuses qualités : les bateaux légers remontent mieux au vent dans le mauvais temps que les bateaux lourds, mouillent moins, sont plus faciles à manœuvrer. Et puis, ils sont moins chers.

Naturellement, pour une longueur à la flottaison donnée, on ne peut faire varier le volume de carène que dans certaines limites, sous peine d'obtenir un bateau difforme. Mais ces limites demeurent très souples. Si le déplacement moyen, pour un croiseur de 4 à 5 m à la flottaison, est de l'ordre de 600 kg, on trouve aussi, dans la même catégorie, des bateaux pesant 300 kg, ou 1 200 kg. Pour les bateaux de 6 à 7 m, le déplacement moyen est : 2 400 kg, les limites : 1 400 kg et 4 800 kg.

Les dériveurs légers ont en général des déplacements très inférieurs, toutes proportions gardées, à ceux des bateaux de croisière, principalement parce qu'on a renoncé au lest — c'est l'équipage qui en tient lieu — au confort et à l'habitabilité. Ce sont des engins de sport qui peuvent aller très vite : ils se moquent des impératifs suggérés par la seconde partie du principe d'Archimède, concernant la stabilité des objets flottants. On doit avoir plus de gravité sur les bateaux de croisière.

Stabilité.

L'assiette d'un bateau est la position d'équilibre qu'il prend lorsqu'il est immobile en eau calme. Sa stabilité est définie par l'empressement qu'il met à revenir dans son assiette après en avoir été écarté par une cause quelconque.

Cette stabilité dépend :

— d'une part, des forces exercées par la pesanteur sur le bateau, dont la résultante s'applique, verticalement et du haut vers le bas, au centre de gravité de celui-ci;

— d'autre part, des forces exercées par l'eau sur la coque : « La poussée de l'eau, dirigée verticalement et de bas en haut, est appliquée au centre de gravité du volume d'eau déplacé. » Ce centre de gravité du volume de carène est appelé **centre de carène.**

Lorsqu'on monte à bord d'un bateau, on constate tout de suite que sa stabilité transversale est beaucoup plus vite compromise que sa stabilité longitudinale.

Stabilité transversale.

Sur la figure 1, G représente le centre de gravité du bateau, C le centre de carène. Le bateau étant au repos, G est situé à la verticale de C.

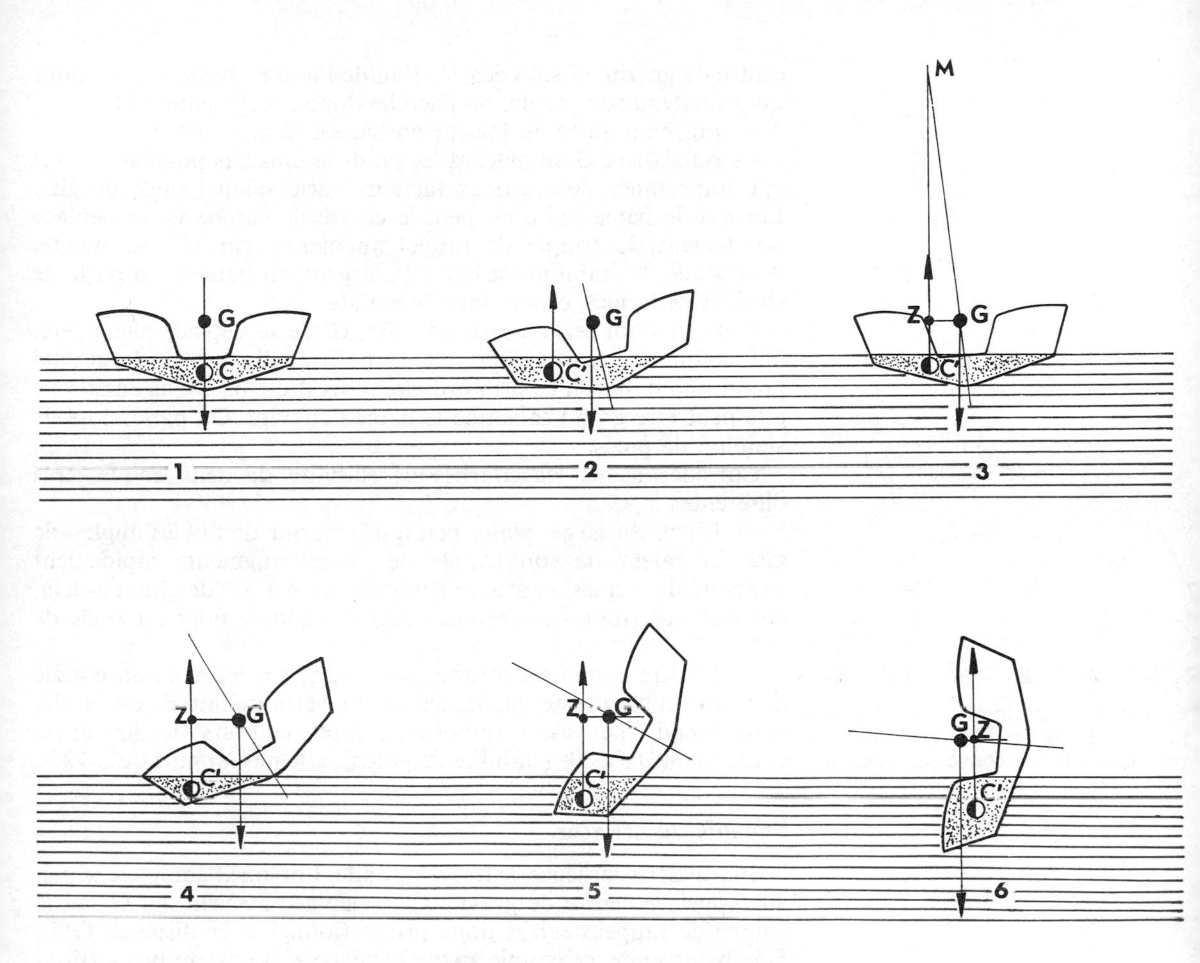

Si le bateau gîte (figure 2), le volume de carène se déforme, et le centre de carène se déplace en C' du côté où le bateau s'incline. Entre les forces de pesanteur et les forces de poussée de l'eau, il se crée un **couple de rappel** qui tend à ramener le bateau dans son assiette. La limite d'efficacité de ce couple est marquée par la position du **métacentre** M (figure 3), point situé à l'intersection de la verticale de C' et du plan de symétrie du bateau. Tant que le métacentre est au-dessus du centre de gravité, le couple de rappel subsiste; au-delà, les forces se conjuguent pour accentuer la gîte, et mènent au chavirage.

La position du métacentre dépend de la largeur du bateau : plus celui-ci est large, plus son centre de carène se déplace lorsqu'il gîte, et plus le métacentre se trouve haut placé.

La valeur du couple de rappel est par ailleurs définie, pour un bateau de déplacement donné, par la distance horizontale GZ entre G et la verticale passant par C' (figures 4, 5, 6). Plus cette distance est grande, plus le couple est important. On peut constater que la distance est d'autant plus grande que le métacentre M et le centre de gravité G sont écartés l'un de l'autre. Pratiquement pour qu'un bateau soit stable, on cherche donc à augmenter MG :

— on remonte M en faisant un bateau large,

— on abaisse G en plaçant les poids le plus bas possible.

L'importance de ces deux facteurs varie selon l'angle de gîte. Lorsque le bateau gîte un peu, le centre de carène C' se déplace rapidement, le couple de rappel augmente, car GZ augmente. A ce stade, la stabilité est liée à la largeur du bateau, on parle de **stabilité de formes,** ou de **stabilité initiale.**

A partir d'un certain angle de gîte, C' ne se déplace plus guère, GZ commence à diminuer. Ici, la position du centre de gravité prend une importance primordiale : plus il est bas, plus l'angle de gîte peut être grand sans que le bateau chavire. On parle alors de **stabilité de poids.**

Considérons ici les courbes de stabilité de deux coques très différentes :

— L'une est large, plate, peu lestée : pour de faibles angles de gîte, la valeur de son couple de rappel augmente rapidement (stabilité de formes) et atteint son maximum à 35° de gîte; au-delà, elle diminue (tout aussi rapidement) et s'annule pour un angle de 70°.

— L'autre coque est étroite, profonde, très lestée : son couple de rappel n'augmente que lentement (la stabilité initiale est faible) mais prend une valeur importante aux alentours de 40° et la conserve jusqu'à 80° (stabilité de poids); elle ne s'annule qu'à 125°.

20° 40° 60° 80° 100° 120°

Courbes de stabilité : d'un dériveur (avec équipage), d'une coque large et peu lestée, d'une coque profonde et très lestée.

Stabilité du dériveur.

Sur un dériveur léger, le lest est mobile. Lorsque l'équipage se met au rappel, le centre de gravité G se déplace au vent, en G', et le couple de rappel devient donc proportionnel à la distance GG'. Si le bateau gîte, ce couple augmente encore et devient proportionnel à G'Z.

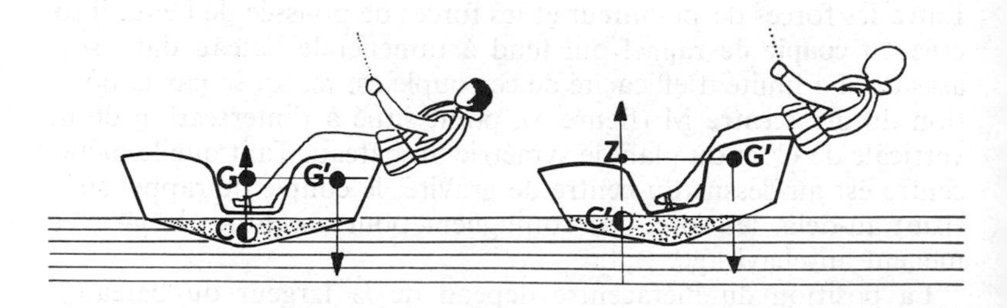

Si l'on considère la courbe de stabilité d'un dériveur, on constate que le couple de rappel peut être déjà important pour un angle de gîte nul (l'équipage parvient à maintenir le bateau parfaitement à plat). Il augmente encore pour de faibles angles de gîte, atteint son maximum vers 15° environ, puis diminue rapidement pour s'annuler à 40°.

Carène liquide.

Supposons qu'il y ait dans le fond du bateau une certaine quantité d'eau. Ce qui porte le bateau, donc ce qui compte réellement comme volume de carène, c'est le volume immergé non occupé par de l'eau.

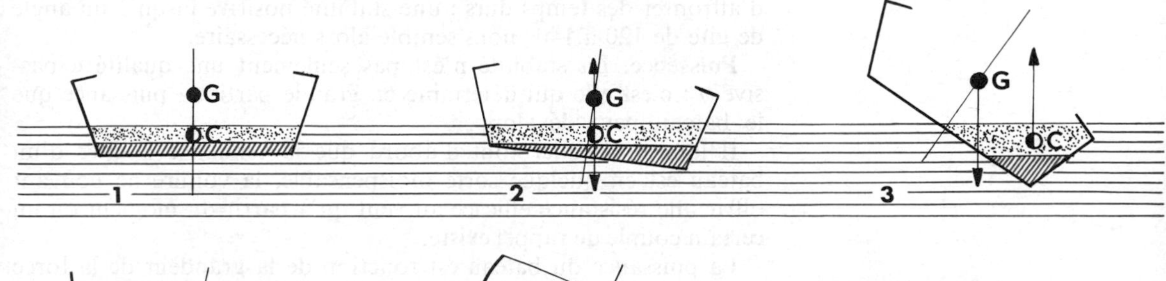

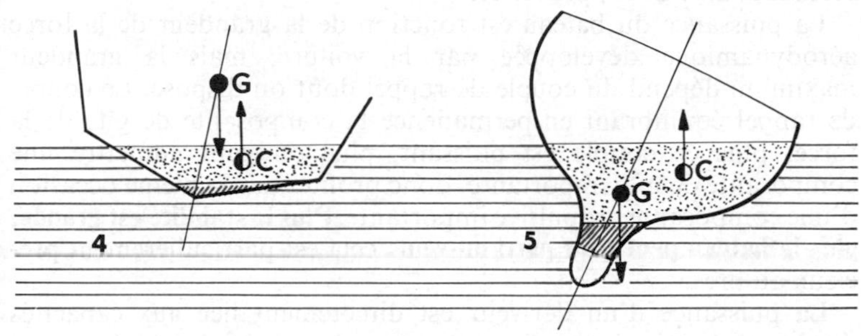

1. Position instable.

2. Le bateau trouve son équilibre avec une légère gîte.

3. Quand la gîte augmente le couple de rappel apparaît, mais il est moins fort que s'il n'y avait pas d'eau dans le bateau.

4. L'influence de la carène liquide ne se fait sentir qu'à partir d'un angle de gîte relativement important.

5. La carène liquide est sans effet sur la stabilité tant que l'eau n'atteint pas le retour de galbord.

Si le bateau gîte un peu, ce volume ne se déforme que très peu; le centre de carène ne se déplace guère, le couple de redressement reste donc faible (il peut même se former un couple inverse tendant à augmenter la gîte). S'il n'y a pas trop d'eau toutefois, seule la stabilité initiale se trouve diminuée : dès que le bateau gîte un peu plus, l'eau s'installe au bouchain et son volume cesse de se déformer; le volume de carène réel commence alors à se déformer normalement. Cela explique qu'un bateau à fond plat (une plate, par exemple), contenant de l'eau, ne soit stable que lorsqu'il est sensiblement gîté sur un bord ou sur l'autre.

Sur un bateau ayant des fonds en V, l'influence de la carène liquide ne se fait sentir qu'à partir d'un angle de gîte relativement important. Dans le cas d'un bateau présentant un **retour de galbord** accentué, elle n'intervient que pour des angles de gîte considérables.

Rôle de la stabilité.

Sécurité. Il est bien évident, en premier lieu, que la stabilité constitue un facteur de sécurité important. Ce facteur prend toutefois plus ou moins d'importance selon les catégories de bateaux, et les conditions dans lesquelles ils naviguent.

Lorsqu'on évolue sur une étendue d'eau surveillée, il n'est pas primordial. Les dériveurs légers possèdent simplement une bonne stabilité initiale, et l'équipage fait le reste. Par contre, dès que l'on veut partir en promenade au-delà d'un périmètre surveillé, il faut disposer d'un bateau qui puisse supporter des fautes de manœuvre et des surventes passagères sans chavirer : il faut donc un bateau lesté, qui puisse conserver une stabilité positive au moins jusqu'à 90° de gîte. Lorsqu'on part en croisière enfin, on prend le risque d'affronter des temps durs : une stabilité positive jusqu'à un angle de gîte de 120 à 140° nous semble alors nécessaire.

Puissance. La stabilité n'est pas seulement une qualité « passive » : c'est elle qui détermine en grande partie la puissance que le bateau peut développer.

Il faut remarquer tout d'abord que la tendance à gîter d'un bateau est en quelque sorte indispensable, la voilure ne pouvant offrir une résistance efficace au vent qu'à partir du moment où un certain couple de rappel existe.

La puissance du bateau est fonction de la grandeur de la force aérodynamique développée par la voilure, mais la grandeur maximum dépend du couple de rappel dont on dispose. Le couple de rappel équilibrant en permanence la composante de gîte de la force, plus ce couple est puissant, plus on peut admettre une composante de gîte importante, donc profiter par la même occasion d'une composante propulsive importante. **Plus la stabilité est grande, plus le bateau peut tirer parti du vent;** cela est particulièrement précieux au près.

La puissance d'un dériveur est directement liée aux capacités de rappel de l'équipage. Sur un bateau lourd, le couple de rappel dépend surtout des formes mêmes de la coque et de la répartition des poids à bord; il s'agit non seulement de placer le lest et le matériel lourd le plus bas possible, mais aussi d'alléger au maximum les **hauts :** pont, superstructures, gréement. Remarquons que, même sur un bateau important, le rappel de l'équipage peut également être efficace.

Roulis.

Quand il y a des vagues, un bateau a tendance à rouler, c'est-à-dire à se balancer d'un bord et de l'autre. Plus son métacentre est haut placé, plus le bateau est puissant, mais aussi plus il roule. On dit d'ailleurs : « Grand rouleur, grand marcheur. » Un bateau large et plat roule beaucoup (certains catamarans sont invivables). Un voilier roule cependant moins qu'un bateau à moteur, car il est appuyé par ses voiles et sa quille, du moins aux allures proches du vent. Au vent arrière cet avantage disparaît. Le vent arrière est l'allure roulante par excellence.

Stabilité longitudinale.

Lorsqu'un bateau s'incline en avant ou en arrière, son centre de carène se déplace longitudinalement. Il se forme alors un couple tendant à redresser le bateau, à condition que le centre de gravité de celui-ci soit situé en dessous du métacentre longitudinal. La hauteur du métacentre longitudinal dépendant de la longueur du bateau, il n'y a guère de soucis à se faire sur ce point, et la question de la stabilité longitudinale est donc sans grand intérêt. Par contre, l'assiette longitudinale a une grosse importance : **un défaut d'assiette de 5°, par exemple, perturbe beaucoup plus la marche du bateau qu'un même angle de gîte.**

Sur dériveur, la position de l'équipage s'avère critique à dix centimètres près. S'il se place trop en arrière ou trop en avant, la stabilité, la vitesse et surtout la maniabilité du bateau peuvent se trouver considérablement diminuées.

Sur un bateau de croisière, il est bon de contrôler de temps à autre cette assiette longitudinale, en prenant une vue un peu éloignée du bateau au mouillage. En mer, il y a lieu de veiller à ce que l'équipage ne s'installe pas massivement à une extrémité du bateau. Cela est d'autant plus important que le bateau est plus petit (sur un Corsaire, le poids de l'équipage est égal à la moitié du poids du bateau ; sur un bateau comme *La Sereine*, il n'en représente qu'1/17e. Sur le Corsaire, lorsqu'un équipier va à l'avant, c'est le tiers du poids total de l'équipage qui se déplace : sur *La Sereine*, ce n'en est que le 1/10e).

Sur un petit bateau, il faut veiller à ne pas charger les extrémités.

Tangage.

La houle peut imprimer au bateau un mouvement de balancement longitudinal que l'on appelle **tangage.** Ce mouvement est néfaste à l'avancement et a souvent sur les estomacs des effets déplorables. Il prend facilement de l'ampleur lorsque les poids sont répartis aux extrémités du bateau ; celui-ci éprouve des difficultés à **soulager à la lame** et mouille beaucoup. Pour limiter le tangage il faut donc, autant que possible, ramener les poids vers le milieu du bateau.

Résistance à l'avancement.

Lorsqu'un bateau commence à avancer sous l'action de ses voiles, il rencontre une certaine résistance dans l'eau. Il peut accélérer jusqu'à ce que cette résistance équilibre la composante propulsive de la force aérodynamique ; à ce moment, sa vitesse devient constante. Naturellement, si l'on parvient à diminuer d'une façon ou d'une autre la résistance, l'équilibre ne survient qu'à une vitesse plus grande.

L'étude de la résistance à l'avancement est très complexe. Les essais effectués en bassin de carène s'avèrent insuffisants : il est difficile de recréer les conditions mouvantes de la réalité, et l'on ne peut « mettre en équation » que les aspects les plus simples du problème. Dans la recherche des formes les plus efficaces, l'intuition de l'architecte joue donc un grand rôle. Mais de multiples facteurs peuvent encore intervenir au stade de la construction, de l'armement, de la mise au point. Finalement, une part d'incertitude demeure. C'est dans cette part d'incertitude, sinon de hasard, que réside peut-être une des magies les plus fortes de la navigation à voile. Tel bateau est étroit, profond; tel autre est large. Ici l'avant sera fourni; ailleurs, tous les volumes semblent être sur l'arrière. Certains architectes misent sur la stabilité de poids, d'autres sur la stabilité de formes, et souvent les résultats sont comparables. Il y a aussi des mystères. Tel bateau, excellent au près, a un « trou » au largue, tel autre, qui passe bien dans telle sorte de clapot, peut se trouver bloqué dans une mer différente, et ainsi de suite.

On peut prévoir et donc vouloir les principales caractéristiques d'un bateau, mais, comme pour la cuisine, la poterie ou les émaux, on est toujours surpris par le résultat. Quelques bateaux, au fil des temps, furent touchés par la grâce et devinrent célèbres : *La Confiance* de Surcouf, *Foxhound* de Mrs Pitt Rivers, *Spray* de Slocum, *Myth of Malham* de J. Illingworth, *Tina* de Dick Carter par exemple; saura-t-on jamais dire pourquoi ?

En somme, tout un aspect de la résistance à l'avancement, ayant trait à une certaine « résistance de formes », demeure mal connu. Du moins, d'autres résistances peuvent-elles être évaluées de façon assez précise; nous étudierons ici la résistance de frottement, la résistance de vague, et l'influence que peuvent avoir la gîte et la dérive.

Résistance de frottement.

La résistance due au frottement de l'eau est proportionnelle à la surface de la carène (appelée **surface mouillée**); elle dépend aussi de l'état de cette surface; elle croît à peu près comme la vitesse de déplacement.

L'eau qui se trouve en contact immédiat avec la coque est immobile par rapport à celle-ci : le frottement dont il s'agit est donc un frottement de l'eau contre l'eau. Le poids de la couche d'eau que la coque entraîne (et que l'on nomme **couche limite**) s'ajoute au poids du bateau. On conçoit qu'une coque rugueuse et sale entraîne avec elle beaucoup plus d'eau qu'une coque polie et propre; la couche limite est non seulement plus épaisse, mais il s'y crée des mouvements tourbillonnaires dus aux irrégularités de la surface; tout cela représente un frein considérable.

Les seuls moyens de limiter la résistance de frottement sont :

— pour l'architecte, de réduire autant que possible la surface mouillée du bateau;

— pour l'équipage, de soigner le poli de la coque et de caréner souvent pour qu'elle demeure parfaitement propre.

Résistance de vague.

En avançant, la coque écarte les filets d'eau (non sans mal) et les laisse ensuite se refermer derrière elle. De ce fait, un système de vague est créé, qui absorbe une grande partie de l'énergie du bateau. La résistance de vague détermine, à la limite, la vitesse maximum à laquelle le bateau peut se déplacer.

LES GLÉNANS

Quai Louis Blériot

75781 PARIS CEDEX 16

Les choses se passent ainsi : lorsque la coque avance, il se forme une série de vagues, la première d'entre elles se situant légèrement en arrière de l'étrave. Plus la vitesse croît, plus la distance entre les vagues augmente; lorsque la deuxième vague se situe à l'extrême-arrière de la flottaison, on peut considérer que le bateau a atteint sa **vitesse critique.** En effet, si la vitesse croît encore un peu, la vague commence à quitter l'arrière du bateau et se creuse dans des proportions considérables. Simultanément, on constate que la résistance à l'avancement s'accroît beaucoup. L'énergie dépensée par la coque pour créer cette vague devient en effet énorme, et de plus l'assiette du bateau se trouve modifiée : l'avant posé sur la vague d'étrave, l'arrière tombant dans le creux, la surface apparente de son maître-couple se trouve notablement accrue. En somme, au-delà de la vitesse critique, une augmentation importante de la force propulsive ne donne qu'un gain de vitesse négligeable.

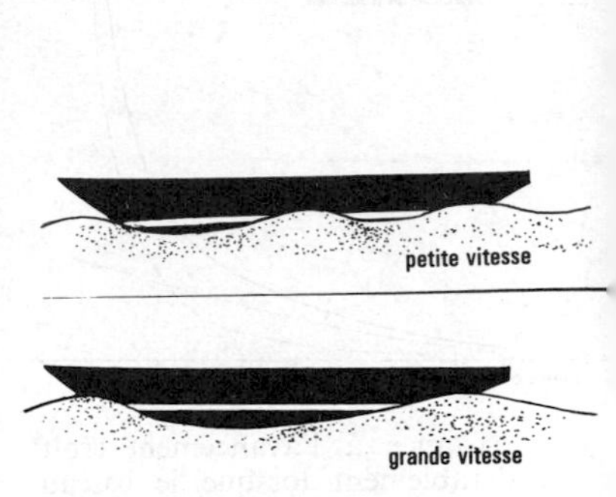

La position de la deuxième vague renseigne sur la vitesse du bateau.

Il faut remarquer cependant, qu'un bateau léger, à fond plat, peut échapper à cette règle. Lorsqu'il atteint sa vitesse critique, sa coque étant cabrée, une force de sustentation se développe qui peut suffire à le porter, à le faire littéralement **planer** à la surface de l'eau. Dans ce cas, le bateau peut avancer à une vitesse nettement plus grande que sa vitesse critique, la résistance à l'avancement n'augmente pas, et diminue même dans certains cas.

La possibilité de planer est, en fait, l'apanage des dériveurs et de certains croiseurs légers. Pour un bateau lourd, la vitesse critique représente pratiquement la vitesse limite. Cette vitesse critique dépend de la longueur du bateau et, dans une certaine mesure, de sa forme. Elle est donnée par la relation Vc (en nœuds) = 2,4 à 2,7 $\sqrt{L}$ (en mètres), L étant la longueur à la flottaison. Ce qui donne, par exemple :

Vaurien.	Flottaison : 4 m.	Vitesse critique $\simeq$ 4,8 nœuds
Galiote.	Flottaison : 6,54 m.	Vitesse critique $\simeq$ 6,2 nœuds
La Sereine.	Flottaison : 9,5 m.	Vitesse critique $\simeq$ 7,4 nœuds

L'équipage ne dispose d'aucun moyen pour limiter la résistance de vague. C'est une question d'architecture : on s'efforce de réduire autant que possible le **maître-couple** (la plus grande section transversale du bateau), et l'on recherche les dessins de lignes les plus favorables.

La vitesse critique d'un bateau étant d'autre part fonction de sa longueur à la flottaison, on s'efforce également de dessiner les coques de telle façon que leur longueur à la flottaison augmente lorsque le bateau est en route et gîte quelque peu.

Résistance due à la gîte et à la dérive.

Nous l'avons laissé entendre : la gîte et la dérive, nécessaires puisqu'elles permettent au bateau de prendre appui dans l'eau, s'avèrent néfastes à l'avancement.

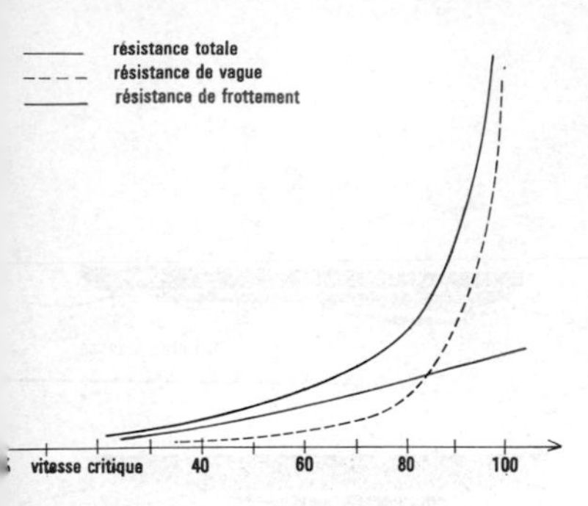

La résistance à l'avancement croît considérablement lorsque le bateau approche de sa vitesse critique.

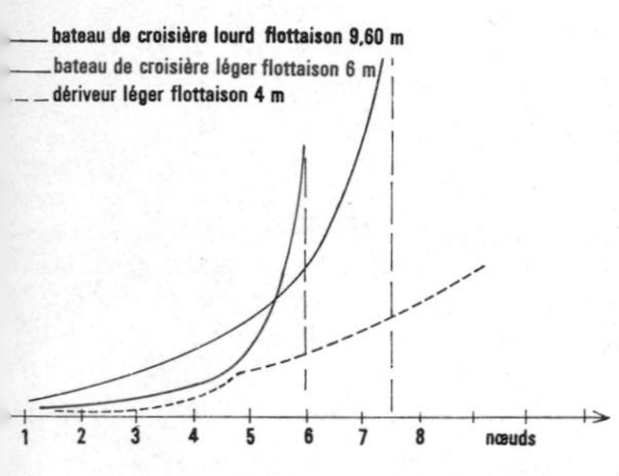

Courbes de résistance pour trois bateaux différents. On remarque que, pour un dériveur léger, la résistance à l'avancement croît rapidement avant le déjaugeage, puis progresse plus lentement une fois que le bateau plane.

La dérive, en favorisant l'apparition de tourbillons au voisinage de la coque, contribue surtout à augmenter la résistance de frottement; la gîte, en déformant les lignes d'eau, participe plutôt à la résistance de formes.

En tout cas, lorsque gîte et dérive interviennent conjointement (ce qui est en général le cas, surtout au près), l'effet global est évidemment désastreux. Des essais effectués sur un modèle de voilier rapide montrent que pour un bateau gîtant à 30° et dérivant de 4°, la résistance à l'avancement est une fois et demie plus grande que pour le même bateau naviguant sans gîte ni dérive. Toutefois ces deux facteurs n'ont pas la même importance. Lorsque le bateau gîte à 25° sans dériver, la résistance ne s'accroît que de 5 %; elle s'accroît de 55 %, avec ce même angle de gîte, lorsqu'il dérive de 5°.

Finalement, si l'on évalue l'importance relative de ces différentes résistances en fonction de la vitesse du bateau, on constate que :

— La résistance de frottement croît de façon régulière avec la vitesse; la résistance de vague, par contre, est pratiquement inexistante au départ. Aux faibles vitesses, c'est donc la résistance de frottement qui importe : c'est bien pourquoi, par petit temps, une coque rugueuse et sale a un rendement lamentable.

— A mesure que la vitesse augmente, la résistance de vague apparaît et croît rapidement. A 80 ou 90 % de la vitesse critique, les deux résistances sont équivalentes, puis la résistance de vague l'emporte largement.

On peut remarquer que, par petit temps, et toutes proportions gardées, les bateaux lourds marchent mieux que les bateaux légers. Mais dès que le vent fraîchit, ceux-ci démarrent et atteignent très vite leur vitesse critique, alors que les bateaux lourds sont plus lents à s'en approcher.

Le gouvernail

Le safran du gouvernail travaille dans l'eau comme une voile dans l'air. Lorsqu'on pousse la barre, on modifie son orientation et par conséquent l'angle d'incidence sous lequel il attaque les filets d'eau. Ces derniers sont déviés et le safran recueille par réaction une force, qui est dirigée perpendiculairement à son plan. Cette force est proportionnelle à la surface du safran et au carré de la vitesse de l'eau (le safran n'a d'action que si le bateau avance ou recule) ; elle dépend également de l'angle d'incidence : elle est d'autant plus grande que cet angle est grand, mais ici aussi se produit un décrochage si l'on dépasse l'angle critique.

Rappelons l'action du gouvernail : lorsque le bateau avance suivant son axe, si l'on met la barre vers la gauche, une force s'exerce sur le côté droit du safran. Cette force a pour effet de chasser l'arrière du bateau vers la gauche, donc d'orienter l'avant

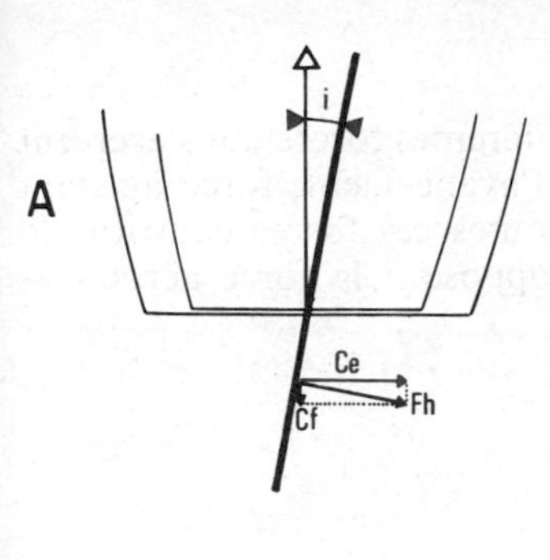

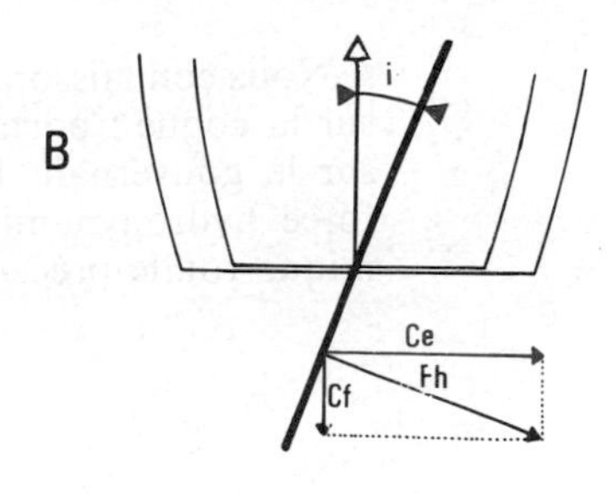

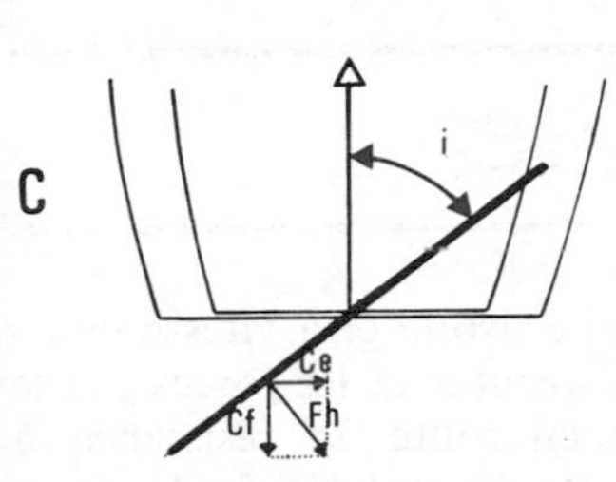

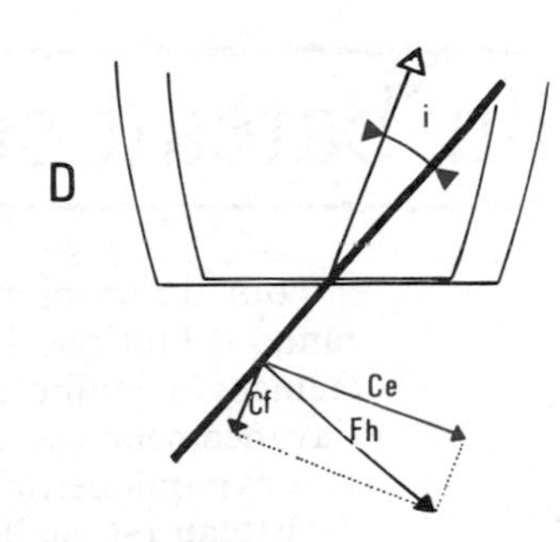

A. Décomposition de la force exercée par l'eau sur le safran (force hydrodynamique : Fh) :
une composante évolutive : Ce
une composante de freinage : Cf.
L'angle i est l'angle d'incidence entre le safran et les filets d'eau.

B. L'angle de barre augmente, la composante évolutive augmente.

C. En début d'évolution, éviter de donner un grand coup de barre : la composante de freinage est plus importante que la composante évolutive. La force hydrodynamique est plus faible qu'en A car on a dépassé l'angle critique de décrochage et l'écoulement est turbulent.

D. En cours d'évolution on peut au contraire donner franchement de la barre : l'angle d'incidence reste faible puisque le bateau tourne.

vers la droite. En somme, lorsqu'on met la barre à gauche, le bateau s'oriente vers la droite en pivotant sur son avant.

La force exercée par l'eau sur le safran peut se décomposer en :
— une composante transversale, qui fait évoluer le bateau;
— une composante dirigée vers l'arrière, qui le freine. Plus l'angle d'incidence est important, plus cette composante de freinage s'accroît. Nous l'avons dit au chapitre 1 : chaque coup de barre est un coup de frein.

Dans la pratique, il faut donc éviter d'amorcer une évolution en donnant un coup de barre trop important : l'effet de freinage risque d'être plus important que l'effet évolutif.

Lorsque l'évolution est amorcée, toutefois, les données se modifient. L'arrière du bateau, étant chassé sur le côté se trouve attaqué de biais par les filets d'eau : il en résulte que l'angle entre le safran et les filets d'eau est nettement plus faible que l'angle que fait la barre avec l'axe du bateau. On peut donc, en cours d'évolution, utiliser un angle de barre important sans risquer de dépasser la valeur critique. Mais en réalité, il suffit de laisser faire : lorsque l'évolution est amorcée, la barre a tendance à continuer son mouvement d'elle-même, et il s'agit simplement de contrôler ce mouvement. On dit qu'il faut **accompagner** la barre.

Lorsque l'évolution se termine, il importe de ne pas ramener trop vite la barre dans l'axe : cette fois c'est l'angle d'incidence entre les filets d'eau et l'autre face du safran qui risque de prendre trop d'importance.

Ajoutons maintenant que le gouvernail ne sert pas uniquement à faire évoluer le bateau. Son rôle le plus constant est, en fait, de maintenir le bateau en ligne, lorsque cela ne peut être obtenu par le simple équilibre des forces.

Nous connaissons maintenant les différentes forces qui s'exercent sur la coque : portance, résistance à l'avancement, force agissant sur le gouvernail. La résultante de toutes ces forces constitue la force hydrodynamique totale, qui s'oppose à la force aérodynamique totale précédemment décrite.

Équilibre du bateau sur sa route

Pour qu'un mobile se déplace en ligne droite et à vitesse constante, il faut que les forces qui le font avancer et les forces qui le freinent s'équilibrent. Sur un bateau en route, la résistance à l'avancement est égale à la composante propulsive de la force aérodynamique, la portance est égale à sa composante de dérive. **Le bateau est équilibré lorsque la force aérodynamique totale et la force hydrodynamique totale sont égales, opposées et dans le prolongement l'une de l'autre.**

Lorsque ces forces sont décalées l'une par rapport à l'autre, elles forment un couple, qui, selon le cas, tend à faire loffer ou à faire abattre le bateau. Lorsque la force aérodynamique (ou plus exactement son prolongement) est sous le vent de la force hydrodynamique, le bateau a tendance à loffer, il est **ardent;** lorsque c'est l'inverse, le bateau a tendance à abattre, il est **mou.**

Il faut donc désormais envisager non seulement la grandeur et la direction des forces, mais encore leur point d'application respectif. On peut considérer que la force aérodynamique s'applique en un point appelé **centre de voilure.** De même, la force hydrodynamique s'applique en un point appelé **centre de dérive.**

Déplacements du centre de voilure.

La position du centre de voilure dépend d'un certain nombre de facteurs :

— La répartition de la voilure : par exemple, lorsqu'on remplace le foc par un spi, le centre de voilure avance sensiblement; si l'on supprime au contraire la voile d'avant il recule.

— Le réglage des voiles : le centre de voilure recule si l'on déborde le foc en conservant la grand-voile bordée; il avance dans le cas inverse.

— La forme des voiles : lorsque le vent fraîchit, le creux des voiles a tendance à se déplacer vers l'arrière : le centre de voilure suit le mouvement.

— La gîte : quand le bateau gîte, le centre de voilure se déplace sous le vent.

Déplacements du centre de dérive.

La position du centre de dérive dépend surtout de la vitesse du bateau : plus le bateau va vite, plus le centre de dérive avance; il recule si le bateau ralentit, et à plus forte raison si le bateau cule.

Cette position peut varier sensiblement sur un dériveur, en fonction de la position de la dérive : relever en partie une dérive pivotante a pour effet de reculer son centre, et par conséquent le centre de dérive de l'ensemble des œuvres vives.

Recherche de l'équilibre.

Les facteurs que nous venons d'énumérer sont simples. Pour équilibrer son bateau, l'équipage peut jouer sur certains d'entre eux (et prévoir l'action des autres). Mais c'est une affaire subtile. A tout déplacement du centre de voilure correspondent des modifications en grandeur et en direction de la force aérodynamique, et par conséquent de la force hydrodynamique. Un quelconque changement de réglage entraîne souvent une série de bouleversements secondaires, qui peuvent aussi bien anéantir que renforcer l'effet attendu. D'un bateau à l'autre, tout peut changer. Il faut donc se défier, comme de la peste, des règles trop générales. Nous proposons simplement à la page suivante quelques situations, montrant de quelle façon les forces jouent entre elles, et ce qu'il en advient pour l'équilibre du bateau.

Il est évident que ces exemples ne font pas le tour du problème; et que d'autres phénomènes peuvent encore modifier l'équilibre. La gîte, par exemple, n'a pas seulement une action sur le centre de voilure : elle entraîne une déformation des lignes d'eau de la coque qui peut renforcer la tendance du bateau à loffer, ou au contraire annuler cette tendance. Les mouvements de la mer, d'autre part, peuvent entraîner le bateau dans des directions où son penchant naturel ne l'aurait pas conduit.

L'équipage lui-même peut intervenir autrement que par le réglage des voiles ou le contrôle de la gîte. Sur les petites unités, par exemple, une modification de l'assiette longitudinale peut entraîner, dans une certaine mesure, une modification de l'équilibre : le bateau est moins mou si on le charge sur l'avant, moins ardent si on le charge sur l'arrière. On peut aussi déplacer le mât, l'incliner vers l'avant ou vers l'arrière pour déplacer le centre de voilure : l'équilibre de l'ensemble s'en trouve modifié, peut-être amélioré; à moins qu'on ne s'aperçoive que le bateau ne marche plus du tout.

Précisons, pour conclure, qu'il n'est pas nécessaire que l'équilibre des forces soit parfait pour qu'un bateau marche correctement. Il est très rare, d'ailleurs, qu'un bateau conserve de lui-même cet équilibre à toutes les allures et dans toutes les forces de vent. Le rôle du safran est précisément d'harmoniser les choses, de faire en sorte que la force aérodynamique et la force hydrodynamique

L'équilibre et les allures

A. Le bateau est au près, parfaitement équilibré : la force aérodynamique (Fa) et la force hydrodynamique (Fh) sont « en ligne ». Il n'y a rien à dire.

B. Le même bateau gîte. Le centre de voilure est déporté sous le vent. Les deux forces sont décalées, un couple apparaît, qui tend à faire loffer le bateau : celui-ci est ardent.

C. Le bateau gîte à contre, le couple est inversé. Le bateau est mou.

D. On choque un peu l'écoute de foc dans l'espoir, peut-être, de reculer le centre de voilure et de rendre le bateau ardent. Le centre de voilure recule effectivement. Mais, le foc étant un peu débordé, Fa, quoique orientée plus sur l'avant, est plus faible. En conséquence, la vitesse diminue; le centre de dérive recule. Le couple est faible. Le bateau ne devient que très légèrement ardent.

E. Le foc est amené. Le centre de voilure recule sensiblement. L'écoulement sous le vent de la grand-voile étant perturbé, Fa est très faible et mal orientée. La vitesse diminue considérablement, le centre de dérive recule de même. Le bateau devient mou.

F. Le vent fraîchit. Le creux des voiles a tendance à se déplacer vers l'arrière, le centre de voilure recule, Fa est mal orientée, la vitesse diminue. Le centre de dérive recule, mais pas au point d'empêcher le bateau d'être très ardent.

G. Le bateau est maintenant au largue. A cette allure, il est généralement ardent.

H. Sur un dériveur, toutefois, en relevant partiellement la dérive, on parvient à reculer suffisamment le centre de dérive pour équilibrer le bateau. Naturellement, il suffit que celui-ci prenne un peu de gîte pour qu'il soit de nouveau ardent.

I. Au largue sous spi. Fa augmente, le centre de voilure se trouve déporté en avant et en abord. La vitesse est grande, le centre de dérive est très en avant. Même si l'on relève la dérive sur dériveur, on ne peut réussir à le faire reculer suffisamment pour que le bateau ne soit pas ardent.

J. Au grand largue sous spi; il y a de la mer et le bateau roule bord sur bord. La grand-voile étant peu efficace à cette allure, le centre de voilure est situé très en avant. Selon les mouvements du bateau, Fa se trouve tantôt au vent, tantôt sous le vent de Fh. Le bateau est alternativement mou et ardent. Le barreur a du travail.

K. Au vent arrière. Le spi est au vent, Fa est donc également au vent de Fh. Le bateau est mou, d'autant plus que le spi a tendance à le faire contre-gîter.

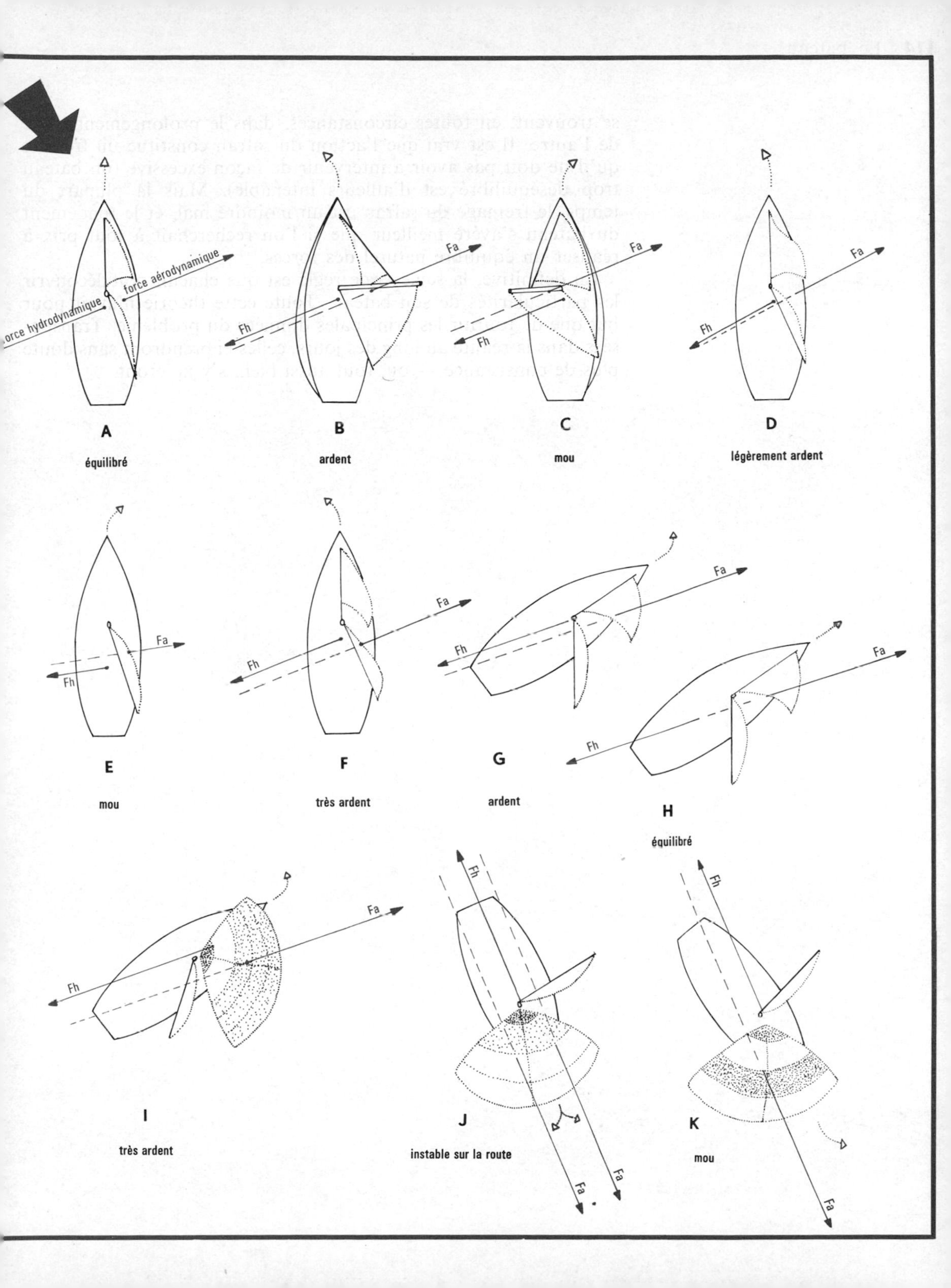

orce hydrodynamique
force aérodynamique
A
équilibré
Fa
Fh
B
ardent
Fa
Fh
C
mou
Fa
Fh
D
légèrement ardent
Fa
Fh
E
mou
Fa
Fh
F
très ardent
Fa
Fh
G
ardent
Fa
Fh
H
équilibré
Fa
Fh
I
très ardent
Fh
Fa
J
instable sur la route
Fh
Fa
K
mou

se trouvent, en toutes circonstances, dans le prolongement l'une de l'autre. Il est vrai que l'action du safran constitue un frein et qu'il ne doit pas avoir à intervenir de façon excessive (un bateau trop déséquilibré est d'ailleurs intenable). Mais la plupart du temps, le freinage du safran est un moindre mal, et le rendement du bateau s'avère meilleur que si l'on recherchait à tout prix à réaliser un équilibre naturel des forces.

En définitive, la seule vraie règle est que chacun doit découvrir les particularités de son bateau. Toute cette théorie n'avait pour but que de fournir les principales données du problème. Transposées dans la réalité au long des jours, celles-ci prendront sans doute plus de consistance — ou, tout aussi bien, s'y noieront.

4. Le gréement

Le terme de gréement, pris dans son sens le plus général, désigne l'ensemble des dispositifs qui participent à la propulsion du bateau : espars, haubans, voiles, manœuvres. Une partie de ce gréement est fixe : il s'agit essentiellement du mât et des haubans qui constituent le gréement **dormant.** Une autre partie est mobile : les voiles, manœuvrées par des drisses et des écoutes qui constituent le gréement **courant.**

Cette distinction est commode mais ne doit pas faire illusion : le bon fonctionnement d'un gréement ne s'obtient pas en réglant d'une part ses éléments fixes, d'autre part ses éléments mobiles. Tout est lié. L'ensemble mât-bôme ne constitue pas un cadre délimité une fois pour toutes, sur lequel on tend une toile : il est susceptible de déformation, soit recherchée volontairement pour obtenir un rendement meilleur, soit subie et qu'il faut alors s'efforcer de limiter. Tout le problème cst d'adapter parfaitement espars et voiles les uns aux autres, de façon à obtenir un ensemble harmonieux, donc efficace, à toutes les allures et dans des forces de vent différentes.

Avant d'étudier les différentes parties du gréement, il paraît donc nécessaire de comprendre le fonctionnement de l'ensemble, d'analyser les différents réglages auxquels un gréement peut être soumis.

Réglages du gréement

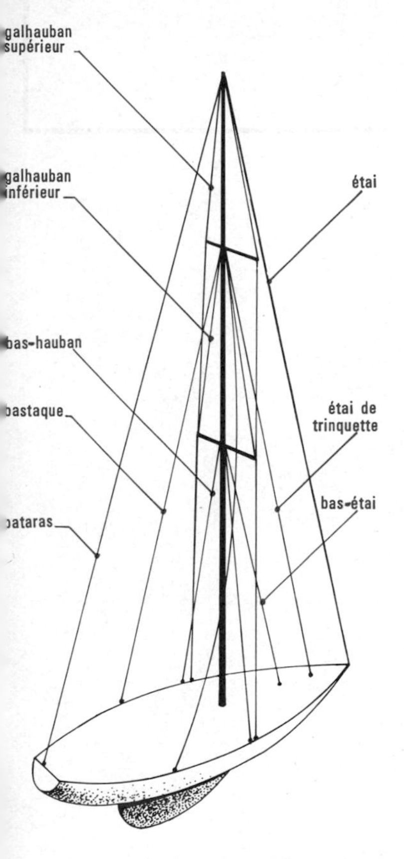

D'emblée, il importe de distinguer deux types de gréement bien différents. Cette distinction est fonction de la hauteur à laquelle le mât se trouve tenu.

Dans un cas, le mât est tenu par la tête. On parle de bateaux à **foc en tête.** C'est le gréement des gros bateaux de croisière, en particulier.

Dans l'autre cas, le mât est tenu environ aux deux tiers de sa hauteur. C'est le gréement des dériveurs légers.

Les dériveurs lestés et petits croiseurs se répartissent entre ces deux catégories. Nous verrons qu'il existe aussi des mâts sans haubannage. Mais, d'une façon générale, la distinction que nous venons de faire reste fondamentale. Selon la façon dont il est tenu, le mât a une vie différente, qui détermine la plus grande partie des réglages du bateau.

Nous verrons d'abord le principe de tenue d'un mât, ensuite l'utilité des différentes parties du gréement et leur façon de travailler.

Tenue d'un mât.

Principe.

Supposons une antenne tenue par quatre haubans. L'antenne est haute, mais on peut écarter à volonté les points de fixation des haubans au sol.

Les efforts que les haubans subissent se décomposent en : une composante horizontale, utile, qui maintient le mât debout; une composante verticale, nuisible, absorbée en compression par l'antenne. Les quatre composantes horizontales s'équilibrent. Que le vent vienne à souffler, il faut, pour compenser sa pression sur le

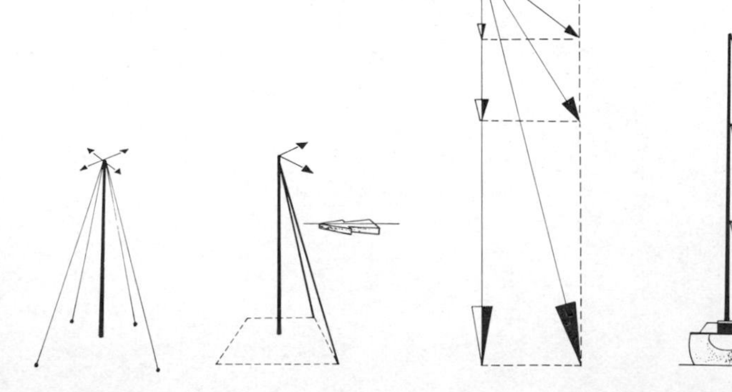

Au repos, le mât est soutenu par l'ensemble du haubannage. Quand il y a du vent, seul le haubannage au vent travaille.
La force nécessaire à maintenir le mât est représentée par le vecteur *a*. A mesure que l'on diminue l'angle mât-hauban, compression du mât et traction sur le hauban augmentent. Si l'on réduit trop cet angle, quelque chose finit par casser.

mât, une composante horizontale plus forte du côté au vent, ce qui augmente l'effort du hauban correspondant, donc la composante verticale. Par contre, le hauban sous le vent devient inutile.

Rapprochons du pied de l'antenne le pied du hauban au vent : l'angle mât-hauban diminue, le parallélogramme des forces se déforme; pour une même composante horizontale, l'effort sur le hauban au vent et la compression du mât augmentent considérablement. Ces forces deviennent excessives lorsque l'angle diminue trop. Le hauban casse ou le mât se rompt par flambage. L'expérience prouve que, sur un bateau, cet angle mât-hauban doit être de l'ordre de 15° et en aucun cas inférieur à 13°.

Mât d'un bateau à foc en tête.

Envisageons séparément les tenues longitudinale et transversale du mât.

Tenue transversale. Le dessin montre qu'un hauban, partant à 15° du haut du mât, tombe largement en dehors du bateau : on doit donc avoir recours à l'artifice de la barre de flèche. Mais le hauban, renvoyé vers le bas, transmet à cette barre de flèche un effort de compression horizontale qui tend à cintrer le mât à son niveau : il faut donc capeler à cette hauteur un nouveau hauban pour garder le mât droit.

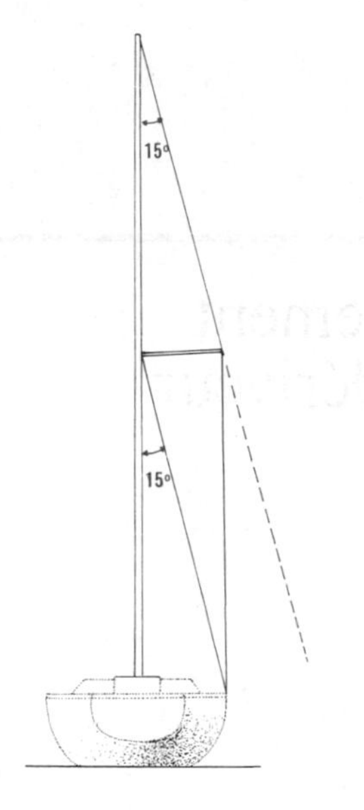

Ce système peut être multiplié autant de fois qu'il est nécessaire : chaque hauban fait l'angle minimum avec le mât et un nombre d'étages suffisant permet d'amener au pont les derniers haubans. Ceux-ci doivent être particulièrement solides : ils subissent les plus gros efforts.

Tenue longitudinale. Les efforts longitudinaux subis par le mât sont beaucoup plus importants que les efforts transversaux. Sa tenue longitudinale est assurée par un étai (qui l'empêche de partir en arrière) et par un ou plusieurs **pataras** ou **étais-arrière** (qui l'empêchent de partir en avant).

L'étai devant être raidi énormément pour rester rectiligne malgré la pression du vent, le mât subit un effort de compression considérable. Il doit donc être maintenu le plus droit possible pour ne pas flamber. Cela conduit à adopter des mâts de forte section longitudinale (mâts ovales) et à renforcer parfois le haubannage par des étais complémentaires **(bas-étai, étai de trinquette)** et par des **bastaques** (haubans mobiles).

Mât d'un bateau dont le foc ne monte pas en tête.

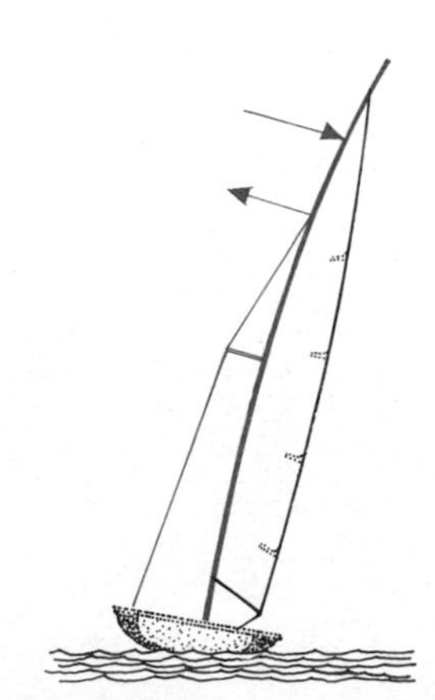

Tenue transversale. Sur un dériveur, les haubans et l'étai ne sont pas capelés en tête de mât, mais sensiblement plus bas. Lorsque le bateau est sous voiles, le mât a tendance à prendre la forme d'un arc : sa partie haute, non tenue, tombe sous le vent; du coup, sa partie basse se cintre au vent.

Tenue longitudinale. Comme on ne peut gréer de pataras, les haubans sont pris sur la coque en arrière du mât. Leur tension maintient l'étai rectiligne, du moins lorsque le vent est faible. Dès

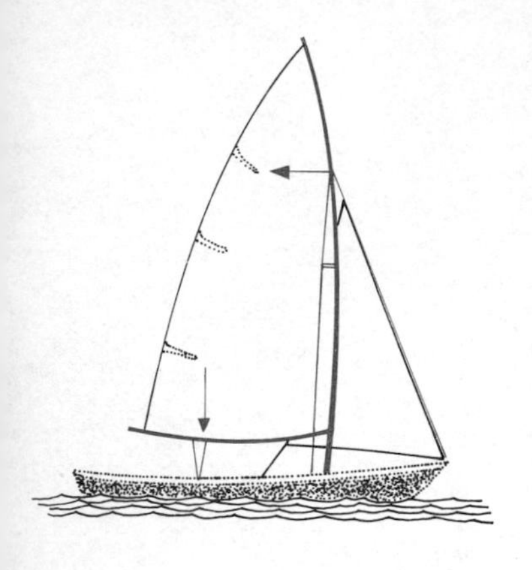

que celui-ci fraîchit un peu (force 3), le guindant du foc sollicite très fortement le mât vers l'avant et les haubans ne suffisent plus. C'est alors en bordant la grand-voile que l'on tend le guindant du foc. Le hauban sous le vent devient mou.

En résumé : **sur un bateau à foc en tête, la tenue du mât est assurée, de façon rigide et permanente, par le gréement dormant; sur un bateau dont le foc ne monte pas en tête, la tenue du mât est assurée conjointement par le gréement dormant, le gréement courant et la voilure.**

Régler le gréement, c'est harmoniser le gréement dormant et la voilure, à toutes les allures et dans des forces de vent variées. Dans un cas, le gréement dormant étant rigide, ce sont les voiles qui doivent s'adapter; dans l'autre, les modifications concernent autant le gréement dormant que les voiles.

Dans les deux cas, c'est à l'allure du près que le problème se présente de la façon la plus nette. Nous envisagerons donc les réglages principalement à cette allure.

Gréement de dériveur

Rappelons tout d'abord un principe étudié au chapitre 3 : à mesure que le vent fraîchit, la voilure d'un bateau doit être aplatie; on conserve ainsi une composante propulsive importante sans que la composante de gîte et de dérive n'augmente exagérément. Un dériveur chavire par force 4, malgré le rappel de l'équipage, si ses voiles sont trop creuses. Voiles correctement aplaties, le bateau supporte cette force de vent sans problèmes.

Sur un dériveur, la grand-voile a une surface beaucoup plus importante que le foc. C'est donc sur elle que se porte avant tout l'attention.

Le mât et la grand-voile.

Pour modifier la forme de la grand-voile, on peut agir :
— sur la forme des espars, du mât en particulier;
— sur l'étarquage de la voile elle-même.

Forme du mât.

En modifiant la forme du mât, on peut tout à la fois aplatir la grand-voile et, au-delà d'une certaine force de vent, en « effacer » une partie.

Les régatiers s'efforcent d'ailleurs de mettre au point des gréements intelligents, qui, correctement réglés, peuvent se déformer d'eux-mêmes en fonction de la force du vent.

Le principe de ces déformations est le suivant :
— le cintrage longitudinal provoque un aplatissement de la grand-voile;

— la flexion latérale du mât fait **déverser** la voile, autrement dit, l'empêche partiellement de porter, ce qui soulage le bateau.

Le cintrage longitudinal est obtenu par raidissement du hale-bas et de la grande écoute. Il peut être limité par l'étambrai.

La flexion latérale est due au vent. On la limite grâce à l'étambrai et aux barres de flèche.

Hale-bas et grande écoute permettent également le cintrage de la bôme.

Les possibilités de réglage varient avec les types de gréements.

Prenons trois exemples :

— mât sans barres de flèche ayant un seul point de réglage : l'étambrai;

— mât à deux points de réglage : étambrai et barres de flèche;

— mât sans haubannage.

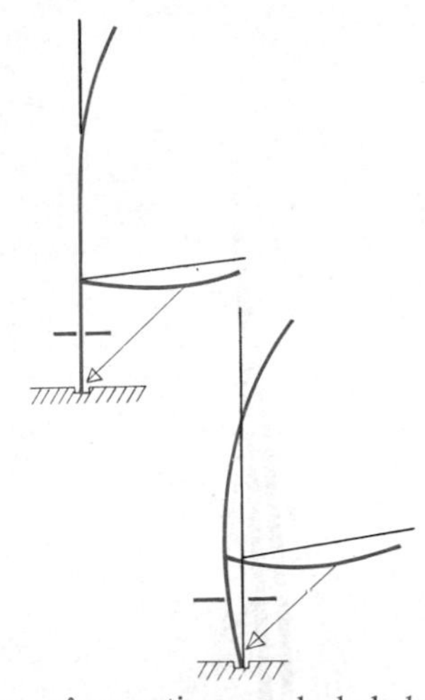

Une même action sur le hale-bas a des effets différents selon la façon dont est réglé l'étambrai.

Mât sans barres de flèche (mât métallique de Vaurien).

Le cintrage. On dose son importance avec le hale-bas et la grande écoute. On règle sa position à l'étambrai.

S'il y a du jeu au repos entre le mât et le fond de l'étambrai, on peut cintrer le mât sur toute sa hauteur, ce qui provoque un aplatissement général de la grand-voile.

Au contraire, si le mât, au repos, touche le fond de l'étambrai, on ne peut cintrer que le haut du mât, ce qui n'aplatit la voile que dans le haut.

La flexion. Si le mât a beaucoup de jeu latéral dans l'étambrai, le vent peut le faire fléchir sur toute sa hauteur : la voile déverse largement.

Au contraire, si le mât est bloqué latéralement dans l'étambrai il fléchit moins, particulièrement dans le bas : la voile ne déverse que si le vent est plus frais, et dans le haut seulement.

L'équipage lourd cale le mât à l'étambrai et choisit des barres de flèches longues.
L'équipage léger laisse du jeu au mât à l'étambrai et choisit des barres de flèches courtes.

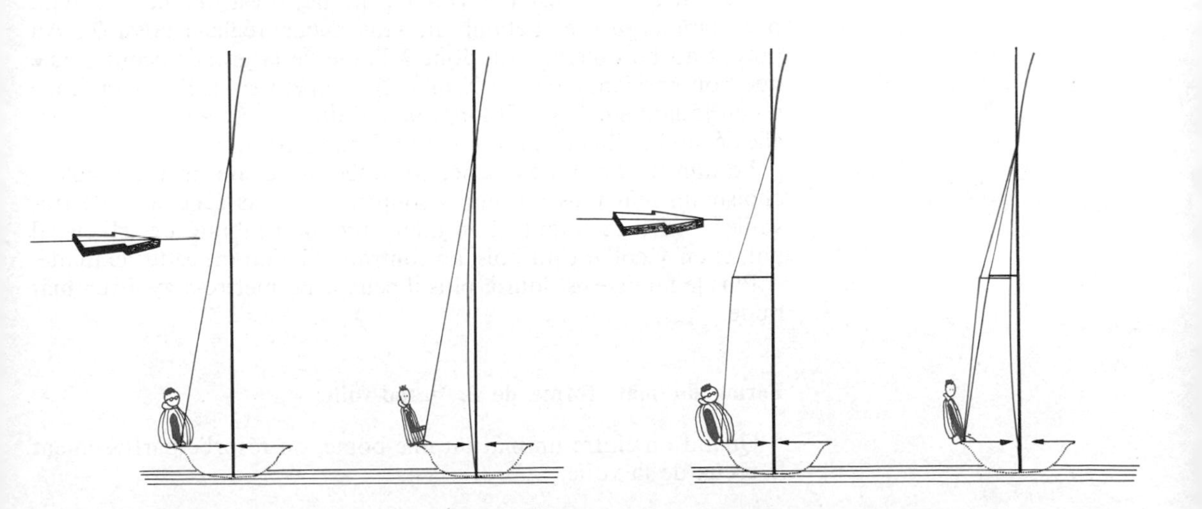

En fonction du rappel qu'on est capable de faire, on aplatit et on fait déverser plus ou moins la voile. Dans un vent de même force, un équipage léger est obligé de cintrer son mât et de le laisser fléchir alors qu'un équipage lourd navigue avec un mât rectiligne.

Mât avec barres de flèche (mât de 470).

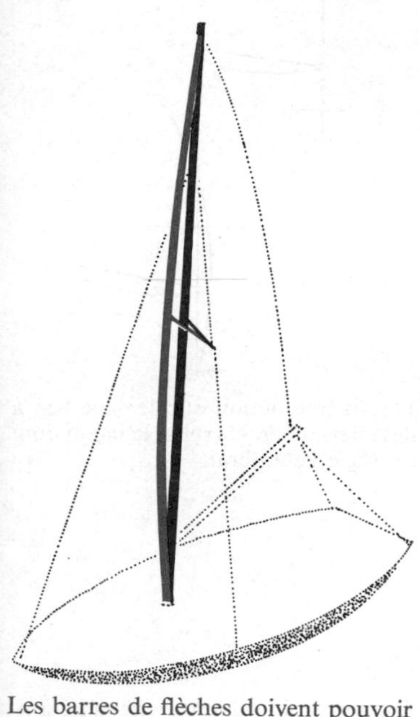

Les barres de flèches doivent pouvoir jouer vers l'arrière lorsque le mât se cintre.

Avec le type de gréement précédent, on ne pouvait contrôler la flexion du mât que dans le bas. Avec des barres de flèche, on peut également la contrôler dans le haut. Pour ce réglage c'est la longueur des barres de flèche qui intervient. Plus la barre de flèche est longue, plus l'angle du hauban en bout de barre est aigu : la pression exercée par le hauban sur la barre de flèche est forte, le mât fléchit peu. Inversement, plus la barre de flèche est courte, plus l'angle du hauban est plat : la pression exercée par le hauban sur la barre de flèche est faible, le mât fléchit davantage. Un équipage lourd utilise des barres de flèche longues, un équipage léger des barres de flèche courtes.

Les barres de flèche ne doivent pas être fixées au mât de façon totalement rigide. Lorsque le mât se cintre, la partie où sont fixées les barres de flèche avance : il est nécessaire que la ferrure puisse jouer, sinon elle se brise. Les barres de flèche sont donc articulées horizontalement vers l'arrière. Vers l'avant on ne doit pas leur laisser trop de jeu, sinon, aux allures portantes, elles accentuent la tendance du mât à se cintrer vers l'arrière dans certains cas : lorsqu'on est sous spi au largue, par exemple. Le mât risque alors de se rompre.

Mât sans haubannage (mât de Finn).

Ce mât est une véritable canne à pêche; il est uniquement tenu par l'emplanture et l'étambrai, sans aucun réglage possible. Au près et au bon plein, c'est donc à l'aide de la grande écoute seule que l'on parvient à cintrer le mât. On ne peut contrôler ce cintrage qu'en jouant sur le profil longitudinal du mât. Quant à la flexion, elle dépend uniquement de son profil transversal.

Le finniste est donc amené, en fonction de son propre poids, à choisir un mât plus ou moins souple, et, le cas échéant, à le travailler : en le rabotant, il en augmente la flexibilité en tel ou tel point; en y collant du bois, au contraire, il diminue cette flexibilité.

Plus le finniste est lourd, plus il peut se permettre d'avoir un mât raide.

Forme du mât, forme de la grand-voile.

Quand on cintre un mât ou une bôme, on résorbe partiellement le creux de la voile.

Pour le résorber de façon homogène, il faut toutefois que forme du mât et forme de la voile se marient bien. Si le cintrage n'est pas régulier, une bonne voile se trouve inégalement aplatie. Si la voile est mal taillée et le cintrage régulier, le résultat est le même.

Dans l'un ou l'autre cas, il faut modifier le cintrage : le régulariser dans le premier cas, au contraire l'adapter (si possible!) à la forme de la voile dans le second.

Exemples.

A. Le mât est cintré au capelage et pratiquement rectiligne dans le bas. Conséquence : la voile est creuse dans le bas et sur la chute, et présente un large pli au vent, qui part de l'endroit trop cintré vers le point d'écoute. Il faut régulariser le cintrage du mât.

B. Le cintrage du mât et de la bôme est régulier, mais la voile a une mauvaise forme : sa bordure manque de rond dans la partie arrière, son guindant en manque dans le milieu. Il faut la retailler.

C. La bôme est trop cintrée à l'arrière ou bien la bordure de la voile manque de rond à cet endroit. Ce genre de défaut fait facilement apparaître un pli au pied des lattes. En redressant la bôme, le pli peut disparaître.

D. La voile s'adapte parfaitement à ses espars, l'ensemble est harmonieux.

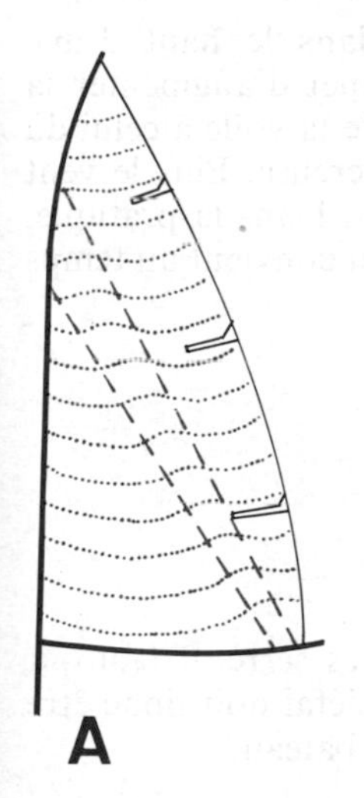

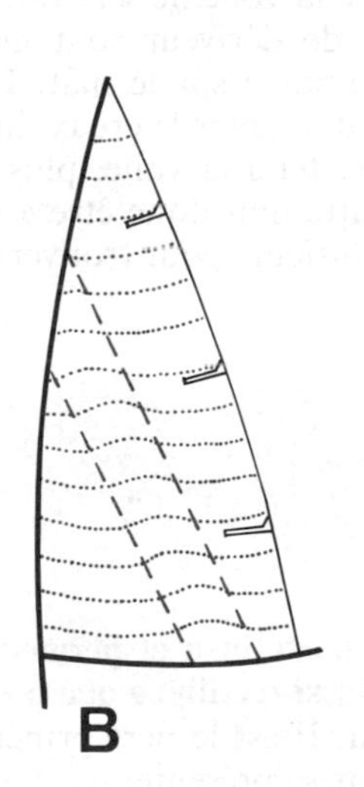

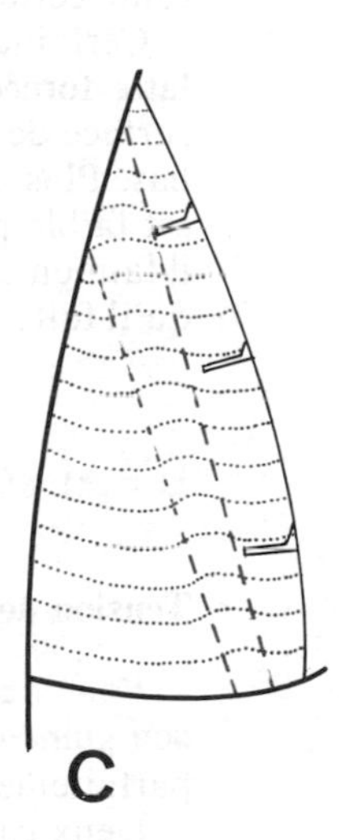

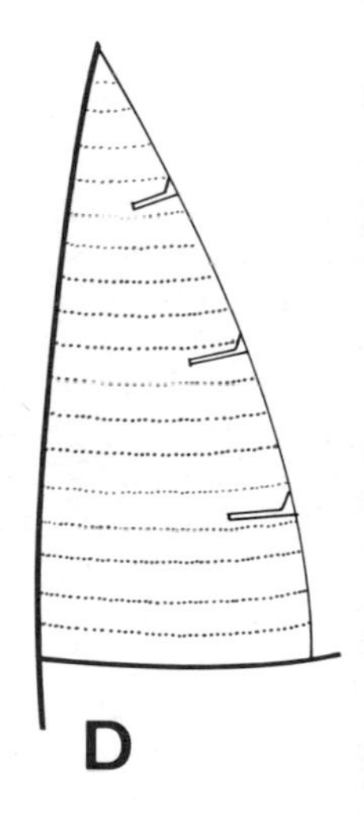

D'une manière générale :

— Si le pli va du point d'écoute vers le guindant, le cintrage du mât ou la forme du guindant sont à revoir.

— Si le pli va du point de drisse vers la bordure c'est le cintrage de la bôme ou la forme de la bordure qui sont en cause.

— Si le pli va du guindant vers la bordure c'est en général la voile qui est mal taillée.

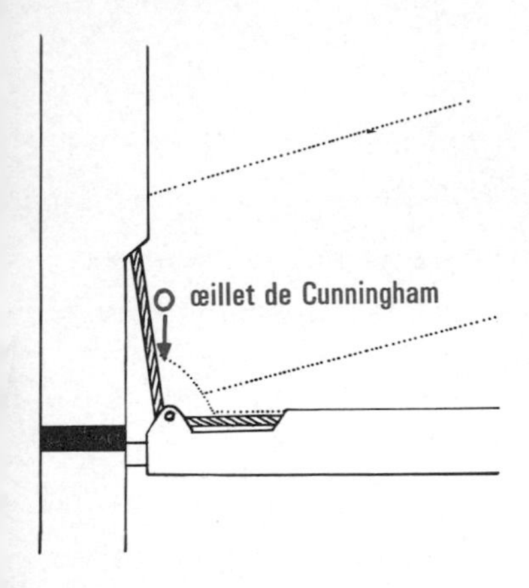

Un bout passé dans l'œillet permet d'étarquer le guindant sans abaisser la bôme.

Étarquage de la grand-voile.

La déformation des espars n'est pas le seul moyen d'aplatir la grand-voile. On peut également « travailler » la voile elle-même. **En étarquant sa bordure on diminue le creux. En étarquant son guindant, on empêche le creux de reculer quand le vent fraîchit.**

On étarque la bordure par le point d'écoute; le guindant, en abaissant la bôme (la drisse ne sert qu'à hisser).

Sur les bateaux de compétition, la surface de la grand-voile a des limites précises, matérialisées par des marques sur les espars. Il faut pouvoir étarquer sans sortir de ces limites : on étarque alors la bordure par l'avant, après avoir mis le point d'écoute à la marque; on étarque le guindant au moyen d'un **œillet de Cunningham,** sans abaisser la bôme.

Les lattes.

Les lattes doivent êtres soigneusement polies sur leurs faces, leurs extrémités et leurs chants. Pour ne pas empêcher la voile de prendre sa forme, elles doivent être souples du côté du mât; plus rigides en revanche du côté de la chute. En effet, les lattes ont pour objet de maintenir la partie de la toile située au-delà de la ligne droite joignant le point de drisse au point d'écoute. Sans lattes, toute cette partie de la voile ne servirait à rien.

Certaines voiles de dériveur sont munies dans le haut d'une **latte forcée,** qui s'appuie sur le mât. Elle permet d'augmenter la surface de voile et d'adapter le creux du haut de la voile à celui du bas. Plus cette latte tend la voile, plus elle la creuse. Plus le vent est faible plus la latte doit donc être « forcée ». Dans la pratique, il faut en essayer plusieurs pour trouver celle qui convient au temps qu'il fait.

L'étai et le foc.

Tension de l'étai.

Pour que le foc porte bien et permette un près serré, il faut que son guindant soit aussi rectiligne que possible. L'étai doit donc être parfaitement tendu. Il est le nerf principal du bateau.

Deux cas peuvent se présenter :

— L'étai fait partie du gréement dormant du bateau (le guindant du foc est simplement constitué d'une ralingue textile); il doit alors être tendu au maximum lorsqu'on installe le gréement.

— L'étai fait partie du foc (c'est le câble d'acier sur lequel est cousue la voile ou enfilée la ralingue textile); on le tend alors en étarquant la drisse de foc, ce qui raidit en même temps le gréement tout entier.

Par temps moyen et frais, lorsque le hauban sous le vent est mou, c'est la grande écoute bien tendue qui maintient l'étai de foc suffisamment raide.

Par petit temps, l'étai n'a pas besoin d'être très tendu pour être rectiligne; les haubans suffisent à empêcher le mât de partir en avant; la grande écoute peut être choquée.

Tension de la ralingue.

Même avec un étai bien tendu, quand le vent fraîchit le creux du foc a tendance à reculer, par déformation du tissu. On le maintient en place en allongeant la ralingue, ce qui est possible dans deux cas :

— si la ralingue est entièrement textile;
— si elle coulisse librement sur un câble d'acier.

Dans le premier cas, on allonge la ralingue en étarquant la drisse de foc; dans le deuxième cas, au moyen d'un palan agissant sur le point d'amure.

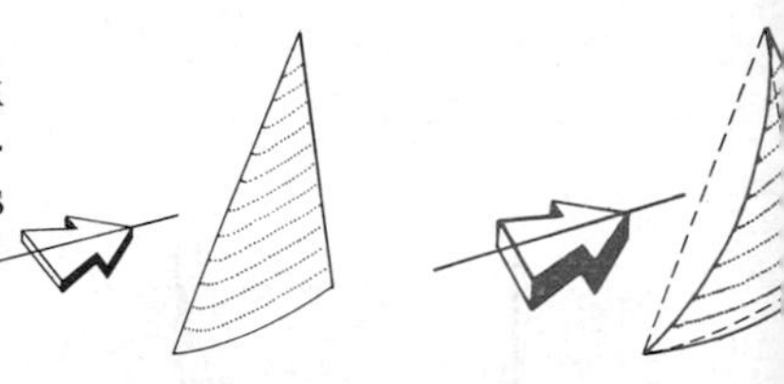

Le creux du foc recule quand le vent fraîchit; il faut l'en empêcher.

Réglage du point de tire de l'écoute.

Pour soulager le bateau par vent frais, il est parfois nécessaire de faire déverser le foc. On y parvient en reculant ou en montant le point de tire de l'écoute.

Ainsi le haut de la voile s'ouvre, déverse, le bateau gîte moins, se vautre moins et avance mieux.

Sur les bateaux dont le filoir d'écoute est fixe, on règle l'angle de tire de l'écoute en modifiant la hauteur du point d'amure. Ce qui n'est possible qu'avant le départ.

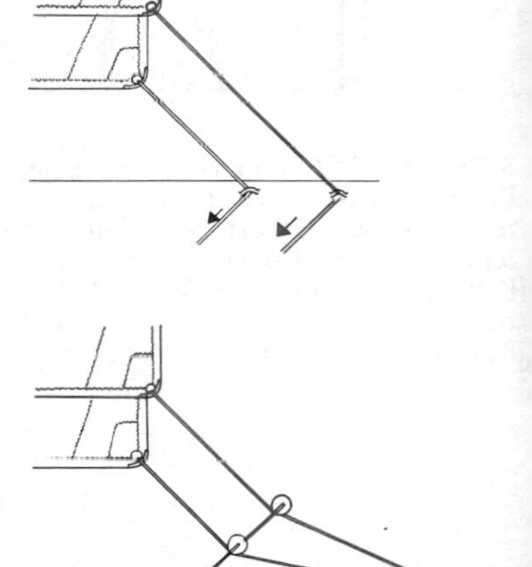

En haussant ou en reculant le point de tire de l'écoute, on fait déverser le haut du foc; le bateau gîte moins.

En résumé.

Par petit temps, les espars sont droits, les ralingues sont molles; le gréement est peu tendu, les voiles sont creuses.

Quand le vent fraîchit, on raidit le gréement en étarquant le foc, on résorbe progressivement le creux de la grand-voile en étarquant ses ralingues et en cintrant les espars.

Quand le vent fraîchit encore, on soulage le bateau en faisant déverser le haut de la grand-voile.

Par temps très frais, on laisse battre la partie de la grand-voile non aplatie dans le bas du guindant; seule le bas de la chute porte encore. On progresse surtout grâce au foc dont on fait au besoin déverser le haut.

Gréement de croiseur

La plupart des croiseurs modernes sont gréés avec foc en tête. Ici, les préoccupations de l'équipage changent d'objet : c'est le foc qui est la voile principale.

Sur ces bateaux, le génois a une surface considérable, et rend nécessaire la présence d'un mât de forte section. La grand-voile, plus petite, est en bonne partie déventée par le mât : son efficacité se trouve considérablement réduite. Avec un gréement de ce type, on règle la grand-voile pour l'allure moyenne et on porte son attention sur le foc.

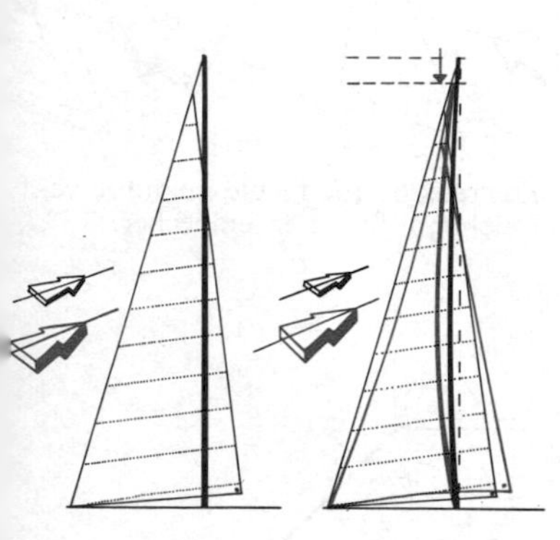

Si le mât reste toujours bien rectiligne, l'étai demeure bien tendu. Si, en revanche, le mât est déjà cintré au repos, il se cintre encore plus sous l'effort. La tête du mât étant plus basse, l'étai n'est plus assez tendu et l'on ne peut pas faire un près correct.

Réglage du mât.

Quand on parle de réglage du mât, le premier réglage auquel on pense est celui de la **quête** (inclinaison du mât vers l'arrière). Or, celui-ci n'intervient qu'en second lieu. Il est beaucoup plus important d'avoir d'abord un mât parfaitement rectiligne.

En effet, pour que le foc porte bien et permette un près serré, l'étai doit être aussi droit que possible. Or, si le mât se cintre, l'étai mollit.

Le réglage du mât doit se faire en mer, au près, car c'est l'allure à laquelle l'étai est le plus sollicité sous le vent.

Au port, raidir le gréement de tête.

Régler approximativement la quête du mât (avec précision si l'on a des points de repère).

Raidir au maximum l'étai, sans aller toutefois jusqu'à déformer la coque.

Tendre sans excès les galhaubans de tête de façon à placer le mât perpendiculaire à la flottaison dans le sens transversal.

Assurer tous les ridoirs du gréement de tête (étai, galhaubans, pataras). On n'y touchera plus ensuite.

Régler approximativement les haubans inférieurs, pour que le mât ne soit tout de même pas trop tordu.

En mer, régler le mât.

Pour effectuer un réglage correct, il faut pouvoir naviguer tout dessus, avec bon vent et peu de mer. Temps idéal : vent de force 3 à 4, mer plate.

L'opération de réglage consiste à ramener les capelages intermédiaires sur la droite idéale joignant le pied à la tête du mât.

On navigue donc au près. Un équipier se place au pied du mât, vise la gorge et annonce quels sont les haubans à **rider** et à **dérider** (à raidir ou à mollir au moyen de ridoirs).

Prenons comme exemple le réglage d'un mât comportant un étage de barres de flèche et un bas-étai.

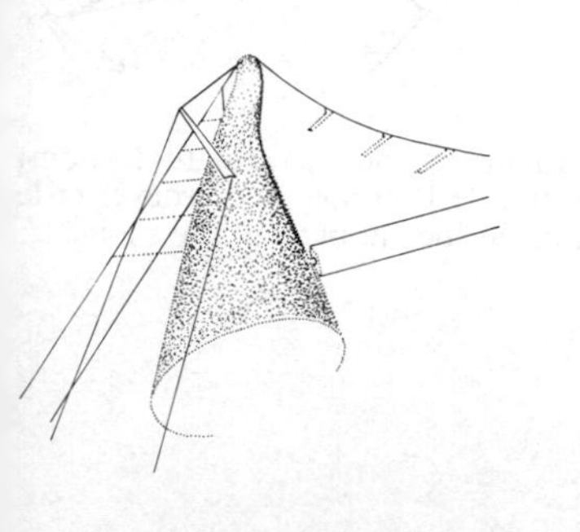

Le bas-étai est trop tendu, le bas-hauban babord insuffisamment.

Le bateau navigue bâbord amures. Si le mât présente une courbe marquée vers tribord avant, dérider le bas-étai et rider le bas-hauban bâbord. Il faut en général dérider et rider plusieurs fois chaque hauban avant de trouver le point juste. Attention : quand on ride, il faut s'assurer que le gréement sous le vent reste mou.

Cette première opération terminée, on vire de bord et on fait la même chose tribord amures. Si l'on parvient à dresser le mât sous cette amure en réglant uniquement le bas-hauban, le réglage est terminé. Mais si l'on doit en même temps modifier le réglage du bas-étai, il faut ensuite recommencer bâbord amures, et ainsi de suite jusqu'à trouver un compromis satisfaisant.

La méthode est la même pour un mât comportant deux étages de barres de flèche et un étai de trinquette. Le réglage est plus long, mais pas plus difficile.

En principe, avec un mât ainsi réglé le bateau peut bien marcher. Mais si la quête est mauvaise, ce n'est que maintenant qu'on peut s'en apercevoir. Dans ce cas, il faut reprendre le réglage à zéro.

En définitive, le réglage d'un mât demande au moins une heure de travail, et plus souvent 4 ou 5 heures.

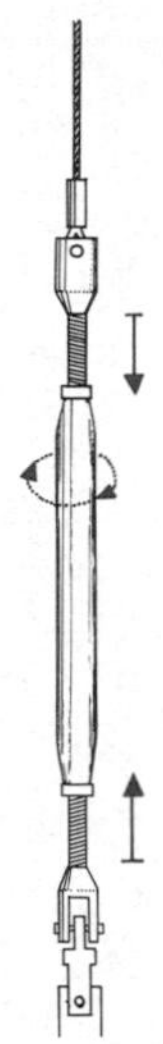

Il est malcommode de faire le réglage si tous les ridoirs ne sont pas à l'endroit. Un ridoir est à l'endroit lorsque la tige du pas à droite est en bas. Quand on tourne la cage du ridoir dans le sens des aiguilles d'une montre le ridoir se raccourcit : on ride.

Durant toute l'opération, il faut se raccrocher à quelques règles simples :

— ne pas toucher au gréement de tête;
— chercher à dérider plutôt qu'à rider;
— veiller à ce que le gréement sous le vent reste mou;
— s'armer de patience.

Si, le mât, bien réglé au près, n'est pas droit aux autres allures ou au repos, cela n'a pas d'importance.

Gréement dormant, réglage en route.

Sur certains bateaux, la tension de l'étai peut être modifiée en cours de route. Ce réglage s'effectue en agissant sur le pataras (par l'intermédiaire d'un ridoir à volant, d'un ridoir hydraulique, ou d'un simple palan entre deux pataras). Le réglage initial du mât est réalisé selon le même principe que pour les gréements ordinaires : l'étai est bien raidi. Par la suite, on règle l'étai en fonction de l'allure suivie et de la force du vent : d'autant plus mou que l'on abat ou que le vent mollit.

A chaque fois que l'on change d'allure, ou que la force du vent change, il importe de vérifier que le mât reste droit. Pour qu'il ne soit pas trop tordu aux allures du largue, il peut être nécessaire de disposer des petits palans permettant de raidir le bas-étai ou les deux bas-haubans avant.

Le foc.

Comme nous l'avons vu au sujet du dériveur, le creux d'un foc recule lorsque le vent fraîchit : son tissu se déforme, et l'étai se courbe toujours un peu. Comme on ne peut régler un foc que dans des limites très faibles, la solution, sur croiseur, consiste à en changer. On choisit le foc qui convient au temps en se préoccupant avant tout de sa coupe.

Choix.

Les trois génois ci-contre sont destinés à un même bateau et ont tous les trois les mêmes dimensions.

— Le génois de petit temps a un guindant bien rond, ce qui donne, sur un étai rectiligne, un foc très creux.

— Le génois de temps moyen a un guindant droit : lorsque l'étai tombe légèrement sous le vent, le creux du foc reste correct et bien placé.

— Le génois de temps frais a un guindant échancré pour s'adapter à la forte courbure de l'étai.

Réglage.

Le réglage du guindant dépend de la façon dont celui-ci est réalisé.

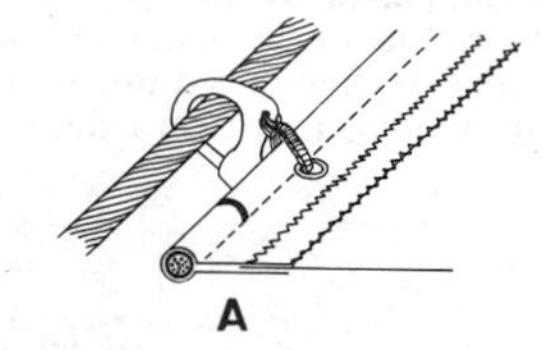

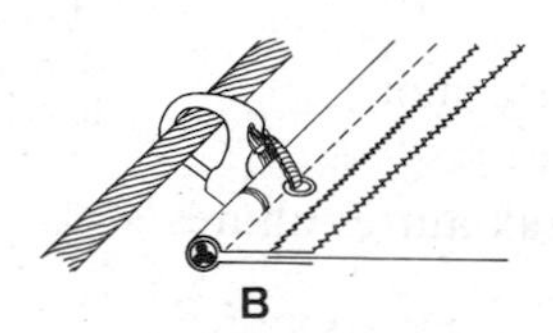

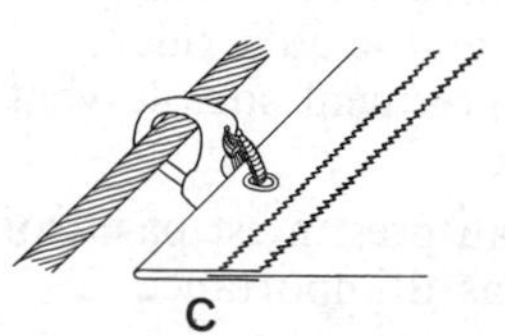

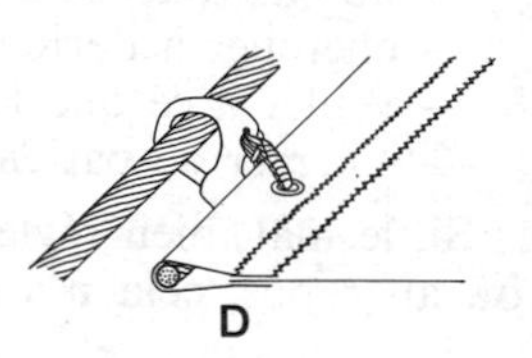

Il y a trois types de guindants :

A. La ralingue est en textile et solidaire d'un câble d'acier. Le guindant est inextensible.

B. et **C.** Les ralingues sont en textile (filin ou sangle) : on peut les allonger en étarquant. Le guindant est donc réglable.

D. La ralingue textile coulisse librement sur une draille en acier. Elle peut être étarquée indépendamment de celle-ci.

Sur le foc de type A, le voilier a réglé la tension de la toile sur le câble d'acier en fonction d'une force de vent déterminée. Si le vent change il faut changer de foc.

Sur les focs de type B, C et D, la tension du guindant peut varier. Dans une certaine mesure, il est possible d'empêcher le creux de reculer. Chaque foc s'adapte donc à une certaine gamme de vent. Au près, sur certains bateaux, on pousse la logique à fond : on tourne l'écoute de foc au taquet et on n'y touche plus, on ne règle que l'étarquage du guindant. Cet étarquage peut varier de 10 à 20 cm selon la taille des focs.

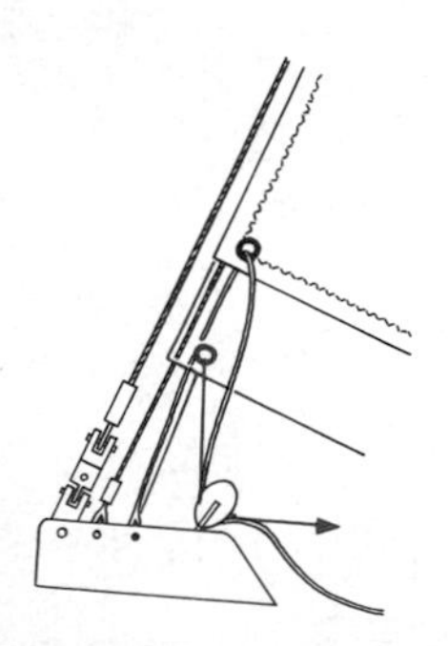

Pour régler la tension d'une ralingue coulissant sur une draille en acier, on abaisse plus ou moins son point d'amure à l'aide d'une bosse renvoyée sur un winch ou un palan.

Lorsque le guindant est étarqué à bloc, si le foc poche, il faut cette fois en changer.

Si l'on veut soulager momentanément le bateau sans changer de foc, on peut reculer ou hausser le point de tire de l'écoute, ce qui fait déverser le foc. On limite ainsi la gîte, en conservant une bonne vitesse.

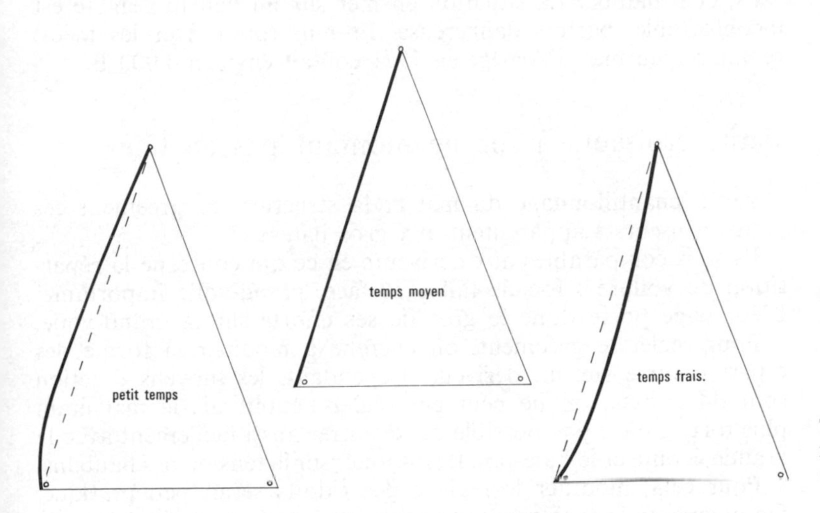

Trois coupes de guindant de génois, réalisées en fonction du temps auquel est destinée la voile.

La grand-voile.

Lorsque le vent fraîchit, on commence à résorber le creux de la grand-voile en étarquant la bordure, éventuellement en cintrant la bôme. On empêche le creux de reculer en étarquant progressivement le guindant.

Sur ce genre de bateau au mât rigide, si le vent fraîchit encore, on ne peut continuer à aplatir la grand-voile qu'en prenant un ris. Ce ris suffit à absorber presque tout le rond du bas du guindant, donc la majeure partie du creux de la voile.

Si la force du vent continue d'augmenter on prend un deuxième puis un troisième ris. Cette fois, il ne s'agit plus d'aplatir la voile mais de réduire purement et simplement sa surface.

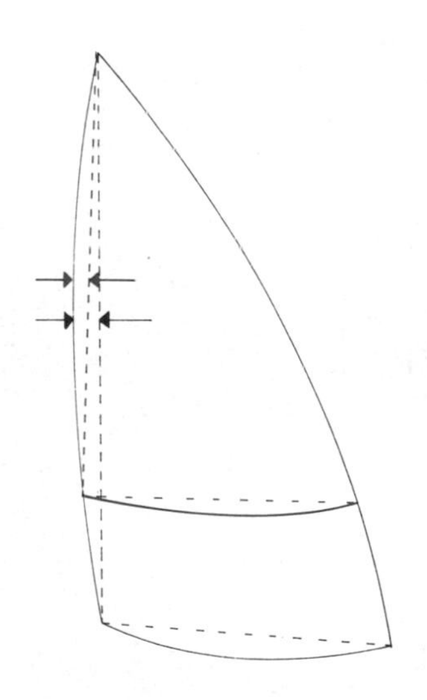

Mâts souples sur bateaux importants.

Le gréement souple est assez peu répandu sur les bateaux importants, mais existe cependant : l'Arpège en est un bon exemple. Sur ces bateaux, la grand-voile est assez grande, il est donc intéressant d'en tirer le maximum. En général, cette grand-voile n'est pas taillée très creuse; on peut l'aplatir en cintrant le mât. Le rendement du foc en pâtit un peu, mais ceci est d'une importance secondaire : ce type de bateau, en effet, n'est pas conçu pour marcher très près du vent, et l'on compense amplement en vitesse ce que l'on perd en cap.

D'autre part, on laisse souvent au mât la possibilité de bouger : il semble que cette latitude de mouvement d'avant en arrière aide le bateau à passer dans le clapot.

Inconvénient de ce type de mât : une erreur de réglage par vent frais, et il flambe. La situation en mer sur un bateau démâté est inconfortable, parfois dangereuse. Et puis (pour fixer les idées) remplacer un mât d'Arpège en 1971 coûtait environ 4 000 F.

Petits croiseurs à foc ne montant pas en tête.

Par l'échantillonnage du mât et la structure du gréement ces petits croiseurs s'apparentent aux gros bateaux.

Ils sont comparables aux dériveurs en ce qui concerne la répartition de voilure : foc de faible surface, grand-voile importante. L'équipage porte donc le gros de ses efforts sur la grand-voile.

Pour régler le gréement, on cherche à modifier la forme des espars comme sur un dériveur. Cependant, les moyens d'action sont différents : on ne peut pas régler l'étambrai; le mât étant plus fort, il n'est pas possible de le cintrer aussi facilement avec la grande écoute et le hale-bas. Il faut jouer sur la tension des haubans.

Pour cela, modifier le réglage des ridoirs serait peu pratique. On augmente la tension des haubans en installant des palans, par exemple :

— entre les deux bas-haubans avant, ou entre le bas-étai et le mât pour donner du cintre au mât;

— entre les bas-haubans arrière pour limiter éventuellement le cintre;

— entre les bas-haubans d'un même bord pour faire déverser la grand-voile.

On parvient à donner ainsi au mât, et donc à la voile, la forme la plus adaptée au temps.

Pour une même force de vent le réglage du gréement n'est pas le même à toutes les allures. Tout ce que nous venons de voir concernait essentiellement l'allure du près. Lorsqu'on adopte une allure moins proche du vent, il faut laisser les espars se redresser, mollir guindants et bordures, pour creuser la voilure et augmenter ainsi son rendement.

Gréement dormant

Espars et gréement dormant constituent l'armature sur laquelle sont établies les voiles. Sous le nom d'espars, on regroupe : mâts et barres de flèche, bômes, tangons, vergues à l'occasion. Le gréement dormant lui-même comprend les câbles qui soutiennent le mât : étais, haubans; leurs systèmes de fixation et de réglage, les ferrures de barres de flèche et de bôme.

L'ensemble de cette construction aérienne doit répondre à la fois à trois exigences :

— Elle doit être fine pour offrir le moins de prise possible au vent : le fardage freine le bateau et, dans de l'air perturbé, la voilure a un moins bon rendement.

— Elle doit être légère : tout poids dans les hauts diminue la stabilité du bateau.

— Elle doit cependant être solide, et cette dernière exigence marque la limite des deux autres.

Dans la conception des espars et du gréement, on s'efforce donc de réaliser un compromis. Selon les bateaux, on accorde plus d'importance à l'un ou l'autre de ses termes. Sur dériveur, on s'attache surtout à réaliser des gréements fins et légers, au détriment parfois de leur solidité : dans les conditions où ces bateaux naviguent, une avarie matérielle met rarement l'équipage en situation critique. Sur un bateau de croisière, au contraire, on ne peut pas prendre le risque d'un accident.

Avec l'évolution des matériaux et des conceptions elles-mêmes, on parvient de plus en plus, sans diminuer la solidité, à alléger considérablement espars et gréement, ce qui est un gage de sécurité supplémentaire dans la mesure où les performances des bateaux s'en trouvent améliorées.

Les espars

Le mât.

Le mât subit un effort de compression important. Si sa rigidité n'est pas suffisante, il flambe. Plus sa section est forte, plus il est rigide, mais plus il est lourd; il offre une grande surface au vent et perturbe l'air que reçoit la grand-voile.

On peut diminuer la section du mât à condition de multiplier le nombre de points tenus, mais ce sont alors les haubans qui perturbent les filets d'air; en outre leur poids n'est pas négligeable.

Un mât prévu pour être cintré doit avoir une section plus forte qu'un mât qui doit rester rectiligne. Un mât cintré flambe plus vite qu'un mât droit.

Le choix d'un mât est affaire d'architecte et de constructeur.

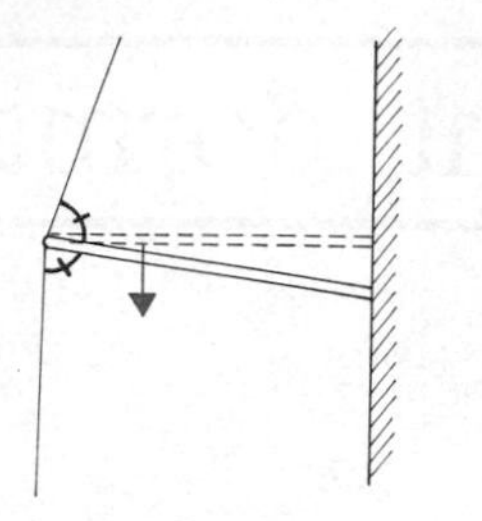

Pour ne pas glisser, une barre de flèche doit matérialiser la bissectrice de l'angle formé par le galhauban...

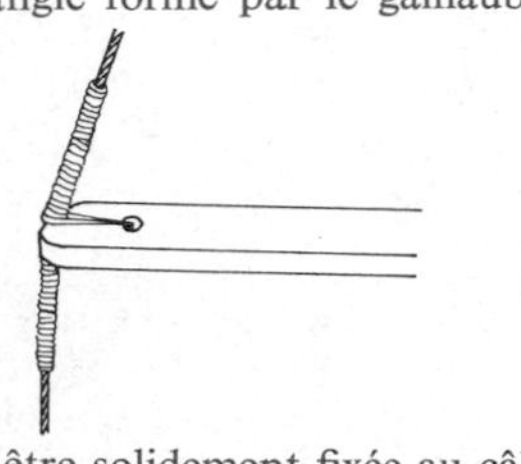

... et être solidement fixée au câble. Cet amarrage se fait de la même manière que le fourrage d'un œil cousu (voir p. 142).

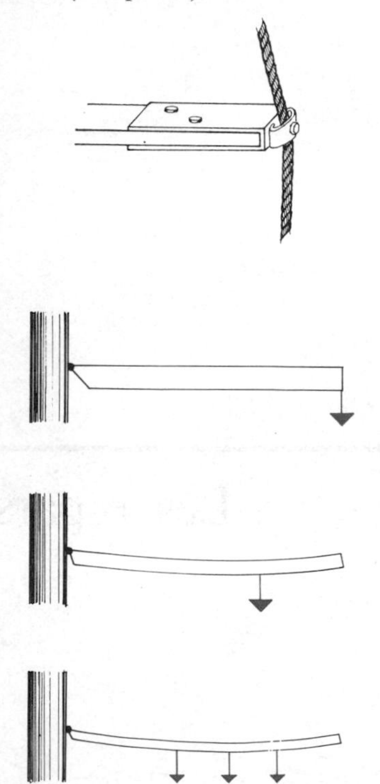

Trois sections de bôme, trois principes de fixation de la grande écoute.

Les barres de flèche.

Une barre de flèche ne doit travailler qu'à la compression. Elle doit avoir du jeu du côté du mât, pour pouvoir s'orienter librement et ne pas subir d'effort de flexion. De l'autre côté, elle doit être fixée solidement pour ne pas glisser, ni laisser échapper le hauban.

Tout en étant solide une barre de flèche doit être fine pour présenter peu de fardage, et légère parce que placée très haut.

La bôme.

Une bôme doit être légère pour deux raisons : elle est assez haut placée; ses mouvements, surtout lors des empannages, fatiguent le gréement (et parfois les crânes).

La section d'une bôme dépend : de la souplesse qu'on veut lui donner; de l'emplacement et du nombre de points de fixation de la grande écoute.

Ainsi a-t-on des bômes fines sur les bateaux où l'on résorbe le creux de la voile par cintrage de la bôme.

Le tangon.

Le tangon est l'espar qui sert à déborder au vent le point d'amure du spi ou le point d'écoute du foc aux allures portantes. L'extrémité fixée au mât s'appelle le **talon;** l'autre, le **bout.**

Les tangons supportent des efforts de compression très importants, au vent de travers en particulier. Ils doivent donc être résistants. Ils doivent être en même temps légers, pour des questions de facilité de manœuvre, et de sécurité : le tangon est souvent au niveau de la tête des équipiers.

Quel que soit le matériau utilisé, bois, métal ou plastique, la forme idéale d'un tangon est celle d'un fuseau. Le seul avantage du tangon cylindrique est sa facilité de fabrication, donc son prix.

La longueur des tangons est généralement limitée, pour la compétition, à la longueur de la base du triangle avant. Pour la croisière, il peut être intéressant de choisir des tangons de spi plus longs de 20 à 30 %, des tangons de foc deux fois plus longs — en s'assurant qu'il sera possible de les caser à bord...

Les matériaux.

Les espars en bois.

Les espars en bois, les plus anciens, les plus classiques, sont de moins en moins utilisés. Les problèmes d'entretien qu'ils posent, leur poids, leur prix font qu'on les abandonne progressivement au profit des espars en métal et même en plastique.

Il est tout de même bon de connaître leurs principes de construction et de réparation. En effet, de nombreux bateaux en sont encore équipés.

Construction. Le bois le plus couramment utilisé pour la construction des espars est le spruce, conifère d'Amérique du Nord. L'espar est constitué de plusieurs pièces collées; il est évidé au maximum (ses parois font entre 13 et 22 mm d'épaisseur) et doté de « remplis » aux points de fixation des ferrures et au pied.

Pour coller les pièces, on a longtemps utilisé de la colle Certus, très efficace mais non résistante à l'eau, d'où l'obligation d'une protection parfaite. Depuis peu, on utilise des colles résistantes à l'eau.

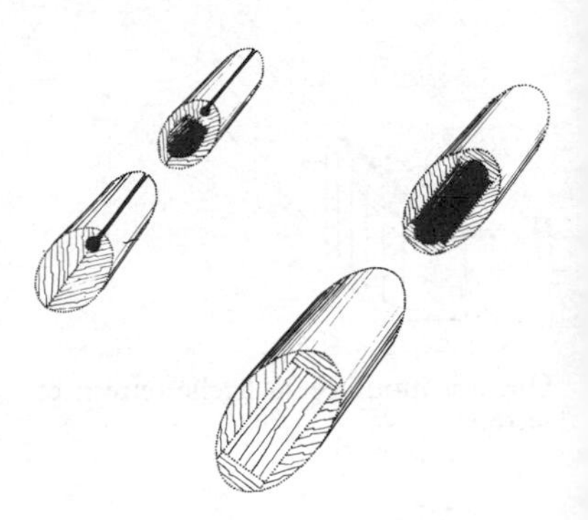

Les espars sont creux. On ne peut y monter d'accastillage qu'aux endroits des **remplis.**

Entretien. En général, les mâts ne sont pas peints, mais vernis, par souci d'esthétique. Chaque année, un mât doit recevoir de cinq à sept couches de vernis pour que l'eau ne puisse entrer en contact avec le bois et la colle. Il faut veiller à bien imprégner de vernis la tête et le pied du mât, sinon l'eau est pompée par ces extrémités : risque de pourriture et de décollement.

Un vieux mât peut retrouver un bon aspect si on le rabote légèrement. Mais on ne peut évidemment pas recommencer l'opération plus de deux ou trois fois.

Un mât ou une bôme doivent toujours être stockés sur un râtelier bien rectiligne, au sec, et à l'air, de manière à ne pas se déformer. Il faut les poser sur leur seule partie droite : la gorge.

Fixation des ferrures. La fixation des ferrures sur les espars doit être faite avec beaucoup de soin car le bois est tendre.

On utilise deux systèmes de fixation :

— la vis à bois : elle tient bien si elle est longue et grosse; elle a une bien meilleure tenue au cisaillement qu'à l'arrachement;

— le boulon : il travaille bien au cisaillement et à l'arrachement.

On doit, en principe, fixer les ferrures à l'endroit des remplis, et faire en sorte que les vis travaillent au cisaillement. Chaque fois que cela est possible, on renforce la tenue des vis par des boulons. L'utilisation des boulons devient impérative lorsque la pièce risque d'être sollicitée à l'arrachement.

D'une façon générale, il est judicieux de tourner sept fois sa chignole dans sa main avant de faire un trou quelconque dans un mât. Chaque trou l'affaiblit. Même si le trou est rebouché, les fibres du bois sont coupées.

Chaque trou est une entrée d'eau possible. Pour cette raison, il faut imprégner de vernis l'intérieur d'un trou de boulon et enduire généreusement de suif les vis à bois.

Enfin, lorsqu'on bouche un trou devenu inutile, il ne faut pas choisir une cheville trop grosse qui, en gonflant, ferait éclater le bois.

Réparation. Sur les espars en bois, toutes les réparations se font en spruce, et le seul moyen de fixation à utiliser est la colle : jamais de vis ni de pointes.

Pour coller deux pièces bout à bout, on fait une enture (assemblage en biseau, à pente de 10 % environ).

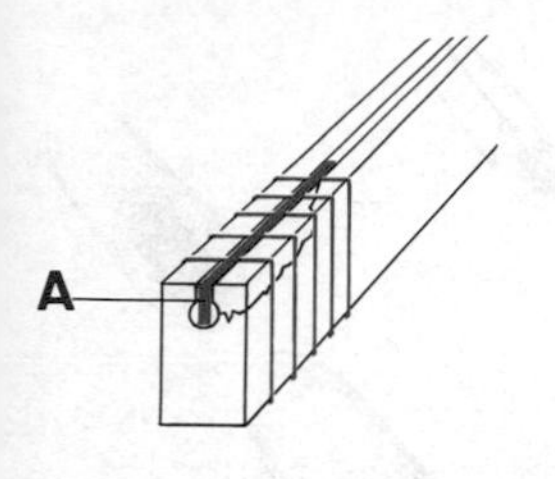

Une fois mouillée, la ficelle rétrécit et serre.

Pour réparer une gorge (de mât ou de bôme) fendue ou arrachée :
— ajuster dans la gorge une latte (A) qui permettra de remettre en place le morceau arraché ou de soutenir la partie fendue;
— encoller;
— assurer le serrage en enroulant sur toute la longueur de la réparation une ficelle en sisal, selon un pas de l'ordre de 1 cm; mouiller ensuite la ficelle, à l'aide d'une éponge, du côté opposé à la colle. La ficelle mouillée rétrécit, et serre. Utiliser une colle à prise rapide, sinon mouiller régulièrement la ficelle jusqu'à prise complète.

Les espars métalliques.

De plus en plus répandus, les espars métalliques représentent la technique montante. Les métaux utilisés sont le plus souvent des alliages à base d'aluminium (A) et de magnésium (G). Exemple : l'AG4 (4 indiquant le pourcentage de magnésium, en l'occurrence 0,4 %).

On fabrique également des mâts en titane mais l'utilisation de ce métal n'a pas encore dépassé le stade de l'expérimentation.

Les espars en AG sont extrudés, ce sont donc au départ des tubes à profil constant. Ils peuvent cependant être rétreints pour obtenir : gain de poids dans les hauts, meilleur profil aérodynamique, souplesse différente.

Construction. La longueur maximum d'un profil (nom du tube qui sert à fabriquer l'espar) ne dépasse généralement pas 11 m, pour des questions de transport. Pour obtenir un mât plus long, on assemble deux profils, par manchonnage ou par soudure.

Pour manchonner, on solidarise les extrémités des deux profils en y introduisant un profil d'une section légèrement inférieure, un manchon. Cette pièce est ensuite vissée ou rivetée aux deux profils principaux; elle est également collée (à l'Araldite en général) pour éviter tout déplacement, si petit soit-il, car les coulisseaux ou la ralingue ne pourraient plus circuler dans le rail ou la gorge.

L'assemblage par soudure est de plus en plus pratiqué, mais il réclame un outillage spécialisé. Il faut en effet souder sous atmosphère neutre (argon) pour éviter l'oxydation quand l'alliage est chaud. De plus, la soudure doit subir un traitement thermique particulier pour ne pas casser, et cela implique l'utilisation d'un four de dimensions adéquates.

La réparation des espars métalliques nécessite le même outillage; elle n'est donc pas à la portée du premier venu.

Entretien. Les espars en alliage léger requièrent très peu d'entretien surtout lorsqu'ils sont anodisés, ce qui est généralement le cas.

Lorsque c'est possible, on laisse le bateau mâté pendant l'hivernage, en prenant soin simplement d'écarter du mât le gréement courant (drisses, poulies, etc.) qui en battant userait le traitement de surface.

S'il faut démâter, la seule précaution importante à prendre est d'éviter tout contact du mât avec du cuivre, du laiton ou du bronze.

Fixation des ferrures. Avec les alliages légers, un problème nouveau apparaît : celui des effets galvaniques. Nous en parlerons en détail à propos des coques métalliques. Précisons simplement ici qu'on ne peut fixer n'importe quel genre de ferrure sur un mât en AG. Les ferrures en métaux cuivreux sont à proscrire. Les ferrures en acier inox sont acceptables, à condition d'interposer un isolant, par exemple un film plastique.

La fixation des ferrures est beaucoup plus facile sur les espars métalliques que sur les espars en bois. On utilise des boulons, des rivets borgnes et des lattes intérieures taraudées. Ici aussi il faut prendre garde aux effets galvaniques.

Certains chantiers utilisent des vis Parker : celles-ci se présentent comme des vis à bois que l'on peut visser dans la tôle. C'est un système de fixation très bon marché et peu fiable (le trou s'agrandit très vite par effet galvanique entre vis et mât). Il faut remplacer ces vis assez tôt.

Depuis peu, on soude des ferrures en AG directement sur le mât. Ces soudures, comme celles d'assemblages de profils doivent être faites sous argon et suivies d'un traitement thermique.

Les mâts étant entièrement creux, les capelages de haubans et les drisses peuvent être placés à l'intérieur. On réduit ainsi sensiblement le fardage.

Les espars plastiques.

Peu répandue, la construction d'espars en résine polyester armée a toutefois des partisans.

Ici, les mâts sont d'un seul tenant. Leur avantage essentiel est d'être insensibles aux agents extérieurs, donc à l'abri du pourrissement et de l'oxydation. Mais ils ont des inconvénients : la fixation des pièces d'accastillage y est difficile. Ils ne sont pas réparables.

Le principe de la fabrication plastique rend nécessaire la production en grande série. Les espars en plastique semblent donc réservés aux dériveurs.

Les câbles

Texture.

On trouve actuellement sur le marché trois sortes de câbles destinés au gréement dormant.

Le **monofil** est le plus simple de tous, et le plus récent : il n'est guère employé pour le moment que sur les bateaux de course-croisière. C'est un fil unique, rond quand il s'agit d'un étai, souvent profilé pour les haubans de façon à offrir moins de résistance au vent. Fin et léger, le monofil se répandra vraisemblablement malgré ses inconvénients, qui sont :

— sa rigidité : on doit le ranger droit ou roulé sur un très grand diamètre (3 m environ);

— sa fragilité : il perd une bonne partie de sa résistance à la moindre éraflure.

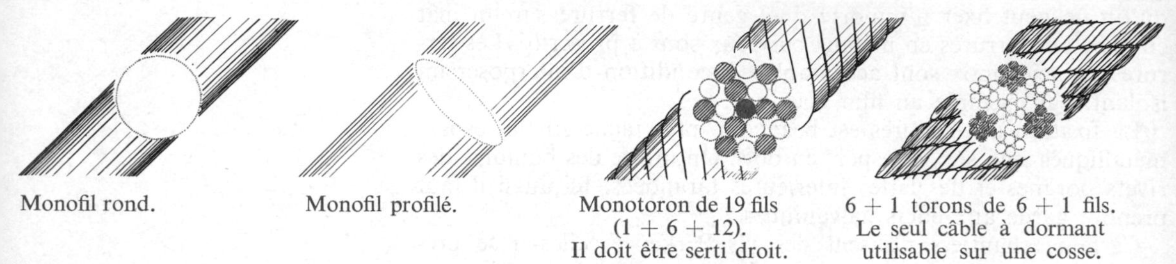

Monofil rond. Monofil profilé. Monotoron de 19 fils (1 + 6 + 12). Il doit être serti droit. 6 + 1 torons de 6 + 1 fils. Le seul câble à dormant utilisable sur une cosse.

Le **monotoron** est en général composé de 19 fils, assemblés de la manière suivante : autour d'un fil servant d'âme, sont enroulés en hélice six fils, qui constituent une première couche ; par-dessus ces six fils, dans le même sens ou en sens inverse selon les types de câbles, est enroulée une seconde épaisseur, celle-ci de 12 fils : 1 + 6 + 12 = 19 fils. Ce monotoron, plus souple que le monofil, ne supporte cependant pas un rayon de courbure trop faible. On ne peut l'utiliser sur une cosse. Il faut le sertir droit.

On trouve enfin le **6 + 1 torons de 6 + 1 fils :** chaque toron est constitué d'un fil entouré d'une nappe de six fils, et un toron sert d'âme aux six autres torons. Ce câble est plus souple que le monotoron car, à diamètre égal, les fils sont plus nombreux donc plus fins. Il supporte un faible rayon de courbure : on peut le couder sur une cosse, le lover, etc.

Tableau de résistance des câbles.

Charges de rupture moyennes des câbles d'acier à gréement, exprimées en kg.

⌀ du câble	3	4	5	6	7	8	9	10
Inox Monotoron	850	1 450	2 200	3 050	4 100	5 400	6 700	8 200
Inox 6 + 1 T de 6 + 1 F Inox 6 + 1 T de 19 F	550	950	1 450	2 100	2 800	3 850	4 900	6 200
Galva 6 + 1 T de 6 + 1 F	650	1 100	1 750	2 500	3 450	4 500	5 700	7 000
Galva 6 + 1 T de 19 F	580	990	1 550	2 250	3 000	4 050	5 200	6 500

T = Toron ; F = Fil

Ces chiffres sont approximatifs. Les charges de rupture peuvent varier sensiblement d'une qualité de câble à une autre. Si l'on veut faire des calculs précis, il faut se renseigner à chaque fois auprès du fabricant.

Métaux utilisés.

Les câbles sont réalisés soit en acier galvanisé, soit en acier inoxydable. Chaque métal a ses avantages et ses inconvénients.

L'acier galvanisé rouille et demande de l'entretien; mais il est résistant, souple et bon marché.

L'acier inoxydable ne rouille pas et il est d'un aspect agréable; mais il est moins résistant que l'acier galvanisé, fragile à la courbure et aux éraflures; il coûte cher, et parfois même très cher.

Lorsqu'on navigue beaucoup (plus de cent jours par an), on a intérêt à choisir des câbles en acier galvanisé, et à les changer systématiquement tous les deux ans. Cela revient moins cher en définitive qu'un gréement en inox. On peut préférer celui-ci quand on navigue assez peu; il faut alors faire très attention de choisir un gréement bien échantillonné, et en contrôler régulièrement l'état.

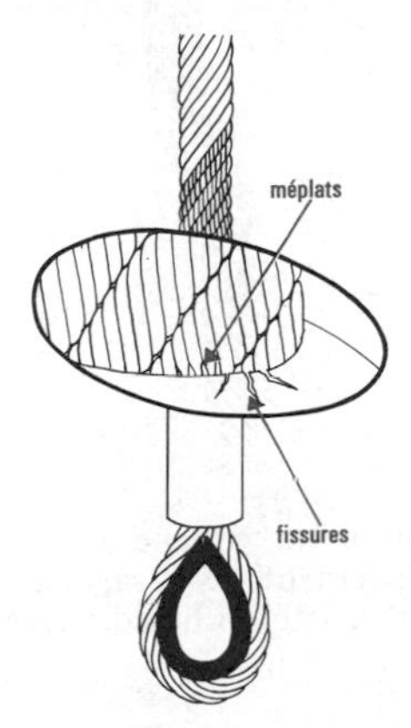

Les câbles en inox ont tendance à se rompre au ras du manchon. Quand les petits méplats brillants apparaissent au ras du manchon, il est grand temps de changer le hauban car il est déjà partiellement rompu. Ici, les fissures indiquent en outre que le manchon lui-même est prêt à céder.

Montage.

Différents systèmes sont utilisés pour fixer ces câbles au mât et à la coque. Nous citons les plus connus.

L'épissure est le procédé le plus ancien, aujourd'hui pratiquement abandonné à cause de son prix et des soins qu'il exige (fourrage, protection contre la corrosion). L'épissure, en tout cas, ne peut être réalisée que sur le câble 6 + 1 torons de 6 + 1 fils.

Le manchon type Talurit. Le principe est le suivant : le câble passe dans un manchon, autour d'une cosse, et de nouveau dans le manchon, où il est serti, c'est-à-dire que le manchon est écrasé autour du câble à l'aide d'une presse. La résistance de ce montage est excellente à condition que le manchon soit bien posé. Le métal serti ne doit pas être fêlé (les fissures sont très visibles à la loupe). Le manchon ne doit pas toucher la cosse car, prises dans le métal, les pointes de la cosse provoquent des amorces de rupture.

Pour éviter les effets galvaniques, il faut utiliser : des manchons en alliage léger sur les câbles en acier galvanisé; des manchons en cuivre sur les câbles en acier inox. Si par hasard on a un gréement inox manchonné en alliage, il faut peindre soigneusement les manchons et les surveiller de près.

L'embout type Sarma. Cet embout ne peut être utilisé que sur les câbles en acier inoxydable. C'est un très long manchon, lui-même en inox. Le câble y est serti sans être replié. Il est donc possible d'employer du monotoron.

Ce type d'embout constitue l'une des meilleures solutions de montage. Attention : toutes les marques ne se valent pas.

Tous les embouts de câble sont onéreux. Mais dans ce domaine, comme dans celui des câbles, il serait déraisonnable de faire des économies : une rupture entraîne des frais d'un tout autre ordre...

Usure, entretien.

La crainte du « gendarme » est le commencement de la sagesse; il faut changer ce câble immédiatement.

L'usure excessive d'un câble est généralement signalée par l'apparition d'un « gendarme ». Mais pour les câbles en acier galvanisé, il existe un indice encore plus fondamental : on courbe le câble, et s'il a tendance ensuite à rester courbé, ou s'il ne se redresse que lentement, il est bon à jeter.

On peut entretenir les câbles en acier galvanisé en les enduisant d'un mélange de goudron de Norvège et d'huile de lin; toutefois, ces opérations sont fastidieuses et, compte tenu de la modicité de son prix, mieux vaut changer le câble en acier galvanisé régulièrement, comme nous l'avons dit plus haut.

Les câbles en acier inoxydable, en revanche, ne demandent aucun entretien. Mais il est difficile de savoir quand un câble de ce genre est à changer. Lorsqu'il a été forcé, qu'il a donc perdu une partie de sa résistance, on peut en être averti par les méplats qui apparaissent sur les fils aux endroits où le câble travaille le plus, notamment à la sortie des manchons.

Accastillage

Tous les raccordements du gréement dormant : câbles sur capelages, ridoirs ou lattes à trous sur câble, ridoirs sur cardan, cardan ou lattes à trous sur cadène, axes de vits-de-mulet (de bôme comme de tangon), etc., doivent être réalisés avec des axes ou des boulons goupillés. Aucun autre système n'est vraiment fiable.

La seule goupille valable est la goupille fendue : elle ne peut s'échapper. Les anneaux et épingles diverses sont facilement arrachés par les manœuvres qui les accrochent au passage.

Pour éviter que le gréement courant et les voiles ne s'abîment sur les goupilles, il faut recouvrir celles-ci de ruban adhésif.

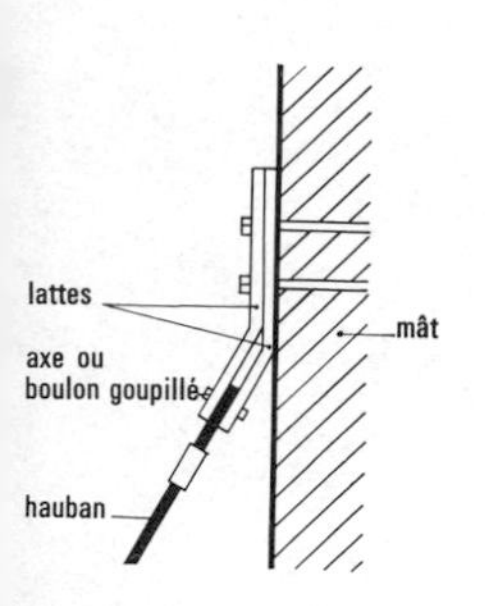

Capelage.

Pour la fixation de l'extrémité supérieure d'un câble à une ferrure de mât, les manilles sont à proscrire; elles ne sont pas assez résistantes. Une bonne solution est d'utiliser une ferrure de mât en forme de chape : la cosse qui termine le câble vient se glisser entre deux lattes (celles-ci doivent avoir une résistance égale à celle du câble; voir le tableau des résistances).

Les ferrures de mât doivent être inspectées régulièrement pour être changées à temps quand elles sont usées. Pour connaître leur résistance, il faut évidemment toujours mesurer leur section à l'endroit le plus faible. Les ferrures en inox sont particulièrement fragiles : bien s'assurer qu'elles ne comportent pas de fêlures. Il faut aussi, et surtout, vérifier très fréquemment l'état des goupilles (tous les quinze jours).

Ridoirs.

Le câble est relié à la coque par l'intermédiaire d'un ridoir, frappé sur une cadène. Ce ridoir permet de régler la longueur du câble de manière précise.

Il existe de très nombreux modèles de ridoirs, ils se valent pratiquement tous. Les ridoirs doivent évidemment avoir la même résistance que le câble. Pour que l'on puisse les choisir, il faudrait que le constructeur indique leur résistance pratique.

On peut s'en faire une idée en calculant la résistance de l'âme de la tige filetée (charge de rupture de l'inox : 60 à 80 kg/mm²).

Le ridoir doit être fixé sur la cadène par l'intermédiaire d'une **articulation de ridoir** (souvent appelée **cardan**); sans cet accessoire, il risque fort d'être tordu, si l'on heurte un quai ou le liston d'un bateau à franc bord plus important, ou lorsqu'un équipier monte à bord en se tenant à un hauban.

Les ridoirs doivent être assurés pour ne pas risquer de se desserrer en cours de navigation. On utilise souvent des contre-écrous, mais ils ne sont pas toujours efficaces et il existe de meilleurs systèmes :

— l'écrou qui coulisse dans une rainure et qui se cale dans un cran (1);

— les aiguilles qui se logent dans les gorges pratiquées sur le filetage de la tige et sur celui de la cage (2).

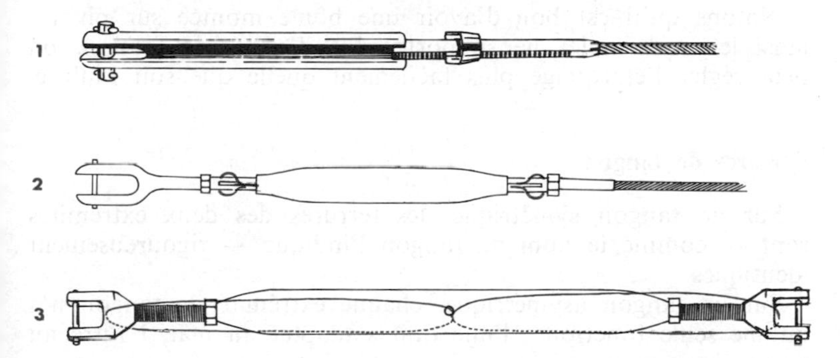

Quand rien de tel n'a été prévu, on assure le ridoir avec du fil métallique, en laiton ou en cuivre pour les ridoirs en inox (3).

Lattes à trous.

Sur les petits bateaux, on utilise souvent, en guise de ridoirs, des lattes à trous. C'est le système le plus simple. Ces lattes peuvent être tordues accidentellement de nombreuses fois sans en souffrir. Toutefois, elles ne permettent pas de tendre le gréement : nous savons que celui-ci, sur dériveur, est tendu par la drisse de foc.

Sur des bateaux relativement importants, un ridoir trop exposé peut parfois être remplacé par des lattes à trous : ainsi pour la fixation des pataras sur le Mousquetaire.

Cadènes.

Les cadènes doivent tout d'abord être solidement fixées à la coque, comme nous le verrons plus loin. Il faut également qu'elles soient bien orientées par rapport à leur angle de traction, sinon elles travaillent mal, et durent peu.

Les cadènes s'usent; il faut s'assurer une fois par an que la résistance de leur plus petite section reste au moins égale à celle du câble.

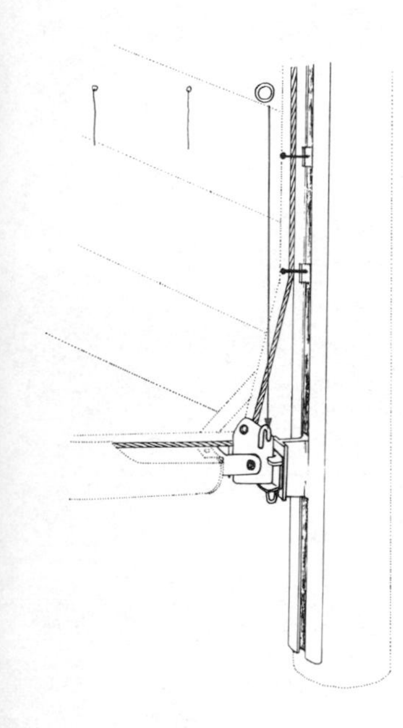

Sur le vit-de-mulet les crochets destinés aux cosses d'amure de ris doivent être placés aussi en avant que possible. En effet, si la ralingue comporte un coude au point d'amure normal, elle est rectiligne à la hauteur des ris.

Vits-de-mulet.

Le vit-de-mulet est une ferrure articulée qui relie la bôme au mât, et permet à la bôme de s'orienter horizontalement et verticalement. Sans forcer sur le vit-de-mulet, la bôme doit pouvoir s'orienter depuis le pont jusqu'à environ 50° de la verticale, et horizontalement, jusqu'à toucher les haubans.

Le vit-de-mulet coulissant le long du mât remplace de plus en plus, désormais, le vit-de-mulet fixe. Il permet en effet un meilleur étarquage de la grand-voile. Pour le faire coulisser, divers procédés ont été inventés; le rail est de loin le meilleur.

Un bon vit-de-mulet doit comporter une fixation de point d'amure dans l'axe et des crochets pour les cosses de ris; s'il est coulissant, il faut autant de crochets que de ris.

Notons qu'il est bon d'avoir une bôme montée sur pivot : ainsi le vit-de-mulet ne supporte plus d'effort de torsion, on peut régler l'étarquage plus facilement quelle que soit l'allure.

Ferrures de tangon.

Sur un tangon symétrique, les ferrures des deux extrémités sont — comme le nom du tangon l'indique — rigoureusement identiques.

Sur un tangon asymétrique, chaque extrémité de tangon n'a qu'une seule fonction : l'une doit s'adapter au mât, l'autre au point d'amure du spi.

Le système d'attache sur le mât (comportant une ferrure sur le mât et une ferrure sur le tangon) doit, dans tous les cas, permettre au tangon de s'orienter d'une part à l'horizontale sur 180°, d'autre part depuis le pont jusqu'à la verticale.

Sur les très petits bateaux — dériveurs notamment — un simple crochet passé dans un anneau assure, côté mât, la fixation et l'articulation du tangon.

Sur les bateaux plus importants, un tel montage ne résisterait pas et les deux fonctions (fixation et articulation) doivent être dissociées. La ferrure fixée au mât doit alors être un véritable vit-de-mulet et non pas un simple anneau. Pour enclencher le tangon, le système du cône est bon; il n'y a, en particulier, pas de risque de torsion.

La ferrure placée à l'autre extrémité du tangon (côté spi) doit, selon les cas :

— s'accrocher au point d'amure du spi (crochet ou mousqueton);

— laisser coulisser un bras en acier (mousqueton ou filoir);

— laisser coulisser un **hale-dehors.**

Le hale-dehors est une manœuvre qui permet de haler le point d'amure du spi vers le bout du tangon. Cette manœuvre, crochée par un mousqueton sur le point d'amure du spi, pénètre dans le tangon par le bout, en ressort près du talon pour être tournée sur un taquet situé sur le tangon lui-même.

En général, les tangons sont munis de deux hale-dehors, un pour chaque bord. Le système du hale-dehors est intéressant sur les bateaux petits et moyens. Sur un gros bateau, il prend facilement du jeu sous l'effort et l'on vit dans l'angoisse permanente de voir le tangon passer à travers le spi.

Gréement courant

Le terme de gréement courant désigne tout ce qui est mobile dans le gréement, c'est-à-dire les filins qui courent et bougent : écoutes, drisses; mais aussi tous les accessoires, ferrures et pièces d'accastillage qui permettent à ces filins d'être mobiles : poulies, filoirs, taquets, winches, manilles, mousquetons... Alors que le gréement dormant a pour fonction de maintenir les espars dans la position idéale, le gréement courant permet de hisser, d'étarquer et d'orienter la voilure.

La mobilité de ces filins provoque leur usure, en raison des frottements constants. C'est ce qu'on appelle le **ragage :** l'écoute rague dans son filoir, la drisse sur le réa de sa poulie, etc. Cette usure se produit quels que soient les matériaux. La marine marchande à voile est morte, un jour, du ragage.

Aujourd'hui, la lutte est un peu plus égale car on parvient à limiter les causes du ragage; la simplification des gréements, l'amélioration des formes de l'accastillage ont réduit le nombre des points de frottements et leur agressivité. Le ragage n'est cependant pas éliminé.

La réalisation du gréement courant d'un bateau est soumise aux mêmes impératifs que celle du gréement dormant. On s'efforce toujours de gagner en finesse et en légèreté pour diminuer le fardage et le poids dans les hauts. On utilise des matériaux à la fois légers et solides; on découvre des solutions nouvelles pour faciliter la manœuvre et améliorer le rendement du bateau. Tout, dans ce domaine, est en évolution constante.

Les cordages textiles

Pour la fabrication des cordages textiles, on utilise des matériaux de synthèse, qui ont complètement détrôné les fibres naturelles (coton, chanvre, manille). Le grand avantage des matériaux de synthèse est qu'ils sont imputrescibles. Par contre, ils sont sensibles aux rayons ultra-violets, donc au soleil.

Mais avec un même matériau on peut faire un bon ou un mauvais cordage. On voit parfois des fibres mal stabilisées rétrécir et durcir à l'usage; ce n'est pas la qualité du matériau qui est en cause, mais la manière dont le câbleur l'a traité. Il est donc utile de connaître la valeur des diverses marques de cordage — le prix n'est pas toujours un critère de qualité.

Les matériaux les plus utilisés sont :

— **le polyamide** (Nylon) : son élasticité est réduite jusqu'à 25 % de la charge de rupture, mais devient ensuite très importante; il est très sensible aux ultra-violets;

— **le polyester** (Tergal) : élasticité importante jusqu'à 25 % de la charge de rupture, presque nulle ensuite; il est peu sensible aux ultra-violets; c'est le plus cher des trois;

— **le polypropylène** : très peu élastique, mais très sensible aux ultra-violets; il flotte; il est bon marché.

Tableau de résistance des cordages.

Charges de rupture des filins, exprimées en kg.

ø du filin	**6**	**8**	**10**	**12**
Nylon câblé	810	1 400	2 100	3 000
Nylon tressé	530	1 150	1 750	2 400
Tergal câblé	540	930	1 350	2 000
Tergal tressé	500	700	1 200	1 700
Polypropylène câblé	550	950	1 350	2 000

Ces charges sont des charges moyennes. Elles peuvent varier énormément selon la qualité de la fibre et le mode d'assemblage de celle-ci.

Tressage et câblage.

L'assemblage des fibres se fait de manières très diverses selon l'usage auquel le cordage est destiné. La technique du câblage qui fut longtemps la plus utilisée semble en régression et le tressage se répand de plus en plus.

Les cordages câblés (les **filins**) ont une mauvaise résistance au ragage. Lorsque des fils se rompent, ils se **décommettent,** c'est-à-dire qu'ils se désolidarisent peu à peu du cordage sur toute sa longueur. Celui-ci devient vite inutilisable. De plus, le défaut de surliure à l'extrémité du cordage ne pardonne pas : même si l'on a brûlé les bouts des torons pour les souder, ils se décommettent très vite.

Un point positif : on peut épisser les filins; c'est ce qui les fait souvent préférer aux **tresses** (cordages tressés).

Il existe une grande variété de cordages tressés. La tendance actuelle est aux tresses composites, avec une âme (tressée, câblée ou en faisceau) de fibres résistantes à la traction, placée sous gaine. Cette gaine, réalisée parfois dans un matériau différent, assure simplement une protection superficielle contre le ragage et les ultra-violets.

Le tressage comporte un avantage évident : sa résistance au ragage; un fil rompu ne rend pas le cordage inutilisable. Son inconvénient majeur : les épissures ne sont ni faciles à faire, ni bon marché. Les fabricants cherchent aujourd'hui à tourner la difficulté en créant des tresses sur lesquelles on puisse effectuer un certain nombre de travaux de matelotage (Noblecord, chez Seine et Lys).

Le matelotage sur fibres synthétiques est souvent difficile, surtout lorsqu'il s'agit de cordages brillants et raides; ces fibres sont en effet très glissantes et tous les nœuds ne tiennent pas. Pour cette raison, on s'efforce de réaliser des cordages pelucheux qui ont, en outre, l'avantage de moins meurtrir les mains.

Le rayon de courbure minimal d'un cordage textile est de quatre fois son diamètre. Il peut supporter un rayon de courbure plus faible, mais sa résistance s'en trouve diminuée et il s'abîme, en passant par exemple sur un trop petit réa. Cette usure est toutefois beaucoup plus faible que celle d'un câble d'acier dans les mêmes conditions.

Matelotage.

Pour qu'un cordage soit utile à bord d'un bateau, il faut pouvoir travailler ses extrémités, afin de réaliser un raccordement solide avec d'autres éléments du gréement.

Le matelotage est l'art de faire toutes sortes de choses avec des ficelles.

Couper et arrêter un cordage.

Les cordages en textile synthétique doivent de préférence être coupés à chaud : on chauffe sur un réchaud la lame d'un couteau de poche et l'on coupe avec le dos de la lame; ainsi la matière a le temps de fondre et les fils de se souder entre eux de chaque côté de la section.

Cette soudure est cependant peu durable. On arrête normalement le cordage par une **surliure.** Celle-ci a également l'avantage de mieux solidariser la gaine et l'âme des tresses composites.

Lorsqu'on ne peut pas couper à chaud, le plus simple est de couper entre deux surliures.

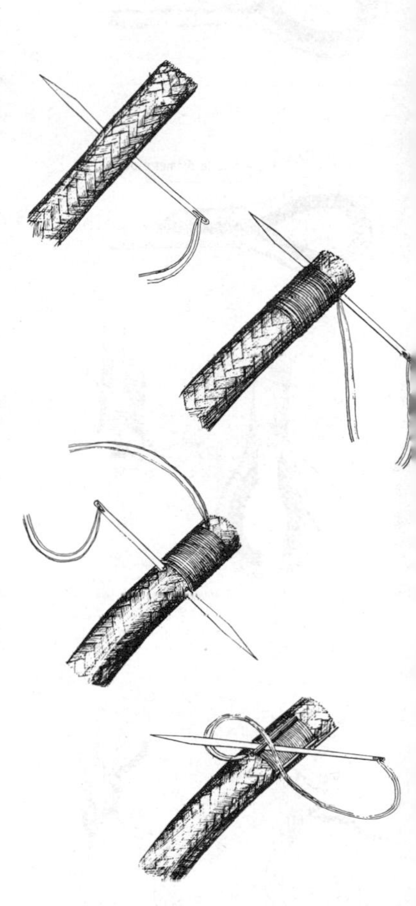

Surliure. Pour faire une surliure, on utilise du fil de nylon, passé en double dans une aiguille de 15 (ou plus grosse : 14 1/2 ou 14). Piquer à travers le cordage, enrouler le fil à tours jointifs, repiquer à la fin de l'enroulement.
Effectuer ensuite trois bridures, énergiquement souquées, par-dessus cet enroulement, en piquant à chaque fois au tiers du cordage. Ces bridures doivent être parallèles au cordage si celui-ci est tressé, parallèles aux torons et noyées dans les créneaux qui les séparent s'il s'agit d'un cordage câblé.
Pour finir, faire une demi-clef sur la dernière bridure, traverser le cordage en biais et couper le fil à la sortie.

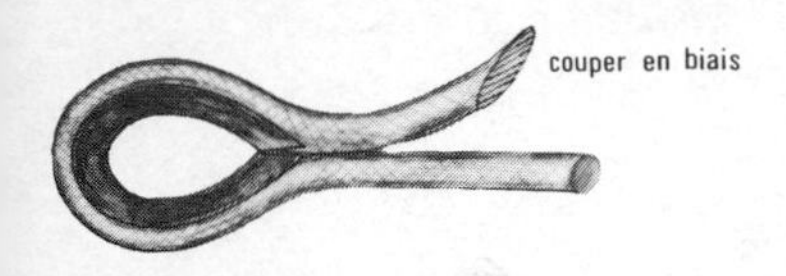

Au lieu de surlier, certains préfèrent souder entre elles les fibres au bout du çordage sur une longueur équivalant à peu près à deux fois son diamètre. On fait cette opération avec une lame chaude et non à la flamme. Le procédé est peu sûr, et la soudure ne dure jamais aussi longtemps que le cordage lui-même.

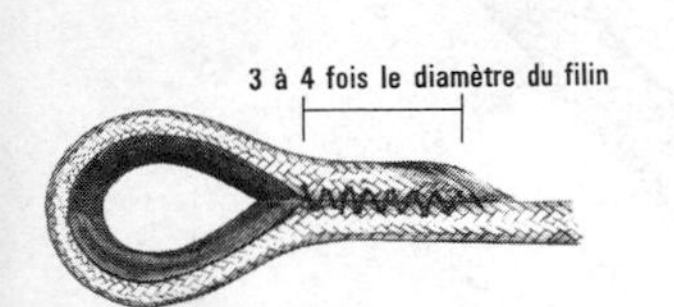

Faire des œils.

Lorsqu'il faut faire à l'extrémité d'un cordage une boucle définitive, on fait un œil, épissé lorsqu'il s'agit d'un filin, cousu lorsqu'il s'agit d'une tresse.

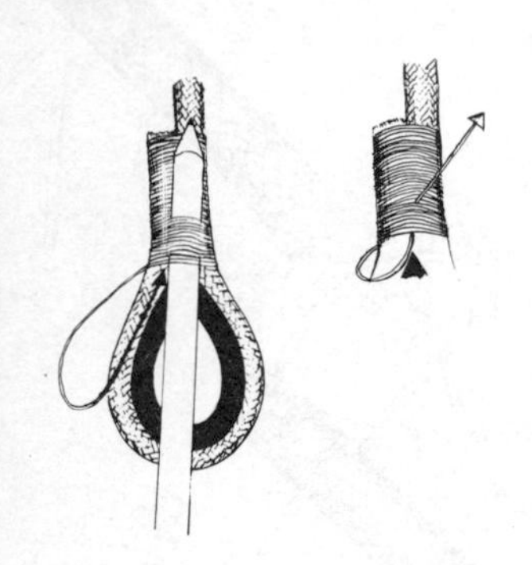

Œil cousu. Pour coudre un œil, on utilise du gros fil de nylon en double, et une aiguille de 15 (ou plus grosse). Comme il est pratiquement impossible de traverser tout le filin, on coud sur le côté en piquant à travers un quart de la tresse au maximum.
Si l'on veut fignoler, on peut fourrer la partie cousue avec un fil assez gros (un peu plus gros que de la ficelle de boucher) en procédant de la manière suivante : Enrouler énergiquement le fil en commençant par le haut et en coinçant l'extrémité sous les premiers tours. Aux deux tiers de l'opération, continuer l'enroulement, sans le serrer, par-dessus un objet cylindrique ou conique. Retirer ensuite l'objet en question et passer l'extrémité de la ficelle comme indiqué sur le dessin. Serrer énergiquement, un à un, les tours restés lâches. Tirer sur le bout qui sort du milieu du fourrage puis le couper.

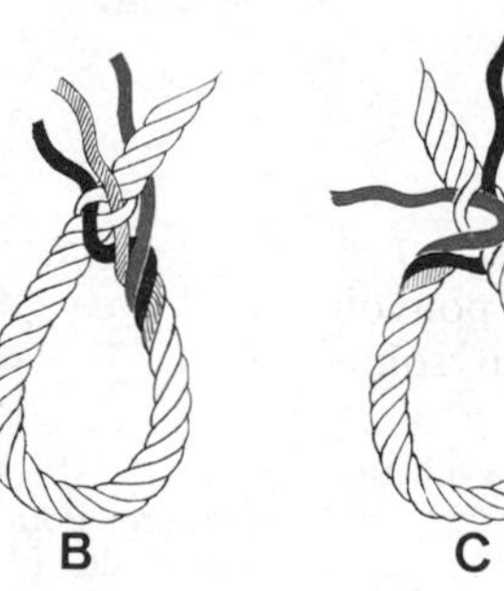

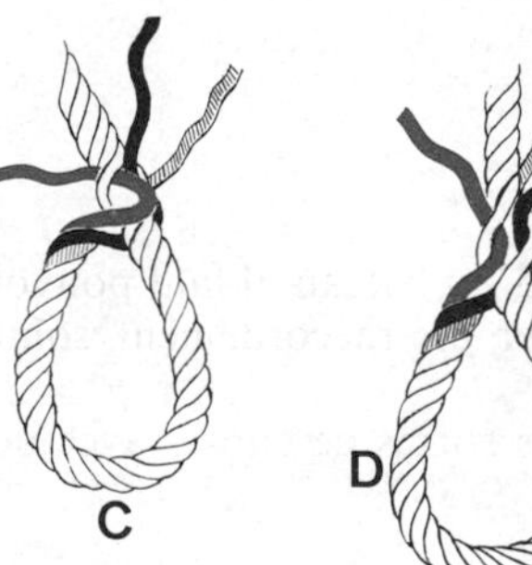

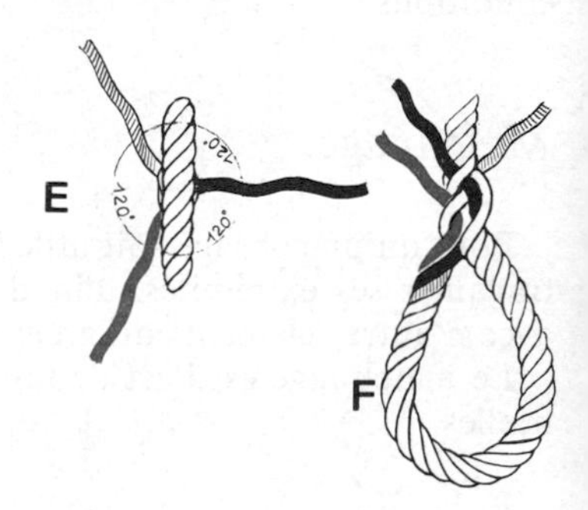

Œil épissé. L'œil est présenté ici tel qu'on doit le voir en le faisant. Par convention, nous appelons brins les torons décommis.
On tient la grande extrémité du filin dans la main gauche, la petite dans la main droite.
A. On commence par faire la boucle de la grandeur voulue, en la serrant éventuellement sur une cosse.
Attention : le premier brin à passer (le rose) doit être celui qui est le plus vers soi.
B. Le deuxième brin à passer est le brin noir.
C. On vient de retourner la boucle, sur ce dessin on en voit donc le dessous. Il faut maintenant passer le troisième brin (le rouge) de la droite vers la gauche sous le toron libre (certains auront l'impression de passer ce dernier brin dans le sens inverse des autres).
D. C'est le moment de serrer l'épissure et de contrôler qu'elle est juste. Le brin rouge doit être parallèle au toron qui est à sa droite.
E. Les trois brins doivent sortir au même niveau en formant des angles de 120° entre eux.
F. Pour continuer l'épissure, il suffit de passer chaque brin au-dessus du toron suivant et au-dessous de celui qui le suit.
Afin d'éviter les erreurs, on travaille systématiquement sur le brin qui est à gauche de celui qu'on vient de passer. A chaque passage, on tire sur les brins pour serrer l'épissure. Quatre passes sont suffisantes pour obtenir une bonne tenue, mais si l'on veut faire du très beau travail, on effectue six passes, en enlevant des fils à chaque brin à partir de la quatrième.

Faire des nœuds.

Il existe une grande variété de nœuds. Il importe d'en connaître quelques-uns et surtout de les utiliser à bon escient : certains peuvent être faits ou défaits sous tension, d'autres non; certains se souquent (comme le nœud gordien), d'autres se défont très facilement, etc.

Nous nous limitons volontairement aux nœuds les plus usités. Ils sont suffisants pour faire le tour du monde, à condition de les connaître parfaitement bien, et de savoir les faire sans même y penser.

Nœud de pêcheur. Toujours très difficile à larguer, il sert à rabouter deux filins de façon presque définitive : par exemple deux demi-écoutes sur un point d'écoute de foc, ou encore la ligne de pêche qu'on avait coupée faute de pouvoir la démêler de la ligne du loch.

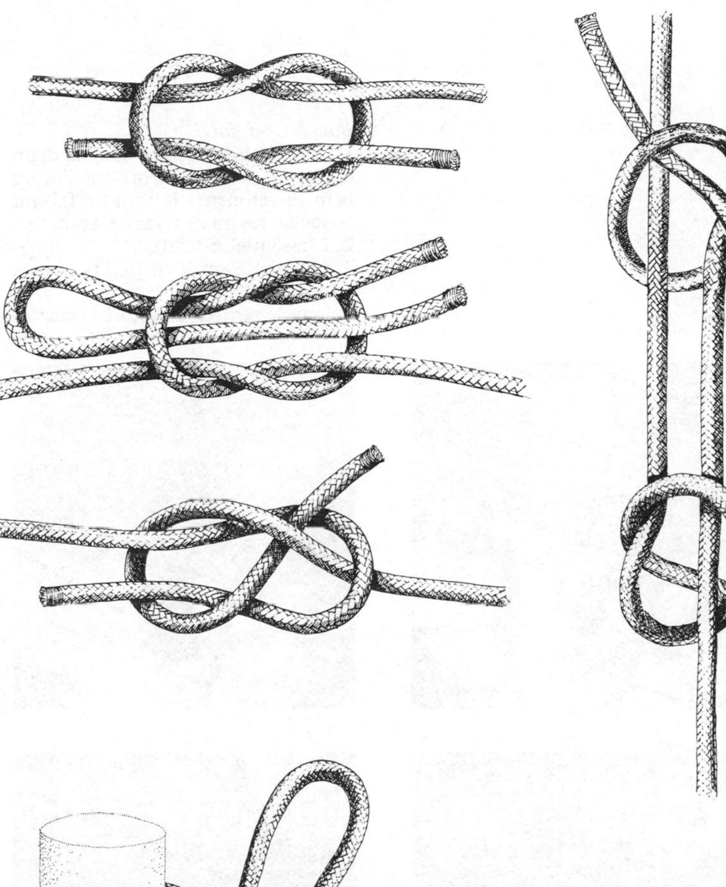

Nœud plat. Nous faisons figurer ici ce nœud très connu pour souligner son manque d'intérêt : ou bien il se souque, ou bien il glisse. On ne l'utilise pas en marine.

Nœud plat gansé. Facile à larguer mais d'une tenue assez médiocre, ce nœud ne sert pratiquement que pour les garcettes.

Nœud d'écoute ou de tisserand. C'est ce nœud qu'il faut faire, là où l'on a souvent le mauvais réflexe de faire un nœud plat. Destiné à relier deux filins, le nœud d'écoute ne se souque pas, ne glisse pas. Mais il ne peut être fait et largué que sur des manœuvres non tendues.

Nœud d'écoute double. On l'utilise pour relier deux filins de diamètre très différent.

Demi-clef gansée. Ce nœud a beaucoup de qualités. Les tours permettent de bloquer une manœuvre en train de filer ; la demi-clef est très vite faite, et larguable sous tension. On l'utilise surtout pour les remorques et les bosses de ris.

Nœud de chaise. Utilisable sur toutes les qualités de filins, ce nœud ne glisse jamais et ne se souque pas. Ses usages sont multiples : s'amarrer, passer une boucle (dans une échelle, sur une bitte), frapper une manœuvre sur un œil (bosse de ris), etc. Son seul inconvénient est de ne pouvoir être fait que sur une manœuvre molle. Il faut savoir faire le nœud de chaise rapidement, même dans l'obscurité. On le réalise de façon différente selon que la boucle est vers soi, ou opposée à soi.

Boucle opposée à soi.
1. Après avoir fait un tour mort sur l'anneau pour éviter que la manœuvre ne s'use en raguant, faire un demi-nœud.
2. De la main droite tirer le bout libre vers soi, tout en donnant du mou à l'autre brin de la main gauche.
3. Faire passer le brin libre sous l'autre brin...
4. ... et le rentrer dans la boucle.

1

Boucle vers soi.
1. Prendre le brin libre dans la main droite, le poser en croix sur l'autre brin et retourner le tout en faisant basculer ses mains vers l'avant.
2. L'essentiel est fait.
3. Faire passer le brin libre sous l'autre brin...
4. ... et le rentrer dans la boucle.

1

1

2

3

1

2

3

2

3

4

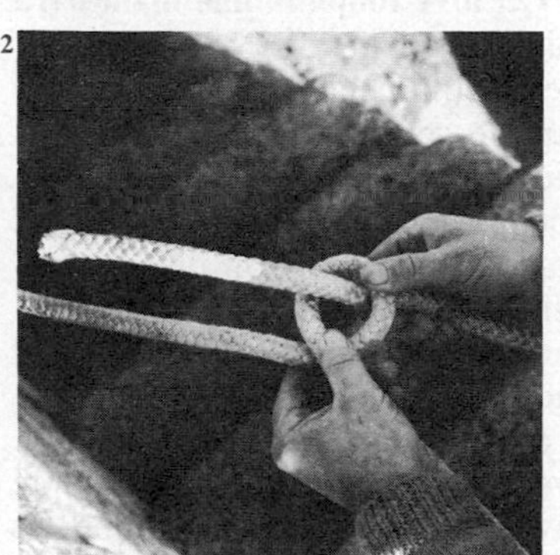
2

3

4

4

Deux demi-clefs a capeler. Contrairement à ce que laissait croire une appellation surprenante, ce nœud n'a jamais été prévu pour être fait sur un cabestan... Ses qualités majeures sont la rapidité d'exécution et la tenue. Il permet de bloquer presque instantanément une manœuvre qui file. On l'utilise aussi là où un nœud de chaise risquerait de sauter (bitte d'amarrage). On peut lui donner du mou sans avoir à le défaire. Inconvénient : il se souque.

1. La première demi-clef se fait en capelant une boucle par-dessus le bout libre.
2. On voit que dès maintenant il cst possible de bloquer une manœuvre qui file.
3. La deuxième demi-clef se fait également en capelant une boucle sur le bout libre...
4. ... et c'est fini. Attention : ne jamais faire de tour mort avant la première demi-clef; il tourne, et le nœud se souque plus vite.

4

Tours et autres. C'est le nœud idéal pour les remorques : il peut être fait sur une manœuvre qui court; fait et défait sous tension; il ne se souque pas. Pour que le nœud ne file pas, l'extrémité libre doit être longue d'au moins un mètre, ou encore être tournée sur un taquet.

1. Le premier tour mort bloque la manœuvre.
2. Avec cinq ou six tours de plus, on est sûr que le cordage ne glissera pas.
3 et 4. Le bloquage est obtenu en capelant une boucle sur la bitte.

Lover, délover, démêler.

Pour qu'un cordage ne soit pas transformé en « sac de nœuds » (ce qui détériore tout à la fois le cordage et le système nerveux de l'utilisateur) il faut apprendre à le lover et à le délover correctement.

En raison du sens du câblage, **un filin doit toujours être lové dans le sens des aiguilles d'une montre**; à chaque tour, on détord légèrement le filin entre le pouce et l'index de façon à obtenir des boucles et non des 8. Toutefois, pour que le filin puisse se détordre, il faut que son extrémité soit libre. **On love toujours une manœuvre en commençant par son extrémité fixe.**

Pour la même raison, on la délove en commençant également par l'extrémité fixe, mais cette fois dans le sens inverse des aiguilles d'une montre. Lorsqu'on veut délover une **glène** (un rouleau de cordage) libre aux deux bouts, on peut commencer indifféremment par l'intérieur ou par l'extérieur du rouleau, mais on délove toujours dans le sens inverse des aiguilles d'une montre.

Si, malgré ces précautions, le filin fait des **coques** (des boucles), il faut le détordre sur toute sa longueur avant de s'en servir.

Les tresses peuvent être lovées dans un sens ou dans l'autre. Toutefois, elles doivent être délovées à l'inverse du sens adopté pour lover; par convention on love donc les tresses comme les filins. Ici aussi on commence par l'extrémité fixe, pour permettre à la tresse de se détordre.

On love un cordage dans le sens des aiguilles d'une montre. A chaque boucle, on fait tourner le filin d'un quart de tour environ, entre le pouce et l'index (on empêche ainsi le cordage de faire des huit).
Pour ranger une glène, on l'entoure trois ou quatre fois avec l'extrémité libre, puis on passe celle-ci dans la glène.

Tourner une drisse et ranger son ballant. On tourne la drisse au taquet de la façon habituelle : **1,** un tour mort; **2,** un demi-huit; **3,** une demi-clef. Pour que le **ballant,** c'est-à-dire l'extrémité libre de la drisse, n'encombre pas le pont : **4,** le lover; **5,** passer la main dans la glène, prendre la drisse près du taquet et tirer à soi en faisant une petite boucle; **6,** capeler la boucle sur le taquet.

Lorsqu'un cordage s'est emmêlé, les « nœuds » y prolifèrent de la façon la plus mystérieuse ; en réalité, ce ne sont des nœuds qu'en apparence. **Il faut simplement dépasser les doubles,** c'est-à-dire dégager les boucles les unes des autres, sans dépasser les bouts eux-mêmes, car c'est alors que l'on commence à faire des nœuds bien réels.

Pour démêler un filin, on ne dépasse que les doubles.

Les câbles

L'utilisation des câbles métalliques dans le gréement courant présente des avantages certains; ces câbles sont très peu élastiques, très résistants à la traction et au ragage, et d'un poids raisonnable. Ils ont toutefois les mêmes inconvénients que les câbles utilisés dans le gréement dormant : sensibilité à l'oxydation, grand rayon de courbure. De plus, ils sont d'un maniement difficile, parfois dangereux.

Texture.

Les câbles d'acier destinés au gréement courant sont composés d'un grand nombre de fils fins. En effet, plus le diamètre d'un fil est faible, plus faible est le rayon de courbure minimal que ce fil peut supporter sans déformation permanente. Il faut penser à cela lorsqu'on choisit un câble qui doit courir sur un réa.

Les câbles en acier galvanisé ou inoxydable, les plus fréquemment utilisés, sont :

— Le **1 + 6 torons de 1 + 6 + 12 fils** — soit 6 torons de 19 fils chacun, plus un toron servant d'âme. Ce câble supporte un rayon de courbure minimal de 11 fois son diamètre.

— Le **1 + 6 torons de 1 + 6 + 12 + 18 fils** — soit 6 torons de 37 fils chacun, plus un toron servant d'âme. Son rayon de courbure minimal est de 8 fois son diamètre. Ce câble n'est fabriqué que pour les diamètres supérieurs à 8 mm.

Ces deux types de câbles existent également — en acier galvanisé seulement — avec une âme textile; ils sont alors moins résistants (6/7 des précédents) mais sensiblement plus souples et un peu plus élastiques. En outre, l'âme textile, quand elle est enduite de graisse, contribue à protéger le câble de la corrosion.

Usure.

La hantise de la corrosion incite beaucoup de plaisanciers à acheter systématiquement du câble en acier inoxydable. Bien souvent ce n'est pourtant pas le meilleur choix. Le problème se pose ici de la même façon que pour le gréement dormant : le câble en acier inoxydable est plus cher, moins souple et moins solide à diamètre égal que le câble en acier galvanisé. Celui-ci, compte tenu de son prix modique, peut être changé tous les ans ou tous les deux ans. On élimine ainsi presque à coup sûr et à bon compte tout risque de casse en cours de saison.

Quel que soit le câble utilisé, il faut changer le câble dès l'apparition du premier gendarme, mais il faut aussi déterminer la raison d'être de ce gendarme. Quatre cas se présentent communément :

— Un gendarme apparaît au ras d'un manchon : le câble est trop faible, il faut le remplacer par un câble de section plus forte.

— Des gendarmes apparaissent sur une assez grande longueur, en particulier à mi-drisse : la drisse rague vraisemblablement sur une ferrure du gréement.

— On remarque un gendarme sur une drisse de foc, à 20 ou 30 cm du point de drisse : il est probable qu'on a manœuvré avec la drisse enroulée autour de l'étai.

— Le câble présente un « S », une déformation permanente. C'est la maladie courante des écoutes et bras de spi, et de la partie des drisses qui s'enroule sur le cabestan. Cette déformation tient à la façon que l'on a de manœuvrer. Celle-ci doit être révisée, sinon la déformation s'accentue à chaque manœuvre et le câble finit par casser.

Il faut également savoir que des gendarmes apparaissent impitoyablement tout le long du câble si celui-ci rague contre une cage à réa mal conçue ou si le réa est mal orienté.

Enfin, en ne respectant pas le rayon de courbure d'un câble, on s'expose également à des ennuis : une drisse passant sur un réa de diamètre trop petit se met en tire-bouchon. Il faut, dès lors, soit changer de réa, soit choisir un câble de diamètre inférieur, soit prendre du câble plus souple.

Entretien.

Réaliser un œil épissé sur câble souple n'est pas très difficile, surtout avec le dessin sous les yeux... ou mieux, les photos de la page suivante.

On doit cependant avoir à bord quelques serre-câbles (bien graissés et emballés). Les plus simples et les plus faciles à poser sont les étriers : il en faut deux si l'on veut être sûr que le câble ne glisse pas. Une clé à pipe de la dimension convenable est indispensable pour leur montage (la clé à molette est inopérante).

Pour stocker les câbles d'acier on les roule, comme les tuyaux d'arrosage ou les fils électriques. Si on ne peut les rouler, il faut les lover, mais ici la méthode est particulière : on ne peut lover correctement un câble (comme d'ailleurs un tuyau d'arrosage ou un fil électrique) qu'en faisant un tour dans un sens puis un tour dans l'autre : c'est-à-dire un tour, une demi-clé, un tour, une demi-clé, etc.

Au moment d'utiliser le câble, si on l'a roulé, on le déroule; si on l'a lové, on le délove. Si l'on intervertit les méthodes, le câble fait des coques; il est cuit.

Couper un câble.

Précaution élémentaire : avant de couper, surlier le câble, sinon lorsqu'on le coupe il se décommet instantanément sur une grande longueur.

On peut couper un câble :

— soit au burin, en se servant de l'ancre comme enclume;

— soit à l'aide de l'outil-à-couper-les-haubans (obligatoire à bord).

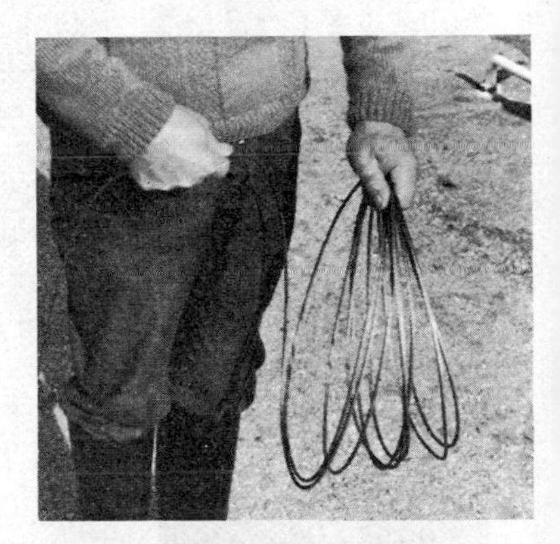

On love un câble en faisant alternativement une boucle et une demi-clef. D'abord une boucle comme pour un filin; ensuite une demi-clef (en renversant la main).

Œil épissé sur câble.

A. Préparation : surlier le câble à l'endroit où il doit cesser de se décommettre; le décommettre; couper l'âme le plus près possible de la surliure. Former la boucle et présenter l'extrémité décommise de façon que deux brins passent de chaque côté du câble, et que les deux derniers brins restent sur le dessus.

B. Faire passer le brin le plus à gauche (1) sous deux torons, et son voisin de droite (2) sous un toron, en sens inverse du commettage, c'est-à-dire de droite à gauche.

C. Sur l'autre côté du câble, faire passer de même le brin le plus à droite (6) sous deux torons et son voisin de gauche (5) sous un toron, dans le sens du commettage.

D. Vérifier que l'on ne s'est pas trompé : les brins doivent sortir chacun d'un créneau, séparés par un seul toron.

E. Passer ensuite les brins 3 et 4, chacun dans un sens, sous le toron en face duquel ils se trouvent.

F. Ainsi, il sort un brin de chaque créneau, et la première passe est terminée.

G. Pour les deux passes suivantes, passer chaque brin par-dessus le toron qui est à sa gauche et par-dessous le suivant. Bien allonger l'épissure, en tirant les brins vers le haut, et battre chaque passe à coup de marteau.

H. Trois passes sont faites. On en fait encore deux, uniquement avec les brins pairs et en passant sous deux torons à la fois. On coupe tous les brins au ras du câble et on fourre l'épissure (de la même façon que l'épissure acier-textile de la page suivante).

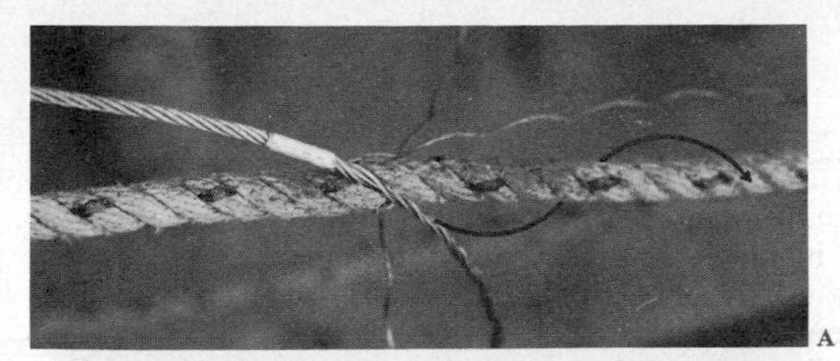
A

B

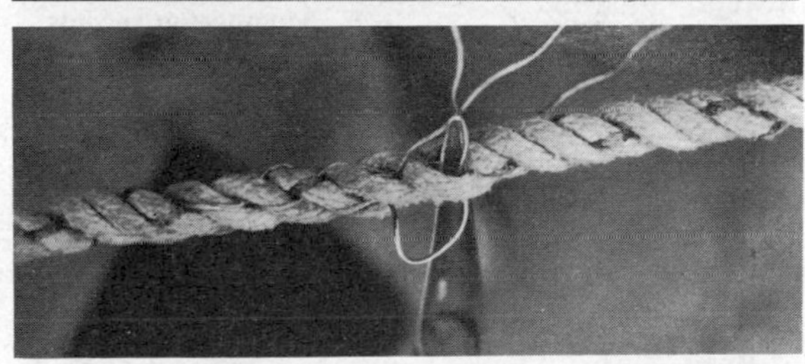
C

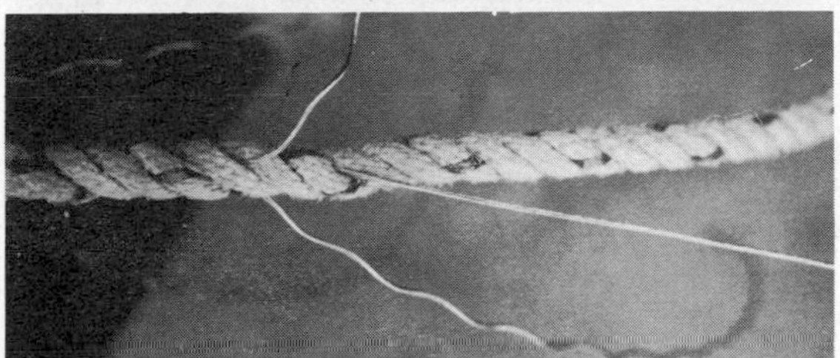
D

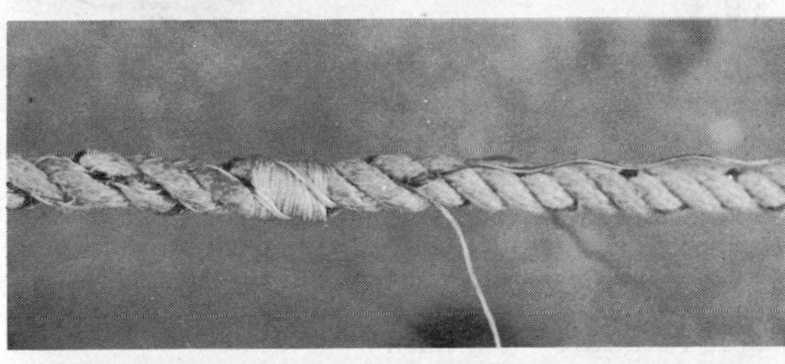
E

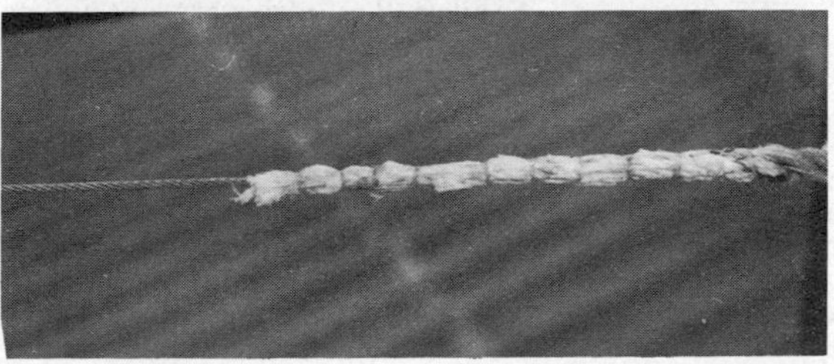
F

Epissure acier-textile (en franglais : Tail splice).

Il faut décommettre les brins impairs sur 60 cm, les brins pairs sur 40 cm. Méthode : faire une surliure au Leucoplast à 60 cm du bout du câble, dégager les trois brins impairs, empêcher les trois autres de filer avec un tour de Leucoplast, finir de décommettre les trois brins impairs; faire une autre surliure à 40 cm du bout, libérer et décommettre les torons pairs.

A. Placer le câble à 20 cm du bout du filin (bout qui se trouve à gauche sur la photo); passer deux brins impairs de façon qu'ils ressortent par deux créneaux différents. Appuyer les trois brins pairs et l'âme contre le créneau resté libre et les faire pénétrer à l'intérieur du filin en tournant comme l'indique la flèche, jusqu'à l'endroit où les brins pairs sont surliés.

B. De l'autre côté (vers la gauche) enrouler le filin autour du câble pour que celui-ci pénètre à l'intérieur de celui-là (sur 10 cm environ).

C. Faire la même opération qu'en A avec les brins pairs et l'âme du câble, qui doit être rentrée entièrement.

D. Episser les trois brins impairs (si l'on dispose d'une aiguille creuse, traverser les torons au lieu de passer dessus et dessous : c'est plus solide et plus esthétique); quatre ou cinq passes suffisent; à la dernière, passer sous (ou traverser) deux torons.

E. Couper les brins au ras du filin et recouvrir de Leucoplast pour qu'on ne se pique pas les doigts (placer le Leucoplast en prévoyant que l'épissure va s'étirer un peu).
Faire une surliure cousue par-dessus.
Répéter toute l'opération pour les brins pairs.

F. Décommettre, effilocher très régulièrement et enduire de cire les torons de l'extrémité du filin; les amarrer au câble avec du fil à voile par un point de chaînette.

G. Fourrer toute cette partie avec du gros fil à voile enroulé à spires jointives. L'épissure étant raidie entre un point fixe et un cabestan, faire l'enroulement à l'aide d'une mailloche qui permet de garder constamment le fil très tendu (le dessin montre comment il faut placer le fil sur la mailloche). Terminer comme pour un œil cousu (voir p. 142).

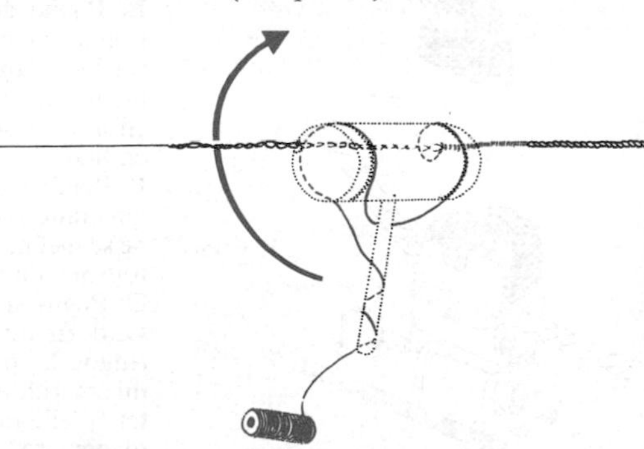
G

Accastillage

L'accastillage du gréement courant comporte une infinie variété de pièces et de machins. La simple énumération de ces trucs prendrait plusieurs pages et serait immédiatement périmée, car de nouveaux systèmes apparaissent tous les jours. On entre ici dans le petit monde du gadget, où la mode joue un grand rôle, où l'on peut dépenser très facilement beaucoup d'argent.

Nous ne présenterons donc qu'un court catalogue illustré, contenant les pièces d'accastillage principales, et nous expliquerons ensuite leur usage tout en décrivant les manœuvres.

Pour ne pas s'y perdre nous regrouperons ces pièces selon leurs différentes fonctions. A chaque fonction correspond d'ailleurs un objet bien représentatif et vieux comme la marine.

relier : la manille.

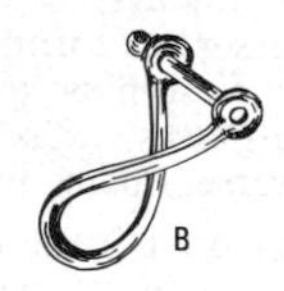

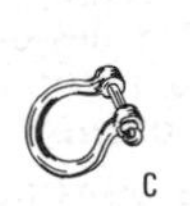

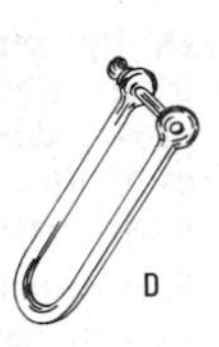

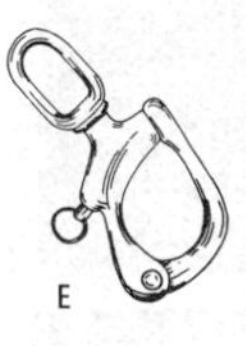

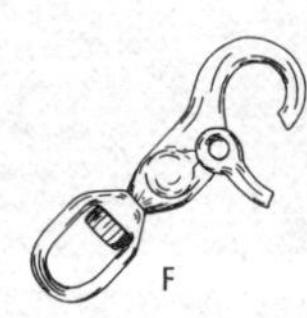

A. Manille droite.
B. Manille torse.
C. Manille lyre.
D. Manille longue.
E. Mousqueton de drisse.
F. Mousqueton suédois.

dévier : la poulie.

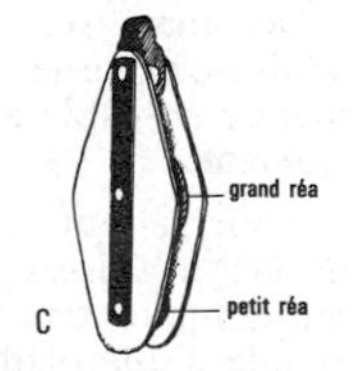

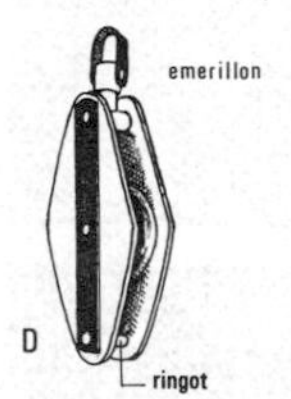

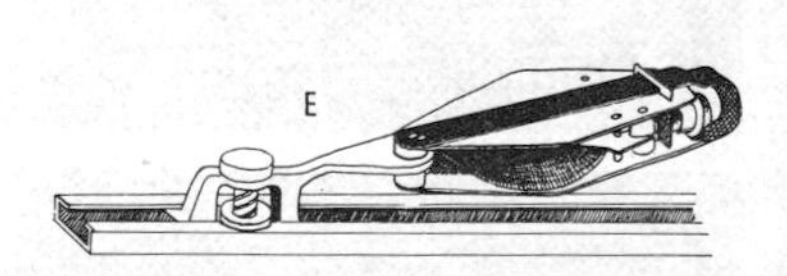

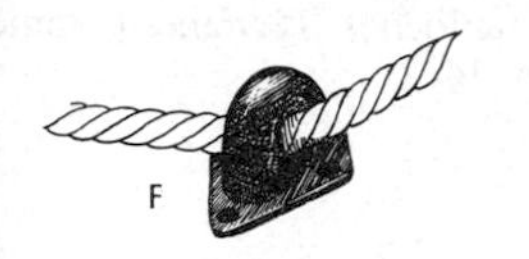

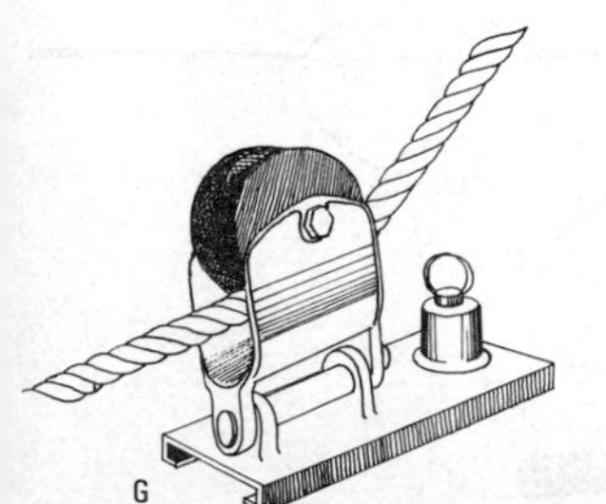

A. Poulie simple.
B. Poulie double. Pour qu'elle fonctionne bien, les deux réas doivent tourner dans le même sens. Inconvénient : ils ne subissent pas le même effort; la poulie a tendance à se mettre en biais.
C. Poulie-violon. Tous les brins du palan étant dans le même plan, la poulie ne se met pas en biais. Les réas doivent tourner dans le même sens.
D. Poulie simple à ringot et émerillon. Le dormant du palan se frappe sur le ringot. La poulie est présentée ici avec un émerillon qui lui permet de s'orienter d'elle-même dans le plan de la manœuvre.

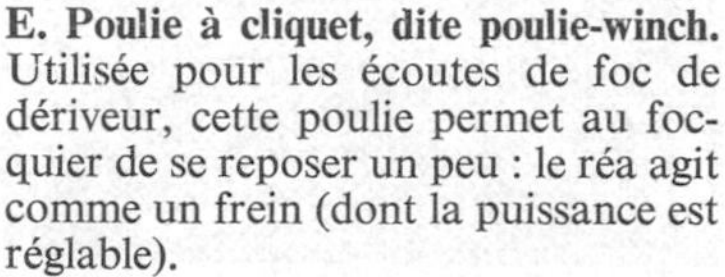

E. Poulie à cliquet, dite poulie-winch. Utilisée pour les écoutes de foc de dériveur, cette poulie permet au focquier de se reposer un peu : le réa agit comme un frein (dont la puissance est réglable).
F. Filoir. Il est moins bruyant qu'une poulie (il ne bat pas), mais le frottement y est plus important.
G. Avale-tout. Cette poulie bat moins qu'une poulie normale et rapproche du pont le point de renvoi de l'écoute. Lorsqu'on l'enfile sur son rail, il faut faire attention à placer le piston vers l'avant du bateau, pour que l'écoute ne rague pas dessus et qu'on puisse déplacer la poulie l'écoute tendue.

tourner : le taquet.

Taquet simple.

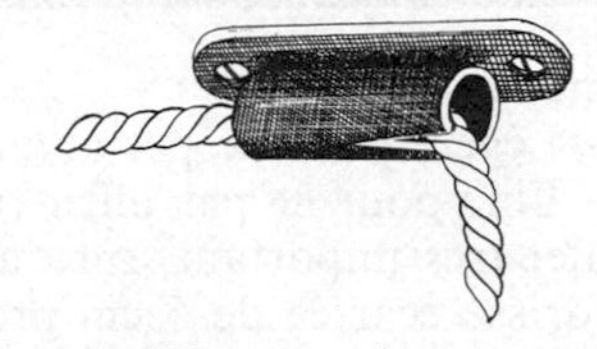

Taquet sifflet. Grand consommateur de cordage, ce taquet n'est plus guère employé depuis la découverte du clamcleat.

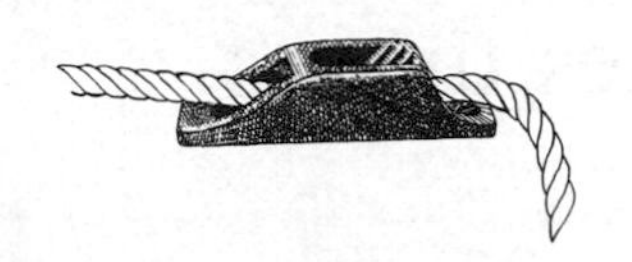

Clamcleat. C'est une invention géniale : le clamcleat ne comporte aucune mécanique susceptible de se détériorer, il coince très bien une manœuvre et ne coûte pas cher. Il a cependant deux défauts : il rend du mou (environ 5 mm) au cordage qu'il reçoit, ce qui interdit de l'utiliser pour les drisses; il avale tout ce qui passe à sa portée. Pour être bien coincé, un cordage doit pouvoir « tomber » un peu à la sortie du clamcleat. Celui-ci doit souvent être fixé sur un socle pour permettre ce mouvement.

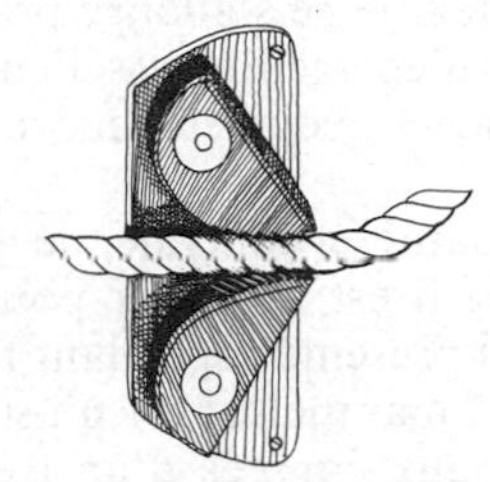

Taquet coinceur. C'est le taquet le plus utilisé pour les écoutes. Il ne faut pas hésiter à le choisir surdimensionné car il ne supporte pas de très fortes tractions. Le taquet coinceur se coince lui-même très facilement si du sable y pénètre. Y mettre de la graisse ne fait qu'empirer les choses (elle retient le sable). De l'huile!

forcer : le palan et le cabestan.

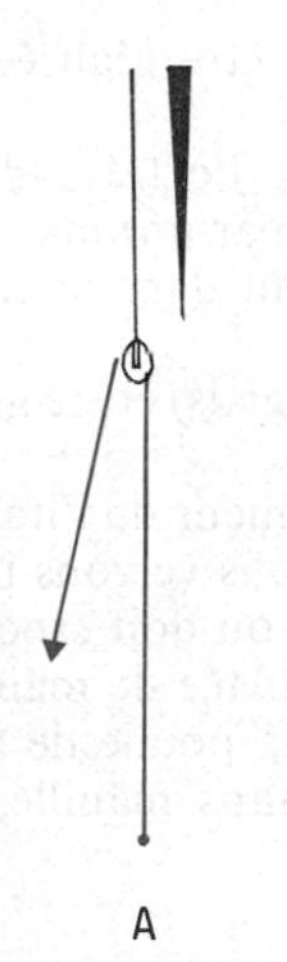

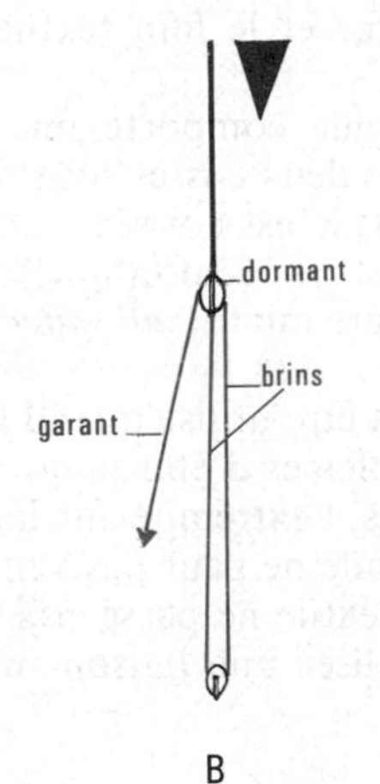

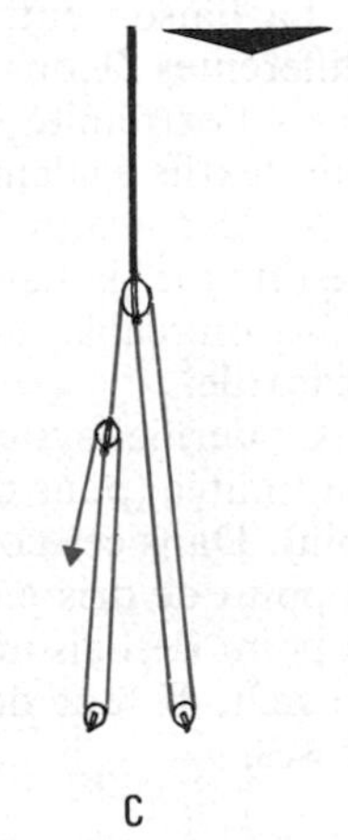

A. Avec un tel palan, l'effort est — au frottement près — divisé par deux. La course est grande (en embraquant 1 m de cordage, on raccourcit le palan de 50 cm).
B. Ici, l'effort est divisé par trois — la course est moins grande (en embraquant 1 m de cordage, on ne raccourcit le palan que de 33 cm).
C. Si l'on grée un palan à 3 brins sur le **garant** d'un autre palan à 3 brins, c'est comme si l'on avait 9 brins; la puissance est donc très importante, mais la course est très faible.

Cabestan (ou winch).

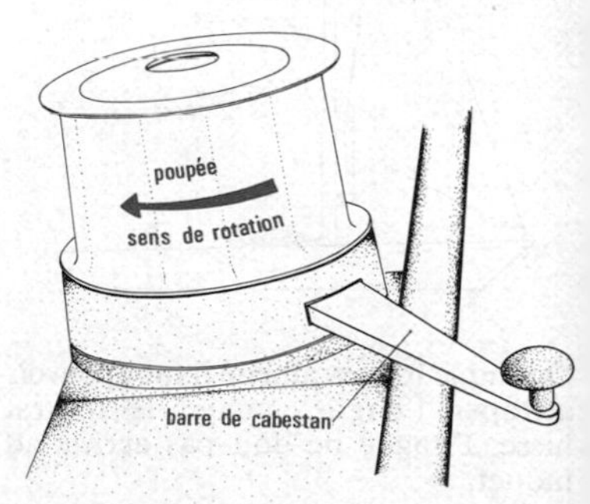

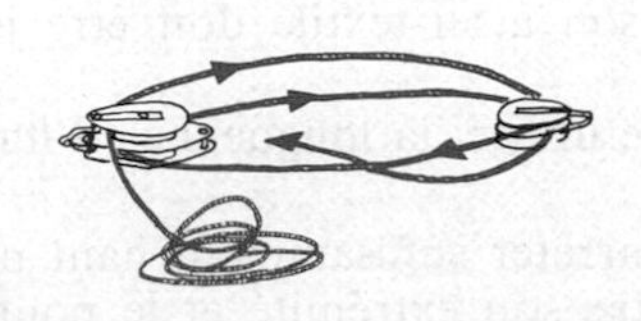

Quand on grée un palan, c'est le **dormant** (l'extrémité qui va être fixée au ringot) qu'on enfile dans les poulies. Cela évite d'y faire passer toute la longueur du cordage. Il est préférable de faire l'enroulement dans le sens des aiguilles d'une montre.

Les drisses

Une drisse doit être :

— Légère pour ne pas alourdir les hauts.

— Fine pour ne pas offrir trop de prise au vent; son fardage est en effet très important, surtout si elle n'est pas plaquée au mât : une drisse écartée de 5 cm produit le même effet aérodynamique qu'un mât plus gros de 5 cm.

— Aussi peu élastique que possible pour permettre un établissement correct et précis des voiles.

Un seul textile ne s'allonge pratiquement pas : le Tergal préétiré. Sa rigidité n'en facilite pas l'emploi, mais son poids, inférieur à celui de l'acier, peut en rendre l'usage intéressant sur les petits bateaux.

D'une manière générale, le câble d'acier répond mieux aux conditions : il est fin, léger pour la résistance qu'il offre et non élastique. Il présente cependant l'inconvénient d'être difficile, voire dangereux à manipuler ; on n'utilise des drisses toutes en acier que sur les bateaux équipés d'un treuil. Dans les autres cas, seule la partie travaillante de la drisse est en acier, c'est **l'itague;** le reste est en textile.

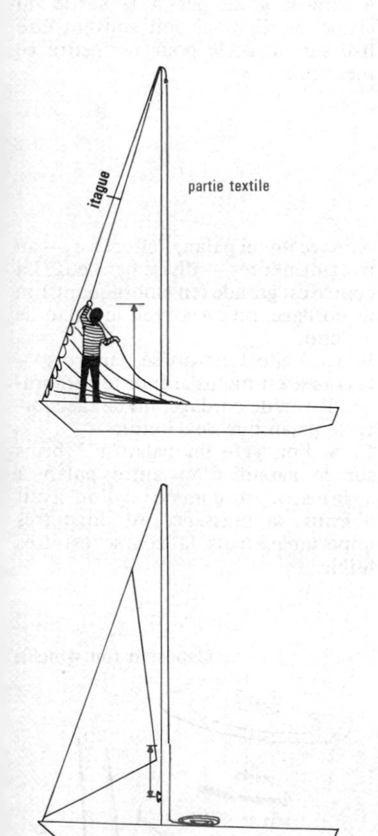

Quand le foc est amené il faut pouvoir attraper l'itague; quand le foc est hissé, l'itague ne doit pas arriver au taquet.

La liaison acier-textile.

La liaison entre l'itague et le filin textile peut être réalisée de différentes façons :

— l'extrémité de l'itague comporte une cosse, l'extrémité du filin textile également : les deux cosses sont reliées par une manille;

— la cosse du filin textile est épissée directement dans la cosse de l'itague (la liaison n'est pas démontable);

— on réalise une épissure mixte (*tail splice* en anglais) entre acier et textile.

Ce dernier système doit être utilisé quand la longueur de l'itague est limitée (pour des problèmes d'étarquage que nous verrons plus loin). Dans ces conditions, l'extrémité sur laquelle on doit crocher le point de drisse de la voile ne peut pas venir à portée de main si le point de liaison acier-textile ne passe pas dans la poulie de tête de mât. Il faut donc réaliser une liaison mince, sans manille, ni cosses.

Longueurs.

La partie textile de la drisse doit être assez longue pour qu'on puisse, au repos, la tourner commodément au taquet.

La partie métallique, l'itague, doit être aussi longue que possible : lorsque la voile est hissée, la liaison acier-textile doit être juste au-dessus du taquet.

Mais selon le moyen d'étarquage utilisé, la longueur de l'itague est différente :

— Avec palan : l'itague doit s'arrêter suffisamment haut pour qu'on puisse installer le palan entre son extrémité et le pont. Il faut noter qu'on ne peut utiliser un palan qu'avec les deux premiers types de liaison acier-textile. Il faut en effet pouvoir le crocher sur une manille; dans le premier cas elle existe; dans le second cas, on peut en mailler une sur la cosse de l'itague. Mais lorsque la liaison est assurée par une épissure, il faut disposer d'un cabestan ou d'un système d'étarquage au point d'amure.

— Avec cabestan : l'itague doit être assez longue pour faire au moins deux tours, ou mieux quatre, sur la poupée du cabestan.

Usure, changement de drisse.

La partie textile d'une drisse ne s'use pas uniformément. Les points d'usure principaux sont les points de portage quand la voile est établie (réa en tête de mât, taquet ou cabestan au pied). On peut faire de sérieuses économies en prévoyant au départ une drisse assez longue, de telle sorte qu'on puisse la raccourcir pour éliminer ou déplacer les points d'usure. On peut également retourner la drisse bout pour bout; ainsi les points de portage changent et les parties usées ne travaillent plus du tout. Evidemment, il faut raccourcir ou retourner une drisse bien avant qu'elle ne casse...

L'itague, comme tout câble d'acier, est très solide tant qu'elle est correctement manipulée. Mais si elle fait des tours autour de l'étai, ou si elle fait des coques, elle s'abîme très vite.

Il est utile d'avoir à bord, en croisière tout au moins, des drisses de rechange. Trois solutions sont possibles :

— Disposer d'un câble d'acier un peu plus long que la plus longue des itagues du bord, muni d'un œil à l'une de ses extrémités. Au moment de l'utilisation, on le coupe à bonne longueur et on réalise le deuxième œil à l'aide d'un embout démontable, ou de deux serre-câbles, ou en faisant une épissure.

— Si les poulies sont assez larges, on peut utiliser provisoirement une drisse de rechange tout en textile (si possible en tergal pré-étiré).

— On peut aussi avoir pour chaque voile une drisse de rechange toute prête.

Les câbles que l'on stocke à bord doivent être graissés et emballés dans du chiffon bien gras.

Drisses de voiles d'avant.

Généralement les drisses de voiles d'avant sont équipées, côté voile, d'un mousqueton et non d'une manille. Le risque est grand, en effet, de perdre le manillon au cours d'un changement de foc. Sur les dériveurs, toutefois, un simple crochet (à la rigueur une manille) peut suffire.

Sauf si elles passent à l'intérieur du mât, les drisses de voiles d'avant doivent être gréées sur des poulies orientables plutôt que dans des cages à réas. On peut être amené en effet à utiliser ces drisses pour d'autres opérations que l'établissement des voiles, par exemple pour amarrer contre le quai un bateau à l'échouage. Dans un cas de ce genre, avec des cages à réas, on risquerait des avaries ou une détérioration de la drisse car son orientation lui imposerait un pli.

Les retours des drisses doivent passer devant les barres de flèche : s'ils passent derrière, ils sont coincés par la grand-voile aux allures portantes et on ne peut plus manœuvrer les voiles d'avant.

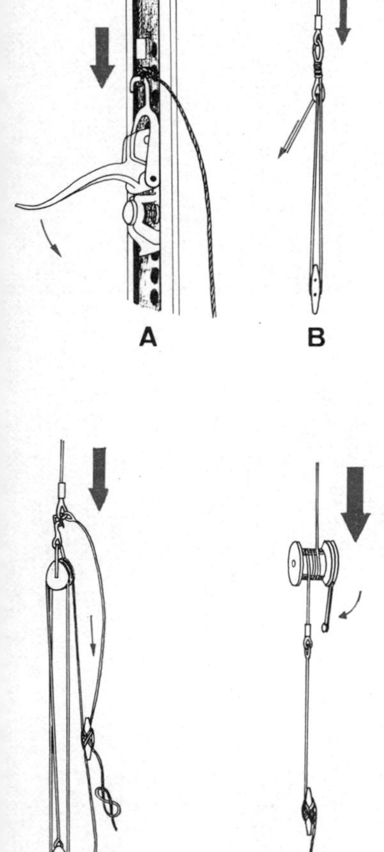

Quatre systèmes d'étarquage du guindant de foc.

Moyens d'étarquage.

Les drisses de voiles d'avant doivent presque toujours être étarquées à bloc. On dispose pour cela de différents moyens.

Le levier (fig. A). On hisse à bloc, on croche l'itague à un levier qui permet d'étarquer. Ce système n'est utilisable que sur les dériveurs légers.

Le palan simplifié (fig. B). La partie textile de la drisse est montée de telle sorte qu'on peut en faire un palan lorsque la voile est hissée. Dès que la cosse est accessible, on prend le filin au point P pour faire une boucle et la passer sous le taquet, puis on étarque par l'extrémité libre de la drisse. Lorsqu'on affale, il faut donner un peu de mou à la drisse et dégager la boucle du taquet; non pas laisser filer toute la drisse par la cosse.

Ce système est utilisable pour des focs jusqu'à 10 m² environ.

Le palan (fig. C). On hisse à bloc et on tourne la drisse au taquet. La poulie à croc du palan étant crochée dans la manille *ad hoc*, on étarque et on tourne le garant sur le même taquet, par-dessus la drisse. Le fait d'utiliser un seul taquet évite toute possibilité de fausse manœuvre en affalant. Il est prudent de faire un nœud en 8 à l'extrémité du garant pour ne pas perdre la poulie à croc.

Ce système est utilisable pour les focs de 10 à 20 m² environ.

Le cabestan (fig. D). C'est le système le plus simple du point de vue manœuvre. On peut choisir entre deux types de cabestan :

— Le cabestan à manivelle en pied de poupée est le plus commode. Sa manivelle ne gêne pas la manœuvre : elle peut être fixe, on ne risque donc pas de la perdre.

— Le cabestan à manivelle en tête de poupée est moins commode, puisqu'il faut retirer la manivelle après chaque étarquage. Mais il est très utile par ailleurs, lorsqu'il faut déraper un mouillage léger (qui fait 5 mm de diamètre et 100 m de long...).

Si l'on ne dispose que d'un seul cabestan, il est donc préférable qu'il ait manivelle en tête.

Le cabestan convient pour toutes les tailles de voile, sous réserve d'être assez puissant.

Etarquage par le bas. On hisse avec une drisse simple que l'on tourne à un taquet et l'on étarque ensuite par le point d'amure au moyen d'un palan ou d'un cabestan. Inconvénient : accroupi à l'avant, on se fait copieusement arroser pendant qu'on étarque le foc nº 2 ou le tourmentin...

Ce système est utilisable pour des focs jusqu'à 30 m².

Etarquage par en haut et par en bas. Lorsque le guindant du foc à établir est constitué d'une ralingue textile coulissant sur un câble d'acier, il faut étarquer le câble par en haut et la ralingue par en bas.

Pour que l'étarquage d'un foc soit correct, il faut dans tous les cas que l'itague arrive très près du taquet, ou sur le cabestan. Il est donc nécessaire que les petits focs soient munis d'allonges aux points de drisse et d'amure de telle sorte que le mousqueton de drisse se trouve toujours situé à la même hauteur sur l'étai.

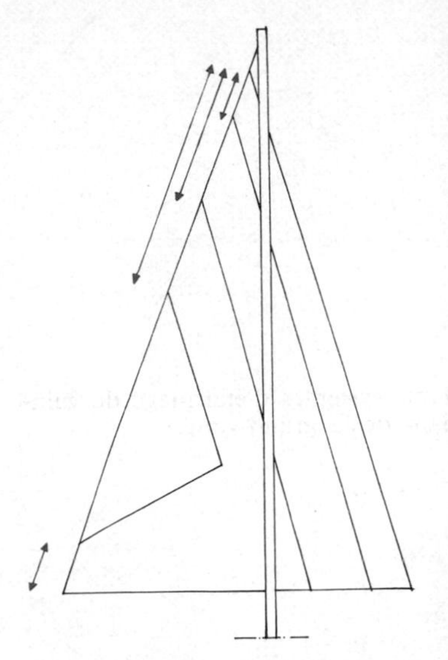

Pour que le bas de l'itague soit toujours à la même hauteur par rapport au taquet, au palan ou au cabestan, on frappe une rallonge métallique au point de drisse (éventuellement au point d'amure) de chacun des petits focs.

Drisses de grand-voile et d'artimon.

A l'extrémité d'une drisse de grand-voile, on ne met pas de mousqueton, car celui-ci ne peut pas se fixer sur la têtière de la voile. On utilise une manille.

Moyens d'étarquage.

Les dériveurs de compétition et autres bateaux de régates sont équipés d'un **hook,** crochet télécommandé qui permet de suspendre la têtière en haut du mât. La drisse sert uniquement à hisser la voile jusqu'au hook, elle peut donc être très fine et très légère. On étarque la voile par son point d'amure. Naturellement, avec ce système il n'est pas possible de réduire la voilure.

Sur les bateaux de croisière, l'étarquage de la grand-voile pose un problème particulier, précisément en fonction de la réduction de voilure : selon l'importance de cette réduction, le haut de la voile peut se trouver situé à différentes hauteurs le long du mât. Cela détermine le choix du système d'étarquage.

Le palan simplifié. N'est utilisable que dans la mesure où l'on peut encore atteindre la cosse lorsque la grand-voile est au **bas-ris** (c'est-à-dire lorsqu'on a pris tous les ris possibles). Ce n'est le cas que sur les petits bateaux.

Le palan (fig. E). Ce système de conception ancienne est encore utilisé sur de grands bateaux. On hisse par la **drisse franche** (palan à 2 brins) et on étarque avec **l'anglaise** (palan sur garant à 2 brins) : 2 brins $\times$ 2 brins $=$ 4 brins.

Le cabestan. L'étarquage est réalisé de la même façon que celui des voiles d'avant, et le problème est le même. Si l'on ne dispose que d'un seul cabestan, il est préférable qu'il ait la manivelle en tête de poupée, comme on l'a vu.

Le treuil. On utilise une drisse entièrement en acier, ce qui permet d'éliminer toute élasticité, quel que soit le nombre de ris pris.

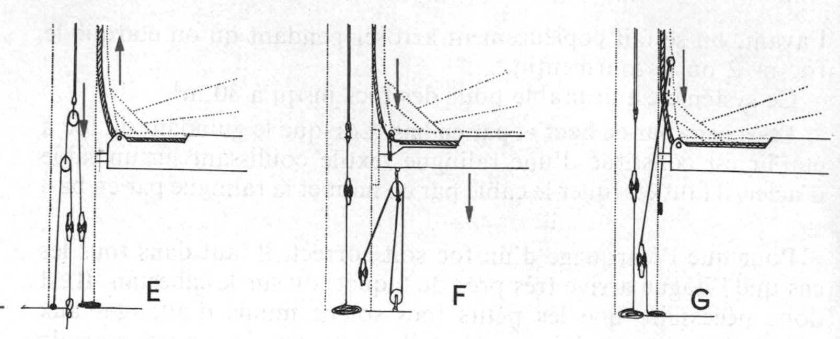

Trois systèmes d'étarquage du guindant de la grand-voile.

Inconvénients : il est difficile d'enrouler le câble à spires jointives; le treuil lui-même est assez fragile; en cas de panne on se trouve fort démuni : comment utiliser une drisse en acier sans treuil ?

Etarquage par le bas. La voile est d'abord hissée à bloc et la drisse tournée au taquet. On peut ensuite étarquer de trois façons différentes :

— en abaissant la bôme à la main et en bloquant le vit-de-mulet sur son rail (petits bateaux);

— en abaissant la bôme au moyen d'un palan ou d'un cabestan (fig. F);

— sans abaisser la bôme, en agissant sur l'œillet de Cunningham (fig. G).

Les écoutes

Les écoutes doivent être :

— Entièrement en textile; il est souhaitable qu'elles ne soient pas élastiques, mais il importe surtout qu'on puisse les manipuler facilement et sans danger.

— En textile tressé de préférence, et du type tressé-sous-gaine; en effet les écoutes sont des manœuvres qui courent beaucoup, et qui raguent sur une grande longueur (contre les filières, les haubans, les ridoirs, les cabestans, la peinture antidérapante du pont). Le cordage câblé s'use vite et se décommet facilement; le cordage tressé sous gaine est celui qui résiste le mieux au ragage.

— D'une section suffisante, car ces manœuvres sont soumises à des efforts importants, parfois brutaux. De plus, il faut les avoir « bien en main ». Sur un petit bateau, des écoutes très fines auraient la résistance requise, mais on utilise néanmoins un cordage d'au moins 8 mm de diamètre.

Ecoutes de voile d'avant.

Longueur. Une écoute de voile d'avant doit avoir, de chaque bord, une longueur égale à la base du foc plus la distance du pied de l'étai au filoir. Si une même écoute sert à plusieurs focs, il faut mesurer sa dimension avec le plus grand foc et en la passant dans le filoir situé le plus en arrière.

On utilise la plupart du temps une écoute unique; le milieu du cordage est fixé au point d'écoute, et les deux extrémités aboutissent dans le cockpit.

Disposition. Sur les dériveurs, on utilise souvent une **écoute continue,** qui passe dans le cockpit et dont les deux extrémités sont fixées par des nœuds de chaise au point d'écoute. La longueur de cette écoute doit être calculée foc tangonné et en ajoutant 0,50 m de mou.

Liaison écoute-foc. La liaison de l'écoute et du foc doit être légère et solide. La solution la plus simple consiste à passer directement l'écoute dans l'œil du point d'écoute du foc et à l'y fixer par une épissure ou un nœud. Cette solution est généralement retenue pour les bateaux n'ayant qu'un ou deux focs, les dériveurs en particulier.

Lorsque la même écoute doit servir à plusieurs focs, il faut une liaison démontable. Une manille, aussi légère que possible, est frappée directement sur l'écoute, sans cosse pour ne pas alourdir le point d'écoute. Les mousquetons sont à déconseiller : il en existe bien peu qui restent fermés quand le point d'écoute du foc bat fortement. Le meilleur système est sans doute l'**erse à bouton.**

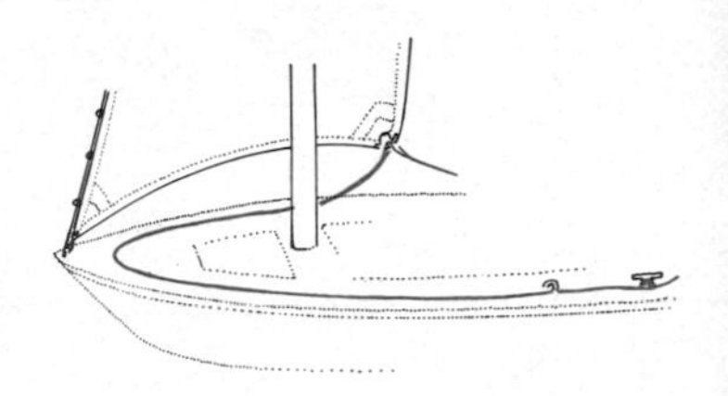

Comment mesurer la longueur des écoutes de foc.

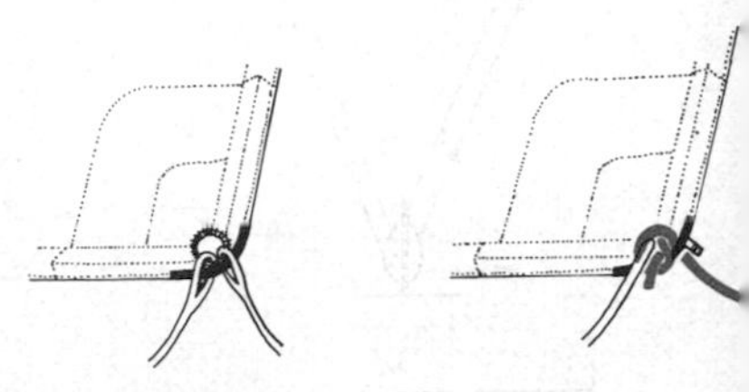

Comment monter deux demi-écoutes au point d'écoute : soit épisser deux œils sur la cosse, soit faire un nœud de pêcheur.

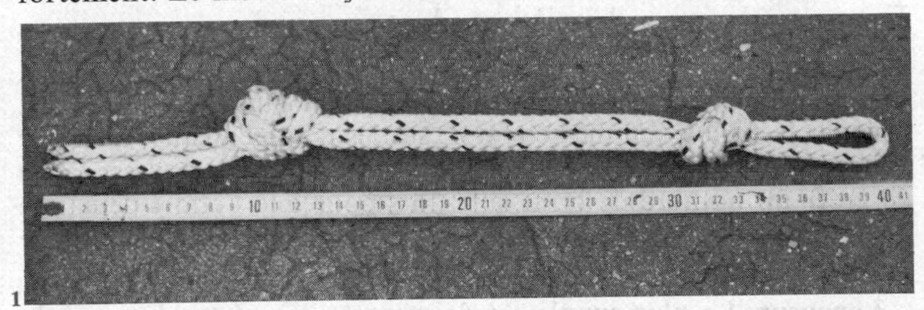

1

2

3

Au point d'écoute des focs, l'erse à bouton remplace avantageusement manilles et mousquetons. Ce filin comporte (fig. 1) : une boucle fermée par un **nœud à plein poing** (le nœud le plus simple!) et, 20 cm plus loin, un **nœud de capucin** (nœud en 8 où l'on passe plusieurs fois le filin dans la boucle) qui constitue le bouton.

Cette erse est tenue sur les écoutes par un petit bout de ligne, comme le montre la fig. 2. Pour frapper l'erse au point d'écoute (fig. 3), on passe la boucle dans l'œil du foc, puis le bouton dans la boucle. Il faut évidemment que le bouton soit assez gros pour qu'il ne puisse passer lui-même dans l'œil du foc.

Sur les bateaux modernes, le point d'écoute du foc doit souvent être au ras du pont. Il faut donc que la jonction foc-écoute soit très courte, pour que le point d'écoute puisse venir le plus près possible de la poulie de renvoi ou du filoir.

Précautions contre le ragage. Pour que les écoutes s'usent le moins vite possible, il faut tout d'abord éviter qu'elles raguent inutilement, ce qui est le cas lorsqu'elles portent sur les bas-étais, haubans, ridoirs, filières et chandelier. Quand on ne peut pas supprimer la cause du ragage (en déplaçant un chandelier par exemple), on s'efforce de le limiter : en garnissant les haubans et les ridoirs de tubes qui tournent librement, en utilisant du câble gainé pour les filières.

Le ragage est toutefois inévitable aux points de renvoi d'une écoute : poulies et filoirs. On le limite en employant des poulies bien échantillonnées, et qui s'orientent d'elles-mêmes dans le plan qui convient; en utilisant des filoirs parfaitement polis et bien orientés.

Certains ponts anti-dérapants, enfin, sont très agressifs. Il peut être utile de supprimer le grain anti-dérapant sur le trajet le plus fréquent de l'écoute.

Le ragage s'exerce donc en des points précis, et l'écoute ne s'use pas uniformément. En la retournant à temps on peut prolonger son existence. La retourner, c'est la couper en deux et relier les deux anciennes extrémités par un nœud de pêcheur.

Extrémités. Il est bon de protéger les extrémités des écoutes par une surliure cousue, surtout lorsqu'on utilise un cordage tressé sous gaine (la tresse glisse facilement à l'intérieur de la gaine). Le nœud en 8 aux extrémités contribue également à solidariser gaine et tresse.

Ecoutes de grand-voile et d'artimon.

L'écoute de grand-voile doit être un palan puissant : elle sert à orienter la voile et en même temps, sur les petits bateaux, à cintrer mât et bôme et à raidir le guindant du foc. Toutefois, il est facile de gréer un nombre de brins suffisants pour que l'effort demandé au cordage soit modéré et finalement plus faible que celui subi par une écoute de voile d'avant.

Longueur. Le plus simple est de mesurer sur place. Lorsque la bôme est débordée contre le hauban il faut avoir encore un bon bout d'écoute dans la main.

Disposition. Pour que l'écoute puisse filer facilement et rapidement, il faut que les poulies soient à grand réa, et bien écartées les unes des autres. Lorsqu'une poulie à deux réas est nécessaire, il faut préférer une poulie-violon à une poulie double. Les réas d'une même poulie doivent tourner dans le même sens. Enfin, il faut que les poulies puissent s'orienter dans le plan qui convient, quelle que soit la position de la bôme.

Ragage. Une grande écoute s'use principalement au près, donc à proximité du dormant. En la retournant, puis en la raccourcissant, on triple sa longévité.

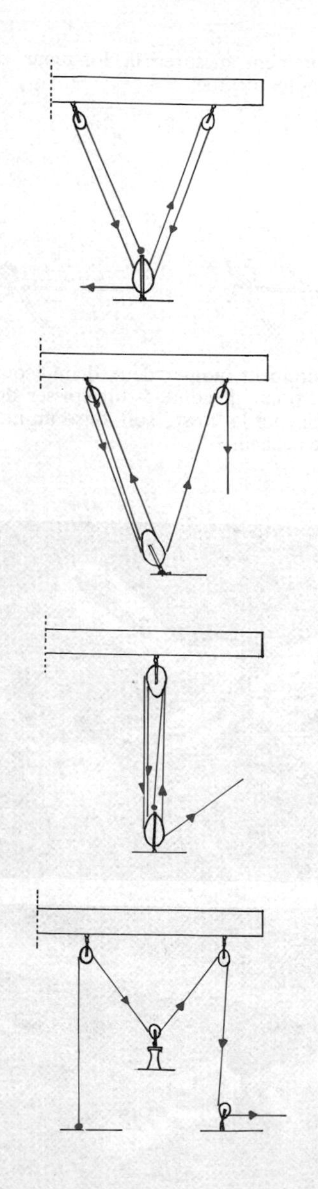

Quatre exemples de montage d'une écoute de grand-voile.

Extrémités. L'écoute de grand-voile doit être surliée aux deux bouts. Il n'est pas intéressant d'épisser le dormant : un simple nœud de chaise suffit, ce qui permet de dégréer facilement l'écoute pour la retourner — et pour ne pas se la faire voler.

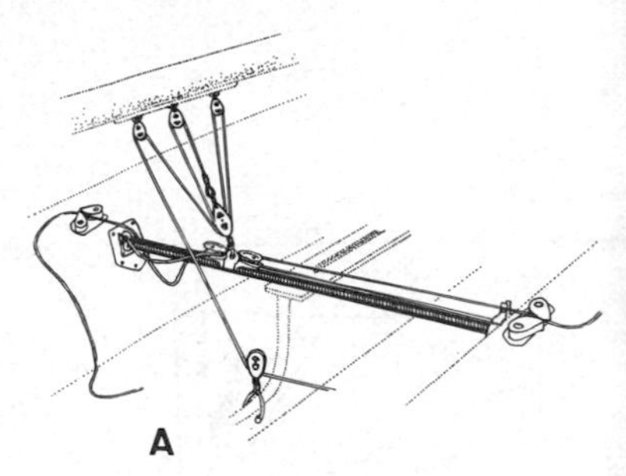

Barre d'écoute équipée d'un chariot à galets. Ce chariot peut coulisser sous tension.

Barre d'écoute de grand-voile.

Ce rail est appelé barre en souvenir de la « marine en bois » où l'on utilisait effectivement une barre pour déborder le point de tire de l'écoute de grand-voile. Les rails utilisés aujourd'hui remplissent la même fonction. Ils permettent de déborder la voile sans choquer l'écoute.

On trouve deux types de rails, différenciés par leurs chariots; ceux-ci sont à galet ou à glissement.

Le **chariot à galets** a l'avantage de coulisser même lorsque l'écoute est sous tension, ce qui est fort intéressant; mais il est fragile et convient surtout aux petites unités. On le règle par l'intermédiaire d'un palan simple (fig. A).

Le **chariot à glissement** convient aux grosses unités en raison de sa robustesse. Sur certains modèles, le glissement est amélioré par des pastilles de *téflon.* La course du chariot se trouve limitée de chaque bord par une butée mobile que l'on déplace en fonction des besoins. Inconvénient : après un certain nombre d'empannages, les butées sont cassées.

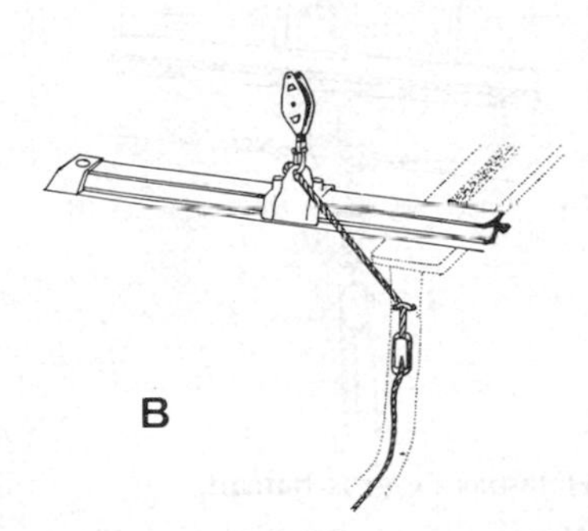

Barre d'écoute équipée d'un chariot à glissement.

Il existe un autre système de réglage, qui convient d'ailleurs aux petits bateaux à gréement simplifié aussi bien qu'aux gros bateaux. Ici, la course du chariot est limitée, soit par un filin unique tourné dans l'axe du bateau (fig. B), soit par deux brins simples tournés près des extrémités de la barre. L'inconvénient du système est qu'il n'est pas possible de déplacer le chariot lorsque la voile est bordée. Sur un gros bateau, d'autre part, les brins s'usent vite; mais ils sont faciles à remplacer.

Manœuvres particulières à la grand-voile

Hale-bas de bôme.

Le hale-bas, pour être efficace, doit être puissant et peu élastique.

Sur dériveurs et petits croiseurs, il est pris entre la bôme et le pied du mât. Comme nous l'avons vu, il sert non seulement à maintenir la bôme basse aux allures portantes mais également, dans une certaine mesure, à cintrer mât et bôme. Ce hale-bas peut être un simple palan textile, à 3 ou 4 brins, mais il est alors un peu élastique. Plus généralement, il est constitué d'un câble d'acier, raidi par un palan textile. Dans les deux cas, si l'on manque de puissance, on peut gréer un second palan sur le garant du premier. Il existe enfin une troisième solution : disposer d'un treuil simplifié. Le hale-bas est alors tout entier en acier.

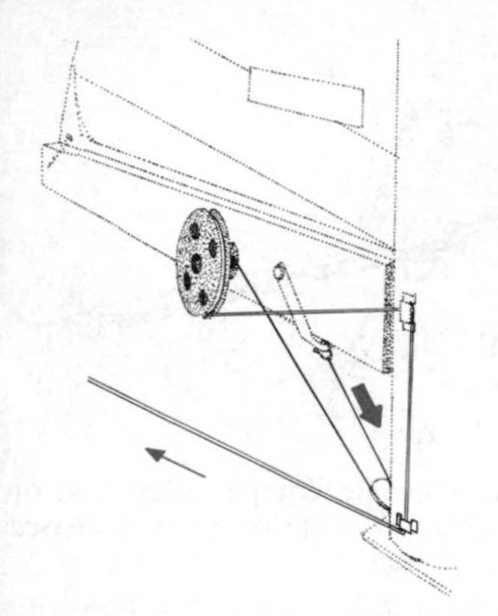

Quand le garant (textile) se déroule du gros tambour, le hale-bas (acier) s'enroule sur le petit.

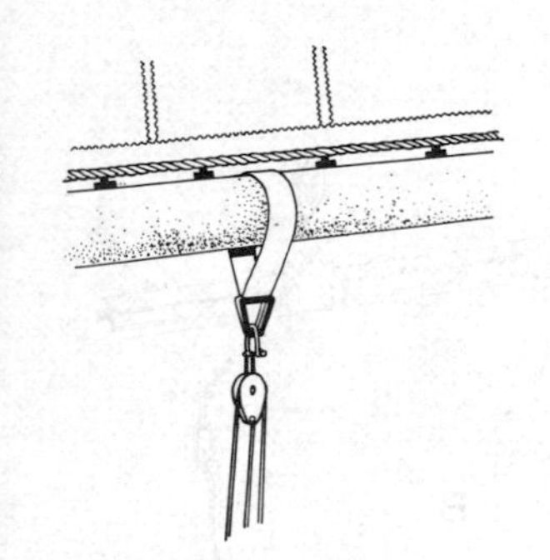

Hale-bas de gros bateau.

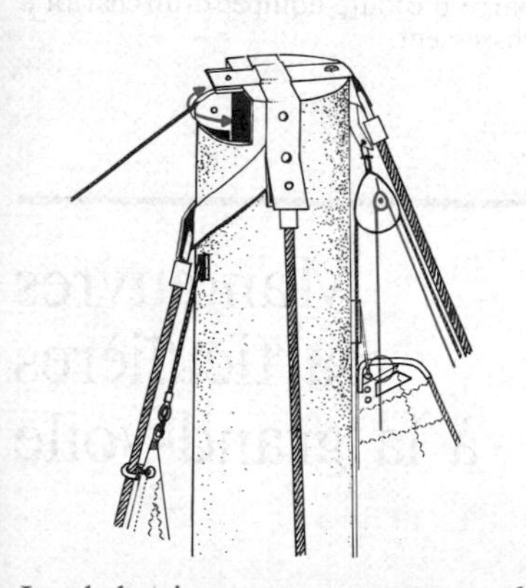

La balancine rouge rague sur la têtière de la grand-voile. Il suffit d'installer une poulie plus grande pour éviter ce ragage. Noter, sur la partie avant du mât, la façon dont est installée la poulie de drisse de spi qui peut s'orienter sur 180°.

Sur les bateaux plus importants, le hale-bas est un palan volant. On le place verticalement entre la bôme et des points fixes du pont (cadènes, pitons d'amarrage de poulies de foc, etc.). Il s'agit seulement de retenir la bôme vers le bas aux allures portantes, non plus de cintrer les espars.

Ce hale-bas fait donc également office de retenue de bôme. Son utilisation présente des risques au vent arrière car, si l'empannage se produit, la bôme ainsi retenue peut se briser. Pour ne pas prendre ce risque, il est bon de gréer en plus une retenue de bôme véritable.

Retenue de bôme.

C'est une manœuvre volante que l'on installe au vent arrière, par mer forte, entre l'avant du bateau et la bôme, pour empêcher celle-ci de passer sur l'autre bord.

Il est judicieux de la frapper au point de fixation de l'écoute de grand-voile : on évite ainsi de casser la bôme si l'on empanne, ou si l'on borde la voile en oubliant de larguer la retenue.

L'amarrage de l'autre extrémité doit être simple, et larguable sous tension (sur une bitte : tours-et-autres, ou deux tours morts et une demi-clef gansée; sur un taquet, des huit, sans demi-clef).

Balancine de grand-voile.

La balancine est utile sur les petits croiseurs, et nécessaire sur les bateaux dont la bôme est trop lourde pour être facilement soulagée par un équipier au moment des manœuvres de grand-voile, prise de ris par exemple.

Une balancine doit être robuste et peu élastique : il faut que plusieurs équipiers puissent s'appuyer à la bôme sans que la balancine ne cède. Elle peut être réalisée en textile ou en câble d'acier mais, dans ce dernier cas, on doit faire attention à ce que le câble ne rague pas sur la têtière de la grand-voile; on peut utiliser une balancine mi-acier, mi-textile, avec épissure mixte de telle sorte qu'il n'y ait que du textile dans la région de la têtière.

Il est intéressant, d'autre part, qu'une balancine soit assez forte ; elle peut alors servir de drisse de grand-voile de rechange ou, le cas échéant, permettre de hisser un équipier en tête de mât.

Bosse d'empointure.

La bosse d'empointure permet la fixation du point d'écoute de la voile en bout de bôme.

Sur les petits croiseurs et les dériveurs, un simple lacet suffit. Sur les bateaux plus importants, il est intéressant de pouvoir régler la tension de la bordure en route, sans avoir à modifier l'allure du bateau. On dispose alors en bout de bôme un rail et un coulisseau robustes. On peut déplacer le coulisseau sur le rail à l'aide d'une vis, ou d'un câble d'acier monté sur palan ou winch.

Bosses de ris.

Les bosses de ris sont les bosses d'empointures de chaque bande de ris.

Tout en restant assez souples pour qu'on puisse y faire des nœuds, les bosses de ris doivent être aussi peu élastiques que possible; le tergal est donc le textile qui convient.

Au point d'écoute, on peut utiliser différents types de bosses de ris.

Sur les petits bateaux, on emploie une bosse toute simple, de 2,70 m à 3 m de long, surliée à chaque extrémité, et que l'on tourne directement autour de la bôme.

Sur les gros bateaux, il faut disposer d'un accastillage particulier : des **violons de ris,** séries de points fixes et de réas disposés de chaque côté de la bôme. Plusieurs solutions sont possibles; la plus simple d'emploi est sans doute la solution A : en raidissant la bosse on applique la cosse contre la bôme, tout en étarquant la bordure. Pour que ce système marche bien, il faut que points fixes et réas soient placés avec précision. S'ils sont trop en avant, la voile n'est pas étarquée; s'ils sont trop en arrière, le point d'écoute n'est pas bien appliqué contre la bôme. L'idéal est de disposer de violons réglables, que l'on peut déplacer au fur et à mesure que la grand-voile se déforme, ou si l'on change de grand-voile.

La solution de la figure B, un peu plus compliquée, a l'avantage de permettre le réglage de la tension de la bordure en cours de navigation. De plus, même si la bande de ris s'allonge avec l'âge de la voile, il n'est pas nécessaire, ici, de déplacer les violons.

Ces deux systèmes ne fonctionnent correctement que si les violons sont placés très bas sur la bôme.

Pour étarquer la voile, on peut utiliser des palans, mais il faut alors autant de palans que de bandes de ris et la bôme se trouve encombrée de manœuvres; un cabestan est plus commode.

Les bosses de ris peuvent être tournées sur des taquets classiques, mais ces taquets sont peu pratiques et ont tendance à accrocher toutes les manœuvres qui passent à proximité; on utilise donc de préférence des taquets coinceurs ou des clamcleats.

Ces taquets doivent être placés aussi près que possible du point d'écoute, ainsi l'élasticité de la bosse se fait moins sentir.

Au point d'amure, des crochets sont plus commodes que des bosses de ris : on y croche directement la cosse de la voile. Ils sont indispensables lorsque la bôme peut coulisser le long du mât.

Faute de crochets, on peut utiliser une bosse passant à travers la bôme (figure C). En fait, il existe de multiples procédés selon la forme et la nature des espars. Une précaution doit être observée dans tous les cas : la bosse de ris ne doit jamais passer dans l'articulation du vit-de-mulet. Elle n'y résisterait pas longtemps.

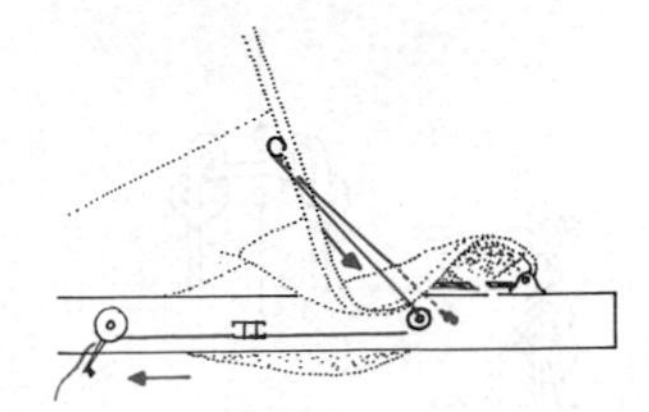

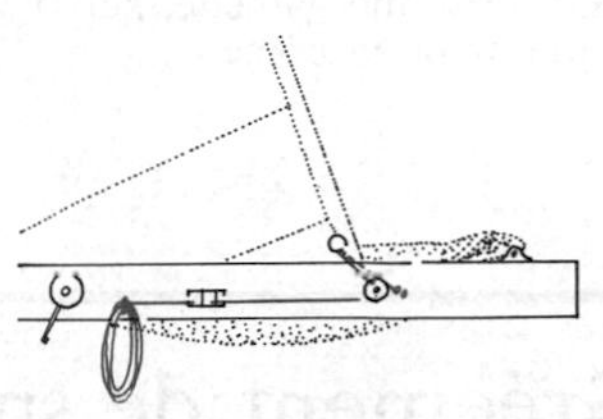

A. En haut : le dormant de la bosse de ris est pris sur la bôme à tribord; la bosse passe dans la cosse de ris, sur un réa, dans un clamcleat et est raidie au cabestan.
En bas : le ris pris, on libère le cabestan afin qu'il puisse être utilisé pour le ris suivant.

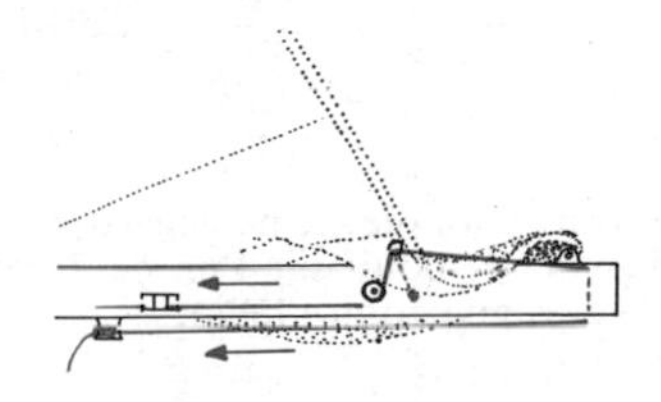

B. Ici la bosse est double. L'un des brins passe en bout de bôme : il sert à étarquer la bordure. L'autre brin passe sur un réa et dans un clamcleat : il sert à appliquer le point d'écoute sur la bôme.

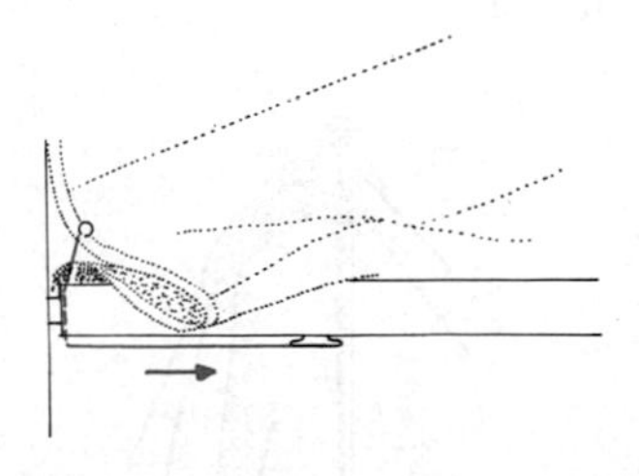

C. A défaut de crochets au point d'amure, une bosse fait l'affaire.

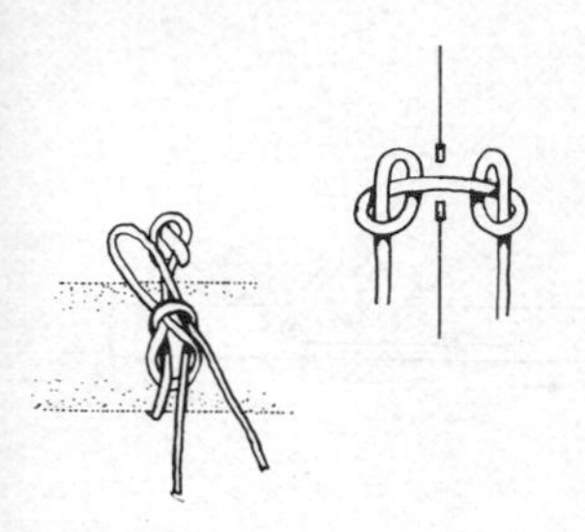

Fixation d'une garcette, sur la voile et autour de la bôme.

Garcettes de ris.

Les garcettes sont des cordelettes qui permettent, lorsqu'on prend des ris, de serrer l'excédent de toile. Elles doivent pouvoir être nouées facilement. On choisit des filins pelucheux; certains polypropylènes sont excellents pour cet usage.

Une garcette doit être assez longue pour qu'on puisse la nouer, sur le côté de la voile, par un nœud plat gansé. La longueur idéale d'une garcette est d'environ 1 mètre.

On passe les garcettes entre la voile et la bôme lorsque c'est possible, sinon autour de la bôme.

Gréement de spi

Drisses de spi.

L'élasticité éventuelle de la drisse de spi est beaucoup moins gênante que celle des autres drisses.

Sur les petits bateaux, une drisse entièrement en tergal convient parfaitement. On la fait passer dans un **margouillet** en nylon, conduit qui lui permet de s'orienter sur 180°. Cette drisse doit être d'une section assez forte car elle s'use sur le margouillet ; on la réalise de préférence en filin tressé car le pas du filin câblé a tendance à visser le haut du spi quand on hisse.

Mauvais : la potence ne dégage pas la drisse sur le côté; sur l'un des bords celle-ci rague contre l'étai. ▶

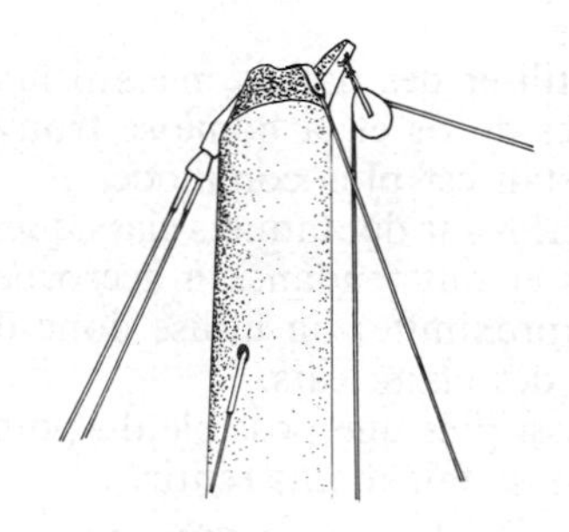

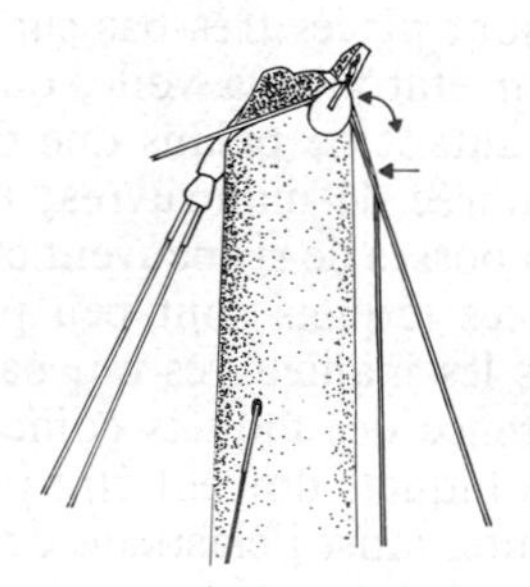

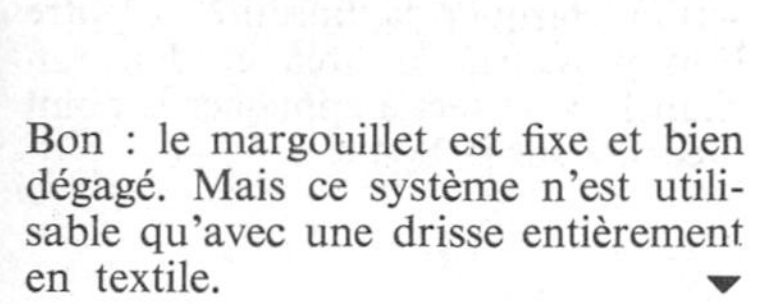

Bon : le margouillet est fixe et bien dégagé. Mais ce système n'est utilisable qu'avec une drisse entièrement en textile. ▼

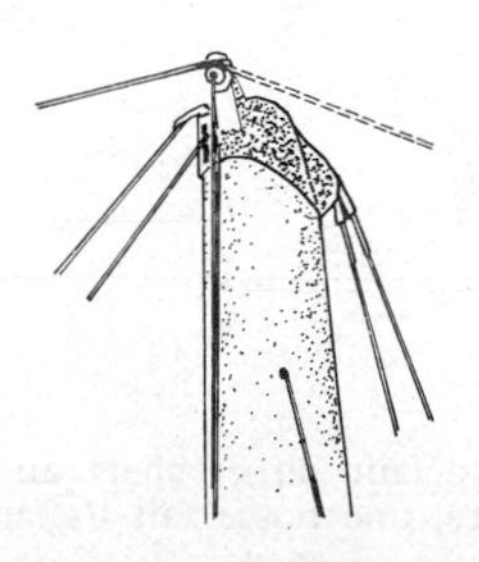

Sur les bateaux plus importants, l'élasticité ne doit pas être exagérée : en s'allongeant, la drisse donne du ballant au spi et s'use énormément sur la poulie. Pour cette raison, mais surtout pour des raisons de résistance à la traction et à l'usure, on utilise des drisses mi-acier, mi-textile. L'itague ne passe pas dans un margouillet mais dans une poulie. Cette poulie doit pouvoir s'orienter librement sans pour autant que la drisse rague contre le mât ou contre une quelconque pièce du gréement. Il est donc judicieux de la monter sur une potence qui la dégage suffisamment du mât.

La liaison spi-drisse comporte un émerillon permettant à la tête du spi de se détordre si la drisse se vrille pendant qu'on hisse.

Pour hisser un spi de plus de 40 m², il faut pouvoir prendre un tour sur un cabestan : cela permet de retenir la drisse si le spi se gonfle trop tôt.

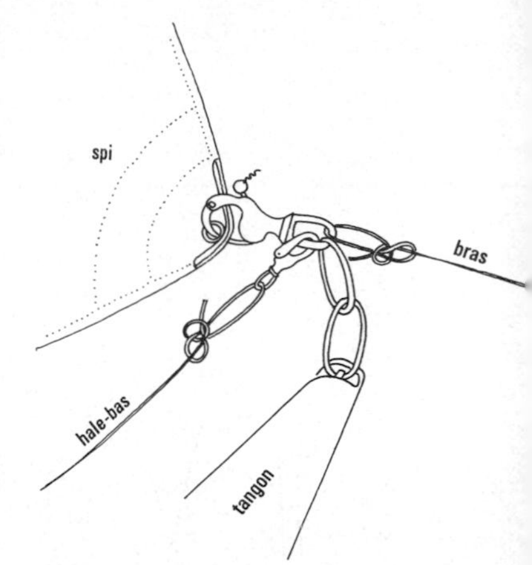

Montage du point d'amure du spi sur un gros bateau.

Bras de spi.

Le gréement de spi comporte deux bras. En route, on les différencie en appelant : **bras** la manœuvre au vent, **écoute** la manœuvre sous le vent.

Les bras de spi sont en textile, tout au moins sur les bateaux de taille modérée, où on les manœuvre à la main. Ils doivent être aussi peu élastiques que possible et largement échantillonnés. On utilise de préférence de la tresse.

Il est bon d'avoir en outre deux manœuvres légères, qui servent d'écoutes par petit temps.

Sur dériveurs et petits croiseurs, les bras peuvent être montés à demeure sur le spi. Sur des bateaux plus gros, la liaison se fait par un mousqueton à ouverture totale (qui peut s'ouvrir même quand il est en charge). Ce mousqueton est muni d'un émerillon pour que les bras puissent se détordre, et d'anneaux sur lesquels on frappe le tangon et le hale-bas.

Les bras passent généralement dans des filoirs ou des poulies situés tout à l'arrière du bateau d'où ils sont renvoyés dans le cockpit. Les poulies de renvoi subissent des efforts considérables; elles doivent être solidement fixées et largement dimensionnées.

Dans la plupart des cas, il est bon d'avoir des bras d'une longueur égale à deux fois la longueur du bateau.

Pour les spis de plus de 100 m², on peut utiliser des manœuvres différenciées, c'est-à-dire un bras et une écoute de chaque bord. Les écoutes sont en textile mais les bras sont mi-textile mi-acier ; on diminue ainsi leur élasticité, on augmente leur résistance. De plus, le ragage n'étant pas à craindre, ces bras peuvent coulisser dans le bout du tangon, ce qui facilite considérablement le virement lof pour lof. La longueur de la partie acier doit être calculée de façon à ce que celle-ci n'arrive jamais jusqu'au cabestan, quelle que soit la position du tangon, car l'acier est dangereux pour les mains.

La tirette du mousqueton est souvent difficile à manœuvrer, surtout avec des doigts gourds. Pour avoir une meilleure prise on peut la munir d'un petit filin. Ce filin doit être très court et fixé en simple sur la tirette, par deux demi-clefs (passé en double il s'accroche partout et le mousqueton ne cesse de s'ouvrir, au grand dam du spi). Pour améliorer encore la prise on fait un nœud de capucin à son extrémité libre.

Hale-bas de tangon.

Le hale-bas empêche le tangon de se mâter.

Selon la taille du spi, il y a trois montages possibles. Sur les dériveurs, et en général pour les spis de moins de 20 m², le hale-bas est frappé au milieu du tangon, passe par le pied du mât et aboutit au cockpit. Avec les spis de 20 à 50 m², le tangon subit des efforts plus importants et on y frappe le hale-bas par l'intermédiaire d'une **patte d'oie;** ainsi le tangon ne travaille qu'à la compression, et risque moins la rupture. Ces deux solutions permettent d'orienter le tangon sans avoir à modifier le réglage du hale-bas.

Pour les grands spis le hale-bas est frappé sur le mousqueton du bras (en bout de tangon); il passe par l'étrave et est renvoyé vers le cockpit. Cette fois on ne peut modifier l'orientation du tangon sans modifier le réglage du hale-bas. Il faut deux hale-bas, un de chaque bord. Leur longueur est à peu près la même que celle des bras. Leur section peut être un peu plus faible; en pratique, on utilise souvent comme hale-bas des bras un peu usés.

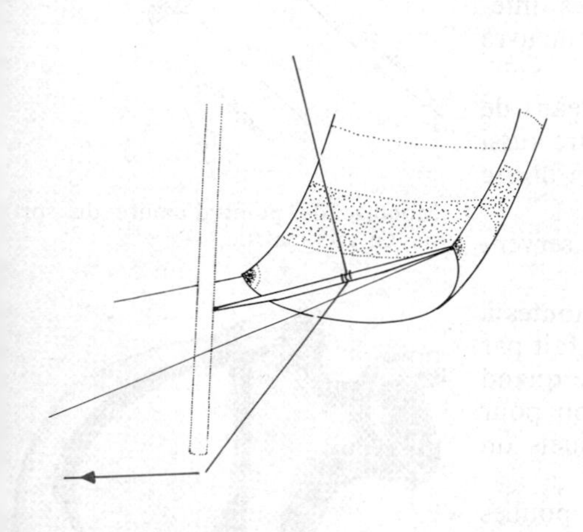

Ce montage est suffisant pour les spis de moins de 20 m².

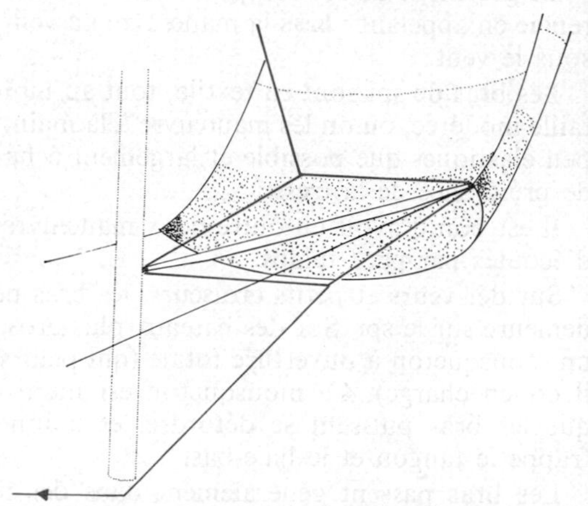

De 20 à 50 m² environ, le tangon doit être tenu par des pattes d'oie.

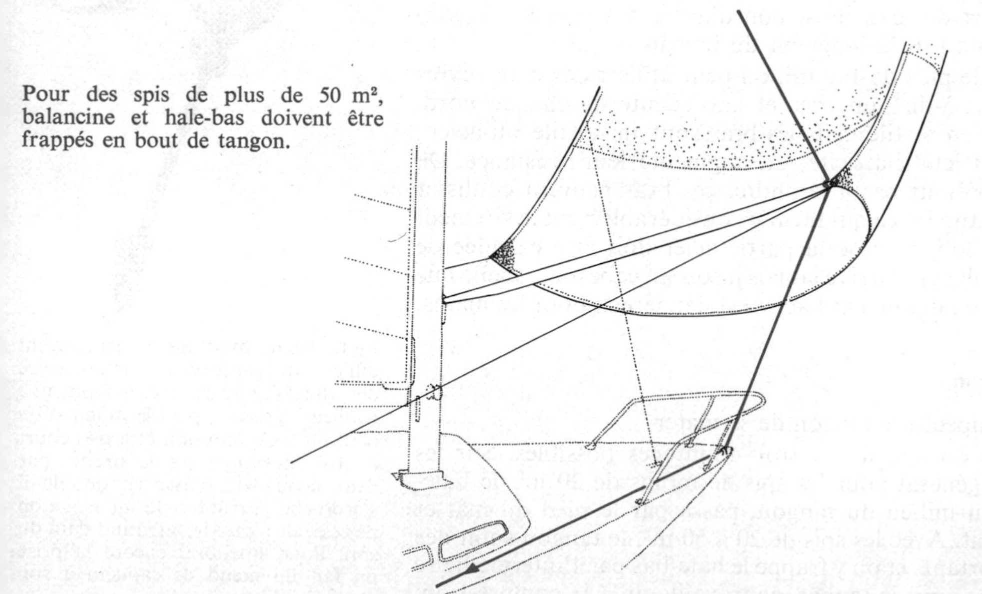

Pour des spis de plus de 50 m², balancine et hale-bas doivent être frappés en bout de tangon.

Balancine de tangon.

La balancine est destinée à soutenir le tangon.

Pour des spis de moins de 15 m², un simple sandow fait l'affaire (la hauteur de l'extrémité du tangon est surtout réglée par le hale-bas).

Pour les spis de 15 à 30 m², il faut un sandow assez fort, et doublé d'un filin qui empêche le tangon de descendre trop bas.

Pour des spis de plus grande surface, il faut utiliser une balancine en textile d'un diamètre suffisant pour qu'on puisse la manier à la main.

Comme le hale-bas, la balancine peut être gréée de trois façons différentes. En milieu de tangon ou sur une patte d'oie pour les spis de faible dimension : ces deux premières solutions permettent d'utiliser la même balancine sur les deux bords (dans la mesure où le tangon est symétrique); quand le spi est plus important, on doit frapper la balancine en bout de tangon, et deux balancines deviennent alors nécessaires — d'autant plus que, la plupart du temps, on utilise deux tangons.

Pour être facile à manœuvrer, la balancine doit passer dans une poulie frappée haut sur le mât, aux 2/3 du mât si possible. Sur un cotre, toutefois, cette poulie ne doit pas être placée plus haut que l'étai de trinquette.

Manœuvre de pied de tangon.

Sur les dériveurs et les petits croiseurs, le pied de tangon est fixé sur le mât et ne peut être réglé en hauteur. Sur les bateaux un peu plus importants apparaît le rail, équipé d'un curseur que l'on manœuvre à la main et que l'on bloque par verrouillage. Enfin, sur les grandes unités, quand il n'est plus possible de déplacer le pied du tangon à la main, on utilise une manœuvre : frappée sur le vit-de-mulet de tangon, cette manœuvre passe dans une poulie fixée au haut du rail puis revient sur le vit-de-mulet. Un seul bout fait donc hale-haut et hale-bas. Deux taquets permettent d'en régler la longueur.

Il existe un système plus commode, composé essentiellement d'une chaîne de vélo qui passe sur un pignon et est actionnée par une manivelle. Seul inconvénient : la chaîne de vélo n'est pas en acier inoxydable. Compte tenu de son prix modique, on peut toutefois la remplacer tous les ans, ou même plusieurs fois dans la saison.

Seul inconvénient : la chaîne rouille.

Les voiles

La garde-robe du bateau.

Le nombre de voiles nécessaires à bord dépend moins de la taille du bateau que du type de navigation pratiqué. Plus ce type de navigation est ambitieux, plus il faut de voiles. Et elles coûtent cher.

De même qu'il existe toutes sortes de gréements, il existe toutes sortes de voiles. Toutes peuvent être utiles, à des degrés divers (et à condition de savoir s'en servir). Heureusement toutes ne sont pas absolument nécessaires. Voyons donc, pour chaque type de navigation, quelles sont les voiles indispensables :

Régates sur dériveur : une grand-voile, un foc et, dans la plupart des cas, un spinnaker. Quand on a des sous, on peut posséder plusieurs jeux de ces trois voiles, pour les utiliser en fonction du temps. Le choix se fait alors au moment de l'embarquement.

Promenade et pêche : une grand-voile, un foc, un tourmentin ou un foc à rouleau.

Cabotage : une grand-voile, un foc n° 1, un tourmentin; pour les cotres, une trinquette. Génois et spi ne sont pas indispensables, mais recommandés.

Croisière côtière : une grand-voile, un génois, un foc n° 1, un tourmentin; si possible un foc n° 2, un spi, une grand-voile de temps frais (voile **suédoise**). Pour les cotres, une, ou mieux, deux trinquettes.

Croisière hauturière : une grand-voile, une voile suédoise, un spi, un génois, un foc n° 1; un foc n° 2, un tourmentin; pour les cotres, deux trinquettes.

Course croisière : une grand-voile, une voile de cape et tous les focs et spis nécessaires pour pouvoir porter en permanence la toile qui convient au temps.

Nous ne parlons ici que des gréements les plus simples et des voiles classiques, il faudrait mentionner encore les voiles d'artimon ou de tape-cul, les voiles d'étai, les trinquettes à spi, etc.

Confection

Les tissus.

Un tissu est constitué de deux nappes de fils entrecroisés : une nappe longitudinale, la *chaîne*, une nappe transversale, la *trame*.

Les tissus utilisés pour la fabrication des voiles doivent naturellement être résistants, mais surtout avoir une grande stabilité de forme. On utilise donc des tissus ayant une très faible déformation dans le sens du fil, dans le *droit-fil*, c'est-à-dire aussi bien en chaîne qu'en trame. On cherche aussi — et c'est plus difficile à trouver — des tissus se déformant le moins possible dans le biais.

On choisit des tissus plus ou moins résistants selon la taille des voiles et l'usage que l'on veut en faire. Ainsi utilise-t-on un tissu plus lourd pour une voile de gros temps que pour une voile de petit temps. La résistance d'un tissu s'évalue en se référant à son poids au m².

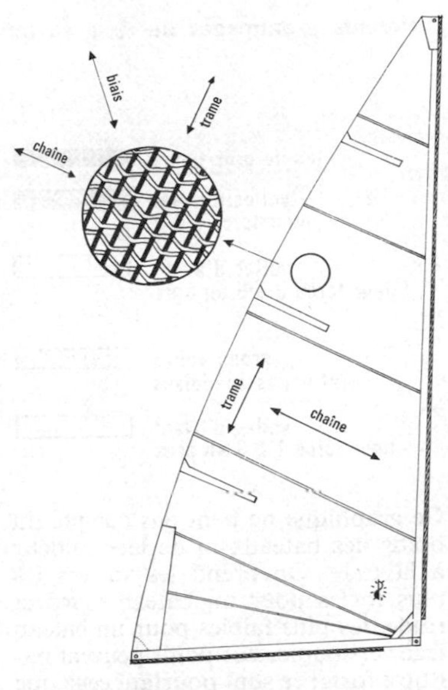

Un tissu se déforme peu dans le droit-fil (chaîne et trame), beaucoup plus dans le biais. On s'efforce d'assembler les bandes de tissu (les laizes) de façon à faire travailler surtout le droit-fil.

Naguère encore les voiles étaient en coton. Aujourd'hui elles sont toutes fabriquées en polyamide ou en polyester.

Le **polyamide,** c'est le Nylon, fibre synthétique assez élastique et extrêmement résistante. On l'emploie pour la fabrication des voiles de vent arrière et de largue (spinnakers, gennakers, trinquettes à spi).

Toutes ces voiles sont très légères; en 1971, on fait des voiles avec du nylon de 21 grammes/m², record qui sera certainement battu. Pour le moment, en tout cas, la gamme de poids des voiles en nylon s'établit de 21 à 80 grammes/m².

Les **polyester** sont utilisés pour toutes les autres voiles. Leur gamme de poids s'étend de 80 à 450 g/m². Ils se vendent sous des noms de marques différentes, selon leur pays d'origine. On trouve ainsi :

Le Dacron (U.S.A.).
Le Terylène (Grande-Bretagne).
Le Tergal (France).
Le Tetoron (Japon).
Le Polyant (Allemagne).
Le Terital (Italie), etc.

Certains voiliers utilisent des fibres polyester pour faire tisser leur propre tissu. Hood, par exemple, se sert de fibre de Dacron. Ratsey produit le Vectis, tissé avec de la fibre Terylène.

Ces tissus polyester peuvent être : très apprêtés, peu apprêtés, ou pas apprêtés du tout.

On trouve le Dacron dans les trois qualités; le Terylène avec peu et pas d'apprêt; le Tetoron en très apprêté, le Tergal en très et peu apprêté.

L'apprêt est en fait une colle qui empêche le tissu de se déformer. Un tissu très serré n'a guère besoin d'apprêt, un tissu lâche peut au contraire en nécessiter énormément. Ainsi, certains tissus extrêmement légers et tissés très lâches sont enduits de résines du genre de celles qui servent aux revêtements de meubles de cuisine. On comprend donc la rigidité (relative, car la couche est évidemment très mince) et la fragilité de l'apprêt.

Un tissu apprêté se reconnaît à son aspect cartonneux; quand on le plie, des marques blanches apparaissent sur les plis, c'est l'apprêt qui casse. Cet apprêt a une faible résistance propre, en outre il supporte mal les intempéries. Il serait donc illogique de tailler des voiles de gros temps dans du tissu très apprêté.

Les voiles très apprêtées peuvent être intéressantes, en revanche, si l'on ne s'en sert que par petit temps, et surtout si l'on peut les

Différents grammages de tissu en fonction des types de voile et de leur utilisation.

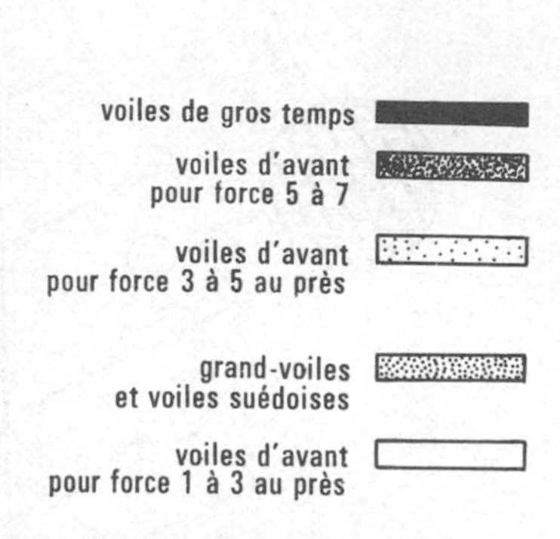

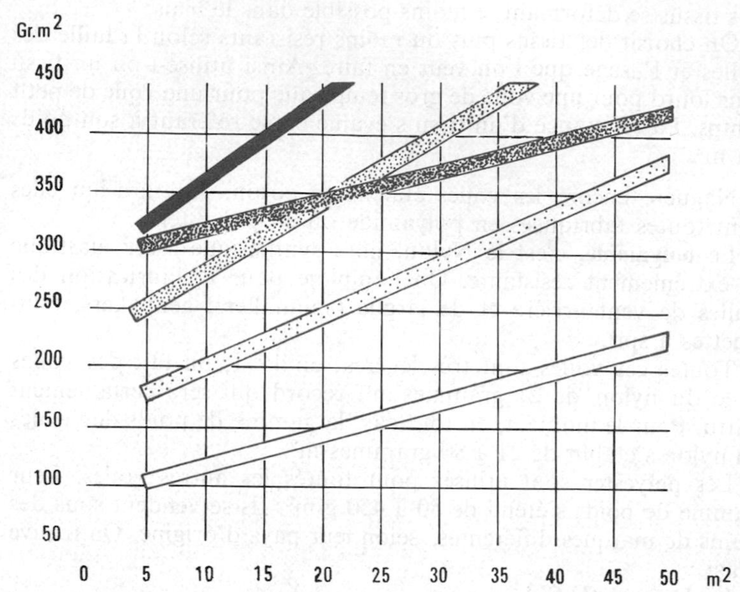

Ce graphique ne tient pas compte du poids des bateaux ni de leur raideur à la toile. On prend les valeurs les plus fortes pour un bateau lourd et raide, les plus faibles pour un bateau léger et souple. Les poids peuvent paraître forts; ce sont pourtant ceux que nous recommandons pour des voiles d'usage. A noter que les voiles de brises expirantes (moins de force 1) se font actuellement en nylon de 55 g ou en polyester de 70 à 80 g.

stocker sans les plier. Ces voiles sont un peu moins chères que les autres et elles se déforment peu quand on les porte par la force de vent qui leur convient. Si on les porte par vent trop frais, l'apprêt casse et la voile se déforme très vite.

Choisir entre tous les tissus existants n'est pas simple, et c'est l'affaire du voilier. Pourtant, il est utile de discuter avec celui-ci avant de commander une voile, car certaines options ne peuvent être prises que par le plaisancier lui-même : tel choisira une voile « figée », c'est-à-dire ayant une forme bien déterminée, facile à établir et à usage de petit temps, sachant que s'il l'utilise par temps trop frais, il devra la remplacer assez rapidement. Tel autre préférera une voile « vivante », plus délicate à établir correctement mais faite pour une gamme de vent assez large; plus onéreuse, mais plus durable.

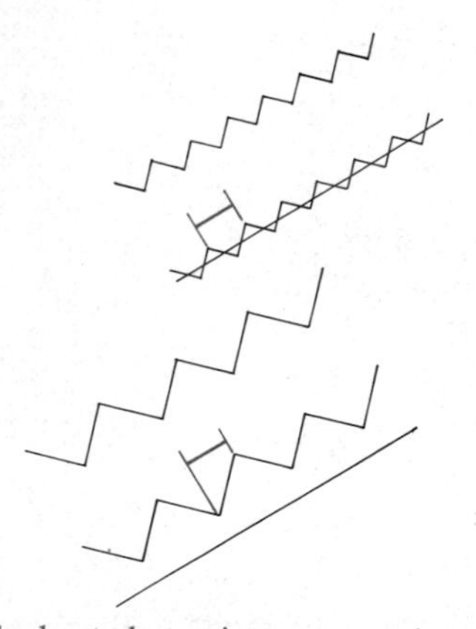

En haut, les points sont petits; un point sur deux sert à l'assemblage, l'autre sert à tenir le bord de la laize. En bas, les points sont grands et servent tous à l'assemblage (il n'y en a d'ailleurs pas trop); le bord de la laize n'est pas tenu et risque de s'effilocher.

Les coutures.

Réalisée jadis à la main, à petits points, la couture est désormais universellement faite à la machine, au point zig-zag. La taille des points est déterminée par un souci de rentabilité : plus le point est grand, plus la couture est vite faite — et moins elle est solide. De plus, dans la couture à la machine, le fil n'est jamais très serré : lorsque la voile rague, les fils s'usent rapidement. Il faut donc surveiller les coutures et les refaire en temps utile.

Les **laizes** (bandes de tissu qui composent la voile) sont généralement assemblées par deux coutures; trois pour les voiles des gros bateaux.

Les ralingues.

Les ralingues sont les renforts cousus sur les côtés des voiles ayant du biais. Elles empêchent ces côtés de se déformer; en même temps, on peut agir sur elles pour modifier l'importance et la position du creux de la voile. Les ralingues, autrefois, étaient des cordages; ce sont maintenant presque toujours des sangles ou des bandes de tissu cousues droit-fil le long du bord. A ces ralingues, on rajoute soit du câble d'acier (pour le guindant des focs), soit du cordage (pour certaines grand-voiles). Le but du câble d'acier est de maintenir le guindant raide; celui du cordage est uniquement de permettre d'engager la voile dans la gorge du mât.

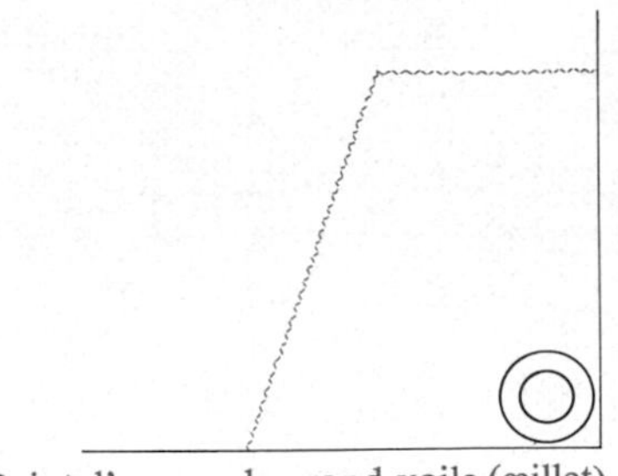

Point d'amure de grand-voile (œillet).

Les œillets.

Il en existe trois sortes : les œillets à dents, les œillets cousus, les pattes à cosse.

Les œillets à dents sont simplement sertis sur la voile. On ne peut les soumettre à de gros efforts, car ils déchirent facilement le tissu.

Les œillets cousus, par contre, peuvent supporter des efforts importants. Les œillets de Cunningham et de ris, notamment, doivent absolument être cousus. Réalisée à la machine, la couture tient modérément, car le fil n'est pas assez tendu. Faite à la main, elle est beaucoup plus solide, mais coûte évidemment plus cher.

Les pattes à cosse, enfin ne sont pratiquement plus utilisées. On les a remplacées par des **triangles** ou des **anneaux** tenus par des sangles sur le bord de la voile. Pattes à cosse, triangles et anneaux sont plus solides que les œillets cousus.

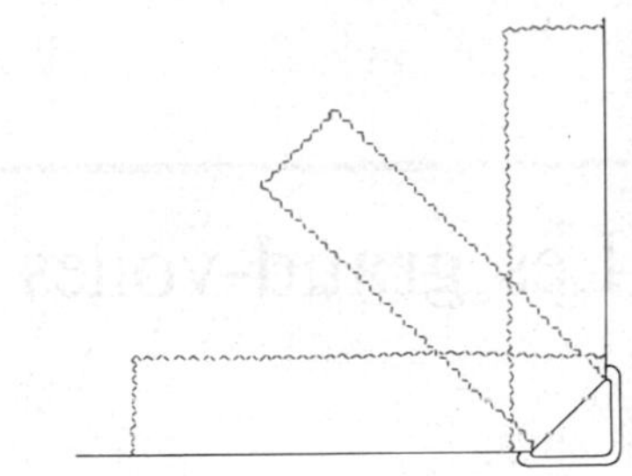

Point d'écoute de foc (triangle).

Les renforts.

Aux endroits où la voile subit les efforts les plus importants, elle doit être renforcée. Pour montrer ce qu'est un renfort, prenons l'exemple d'un point d'écoute de spinnaker.

Admettons que l'effort sur l'œillet du point d'écoute soit de 600 kilos et que 1 cm de tissu soit capable de supporter un effort de 10 kilos. Si la demi-circonférence de l'œillet est de 6 cm, il faut 10 épaisseurs de tissus pour que l'œillet ne soit pas arraché.

Un peu plus loin, à l'endroit où l'on peut faire une couture de 10 cm de long, 6 épaisseurs seulement sont nécessaires pour que l'on ait toujours 60 cm de tissu résistant. A l'endroit où la couture fait 12 cm, on peut coudre sur 5 épaisseurs de tissus et ainsi de suite jusqu'à ce que les deux dernières épaisseurs de tissus soient cousues sur un arc de cercle de 60 cm.

Un renfort ne constitue donc pas une garantie supplémentaire, il est indispensable : la moindre couture de renfort qui se découd doit être refaite immédiatement.

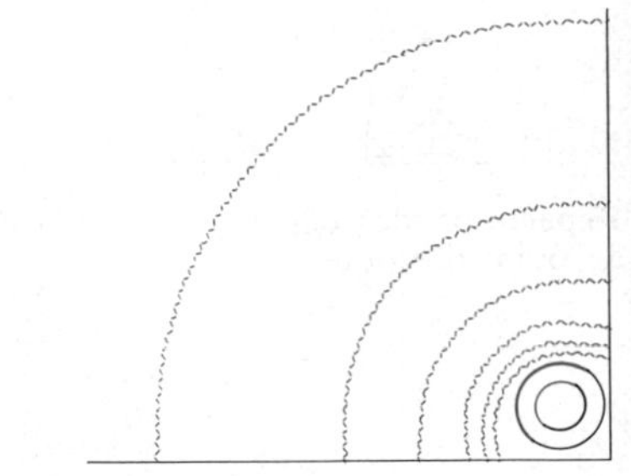

Point d'écoute de spi.

La forme des voiles.

Une voile, comme un corsage, doit :
— avoir une certaine rondeur : une voile plate comme une planche ne saurait défléchir correctement les filets d'air;
— conserver sa forme en dépit des efforts qu'elle subit.

La rondeur (autrement dit : le creux) est obtenue : en « travaillant » les laizes, c'est-à-dire en taillant plus ou moins leurs côtés; en pratiquant des pinces aux bons endroits; en donnant du rond au guindant et à la bordure. Cette rondeur ne doit cependant pas être abusive : la chute ne doit pas refermer, c'est-à-dire qu'elle doit laisser échapper l'air que la voile a dévié.

On donne par ailleurs à la voile une bonne stabilité de forme en disposant les laizes de telle sorte qu'il y ait toujours du droit-fil dans le sens des efforts principaux. Comme nous allons le voir, plusieurs dispositions sont possibles.

Les grand-voiles

Dans la confection d'une grand-voile, deux problèmes principaux sont à résoudre :

Le premier concerne la chute de la voile. Celle-ci, non tenue, ne doit pas être renforcée, afin qu'elle ne referme pas. Or, elle subit des efforts considérables, en particulier au près. Pour qu'elle conserve sa forme, il faut donc la tailler dans le droit-fil du tissu. La disposition des laizes est choisie en fonction de cette nécessité.

Second problème : il faut raccorder la voile, courbe, à des espars droits.

Disposition des laizes.

Les principales dispositions retenues sont les suivantes :

Voile A. C'est la disposition classique : les laizes sont perpendiculaires à la chute (compte non tenu du rond de la voile). Ce sont les fils de trame qui supportent les plus gros efforts. Cette solution est la plus économique et la plus répandue.

Avec ce type de voile, on raccorde généralement la voile à la bôme en faisant des pinces. Toutefois celles-ci, même importantes, ne permettent pas toujours d'obtenir le creux souhaité; il est plus

Répartition des efforts au point d'écoute.

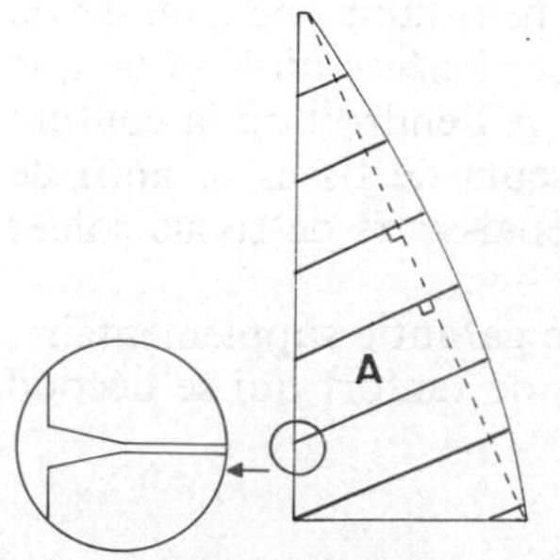

Principe d'assemblage d'une pince.

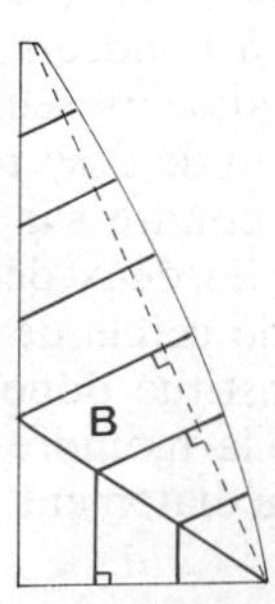

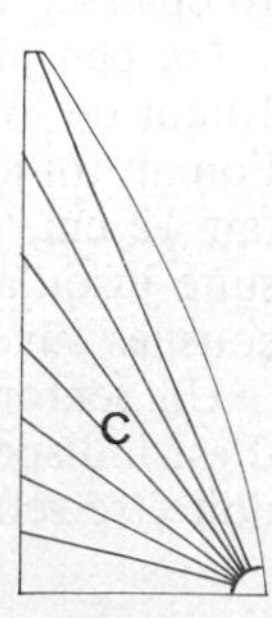

efficace de travailler les laizes du bas, par exemple de tailler les deux dernières laizes en « twist-foot ». Les deux laizes sont cousues ensemble par leur côté arrondi, ce qui donne tout le creux nécessaire.

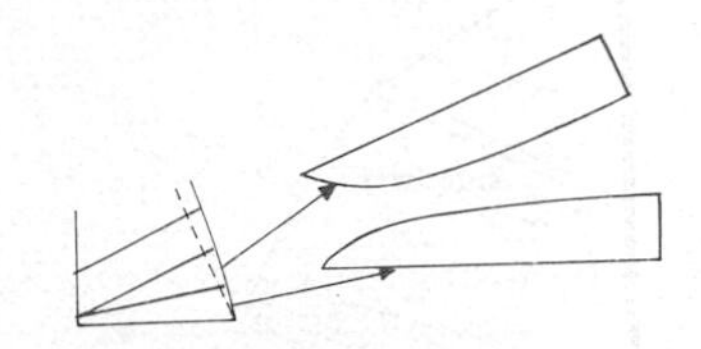
Assemblage en twist-foot.

Voile B. Avec cette disposition on a du droit-fil non seulement sur la chute mais aussi sur la bordure. Le raccordement de la voile à la bôme est bien particulier. Ces voiles sont en fait conçues pour ne pas être tenues le long de la bôme, ce qui permet à l'équipage de régler facilement le creux. Un tissu léger, cousu avec beaucoup de mou, relie la bordure à la bôme, simplement pour éviter que le vent ne s'échappe entre bôme et voile.

Voile C. Ici également, on a du droit-fil sur la bordure. La plupart des efforts se font dans le sens du droit-fil, ce qui assure à ce type de voile une grande stabilité de forme. Inconvénient : ce sont des voiles chères, car la découpe des laizes est ouvrageuse et entraîne de nombreuses chutes de tissus.

Le guindant.

Faire des pinces, « travailler » les laizes ne suffit pas pour assurer à une grand-voile le creux convenable : il faut également donner du rond à son guindant.

Sur une grand-voile destinée à un mât rigide, le rond est réparti sur toute la hauteur du guindant. Important dans le bas, car la voile y est large, le rond est maximum au cinquième de la hauteur. Très atténué dans le haut, il doit cependant y demeurer sensible pour que la voile conserve un minimum de creux lorsqu'on prend des ris.

Sur une grand-voile destinée à un mât souple, il faut ajouter au rond du guindant la valeur du cintrage maximum du mât. La coupe du guindant est assez délicate puisque le mât ne se cintre pas de façon uniforme sur toute sa hauteur :

— Jusqu'à l'étai, le cintrage du mât est régulier. Le rond du guindant est surtout fonction de la largeur de la voile : important dans le bas, il diminue ensuite régulièrement.

— Aux alentours du capelage d'étai, le cintrage est plus marqué : le rond augmente à nouveau.

— Le haut du mât se cintre peu : le rond est très atténué, d'autant plus que le haut de la voile doit être complètement aplati dans le temps frais.

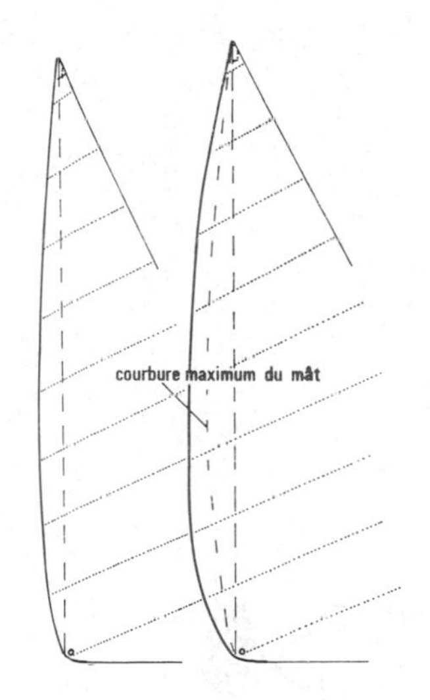

Mât rigide. Mât souple.

La chute.

Pour que la chute ne referme pas, nous l'avons dit, on évite d'y placer des renforts. On y coud tout au plus une bande de tissu, à laquelle on prend soin de donner le maximum de mou.

On utilise des lattes pour soutenir le rond de la chute, c'est-à-dire toute la partie de la voile qui se trouve au-delà du droit-fil reliant le point de drisse au point d'écoute. Ces lattes doivent être très souples

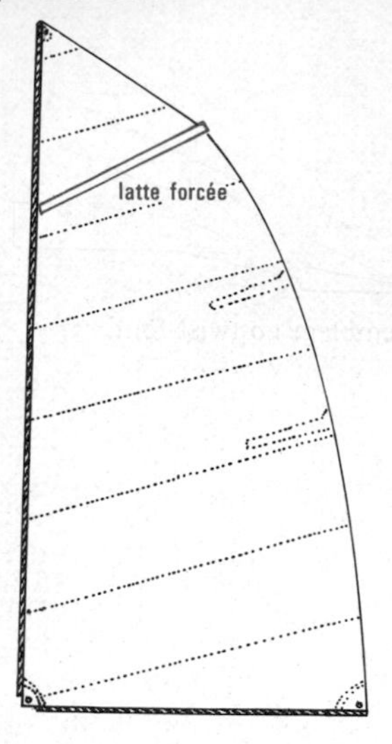

côté mât pour ménager le creux de la voile, et progressivement plus rigides vers la chute.

La latte la plus haute est souvent prolongée jusqu'au mât, sur lequel elle s'appuie; on l'appelle **latte forcée** car elle tend le tissu. Le rond de la chute, et donc la surface de la voile, s'en trouvent nettement augmentés. La latte forcée doit être très souple pour ne pas empêcher la voile de prendre son creux naturel, et le fond de son gousset est renforcé. Rappelons que plus le vent est faible, plus le tissu doit être tendu sur la latte forcée, ainsi la voile peut prendre le creux convenable que le vent est alors incapable de lui donner.

Les lattes sont en bois ou en plastique (nylon ou polyester). En bois, elles sont bon marché, mais fragiles si l'on veut qu'elles soient assez souples, et trop rigides si on les veut résistantes. En nylon, elles coûtent plus cher, mais elles peuvent être à la fois souples et résistantes. Il est possible (avec un fer à repasser) d'en modifier le profil, donc la souplesse.

La bordure et les ris.

La coupe de la bordure est moins délicate que celle du guindant. On lui donne un rond régulier, dont l'importance varie de 1,5 à 10 % de la longueur de la bordure selon les cas. Ce rond détermine en partie la valeur du creux de la voile.

Lorsqu'on réduit la toile, c'est l'une des bandes de ris qui doit servir de bordure. On donne donc du rond aux lignes de garcettes, mais ce rond est plus faible que celui de la bordure normale puisqu'on veut obtenir une voile plus plate. Les deux extrémités des bandes de ris sont renforcées respectivement comme le point d'amure et le point d'écoute de la voile.

Les trois points.

Le point d'amure, subissant peu d'efforts, n'a pas besoin d'être particulièrement renforcé.

Au point d'écoute, l'effort est très important (dirigé parallèlement à la chute). L'œil de la voile doit être pris sur plusieurs épaisseurs de tissu. Lorsque la ralingue coulisse dans la bôme, la toile se déchire facilement entre la ralingue et l'œil : il importe de ligaturer correctement cet œil sur la bôme.

Au point de drisse, lorsque la ralingue coulisse dans la gorge du mât, c'est en premier lieu l'usure entre têtière et ralingue qui est à craindre. C'est un point à surveiller et à faire réparer dès qu'il y a risque de déchirure.

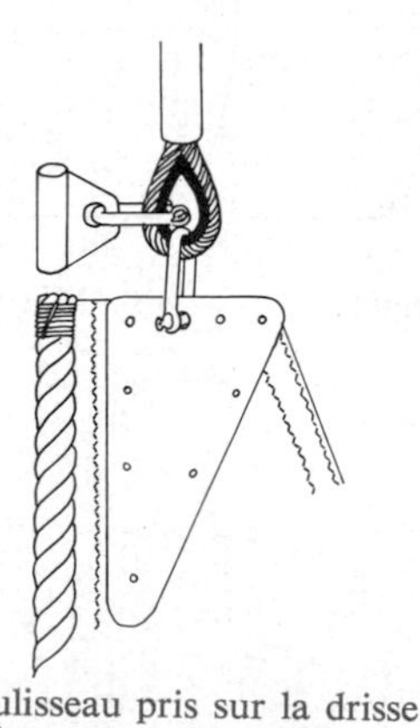

Un coulisseau pris sur la drisse évite l'arrachement de la têtière.

L'effort vertical, important, est absorbé par la têtière. L'effort d'arrachement quant à lui est relativement faible. Quand la ralingue est montée sur coulisseaux, il est tout de même nécessaire que le coulisseau du haut soit particulièrement solide (fixé à l'aide d'une manille par exemple). Quand la ralingue est enfilée dans la gorge du mât on peut placer un coulisseau sur la drisse elle-même.

Focs et trinquettes

Disposition des laizes.

Sur les focs, comme sur les grand-voiles, les laizes peuvent être disposées de différentes façons. Les focs ont deux bords libres, qui doivent tous deux être dans le droit-fil.

Les principales dispositions sont les suivantes :

Voile A. Cette disposition est valable pour les petits focs, à condition que l'angle du point d'écoute soit de l'ordre de 90° et que les laizes soient perpendiculaires à la chute. Cet assemblage donne des focs d'une qualité moyenne.

Voile B. Les laizes sont perpendiculaires à la chute sur la majeure partie de la voile et dans le bas parallèles à la bordure. La résistance à la déformation est ainsi améliorée.

Voiles C et D. Quand la voile est trop grande pour qu'on puisse tolérer un peu de biais sur la bordure, les laizes sont disposées perpendiculairement à la bordure et à la chute et se rejoignent sur la bissectrice de l'angle du point d'écoute. Cette disposition est employée pour les **yankees** (voile D) et la plupart des génois.

Voile E. Les laizes, rayonnant à partir du point d'écoute, ont toujours du droit-fil dans le sens des efforts. Système onéreux à cause du travail et des chutes de tissu.

Le guindant.

Pour que le foc s'adapte bien à son étai, le guindant doit être taillé de façon différente selon qu'il s'agit d'un foc de petit temps ou d'un foc de gros temps.

Tant que l'étai reste rectiligne — donc par petit temps — on a intérêt à établir un foc à guindant rond. Ainsi, la voile a du creux malgré la rectitude de l'étai. Quand l'étai se cintre en revanche — c'est-à-dire quand le vent fraîchit — le rond du guindant devient un défaut, car au creux qu'il produit s'ajoute le creux provoqué par la courbure de l'étai. Il faut alors choisir un foc à guindant rectiligne. Si le vent continue de fraîchir, la courbure de l'étai s'accentue encore; on change de foc à nouveau et cette fois on choisit un foc dont le guindant est échancré.

Certains voiliers adoptent, pour les guindants de génois, une coupe en S qui permet de répartir le creux de la voile au mieux : ils donnent du rond au guindant dans le bas (le génois est très large à cet endroit et demande donc un creux sensible) et l'échancrent dans le haut (où le génois est étroit et doit être relativement plat). Le même résultat peut être obtenu par des pinces plus importantes dans le bas que dans le haut de la voile.

Notons que les pinces sont indispensables sur les voiles de gros temps dont le guindant est échancré. Faute de pinces, en effet, ces voiles seraient absolument plates et donc peu propulsives.

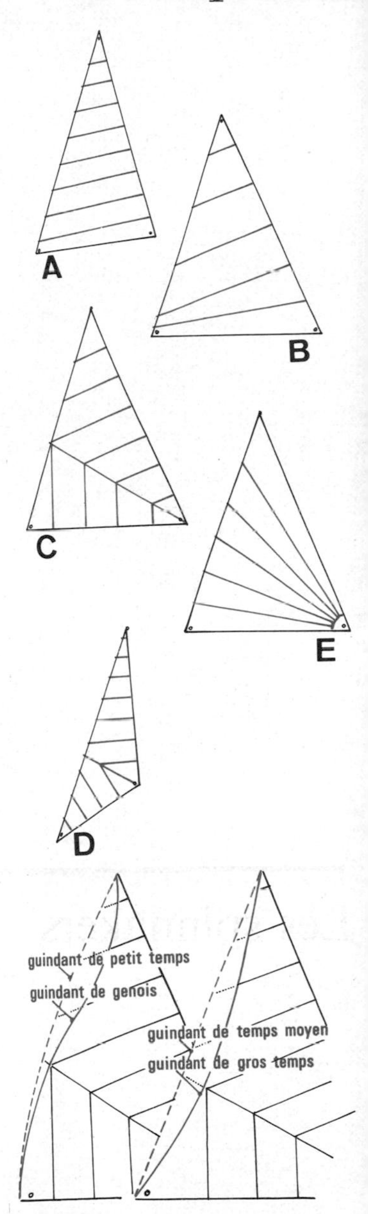

En fonction du temps auquel il est destiné, chaque foc a sa coupe particulière de guindant.

La chute.

On ne renforce pas la chute ; on y coud simplement une bande de tissu, ou on y fait un léger ourlet. Comme il est difficile d'y mettre des lattes, on ne lui donne pas de rond : la chute est droite pour les focs de petit temps, échancrée pour les focs de temps frais.

La bordure.

La bordure des focs est en général droite ou échancrée. Sur les focs de petit temps, on lui donne un peu de rond, voire même beaucoup dans certains cas ; la toile excédentaire forme alors une « bavette » qui repose sur le pont et empêche les échanges d'air entre les deux faces du foc.

Dans le cas d'un yankee, la bordure est traitée comme une chute.

Les trois points.

Le guindant d'un foc doit toujours être bien étarqué ; il faut donc que les deux extrémités de ce guindant soient solides.

Le foc est tendu d'autre part entre son guindant et son point d'écoute. Ce point est l'endroit le plus martyrisé de toute la voilure : non seulement il subit un dur effort, mais il rague contre le gréement et bat fréquemment. Son montage doit donc être particulièrement soigné.

Le point d'amure et le point de drisse subissent moins d'efforts, mais doivent néanmoins être légèrement renforcés. Pour que le foc ait une forme correcte, le premier et le dernier mousqueton doivent être très proches de ces deux points. Plus sollicités que les autres, ces deux mousquetons sont à recoudre souvent.

Les spinnakers

Les tissus.

Tous les spis sont faits en Nylon. Selon leur taille et la force de vent à laquelle ils sont destinés, on choisit un tissu plus ou moins léger. Ainsi les spis de largue sont coupés dans des tissus un peu plus lourds que les spis de vent arrière, pour mieux résister à la déformation.

Poids du tissu	Taille du spi	Force maximum de vent
21 g/m²	toutes tailles	force 1
35 g/m²	10 à 40 m² 40 à 70 m²	force 5 — 3
55 g/m²	40 à 70 m² 70 à 120 m²	force 7 — 4
90 g/m²	60 à 120 m²	force 7

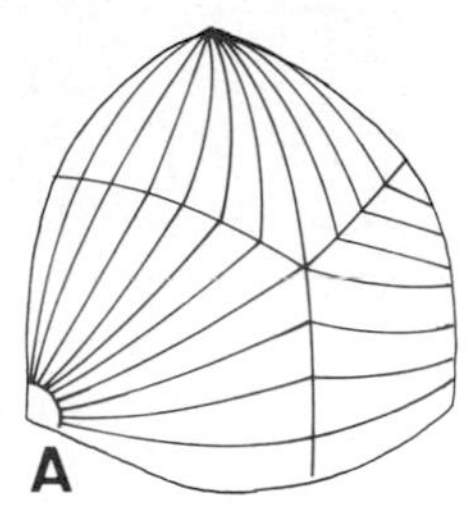

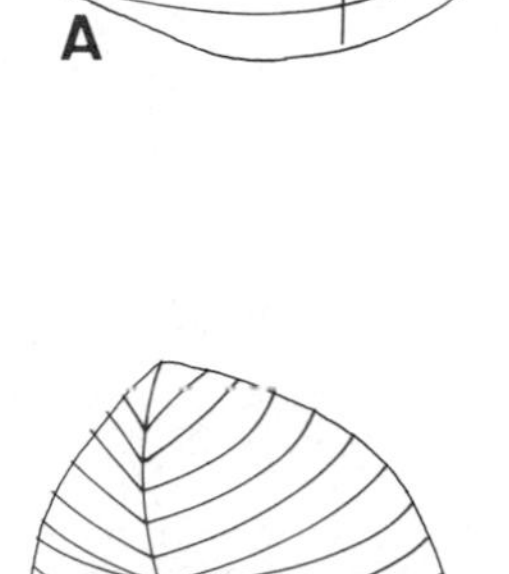

Disposition des laizes.

Les possibilités d'assemblage des laizes de spi sont diverses, il suffit d'assister à un départ de course sous spi pour s'en rendre compte. D'une manière générale, on s'efforce de trouver un assemblage qui, tout en donnant au spi une forme convenable, l'empêche de se déformer, aux chutes en particulier. Les voiliers ont donc tendance à placer le droit-fil sur les deux côtés; certains préfèrent cependant garder du biais sur les chutes pour des raisons de coupe et d'assemblage.

Les assemblages les plus couramment utilisés sont les suivants :

Voile A. Les laizes partent des trois points (assemblage en étoile) : grande résistance à la déformation.

Voile B. Laizes perpendiculaires aux chutes. Ces spis sont en deux parties : les laizes du haut, séparées par une couture médiane, sont travaillées de façon à rester perpendiculaires aux chutes; les laizes du bas sont horizontales.

Voile C. Le droit-fil est au milieu du spi. Le voilier a décidé de tolérer un certain biais sur les chutes dans le haut et dans le bas (les laizes du milieu sont rectangulaires).

Voile D. Solution mixte : système en étoile pour le sommet du spi, laizes horizontales pour le bas.

Toutes ces solutions ont leurs avantages et leurs inconvénients. A l'heure actuelle, toutefois, on a tendance à écarter les modes d'assemblage qui obligent à garder du biais sur les chutes, car la déformation de celles-ci empêche le spi de se vider correctement.

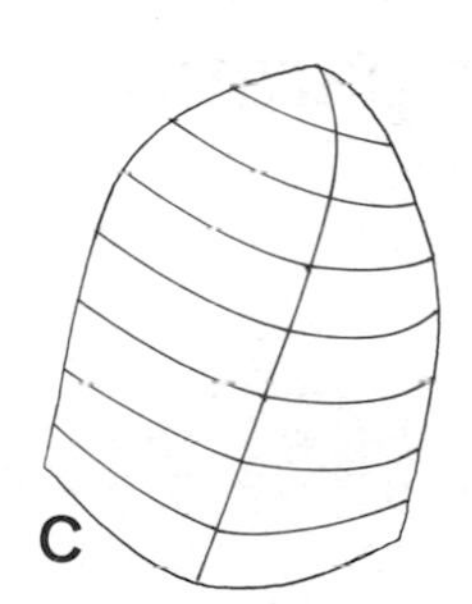

Forme du spi.

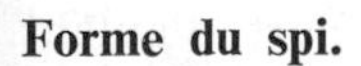

Pour que le spi porte bien, il doit avoir à peu près la forme d'un demi-cylindre, surmonté d'un quart de sphère. Le sommet de la voile doit être pratiquement horizontal. En effet, plus le haut du spi est creux, plus la force ascensionnelle est importante. Cette forme du haut du spi a une grande influence sur la tenue générale de la voile : quand toute la partie moyenne d'un spi n'a pas très bon aspect, cela est dû souvent à un défaut de coupe du sommet.

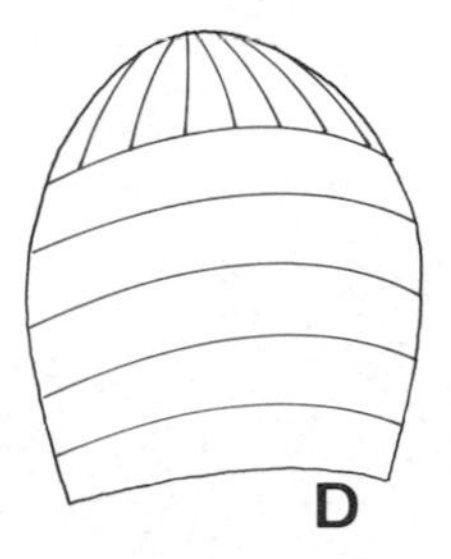

Il en est des spis comme des autres voiles ; on utilise des spis de plus en plus plats au fur et à mesure qu'on navigue plus près du vent, ou que le vent fraîchit. Qualité particulière au spi plat : dans une auloffée, il se vide mieux qu'un spi creux.

Certains spis sont très spécialisés, ils ont un rendement élevé pour une force de vent et une allure bien précises. En croisière, on préfère utiliser des spis-à-tout-faire, dont le rendement est moyen à toutes les allures.

Pourtour du spi.

Les trois points du spi sont très sérieusement renforcés, car tous les efforts s'y concentrent.

Les chutes sont simplement bordées de ralingues en sangle. Pour que la voile ne referme pas, on s'efforce de leur donner une élasticité comparable à celle du tissu.

La bordure, bien qu'elle rague souvent sur le balcon et sur l'étai, ne peut guère être renforcée : elle deviendrait un « point dur » dans une voile qui est souple. C'est donc généralement de ce côté qu'apparaissent les premiers sparadraps.

Entretien et réparations

Usure.

Pour conserver longtemps ses voiles, il faut se livrer à une véritable chasse au ragage.

Le ragage est inévitable aux endroits où les voiles portent naturellement. Ces endroits doivent être aussi lisses que possible, et en tout cas dépourvus d'aspérités. On garnit les haubans de plastique, on enveloppe les goupilles de ruban adhésif, on emmaillotte les barres de flèche ou bien on les munit de disques, boules, cerceaux, etc.

D'autre part, en faisant attention, on parvient à empêcher les voiles de raguer à certains endroits : le foc sur les filières, la grand-voile entre la bôme et les bas-haubans, le point d'écoute du spi sur l'étai...

Enfin, il ne faut pas oublier que, même au mouillage, le bateau bouge. Un foc qui reste endraillé, une voile insuffisamment serrée, une grand-voile prise entre la bôme et son support s'abîment. Il est donc toujours préférable de rentrer les voiles au port, d'autant plus qu'on les soustrait ainsi à l'action des rayons ultra-violets, qui détruisent les fibres.

Séchage et stockage.

Bien qu'elles soient imputrescibles, les voiles en fibres synthétiques doivent être rangées et stockées avec certaines précautions.

Une voile trempée d'eau de mer peut fort bien rester un ou deux jours dans un sac, mais il faut tout de même la faire sécher dès que possible, sinon elle finira par se piqueter de points noirs.

Rincer les voiles à l'eau douce de temps à autre n'est pas superflu ; en effet, lorsqu'une voile imprégnée d'eau de mer sèche, les cristaux de sel restent dans le tissu et agissent comme un abrasif. Le sable a le même effet.

Comment rincer les voiles? En les brassant 5 à 10 minutes dans un baquet. On peut également les rincer à l'eau de mer; ceci peut sembler paradoxal mais il est certain qu'à l'issue d'une navigation par soleil et mer agitée la quantité de sel déposée par les embruns sur la toile est considérable; un rinçage à l'eau de mer en élimine la plus grande partie. Quelle que soit la façon dont on procède, cela s'appelle un « dessalage »...

Comment sécher les voiles? Les solutions sont différentes selon qu'on les fait sécher à terre, au mouillage, ou en mer.

A terre, on peut les suspendre, ou les étaler sur l'herbe (jamais sur du sable, du béton, du goudron, où elles peuvent s'abîmer). Eviter de les exposer inutilement au soleil.

Au mouillage, on peut les hisser point d'amure en haut, mais uniquement par vent nul ou faible : une voile souffre dix fois plus en battant l'air qu'en restant humide dans son sac.

En mer, lorsqu'on a des voiles mouillées dans les soutes (en général des petites voiles de gros temps) on guette le moment où on pourra les établir, soit à leur place, soit en complément, inutile et décoratif, de la voilure au vent portant.

Comment stocker les voiles? Lorsqu'on stocke des voiles pour un certain temps, il faut les entreposer sèches dans un local sain, à l'abri de la lumière et des rats. A tout hasard, signaler aux éléments féminins de son entourage que les voiles n'ont surtout pas besoin d'être repassées ni pliées au carré...

Refaire une couture.

Dès que les premiers points d'une couture commencent à lâcher, il faut s'en occuper ; la réparation est facile tant qu'il s'agit de petites longueurs de couture mais beaucoup plus délicate quand les pièces de tissu ont commencé à jouer.

Selon le poids du tissu, on peut recoudre une voile au point zig-zag avec une machine à coudre de ménage. Cela est généralement possible jusqu'à 300 g/m². Au-delà, il faut recoudre à la main.

A bord, il paraît de toute façon judicieux d'embarquer un équipier adroit plutôt qu'une machine à coudre. Le matériel dont il doit disposer est peu onéreux et d'un encombrement restreint : des aiguilles, du fil de coton et de la cire d'abeille, une paumelle.

On utilise des aiguilles de voilier n° 17 pour les tissus de plus de 300 g/m², n° 18 pour les tissus de 200 à 300 g/m², et pour les tissus plus légers des aiguilles à boyaux (de vélos de course, en vente chez les marchands de cycles).

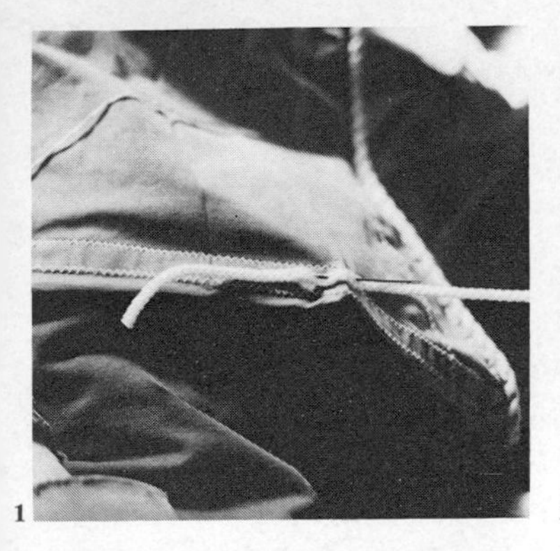
1

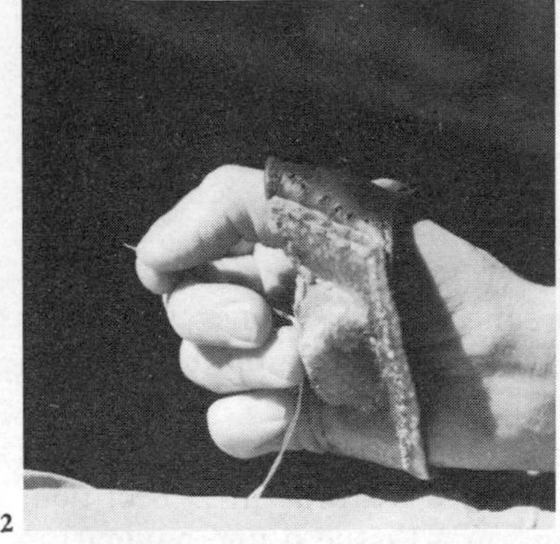
2

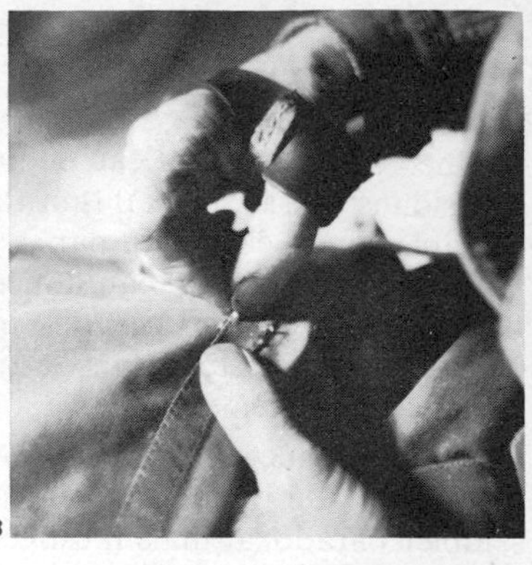
3

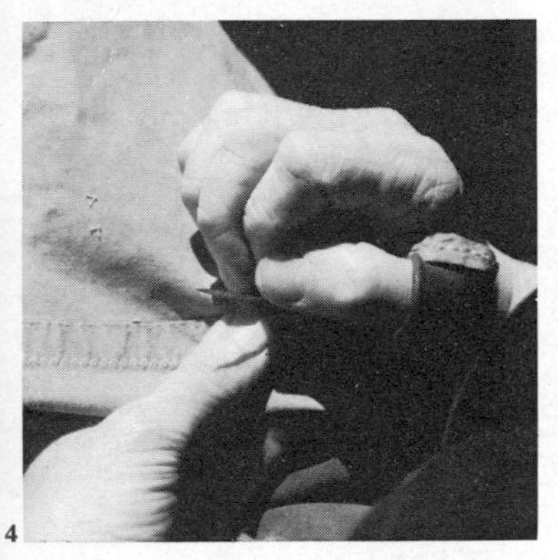
4

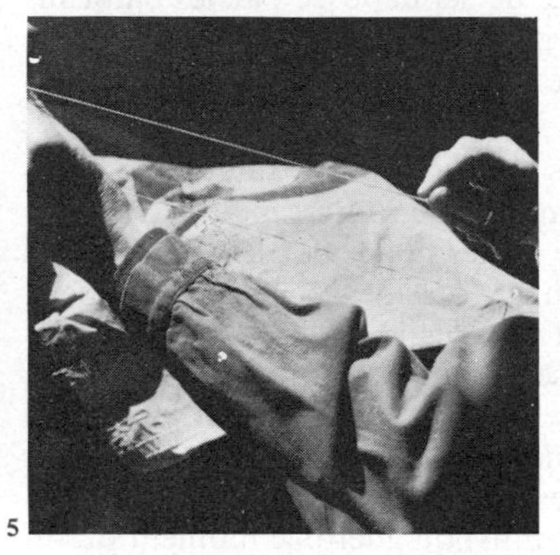
5

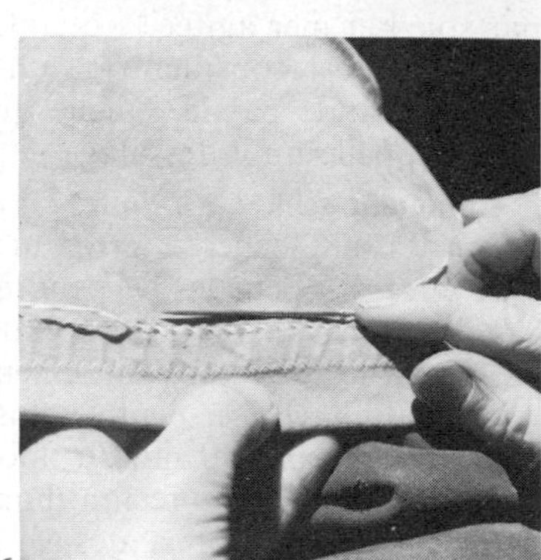
6

1. Pour refaire une couture, on s'assied, et l'on pose la voile en double sur ses genoux. La voile a été amarrée sur un point fixe à droite afin que l'on puisse travailler sur un tissu bien tendu. La couture se fait de droite à gauche, au point de surjet (chaque point doit faire un angle de 30° environ avec le bord du tissu).
2. La **paumelle,** dé du voilier, permet de pousser l'aiguille avec la paume sans se blesser. L'aiguille doit être tenue comme le montre la photo.
3. On pique juste au-dessus de la couture défaite, en traversant l'épaisseur de la voile jusqu'à atteindre la seconde épaisseur (celle que l'on a sur les genoux). On soulève légèrement l'aiguille pour la dégager de cette seconde épaisseur (on doit l'entendre se décrocher, à chaque point).
4. En poussant avec la paumelle on fait ressortir l'aiguille de l'autre côté de la couture.
5. L'aiguille sortie, on tire le fil de la main gauche et on le tend énergiquement. Puis on recommence.
6. Il faut faire une douzaine de points par longueur d'aiguille.
A la première occasion, faire admirer et au besoin corriger son travail par un voilier.

Le fil de coton est plus facile d'emploi que le fil de Tergal et bien assez solide. La cire est utilisée non pour protéger le fil mais simplement pour l'empêcher de faire des nœuds pendant que l'on coud. **On utilise toujours le fil en double, afin de remplir le trou fait par l'aiguille.**

Coller une pièce.

Il est difficile, pour un amateur, de coudre une pièce sur une grosse déchirure comme le ferait un voilier. Par contre, il peut la coller et au besoin renforcer le collage par une couture si la voile doit subir des efforts importants.

En guise de pièce on peut utiliser du sparadrap chirurgical en bande large ou du tissu autocollant. On peut aussi coller du tissu ordinaire avec une colle adéquate.

Dans tous les cas, la pièce ne pourra coller que sur du tissu propre et surtout sec. On peut faire sécher rapidement la surface nécessaire en l'appliquant sur une bouteille remplie d'eau bouillante.

On dispose ensuite la voile bien à plat, les lèvres de la déchirure convenablement rapprochées. On place la pièce dans le même sens que le tissu de la voile, en respectant le droit-fil.

Pour améliorer la tenue de la colle on peut ensuite chauffer la pièce, avec la même bouteille.
Une telle réparation est évidemment provisoire.

Coudre un mousqueton.

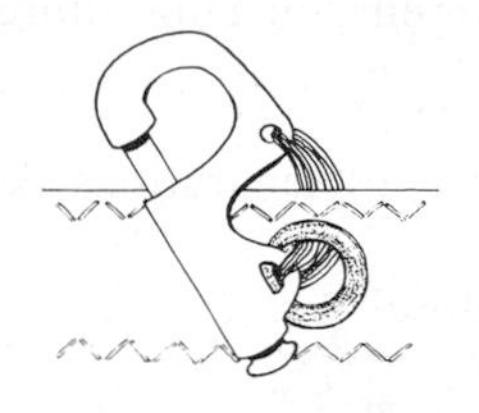

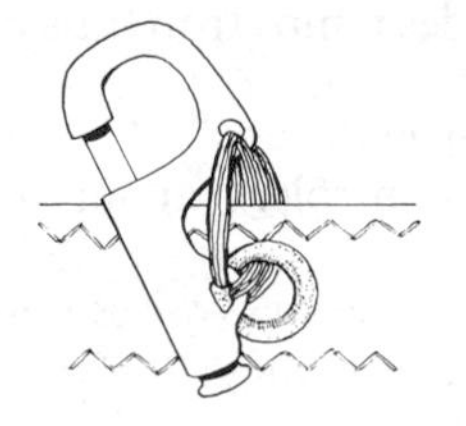

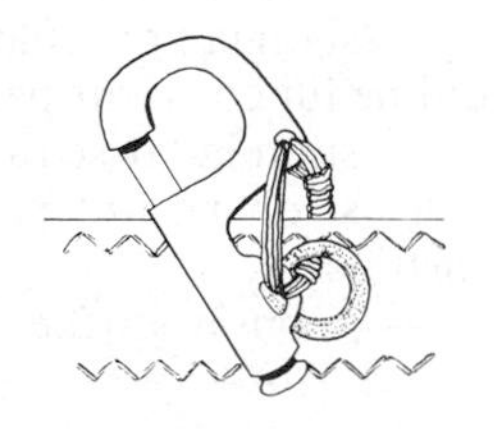

Utiliser du fil de nylon en double. Faire huit passages d'un côté de la ralingue, puis quatre passages de l'autre côté. Fourrer les premiers passages pour qu'ils ne s'usent pas.

Coudre un coulisseau.

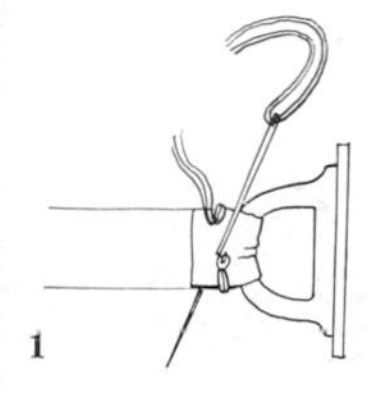

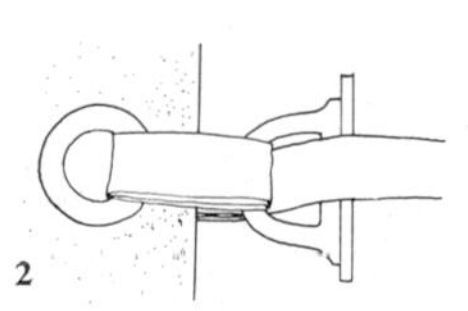

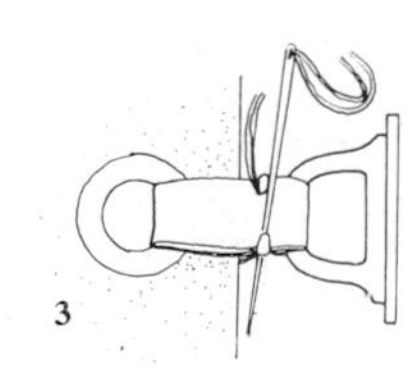

Pour fixer un coulisseau à l'aide d'une sangle :
1. Fixer la sangle sur le coulisseau en faisant une couture à plat.
2. Enrouler la sangle sur l'œil de la voile et le coulisseau (3 ou 4 tours).
3. Terminer par une couture à plat.

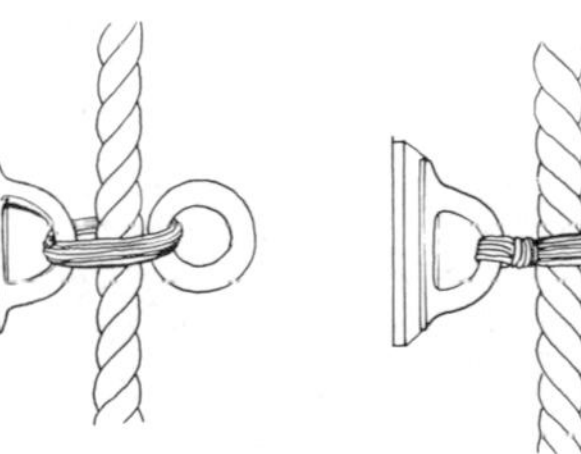

La fixation à l'aide de fil est plus facile à réaliser mais moins solide.

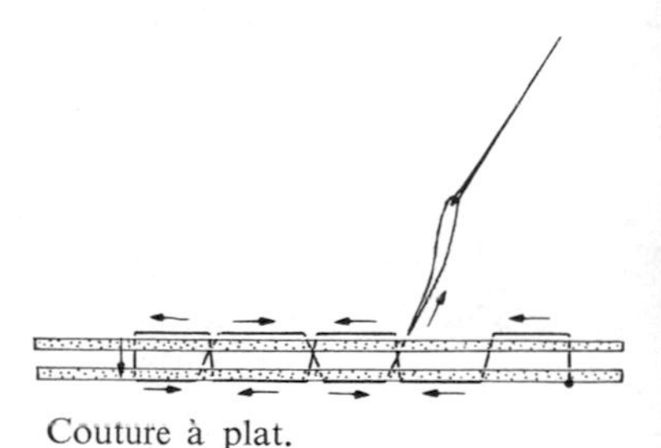

Couture à plat.

Faire une videlle.

La videlle sert à réparer les petits accrocs (de 3 à 4 cm au plus). On coud de droite à gauche, selon le principe suivant : l'aiguille passe par la fente, traverse le tissu et sort à gauche, passe par-dessus la fente, est repiquée à droite et ressort par la fente en passant sous le point précédent. Celui-ci se trouve donc pris sous le fil lorsqu'on tend le point suivant. On commence la videlle un peu avant la fente et on la termine un peu après. On fait 2 ou 3 points au centimètre. La largeur des points doit être de 1 à 1,5 cm environ.

Le taud.

La meilleure des voiles ne sera bientôt plus qu'une mauvaise bâche tout juste bonne à servir de taud :

— si on ne fait pas exécuter à temps les retouches nécessaires pour qu'elle s'adapte parfaitement à son gréement;

— si on l'établit mal;

— si on la porte par des temps trop frais pour elle, ou à une allure qui ne lui convient pas;

— si on la laisse raguer;

— si on ne fait pas contrôler par un voilier les réparations de fortune;

— si on la stocke dans de mauvaises conditions.

5. La coque

Nous avons insisté longuement sur les gréements car c'est un domaine où le plaisancier est conduit constamment à faire des choix, à décider du matériel qui convient à son bateau, à se débrouiller pour mettre ce matériel en place et pour l'entretenir. En ce qui concerne la coque du bateau elle-même, ces interventions sont évidemment plus limitées. Elles sont néanmoins importantes. Pour être un bon chef de bord il n'est sans doute pas nécessaire de savoir exactement comment est faite une coque, mais il importe de connaître ses points faibles, ceux qu'il faut inspecter à l'achat puis surveiller à l'usage. Il est bon également de savoir en assurer l'entretien courant, d'être capable de réaliser soi-même quelques travaux à bord, et même quelques réparations qui ne nécessitent pas la présence d'un spécialiste. Ce chapitre contient sur ce sujet quelques indications élémentaires. Bien entendu, tout le monde sait enfoncer un clou, ou mettre une vis en place. Nous ferons cependant comme si de rien n'était.

Les points faibles d'une coque.

D'une façon générale, quel que soit le matériau utilisé pour la construction de la coque, les liaisons, les renforts et les superstructures sont toujours des points à surveiller. Il faut également prendre garde aux effets galvaniques, fort sournois, qui peuvent venir à bout des chevillages ou de la coque elle-même.

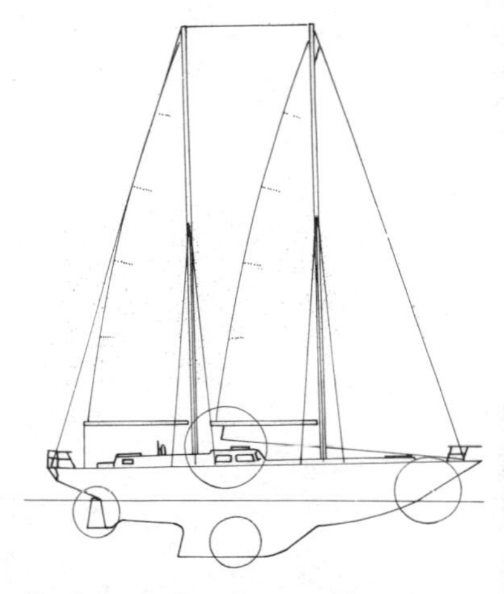
Quelques points à surveiller.

Les liaisons. Les éléments d'une coque sont reliés entre eux par divers procédés : clouage, collage, boulonnage, soudure. Chacun de ces points d'assemblage peut devenir le défaut de la cuirasse ; une seule liaison défaillante met en danger le bateau tout entier.

Les renforts. Les renforts sont disposés aux endroits où la coque subit un effort important : ancrage des cadènes, emplanture du mât, etc. Un renfort correct doit répartir l'effort sur une grande surface, et les points renforcés doivent toujours être en parfait état. Lorsqu'on veut rajouter soi-même un élément d'accastillage qui doit subir des efforts importants, il faut veiller à l'ancrer sur un renfort suffisant. Par exemple, si l'on veut poser sur le pont un taquet, il faut doubler le pont à cet endroit.

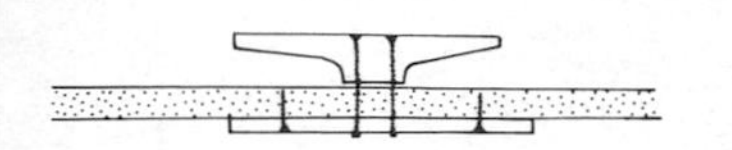

Lorsqu'on rajoute un élément d'accastillage, prévoir un renfort suffisant.

Les superstructures. Il existe des coques très solides dont les superstructures sont d'une faiblesse alarmante. Dans certains cas, la forme du rouf a été prévue pour qu'il puisse servir de solarium plus que pour résister à l'assaut d'un paquet de mer. Dans d'autres cas sa solidité a été partiellement sacrifiée au souci d'économie ou d'allégement des hauts. Nous avons déjà insisté sur la nécessité d'avoir un rouf très solide. Précisons encore qu'il faut s'assurer non seulement de la solidité du rouf lui-même, mais également de la qualité des liaisons qui relient le rouf au pont.

Les effets galvaniques. Entre deux métaux différents, la présence d'un élément conducteur (ici l'eau salée, ou la couche de sel qui se dépose sur les pièces) provoque la formation d'un couple électrolytique. Le métal le moins électropositif des deux cède sa charge positive ; il est peu à peu corrodé.

A bord d'un bateau, certains contacts sont donc à éviter à tout prix : ceux de l'aluminium et de l'acier cadmié ou galvanisé avec des métaux cuivreux (ridoir en bronze sur cadène en galva, par exemple); les pièces en acier ou aluminium n'y résistent pas longtemps. Certains contacts sont tolérables s'il y a interposition d'un isolant : acier inoxydable sur aluminium. D'autres contacts enfin sont admissibles sans protection : aluminium sur acier galvanisé (mais il ne faut pas oublier que la durée du zingage est limitée.)

En pratique, on utilise autant que possible des accessoires en alliage léger sur une pièce en alliage léger; à défaut, on peut employer, en prenant les précautions nécessaires, des pièces en acier inoxydable ou, bien entendu, en matériau non conducteur : nylon, rilsan, céloron, etc.

Lors de réparations ou d'améliorations, il importe de penser aux effets galvaniques possibles. Par exemple, si on pose des cadènes en acier inoxydable sur une coque chevillée en acier galvanisé, il faut isoler les deux métaux par un film plastique, sinon le chevillage sera rongé rapidement au voisinage des cadènes.

Ce genre de protection ne peut toutefois être utilisé sur la carène elle-même ; ici une solution simple et efficace consiste à installer des *anodes consommables*. Ce sont des plaques de zinc que l'on fixe sur la carène; l'effet galvanique s'exerce sur elles et pratiquement nulle part ailleurs. On utilise couramment ce procédé lorsqu'on monte une hélice en bronze sur une coque chevillée en acier galvanisé. Il faut naturellement remplacer les plaques avant qu'elles ne soient complètement rongées.

Types de construction

En décrivant quelques bateaux, au chapitre 2, nous avons donné un aperçu des différents matériaux qui sont actuellement utilisés dans la construction de plaisance : la *Sereine* est de construction classique, en bois massif; le Corsaire et le Mousquetaire sont en contre-plaqué; le Finn, le 470, le Fréhel, le Maraudeur et l'Arpège sont en résines armées (autrement dit en plastique); la Galiote et *Red Rooster* sont en métal. Il existe également des bateaux en béton. Tous ces matériaux ont des avantages et des inconvénients que nous passerons rapidement en revue, mais nous nous attacherons surtout à préciser, pour chacun d'eux, quelles sont les exigences d'entretien et les sujétions liées au choix de tel ou tel type de coque.

Coques en bois massif.

Ce sont les coques traditionnelles. Jusqu'en 1950, à peu près tous les bateaux de plaisance étaient réalisés en bois massif. Il y en a de très beaux qui naviguent encore, mais on n'en construit plus beaucoup.

Coque en bois massif : nombreuses pièces, nombreuses liaisons, nombreux soucis.

Les coques en bois massif sont la plupart du temps en forme. Elles sont généralement faciles à insubmersibiliser, du moins dans les petites tailles. Mais elles sont par ailleurs relativement lourdes, et pas très rigides. La technique utilisée se prête mal à la construction en série; plus exactement, la série ne permet pas d'abaisser les prix de façon importante. De plus, l'entretien de telles coques est très onéreux. Ces dernières raisons expliquent la régression de ce mode de construction face aux techniques nouvelles.

Pour le propriétaire d'un bateau de construction classique, les motifs d'inquiétude ne manquent pas. Ils tiennent, pour la plupart, au fait que le bateau est constitué d'un grand nombre de pièces.

Solidité. Les liaisons sont très nombreuses, et difficiles à surveiller. Elles se dégradent petit à petit quand le bateau « travaille ».

Etanchéité. Elle est difficile à réaliser en raison du grand nombre de joints et de la faible surface de contact des éléments entre eux.

C'est aux **râblures** (joints entre la quille et le bordé) que le **calfatage** (tresse textile assurant l'étanchéité entre deux éléments) lâche le plus facilement. Pour le refaire, il faut avoir recours aux services d'un professionnel. Le plaisancier qui calfate lui-même son bateau risque fort de lui faire plus de mal que de bien.

L'étanchéité du pont, alternativement sec et humide, est particulièrement difficile à réaliser quand ce pont est fait en lattes. Le seul moyen d'y parvenir est d'utiliser des *élastomères*, joints caoutchouteux qui adhèrent aux deux pièces tout en gardant une très grande possibilité d'extension. Même recette pour la liaison pont-rouf et pour le **livet de pont** (liaison pont-coque), qui sont traditionnellement les points où le bateau fait de l'eau.

Longévité. Le bois peut pourrir. En effet, il est impossible de peindre un certain nombre d'endroits, en particulier les points de contact des pièces.

Le bois massif a d'autre part un ennemi juré : le taret. Ce mollusque, commun dans tous les ports de France, s'attaque aux pièces immergées. On ne le voit ni ne l'entend. Pour le tuer, il faut mettre le bateau un mois au sec, ou trois mois à l'eau douce. Cependant, il faut également savoir qu'une coque en bois massif supporte mal de sécher trop. On disait autrefois qu'un bateau devait être à l'eau pour la lune rousse (fin mars); c'est toujours vrai.

Pour avoir une idée de l'état d'une coque de construction classique, on peut faire deux tests. Au sec : piquer avec un couteau à l'intérieur et à l'extérieur, principalement le long des râblures et au livet de pont. A l'eau : souquer le bateau par temps frais; si les liaisons ont pris du jeu, la coque fait de l'eau (mais attention : un bon bateau peut faire de l'eau parce que les hauts sont secs). Une fuite dans les œuvres vives, une infiltration rebelle au calfatage indiquent souvent qu'une liaison est détériorée.

Entretien. Tirer le bateau au sec et le peindre tous les ans; refaire l'étanchéité de temps à autre; faire assécher le bateau régulièrement quand il est à flot : ces exigences, et quelques autres, font que l'entretien de ce genre de bateau est une véritable charge.

Réparations. Il est fort hasardeux d'effectuer des réparations soi-même sur une coque en bois massif. Même les petites réparations doivent être confiées à un professionnel. En cas de gros pépin (abordage sévère ou mauvais échouement), une telle coque est vite désarticulée, donc irréparable.

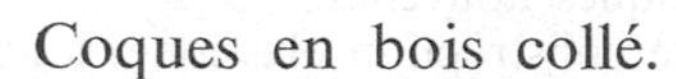

Coques en bois collé.

Coque en bois moulé, en forme.

L'inconvénient du bois massif est d'avoir une moins bonne résistance en travers qu'en longueur. En construction collée, on réalise avec du bois un matériau homogène, résistant dans tous les sens. Il est constitué de planches minces entrecroisées et collées les unes aux autres (5, 7 ou 9 *plis*).

On parle de contre-plaqué lorsque les panneaux utilisés sont fabriqués en usine; de bois moulé lorsque les plis sont collés sur place selon la forme de la coque. Dans les deux cas, le bordé est lui-même collé sur les pièces maîtresses (quille, serres, varangues...) et les aménagements servent de structure.

Le contre-plaqué convient bien à la construction en série : les coques sont à bouchain vif et en général bon marché. Le bois moulé se prête à la construction à l'unité et à la construction amateur. Les coques ainsi réalisées sont en forme. Elles peuvent être d'un prix abordable.

C'est en construction collée que l'on obtient les coques les plus légères et les plus rigides. Elles sont faciles à insubmersibiliser.

Solidité, étanchéité. C'est la colle qui assure tout à la fois la solidité et l'étanchéité. Si le bateau fait de l'eau, c'est grave, car cela indique que les liaisons sont mauvaises, donc que la coque n'est pas solide.

Pour juger de l'état d'une coque collée, il faut inspecter soigneusement les joints : s'ils sont visibles (peinture cassée, ou défaut d'affleurement) on peut dire que le collage est mauvais, même si par ailleurs le bateau ne fait pas d'eau.

Longévité. Le contre-plaqué ne pourrit pas tant que l'eau ne peut pas pénétrer par sa tranche. Mais le bateau vieillit très vite si les baguettes qui doivent protéger cette tranche sont mal collées. Le taret n'attaque que les pièces massives de la coque, il est arrêté par le premier joint de colle.

Entretien. Moins important que celui d'une coque de construction classique, l'entretien d'une coque collée n'est cependant pas négligeable : il faut de temps en temps faire sécher la coque et la repeindre.

Réparations. Certaines petites réparations sont à la portée du plaisancier moyen, comme nous le verrons à la fin de ce chapitre. Pour les réparations importantes et l'entretien général, il faut s'adresser à un chantier équipé pour sécher le bateau et travailler au chaud (sinon les collages ne tiennent pas).

Une coque bien collée peut subir de grosses avaries (bordé défoncé par exemple) et demeurer parfaitement réparable.

Ossature d'une coque en contre-plaqué, à bouchain vif.

Coques en plastique.

La construction en résines armées est la plus répandue actuellement. Sa technique s'apparente à celle du béton armé; le tissu de verre représente la structure en acier et la résine tient lieu de ciment.

Ce matériau ne convient que pour la réalisation de coques en forme, et la construction en série. Les prix, encore assez élevés, semblent devoir baisser.

Il faut noter par ailleurs que le plastique est beaucoup plus inflammable que le bois. Sur les bateaux en plastique, l'essence représente un danger encore plus grand que sur les autres bateaux.

Solidité, étanchéité. Sur la plupart des bateaux en plastique, les problèmes de liaisons sont réduits au minimum, car un seul point faible persiste : le livet de pont. Mais précisément, cette liaison n'est pas toujours bien réalisée et beaucoup de bateaux se désarticulent par là. Un livet de pont détérioré est souvent irréparable, et le bateau est vieux avant l'âge.

Autres points délicats : les superstructures, dont la faiblesse est parfois inquiétante (ponts trop souples, capots et roufs qui plient sous le poids d'un équipier); les points d'accrochage du gréement et les angles. Lorsque la coque est craquelée à ces endroits, c'est sans doute le commencement de la fin.

Tant que le bateau est solide, il est étanche.

Entretien. Les coques en plastique présentent un avantage important : on peut en limiter considérablement l'entretien, sans compromettre autre chose que leur aspect. De telles coques peuvent

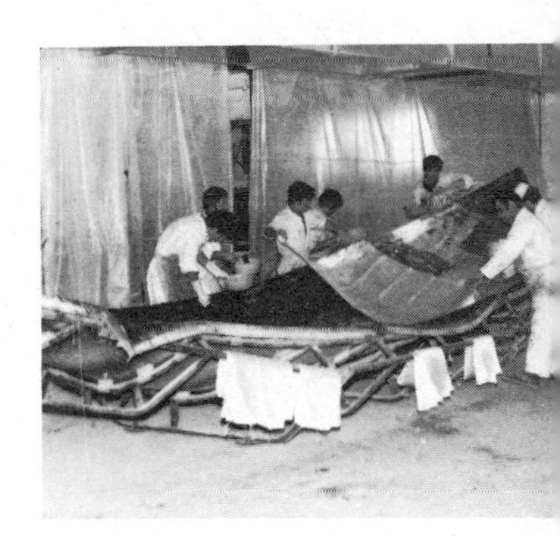

Coque en matière plastique : pose du tissu de verre sur le moule.

rester plusieurs années à l'eau sans que le matériau en souffre.

Si l'on veut conserver une coque de belle allure, il faut cependant la polir régulièrement, et lorsque cela ne suffit pas, la repeindre. Au bout de quelques années, en effet, le revêtement extérieur (le *gel-coat*) est usé. Pour repeindre, on utilise des peintures polyuréthanes, dont les facultés d'accrochage conviennent bien. Cet entretien pourrait d'ailleurs être sensiblement réduit si la coque, du moins la première couche de résine, était de la même couleur que le gel-coat. Malheureusement, c'est rarement le cas.

Réparations. Une bonne coque en plastique est plus solide qu'une coque en bois; elle crève moins facilement. Un plaisancier peut faire lui-même de petites réparations. En 1972, la technique permettant d'effectuer de grosses réparations n'est pas encore au point. Mais les progrès sont rapides.

Coques en acier.

L'emploi de l'acier en construction navale n'est intéressant que pour des bateaux d'une longueur supérieure à 12 m. Au-dessous de cette taille, les coques seraient trop lourdes. Par contre, pour des bateaux de 18 m et plus, c'est une des solutions les moins onéreuses.

Avec l'acier, on réalise aussi bien des coques en forme que des coques à bouchain vif (ces dernières sont meilleur marché). Elles sont difficiles à insubmersibiliser, étant donné leur taille, et la densité de l'acier...

Des problèmes nouveaux apparaissent : à bord d'un bateau en acier, le compas de route doit être soigneusement compensé et régulé; le compas de relèvement est inutilisable, on doit avoir recours aux compas fixes ou aux cercles de gisement. Enfin il n'est pas possible de faire des relèvements gonio à l'intérieur du bateau, car la coque fait cage de Faraday.

Solidité, étanchéité. Une coque en acier est très homogène, les tôles étant soudées entre elles. Elle supporte bien les chocs : la tôle se cabosse mais ne crève pas. L'étanchéité est parfaite.

Longévité, entretien. La rouille est l'ennemi n° 1 des coques en acier, et c'est naturellement dans les endroits les plus inaccessibles qu'elle sévit avec le plus de vigueur. Il faut lui livrer une guerre continuelle : dès qu'elle apparaît on doit la piquer, c'est-à-dire la faire sauter avec un marteau pointu, puis repeindre très soigneusement. Mais ce n'est jamais fini, il faut sans cesse repiquer, repeindre. La coque s'allège dangereusement avec l'âge...

On peut résoudre presque définitivement le problème en procédant au *choupage* (zingage à froid) de la coque. C'est un procédé onéreux.

Signalons enfin l'apparition récente de l'acier Corten, qui possède la même propriété que le cuivre ou l'aluminium : son oxydation superficielle constitue en elle-même un revêtement protecteur.

Réparations. Petites et grosses réparations doivent être confiées à un chantier.

Coques en aluminium.

Coque en aluminium : le pont est posé avant les bordés.

L'aluminium est le plus récent des matériaux utilisés en construction de plaisance. Encore très onéreux, il est peu répandu. Il peut cependant être compétitif pour des coques de 8 à 16 m environ. Les bateaux plus petits seraient trop lourds, les bateaux plus grands hors de prix.

Pour des raisons d'économie, on réalise surtout des coques à bouchain vif. On parvient à les insubmersibiliser lorsqu'elles ne sont pas trop grandes.

L'aluminium ne perturbe pas les compas. Par contre il n'est pas possible d'effectuer des relèvements gonio à l'intérieur du bateau.

Comme les coques en acier, les coques en aluminium sont très solides et parfaitement étanches.

Longévité, entretien. Ici l'oxydation est presque inexistante. Par contre, les effets galvaniques sont un souci constant. La coque peut être dévorée par une peinture contenant des pigments à base de cuivre; elle peut être percée par une simple pièce de 10 centimes séjournant longtemps dans les fonds. Les problèmes sont multiples et inattendus. Il faut même faire attention à ne pas s'amarrer trop longtemps à couple de bateaux dont la carène est peinte au bronze, ou pire, doublée de cuivre.

Mais le gros avantage de l'aluminium est qu'il se passe de tout entretien : son oxydation superficielle (l'alumine) protège parfaitement la coque. Il est même préférable de ne pas la peindre; au moindre accroc dans la peinture, en effet, les effets galvaniques se concentrent sur l'endroit mis à nu, au lieu de se répartir sur l'ensemble de la coque.

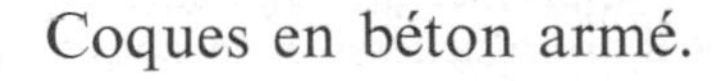

Coques en béton armé.

Coque en béton : mise en place du grillage.

Cette technique de construction est encore peu répandue. Elle a néanmoins déjà fait ses preuves (des voiliers en béton ont bouclé le tour du monde) et quelques pays l'ont adoptée : en Nouvelle-Zélande et en Chine Populaire on construit en série des coques en béton. C'est surtout un mode de construction tout désigné pour un amateur, car le procédé ne nécessite ni moule, ni local, ni outillage onéreux.

Le principe de construction s'apparente à celui d'une coque en plastique : une forte structure en acier représente le tissu de verre, et le ciment tient lieu de résine...

La résistance est excellente; il faut, semble-t-il, des chocs exceptionnels pour créer une voie d'eau. En général, seule la surface s'écaille un peu. La réparation est très simple : après avoir éliminé le ciment cassé en le pulvérisant, on bouche le trou ou la fissure avec du ciment frais. C'est tout. La pose de pièces diverses est tout aussi facile puisqu'on peut boulonner à travers la coque et faire des scellements comme dans une maison.

Si on peint le béton, c'est pour une question d'aspect et non de protection. Une telle coque peut rester sans entretien durant des années.

Compas et gonio posent les mêmes problèmes que dans une coque en acier.

Entretien

La peinture.

Beaucoup de bateaux sont peints. La peinture, tout à la fois protège la coque et lui donne un bel aspect.

Pour protéger efficacement une coque, il faut y appliquer plusieurs couches de peinture, et généralement des peintures de nature différente, ayant chacune une fonction bien précise :

— Une peinture d'impression tout d'abord, qui doit en même temps protéger le support et bien s'y accrocher. Selon le support, chaque fabricant indique la peinture qui convient.

— Une peinture de finition (souvent appelée *émail* ou *laque*), qui a pour principale qualité d'être résistante aux chocs et aux égratignures, à l'air, à l'eau et au soleil.

— Entre ces deux peintures, on passe souvent une couche d'apprêt ou d'enduit dont le but est de masquer les défauts de surface du support. Cet apprêt n'est jamais très solide et n'est utile que si l'on tient à avoir une coque d'aspect parfait.

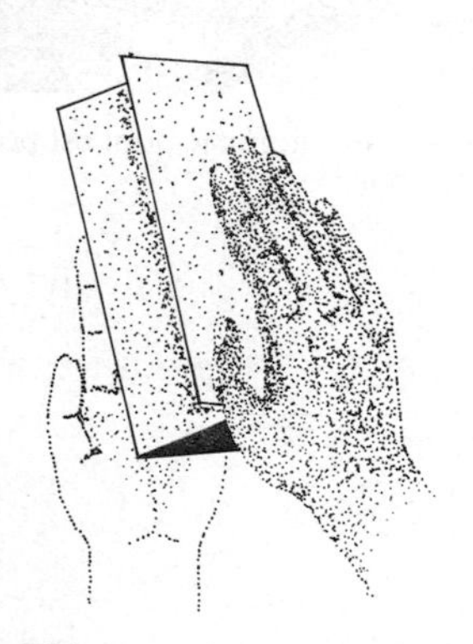

Pour bien poncer, on prend une demi-feuille de papier de verre, que l'on plie en trois. Si on la plie simplement en deux, les deux faces lisses du papier jouent l'une contre l'autre. Si on ne la plie pas du tout, la main n'a pas de prise.

Comment repeindre une coque.

Tout le secret réside dans la préparation de la surface. Ce travail prend les trois-quarts du temps total de l'opération. Il réclame une bonne dose de patience et beaucoup de soin.

Pour que la peinture tienne, il faut l'appliquer sur une surface propre et dépolie, ce qui conduit tout d'abord à lessiver la coque pour éliminer la saleté et la graisse, puis à poncer pour dépolir et égaliser la surface. Il s'agit d'éliminer la couche superficielle de peinture abîmée et de « satiner » la peinture solide qui est dessous. Si le ponçage est bien fait, l'eau ne perle plus sur la surface mais la mouille.

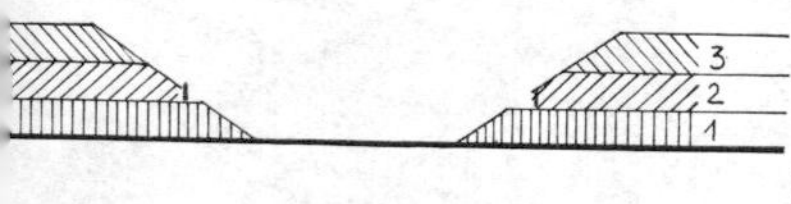

Ces deux premières opérations : lessiver et poncer, peuvent se faire en même temps. On utilise alors du papier abrasif à l'eau et de l'eau chargée de lessive. Pour les surfaces rugueuses, ou les endroits peu accessibles, on peut lessiver et poncer à la brosse avec une poudre à récurer moussante.

Tout au long du ponçage, on a le temps d'apprécier la qualité de la peinture existante. C'est la meilleure des sous-couches si elle tient bien. Malheureusement ce n'est pas toujours le cas. On voit que l'adhérence d'une couche est imparfaite quand, en ponçant un endroit abîmé, on distingue nettement sa limite. Il faut éliminer tout ce qui ne tient pas.

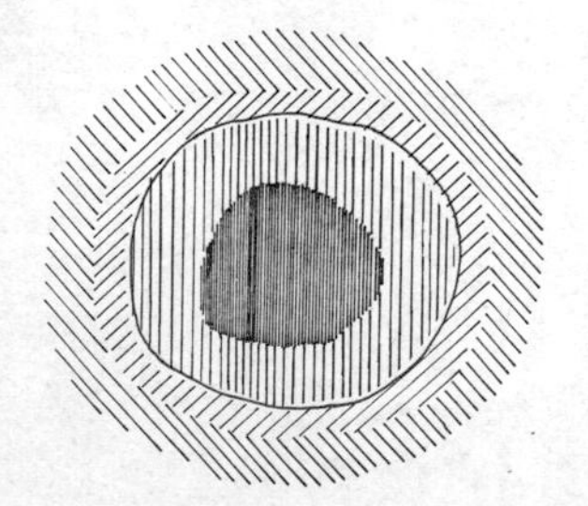

La limite entre les couches 1 et 2 apparaît nettement : cela signifie que la seconde tient mal sur la première.

Si les couches successives forment un revêtement trop épais (plus de 2 mm) il peut être nécessaire de mettre la coque à nu, en enlevant la peinture au chalumeau ou à l'aide d'un décapant chimique. Il faut ensuite lessiver la coque avec un soin tout particulier.

Après ponçage et lessivage, il faut rincer à l'eau douce. Un simple arrosage ne suffit pas, il faut en même temps frotter énergiquement à l'éponge. Lorsque la coque est sèche, on doit pouvoir passer les doigts dessus sans relever la moindre trace de poussière.

Le plus dur est fait, il ne reste plus qu'à peindre.

Si on a mis la coque à nu, on reconstitue le film protecteur couche après couche. Il faut attendre le séchage complet d'une couche avant d'en appliquer une autre. Si l'on passe plusieurs couches d'émail, chaque couche, une fois sèche, doit être poncée légèrement pour que la couche suivante puisse y adhérer (on ponce également les couches d'apprêt, dans le but d'obtenir une surface bien régulière; la couche de peinture d'impression ne se ponce pas).

Lorsque la coque n'a pas été complètement mise à nu, on commence par faire les retouches : aux endroits où la peinture a été totalement ou partiellement enlevée, on remet l'une après l'autre les couches manquantes. Ici aussi, après chaque couche (sauf la couche d'impression) il faut poncer légèrement pour que la couche suivante puisse adhérer. Les couches doivent être minces et régulières et de la même couleur que le reste de la coque. Pour terminer, on applique une couche générale de finition.

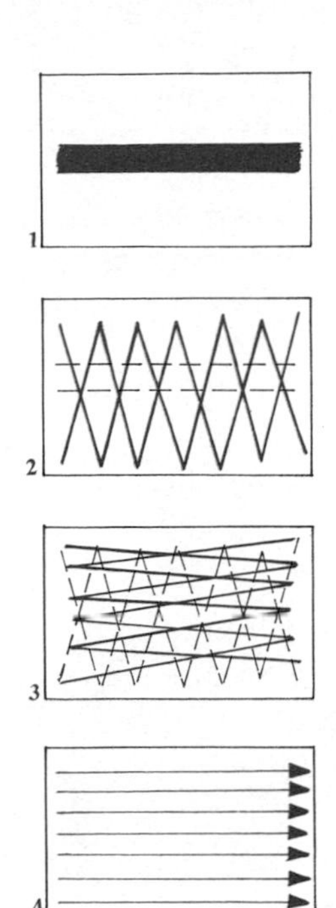

Manière de peindre : **1.** Déposer la peinture au milieu de la surface que l'on va couvrir. **2.** Etaler dans un sens. **3.** Puis dans l'autre. **4.** Lisser, en ne passant le pinceau que dans un sens, vers la partie déjà peinte.

Les peintures à employer.

Il existe plusieurs familles de peinture. Il faut toujours utiliser la même, et si possible toujours de la même marque. Les peintures les plus employées pour les bateaux de plaisance sont :

Les glycérophtaliques. Elles sont faciles à appliquer, mais pas très solides. On peut les utiliser par des temps très variés (de 5 à 25° C), même avec une humidité relative importante (jusqu'à 90 %). Le support doit être sec et il faut éviter de peindre au soleil. Il existe des glycéro que l'on peut appliquer sous la pluie.

Les alkiduréthanes. Ce sont des peintures de solidité moyenne. Il faut éviter de peindre par temps trop froid, ou trop humide (moins de 10° C, plus de 70 % d'humidité relative). Le support doit être bien sec.

Les polyuréthanes (peintures à deux composants qu'il faut mélanger avant l'emploi). Ce sont les plus solides, mais elles sont difficiles à utiliser. La température doit être élevée (18 à 25° C), l'humidité relative inférieure à 60 %. Le support doit être particulièrement sec et parfaitement dégraissé.

Ces dernières peintures présentent quelques particularités. Sur du bois, la même peinture peut être utilisée pour la couche d'impression (en la diluant), pour les couches intermédiaires et pour la couche de finition. D'autre part, il n'est pas nécessaire d'attendre le séchage complet d'une couche avant d'en appliquer une autre; dès que le doigt n'adhère plus sur la première couche (la peinture colle encore un peu mais ne tient plus au doigt) on peut appliquer la seconde : cela évite d'avoir à poncer. Enfin, il faut noter que ces peintures ne tiennent pas du tout sur une peinture d'une autre famille.

Peintures particulières.

Peinture anti-dérapante. On trouve dans le commerce des peintures contenant des abrasifs. On peut aussi les fabriquer soi-même (comme on le fait aux Glénans) en procédant ainsi :
— appliquer une couche assez épaisse de polyuréthane;
— immédiatement après, saupoudrer de sable assez fin et propre;
— quand la peinture est dure, balayer l'excédent de sable, sans trop insister;
— passer encore une ou deux couches de polyuréthane.

Vernis. Très esthétiques mais peu solides, les vernis sont un souci constant. A la moindre craquelure du vernis, le bois noircit et c'est trop tard pour revernir. Contrairement à une vieille peinture qu'on peut se contenter de poncer, un vieux vernis doit être complètement décapé. Lorsqu'il n'est pas trop abîmé, il faut tout de même en enlever la plus grande partie par ponçage.

Pour être efficacement protégé, le bois doit recevoir cinq à sept couches de vernis par an. C'est un gros travail. Certains propriétaires (beaucoup d'Anglais notamment) poncent et vernissent en permanence : ils ont toujours du papier de verre et un pot de vernis à la main. Dès que les circonstances atmosphériques le permettent, ils se penchent sur un bout de liston, une main courante... Ainsi leurs vernis sont toujours impeccables.

Peintures de carène.

Les bronzes. On appelle ainsi toutes les peintures de carène composées de poudre de cuivre en suspension dans du vernis. La plupart des bronzes sont glycérophtaliques; ils s'appliquent donc dans les mêmes conditions que les peintures de cette famille.

Le principe d'action des bronzes est simple : leur couche superficielle s'oxyde, et comme l'oxyde de cuivre est toxique il empêche pendant un certain temps la végétation de se fixer à la coque. A chaque carénage il faut poncer la carène avec un abrasif très fin (400 à 600), pour raviver cette action. Quand la carène a reçu au total 10 à 15 couches de bronze, ce n'est plus la peine d'en repasser : la carapace est si épaisse qu'on peut considérer que la coque est doublée de cuivre.

Les anti-foulings. Ces peintures sont beaucoup plus toxiques que les bronzes mais généralement moins solides. Beaucoup d'entre elles ne supportent pas d'être à l'air. On les applique donc juste avant la mise à l'eau du bateau.

Aux Glénans, lorsqu'une carène a reçu plus d'une dizaine de couches de bronze on y passe une couche d'anti-fouling. Cela permet de caréner moins souvent.

Précautions particulières. Sur les carènes des coques pointées galva, il faut veiller à bien mastiquer les têtes de pointes, sinon elles sont rongées par les peintures à base de cuivre.

Rappelons que sur les coques en aluminium, il ne faut appliquer que des peintures prévues pour l'aluminium, ou mieux rien du tout.

La galvanisation.

Dès qu'un soupçon de rouille apparaît sur une pièce en acier, on peut la faire re-galvaniser, mais pas n'importe comment. Il existe trois procédés de galvanisation.

La galvanisation à chaud (ou au bain). On trempe la pièce dans un bain de zinc en fusion. La protection est excellente.

Le choupage. On projette du zinc sur la pièce à protéger. Cette solution est la seule possible pour les très grandes pièces, les coques notamment. Elle est souvent employée pour des pièces plus petites, ce qui est dommage car la protection est un peu moins bonne que par galvanisation au bain.

La galvanisation électrolytique est très insuffisante. Elle est à proscrire, sauf pour les vis, qui ne peuvent être protégées autrement.

Travaux courants

Assurer l'étanchéité.

Il faut souvent dépenser beaucoup d'énergie pour rendre un bateau étanche ou pour lui conserver son étanchéité. Cela doit être un des soucis majeurs du chef de bord.

Selon qu'il s'agit de la coque ou du pont, des capots ou des entrées, les moyens à mettre en œuvre sont différents.

Joints fixes.

Pour étancher les endroits normalement fermés (râblures, livet de pont, cadènes, liaison pont-rouf, certains hublots), les élastomères sont particulièrement efficaces, car ils tiennent même lorsqu'il y a un certain jeu entre les pièces. On les applique à l'endroit à étancher ; ils s'y transforment en un joint caoutchouteux, soit par le simple effet de l'humidité de l'air, soit par l'addition d'un catalyseur.

Les joints doivent être assez larges pour que l'élastomère n'ait pas à subir des déformations supérieures à 100 %. Par conséquent, il ne faut absolument pas que l'élastomère colle près du point de jonction des deux pièces car, si ces pièces s'écartent, l'allongement à cet endroit devient énorme et le caoutchouc se déchire. On évite l'adhérence de l'élastomère sur ces points de jonction en les recouvrant d'une bande de papier. On peut aussi utiliser d'autres matériaux, du fil de coton assez fort par exemple.

Les élastomères doivent en général être apposés sur une surface préparée. Il faut souvent passer un *primaire* à l'endroit où l'on va placer le joint pour que celui-ci puisse adhérer. Il faut, dans tous les cas, suivre à la lettre les indications du fabricant.

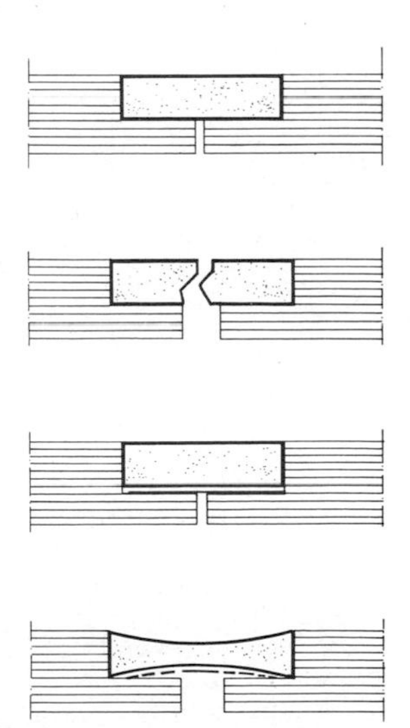

Posé directement au fond du joint à étancher, l'élastomère craque quand le joint joue. Isolé du fond, il s'étire sans dommage.

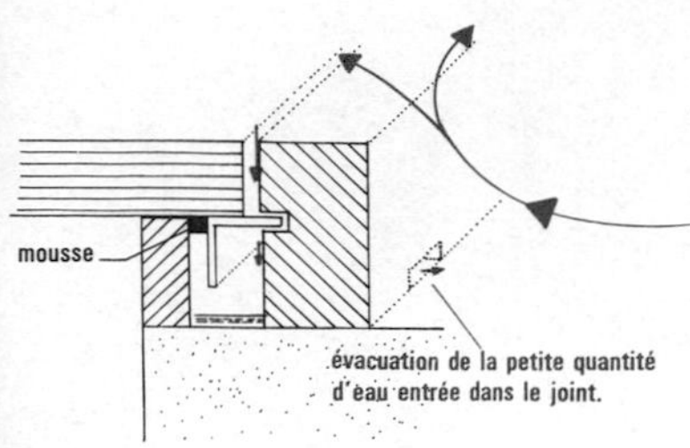

Etanchéité d'un capot coulissant.

Joints mobiles.

Le problème est très différent lorsqu'il s'agit de rendre étanches des hublots ouvrants. Pour ceux-ci, l'étanchéité peut être obtenue à l'aide d'un joint de caoutchouc que l'on comprime. Pour les ouvertures principales (capots), la seule solution est d'établir un certain nombre de barrages : le premier brise l'élan de l'eau (en particulier de celle qui court sur le pont); le second limite l'entrée d'eau; le troisième est un vase d'expansion où l'eau qui est entrée perd toute son énergie avant d'être drainée vers l'extérieur; le quatrième, enfin, est un petit joint de mousse qui retient les gouttes.

Trous béants.

L'eau peut enfin pénétrer tout simplement par les entrées, par exemple par le capot principal lorsqu'il est ouvert. Il est désagréable que cette eau s'écoule dans une couchette, ou dégouline sur la table à cartes. Le principe est alors de canaliser l'eau directement vers les fonds, en créant des barrages, déflecteurs, gouttières, etc.

Fixer des accessoires.

Moyens de fixation.

La pointe. Destinée exclusivement à fixer une pièce sur du bois, la pointe est en acier galvanisé, en acier inoxydable ou en cuivre.

Pour la planter sans la tordre, il faut un marteau parfaitement propre. Celui qu'on vous tend dans les foires en vous disant : « Si vous enfoncez la pointe en trois coups, vous gagnez la bouteille », celui-là est toujours graissé. La pointe se tord à tout coup, le forain empoche votre argent et garde sa bouteille.

Il faut donc commencer par nettoyer son marteau. Ensuite, bien choisir la taille de la pointe : trop faible, ça ne tient pas, trop fort le bois se fend.

Pour éviter de fendre le bois, il suffit de prendre les précautions suivantes :

— choisir une pointe dont la longueur est égale à quatre fois (au maximum) l'épaisseur de la pièce à clouer;

— ne pas pointer trop près du bord, ni surtout trop près du bout;

— toujours pointer une pièce mince sur une pièce épaisse, et non l'inverse;

— émousser au besoin le bout de la pointe.

Le problème du pointage se corse quand on a à planter une grosse pointe. Le marteau du bord est souvent trop léger pour faire du bon travail; mieux vaut percer un avant-trou (d'autant qu'ainsi la pointe tient mieux et ne fend pas le bois). Cet avant-trou doit avoir un diamètre égal aux trois-quarts de celui de la pointe. Pour le percer, on utilise une pointe de taille inférieure à celle qu'on veut planter. On lui coupe la tête, on la place dans la chignole et on s'en sert comme d'une mèche. Les résultats sont excellents et le fait que l'avant-trou soit un peu trop court est sans importance. L'assemblage tient évidemment mieux si en même temps les deux pièces sont collées.

La vis à bois. La vis s'utilise essentiellement pour mettre en place des pièces que l'on souhaite pouvoir démonter, ou pour fixer sur du bois une pièce en métal ou en plastique.

Une vis peut être en acier inoxydable, en acier galvanisé ou cadmié, en laiton (ce dernier métal est à éviter à l'extérieur, car il s'y désintègre totalement, peu à peu). Dans tous les cas, en choisissant des vis, il faut penser aux effets galvaniques éventuels.

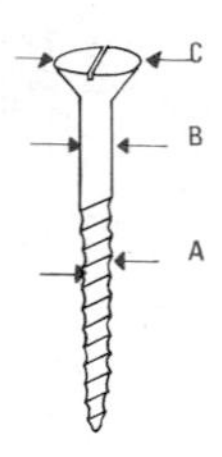

A. Ame de la vis.
B. Tige ou diamètre nominal.
C. Tête = diamètre nominal × 2.

Dans la mesure du possible, il faut prendre des vis d'une longueur telle que toute leur partie filetée soit prise dans la pièce où l'on visse.

Pour visser un élément d'accastillage :

— présenter la pièce sur l'emplacement choisi;

— à travers l'un des trous de la pièce, faire une amorce de trou sur le support, à l'aide d'un foret ayant le même diamètre que le trou de passage de la vis;

— avec un foret du même diamètre que l'âme de la vis, percer ensuite un avant-trou, aussi profond que la longueur de pénétration de la vis;

— visser la pièce; marquer les autres trous et procéder de la même façon pour les autres vis.

Dans du bois tendre, on peut faire les avant-trous avec une pointe ordinaire. En tout cas, même dans du bois tendre, il ne faut pas visser sans avant-trou, sinon la vis est déviée par les veines dures du bois.

Enfin, ne pas oublier de suiffer les vis avant de les mettre en place (faute de suif, la margarine du coq fait l'affaire).

La cheville en néoprène (Rawl Nut). Cette cheville est d'une excellente tenue dans tous les matériaux. Elle comporte un pas de vis à son extrémité. Lorsqu'on y serre une vis, la cheville se rétracte et gonfle. Si la pièce dans laquelle on visse est mince, la cheville s'épanouit par derrière; si la pièce est épaisse, la cheville se coince dans le trou jusqu'à s'y bloquer complètement. Elle a une tenue comparable à celle d'un boulon.

C'est le moyen le plus économique et le plus sûr (lorsqu'on ne peut pas mettre de contre-plaque) pour fixer quelque chose dans du plastique. Le trou percé étant nécessairement assez gros, l'effort se trouve réparti sur une surface importante.

Lorsqu'on l'utilise dans du métal, il importe de bien ébarber le trou, même sur sa face postérieure, pour que la cheville ne s'y coupe pas.

Dans le bois enfin, la cheville en néoprène présente un gros avantage : elle permet de réutiliser un trou détérioré, dans lequel on ne pourrait plus mettre une vis à bois. Elle permet également de fixer des petits accessoires dans du contre-plaqué sans qu'il soit nécessaire d'y mettre un renfort.

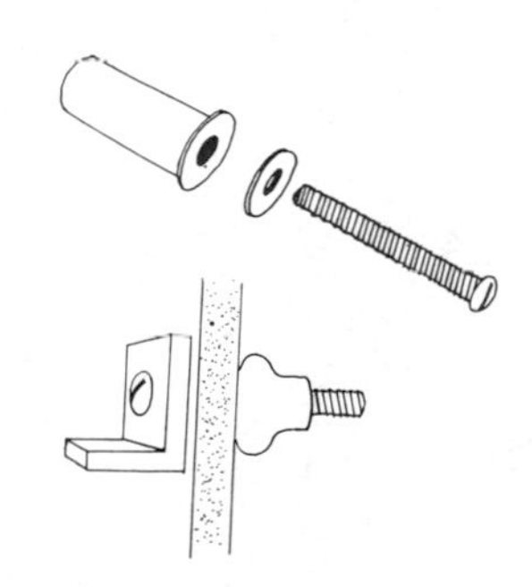

D'une excellente tenue, la cheville en néoprène assure aussi l'étanchéité du trou dans lequel on la place.

Seul inconvénient : la fixation réalisée avec une cheville en néoprène a une certaine souplesse.

Le rivet. Il existe de très nombreuses sortes de rivets, mais leur emploi est pratiquement réservé aux professionnels. En fait un seul rivetage est à la portée du plaisancier moyen : le rivetage par pointe retournée, utilisé comme nous le verrons pour réparer les coques en contre-plaqué.

La colle. La colle est un excellent moyen de fixation. Sa résistance dépasse souvent celle du matériau (du bois en particulier) : si l'on tente de séparer deux morceaux de bois bien collés, le bois casse mais le joint résiste.

Mais avec ce procédé, seules les surfaces sont solidaires l'une de l'autre. Quand les matériaux sont relativement peu résistants (le contre-plaqué, par exemple, n'a guère de résistance dans le sens de l'épaisseur), il faut compléter l'action de la colle par des pointes, des rivets ou autres.

On trouve dans le commerce une quantité ahurissante de colles. Il en existe pratiquement pour tous les matériaux : presque tous en effet sont collables. Malheureusement, au nombre des incollables se trouvent les plastiques dont on fait les coques.

Chaque colle a son mode d'emploi, et il est sage de s'y référer. D'une manière générale :

— les colles supportent mal l'humidité (celle du matériau ou celle de l'atmosphère);

— elles prennent mal ou pas du tout quand il fait froid : la plupart d'entre elles sont prévues pour une utilisation entre 18 et 25°;

— plus la couche est mince, (1/10 de mm est déjà une couche épaisse), mieux la colle tient; il est donc primordial de coller des pièces s'ajustant aussi bien que possible et ensuite de les serrer fortement.

Beaucoup de colles ont deux composants : la colle proprement dite et un durcisseur qui la fait polymériser. Il faut absolument immobiliser les deux pièces à coller avant le début et pendant toute la durée de la polymérisation, sinon la colle ne tient pas.

Taquets.

A bord d'un bateau, les taquets sont généralement trop peu nombreux, souvent mal placés, quelquefois mal fixés. Il faut savoir les revisser, les déplacer, en rajouter.

Un taquet doit évidemment être fixé sur un endroit solide (et être solide lui-même). Pour qu'il tienne bien, l'idéal est de pouvoir tout à la fois le boulonner et le coller; on lui assure ainsi une immobilité parfaite. Quand on ne peut pas le boulonner, on le visse, mais cette fois le collage est indispensable, sinon les vis prennent du jeu et le taquet finit toujours par s'arracher.

La meilleure des fixations ne tient pas longtemps si le taquet est mal orienté. Il importe de toujours placer la longueur du taquet dans le sens de la traction. On peut l'incliner à la rigueur d'une dizaine de degrés par rapport à cette direction (cela facilite le tournage), mais il ne faut pas aller plus loin.

Notons encore qu'un taquet doit être parfaitement lisse, afin de ne pas user les manœuvres. Un simple coup de lime, ou de papier de verre, peut permettre parfois de substantielles économies de cordage.

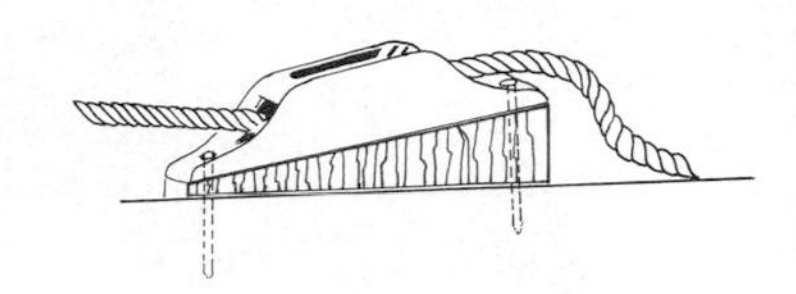

Bonne installation d'un clamcleat : le cordage peut « tomber » à la sortie du conduit.

Taquets coinceurs et taquets clamcleats se posent facilement; leur embase est même suffisamment large pour qu'on n'ait pas à les coller. En ce qui concerne les clamcleats, il importe surtout de bien choisir l'endroit où les fixer. Pour qu'un clamcleat bloque correctement une manœuvre, il faut que celle-ci puisse amorcer un mouvement vers le bas à la sortie du conduit; selon l'endroit où on l'installe, on doit donc parfois placer le clamcleat sur une cale afin de le surélever. Il importe également de le placer de telle façon qu'il ne risque pas de recoincer la manœuvre quand on la file.

Cabestans.

Un cabestan subit de gros efforts; il doit donc être solidement boulonné sur un support robuste. Il faut surtout bien l'orienter : dans tous les cas, la manœuvre à enrouler sur le cabestan doit se présenter perpendiculairement à l'axe de la poupée, ou mieux, sous un angle légèrement supérieur à 90°. Sinon, les tours se chevauchent sur le cabestan (on dit qu'ils **mordent**), la manœuvre se coince, on ne peut plus la larguer.

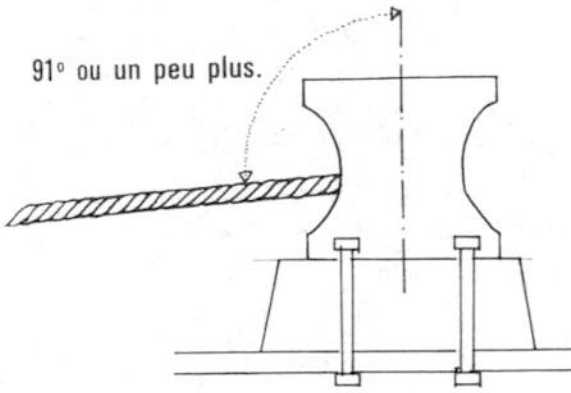

Si le même cabestan doit servir à plusieurs manœuvres, il faut que chacune d'elles attaque la poupée sous le bon angle. Pour y parvenir, on grée au besoin un renvoi général par lequel passent toutes les manœuvres.

Pour que les tours ne mordent pas, l'angle entre la manœuvre et l'axe de la poupée doit être légèrement supérieur à 90°.

Chandeliers et filières.

Les chandeliers sont des pièces qui se tordent facilement, mais ce n'est pas grave. Un chandelier n'est pas un élément de sécurité en soi, ce sont les filières qui assurent la sécurité. En fait, il est même imprudent de renforcer un chandelier pour l'empêcher de plier, car c'est alors son pied qui risque de s'arracher. La meilleure solution consiste à avoir des chandeliers faciles à démonter, et dès lors aisément redressables.

Les filières ne doivent pas être trop tendues, elles ont plus de résistance si on leur laisse un peu de mou. Les fixations qui les relient aux balcons avant et arrière doivent être à toute épreuve. Et les balcons, inébranlables.

Lignes de vie.

Les lignes de vie sont des câbles d'acier que l'on tend de l'avant à l'arrière du bateau et sur lesquels on peut s'amarrer. Ce système permet de se déplacer d'un bout à l'autre du bateau sans jamais avoir à se décrocher.

On fixe les lignes de vie à plat pont, une de chaque bord, sur des ancrages très solides. Pour diminuer l'effort qu'elles peuvent avoir à subir (couramment 1 tonne), on leur donne beaucoup de mou. Si ce mou gêne la circulation sur le pont, on peut raidir les lignes en y gréant des sandows.

Volumes de flottabilité.

L'insubmersibilité d'un bateau peut être assurée de deux façons : par des ballons gonflables, ou par des volumes remplis de mousse à cellules fermées (Klégécel, polystyrène expansé, etc.). Ces volumes doivent soutenir le bateau quand celui-ci est plein d'eau. Lorsqu'on les installe, il ne faut pas oublier que leur travail éventuel s'effectuera vers le haut. Ainsi, lorsqu'un Vaurien est chaviré, le bateau tout entier et l'équipier qui le redresse sont portés par les trois ballons qui se trouvent sur le bord immergé; ces ballons exercent leur effort en travers du bateau, et cet effort correspond à une poussée de 120 kg (40 litres d'air par ballon). Cela donne à réfléchir sur le soin qu'il faut apporter à leur fixation.

De même, lorsqu'on place un bloc de mousse sous une couchette, il faut penser à fixer celle-ci solidement, pour qu'elle puisse résister éventuellement à la poussée.

Les volumes de flottabilité doivent être judicieusement répartis : trop bas, le bateau qui se remplit risque de chavirer et de flotter quille en l'air; trop haut, le pont n'émerge pas; trop en arrière, le bateau pique du nez, etc.

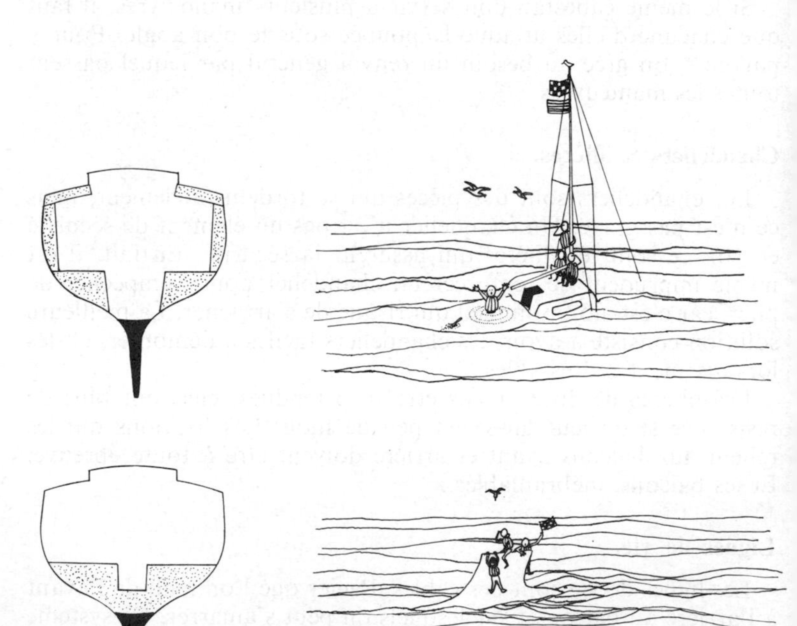

Répartition des réserves de flottabilité : ni trop haut, ni trop bas.

Dérive et safran.

La surveillance à effectuer sur les différents points faibles de la coque doit également se porter sur certains points immergés : l'axe de la dérive, les ferrures du safran en particulier.

Sur un dériveur lesté, lorsque la dérive prend du jeu (par usure de l'axe et agrandissement du trou), on peut avoir des ennuis graves. Pour s'assurer que la dérive ne prend pas trop de jeu, il faut pouvoir, au moins une fois par an, la manœuvrer par en dessous. Cela peut se faire quand le bateau est à la grue, ou bien en amenant la quille à l'horizontale, soit au sec en gîtant le bateau sur des pneus, soit à flot en halant sur le gréement (c'est l'**abattage en carène**).

Quant au safran, il est toujours ennuyeux de le perdre, et cela arrive. Comme il est toujours en mouvement, les vis et les boulons de ses ferrures se desserrent assez facilement, prennent du jeu, s'usent relativement vite. Il faut penser à les inspecter souvent. Notons qu'on peut réduire considérablement ce souci en bloquant les écrous avec du *frein-filet* (colle qui solidarise la vis et l'écrou).

Réparations

Réparer une coque en contre-plaqué.

Dans la plupart des cas, un trou dans une coque en contre-plaqué n'est pas un drame : la réparation est à la portée d'un bricoleur habile.

L'outillage est constitué uniquement d'outils tranchants : ciseau, rabot et scie. Râpes et papier de verre sont à proscrire, ils ne permettent pas de faire un travail correct.

La méthode de réparation que nous proposons ici est valable pour boucher des trous relativement petits. Lorsqu'il s'agit de trous importants, la méthode est la même mais il faut en plus coller la pièce.

Découper le trou.

1. Tracer une fenêtre trapézoïdale englobant la totalité du bois abîmé.
2. Percer à la chignole dans deux angles opposés. A l'aide d'une scie à guichet découper la fenêtre à 2 ou 3 mm à l'intérieur du tracé.
3. Avec trois pointes fines, que l'on n'enfonce pas complètement, fixer une latte (à voile), bien droite, sur le tracé d'un des côtés.
4. Avec un ciseau à bois bien affûté, couper ce qui dépasse de la latte. Il faut tenir le ciseau comme le montre la photo et faire atten-

Comment tenir le ciseau à bois.

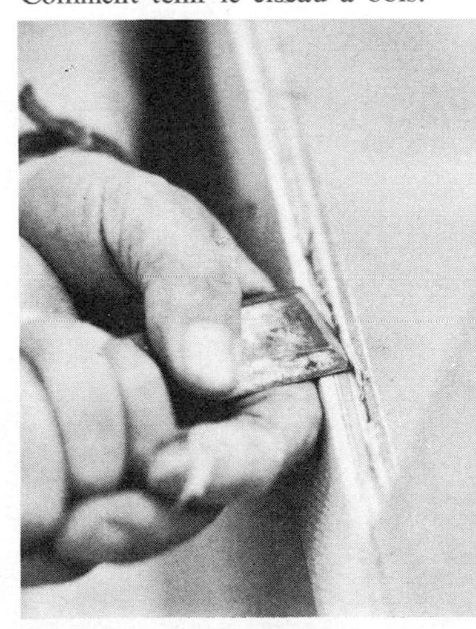

tion de ne pas entailler la latte. La surface de la coupe doit être droite, perpendiculaire au bordé et *dégauche* (c'est-à-dire non voilée).

5. Faire de même pour les trois autres côtés.

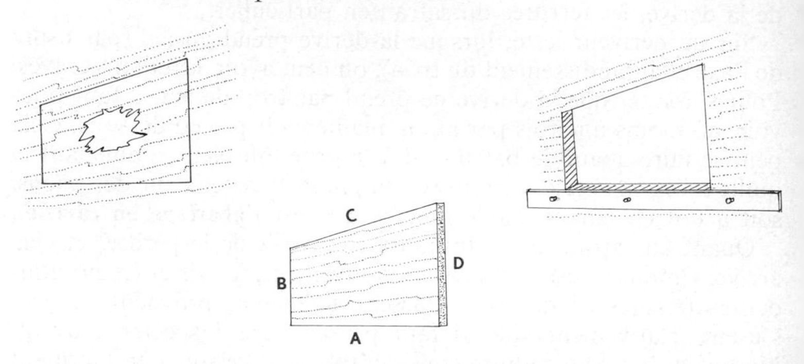

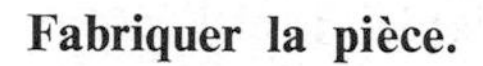

Fabriquer la pièce.

Comment tenir le rabot.

1. Dans du contre-plaqué de même épaisseur que le bordé, découper grossièrement une pièce de même forme que le trou et plus grande de plusieurs centimètres.
2. Dresser au rabot le chant du plus grand côté, bien droit et dégauche. La photo montre comment tenir le rabot; on appuie sur l'avant du rabot au début de chaque passage, sur l'arrière à la fin.
3. En appliquant la pièce sur le trou, tracer le côté B puis dresser son chant. Présenter la pièce et vérifier par l'intérieur qu'il y a un jour régulier le long des deux côtés. Rectifier au besoin jusqu'à obtenir un résultat satisfaisant.
4. Procéder de la même façon pour le côté C. Au cas où l'on raboterait un peu trop ce troisième côté il est encore possible de rattraper la pièce en rognant sur le côté B (c'est l'avantage d'une pièce trapézoïdale sur une pièce rectangulaire).
5. Dresser le dernier côté. Cette fois, attention : si on rabote trop, tout est à recommencer.

Fabriquer la contre-pièce.

Faire une contre-pièce en contre-plaqué de même épaisseur que le bordé, ou un peu plus faible. Cette contre-pièce doit être plus grande que la pièce, de 3 cm tout autour (les côtés font donc 6 cm de plus que ceux de la pièce). Faire un bon chanfrein.

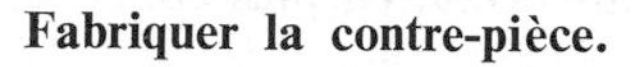

Fixer la contre-pièce.

1. Peindre la face qui s'appliquera au bordé avec de la peinture épaisse. Celle-ci protège le bois et assure l'étanchéité de la réparation.
2. Pointer la contre-pièce, avec une pointe tous les 3 à 4 cm, en quinconce, tout autour.
3. River les pointes.

Fixer la pièce.

1. Peindre la face intérieure et les chants, en évitant de mettre trop de peinture : elle ne pourra plus sortir, puisque la pièce est si bien ajustée !
2. Pointer, en mettant quelques pointes au milieu, puis tout autour comme pour la contre-pièce.
3. River les pointes dans le même ordre.

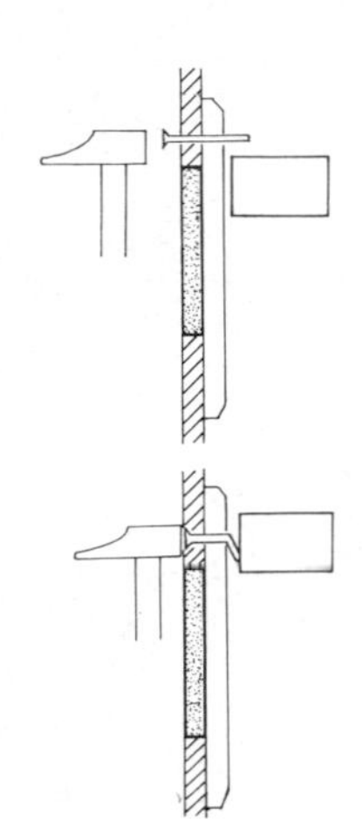

Façon de pointer, façon de river la pointe.

Façon de pointer.

1. Utiliser des pointes fines galvanisées.
2. Pointer de l'extérieur vers l'intérieur, avec un marteau léger, un aide tenant le *tas* (un objet lourd) à l'intérieur. Le tas est tenu immobile et fermement appuyé contre la contre-pièce, en évitant la pointe.

Façon de river.

1. Couper les pointes à l'intérieur pour qu'elles ne dépassent plus que de 3 mm et les replier.
2. Assurer le serrage, **en tapant avec un marteau léger sur la tête de la pointe** pendant qu'un aide tient le tas sur le bout replié de cette pointe.

Cas particuliers.

Si le trou est près d'une pièce de charpente, il faut découper la fenêtre jusqu'au milieu de cette pièce, mais sans entamer celle-ci. Le point délicat est d'enlever tout le contre-plaqué sans enlever de bois massif. Il est prudent de commencer le travail avec un vieux ciseau, cela évite d'abîmer le bon sur les pointes de construction.

Si le contre-plaqué est juste un peu enfoncé, il n'est pas toujours nécessaire d'enlever la partie abîmée : on peut se contenter de mettre une contre-pièce à l'intérieur.

Réparer une coque en plastique.

En dépit des apparences, réparer une coque en plastique ne présente guère de difficultés. La technique à utiliser est beaucoup plus simple que celle du contre-plaqué. L'outillage est réduit : râpe, scie, pinceau, ciseaux.

Il faut toutefois tenir compte des conditions atmosphériques, température et degré d'humidité, avant de se lancer dans une réparation. Il faut également savoir que celle-ci, quoi qu'on fasse, ne sera pas d'une solidité à toute épreuve : en effet la structure même de la coque (tissu de verre) est coupée, et la résine que l'on met en place n'adhère jamais parfaitement à la résine ancienne.

Pour les petites avaries, le « replâtrage » auquel on va se livrer s'avère toutefois suffisant.

Conditions.

1. Température minimum : 18° C.
2. Humidité relative maximum : 60 %.
3. Le tissu de verre doit être bien sec, ce qui est difficile à obtenir car il est hygroscopique.
4. Les bords du trou doivent également être très secs.
5. La résine doit être fraîche (moins de 4 mois).

Découper le trou.

1. Enlever toute la partie de coque abîmée. La forme du trou n'a pas d'importance.
2. Biseauter très largement les bords du trou : la pente doit être d'environ 10 %.

Coffrer.

Le matériau utilisé pour boucher le trou étant fluide, il faut lui donner un support provisoire, donc coffrer la partie à reconstituer, soit à l'intérieur, soit à l'extérieur.

Le coffrage, quel qu'en soit le matériau, doit être recouvert de cellophane pour que la résine n'y adhère pas et pour que l'on puisse le retirer.

Préparer la résine.

Pour que la résine puisse polymériser (c'est-à-dire durcir), il faut lui adjoindre un durcisseur (1 % en général) souvent appelé à tort catalyseur. Pour que cette polymérisation se fasse à la vitesse voulue, on utilise un accélérateur dans la proportion de 1 à 3 pour mille (d'autant moins que la température est élevée). Enfin, on peut colorer la résine.

Attention aux manipulations : il ne faut jamais que le durcisseur entre en contact direct avec l'accélérateur; la réaction est violemment exothermique et peut aller jusqu'à l'explosion. On trouve d'ailleurs dans le commerce des nécessaires de réparation contenant des résines déjà accélérées.

Imprégner les tissus.

Pour les réparations, la fibre de verre est utilisée sous forme de *mat* (prononcer matte) que l'on découpe avec des ciseaux selon la forme du trou.

Le mat peut être imprégné de résine, soit en place, soit avant sa mise en place. L'important est qu'il soit complètement imprégné et qu'il n'y reste pas de bulles d'air. Pour éliminer celles-ci, on le tamponne soigneusement avec un pinceau.

Boucher le trou.

1. Enduire de résine les bords du trou.
2. Reconstituer toute l'épaisseur de coque en superposant le nombre de mats nécessaires.
3. Recouvrir la réparation de cellophane, ce qui permet tout à la fois d'empêcher la résine de couler si la réparation ne s'effectue pas à l'horizontale, et de modeler la surface, avec un rouleau de caoutchouc ou les doigts.

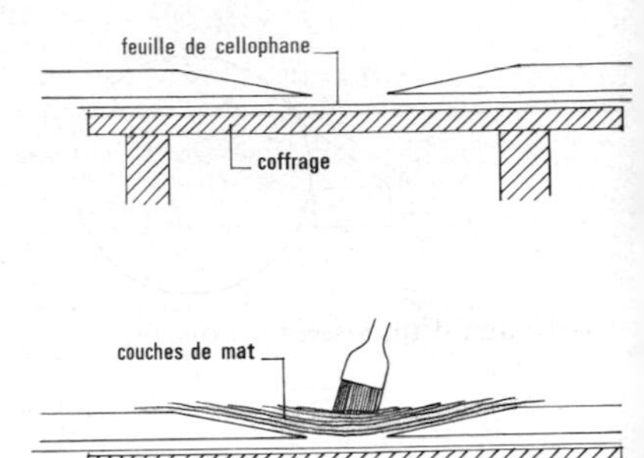

Finition.

1. Attendre que la résine soit prise mais pas encore très dure.
2. Retirer la cellophane et peaufiner la surface à la râpe ou au papier de verre.
3. « Peindre » avec du gel-coat.
4. Enlever le coffrage, s'il est encore accessible.

L'affûtage des outils.

Pour effectuer correctement les quelques travaux que nous venons de décrire, il suffit d'un très petit nombre d'outils. Mais il est indispensable que ces outils soient en bon état, donc correctement entretenus et utilisés à bon escient. Nous sommes fondés à penser que quelques renseignements sur ce sujet ne sont pas superflus.

Le tournevis.

Le tournevis doit s'engager aussi parfaitement que possible dans la tête de la vis : sa lame doit avoir des faces bien parallèles, une épaisseur correspondant à la rainure de la vis, une largeur égale au diamètre de la tête de vis.

Le profil d'un tournevis se rectifie à l'aide d'une meule émeri. Pour que dans leur partie utile les deux faces de la lame soient bien parallèles, il faut les meuler en creux, donc sur le rond de la meule. Attention à ne pas appuyer trop fort : si l'acier chauffe, il se détrempe. A 200°, il devient jaune paille, à 600° il devient bleu et il ne vaut plus rien. Il ne faut donc pas dépasser la température de 200°, et ces 200° sont vite atteints, surtout si le bout du tournevis est mince. Dans tous les cas, il faut avoir un pot d'eau à côté de la meule et y tremper le tournevis à intervalles très rapprochés (moins de 10 secondes).

Il faut évidemment conserver toujours le même angle d'attaque sur la meule, et donc ne plus lâcher le tournevis à partir du moment où l'on a commencé l'opération; le tenir par la lame toujours au même endroit et prendre appui de l'index sur le support de la meule.

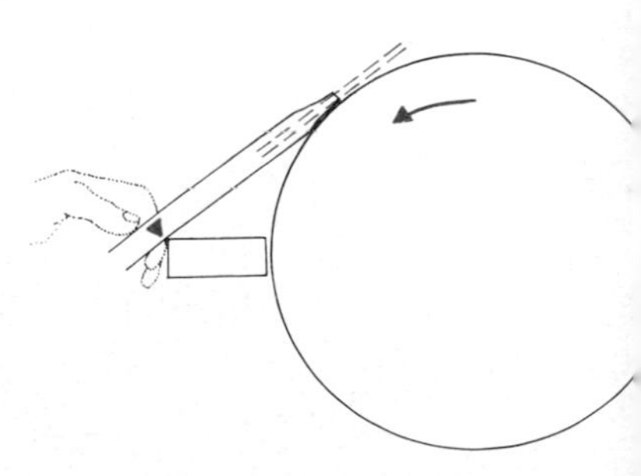

Affûtage d'un tournevis : position de l'outil, sens de rotation de la meule.

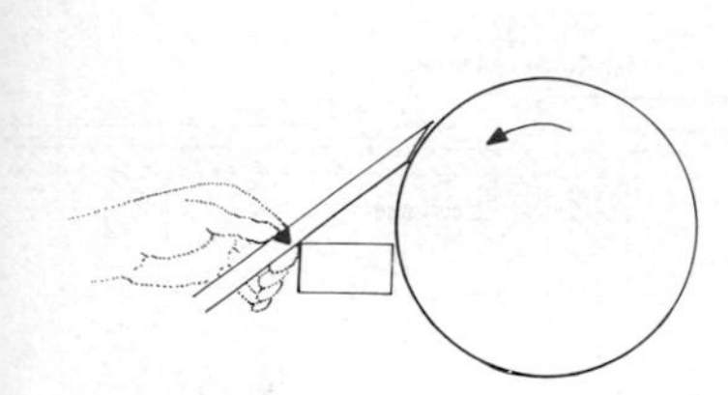

Affûtage d'un ciseau à bois.

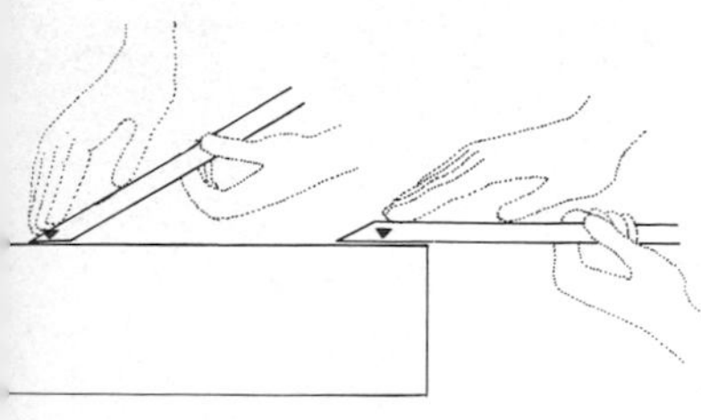

Démorfiler.

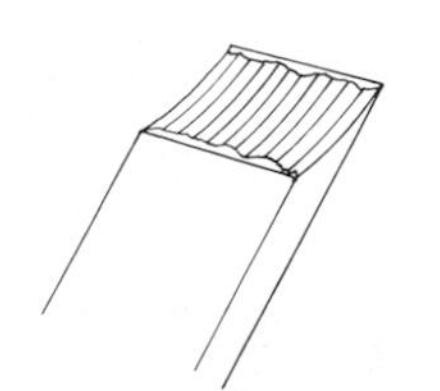

Le côté biseauté après démorfilage.

Ciseau à bois et fer de rabot.

Un grand principe : pour qu'un ciseau à bois ou un fer de rabot coupent bien, il faut que le dos de la lame soit parfaitement plat jusqu'au tranchant; il ne doit y avoir de biseau que d'un seul côté, et l'on ne doit affûter que ce côté-là. L'angle du tranchant doit faire de 20 à 30°.

Pour meuler, on procède comme pour le tournevis. On obtient donc une surface légèrement concave. Sur le tranchant de la lame apparaît une bavure, le morfil.

Pour polir, on frotte le côté biseauté du tranchant sur une pierre à affûter bien plane (en respectant bien l'angle du biseau), jusqu'à obtenir tout du long du tranchant une petite partie brillante.

Pour démorfiler, on frotte alternativement sur la pierre le biseau et le dos de la lame. Prendre soin de ne pas soulever le manche de l'outil pendant qu'on frotte le dos; bien respecter l'angle quand on frotte le biseau. Répétons qu'il est très important de ne pas faire de faux biseau du côté du dos de la lame; sinon l'outil est fichu.

Le tranchant de ces outils est fragile, et quelques précautions sont à prendre pour ne pas l'émousser trop vite. Lorsqu'on pose un ciseau, il faut veiller à le placer toujours sur du bois, côté tranchant vers le haut; un rabot se pose sur le côté. Lorsqu'on range les outils, emmailloter la lame du ciseau dans un chiffon gras; rentrer le fer du rabot.

Le couteau de poche.

C'est l'instrument polyvalent par excellence, sans lequel un marin n'est plus que l'ombre de lui-même. Il n'est pas nécessaire qu'il ait beaucoup d'accessoires. Une bonne lame, à elle seule, peut jouer tous les rôles : tour à tour poinçon, tire-bouchon, ouvre-boîte, décapsuleur, coupe-ongles ou cure-dent.

Une lame en acier fin coupe toujours mieux qu'une lame en inox. Il est bon que la lame soit montée sur des rivets inoxydables.

Un couteau de poche ne s'affûte pas sur une meule émeri. On peut éventuellement amincir une lame neuve sur une meule à eau, mais l'affûtage lui-même se fait exclusivement sur une pierre. Il faut frotter la lame sur la pierre avec le tranchant en avant, sinon on crée un morfil, tout juste bon à couper le beurre, en été.

6. Matériel d'armement

Sous le terme de matériel d'armement, nous entendons rassembler des objets très divers, qui ne font pas partie intégrante du bateau mais en sont des auxiliaires directs. Il ne s'agit d'ailleurs pas de se livrer à un inventaire de tout ce qui est nécessaire à bord. Certaines catégories de matériel sont traitées ailleurs, dans leur contexte propre : le matériel de sécurité au chapitre « Sécurité », le matériel de ménage au chapitre « Vie à bord ». Nous envisagerons ici les mouillages, qui sont évidemment indispensables; le moteur auxiliaire, qui ne l'est pas, mais dont la présence est de plus en plus fréquente; les instruments de navigation sans lesquels il n'est pas de véritable croisière possible; enfin tout un petit matériel, de l'aviron aux défenses, des béquilles à l'écope, dont le rôle est plus modeste mais dont on ne saurait se passer. Ce chapitre n'est en aucune façon systématique : il présente simplement les solutions qui se sont avérées, pour nous, les plus pratiques à l'usage. Parmi le petit matériel, nous avons omis de mentionner la **gaffe** (longue perche armée d'un fer comportant une pointe pour pousser et un crochet pour tirer). Mais la gaffe, plus qu'un objet, est un emblème, et ce que nous livrons ici n'est jamais que le fruit de toutes nos gaffes accumulées.

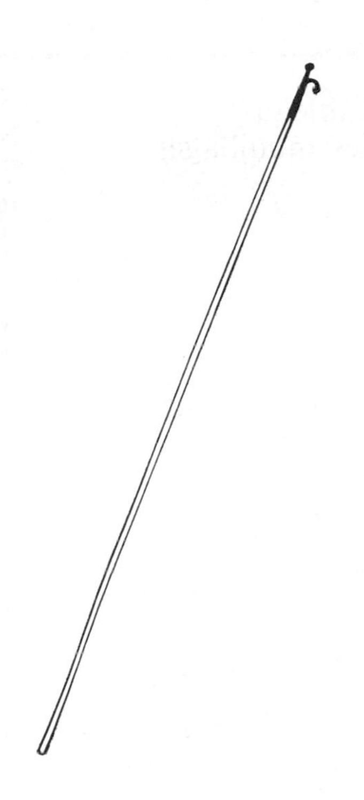

Les mouillages

Les mouillages embarqués

De quelles ancres, de quelles lignes de mouillage doit être équipé un bateau donné ?

Dans ce domaine, l'expérience est la meilleure des garanties; aussi, avant même d'en justifier l'emploi, allons-nous indiquer quels sont — après plus de vingt ans d'expériences diverses — les mouillages dont nous équipons actuellement certains de nos bateaux. L'éventail choisi est en principe assez large pour que chacun puisse y trouver un bateau proche du sien en poids et en dimension.

Tableau des mouillages.

Vaurien et autres dériveurs légers	1 F.O.B. de 2,5 kg 60 m de nylon tressé ⌀ 5 mm 1 à 2 m de chaîne ⌀ 6 mm
Caravelles (200 kg) Caravelle-Cigogne (300 kg) Caravelle-Prame	1 C.Q.R. de 10 lbs 30 m de chaîne de ⌀ 7 mm ou 30 m de nylon tressé de ⌀ 10 mm et 1 à 2 m de chaîne de ⌀ 7 mm
Cavale (470 kg) Corsaire (550 kg)	1 C.Q.R. de 15 lbs 30 m de chaîne de ⌀ 7 mm ou 60 m de nylon tressé de ⌀ 10 mm et 3 à 5 m de chaîne de ⌀ 7 mm
Mousquetaire (1,2 t)	1 C.Q.R. de 15 lbs 1 C.Q.R. de 10 lbs 30 m de chaîne de ⌀ 7 mm 60 m de nylon tressé de ⌀ 10 mm 5 m de chaîne de ⌀ 7 mm
Cotre (2,5 t) Dogre (3 t) Nautile (2,8 t) Galiote (2,8 t)	1 C.Q.R. de 35 lbs 1 C.Q.R. de 25 lbs 40 m de chaîne de ⌀ 10 mm 100 m de polypropylène tressé de ⌀ 24 mm 5 m de chaîne de ⌀ 10 mm
Frégate (3,5 t)	1 C.Q.R. de 35 lbs 1 C.Q.R. de 25 lbs 1 C.Q.R. de 10 lbs 40 m de chaîne de ⌀ 10 mm 100 m de polypropylène tressé de ⌀ 24 mm 5 m de chaîne de ⌀ 10 mm 100 m de nylon tressé de ⌀ 5 mm
Sereine (13 t) *Iroise* (9 t)	1 C.Q.R. de 45 lbs 1 C.Q.R. de 35 lbs 1 C.Q.R. de 10 lbs 40 m de chaîne de ⌀ 12 mm 60 m de chaîne de ⌀ 10 mm 120 m de polypropylène tressé de ⌀ 24 mm 5 m de chaîne de ⌀ 10 mm 150 m de nylon tressé de ⌀ 5 mm

D'une manière générale, il ne faut pas céder à la tentation de choisir un mouillage moins lourd (donc moins cher) que celui qui est indiqué sur ce tableau. C'est un point sur lequel l'avarice ne paye pas. Et si le mouillage recommandé paraît trop lourd pour l'équipage, c'est en réalité l'équipage qui est trop léger pour le bateau.

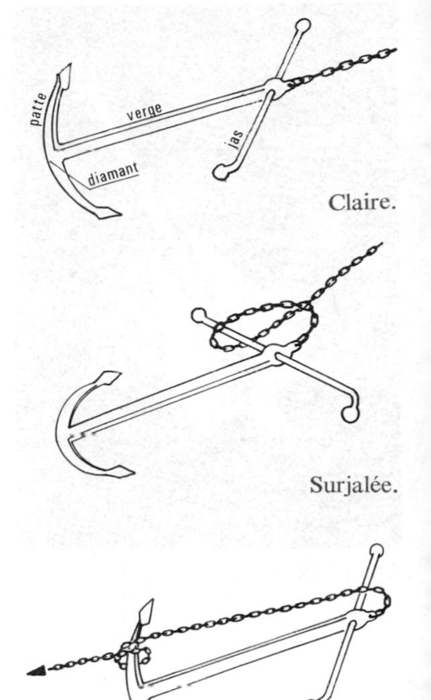

Claire.

Surjalée.

Surpattée.

Les ancres.

Comme nous l'avons vu en énumérant les mouillages des bateaux des Glénans, une ancre se définit par son poids et sa forme. On dit : une ancre à jas de 15 kg. La forme est souvent particulière à une marque. On dit : une ancre F.O.B. de 10 kg ou : une ancre Danforth de 10 kg, bien que toutes les deux soient des ancres à bascule.

Voyons quels sont les avantages et les inconvénients de chaque type :

L'ancre à jas.

C'est l'ancre la plus ancienne, c'est aussi l'une des plus sûres. Elle croche sur tous les fonds où une ancre peut crocher : sable, vase, gravier, herbier et même roche (d'où il arrive qu'on ne puisse plus la décrocher). Sa tenue n'est pas extraordinaire, mais elle est régulière. L'ancre, même si elle **chasse** (si elle laboure le fond) continue à offrir une résistance constante.

Les ancres à jas peuvent avoir des proportions différentes. Certaines sont trapues; elles sont alors très solides, leurs pattes larges crochent particulièrement bien dans la vase mais risquent de ne pas atteindre le sol ferme à travers un paquet d'algues. D'autres sont fines et grandes; elles sont plus fragiles mais leurs pattes trouvent plus facilement le sol ferme et s'y enfoncent profondément.

Les qualités de l'ancre à jas ont leur revers : cette ancre est encombrante à bord et d'un maniement difficile sur un petit bateau. La mise en place du jas constitue une manœuvre supplémentaire (on l'enjale avec un bout; les systèmes métalliques, en particulier la clavette, ne tiennent pas). Mal manœuvrée, l'ancre peut être **surjalée** ou **surpattée,** c'est-à-dire que la ligne de mouillage fait un tour, soit autour du jas, soit autour d'une patte. Dans ces conditions l'ancre chasse.

Grappin.

Le grappin.

C'est également un type d'ancre traditionnel. Il possède 4 ou 5 pattes appelées **branches.** Sa tenue est légèrement inférieure à celle de l'ancre à jas. Il est surtout utilisé sur les herbiers, où il croche particulièrement bien. Comme l'ancre à jas, il est encombrant et peu pratique à manier.

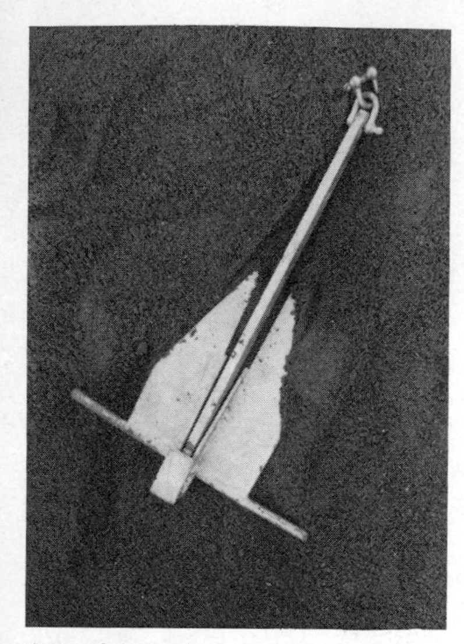

Ancre à bascule.

L'ancre à bascule.

De conception plus récente, cette ancre n'a pas les inconvénients de l'ancre à jas : elle ne peut surjaler (et pour cause) et surpatte rarement. Elle est facile à manier et à ranger.

Sa tenue est bonne sur sable et sur vase; médiocre sur graviers et galets; irrégulière sur roche; très mauvaise dans les herbes et dans les algues. Son articulation se trouve souvent coincée par des coquillages et des graviers; sur fond d'algues elle s'engorge facilement. Lorsqu'elle vient à chasser, sa résistance diminue rapidement.

Les différents modèles existants sont de qualités très inégales. Certaines ancres de ce type n'acceptent de crocher que dans des circonstances particulièrement favorables. Les meilleures ancres à bascule semblent être actuellement la Colin et la F.O.B. (françaises) et la Danforth (anglaise).

L'ancre soc-de-charrue (marque CQR).

C'est certainement l'une des meilleures ancres modernes. Sa tenue est au moins double de celle de l'ancre à jas et, sauf dans les algues et les herbiers très denses, elle croche sur tous les fonds. Il est très rare qu'elle surpatte.

Même si elle chasse, elle offre toujours la même résistance. De plus, elle présente l'avantage d'un encombrement réduit et d'une grande facilité de manœuvre.

Toutes ces qualités ont suscité de nombreuses imitations, souvent médiocres et d'une tenue déplorable.

Combien d'ancres à bord?

Les dériveurs doivent être munis d'une ancre. A bord des bateaux de promenade et de pêche, il n'est pas inutile d'en avoir deux.

Tous les bateaux de croisière doivent avoir au moins deux ancres. Cela permet d'affourcher, d'empenneler, de mouiller tête et cul, ou en plomb de sonde. De plus, en cas de perte d'un mouillage, on ne se trouve pas complètement démuni.

Ancre soc-de-charrue.

La chaîne.

La première qualité de la chaîne est son poids; celui-ci la maintient au fond, et la traction exercée sur l'ancre est horizontale. De plus, la chaîne sert d'amortisseur : le bateau, en effet, ne tire pas régulièrement sur son ancre, mais par à-coups et le poids de la chaîne amortit ces rappels.

Sa seconde qualité est sa résistance au ragage : elle ne s'abîme ni sur le fond, ni à bord dans les **chaumards** (conduits de chaîne sur le plat-bord du bateau).

Ce poids a toutefois quelques inconvénients : la chaîne est souvent pénible à manœuvrer, elle alourdit le bateau et, si l'on ne peut la ranger ailleurs qu'à l'avant, elle favorise le tangage.

Aux Glénans, nous utilisons de la chaîne courante. On peut lui préférer la chaîne *éprouvée*, dont la résistance est de 25 kg/mm², contre 15 kg/mm² pour la chaîne courante. Ainsi une chaîne courante de 10 (résistance : 1 180 kg) peut être remplacée par de la chaîne éprouvée de 8 (1 250 kg). L'avantage qu'on peut en tirer est finalement discutable : une chaîne trop légère amortit moins les rappels; on doit donc en mouiller une plus grande longueur pour aboutir au même résultat. D'autre part en dérapant il faut déhaler le bateau plus longtemps.

Pratiquement, les chaînes trop petites sont peu fiables et nous déconseillons de prendre de la chaîne de moins de 7 mm.

La longueur de chaîne à mouiller est en principe de trois fois la hauteur d'eau. Selon la région où l'on navigue, on peut être amené à mouiller par des fonds plus ou moins importants, ce qui détermine en fait la longueur de chaîne à embarquer. Dans tous les cas, il faut avoir au moins 30 m de chaîne.

Equiper un bateau d'une chaîne trop faible ou trop courte est aussi ridicule que de le munir d'une ancre trop légère. Quand le bateau se fracasse sur les rochers, il est bien tard pour regretter les cinq mètres qu'on a laissés chez le shipchandler.

Etalingure.

Amarrage.

On relie la chaîne à l'ancre par des manilles; celles-ci doivent être aussi résistantes que l'ensemble du mouillage. A section égale, la manille est plus faible que la chaîne; on prend donc un échantillonnage supérieur (chaîne de 10, manille de 12). Les manilles doivent toujours être assurées, même si le mouillage ne doit être utilisé que dix minutes.

L'amarrage de la chaîne au fond du puits se fait par du filin aussi résistant que la chaîne (4 tours de nylon de 5 valent une chaîne de 8). Cette **étalingure** doit faire au moins 10 cm pour pouvoir être tranchée facilement; fil de fer et manilles sont à prohiber, car leur largage est long et difficile lorsqu'en cas d'urgence il faut filer le mouillage par le bout.

Entretien.

Petit à petit, la fine pellicule de zinc qui recouvre les chaînes galvanisées se détériore, et la rouille apparaît. Dès lors l'usure de la chaîne s'accélère, car la rouille est un abrasif puissant. Pour retarder son apparition on peut chaque année, au désarmement, asperger la chaîne d'huile de moteur. Cette huile aura séché au printemps suivant et la chaîne ne salira pas le bateau.

Quand la rouille apparaît, on peut faire regalvaniser la chaîne. Une chaîne non entretenue dure en moyenne cinq ans; regalvanisée deux fois, elle peut durer 8 à 12 ans. Ces deux galvanisations auront coûté en tout la moitié du prix d'une chaîne neuve.

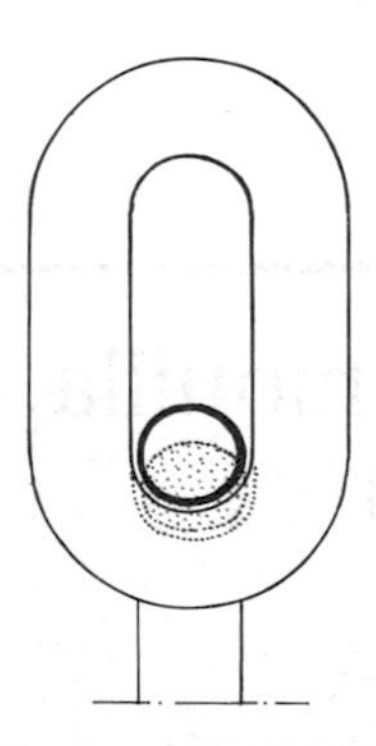
L'usure se mesure aux points de frottement des mailles.

Quels que soient les soins que l'on porte à une chaîne, elle s'use. La partie qui s'use le plus vite est celle qui se trouve généralement

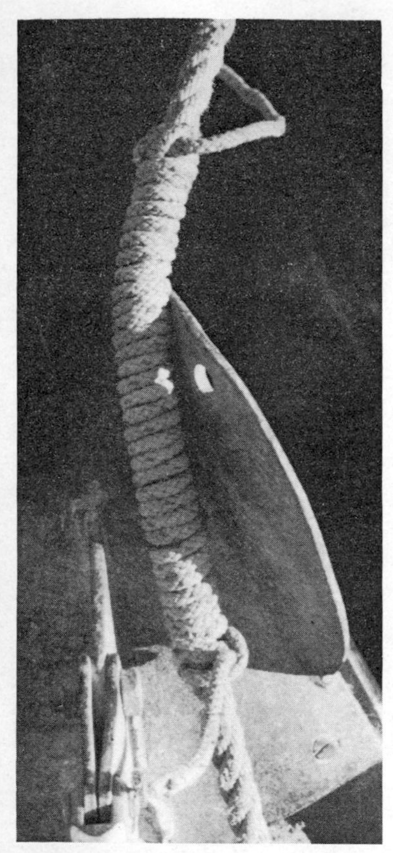

Une aussière coûte cher et s'use vite. Pour la protéger aux endroits où le ragage est à craindre, on peut la fourrer, avec un cordage un peu plus fin : deux demi-clefs à capeler, enroulement à spires jointives, deux demi-clefs à capeler.

à fleur d'eau. Pour user régulièrement les deux bouts, on retourne la chaîne tous les ans.

En fin de compte, il faut remplacer la chaîne dès que la maille la plus faible n'a plus que 75 % de sa section d'origine.

Les aussières.

Tout bateau doit posséder au moins une aussière. Elle sert essentiellement au mouillage et au remorquage. Sa résistance doit être double ou triple de celle de la chaîne, sinon elle devient vite trop faible en vieillissant. Elle doit avoir au moins 60 mètres de long.

En grande croisière, il est fort utile d'avoir deux aussières :

— L'une, de forte section, ayant une résistance égale au poids du bateau (du moins jusqu'à 3 tonnes). Cette grosse aussière peut servir de remorque, d'amarre, de ligne de mouillage et de traînard. Elle peut être en polypropylène, textile léger et volumineux (ce qui est intéressant pour le traînard). C'est l'aussière que tout le monde doit avoir.

— L'autre, ayant deux à trois fois la résistance de la chaîne. On s'en sert couramment pour mouiller. On la choisit en nylon car ce textile coule, contrairement au polypropylène, et risque donc moins d'être coupé par l'hélice d'un bateau. Prendre du nylon tressé : il résiste mieux au ragage.

Le mouillage de l'annexe.

A bord des annexes, nous avons un mouillage constitué d'une ligne très fine de 150 m et d'une ancre de 3 kg.

Les emplois de ce mouillage sont multiples. Il sert à mouiller l'annexe (of course) mais également à mouiller le bateau lui-même, quel que soit son poids, par calme plat dans un courant contraire (il est « confortable », dans ce cas, d'avoir un winch de drisse à manivelle en tête, pour déraper). La ligne elle-même peut servir d'orin à l'ancre principale et, à l'occasion, de ligne de sonde.

Les mouillages fixes

Lorsqu'on est amené à mouiller très fréquemment au même endroit, pour pique-niquer, pour pêcher ou pour passer la nuit, il est agréable de ne pas avoir à se soucier de la tenue de son ancre. La solution consiste alors à installer un mouillage permanent, où l'ancre est remplacée par une dalle de béton. (Pour installer ce genre de mouillage il faut une autorisation du service maritime de l'Equipement.)

La dalle.

Eventuellement en forme de ventouse pour mieux adhérer au fond, cette dalle de béton armé doit être le plus mince possible : 20 cm d'épaisseur au maximum. Son poids doit être égal à la résistance de la chaîne du mouillage normal du bateau. Ainsi pour un Mousquetaire, il faut une dalle de 500 kg (le bateau est équipé d'une chaîne de 7 mm dont la résistance est d'environ 580 kg).

La chaîne.

Pour avoir un rayon d'évitage restreint, et pour des raisons d'économie, on prend une chaîne plus courte que celle du bateau (une fois et demie la hauteur d'eau maximum). Toutefois on prend une chaine plus solide (du 10 pour un Mousquetaire), afin qu'elle ne casse pas quand on pose ou qu'on retire le mouillage. Étant plus lourde, elle amortit correctement les rappels du bateau. On maille cette chaîne sur la dalle avec une manille aussi forte que possible : 12 mm pour une chaîne de 10, ou même 14 mm, si elle passe. Cette manille doit être assurée avec du fil de fer, très gros pour que la rouille ne le détruise pas trop vite.

La chaîne d'un mouillage fixe n'a pas besoin d'être galvanisée car, étant toujours immergée, elle ne rouille pas. D'autre part, contrairement aux chaînes d'ancre, c'est près du fond que cette chaîne s'use le plus vite. On ne peut vérifier son état qu'en plongeant, ou en relevant le mouillage.

Dans certains mouillages, les bateaux évitent en tournant toujours dans le même sens, et la chaîne se tord. On peut tenter de limiter cette torsion en gréant un émerillon entre la dalle de béton et la chaîne. Malheureusement, l'émerillon tourne en général assez mal et, tous les trois mois environ, il faut penser à détourner la chaîne à la main. Une chaîne sans émerillon doit être détournée tous les mois et demi.

Coffre ou corps-mort.

La chaîne peut être reliée de différentes façons au flotteur de surface. Pour la clarté des explications, nous conviendrons de nommer *coffre* le flotteur sur lequel la chaîne est maillée directement, et *corps-mort* le flotteur auquel elle est reliée par un orin.

Le coffre. Il doit être rempli de matériaux cellulaires, pour être insubmersible même crevé. Sa flottabilité doit correspondre à deux fois le poids de chaîne suspendu (à marée haute).

Ce type de mouillage a un inconvénient : la chaîne est toujours en mouvement et s'use par le frottement de ses mailles l'une sur l'autre, même si aucun bateau ne s'y trouve amarré.

Le corps-mort. Ici, la chaîne repose sur le fond lorsqu'aucun bateau n'y est amarré. L'orin, en nylon, doit avoir une longueur égale à une fois et demie la hauteur d'eau. Entre la grosse chaîne et l'orin on intercale une chaîne de diamètre plus faible ; c'est elle que l'on tourne à bord. Elle doit être assez fine pour passer dans le chaumard (dimension de la chaîne d'ancre) et assez longue pour aller de la surface à la bitte d'amarrage.

L'inconvénient du corps-mort est que son orin risque toujours d'être coupé par une hélice. Pour limiter ce risque, on leste l'orin en y accrochant un poids de deux ou trois kilos, à 1,50 m ou 2 m de la surface. L'idéal est d'utiliser du filin lesté à la fabrication.

Enfin le flotteur doit être blanc (par décret du ministère de l'Equipement), ce qui est regrettable car on le distingue mal dès qu'il y a du clapot.

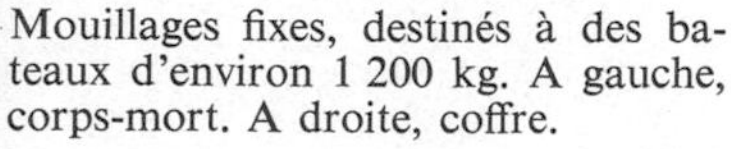

Mouillages fixes, destinés à des bateaux d'environ 1 200 kg. A gauche, corps-mort. A droite, coffre.

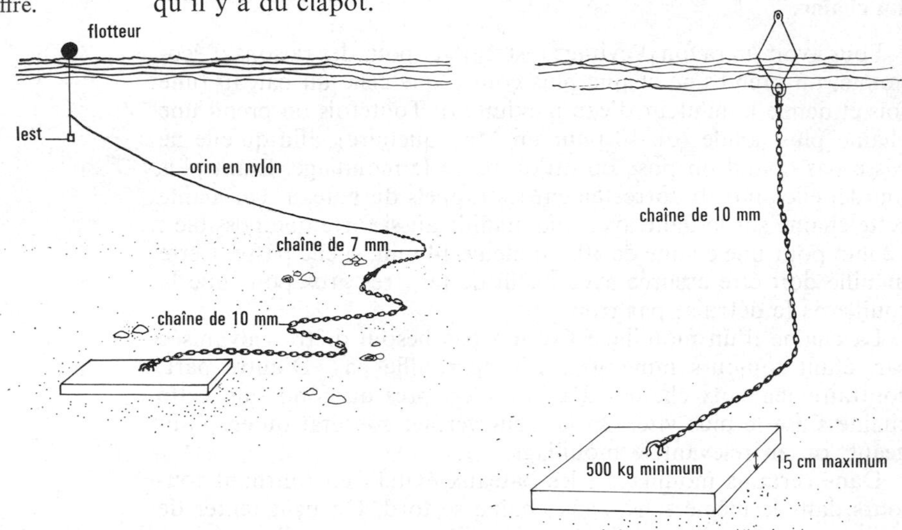

Le moteur auxiliaire

Les purs adeptes de la voile répugnent à faire tourner leur moteur et s'exposent ainsi à des déconvenues. Un moteur s'abîme vite lorsqu'il ne fonctionne pas. Il suffit en général de le faire tourner régulièrement et de lui assurer un minimum d'entretien pour éviter des ennuis graves. Reste les pannes courantes ; il est bon d'en connaître les causes et de savoir y remédier.

Lorsque le bateau change souvent d'utilisateur (co-propriété, bateau de club), il est indispensable d'avoir à bord une véritable liste de contrôle, comparable à la *check-list* des pilotes, permettant aux nouveaux venus de savoir ce qu'il faut faire et ne pas faire.

Le choix.

A notre avis, le choix doit se faire entre un moteur hors-bord à essence et un moteur fixe diesel. On ne soulignera jamais assez le danger permanent que constitue, à bord d'un voilier, un moteur fixe à essence : même si l'installation est parfaite les risques subsistent, car le danger tient au carburant lui-même, très volatil et très inflammable. Malgré ses avantages (prix, légèreté), la solution du moteur fixe à essence n'est jamais la seule possible et c'est la moins sûre.

Le choix entre hors-bord et diesel fixe dépend du bateau que l'on possède et de la puissance dont on veut disposer.

Equiper son bateau d'un moteur hors-bord est toujours moins onéreux que d'y installer un moteur diesel. Toutefois, dans les fortes puissances (au-delà de 20 CV), la consommation d'essence est considérable. Au-delà de 25 CV, le moteur hors-bord est très lourd et peu pratique à bord d'un voilier.

Le diesel est préférable lorsqu'on veut pouvoir tourner longtemps à régime modéré, pour pêcher ou pour recharger ses batteries par exemple. Il faut évidemment qu'il y ait suffisamment de place à bord et que le bateau accepte ce poids non négligeable.

Si un jour le diesel hors-bord est au point, nous le préférerons naturellement au hors-bord à essence.

Le moteur hors-bord

Sécurité.

Un moteur hors-bord à réservoir incorporé est un moteur dangereux, et ceci pour deux raisons. Quand on le couche, l'essence risque de fuir par la valve de prise d'air du réservoir. Et surtout, on finit toujours par succomber à la tentation de faire le plein en marche, et c'est l'incendie.

Par contre, si le réservoir est séparé du moteur, la sécurité est satisfaisante : quand on couche le moteur il n'y a pas de fuite; le réservoir est loin du moteur et de ses étincelles; de plus, sa capacité étant importante, on est moins tenté de faire le plein en marche. Comme l'essence est aspirée par le moteur, les risques de fuite le long de la canalisation sont à peu près nuls.

Il faut noter par ailleurs les dangers que présente un moteur non caréné : on peut s'y brûler, et surtout se blesser contre le volant.

Installation.

L'un des gros avantages du moteur hors-bord est sa remarquable facilité d'installation : mise à poste, mise à terre se font en quelques minutes. Pour les réparations ou l'hivernage, on le porte sans difficulté chez le concessionnaire; c'est beaucoup moins onéreux et plus simple que de faire venir l'homme de l'art.

Lorsqu'on installe un moteur hors-bord, il faut tenir compte d'une exigence fondamentale : en route, l'hélice et la prise d'admission d'eau de refroidissement doivent toujours être franchement immergées (même par mer formée et quand le bateau gîte). Par ailleurs, quand le moteur ne sert pas, il vaut mieux que l'hélice puisse être complètement sortie de l'eau. L'idéal, enfin, est de pouvoir abaisser ou relever le moteur sans avoir à le larguer de son support.

La meilleure solution est d'avoir un puits, si possible obstruable quand le moteur est relevé. Faute de puits, on fixe le moteur au tableau arrière ou sur une chaise relevable, mais il se trouve alors exposé aux chocs en cas de fausse manœuvre; de plus, s'il est lourd, sa position extrême favorise le tangage.

Si on ne peut escamoter complètement le moteur lorsqu'on navigue à la voile, il faut l'enlever de son support et le ranger, soit dans un coffre prévu à cet effet (dont le fond ne laisse pas échapper les vapeurs d'essence vers l'intérieur du bateau), soit accroché verticalement au balcon arrière, soit couché sur le pont et protégé par une capote, que l'on retire par beau temps pour le faire sécher. Mis à l'abri dans la cabine, il est la terreur des estomacs délicats, et le risque d'incendie n'est pas négligeable.

Tout au long des manipulations, il est judicieux de conserver le moteur amarré au bateau par une sauvegarde.

Utilisation.

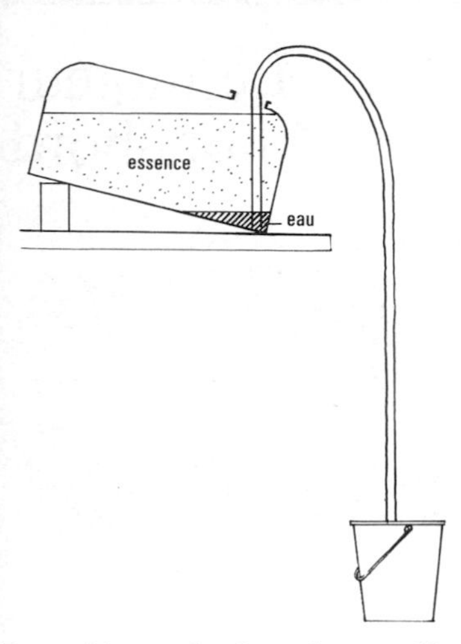

Pour vidanger le réservoir, on utilise un tuyau de caoutchouc muni d'un embout rigide.

Les moteurs hors-bord modernes ont un fonctionnement assez sûr, tant qu'ils sont bien conduits. La plupart des ennuis proviennent plus d'une mauvaise utilisation que de la mécanique elle-même.

Alimentation.

Si le tuyau d'alimentation est mal branché, le moteur refuse de fonctionner; c'est évident, mais ce défaut d'alimentation est pourtant la panne la plus fréquente. En cas d'arrêt du moteur, c'est à elle qu'il faut penser tout de suite.

Il peut aussi y avoir de l'eau dans l'essence. On doit alors :

— vider la cuve du carburateur (un outil approprié est souvent nécessaire);

— purger le réservoir, en le vidant lui aussi ou, ce qui est mieux, en siphonnant le fond.

Signalons d'autre part que pour arrêter un moteur hors-bord, on peut débrancher tout bonnement le tuyau. Ainsi le carburateur se vide et le moteur ne fuit pas quand on le couche.

Allumage.

Avec le temps les bougies s'usent et s'encrassent. Il faut les nettoyer de temps à autre et resserrer les électrodes (distance : 0,6 mm, soit 3 épaisseurs de carte marine environ). De toute façon elles ne sont pas éternelles, il vaut mieux les changer au bout de 100 heures. Les autres pannes d'allumage sont du ressort d'un mécanicien averti.

Refroidissement.

La panne de refroidissement, provoquée par un manque d'alimentation en eau, est très dangereuse pour le moteur. Il peut griller en moins d'une minute si la circulation d'eau ne se fait plus. En effet, la quantité d'eau contenue dans le circuit est très faible, il faut une circulation rapide et constante pour maintenir la température. Rappelons d'abord que les trous d'admission d'eau doivent se trouver en permanence sous la surface. Ce n'est plus le cas, par exemple, lorsque tous les équipiers vont à l'avant pour mouiller...

Il faut veiller d'autre part à ce que les trous d'admission ne soient pas obstrués par la flore des ports : algues ou feuilles de plastique.

Seul le mécanicien-averti peut dépanner une pompe défaillante.

Graissage.

Le graissage du moteur est assuré par l'huile qui est mélangée au carburant. Il faut respecter le pourcentage de ce mélange : ni trop, ni trop peu. Il est important de bien mélanger l'huile et l'essence, soit par brassage très énergique, soit en se servant à une pompe mélangeuse.

Un autre graissage est trop souvent négligé : celui des organes annexes du moteur, commande de gaz, axe d'embrayage, pivot d'orientation, vis de serrage, etc.

Régime.

Les moteurs hors-bord sont conçus pour tourner rapidement. Un hors-bord qui doit tourner plusieurs heures peut être maintenu sans inconvénients à 90 % de son régime maximum.

Lorsqu'il tourne longtemps au ralenti, il s'encrasse et démarre ensuite difficilement. Pour faciliter le démarrage suivant, il est bon de le faire tourner quelques secondes à haut régime avant de l'arrêter.

Lanceur cassé.

Il est toujours possible de faire démarrer un moteur lorsque le lanceur d'origine est cassé : il suffit d'enrouler une ficelle sur le volant magnétique. Sur certains moteurs, il faut pour cela enlever d'abord le lanceur, donc disposer d'un tournevis (ne pas oublier de l'emporter lorsqu'on grée le moteur sur l'annexe).

Moteur immergé.

Lorsqu'un moteur est tombé à l'eau, il faut le faire remettre en état au plus vite par un mécanicien. Si celui-ci ne peut pas s'en occuper tout de suite, il vaut mieux immerger celui-là dans de l'eau douce plutôt que de le laisser à l'air sans rien y faire.

Signalons enfin que lorsqu'on possède un moteur hors-bord, il faut avoir à bord au moins deux bougies de rechange et les outils indispensables pour démonter les bougies, la cuve du carburateur et le lanceur.

Pour l'hivernage, le meilleur conseil que l'on puisse donner est de confier le moteur à un atelier spécialisé.

Le moteur diesel

C'est un moteur plus important et plus complexe que le moteur hors-bord. Pour l'utiliser au mieux, il est bon d'acquérir quelques petites notions de mécanique : il faut savoir réamorcer le circuit de gas-oil, remplacer une durite, retendre la courroie de la dynamo, faire une vidange et un graissage.

Installation.

Ce paragraphe n'aurait aucune raison d'être si les installations de moteur étaient toujours réalisées avec le soin nécessaire, mais ce n'est pas le cas. Il faut donc être capable d'estimer soi-même la qualité d'une installation et de l'améliorer éventuellement.

Il est toujours souhaitable que la cabine ne soit pas transformée en une salle des machines gluante et nauséeuse. Pour que les fonds ne soient pas souillés par l'huile, le gasoil ou l'eau qui peuvent s'échapper du moteur, on dispose sous celui-ci une sorte de cuvette étanche, une *gatte*, qui recueille ces débordements. Cette gatte doit avoir un point bas bien marqué pour qu'on puisse la vider aisément avec une seringue. Pour éviter que l'odeur douçeâtre du gasoil ne se répande dans la cabine, le moteur doit être installé dans un compartiment bien fermé et prenant son aération à l'extérieur.

D'autre part, un moteur diesel vibre et fait du bruit ; pour qu'il soit supportable, il doit être monté sur *silent-blocs*, sorte d'amortisseurs en caoutchouc. Cette liaison étant souple, toutes les autres liaisons entre la coque et le moteur doivent l'être aussi, sinon elles cassent. Il faut donc un flecteur sur l'arbre porte-hélice, des sections souples sur les canalisations et le pot d'échappement. Ces liaisons sont peu durables : le caoutchouc des amortisseurs, des flecteurs et des durites ne résiste pas éternellement au gas-oil, la partie souple du tuyau d'échappement rouille vite. Il faut les changer fréquemment, tous les ans ou tous les deux ans.

Le réservoir de carburant mérite une mention spéciale. Il doit être placé plus bas que le moteur, l'alimentation de celui-ci étant assurée par une pompe. Ainsi, en cas de fuite de la canalisation, la pompe aspire de l'air et le moteur s'arrête, mais le carburant ne se répand pas dans le bateau.

En cours de fonctionnement, un moteur peut toujours avoir des défaillances, les plus graves étant les défauts de graissage et de refroidissement. Sur une voiture, ces manques sont signalés par des voyants lumineux que le conducteur a constamment sous les yeux. Mais sur un bateau, on n'a pas toujours le nez sur le tableau de bord; il est donc prudent de doubler ce tableau d'un signal d'alarme sonore, qui se déclenche aussi bien pour signaler un manque de graissage qu'un manque de refroidissement. Dès qu'on entend ce signal, il faut stopper le moteur, non sans avoir consulté le tableau de bord pour savoir ce qui ne va pas. Dans une installation correcte, le signal sonore doit se déclencher au moment de la mise en route et de l'arrêt du moteur, de la même façon que le voyant d'huile s'allume au tableau de bord d'une voiture.

La vanne de prise d'eau à la mer doit être placée dans un endroit très accessible, que tout le monde à bord doit connaître; elle doit être munie d'une poignée inamovible, pour qu'on puisse la fermer tout de suite en cas de rupture de canalisation.

Il faut enfin embarquer les outils et le matériel nécessaires aux dépannages simples et à l'entretien courant. On n'embarque évidemment que ce qui correspond aux travaux que l'on a appris à faire. Si l'on ne sait rien faire, au premier ennui on fait comme si l'on n'avait pas de moteur.

Utilisation.

Alimentation.

S'il y a des bulles d'air dans le circuit d'alimentation — et c'est le cas en particulier quand on est tombé en panne sèche — le moteur ne peut pas fonctionner : il s'arrête dès que la moindre bulle d'air arrive à la pompe d'injection.

Pour purger le circuit il faut procéder en deux temps :

1. Desserrer le tuyau d'alimentation à son arrivée à la pompe d'injection (lorsqu'il n'y a pas de robinet de purge); laisser couler le carburant ou le pomper à la main jusqu'à ce qu'il n'y ait plus de bulles d'air à apparaître; resserrer le tuyau.
2. Desserrer d'un tour les écrous maintenant les canalisations sur les injecteurs; mettre les gaz et faire tourner le moteur, si possible à la manivelle, jusqu'à ce que l'air soit également éliminé de cette partie du circuit; resserrer les écrous et mettre en marche.

Cette opération fondamentale est très simple quand on l'a faite une fois; il faut se la faire montrer par le mécanicien qui installe le moteur.

Refroidissement.

La plupart des moteurs diesel actuels sont refroidis par de l'eau douce, elle-même refroidie par de l'eau de mer. Il y a donc deux circuits.

Le circuit d'eau douce est un circuit fermé, identique à celui d'une voiture. Il doit être toujours bien rempli et il faut avoir à bord de l'eau douce pour refaire le plein au besoin. Mettre de l'eau de mer dans ce circuit, même provisoirement, est dangereux : les chemises en acier du moteur n'y résistent pas.

Le circuit d'eau de mer est un circuit ouvert : l'eau est aspirée par une pompe à travers une crépine située sous la flottaison, passe dans un échangeur où elle refroidit l'eau douce, puis est rejetée à l'extérieur, souvent par le tuyau d'échappement.

Si le signal d'alarme se déclenche parce que le moteur chauffe, il faut arrêter celui-ci immédiatement et vérifier tout d'abord le niveau de l'eau dans le circuit d'eau douce.

S'il manque de l'eau, il faut en remettre, quand le moteur a un peu refroidi, et après avoir réparé les fuites éventuelles.

S'il ne manque pas d'eau, il faut également laisser le moteur refroidir un peu, puis le remettre en marche et vérifier la circulation d'eau de mer. Si celle-ci est normale, c'est probablement la pompe à eau douce qui est en panne; pas question de réparer soi-même.

Si la circulation est faible ou inexistante, plusieurs cas sont possibles :

— la vanne de coque est fermée;

— la crépine est bouchée; pour le savoir, fermer la vanne, débrancher le tuyau, rouvrir la vanne et voir si l'eau coule;

— si la vanne et la crépine laissent passer l'eau normalement, le cas est plus grave : c'est le circuit qui est bouché ou la pompe qui est défaillante. Là aussi il faut consulter un mécanicien.

Graissage.

On doit utiliser une des huiles recommandées par le constructeur, toujours la même, et juste la quantité prévue. L'excès est aussi néfaste que le manque.

Les vidanges doivent être plutôt trop fréquentes que trop rares. Même si le moteur a peu fonctionné, on ne doit pas tourner avec une huile vieille de plus de 3 mois.

Quand le signal d'alarme se déclenche par défaut de graissage, il faut stopper le moteur et vérifier le niveau d'huile. S'il manque de l'huile, il suffit d'en remettre. Sinon on rentre à la voile, car il s'agit d'une panne grave, impossible à réparer en mer.

Quand l'inverseur a un carter distinct de celui du moteur, il faut vérifier son niveau d'huile au moins tous les 15 jours, le vidanger au moins une fois par an.

Il ne faut pas oublier non plus les organes annexes : pompes à eau douce et à eau de mer, presse-étoupe, commandes à distance (embrayage et gaz), dynamo. Ils doivent être graissés au moins à chaque vidange et plus souvent si le moteur fonctionne beaucoup.

Electricité.

Dès que le moteur tourne, la dynamo ou l'alternateur doivent charger la batterie. Cette charge se vérifie à l'ampèremètre. Au bout d'un certain temps de fonctionnement (de 5 minutes à 2 heures) la charge diminue, mais elle ne doit jamais devenir nulle. Si la dynamo ne charge pas, c'est souvent parce que sa courroie d'entraînement est détendue, ce qui se répare facilement.

Pour que la batterie soit efficace et durable, le niveau de son électrolyte doit être maintenu à 1 cm au-dessus des plaques. Il faut vérifier ce niveau une fois par mois et compléter au besoin avec de l'eau pure (Evian ou eau distillée). Lorsqu'on a l'impression de manquer d'électricité (éclairage faible alors même que le moteur vient de tourner) c'est en général qu'il manque de l'eau dans la batterie.

Démarrage, conduite, arrêt.

Avant de démarrer, vérifier :
— le niveau de carburant, d'eau douce et d'huile;
— que la vanne de prise d'eau est bien ouverte;
— que le moteur est bien débrayé.

Quand le moteur est à démarrage électrique, éviter de tirer longtemps sur le démarreur, ce qui met rapidement la batterie à plat; dès le deuxième refus, il vaut mieux vérifier que tout est en ordre plutôt que d'insister lourdement.

Lorsque le moteur est lancé, vérifier :
— le bon fonctionnement du circuit d'eau de mer;
— la montée en pression du circuit d'huile.

Avant de lui demander un effort sérieux, il faut laisser au moteur le temps de chauffer; il doit tourner quelques minutes au point mort puis, une fois en route, demeurer à mi-régime pendant 5 minutes au moins.

En route normale, on fait tourner le moteur environ aux 4/5 de son régime maximum.

Si l'on veut pouvoir tourner longtemps au ralenti, pour pêcher par exemple, il faut choisir un moteur prévu pour cela et le faire régler en conséquence.

Enfin, pour arrêter le moteur, couper l'injection, puis le contact, et c'est tout (fermer la vanne de coque et le robinet de carburant est inutile si l'installation est bien faite).

Hivernage.

Pour retrouver un moteur en bon état au printemps, il suffit de prendre quelques précautions :

— Remplir le circuit de graissage avec une huile de stockage, et en mettre un peu dans chaque cylindre. Pour choisir l'huile, suivre les instructions du constructeur.

— Vidanger le circuit d'eau douce, pour éviter tout risque de gel.

— Débarquer la batterie, la dynamo, le démarreur, et les confier à un garagiste.

— Nettoyer l'extérieur du moteur, le badigeonner d'huile.

— Faire tourner le moteur de quelques tours (à la main) une ou deux fois par mois, pour empêcher les pistons de se gommer et d'abîmer chemises et segments.

Les instruments de navigation

Les appareils de navigation sont tous des appareils de mesure ; ils sont en général fragiles et coûteux. Leur place à bord doit être bien étudiée. Ceux que l'on prend couramment à la main doivent avoir un lieu de rangement bien protégé et facilement accessible, pour que l'on n'hésite pas à les remettre en place entre chaque utilisation. Ceux qui sont fixes doivent être à l'abri des coups et certains à l'abri de l'eau.

Le compas

Comme la boussole, un compas sert à repérer les directions par rapport au Nord magnétique.

Il est composé d'un ou de plusieurs aimants solidaires d'une **rose,** plaquette circulaire graduée de 0 à 360°, montée sur pivot et baignant dans un liquide à l'intérieur d'une cuvette étanche. Le liquide employé est, selon les marques, du pétrole, du white spirit, de la glycérine ou de l'eau additionnée d'alcool.

Les aimants s'orientent dans la direction du champ magnétique terrestre et la rose est graduée de telle sorte que son zéro indique le Nord magnétique.

Le compas de route.

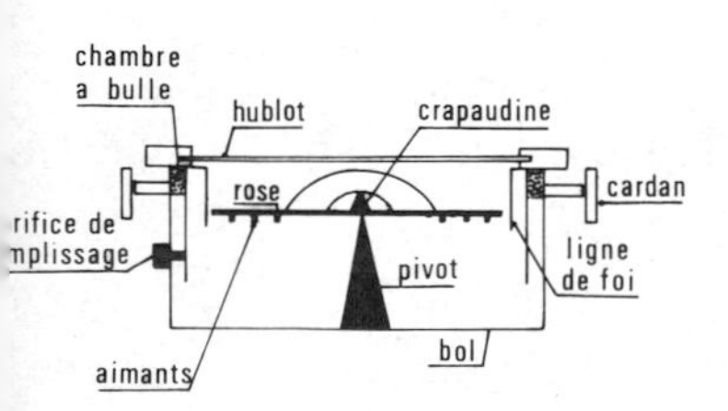

Sur un compas de route, l'axe du bateau est matérialisé par un repère, la **ligne de foi,** qui permet de lire sur la rose le cap que l'on fait. Le compas est suspendu à la Cardan pour que la rose reste horizontale malgré les mouvements du bateau.

Il y a plusieurs types de compas de route :

Le compas classique. C'est un compas fort simple, donc bon marché. On peut y lire à tout instant le cap que l'on suit, mais il n'est pas très commode pour le barreur, car celui-ci doit maintenir en face de la ligne de foi une graduation peu visible. Ce type de compas n'est utilisable que si les 32 divisions de la **rose des vents** y sont dessinées, ce qui donne des points de repère plus évidents.

Le compas à sphère. Ce compas est du même type que le précédent, mais le verre qui recouvre la cuvette est hémisphérique et fait loupe. Il grossit une partie des graduations. Pour profiter au mieux de l'effet de loupe, le barreur doit se placer : soit dans l'axe du bateau où se trouve la ligne de foi principale, soit sur le côté, car ce compas comporte deux lignes de foi auxiliaires perpendiculaires à l'axe. C'est un compas très agréable sur les bateaux munis d'une barre à roue. Il n'offre pas grand intérêt lorsqu'on a une barre franche. Il est fragile et utilisable seulement sur des bateaux assez grands.

Le compas conservateur de cap. Conserver son cap, en ayant une graduation comme point de repère, est fatigant et réclame une attention exclusive. Avec ce type de compas l'inconvénient disparaît, car il suffit pour être au cap de mettre en correspondance deux lignes bien visibles. Ceci permet de placer le compas n'importe où — pourvu qu'on l'aperçoive.

Ce genre de compas peut être réalisé de deux façons. Dans l'un des systèmes utilisés, il s'agit d'un compas ordinaire, dont la rose est munie d'un repère bien visible, généralement un gros trait Nord-Sud. La ligne de foi est prolongée jusqu'à l'extérieur de la cuvette. Le hublot est doublé d'une rondelle transparente, graduée de 0 à 360°, munie d'un, ou mieux, de deux traits parallèles sur la ligne Nord-Sud. Cette rondelle est orientable. Pour donner un cap au barreur, on tourne la rondelle de façon à amener devant la ligne de foi du compas le cap choisi. Il suffit ensuite au barreur de faire coïncider les lignes de repère. Il est toujours possible de lire le cap que l'on suit en face de la ligne de foi intérieure du compas. L'inconvénient majeur du système est que de la buée ou de l'eau se glisse souvent entre rondelle et hublot, rendant ainsi toute lecture impossible.

Il existe un autre compas du même genre, qui possède une rose identique, mais pas de rondelle transparente. Ici, les traits Nord-Sud sont gravés sur le hublot du compas, et c'est le bord de la cuvette qui est gradué. L'ensemble du compas tourne dans une couronne munie d'une ligne de foi. L'inconvénient du compas précédent n'existe donc pas. Par contre, on ne peut pas lire le cap que l'on fait sans ramener le zéro de la cuvette en face de la ligne de foi de la bague.

Compas réglé pour cap-compas 244°. Le bateau est à son cap lorsque le Nord de la rose coïncide avec le Nord de la cuvette; ici, il faut donc venir à gauche.

Le compas à lecture verticale. Ce compas est très peu employé en plaisance, car il est difficile de lui trouver un emplacement convenable. Comme la ligne de foi se trouve sur l'arrière de la rose, il faut inverser ses réflexes à la barre.

Il existe également de nombreux compas simplifiés, sans cardan, de taille réduite, parfaitement suffisants (et fort utiles) sur de petites embarcations.

Installation.

Quand on installe un compas, on le place le plus loin possible des masses magnétiques du bord. Si on ne parvient pas à le soustraire complètement à l'influence de celles-ci, il n'indique pas le Nord, il subit une **déviation.** On peut alors le **compenser.** Cette opération, qui doit être réalisée par un spécialiste, consiste à placer dans les environs du compas des aimants annulant les effets magnétiques du bord.

Un compas conservateur de cap peut être placé indifféremment devant ou derrière le barreur; il n'est pas nécessaire qu'il soit très près de celui-ci car il reste lisible de loin. Un compas sphérique doit être juste devant le barreur, pour pouvoir être lu perpendiculairement à l'axe. Un compas ordinaire doit également être devant le barreur, mais sa position est moins critique.

Pour dégager le cockpit, on peut installer deux compas sphériques ou deux compas à lecture verticale sur la cloison arrière du rouf, ou encore un seul compas à lecture verticale sur le rouf lui-même. Avec ces dispositions, on risque toutefois des interférences entre les divers compas du bord : route, relèvement, et cadre gonio. De plus, le compas de route est fréquemment masqué par les équipiers qui s'asseoient entre le barreur et le rouf. Quel que soit l'endroit choisi, le compas doit être solidement fixé et à l'abri des coups.

Eclairage.

L'éclairage du compas doit être net et faible pour ne pas éblouir le barreur. On emploie donc des ampoules sous-voltées et si possible de couleur rouge (on peut les teinter soi-même avec du vernis à ongles).

Certains compas, malheureusement très chers, ont un éclairage d'origine correct; d'autres sont simplement phosphorescents (ce sont des compas conservateurs de cap). Cette phosphorescence est agréable mais elle disparaît au bout d'un an ou deux. En fait, la plupart du temps, l'éclairage d'un compas est du domaine du bricolage. Une solution simple et efficace consiste à souder directement sur l'ampoule un fil que l'on raccorde à l'installation électrique du bord ou à une batterie de piles; on fixe l'ampoule sur le verre du compas avec de la pâte à modeler, qui sert en même temps d'abat-jour.

Eclairer le compas avec une lampe torche est à déconseiller : les piles ne sont pas toujours amagnétiques (même si elles ont l'air d'être en plastique). L'indication donnée par le compas ainsi éclairé est fausse; elle redevient valable ensuite dans l'obscurité...

Entretien.

Un compas réclame peu d'entretien : pourtant il ne faut pas oublier de graisser les axes de cardan et la couronne de certains compas conservateurs de cap.

Lorsqu'une bulle apparaît dans le liquide, on peut l'éliminer en mettant le compas un instant à l'envers et en le redressant lentement; c'est ce qui s'appelle coincer la bulle. Si la bulle ne disparaît pas, il faut faire rajouter du liquide par un opticien de marine.

Le compas de relèvement à main.

C'est un compas ordinaire qu'on peut tenir à la main et qui est équipé d'un prisme permettant de viser horizontalement tout en voyant la rose.

Ce genre de compas, malgré sa mobilité, ne doit pas subir de choc : il doit être soit dans son logement, soit dans la main de l'utilisateur, jamais posé « provisoirement » dans un coin, ni porté en sautoir comme une musette.

Lorsqu'il est éclairé par piles, il faut choisir des piles amagnétiques. Pour s'assurer qu'elles le sont, on les fait tourner sur le hublot du compas et l'on observe les réactions de la rose. Chaque pile est à vérifier, car toutes les piles d'un même modèle n'ont pas forcément les mêmes caractéristiques magnétiques.

Le compas de relèvement à main étant essentiellement mobile, il n'est pas possible de le compenser comme on le fait pour un compas de route : la compensation n'est en effet valable que pour une seule position, bien précise. Sur les bateaux en acier ou en béton, il faut donc disposer d'un compas de relèvement fixe. On peut à la rigueur utiliser un **cercle de gisement,** appareil qui permet de prendre non plus le relèvement mais le **gisement** de l'amer, c'est-à-dire l'angle entre sa direction et l'axe du bateau.

Le loch

Pour mesurer la vitesse du bateau, et donc la distance parcourue, on utilise un appareil nommé **loch.** Il existe actuellement des lochs mécaniques et des lochs électroniques, mais il est très possible de fabriquer soi-même un instrument simple et beaucoup moins coûteux, qui n'est autre que le « loch à bateau » de la vieille marine à voile.

Le loch à bateau.

Le « bateau » est une planchette de bois, lestée pour flotter à la verticale et reliée à la ligne de loch par une patte d'oie (voir page suivante). Sur la ligne on fait des nœuds, espacés en principe de 7 m 71 (soit 1/240 de mille).

On met le bateau à l'eau et on laisse filer la ligne. On compte ensuite, à partir du premier nœud, combien de nœuds passent dans la main en 15 secondes (soit 1/240 d'heure). Ce qui donne la vitesse en **nœuds.** *Filer 8 nœuds*, c'est faire 8 milles dans l'heure...

On peut aussi, au lieu de mesurer la distance parcourue dans un temps donné, mesurer le temps qu'il faut pour parcourir une distance donnée. On ne fait alors que deux nœuds sur la ligne, espacés de 25, 30 ou 40 m. On mesure le temps qu'il faut pour que la partie de la ligne comprise entre les deux nœuds défile dans la main. Comme un nœud équivaut sensiblement à 0,5 m/sec, le calcul est simple...

Le loch à bateau est non seulement facile à fabriquer et à utiliser, mais les indications qu'il donne sont précises à toutes les vitesses, ce qui n'est pas le cas des autres lochs.

Pour faire un loch à bateau

Le bateau. Prendre une planchette de 8 à 10 mm d'épaisseur, une baguette de bois taillée en biseau, un morceau de feuille de plomb et réaliser le bateau suivant le modèle ci-dessous. Le plomb doit être juste assez lourd pour que le bateau flotte à la verticale en émergeant à peine.

La patte d'oie. Il faut deux bouts de 3 à 4 mm de diamètre, d'environ 80 cm de long, et une pince à linge. Prendre l'un des bouts, faire une petite boucle à l'une de ses extrémités, un nœud de capucin au milieu, et amarrer l'autre extrémité dans le trou de la baguette, à l'angle supérieur du bateau. Prendre l'autre bout, l'enfiler dans le ressort de la pince à linge et immobiliser celle-ci au milieu en faisant un nœud en 8 de part et d'autre du ressort. Amarrer les extrémités du bout aux points de fixation inférieurs du bateau.

Il reste à suspendre la pince à linge au brin supérieur (au-dessus du nœud de capucin, qui l'empêche de glisser) et l'on obtient une patte d'oie « escamotable », dont les trois brins doivent être de même longueur. Ce dispositif s'avère fort utile lorsqu'il faut relever le loch : une secousse sur la ligne, la pince s'ouvre, le bateau se met à plat et n'offre plus de résistance.

La ligne. Utiliser un filin tressé de 2 à 3 mm de diamètre et d'au moins 70 m de long (si l'on veut pouvoir filer 8 nœuds...). Pour relier la ligne au loch, faire une grande boucle à son extrémité, suffisamment grande pour que le bateau y passe et que l'on puisse ainsi baguer cette grande boucle sur la petite boucle de la patte d'oie. Faire le premier nœud (en 8) à 10 m environ. En principe les nœuds suivants doivent être espacés de 7 m 71 comme on l'a dit; en pratique, il faut les espacer de 7 m 50 pour tenir compte du fait que le « bateau » est toujours un peu entraîné par la ligne. Coincer dans les nœuds des petits bouts de laine de couleurs différentes pour qu'ils soient reconnaissables. Ranger la ligne dans un seau amarré à l'arrière du bateau.

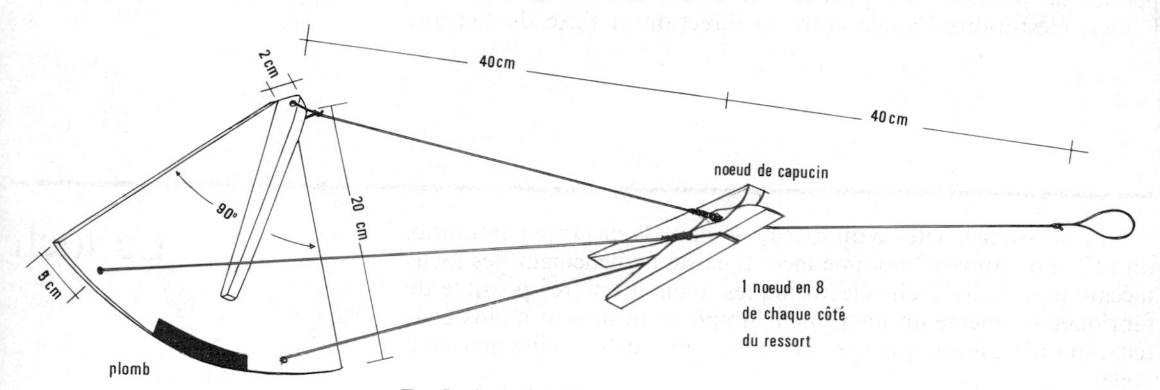

Si l'on ne dispose d'aucun matériel, on peut fabriquer un loch à bateau encore plus simple, en amarrant une bouteille (remplie de façon à flotter tout juste) sur la ligne de sonde. Les nœuds doivent être espacés d'environ 7 m pour tenir compte de l'entraînement de la bouteille.

Le loch mécanique.

C'est une sorte de compteur kilométrique, actionné par une hélice, ou **poisson,** que l'on traîne derrière le bateau. Ce compteur enregistre la distance parcourue mais n'indique pas directement la vitesse.

Mouiller et relever la ligne demande un peu de méthode. Comme l'hélice tourne dès qu'elle est à l'eau, la ligne s'entortille si elle ne peut faire tourner le compteur. Pour mouiller, on accroche donc la ligne au compteur et on met tout le filin à l'eau avant de lâcher l'hélice. Pour relever, on décroche la ligne du compteur et on laisse filer cette extrémité tout en relevant l'hélice. Ceci permet à la ligne de se détordre. Pour ne pas risquer de la perdre on lui fait faire le tour du balcon. Lorsqu'on tient le poisson toute la ligne est à l'eau et détordue. On la rentre alors en la lovant au fur et à mesure.

Cet appareil est simple et robuste, mais il a des défauts : il n'enregistre qu'au-dessus de deux nœuds et peut se trouver bloqué par une algue sans qu'on s'en aperçoive. D'autre part il n'est pas rare de se faire voler l'hélice par un poisson; et si l'on pêche, l'hélice est généralement le premier poisson pris.

Ce genre de loch demande un peu d'entretien : il faut huiler le compteur tous les 500 milles environ et changer la ligne dès qu'elle montre des signes d'usure à proximité de l'hélice.

Le loch électronique.

Le principe est le même : on compte le nombre de tours d'une hélice (ou d'une roue à aubes) mais cette hélice est très petite (1 cm de diamètre environ) et placée sous la coque; le comptage est effectué électroniquement et l'appareil indique à la fois le nombre de milles parcourus et la vitesse instantanée. Un répétiteur placé près de la barre indique en permanence la vitesse du bateau.

Ce loch est un peu plus fragile que le loch mécanique, mais il est plus sensible : il fonctionne à partir d'un demi-nœud ou d'un nœud. Si une algue se prend dans l'hélice, le barreur s'en aperçoit immédiatement grâce au répétiteur. L'hélice est rétractable et on peut la nettoyer tout de suite.

Baromètre.

« Ne me frappez pas, je fais ce que je peux. Evitez de me visser contre la cloison du rouf, les chocs me font sursauter », implore le baromètre.

Il est très souhaitable que le baromètre indique la pression réelle, afin de pouvoir comparer ses indications à celles qui sont données par les stations météo. Pour l'étalonner, on peut procéder de la façon suivante : noter la hauteur du baromètre à 7 h ou 19 h (soit 6 h ou 18 h T.U.); acheter le journal local le lendemain matin, et repérer sur la carte météo la pression indiquée pour l'une de ces heures. Déplacer l'aiguille du baromètre (à l'aide de la petite vis placée au dos) en fonction de la différence constatée. Contrôler le lendemain.

La radio.

Un récepteur radio est un appareil essentiel et d'ailleurs obligatoire à bord de tous les bateaux de croisière. Il est nécessaire pour recevoir la météo, faire le point par radiogoniométrie, connaître l'heure.

Il y a trois catégories d'appareils :

— **PO-GO.** C'est le transistor de tout le monde. Il permet de capter sur petites ondes (PO) les météos régionales (Rennes, Bordeaux, Marseille, etc.) et sur grandes ondes (GO) la météo de France-Inter, de la B.B.C., de Radio Monte-Carlo. Il est suffisant pour les bateaux de petite croisière (5e, 4e et 3e catégorie).

— **PO-GO-MA.** Ce récepteur possède en plus la gamme marine (MA), ce qui permet de prendre la météo des stations maritimes (Boulogne, Le Conquet, Grasse etc.). Il est obligatoire sur les bateaux de 2e et de 1re catégorie.

— **PO-GO-MA-RP.** Cet appareil, nécessaire en croisière de haute mer, permet de capter les radiophares (RP) et de se situer par radiogoniométrie. Pour faire de la radiogoniométrie il faut, en plus du récepteur, disposer d'une antenne-cadre, communément appelée **gonio,** permettant de relever l'azimut de l'émetteur. Cette antenne peut être adaptée sur un compas de relèvement ou mieux, comporter elle-même un compas. Elle est reliée au poste par un câble coaxial de 3 à 5 m de long.

Les appareils de radio doivent avoir à bord une place précise et si possible être fixés à l'abri des coups et de l'eau. Il faut éviter de les placer trop près des compas car les haut-parleurs comportent un aimant assez puissant. La gonio doit avoir un lieu de rangement sûr et facilement accessible : elle est encore plus fragile que le compas de relèvement et doit regagner sa place dès qu'elle n'est plus dans la main de l'opérateur.

La sonde et l'écho-sondeur.

La sonde à main.

La sonde à main est constituée d'un **plomb** de 3 à 4 kg et d'une ligne graduée, de 50 m de long environ. Le plomb comporte à sa base une cavité que l'on peut remplir de suif, ce qui permet de recueillir un échantillon du fond, ou simplement de vérifier que le plomb a bien touché.

Pour graduer la ligne, on peut y faire des marques à l'encre indélébile (marqueur). On choisit une couleur pour les dizaines de mètres (1 trait à 10, 2 traits à 20...), une autre pour les 5 mètres (1 trait à 15, 2 traits à 25...). On ne gradue mètre par mètre que les dix premiers mètres. Ne pas oublier que, lorsqu'on sonde, la ligne s'allonge sous l'effet du poids. Il faut donc la graduer tendue.

La ligne se range dans un seau, un sac ou un panier. On l'amarre au fond du récipient et on l'entasse dedans en la faisant défiler dans ses mains (si on la met en vrac, et surtout si on la love, on est sûr de faire un sac de nœuds).

La sonde à main est suffisante sur la plupart des bateaux. Elle est indispensable même si l'on possède un écho-sondeur.

L'écho-sondeur.

C'est un appareil électronique qui indique la hauteur d'eau de façon continue et jusqu'à des profondeurs importantes, ce qui permet en particulier de suivre facilement une **ligne de sonde** (courbe de niveau du relief sous-marin).

Il est constitué d'un émetteur-récepteur d'ultra-sons et d'une antenne appelée **tête de sondeur,** située sous la coque. Sur les voiliers, à cause de la gîte, on dispose une tête de chaque bord, et un contact à mercure met automatiquement en service celle qui se trouve sous le vent. Ces têtes de sondeur doivent être maintenues propres, sinon l'indication risque d'être fausse.

Pour être utile en navigation sur le plateau continental Atlantique, le sondeur doit avoir une portée d'au moins 100 mètres.

Girouette, anémomètre.

Ces deux appareils sont généralement couplés et placés en tête de mât. On ne les trouve que sur des bateaux très bien équipés; ils sont chers et leur présence ne se justifie vraiment qu'en course. Comme ils reçoivent un vent non perturbé par le gréement, les indications qu'ils donnent sont précises et intéressantes, du moins tant que le vent est soutenu et la mer relativement calme. Mais par vent faible et mer agitée, quand le bateau roule, ces indications sont trop variables pour être utilisables.

Le sextant.

Le sextant est un instrument d'optique qui permet de mesurer des angles avec une grande précision et en particulier l'angle entre un astre et l'horizon.

Principe.

Sur un bâti en forme d'arc de cercle, sont fixés rigidement une lunette et un petit miroir. La partie circulaire du bâti, le **limbe,** est dentée et graduée de 0° à 120°. Sur l'axe de cet arc de cercle pivote un grand miroir actionné par un bras, l'**alidade.** L'alidade est munie d'une vis micrométrique qui s'engrène sur les dents du limbe et qui est graduée en minutes et dixièmes de minutes d'arc. Le petit miroir est souvent un verre transparent à coefficient de réflexion élevé.

En regardant dans la lunette, on voit l'horizon à travers le petit miroir et, en superposition, l'image de l'astre réfléchie par le grand et le petit miroir. En faisant pivoter le grand miroir, on fait coïncider les deux points entre lesquels on veut mesurer l'angle : ici, le bord inférieur du soleil et l'horizon. Pour connaître la valeur de l'angle, on lit les degrés sur le limbe, les minutes et dixièmes de minute sur le tambour de la vis micrométrique.

Sextant à tambour.

Sur les sextants anciens, le petit miroir a sa moitié gauche transparente et sa moitié droite recouverte de tain. La limite entre la partie réfléchissante et la partie transparente est dans l'axe de visée. Il n'y a pas de vis micrométrique : le limbe est gradué en degrés et dizaines de minutes, la lecture des minutes et dixièmes de minutes se fait sur le vernier de l'alidade.

Réglages.

Le sextant, appareil très précis, se dérègle facilement. Il faut le contrôler périodiquement :

— avant chaque campagne, procéder à la rectification des miroirs;
— avant chaque observation, mesurer la collimation.

Perpendicularité du grand miroir au limbe. Avec le sextant sont

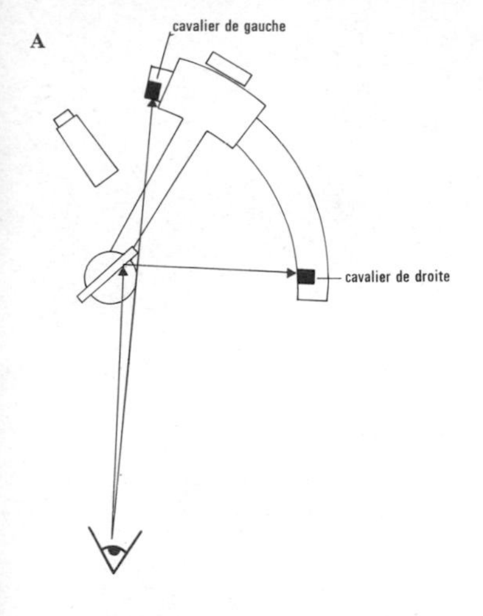

A. Pour régler les miroirs, on pose le sextant à plat sur une table et on vise comme ceci. **B.** Ce grand miroir est perpendiculaire au limbe. 1. Cavalier de droite vu dans le grand miroir. 2. Cavalier de gauche vu directement. 3. Les arêtes des cavaliers sont alignées. **C.** Ce petit miroir n'est pas encore perpendiculaire au limbe. **D.** La valeur de la collimation est ici de + 5'.

fournis deux cavaliers, qui servent à ce réglage. Le sextant étant posé à plat, on place un cavalier sur chaque extrémité du limbe.

Il faut viser comme le montre le dessin A. La perpendicularité est correcte (photo B) lorsque l'arête du cavalier que l'on voit en direct prolonge l'arête du cavalier réfléchi par le miroir (celui-ci comporte au dos des vis de réglage).

Perpendicularité du petit miroir au limbe. Le sextant est tenu à plat. On met l'alidade à zéro. A travers la lunette, on vise une ligne horizontale assez éloignée (l'arête d'un toit par exemple, ou un horizon calme). On agit au besoin sur la vis de réglage jusqu'à ce que l'image directe et l'image réfléchie de cette ligne se superposent exactement (dessin C).

Collimation. On tient le sextant vertical. On fait coïncider l'image directe et l'image réfléchie de l'horizon. L'angle lu sur le sextant doit être zéro; s'il ne l'est pas, la différence avec le zéro donne la valeur de la collimation (dessin D). Il faut la connaître pour l'ajouter ou la retrancher aux angles lus ultérieurement : on l'ajoute si elle a été lue à droite du zéro du limbe, on la retranche si elle a été lue à gauche.

Entretien.

Le sextant est fragile, il faut lui éviter le moindre choc. L'entretien consiste à enduire régulièrement l'appareil d'une fine couche de vaseline (à l'aide d'un coton hydrophile). Il faut le garder dans sa boîte, à l'abri de l'eau. Le limbe des sextants anciens comporte des graduations si fines qu'il vaut mieux ne pas y poser les doigts.

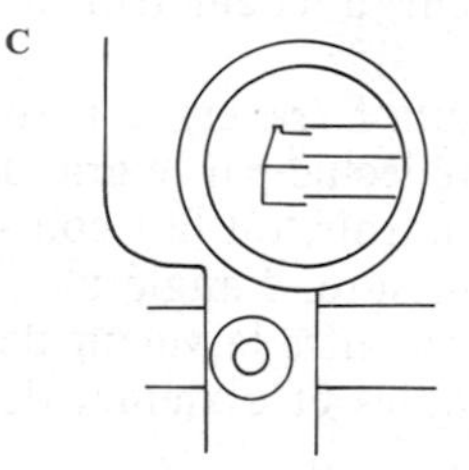

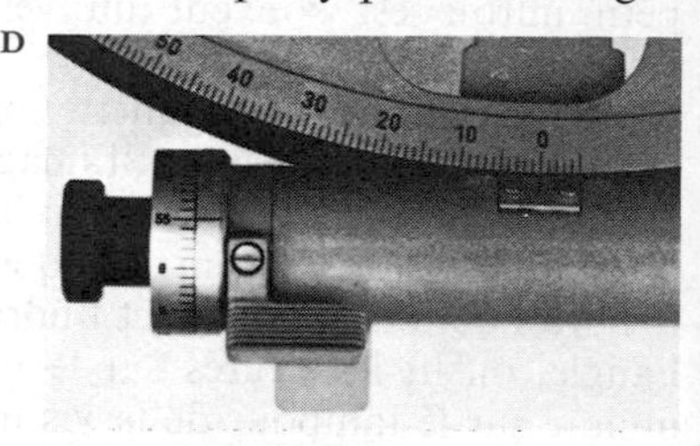

Le bric-à-brac

Il y a encore une grande quantité de petites choses à bord d'un bateau, et seul le terme de bric-à-brac paraît capable de les englober toutes. Il s'agit, bien entendu, d'un bric-à-brac très organisé. Nous ne parlerons ici que des accessoires les plus courants.

L'annexe.

C'est le plus gros des accessoires. C'est aussi le plus opprimé. Le plaisancier moyen a, vis-à-vis de son annexe, des exigences multiples et difficilement conciliables : puisqu'elle n'est pas un vrai bateau, elle doit être bon marché; puisqu'elle est accessoire, elle ne doit pas être encombrante; puisqu'il faut souvent la porter, elle doit être légère. Mais comme on n'aime pas trop godiller, il faut qu'elle embarque d'un seul coup tout l'équipage, tout l'armement et les victuailles; donc, qu'elle soit vaste, solide, stable; donc qu'elle soit un vrai bateau. Et nous estimons en plus qu'elle doit être insubmersible.

Pour remplir toutes ces conditions, du moins le maximum d'entre elles, il faut un engin possédant une grande souplesse d'adaptation. Un seul matériau paraît convenir : le caoutchouc (ou plus exactement, aujourd'hui, le néoprène). Nous ne parlerons donc ici que des annexes pneumatiques; ce sont celles que nous utilisons.

Précautions d'usage. L'annexe pneumatique est presque parfaite ; on peut lui reprocher simplement d'offrir une assez forte résistance au vent et aux vagues. Elle ne se dégonfle ou ne se crève que si elle est vraiment maltraitée. Pour la conserver en bon état, il suffit de prendre quelques précautions élémentaires :

— Eviter de marcher dessus lorsqu'elle est dégonflée ou pliée.

— Lorsqu'on aborde au rivage, débarquer avant qu'elle ne touche.

— Ne pas la laisser raguer sur la plage, à la limite de l'eau : elle doit être, soit à flot, soit complètement au sec.

— Ne pas la laisser stationner trop gonflée au soleil : elle risque d'éclater si la pression augmente trop.

— Ne pas l'amarrer le long d'un quai, il est toujours trop rugueux (par contre elle peut être amarrée le long du bord, elle ne s'abîme pas et n'abîme pas la peinture du bateau).

— Eviter de la remorquer en mer, elle risque de s'envoler ou de se retourner; son anneau ou sa bosse d'amarrage n'y résistent pas toujours.

Les ennuis d'étanchéité les plus fréquents surgissent à l'endroit des valves. Une bonne précaution consiste à mettre une goutte d'huile minérale sur celles-ci tous les quinze jours ou tous les mois.

Propulsion. Son fardage étant assez important, l'annexe pneumatique a besoin de moyens de propulsion efficaces pour remonter contre le vent et les vagues. La godille (même utilisée dans une engoujure correcte) se révèle souvent insuffisante. Il faut aussi pouvoir **nager,** c'est-à-dire avancer aux avirons. Pour cela, il faut disposer de dames de nage valables et d'avirons solides (les avirons démontables ne le sont pas toujours). Il faut pouvoir s'asseoir à bonne hauteur (sur un jerricane par exemple). En plus des avirons, une bonne paire de pagaies n'est pas inutile. Si l'on veut utiliser un moteur hors-bord, il faut d'abord s'assurer que le tableau arrière de l'annexe est capable de le supporter.

Hivernage. Avant de rentrer une annexe pneumatique pour l'hiver, il est bon de la rincer à l'eau douce. On la range à moitié gonflée, si possible à l'abri de la lumière et de la chaleur. Lorsqu'il est indispensable de la plier, il faut au préalable qu'elle soit bien sèche et talquée.

Réparations. Le bon principe est de ne pas attendre qu'une annexe soit crevée pour y faire quelque chose. En collant à temps des placards aux endroits un peu râpés, on s'évite bien des soucis. On trouve d'ailleurs dans le commerce des bandes anti-frictions, que l'on peut placer aux endroits qui s'usent le plus vite. Il faut également surveiller certains points fragiles, comme le raccordement du tableau, et les renforcer avant qu'ils ne soient franchement décollés.

Pour réparer une annexe percée, il faut procéder de la façon suivante :

— Repérer la fuite; pour cela, gonfler l'annexe à bloc, puis y passer une éponge imbibée d'eau très savonneuse, et voir où des bulles apparaissent.

— Gratter soigneusement les alentours du trou, à l'aide d'une râpe ou de papier de verre. Il faut parvenir à enlever la couche superficielle de caoutchouc, qui est spécialement traitée pour ne pas coller. Gratter de la même façon la pièce que l'on va mettre en place.

— Appliquer une première couche de colle sur les deux surfaces à coller. Attendre ensuite un bon quart d'heure, que la colle sèche bien.

— Appliquer une deuxième couche, et attendre à nouveau. Lorsque la colle est sèche (elle tient encore un peu au doigt, mais n'y reste pas), mettre la pièce en place.

Pour que la réparation tienne, il faut observer une seule condition, mais elle est essentielle : la température de l'air et des surfaces à coller doit être de 20° C au moins.

L'aviron et sa dame.

Sur les bateaux modernes, qui ont souvent un franc-bord important, l'aviron de godille doit être très long (il faut que la pelle soit entièrement dans l'eau, et que le godilleur soit confortablement installé). Il est rare que cet aviron trouve une place à l'intérieur du bateau; on le range donc sur le pont. Il doit être facilement accessible, et pourtant bien saisi. Son ber doit le maintenir bien droit, pour qu'il ne se déforme pas. Il est judicieux de le placer du côté où se trouve la dame de nage.

La dame de nage est placée à bâbord, pour les droitiers. Elle doit être inclinée de 30° vers l'arrière pour que l'aviron y trouve un appui correct. Sur la plupart des bateaux de croisière, cette dame de nage peut être inamovible. Sur certains bateaux toutefois il faut pouvoir l'enlever, car elle gène la manœuvre. Il est prudent, dans ce cas, qu'elle soit munie d'une sauvegarde.

Lorsque le tableau du bateau dépasse du pont, et qu'il n'est pas inversé, la dame de nage n'est pas la meilleure solution : il est préférable d'avoir une **engoujure** dans le tableau, c'est-à-dire une encoche ronde, que l'on double d'un jonc en laiton.

Dame de nage et engoujure doivent être parfaitement polies, sinon la partie de l'aviron qui y travaille s'use rapidement.

Les bosses d'amarrage.

Deux bosses d'amarrage de 20 à 30 m sont indispensables à bord. Il est encore mieux d'en avoir trois ou quatre.

Pour ces amarres, que l'on peut être amené à couper et qui de toute façon s'useront vite, le mieux est de choisir un textile bon marché, mais solide. Aux Glénans, on utilise du polypropylène de grosse section (12 pour un Mousquetaire, 16 pour une Galiote, 18 pour *La Sereine*).

En Méditerranée, il est bon de prévoir aussi des câbles en acier (de 4 à 5 m, terminés par des œils), pour s'amarrer directement aux rochers dans les criques et les calanques où les fonds sont de mauvaise tenue. On passe ces câbles autour des rochers de part et d'autre de la crique, et le bateau y est relié par des amarres en nylon (souvent très fin : du 5 pour un Mousquetaire). En cas de coup de vent particulièrement, il est intéressant de pouvoir ainsi immobiliser le bateau au milieu de la crique.

Les défenses.

Les défenses sont destinées à protéger la coque des chocs contre les quais ou contre les autres bateaux. Il existe des défenses de toutes sortes, réalisées dans les matériaux les plus divers. Toutes devraient répondre à cette exigence minimum : ne plus bouger une fois qu'on les a mises en place. Seules les défenses plates ont cette qualité, mais il en existe malheureusement fort peu et la défense idéale, à l'heure actuelle, reste encore le pneu de voiture. Il est parfaitement efficace. Ses seuls défauts sont d'être encombrant à bord et salissant s'il n'est pas placé dans une housse de toile.

En plus des défenses classiques, il est bon d'avoir deux ou trois grosses bouées gonflables, peu encombrantes et fort utiles le jour où ça remue vraiment beaucoup.

Les défenses doivent être toujours suspendues verticalement, sinon elles remontent. Pour qu'elles soient efficaces il faut en placer trois ou quatre sur chaque bord, les plus petites au milieu et les plus grosses aux extrémités.

Les béquilles.

Les béquilles sont les pièces de bois ou de métal qui maintiennent debout le bateau échoué.

Elles doivent être plus courtes que la quille de 8 à 10 cm. Sinon, lorsque la quille s'enfonce un peu dans le sol, tout le poids du bateau repose sur les points de fixation des béquilles.

La surface de leur pied doit être en rapport avec l'importance du bateau : si son pied est trop étroit, une béquille trop chargée s'enfonce, elle travaille en porte-à-faux et peut casser; avec un pied trop large, dans un sol meuble elle risque de ne pas s'enfoncer suffisamment par rapport à la quille. D'après notre expérience, des surfaces de : 5 dm² pour un Corsaire, 8 dm² pour une Galiote, 10 dm² pour un Arpège, sont convenables. Par contre 10 dm² pour un Corsaire sont excessifs.

Les béquilles sont en général boulonnées, dans le pavois s'il y en a un, sinon dans la coque elle-même (ne pas oublier dans ce cas de mettre des bouchons dans les trous quand on enlève les béquilles...). Ces points de fixation doivent être évidemment renforcés.

Même sur un petit bateau, les boulons de béquille doivent être forts, sinon ils se tordent vite. Pour donner un ordre de grandeur, disons qu'on utilise des boulons de 14 mm pour un Corsaire, de 20 mm pour un bateau de 2 tonnes, de 25 mm pour un bateau de 10 tonnes.

Enfin, pour que les béquilles restent parfaitement verticales, on les maintient à l'aide de **garants** qui sont pris au pied de la béquille et sont raidis à bord, aussi près que possible de l'étrave et du tableau. On utilise de préférence des filins en polypropylène, peu élastiques.

Pompe, seau, écope.

Lorsqu'il y a juste un peu d'eau dans le bateau, l'écope ou la pompe sont des moyens d'épuisement suffisants. Mais lorsqu'il y en a beaucoup, la pompe est absolument inefficace et rien ne vaut un bon seau, de 7 à 10 litres, muni d'une anse solide, et d'un bout également solide. Son emploi est épuisant dans tous les sens du mot, mais il est d'un rendement remarquable, du moins jusqu'à ce que la hauteur d'eau ne soit plus que de quelques centimètres. A ce moment la pompe ou l'écope retrouvent leur utilité.

Les poulaines.

Il y a différentes sortes de poulaines : l'appareil le plus répandu à l'heure actuelle est le w.c. marin, qui comporte essentiellement un système de pompe à main permettant une évacuation directe à la mer. Il offre donc, en principe, les mêmes garanties de confort que les installations terriennes. En fait, la pompe s'avère souvent beaucoup trop fragile. Il faut la manœuvrer avec précaution (et cependant avec force). Elle s'enraye facilement, n'acceptant en général que des papiers très fins, parfois même pas de papier du tout. Elle peut être une cause de voie d'eau, et l'on ne doit pas oublier de fermer les vannes de coque après chaque usage. Elle nécessite un certain entretien : vannes et piston doivent être graissés au moins une fois l'an. Cet appareil, enfin, ne devrait pas être utilisé dans les ports très fréquentés, surtout dans les ports sans marée, qui risquent d'être transformés peu à peu en cloaques.

Les w.c. chimiques présentent des avantages certains : sauf quelques systèmes perfectionnés, ils ne coûtent généralement pas très cher, et l'on est à l'abri des ennuis mécaniques. C'est un procédé propre, et qui ne pollue pas les ports. Il comporte évidemment quelques servitudes : on doit le vider régulièrement et y placer les produits chimiques convenables; éviter de renverser ceux-ci dans le bateau, ils attaquent les coques en bois et en métal.

Le simple seau, cependant, reste une solution très valable, et qui ne fait rougir que les maladroits. Il a l'avantage d'être bon marché, de ne pas fuir, de ne présenter aucun danger. Il ne peut toutefois être utilisé dans les ports — ce qui ne serait pas un inconvénient si ceux-ci disposaient d'installations correctes.

Enfin, à bord des bateaux où la civilisation n'a pas encore totalement pénétré, on néglige volontiers tous ces systèmes et l'on va se promener jusqu'au balcon avant. Certains prétendent trouver là le confort total.

L'éclairage.

A bord d'un bateau, on peut s'éclairer de deux façons, à l'électricité ou au pétrole.

L'électricité. Comme on ne dispose que d'un courant faible, il faut éviter les pertes au maximum. Il est donc conseillé d'utiliser pour la distribution des câbles d'assez forte section. Comme les contacts s'oxydent vite (ce qui accroît les pertes), il vaut mieux souder les connections plutôt que d'installer des boîtes de dérivation étanches (qui laissent en fait entrer l'eau, et la gardent), et utiliser des interrupteurs à contact d'argent plutôt qu'à contact de laiton.

Les tubes fluorescents consomment moins de courant que les ampoules ordinaires. Quant au nombre de lampes à installer, tout dépend de la façon dont on supporte le bruit d'un moteur rechargeant les batteries.

Il est bon de prévoir deux circuits indépendants l'un de l'autre : un pour la navigation (feux de route, éclairage du compas, table à cartes), un pour l'habitation (cuisine, carré, couchettes).

Le pétrole. Retranchés dans cette hutte qu'est la cabine, à l'abri du vent et de l'eau, beaucoup de plaisanciers découvrent avec émerveillement la qualité de l'éclairage au pétrole. La lampe donne une lumière douce, sensible, et recrée une ambiance bien oubliée. Ça ne sent mauvais que si la mèche est mal mouchée.

Il existe de jolies lampes à pétrole suspendues à la Cardan, mais on peut aussi se contenter de lampes-tempête. Celles-ci doivent avoir des supports sérieux et disposés aux bons endroits.

Pour éteindre une lampe-tempête, on souffle dessus; si l'on baisse trop la mèche en effet, celle-ci tombe dans le réservoir (c'est toutefois une façon comme une autre de stocker des mèches de rechange).

Même si l'on dispose d'une installation électrique, il faut avoir au moins une lampe-tempête à bord, en cas de panne, et pour servir de feu de mouillage.

Quand on n'a pas l'électricité, il faut tout de même disposer d'une lampe fixe alimentée par une batterie de piles (type éclairage de caravane). Elle est pratique lorsqu'on a besoin d'y voir clair rapidement, ou pour chercher les allumettes...

L'outillage.

Il est indispensable d'avoir à bord :
une clef à molette (utilisable sur le plus gros boulon du bateau)
une pince multiprise

un tournevis de taille moyenne
un tournevis fin genre électricien
un marteau
un épissoir
un coupe-boulon (pour sectionner les haubans en cas de besoin)
une paumelle et un jeu d'aiguilles
enfin, si le bateau est équipé d'un moteur auxiliaire, tout l'outillage nécessaire pour le dépannage simple et l'entretien.

Cette liste représente un minimum et il semble prudent d'y ajouter un certain nombre d'objets dont l'absence pourrait être amèrement regrettée un jour :
un tire-bouchon
une scie égoïne
un cadre de scie à métaux et plusieurs lames
un burin (l'ancre sert d'enclume)
une chignole et des forets
un ciseau à bois
une pierre à affûter
un petit étau (si on trouve un endroit où le fixer)
des clefs, pinces et tournevis de tailles diverses.

Le matériel de rechange.

Ici, il n'est pas possible de donner une liste type : tout dépend du bateau, et c'est au chef de bord de faire un vigoureux effort d'imagination pour penser à tout.

En décrivant la coque, le gréement, les voiles, nous avons à plusieurs reprises signalé les rechanges qui paraissaient indispensables. Il faut encore y ajouter :

— Un cordage de rechange pour chaque sorte de cordage utilisé, et aussi long que le plus long d'entre eux. Par exemple, si le bateau est équipé d'une seule qualité de filins (même matériau, même diamètre) il suffit d'avoir un cordage de rechange à la dimension de l'écoute de grand-voile (et tout de même une ou deux bosses de ris, qui ne sont probablement pas du même diamètre).

— De la toile à voile, du même grammage que la toile des voiles principales; du fil à voile, en coton pour les coutures, en chanvre ou en nylon pour les surliures.

— Du fil de fer et de laiton, ou mieux du fil inox.

— Des goupilles inox, dans toutes les dimensions utilisées à bord (pour ne pas les perdre on les colle, bien alignées, entre deux bandes de ruban adhésif transparent).

— Une ou deux poulies.

— Des manilles.

— Quelques morceaux de contre-plaqué, pour boucher éventuellement un hublot cassé, obstruer une voie d'eau, ou simplement faire une menue réparation.

— Une ou deux lattes à voile de la plus grande taille.

— Du suif pour les manilles et les vis; de l'huile pour les poulies et réas; de la graisse pour les winches et autres; une bouteille de rhum au cas où l'autre casserait, etc, etc.

7. Désarmer, armer

En naviguant, un bateau ne connaît pas de répit. La mer et le vent le soumettent à des efforts considérables. L'eau salée et l'air marin le rongent. Sans cesse, il faut se battre contre l'usure, la corrosion; surveiller, réparer, entretenir à droite et à gauche. Cet entretien courant, tel que nous l'avons évoqué dans les chapitres précédents, ne s'avère cependant plus suffisant à la longue : vient un jour où il faut s'arrêter pour de bon, et se livrer à une remise en état de l'ensemble.

Pour un bateau de plaisance, l'occasion de cette remise en état est offerte par le désarmement de fin de saison (en attendant l'âge d'or où l'on naviguera toute l'année). Le désarmement permet d'entrer dans les détails, de repérer les signes de fatigue, aussi bien de la coque que du gréement ou du matériel. C'est aussi le moment de penser à l'avenir : si le désarmement est bien fait, l'armement suivant sera simple et rapide.

Les jours passés à désarmer et à armer étant autant de jours perdus pour la navigation, on a tout intérêt à s'organiser pour les réduire au strict minimum. En fait, le désarmement se prépare de loin, tout au long de la saison, puis de façon plus précise au cours des derniers jours de croisière. Un bon moyen pour ne pas se trouver débordé au dernier moment consiste à avoir à bord un carnet, sur lequel on note, au jour le jour, tout ce qui ne va pas. Ce carnet ne sert d'ailleurs pas uniquement au désarmement, mais tout le temps : on y note toutes les petites réparations que l'on peut faire soi-même aux escales; on les coche à mesure qu'elles sont réalisées. Mais on y inscrit aussi les réparations qui peuvent attendre la fin de la saison, les renouvellements de matériel à prévoir, les améliorations souhaitables. Il est recommandé d'avoir un gros carnet, qui puisse durer plusieurs années : il constitue ainsi un véritable *carnet de santé* du bateau. Il permet de savoir à chaque instant où l'on en est, et en même temps de voir loin. Il fait également le lien entre le jour où l'on désarme et le jour où l'on arme, à travers la longue nuit de l'hiver où peu à peu l'on oublie tout.

Le désarmement

La sagesse populaire affirme qu'un bon marin est feignant de nature. Entendons qu'il s'agit d'un homme avisé, soucieux d'éviter les corvées inutiles. Pour désarmer un bateau de plaisance moderne, cette attitude apparaît de plus en plus raisonnable. Ce genre de bateau est en effet constitué de matériaux qui se conservent assez facilement; de plus, il navigue généralement peu, en fin de saison il n'est pas très usé. Il semble dès lors que l'on puisse effectuer un bon désarmement en s'en tenant aux quelques principes suivants : réparer tout ce qui est à réparer, mais démonter le moins possible et assurer la conservation du matériel à sa place ordinaire.

Bien entendu, il n'est pas interdit de dégréer complètement son bateau, pour avoir le plaisir de s'en occuper minutieusement tout au long de l'hiver. Mais cela signifie que l'on a son bateau près de soi, et le temps de s'en occuper. Ce n'est pas le cas général. En fait, la façon dont on désarme dépend en premier lieu du mode d'hivernage que l'on a pu choisir.

Modes d'hivernage.

Un dériveur n'est pas encombrant : il hiverne n'importe où, la coque simplement retournée sur le sol, le mât si possible à l'abri quelque part, et tout l'armement emporté dans le coffre d'une voiture. Mais plus le bateau est gros, plus il contient de matériel et plus les choses se compliquent. Nous avons déjà évoqué ce problème en parlant du choix d'un bateau : s'il est transportable et qu'on peut le ranger chez soi, tout va encore très bien; s'il n'est pas transportable, les vrais soucis commencent. Selon le type de construction, les possibilités de la région où l'on se trouve, et naturellement ses propres possibilités financières, il faut envisager des solutions différentes.

Retournés, écartés du sol pour que l'air circule en dessous, bien calés pour ne pas s'envoler par temps frais, les dériveurs peuvent fort bien hiverner à l'extérieur.

Hivernage à flot.

C'est la solution la plus simple : on ne désarme pratiquement pas et le bateau demeure disponible à tout instant. Mais ce mode d'hivernage ne peut être envisagé que dans un port parfaitement abrité, bien équipé, surveillé même la nuit. Il faut disposer d'un gardien sûr, qui aère et assèche le bateau régulièrement; qui surveille les amarres et les remplace au besoin, sans attendre qu'elles cassent; qui remet les défenses en place, les change le cas échéant; qui dissuade les squatters éventuels de s'installer à bord.

Le poste d'amarrage lui-même ne coûte pas très cher en morte saison, mais le gardiennage est souvent d'un prix élevé. Selon les endroits, il faut prévoir un ou deux carénages au cours de l'hiver, et cela même si on ne se sert pas du bateau. D'autre part les peintures se ternissent assez vite.

Selon leur type de construction, les bateaux supportent plus ou moins bien cette solution. Elle est valable pour les bateaux de construction classique, qui ainsi ne sèchent pas — mais de toute façon ces bateaux doivent, à un moment ou à un autre, passer un mois au sec pour se débarrasser des tarets. Les bateaux en bois collé, pour leur part, risquent de s'alourdir un peu, et ceux qui ne sont pas très bien construits vieillissent plus vite sur l'eau qu'au sec. Par contre, un bateau en plastique est parfaitement à l'aise; on doit simplement prévoir un stock d'huile de coude pour le printemps, si l'on veut rendre son brillant à la coque. Un bateau en métal ne souffre pas non plus, sauf s'il est amarré à couple ou trop près d'une coque recouverte d'une peinture contenant du cuivre.

Hivernage en échouage, ou sur vasière.

Hiverner en échouage consiste à **amortir** le bateau, c'est-à-dire à l'échouer assez haut pour qu'il ne soit atteint par l'eau qu'aux grandes marées. C'est le mode d'hivernage traditionnel dans les régions à fort marnage; il convient tout particulièrement aux bateaux en bois, qui sèchent ainsi juste assez pour que les tarets crèvent et pour que la coque ne s'alourdisse pas. Il présente aussi l'intérêt d'être bon marché (la place étant généralement gratuite), à condition toutefois que l'on puisse faire soi-même l'échouage et le déséchouage. Il faut donc pouvoir être là à l'équinoxe de septembre et aux vives-eaux de printemps. Entre-temps, une certaine surveillance s'avère nécessaire, du moins aux grandes marées. Il faut dans tous les cas vider complètement le bateau puisque cette surveillance n'est pas continue.

L'hivernage sur vasière, sans béquilles, est également excellent, surtout pour les bateaux de construction classique, qui ne sèchent ni ne travaillent. Ici aussi le bateau doit être surveillé et il faut se rendre à bord de temps en temps pour pomper et pour vérifier les amarres.

En définitive, ces deux solutions sont surtout intéressantes pour les propriétaires qui n'hivernent pas trop loin de leur bateau.

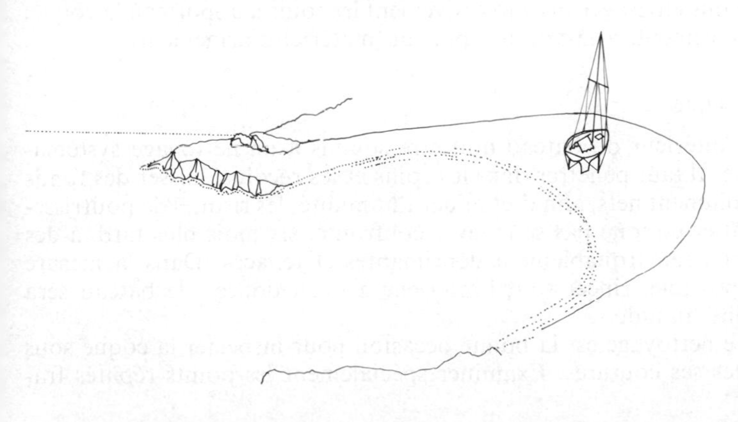

On est tranquille jusqu'à la prochaine marée de 105.

Hivernage au sec, dehors.

Nous l'avons dit : lorsqu'on dispose d'un jardin, y installer son bateau, bien épontillé, constitue la solution idéale, et la moins coûteuse.

La meilleure solution pour qui veut bricoler pendant l'hiver.

Les bateaux trop gros pour être remorqués peuvent être entreposés de la même façon dans un chantier de gardiennage ou sur le parking d'un port, formule moyennement onéreuse. Si le bateau est hors de portée des convoitises, on peut laisser presque tout le matériel à bord, on ne débarque que les objets vraiment fragiles (électronique, instruments de navigation). La peinture s'abîme assez peu.

Un bateau de construction classique qui hiverne ainsi doit être remis à l'eau dès le printemps. Les autres peuvent rester au sec sans inconvénient jusqu'au 14 juillet.

Hivernage à l'abri.

C'est évidemment la solution qui donne le moins de souci, mais c'est aussi la plus chère. Elle n'est vraiment à envisager que s'il y a de gros travaux à effectuer sur la coque. Elle est valable aussi pour les bateaux de course en bois, qui doivent sécher pour ne pas s'alourdir (leur construction est suffisamment soignée pour qu'ils ne travaillent pas). Elle est surtout réservée aux *yachtmen* amateurs de coques étincelantes.

A l'abri, la moisissure n'est pas à craindre; la totalité du matériel peut rester à bord, y compris le poste de radio.

Revue de détail.

Il faut maintenant aborder les opérations de désarmement proprement dites, selon le mode d'hivernage choisi.

Dans la mesure du possible, ce désarmement doit s'effectuer sans attendre, tout de suite après la dernière croisière. A ce moment, on connaît parfaitement les points faibles du bateau, on s'intéresse à son sort. Plus tard, l'intérêt faiblit, l'oubli s'insinue.

Nous envisagerons successivement les soins à apporter à la coque, au gréement, à la voilure, puis au matériel d'armement.

La coque.

L'intérieur du bateau doit être soumis à un nettoyage systématique. Il faut pénétrer dans les coins et les recoins, laisser des fonds absolument nets, afin d'éliminer l'humidité, les risques de pourrissement et pour ne pas se trouver confronté, six mois plus tard, à des odeurs remarquablement déprimantes et tenaces. Dans la mesure du possible, rincer tout l'intérieur à l'eau douce : le bateau sera moins humide.

Ce nettoyage est la bonne occasion pour inspecter la coque sous toutes ses coutures. Examiner spécialement les points réputés fragiles dans tel ou tel type de construction : râblures, livet de pont, angles, ferrures de safran, axe de dérive, etc.

Graisser ensuite toutes les mécaniques : winches, rails, poulies, guindeau. Passer un chiffon gras sur les pièces en aluminium et sur les chromes.

Enfin, ne pas oublier qu'une bonne aération de l'intérieur est primordiale. Prévoir tous dispositifs nécessaires à cette aération (panneaux à trous, systèmes de fixation d'écoutilles permettant de laisser celles-ci entrebâillées, etc.). A l'intérieur, laisser les placards ouverts, soulever les planchers, pour que l'air circule partout.

Selon le mode d'hivernage choisi, il peut être bon de recouvrir la coque d'un taud (laissant passer l'air), mais cette protection n'est indispensable que pour les bateaux de construction classique ayant un pont en petites lattes.

Le problème de la peinture de la coque se pose de moins en moins souvent, seuls les bateaux en bois en ont encore besoin. Un bateau qui navigue toute l'année doit être repeint au moins tous les deux ans; un bateau qui ne navigue qu'en été peut attendre parfois quatre ans.

Ne pas oublier que la peinture d'un bateau doit être terminée au moins huit jours avant l'armement pour qu'elle ait le temps de sécher complètement.

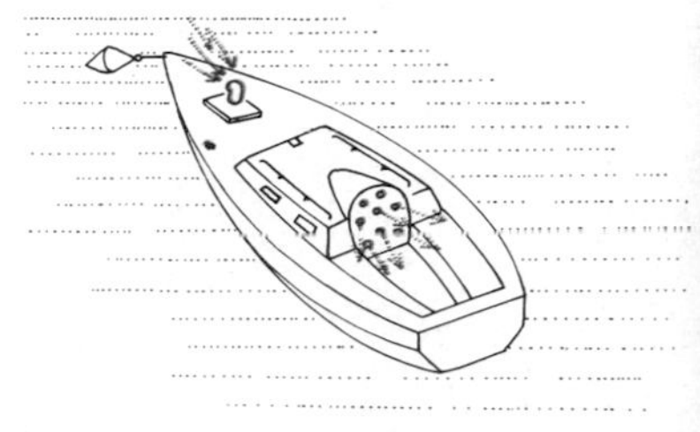

Quel que soit le mode d'hivernage choisi, il faut veiller à une bonne aération de la cabine.

Le gréement.

Mât en place. Si le bateau hiverne à flot ou en échouage, le mât et l'ensemble du gréement peuvent la plupart du temps rester en place, à condition que l'on connaisse exactement l'état du gréement, c'est-à-dire qu'on ait la bonne habitude d'aller s'y promener souvent. On ne démâte que s'il y a quelque réparation importante à faire, ou s'il s'agit d'un mât auquel on ne peut pas grimper.

Lorsque la mâture reste ainsi en place, on doit y faire un tour d'honneur, armé d'une burette à long bec et d'un chiffon gras, pour graisser poulies, réas, haubans, itagues, etc. Il faut prendre soin, ensuite, d'immobiliser parfaitement le gréement courant, de telle sorte qu'il ne puisse battre contre le mât. Si les drisses sont usées et semblent ne pas pouvoir tenir tout l'hiver, les remplacer par des **passeresses,** filins légers qui permettent d'installer en un instant les drisses neuves au printemps (le procédé est surtout valable pour les drisses qui passent à l'intérieur du mât). D'une manière générale, il ne faut évidemment pas mettre en place au désarmement du matériel neuf risquant de s'abîmer pendant l'hiver; mais noter soigneusement tout ce qui est à changer au printemps.

Mât couché tout gréé. Précaution importante au moment du démâtage : larguer les ridoirs des haubans, et non des cadènes, sinon l'on risque fort d'en perdre des morceaux (et l'on ne trouve pas de morceaux de ridoirs dans le commerce, pas plus que de manillons de manilles). De la même façon, lorsqu'on mâte, mettre en place les ridoirs sur les cadènes d'abord et non sur les haubans.

Le mât peut être entreposé tout gréé, couché, de préférence à l'abri car l'eau s'écoule mal le long d'un mât posé à l'horizontale. Un mât en bois doit être couché bien à plat et sur son seul côté droit, c'est-à-dire sa gorge. Pour un mât en aluminium, il faut encore penser aux effets galvaniques possibles : écarter ou isoler du mât toutes les pièces en métal jaune. Ecarter aussi le gréement en inox, lorsque le mât n'est pas à l'abri.

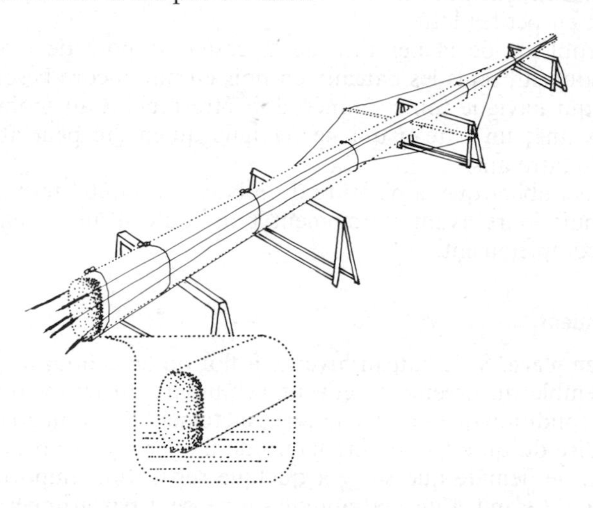

Toujours poser le mât sur sa gorge.

Mât dégréé. Dégréer complètement un mât est un travail considérable, et c'est encore une bonne occasion de perdre quelque chose. On ne s'y résout que lorsqu'il doit subir des réparations, ou être reverni (et encore !).

La voilure.

Rincer soigneusement toutes les voiles à l'eau douce pour les débarrasser du sel, puis les faire sécher. Inspecter chaque voile minutieusement. Les petites réparations à faire sont faites tout de suite (ou en tout cas notées). Les voiles qui ont besoin du voilier partent aussitôt à la voilerie.

Si le bateau hiverne à flot, qu'il est bien sec, qu'on a l'intention de s'en servir au cours de l'hiver, les voiles en Tergal peuvent rester à bord. Ne pas les laisser dans leurs sacs mais les poser en vrac sur les couchettes, pour qu'elles s'aèrent.

Dans tous les autres cas, on les entrepose dans un local sec. Pour qu'elles ne prennent pas trop de place on peut les plier en zig-zag, sur la bordure, puis les rouler.

Le matériel d'armement.

Tandis qu'on nettoie l'intérieur du bateau, il faut se faire un œil impitoyable et ne pas céder à l'attendrissement : éliminer le grille-pain crasseux, la râpe à fromage déjà un peu rouillée, les petits filins pourris et bouts de ficelle fétides *qui-pourront-toujours-servir*, le cendrier bricolé dans une boîte de corned-beef, le crayon à bille qui ne marche que si on le coince avec une allumette, les jolies fleurs des Scilly qui croupissent dans un pot de confiture. Mieux vaut immerger avec mélancolie tout de suite ce que l'on risque de jeter avec dégoût six mois plus tard.

Pour le reste du matériel, le principe est toujours le même : si le mode d'hivernage que l'on a choisi le permet, on laisse à bord le maximum de choses. C'est la meilleure façon de ne rien perdre.

Tout ce que l'on débarque doit en tout cas être noté dans le carnet. De plus, il est souvent prudent d'installer à la place de l'objet débarqué un *fantôme*, c'est-à-dire une étiquette portant le nom de l'objet en question et indiquant l'endroit où il se trouve à terre. Cette précaution est surtout utile lorsqu'on n'est pas certain de réarmer soi-même le bateau.

Certaines catégories d'objets doivent être mises à terre dans presque tous les cas; d'autres au contraire ne sont vraiment à débarquer que si le bateau reste ouvert à tous les vents.

Electronique, électricité, moteur. L'appareillage électronique (sondeur, loch, etc.) ne peut être laissé à bord que si le bateau hiverne dans un local clos; sinon il est préférable de l'entreposer chez soi. Tous les contacts, ceux des appareils et ceux de l'installation fixe du bord, doivent être enduits de vaseline. De même les contacts du circuit d'éclairage : interrupteurs, douilles, fusibles, cosses de batteries. Les batteries elles-mêmes, l'alternateur, le démarreur sont déposés chez un garagiste. Pour le moteur fixe, se reporter aux conseils d'hivernage donnés au chapitre précédent. Un moteur hors-bord doit être confié au concessionnaire de la marque, qui en assure la révision et l'entretien.

Matériel de navigation. Compas, sextant, jumelles seront mieux à terre; enduire leurs articulations de vaseline. Débarquer également cartes et documents nautiques pour les réparer, les mettre à jour et préparer les croisières futures.

Matériel de sécurité. Déposer les canots de sauvetage chez le concessionnaire de la marque, pour vérification annuelle (obligatoire). Rincer à l'eau douce et faire sécher soigneusement brassières, harnais, bouées; les suspendre à l'intérieur du bateau. Graisser les mousquetons individuels. Démonter les lampes étanches, jeter les piles, enduire les contacts de vaseline. La pyrotechnie périmée, ou simplement douteuse, doit être tirée en guise d'exercice — mais en prenant soin de le faire dans des conditions où aucune confusion n'est possible (c'est-à-dire au port, ou au cours d'une fête de village en Auvergne).

Textiles. Rincer tous les textiles à l'eau douce et les faire sécher; suspendre les filins et les toiles de roulis à l'intérieur du bateau;

mettre les matelas sur chant, si personne ne peut venir les retourner de temps à autre.

Matériel de ménage. Nettoyer toute la batterie de cuisine soigneusement (comme d'habitude); graisser les ustensiles en aluminium. Ici aussi, attention aux effets galvaniques : ne pas laisser un instrument en inox dans un récipient en alu. Nettoyer le réchaud à fond (comme d'habitude), le graisser soigneusement. Un brûleur de réchaud à gaz dont l'état est douteux doit être jeté sans hésitation (fuites). Graisser les pompes, les robinets, vider la caisse à eau, passer à l'eau de Javel pure les jerricans d'eau. Faire la vaisselle. Evidemment, débarquer tous les vivres, même les boîtes de conserve.

Bric-à-brac. Disposer ancre et chaîne ailleurs que dans les fonds, où il risque toujours d'y avoir de l'eau au cours de l'hiver. Immerger les outils dans du gasoil (dans le seau en plastique par exemple). L'aviron peut être suspendu sous le rouf, tenu au moins en trois points pour qu'il ne se déforme pas. Graisser la mécanique des w.c.; le plus simple, si on met le bateau au sec, est d'y pomper un ou deux litres d'huile de moteur (même usagée).

A la fin du désarmement, il reste à exploiter les notes du carnet qui n'ont pas encore été cochées : établir une liste détaillée et cohérente des réparations à effectuer et prendre contact tout de suite avec les personnes qui réaliseront ces travaux. Il faut être en mesure de bien préciser ce qu'il y a à faire; en particulier, s'il y a une voie d'eau à étancher, il faut l'avoir localisée avec exactitude en croisière, car elle n'est pas forcément évidente lorsque le bateau est au repos.

Faire également la liste du matériel à commander, et passer les commandes tout de suite — lorsque c'est possible, c'est-à-dire lorsque le désarmement ne coïncide pas avec une grande marée basse des finances. Mettre du moins le carnet en lieu sûr, en attendant des jours meilleurs.

L'armement

Lorsque le désarmement a été bien fait, l'armement est en principe un jeu d'enfant. Il s'agit de remettre en place tout ce que l'on a enlevé, d'installer le matériel neuf et de vérifier que l'ensemble fonctionne. C'est simple. Ce n'est presque jamais, en fait, aussi simple que cela. Il y a toujours quelque oubli, qui entraîne une perte de temps d'autant plus grande que l'on n'est plus dans le coup. Il fait justement un temps magnifique pour naviguer, et l'on n'est pas prêt. Inutile de trépigner et de scruter son carnet dans l'espoir d'y lire ce que l'on n'y a pas écrit. On peut tout au moins y noter en lettres capitales la décision ferme que l'on prend de faire plus attention la prochaine fois — car même ce genre de résolution s'oublie.

Lorsqu'on a retrouvé le ridoir qui manquait, changé la poulie qui a fait une mauvaise grippe dans l'hiver, soudoyé à prix d'or le forgeron local pour qu'il répare tout de suite le gouvernail, envoyé dix fois un équipier chez le garagiste pour prendre des nouvelles de la batterie; lorsqu'on a vérifié, à l'aide de la liste d'armement, que tout le matériel se trouve à sa place et en bon état, on peut enfin penser que l'on est prêt.

Ce n'est d'ailleurs pas vrai du tout. Le bateau semble au complet, l'équipage aussi, mais rien ne permet de penser que l'ensemble fonctionne correctement. Plutôt que de partir immédiatement en croisière, il paraît judicieux de patienter encore un peu : juste le temps d'effectuer une sortie d'essai, et de passer une nuit à bord.

Première sortie.

Avant d'embarquer, on vérifie à partir du quai que l'assiette du bateau est correcte. Puis on prépare l'appareillage et l'on s'assure que tout le gréement courant fonctionne bien : en hissant et en affalant les voiles, en faisant courir les écoutes, en essayant les winches. On lance le moteur; on donne un coup de godille (des fois que la dame de nage serait bloquée dans son support).

On s'attarde un peu plus au chapitre Sécurité. Chacun s'équipe de son matériel individuel : brassière, harnais et mousqueton, lampe étanche, ce qui permet de s'assurer que tout est en bon état, que tout fonctionne bien, et que tout le monde sait s'équiper. Il faut encore que chacun sache larguer la bouée-couronne et son phoscar, et connaisse l'endroit où sont rangés fusées, feux à main, fumigènes. On vérifie enfin l'amarrage du canot de sauvetage et l'on répète une manœuvre de largage.

Appareillage. Quelquefois laborieux. Sortie du port. Le bateau se réveille, l'équipage aussi. En mer, le premier travail consiste à régler le gréement dormant (voir chapitre 4). Puis on se lance dans une exploration systématique : on effectue toutes les manœuvres fondamentales, on essaye toutes les voiles, on prend tous les ris. Ainsi l'on peut être sûr que les écoutes sont assez longues, que tous les mousquetons des focs sont bien cousus, que toutes les bosses de ris sont là.

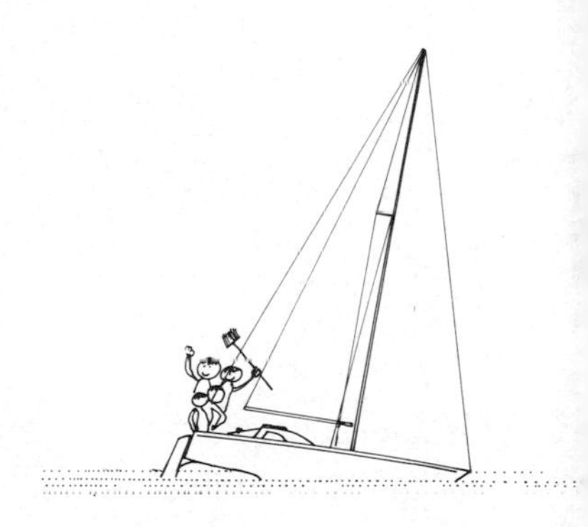

Un ultime coup d'œil à l'assiette du bateau...

Lorsqu'on a le bateau bien en main, le chef de bord fait répéter, jusqu'à réussite, la manœuvre d'homme à la mer, pour s'assurer que son équipage est capable, éventuellement, de le repêcher. Alors seulement il acceptera de rentrer, l'esprit tranquille.

Mais tout au long de la sortie, il est bien rare que l'on n'ait pas constaté un certain nombre de déficiences. Tout a été noté au fur et à mesure, et lorsqu'on arrive au mouillage, on se trouve à nouveau devant une liste impressionnante de choses à faire.

Première nuit.

Il importe enfin de s'installer à bord dans les conditions réelles de la croisière, c'est-à-dire d'y prendre au moins un repas et d'y dormir avant le grand départ. Le repas doit être un vrai festin, ce n'est pas le moment de lésiner : on fête l'ouverture de la saison et en même temps on vérifie que la batterie de cuisine est au complet, que la vaisselle est suffisante, que le réchaud fonctionne bien, qu'il y a du sel et du poivre; que le matériel d'éclairage est en état et que la radio marche, sur toutes les fréquences. Après quoi, chacun gagne sa couchette — si elle est là... On ne partira pas à l'aube, car il y a une nouvelle liste de courses à faire d'urgence. Ne pas oublier les cirés. Ni le crayon à bille. Ni l'annexe. Et puis vogue la galère...

deuxième partie

La manœuvre

Au commencement, il est possible de suivre une méthode raisonnée pour s'initier à la manœuvre, mais cela ne saurait durer. Dès que l'on parvient à se mettre d'accord avec son bateau sur l'essentiel, c'est-à-dire sur la direction à prendre, s'ouvre un vaste champ d'expériences pour l'exploration duquel on ne peut proposer d'itinéraire précis. Au gré des circonstances, des lacunes se comblent, des difficultés nouvelles apparaissent, des points de détail s'éclairent; telle manœuvre sera comprise d'emblée et une fois pour toutes; telle autre ne sera maîtrisée qu'au prix d'une longue patience. Enfin il est normal que l'on conserve encore un moment la possibilité de faire des erreurs monumentales et que l'empirisme, au fil des jours, ne perde pas tout à fait ses droits.

En abordant l'analyse de la manœuvre de façon détaillée, nous ne chercherons donc pas à présenter les choses dans un ordre chronologique qui s'avérerait peu réaliste à l'usage. A nouveau, nous irons d'abord au large, pour étudier la conduite du bateau aux différentes allures. La maîtrise des manœuvres annexes, appareiller, mouiller, changer de voilure, évoluer dans un port, dépend en fait de la familiarité peu à peu acquise avec les réactions d'un bateau et découle des mêmes principes.

Les principes fondamentaux de la manœuvre sont les mêmes pour toutes les catégories de bateaux à voile. C'est pourquoi nous avons choisi de traiter dans un même chapitre les manœuvres de dériveur et les manœuvres de bateau de croisière. Il est cependant évident que de nombreuses distinctions s'imposeront en cours de route, car tous les bateaux ne se conduisent pas de la même façon, ni dans le même esprit. Un dériveur de compétition est un engin acrobatique, surtoilé, instable; on n'y passe que quelques heures, avec le souci exclusif de la manœuvre; on peut le pousser à fond en prenant tous les risques, puisqu'on navigue uniquement sur plan d'eau surveillé. Le croiseur répond à un programme bien différent. Ici, il faut pouvoir vivre, c'est-à-dire manger, dormir ; la manœuvre n'est pas l'unique préoccupation; on embarque sa propre sécurité et l'on doit être prêt à affronter des temps très divers. On a donc un bateau moins extrême.

Sur le strict plan de la manœuvre, nous serons conduits à faire des distinctions essentiellement en fonction du poids des bateaux. Un dériveur léger est vite arrêté, vite reparti, ses évolutions sont rapides. Un croiseur lourd a de l'erre, mais réagit plus lentement aux sollicitations du vent, de la mer, de son barreur. Sur un dériveur, l'équipage constitue un véritable lest mobile, dont la position à bord influe directement sur la marche du bateau. Cela est déjà un peu moins sensible sur un bateau de 400 kg, et devient accessoire (quoique non négligeable) sur un croiseur lourd.

Il est difficile d'établir des catégories précises : un bateau assez grand mais léger peut avoir des réactions de dériveur, alors que la manœuvre d'un petit bateau lourd s'apparentera parfois à celle d'un croiseur de haute mer. Chaque bateau a ses caractéristiques propres, que l'on découvre à l'usage. Il n'y a pas de règles absolues, et c'est bien ainsi.

8. Conduite du bateau

La bonne conduite d'un bateau dépend avant tout de l'attention que l'on porte au vent. Comme toutes les vérités premières, celle-ci mérite d'être chantée sur tous les tons : en matière de voile on ne fera rien de bon tant que l'on n'aura pas noué des liens solides avec le vent; il est le seul point de repère valable.

Or ce point de repère est changeant par excellence. Si l'on veut tirer constamment le maximum d'un bateau, il faut se persuader qu'aucune situation n'est établie une fois pour toutes, et qu'un réglage, si parfait soit-il, peut à tout instant être remis en question. Le meilleur barreur est celui qui perçoit le premier une modification de la force ou de la direction du vent, et qui s'adapte aussitôt. Il n'y a pas d'autre secret (à notre connaissance).

L'adaptation aux circonstances concerne essentiellement : le réglage des voiles, le maintien de l'équilibre du bateau, la façon de gouverner.

Tout au long de ce chapitre nous analyserons donc successivement ces trois points, pour chaque allure et pour des forces de vent différentes. Naturellement, dans la réalité, la bonne conduite du bateau ne tient pas à la juxtaposition pure et simple de ces éléments : la réalité, ici, c'est la *relation* même qui existe entre eux. La modification d'un seul réglage retentit souvent sur tous les autres, et la marche du bateau dépend de l'équilibre entre leurs effets réciproques.

L'analyse n'a pas pour but de proposer des solutions appropriées à chaque cas, mais plutôt d'indiquer dans quel sens il faut agir. On manque de point de référence précis pour savoir à quel moment (et pour combien de temps) un bateau est parfaitement réglé. C'est pourquoi, même si l'on parvient avec l'habitude à bien sentir son bateau, un véritable contrôle ne peut s'effectuer qu'en le comparant à d'autres bateaux; c'est alors qu'on fait véritablement des progrès, et cette confrontation est nécessaire même si l'on ne souhaite pas se consacrer à la compétition.

Nous commencerons par étudier l'allure de près. C'est au près que l'on effectue les réglages fondamentaux d'un bateau. C'est également à cette allure que l'attention portée aux variations du vent se révèle primordiale. Il paraît nécessaire de l'analyser minutieusement.

Au près

La recherche du meilleur près

Le près « idéal ».

Le près est l'allure qu'adopte un bateau pour remonter dans le vent. Mais il y a différents près. Comme nous l'avons vu au chapitre 1, un bateau qui loffe à partir du vent de travers se trouve d'abord au petit largue puis, à mesure qu'il se rapproche de la direction d'où vient le vent, passe successivement par le **près bon plein,** le **près,** le **près serré** (on dit alors qu'il navigue **au plus près** du lit du vent). Au-delà, il entre dans la zone interdite du vent debout, dite aussi **secteur de louvoyage,** où il n'est pas possible de progresser à la voile.

Ce que nous appelons ici *meilleur près* concerne l'allure que doit prendre le bateau contraint de louvoyer pour atteindre un point situé dans la zone interdite. Une distinction s'impose en effet. On peut naviguer au près pour atteindre un point situé en dehors du secteur de louvoyage : on choisit alors son cap en fonction de ce point, en conservant une marge au vent pour compenser la dérive. Lorsqu'il faut louvoyer, le problème est différent : on ne choisit plus un cap par rapport à un point fixe quelconque, mais uniquement par rapport au vent lui-même. En fait, on ne choisit même pas un cap : celui-ci change tout le temps. On s'efforce surtout de profiter des chances offertes par les variations du vent pour gagner du terrain (tout en conservant une bonne vitesse) et réduire ainsi la valeur de l'angle mort du secteur de louvoyage.

Cet angle mort peut en effet varier nettement, selon le vent et l'état de la mer, selon les bateaux et la façon dont on les mène. D'une manière générale, on considère qu'un bateau qui avance, à bonne vitesse, à 45° de part et d'autre du lit du vent, fait un bon près. Pour un bateau fin, le secteur de louvoyage peut se réduire à 85°; il peut s'étendre jusqu'à 110° pour le même bateau, lorsque la brise est très fraîche, ou au contraire très faible (c'est par temps moyen qu'on fait le meilleur près).

Le souci de faire un bon cap est limité par la nécessité de conserver une bonne vitesse. Au près, en effet, la force exercée par le vent sur les voiles est mal orientée; il en résulte une composante propulsive faible, une composante de dérive et de gîte importante. Seule, la vitesse du bateau permet de limiter la dérive. Or, pour garder de la vitesse, il faut renoncer à suivre un cap trop proche du lit du vent. **Le meilleur près s'obtient donc au prix d'un compromis constant entre cap et vitesse, la dérive étant l'ennemi commun.**

Selon la force du vent, l'état de la mer, les exigences tactiques, on peut être amené à privilégier l'un des termes du compromis : ou bien serrer le vent pour raccourcir la route, en prenant le risque d'avancer peu et de dériver beaucoup; ou bien choisir une allure plus arrivée qui permet d'aller plus vite en dérivant moins mais qui allonge la route.

Exemple : en suivant un cap à 45° du vent, on avance à 5 nœuds, avec 5° de dérive; avec un cap à 49°, on atteint 5,25 nœuds et la dérive n'est plus que de 3°. Pour une abattée de 4°, la perte en cap ne sera donc finalement que de 2°. Le gain dans le vent sera-t-il le même ? Le problème, lorsqu'on décide de prendre un cap plus arrivé est de savoir jusqu'où on peut abattre, à quel moment l'augmentation de vitesse ne compense plus l'allongement de la route. On peut être fixé avec exactitude en se livrant à des comparaisons avec d'autres bateaux, ou si l'on possède les instruments de navigation nécessaires pour calculer son gain dans le vent. En régate, c'est surtout à la fin du louvoyage qu'on vérifie le bien-fondé de ses options.

Pour autant, il n'est pas question d'en tirer une règle générale : les résultats obtenus ne sont valables que pour une situation donnée. L'équilibre trouvé entre cap et vitesse n'est jamais acquis une fois pour toutes, les conditions changent sans cesse : le meilleur près reste idéal, et sa recherche n'est jamais terminée.

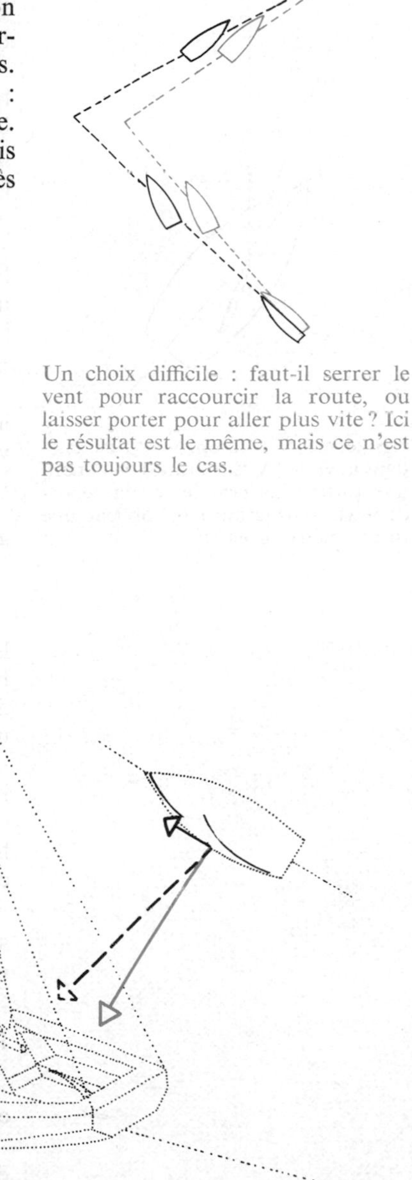

Un choix difficile : faut-il serrer le vent pour raccourcir la route, ou laisser porter pour aller plus vite ? Ici le résultat est le même, mais ce n'est pas toujours le cas.

Au près, la force exercée par le vent sur les voiles (force aérodynamique) est mal orientée : la composante de dérive et de gîte est beaucoup plus importante que la composante propulsive.

L'à-peu-près.

Descendons des hauteurs pour voir ce qui se passe effectivement sur l'eau, lorsque des débutants s'efforcent de gagner le plus possible dans le vent.

L'équipage novice du chapitre 1, parti du vent de travers, venait au près en loffant et en bordant progressivement les voiles. Le près était atteint, en principe, quand les voiles étaient complètement bordées et qu'il n'était plus possible de loffer sans qu'elles ne faseyent.

Le résultat de cette manœuvre est souvent consternant. On se retrouve avec un bateau qui **encense** dans le clapot, cruellement bridé, asphyxié, rongeant son frein et avançant en crabe. Voiles trop bordées, cap trop serré : c'est l'erreur des commencements (par vent faible et moyen tout au moins).

Pour s'en sortir il faut considérer :

la position de la voile par rapport au vent (angle A) : on sait que la force qui s'exerce sur la voile, due à la déflexion de l'air, est maximum pour un angle de déflexion de 20º à 25º; au près, cela incite à border la voile au maximum pour se rapprocher de cette valeur d'angle;

la position de la voile par rapport au bateau (angle B) : on sait également que la force exercée par le vent agit perpendiculairement à la voile : plus celle-ci est débordée, plus la force est dirigée vers l'avant.

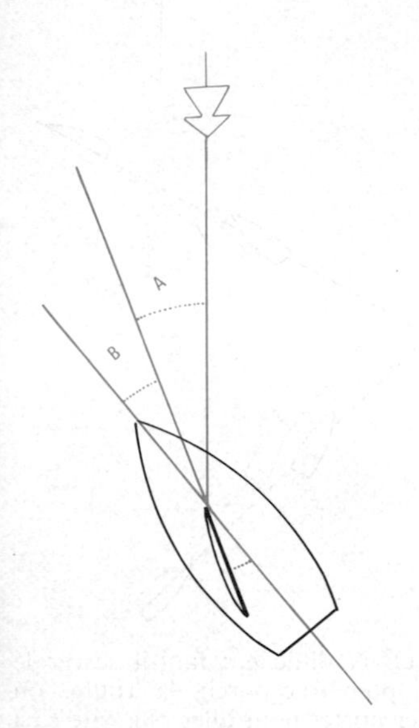

Les termes du compromis : en bordant la voile (A plus grand) on obtient une force plus grande; en la débordant (B plus grand) on obtient une force mieux orientée...

Il importe de voir que cette seconde considération limite singulièrement la première.

Dès lors, que doit-on faire?

D'abord, choquer un peu les écoutes. On sent tout de suite que le bateau respire. Il dérive moins. Cependant, il ne va pas encore beaucoup plus vite. Même en réglant correctement les voiles, il est difficile de reprendre de la vitesse au près, lorsque le bateau, pour une raison quelconque, a ralenti.

Il faut donc, également, abattre; l'accélération est en général immédiate.

Lorsqu'on a repris de la vitesse, on loffe à nouveau, et l'on s'efforce désormais de chercher un compromis correct entre vitesse et cap.

Ce compromis ne peut se trouver que par approximations successives : on règle les voiles en fonction du cap que l'on fait, mais le cap que le bateau peut faire dépend du réglage des voiles...

Réglage des voiles.

La figure montre trois orientations différentes d'une même voile, et leur efficacité respective :

— La voile noire pointillée, très bordée, bien pleine au bord d'attaque, recueille une force importante, mais cette force est mal orientée : la composante de dérive et de gîte est très grande par rapport à la composante propulsive. Ce réglage est mauvais.

— Sur la voile noire, très débordée, la force exercée par le vent est moins importante, mais mieux orientée : composante propulsive faible, composante de dérive faible également; la voile a tendance à faseyer au bord d'attaque, ce n'est pas le réglage idéal; nous verrons cependant qu'on est parfois contraint de l'adopter, par forte brise, lorsque la composante de gîte devient trop importante pour ce que le bateau et l'équipage peuvent supporter.

— Le meilleur réglage est évidemment le réglage intermédiaire, celui de la voile bleue : la composante propulsive est bonne, la composante de dérive et de gîte acceptable. Ici, la voile est légèrement frémissante au bord d'attaque ; elle est bordée à la limite du faseyement.

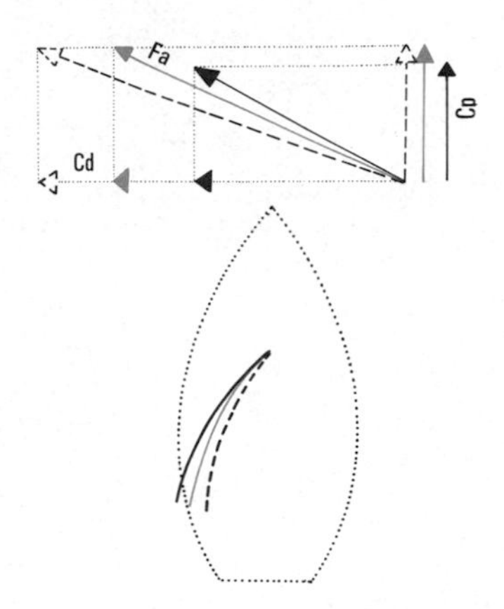

Le réglage de la voile bleue réalise le meilleur compromis : composante propulsive (Cp) honorable, composante de dérive (Cd) limitée. La force aérodynamique (Fa) est à la fois assez grande et assez bien orientée.

Amélioration du cap.

Bien entendu ce réglage de voile s'effectue par rapport à un même cap. Il faut voir ensuite si ce cap ne peut pas être amélioré.

Lorsqu'on considère le diagramme des vitesses d'un voilier à différents caps, on s'aperçoit en fait que l'on dispose d'une certaine marge : la route OM représente le près idéal, mais les routes OM' et OM'' assurent une progression dans le vent fort peu différente (OX' est peu différent de OX). On peut donc faire varier un peu le cap, en fonction de la tactique ou des conditions de mer. Mais cette latitude reste limitée à quelques degrés dans le meilleur cas, et se réduit vite quand le vent fraîchit ou quand le bateau est mal réglé.

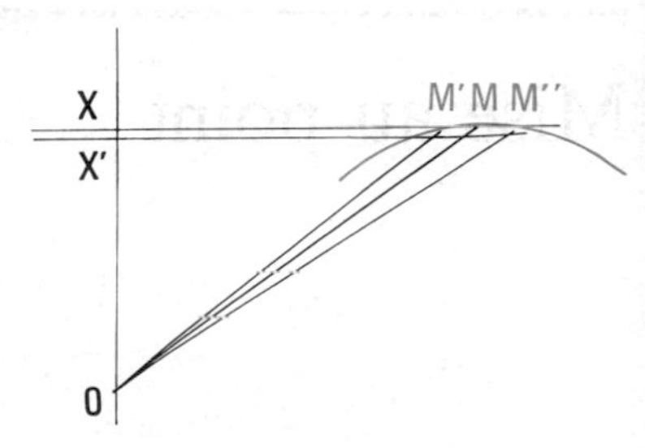

Le choix du cap est moins critique : pour quelques degrés d'écart, la progression dans le vent est à peu près la même.

Le compromis entre cap et vitesse étant à peu près réalisé, on n'a généralement pas le temps de s'en féliciter. Même par vent moyen et régulier, de nombreux facteurs se ligueront pour tout remettre bientôt en question. Dans les débuts surtout, il suffit d'une erreur de barre pour détruire le bel équilibre :

— **Si l'on serre trop le vent,** on retombe dans l'erreur du début et la sanction est rapide : la vitesse diminue, donc la dérive augmente, la résistance à l'avancement augmente, donc la vitesse diminue encore, etc. Il y a là une réaction en chaîne qui en peu d'instants casse complètement l'erre d'un petit bateau.

— **Si l'on abat trop,** par contre, il peut se produire un phénomène d'un tout autre genre. Le bateau qui a commencé par accélérer, d'un seul coup se redresse et semble s'arrêter. On a décroché; l'écoulement de l'air sur la voile, de l'eau sur la dérive sont devenus turbulents. Ce phénomène du décrochage a été expliqué au chapitre 3 et nous en reparlerons à l'occasion du largue. Ce qu'il faut savoir ici, c'est que l'on est vraiment dans l'impasse. On a perturbé beaucoup de choses, même si cela ne se voit pas. Il faut faire place nette : en choquant largement les écoutes pour débarrasser les voiles des tourbillons, et en abattant généreusement pour que la dérive se dégage des filets d'eau rompus qui l'entourent.

Il ne reste plus ensuite qu'à revenir au près, lentement, en prenant le temps d'acquérir de la vitesse ; c'est toujours le point essentiel.

Pour éviter ces erreurs, une première recommandation s'impose : dans les débuts surtout, il importe de faire très souvent de légères auloffées volontaires, mais brèves ; cela s'appelle **piper**, venir tâter le vent; d'une part pour voir si celui-ci n'a pas adonné, ce qui permettrait de faire un meilleur cap, d'autre part pour être sûr que l'on n'est pas en train d'abattre de manière abusive.

Tout cela n'est qu'un à-peu-près. Le bon usage du près est fort long à acquérir. Aux autres allures, les conséquences d'une erreur sont moins graves, et les différences entre les bateaux sont en général moins marquées : au près, on voit souvent des écarts importants se creuser entre des bateaux du même type, sans raison apparente. Cela prouve qu'une certaine finesse intervient, dans le réglage des voiles et de l'équilibre du bateau, dans la façon de barrer également. Il faut donc entrer maintenant dans les détails.

Mise au point

La forme des voiles.

On a vu qu'au près les voiles devaient être réglées à la limite du faseyement. Il faut préciser encore et dire : **les voiles sont bien réglées lorsque le faseyement se produit au guindant de la voile, et simultanément sur toute la hauteur de ce guindant.**

Pour y parvenir on doit considérer, non seulement l'orientation des voiles par rapport au vent, mais aussi leur forme. Forme et orientation sont intimement liées.

Le creux.

Le creux des voiles est d'une importance fondamentale dans la marche au près. D'une manière générale on peut dire qu'avec des voiles creuses il n'est pas possible de serrer le vent d'aussi près qu'avec des voiles plates : même très bordées, les voiles creuses faseyeront plus vite.

Mais il importe surtout de considérer que le creux des voiles doit être réglé en fonction de la force du vent. Ce réglage concerne :

Sa position. Le creux doit être toujours à la même place, c'est-à-dire à peu près au centre de la voile. Lorsque le vent fraîchit, le creux a tendance à se déplacer vers l'arrière de la voile, on le ramène à sa place en étarquant le guindant.

Son importance. Plus le vent fraîchit, plus les voiles doivent être aplaties pour que la déflexion soit moins grande. Il est important de noter dès maintenant qu'**on aplatit la grand-voile par temps frais, non pour pouvoir la border davantage, mais au contraire pour pouvoir la déborder sans qu'elle faseye.**

Le dévers.

Une voile a toujours tendance à prendre une forme hélicoïdale plus ou moins prononcée, le haut de la voile (moins tenu que le bas) cherchant à s'effacer dans le lit du vent. Cette tendance doit être contrôlée, mais n'est pas néfaste en elle-même : en effet, le vent est plus fort en altitude qu'au ras de l'eau (à 10 mètres de hauteur on constate une différence de 10 %); le vent apparent est donc moins pointu en haut qu'en bas. Le haut de la voile peut être moins bordé que le bas. La force aérodynamique s'y trouve mieux orientée : composante propulsive identique mais composante de gîte bien plus faible. Par vent frais, il peut devenir intéressant d'accentuer ce dévers; le haut de la voile ne portant plus, le bateau se trouve très soulagé.

Le dévers est plus marqué sur un sloop que sur un cat-boat, surtout lorsque le foc ne monte pas en tête de mât : le foc, plus large dans le bas que dans le haut, défléchit plus le vent dans sa partie inférieure, et la grand-voile pour ne pas gonfler à contre doit être nettement plus bordée dans le bas.

Ainsi par petit temps le curseur d'une barre d'écoute doit-il être ramené vers l'intérieur du bateau; s'il est bloqué trop en abord, la voile n'est pas assez bordée dans le bas et trop bordée dans le haut.

La façon de contrôler la forme d'une voile a été étudiée au chapitre 4. Ici nous rappellerons simplement les moyens de réglage.

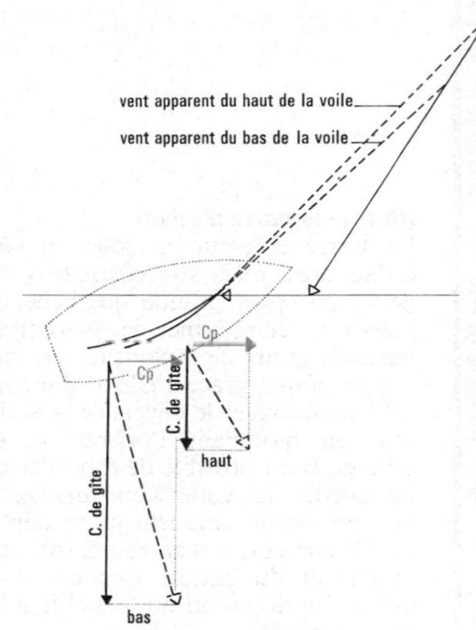

Le vent apparent étant moins pointu dans le haut de la voile, un certain dévers permet d'obtenir une force aérodynamique mieux orientée.

Moyens de réglage du foc.

Le creux d'un foc n'est généralement pas réglable : quand le vent change il faut changer de foc. Cependant dans certains cas, il est possible de contrôler ce creux par l'étarquage du guindant.

Le dévers peut être contrôlé en déplaçant le point de tire de l'écoute, ou la hauteur du point d'amure.

Moyens de réglage de la grand-voile.

La position du **creux** est réglée par la tension du guindant. Son importance dépend, d'une part de la tension de la bordure, d'autre part des possibilités de cintrage du mât et de la bôme par le hale-bas et la barre d'écoute.

Le dévers est également contrôlé par l'intermédiaire du hale-bas et de la barre d'écoute.

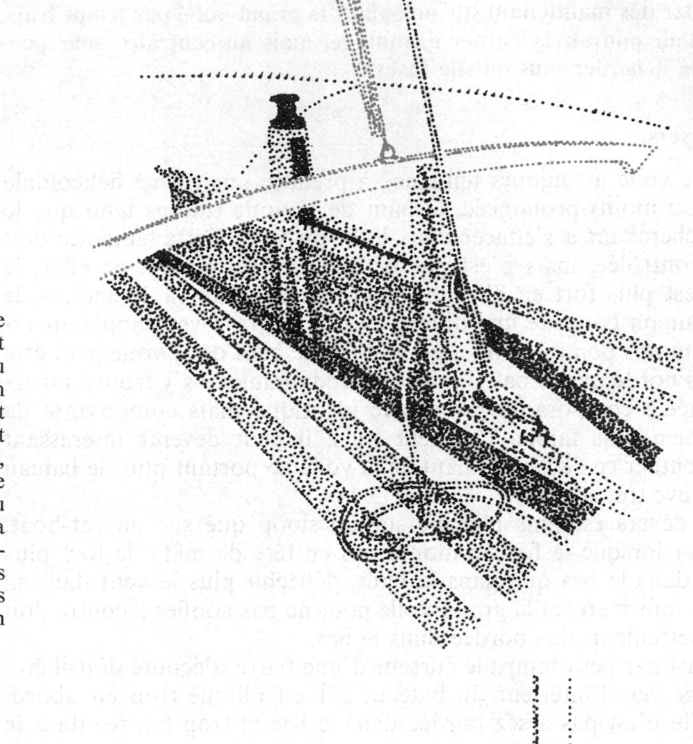

Rôle de la barre d'écoute.
La barre d'écoute ne joue un rôle qu'au près, mais son efficacité y est nettement plus grande que celle du hale-bas : elle permet de résorber en partie le creux de la voile en cintrant mât et bôme; grâce à elle on parvient à bien contrôler le dévers de la voile, tout en modifiant l'orientation de celle-ci. Il est possible de déborder ou de border la voile sans toucher à l'écoute, mais uniquement en déplaçant le curseur, soit en abord, soit vers l'intérieur du bateau : on dit alors qu'on ouvre (ou qu'on ferme) le plan de voilure.

Rôle du hale-bas.
Au près : il permet de résorber en partie le creux de la voile, en cintrant mât et bôme; il permet de contrôler partiellement le dévers de la voile sur les bateaux qui ne possèdent pas de barre d'écoute. Aux autres allures : il permet de contrôler la forme de la voile, quand celle-ci est trop débordée pour que la barre d'écoute puisse jouer ce rôle.

L'orientation des voiles.

Compte tenu de ces données nouvelles, on approche désormais d'une définition plus exacte du réglage des voiles au près.

Le foc est bordé presque au maximum, sans forcer. C'est à partir de lui qu'on règle le cap du bateau : on loffe jusqu'à ce que le déventement apparaisse, sur toute la hauteur du guindant, puis on abat de 2° ou 3°.

La grand-voile est bordée aussi peu que possible, juste assez pour ne pas être déventée par le foc.

Le réglage idéal est obtenu lorsque les guindants des deux voiles sont déventés en même temps, et du haut en bas.

Lorsqu'il y a un peu de clapot, le tangage permet d'obtenir un point de repère précis : bien réglées, les voiles doivent déventer légèrement dans le haut quand le bateau bascule sur le dos d'une vague. Le mouvement accéléré du haut du mât entraîne en effet un accroissement du vent relatif, donc un vent apparent plus pointu dans le haut.

Selon que ce phénomène est très prononcé ou inexistant, on sait constamment si l'on suit un cap trop proche ou trop éloigné du lit du vent.

Quand le bateau bascule sur le dos d'une vague, le haut des voiles va plus vite que le bas...

L'équilibre du bateau.

Le près est une allure contrariante. Le bateau s'efforce de progresser contre le vent et la mer; il faut l'aider. Les problèmes d'équilibre à la barre, d'équilibre longitudinal et latéral, ont une importance toute particulière.

L'équilibre à la barre.

Lorsqu'un bateau, voiles bien réglées, barre dans l'axe, a tendance à loffer, on dit qu'il est ardent. S'il a plutôt tendance à abattre, il est mou. Dans les deux cas, on est obligé de donner de la barre pour le maintenir sur sa route et cela n'est évidemment pas favorable à la vitesse : chaque coup de barre est un coup de frein.

C'est au près que l'équilibre à la barre revêt la plus grande importance, et c'est au près qu'il se règle. Souvent, un bateau bien réglé au près l'est également aux autres allures.

Le mât. En avançant le mât, ou en l'inclinant vers l'avant, on rend un bateau moins ardent; à l'inverse on le rend plus ardent si on recule le mât ou si on lui donne de la **quête** (inclinaison sur l'arrière). Toutefois, ce déplacement du mât peut modifier de façon imprévisible l'équilibre général du bateau et il arrive qu'on obtienne ainsi l'inverse du résultat recherché. Il faut donc procéder par tâtonnements.

La dérive. En principe, au près, une dérive doit être complètement baissée, puisque c'est à cette allure que la composante de dérive est la plus forte. Cependant, sur un dériveur à dérive pivo-

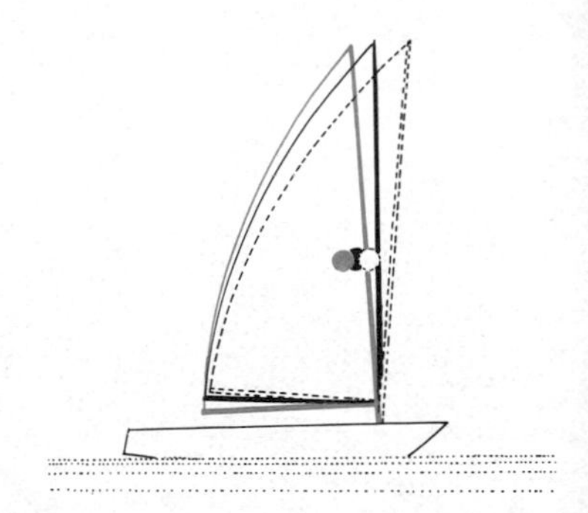

Incliner le mât vers l'arrière rend le bateau plus ardent (peut-être).

tante, il peut être intéressant de la relever légèrement, ce qui n'en diminue pas la surface mais revient à la reculer, pour ajuster la position du centre de dérive et parachever l'équilibre du bateau.

Faut-il qu'un bateau soit parfaitement équilibré à la barre, ou légèrement ardent ? Certains barreurs l'aiment mou, mais ils sont rares. Il est certain que tout excès dans un sens ou dans l'autre est néfaste. Pour débuter il est sans doute préférable d'avoir un bateau légèrement ardent : il est ainsi plus vivant, on sent nettement ses réactions à la barre. Un bateau parfaitement équilibré requiert, pour être bien mené, une très forte concentration et beaucoup de doigté. Finalement, si le barreur d'un dériveur règle son propre bateau comme il l'entend, il est sans doute préférable qu'un croiseur soit réglé légèrement ardent, car la majorité des barreurs s'habituent mieux à ce genre d'équilibre.

L'équilibre longitudinal.

Un bateau ne peut bien marcher que s'il est **dans ses lignes,** c'est-à-dire ni trop lourd, ni trop léger, ni trop enfoncé de l'avant ou de l'arrière.

D'une manière générale on doit grouper les poids vers le milieu du bateau : dans le clapot, des extrémités trop chargées ont une forte inertie, ce qui a pour conséquence d'accentuer le tangage.

trop en avant — trop en arrière

Cet équilibre longitudinal revêt une grande importance pour tous les bateaux. Sur un dériveur, il est un souci de chaque instant. En principe, l'équipage doit se porter un peu plus sur l'avant au près. En fait cet équilibre (comme tous les autres) n'est jamais établi une fois pour toutes : par vent frais et mer formée l'équipage d'un dériveur doit se déplacer constamment pour aider le bateau à « passer ».

Un croiseur léger est facilement déséquilibré, par exemple lorsqu'un équipier va changer un foc sur l'avant, ou pêche à la ligne sur l'arrière. Quant aux croiseurs lourds, c'est essentiellement la répartition du matériel à bord qui influe sur leur équilibre longitudinal. Elle doit être étudiée minutieusement en cherchant toujours, ici aussi, à ramener les poids vers le milieu du bateau.

L'équilibre latéral.

Pour qu'il marche bien, **un bateau doit être maintenu aussi peu gîté que possible.** Lorsqu'il gîte en effet, la coque adopte dans l'eau une position pour laquelle elle n'est pas prévue et le bateau se trouve freiné. De plus, la gîte rend beaucoup de bateaux ardents.

Pour combattre cette gîte, on doit naturellement régler les voiles de façon à limiter la composante de gîte de la force aérodynamique, mais il faut aussi, chaque fois que cela est possible, faire du rappel. Ici, deux règles sont essentielles.

— **Le rappel est très efficace lorsque le bateau est encore presque à plat**; il l'est beaucoup moins lorsque le bateau gîte déjà franchement. Notons toutefois qu'on recherche parfois une certaine gîte, en particulier par petit temps : on parvient ainsi à garder les voiles du côté sous le vent; de plus, la surface mouillée, sur dériveur tout au moins, s'en trouve réduite.

Certains bateaux aux formes élancées (Requin, Dragon, 5,5 m J.I.) sont conçus pour naviguer légèrement gîtés : la gîte allonge leur flottaison.

— **Le rappel est d'autant plus efficace qu'on le pratique plus près de l'eau.** Ceci est très net sur des bateaux aux formes carrées comme le Corsaire; on fait un meilleur rappel en s'installant tranquillement sur une couchette plutôt qu'en se cramponnant au plat-bord.

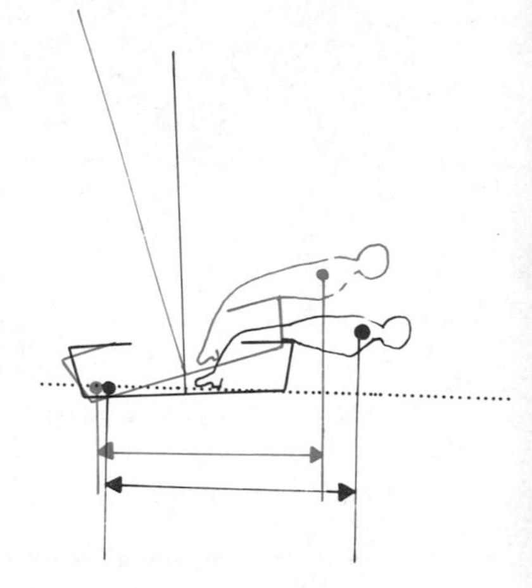

Plus le bateau est à plat sur l'eau, plus le couple de rappel est important.

Comment gouverner.

Le principe de base, valable pour toutes les allures mais singulièrement au près, est d'éviter les mouvements brusques ou trop amples de la barre. Il faut rappeler que la vitesse est un capital précieux, vite dilapidé, lentement reconstitué, et que chaque coup de barre excessif en fait perdre un peu.

En dehors de cette règle précise, bien barrer est surtout affaire d'intuition et d'attention à tout ce qui se passe. Un barreur exercé sent dans sa barre toute la vivacité de son bateau, surtout si celui-ci est légèrement ardent. Au près, à bonne vitesse, la barre offre une certaine résistance. Avec l'habitude, cette simple sensation procure quantité de renseignements sur la bonne marche du bateau. Au moindre ralentissement cette résistance diminue, la barre est moins vivante : quelque chose ne va pas.

La barre a, d'une certaine façon, un rôle identique à celui des rênes grâce auxquelles on mène un cheval : elle ne doit pas servir à brider le bateau, mais à le maintenir juste assez pour qu'il puisse donner sa mesure. Un bateau, bien réglé, sait ce qu'il a à faire. A la barre, il faut apprendre à reconnaître (avec une certaine modestie) ce qui est mouvement naturel du bateau et ce qui mérite que l'on intervienne. L'habitude venant, la barre sert moins à rattraper des écarts intempestifs qu'à les prévenir.

L'usage que l'on fait de la barre révèle une certaine philosophie, et parmi tous les paramètres qui entrent ici en jeu (comme on dit), l'âge du capitaine n'est sans doute pas sans importance.

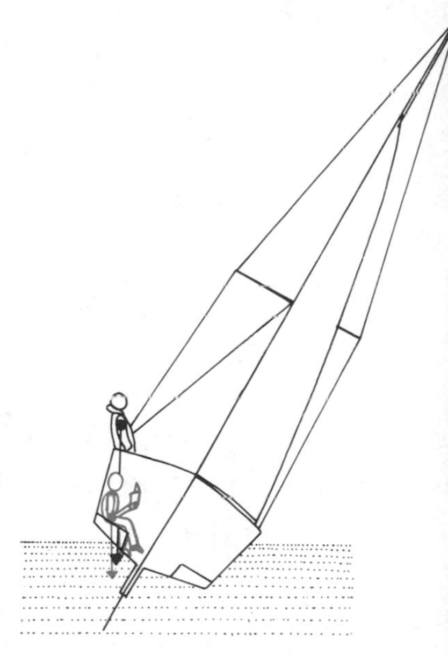

L'intellectuel est plus efficace que le manuel.

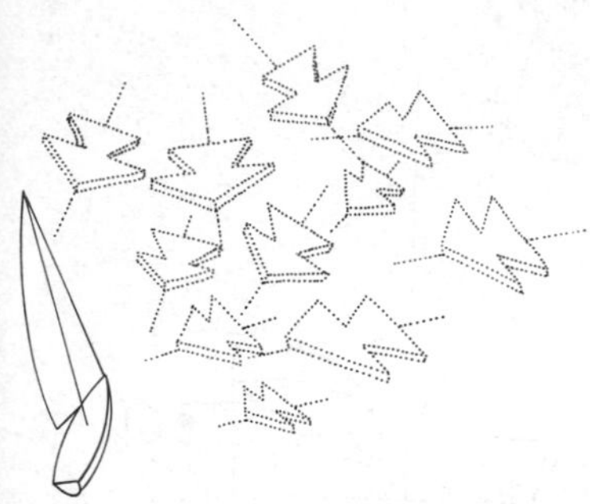
Le vent est rarement régulier en force et en direction.

Cette mise au point du bateau ne se fait pas en un jour. Il est souhaitable de s'entraîner par vent *moyen et régulier*, expression qui, à dire vrai, ne signifie pas grand-chose : le vent moyen est différent selon les bateaux, ses limites sont un peu floues. Cela se situe entre le moment où l'on n'a plus à chercher le vent — il y en a assez — et celui où la gîte commence à poser des problèmes.

La notion de vent régulier est encore plus incertaine. Nous avons déjà remarqué à plusieurs reprises que le vent était rarement régulier en direction. Pour cerner la réalité d'un peu plus près, il faut maintenant envisager le cas (très courant) d'un vent irrégulier en force. Nous étudierons ensuite les particularités de la conduite du bateau par vent frais et par vent faible.

Vent irrégulier : la risée

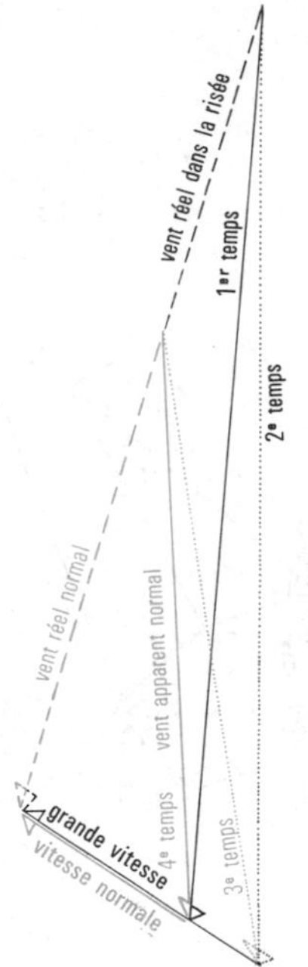

Modifications du vent apparent dans la risée :
1er temps : il fraîchit et adonne;
2e temps : il fraîchit encore mais refuse;
3e temps : il mollit et refuse encore;
4e temps : il reprend sa force et sa direction initiales.

Une augmentation passagère du vent s'appelle une risée, par temps moyen et par petit temps. Par vent fort, on parle plutôt de rafale. La limite entre les deux dépend non seulement de la taille du bateau mais aussi, sans doute, du flegme de l'équipage.

Que se passe-t-il dans une risée?

Nous savons que le vent apparent (le seul qui compte pour le réglage des voiles) est une combinaison du vent réel et du vent relatif dû au déplacement du bateau. Sa direction est donc intermédiaire; il est toujours plus *pointu*, c'est-à-dire plus près, que le vent réel. Ce qu'il importe de voir ici, c'est que toute modification en force de l'une de ses composantes entraîne une modification en force et en direction du vent apparent.

1er temps. La risée arrive. Le vent réel augmente en force. Le bateau ne réagit pas tout de suite, donc le vent relatif reste le même. La direction du vent apparent se rapproche de celle du vent réel : il adonne.

2e temps. Le bateau, réglé en conséquence, accélère. Le vent relatif augmente en force. La direction du vent apparent s'écarte de celle du vent réel : il refuse.

3e temps. La risée est passée, le vent réel mollit. Le bateau ne ralentit pas immédiatement, le vent relatif reste donc important. La direction du vent apparent se rapproche de la sienne : il refuse encore plus.

4e temps. Le bateau ralentit et le vent apparent reprend la même direction qu'avant la risée.

Que faut-il faire?

Au près, particulièrement, la risée est une chance. Elle permet soudain de gagner dans le vent plus que la direction du vent réel ne l'autorise. Pour bien en profiter il faut la voir venir et adapter immédiatement le bateau au vent nouveau.

Sur un dériveur, aux réactions rapides, il faut à la fois loffer et border les voiles ; pour la grand-voile, cela s'effectue en général simplement en déplaçant le curseur de barre d'écoute.

Sur un croiseur, où les écoutes sont tournées, on n'a guère le temps d'entreprendre un nouveau réglage. On modifie simplement le cap, en loffant dès que la risée arrive, afin que les voiles conservent constamment une bonne orientation par rapport au vent.

Dès que le vent apparent devient plus pointu, on abat pour ne pas risquer de faire faseyer les voiles et pour conserver le plus longtemps possible le surcroît de vitesse acquis dans la risée.

Bien entendu les irrégularités du vent ne sont pas toujours aussi caractéristiques, mais le principe de conduite du bateau reste constant; il faut guetter l'aubaine.

Vent frais

Le temps frais se caractérise en général par une disparition plus ou moins complète du confort. Lorsque le bateau a tendance à gîter de manière excessive, qu'il devient dur à tenir, que le problème du passage de la coque dans l'eau commence à se poser, que certains visages verdissent, on parle de temps frais.

Par ce temps on ne peut espérer faire un excellent près : on est obligé de réduire la portance de la voilure; le fardage du bateau constitue un frein important; les vagues aussi. Pour progresser dans de bonnes conditions, il faut trouver le moyen de conserver de la puissance tout en limitant la gîte.

Réduire la portance de la voilure.

Dans un vent fraîchissant, lorsque le couple de rappel du bateau et la contre-gîte effectuée par l'équipage ne suffisent plus à maintenir un bon équilibre latéral, on doit aplatir et ouvrir la voilure.

Puisque le vent devient plus puissant il suffit en effet (du moins dans un premier temps) de le défléchir moins pour que la force exercée sur la voilure demeure la même; de plus, les voiles étant moins bordées, cette force est mieux orientée et sa composante propulsive s'en trouve accrue.

Réglage de la grand-voile.

Le creux de la voile est maintenu à sa place et réduit de la façon indiquée plus haut. On règle ensuite la voile à la limite du faseyement, curseur de barre d'écoute débordé au maximum. Le dévers peut être accentué au besoin, jusqu'à ce que le haut de la voile, là où la composante de gîte est la plus nuisible, s'efface complètement dans le lit du vent.

Réglage du foc.

Le réglage commence par un choix : il faut porter le foc taillé pour le vent qu'il fait. Certains focs sont réglables (voir chapitre 4) : en étarquant le guindant on arrive à réduire le creux et à l'empêcher de reculer.

Pour empêcher le foc de se déformer, il faut en tout cas avoir un étai très raide ; en effet, si l'étai se cintre, le creux du foc s'accentue et recule, le foc ballonne et referme à la chute : il n'assure plus la propulsion et fait simplement gîter.

On peut également faire déverser le haut du foc si les circonstances l'exigent : en reculant ou en haussant le point de tire de l'écoute, on obtient une bordure plus raide, une chute plus molle.

Interaction des voiles.

Le foc peut avoir tendance à déventer la grand-voile. Cela signifie en général qu'il est trop creux : il faut tenter de le régler, sinon changer de foc.

Quand on a épuisé les possibilités de réglage du foc et qu'il renvoie toujours de l'air dans la grande voile, il est préférable de laisser celle-ci faseyer le long du mât plutôt que de la border davantage ; l'essentiel est de ne pas brider le bateau.

Par vent frais le réglage idéal est obtenu lorsque les deux voiles sont déventées en même temps mais dans le haut seulement. Ainsi peut-on, simplement en loffant un peu, faire déverser le haut des voiles pour soulager le bateau.

Réduire la toile.

Si le vent fraîchit encore, cette première adaptation n'est bientôt plus suffisante. A ce moment, les dériveurs rentrent (insister serait de mauvais goût). Sur les croiseurs, il faut désormais envisager de réduire la toile. Selon les bateaux, cela se fait plus ou moins tôt, et dans des proportions variables.

Première réduction.

La première réduction de voilure sert surtout à aplatir encore plus l'ensemble du système :

— en prenant le premier ris on réduit certes la surface de la grand-voile, mais surtout on diminue le rond du guindant, ce qui résorbe le gros du creux;

— le premier changement de foc ne conduit pas nécessairement à mettre en place un foc plus petit, mais surtout un foc plus plat.

Deuxième réduction.

Lorsque cette modification de forme elle-même ne suffit plus et qu'il faut en venir réellement à une réduction de la surface, on prend deux ou trois ris dans la grand-voile et l'on établit des focs de plus en plus petits, dont la coupe permet une bonne portance malgré l'inévitable déformation de l'étai.

Equilibre de la voilure.

En réduisant la toile à l'avant et à l'arrière, on veillera surtout à ne pas déséquilibrer le bateau. Le fait qu'un bateau soit ardent à la gîte incite parfois à conserver plus de toile sur l'avant, ce qui est une erreur. On peut ici proposer un exemple caractéristique :

Deux Frégates (bateaux ardents à la gîte) naviguent à l'entrée de la Manche dans un vent fraîchissant jusqu'à force 8. Sur l'une des Frégates, on réduit régulièrement la voilure, à l'avant et à l'arrière, à mesure que le vent fraîchit, pour ne plus porter bientôt qu'un tourmentin très plat et la grand-voile au bas-ris. Voiles bordées, curseur de barre d'écoute bloqué tout à fait sous le vent, le bateau navigue au bon plein de façon correcte.

Sur l'autre Frégate le chef de bord, soucieux d'empêcher le bateau de devenir trop ardent, conserve le plus longtemps possible un grand foc. Le vent fraîchissant, on change de foc avec un temps de retard par rapport à l'autre bateau : foc nº 1 quand l'autre a déjà le nº 2, foc nº 2 quand l'autre en est au tourmentin. Par contre, les ris dans la grand-voile sont pris avec un temps d'avance. Finalement, comme rien ne va, on affale la grand-voile et l'on tente de naviguer sous foc 2 seul. Le bateau gîte terriblement, et il est bien entendu toujours aussi ardent : il a un foc trop creux pour le temps, un étai probablement un peu mou; il n'a aucune chance d'avancer.

De ceci on peut tirer les règles essentielles du choix de la toile par temps frais : **conserver un bateau équilibré, accorder autant d'importance à la forme des voiles qu'à leur surface.**

L'équilibre du bateau.

Sous voilure réduite, le bateau peut encore gîter beaucoup, et il faut insister à nouveau sur la nécessité de le maintenir le plus possible à plat. Des bateaux comme le Corsaire ou le Mousquetaire, possédant une bonne stabilité de formes, parviennent à étaler des vents de force 7 ou 8 s'ils sont maintenus à plat sur l'eau, avec des voiles très plates, écoutes choquées à la demande.

L'équilibre longitudinal est essentiel, même si parfois sa nécessité est moins évidente que celle de l'équilibre latéral. Poids mal centrés, le bateau encense et accuse le coup à chaque lame.

Sur un dériveur, les équipiers se déplacent constamment pour aider le bateau à passer. Sur un croiseur on peut être amené à rapprocher les charges (ancre, chaîne, etc.) du centre du bateau.

Barrer à la lame.

Même avec un bon équilibre longitudinal, le bateau, surtout s'il est léger, se trouve très vite gêné par les vagues.

Tout est affaire de proportion, encore une fois; ce qui, pour un croiseur, n'est qu'une mer un peu formée est déjà une mer de gros temps pour un dériveur. Il faut donc distinguer.

Sur dériveur.

Pour un dériveur le problème du franchissement des vagues se pose de manière aiguë : léger, le bateau perd rapidement sa vitesse s'il heurte les lames; mais il la perd également si ses voiles ne portent pas correctement. Il faut donc parvenir à barrer à la lame sans pour cela que l'action du vent sur les voiles soit interrompue. Le principe est le suivant :

— lorsque le bateau bascule sur le dos d'une lame, le vent relatif augmentant considérablement, le vent apparent devient plus pointu ; il faut donc abattre pour que les voiles portent encore;

— dans le creux, le vent relatif diminuant, le vent apparent adonne; à ce moment on peut loffer.

Ceci n'est valable que dans une mer encore peu formée, et pour une certaine force de vent. Lorsque la mer se creuse et que le vent augmente, les données changent : il faut tenir compte du fait que le dériveur est bas sur l'eau, et que rapidement la partie inférieure de ses voiles se trouve déventée entre deux vagues. Pour parvenir à avancer, le barreur doit alors :

— abattre dans le creux, de telle sorte que le haut des voiles, qui seul porte, porte bien;

— loffer énergiquement sur la crête pour éviter un coup de gîte brutal.

Ces deux façons de faire sont contradictoires; les circonstances indiquent très vite celle qu'il convient d'adopter. La règle demeure que la voilure doit recueillir constamment le maximum de force propulsive pour éviter que le bateau ne s'arrête.

En même temps, les coups de barre doivent être soigneusement dosés pour que l'équipier puisse effectuer un rappel constant au trapèze, sans être obligé de rentrer à chaque vague...

Sur croiseur.

Un bateau lourd est doté d'une certaine inertie; le problème se pose donc pour lui de façon moins aiguë.

Ici, deux méthodes sont possibles :

— S'effacer à la lame, c'est-à-dire la prendre légèrement de côté, puis loffer sitôt la crête passée; quand les vagues sont orientées dans le même sens que le vent, le bateau a d'ailleurs tendance à adopter de lui-même cette démarche.

— Loffer face à la lame pour réduire l'impact puis abattre derrière la crête pour reprendre de la vitesse; quand la mer n'est pas

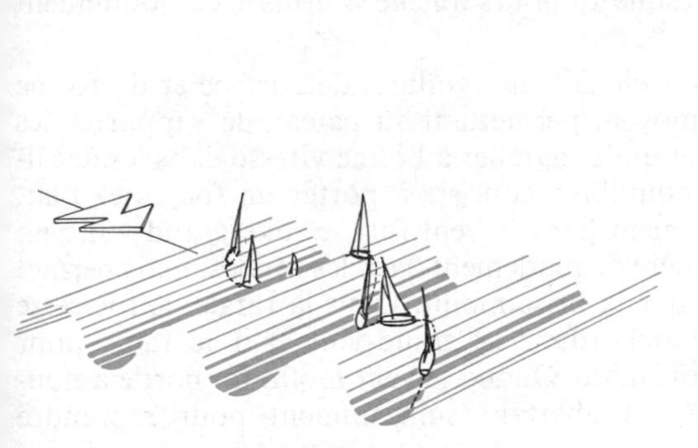
Vagues et vent de même sens : laisser porter devant les crêtes, loffer ensuite.

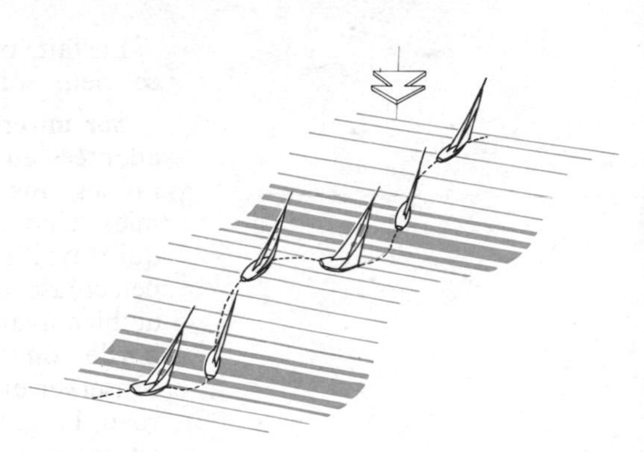
Vagues de face : loffer devant les crêtes, abattre dans les creux.

dans la même direction que le vent et vient presque de front, on est souvent obligé de choisir cette deuxième solution.

Lorsqu'il y a des vagues déferlantes, il faut s'efforcer de les prendre de face, même si cela doit casser l'erre du bateau. Cette recommandation reste un peu théorique, car il est difficile de loffer suffisamment dans un vent assez fort pour faire déferler la mer.

Même pour les bateaux lourds, la règle demeure d'éviter de perdre trop de vitesse : celle-ci est un facteur de sécurité essentiel. Dès qu'un ralentissement se fait sentir, il faut chercher à reprendre de la vitesse plutôt qu'à maintenir le cap.

Vent frais irrégulier : la rafale.

Sur un dériveur, la navigation dans un vent à rafales est naturellement éprouvante. Il faut s'adapter constamment pour ne pas s'arrêter.

On recommande parfois, lorsque la rafale arrive, de conserver le foc bien bordé pour assurer la propulsion, et de choquer l'écoute de grand-voile à la demande afin de garder une gîte constante, l'équipage faisant naturellement le rappel maximum.

Cependant choquer l'écoute a souvent pour effet de creuser la grand-voile, et même le foc car l'étai se détend ; en somme, au lieu de soulager le bateau, on le charge encore plus.

Pour éviter cet inconvénient il y a deux solutions :

— Ne pas choquer l'écoute mais loffer dans la rafale, jusqu'à effacer presque complètement la voilure dans le lit du vent. Cette manœuvre réclame beaucoup d'habileté : il faut suivre de façon très précise l'évolution de la rafale pour garder un équilibre latéral correct et ne pas casser la vitesse du bateau.

— Ne pas choquer l'écoute, mais repousser simplement le curseur de barre d'écoute sous le vent pour ouvrir le plan de voilure. Ainsi, débordée tout en restant plate, la voile assure la propulsion du bateau sans gîte excessive.

En fait, on est presque toujours amené à utiliser conjointement ces deux solutions.

Sur un croiseur, on choisit une voilure, de surface et de forme adaptées au temps moyen, permettant au bateau de supporter les rafales sans se vautrer et de marcher à bonne vitesse dans les accalmies. Une solution équilibrée consiste à porter un foc assez plat, qui travaille correctement dans le vent fort, et une grand-voile un peu creuse, qui n'a guère de rendement dans les rafales, mais permet de bien avancer dès que la brise mollit. Dans la rafale, le foc reste bordé, on loffe, en débordant la grand-voile s'il le faut, pour conserver une gîte constante. Quand le vent mollit on borde à nouveau la grand-voile, en abattant suffisamment pour reprendre vitesse et puissance.

Vent faible

Il s'agit ici du temps léger, de la brise molle, à peine sensible. Le premier problème est de repérer le vent avec précision. La fumée d'une cigarette fournit souvent un bon indice. On peut aussi se mettre torse nu, et voir de quel côté l'on frissonne... Il arrive d'autre part que le vent, nul au ras de l'eau, prenne quelque consistance à 2 ou 3 mètres de hauteur, et cela peut se vérifier sur les pennons, éventuellement la girouette.

Il n'est pas possible de tenir un cap serré : la résistance opposée par l'eau au déplacement de la coque est trop grande par rapport à la force propulsive. Il faut abattre pour prendre un peu de vitesse.

Réglage des voiles.

Le vent étant très faible, il faut le défléchir le plus possible : les voiles doivent donc être très creuses. Elles doivent être débordées au maximum pour que la force soit bien orientée.

Par ce temps la mer est généralement calme, mais il peut y avoir de la houle ; le battement des voiles dans le roulis permet d'avancer un peu. Ce sont toutefois des moments éprouvants pour le bateau et l'équipage.

Equilibre du bateau.

L'équipage d'un dériveur s'installe à l'intérieur du bateau pour réduire le fardage. En chargeant un peu l'avant, on dégage l'arrière, ce qui peut rendre le bateau légèrement ardent. On fait gîter un peu pour réduire la surface mouillée et pour que les voiles s'orientent sous le vent. Naturellement on évite tout mouvement brusque, tout déplacement intempestif à bord. L'erre que l'on possède est fragile et à la merci du moindre à-coup.

Comment gouverner.

La barre doit être manœuvrée avec la plus grande délicatesse ; il faut plus que jamais éviter les embardées. Si l'on serre trop le vent on ralentit, et la diminution du vent apparent est très marquée, car le vent relatif en représentait une bonne partie. Il faut alors choquer les écoutes et abattre abondamment pour parvenir à reprendre un peu de vitesse.

Si l'on abat trop, l'écoulement de l'air sur les voiles est perturbé, le bateau ralentit et le vent semble disparaître pour de bon. Il faut loffer peu à peu, border en douceur pour reprendre son cap. Par ce temps, toute manœuvre est lente, toute erreur longue à rattraper.

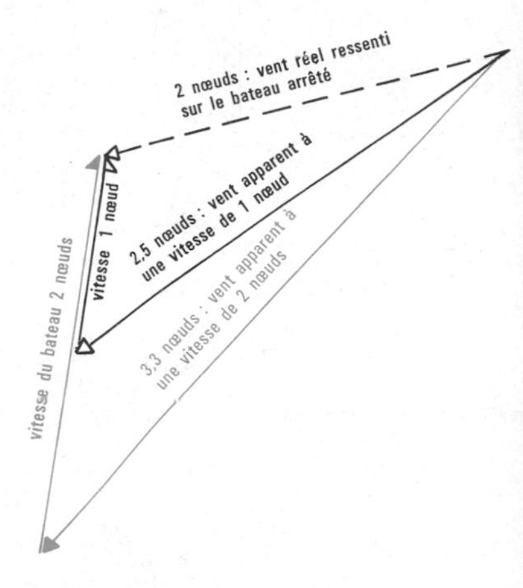

La force et la direction du vent apparent dépendent en bonne partie de la vitesse du bateau.

Vent faible irrégulier : la risette.

La moindre risée vaut de l'or. Il faut en tirer le parti maximum, sans précipitation. Dès qu'elle survient, les voiles étant très creuses, on borde et on loffe tout à la fois, pour gagner dans le vent en prenant de la vitesse. Mais il importe de ne pas s'obstiner sur son nouveau cap : il faut abattre et choquer dès que le vent mollit, pour conserver le plus longtemps possible le maximum de vent relatif. Car on peut dire, paradoxalement, que c'est en partie celui-ci qui fait avancer le bateau.

En définitive, pour progresser au près dans le vent faible, il faut se fier à une pure sensation : rechercher toujours l'allure à laquelle on sent le mieux la présence du vent. C'est alors qu'on va le plus vite et qu'on fait le meilleur près.

Au près bon plein

L'expression « bon plein » fait image. A cette allure on serre moins le vent qu'au près ; les voiles sont bien pleines de vent.

Les modifications de réglage entre près et bon plein sont en fait assez légères, mais l'ambiance est fort différente. Désormais il ne s'agit plus de jouer au plus fin avec le vent pour atteindre un point situé dans le secteur de louvoyage, ou dans ses parages proches. Ici le point vers lequel on tend est accessible directement et sans difficulté : on règle son cap sur lui.

Réglage des voiles.

Les voiles sont moins bordées et moins plates qu'au près. Mais à cette allure, on peut défléchir le vent d'un angle plus important sans que la composante de dérive soit trop grande : il ne faut donc pas ouvrir la voilure autant que l'importance du changement de cap le suggère.

Lorsque le vent fraîchit, il n'est pas toujours nécessaire d'aplatir les voiles. Ceci est à nuancer naturellement en fonction des bateaux :

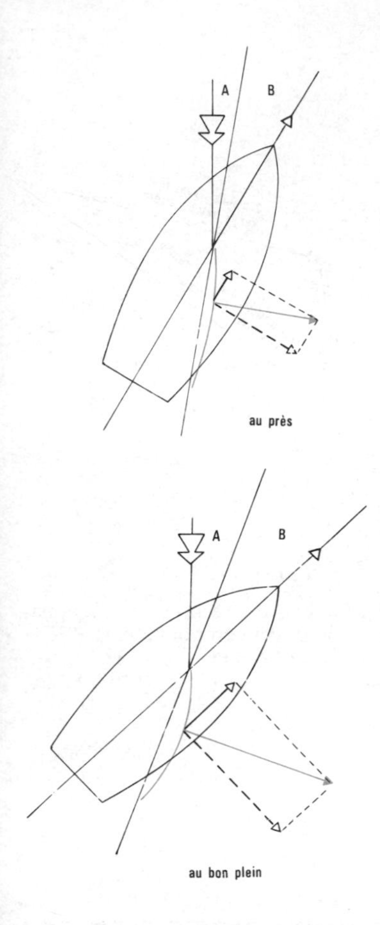

◂ Lorsqu'on abat du près au bon plein, l'angle de déflexion (A) augmente et atteint sa valeur optimum (20° à 25°). Il ne faut donc pas déborder beaucoup les voiles, mais plutôt les creuser.

un dériveur, surtoilé en permanence, peut avoir de grosses difficultés à courir bon plein, avec des voiles très creuses ; à l'inverse, sur un croiseur lourd, en passant du près serré au bon plein on peut être amené à renvoyer de la toile.

Comment gouverner.

On s'efforce de suivre rigoureusement son cap. Les variations du vent en force et en direction se répercutent essentiellement sur le réglage des voiles.

En général le cap n'est d'ailleurs pas difficile à tenir à cette allure. Le bateau est particulièrement stable et l'on contrôle aisément ses évolutions. Le bon plein est l'allure qu'il faut adopter, autant que possible, lorsqu'on doit réaliser une manœuvre exigeant de la précision : passage dans un chenal étroit, ou dans un port encombré, manœuvres avant accostage, etc.

Ayant défini le meilleur près comme un compromis entre cap et vitesse, nous avons été amenés à insister constamment sur l'importance de la vitesse ; car sans vitesse il n'y a pas de cap, tout simplement. C'est elle, en définitive, qui doit demeurer le souci le plus constant de la conduite du bateau au près. Il faut que celui-ci conserve de l'aisance, de la puissance ; il faut lui laisser une certaine liberté d'allure, si l'on veut qu'il progresse efficacement dans la ruelle étroite et sinueuse qui borde le lit du vent.

Au vent arrière

En principe, l'allure du vent arrière est définie de façon précise : on navigue le dos tourné au vent, exactement à 180° du vent debout. En réalité, il est fort difficile de tenir un cap aussi rigoureux, ce qui nous conduit à envisager en même temps que le vent arrière l'allure voisine, le grand largue dans le secteur s'étendant à 30° environ de part et d'autre du lit du vent.

Par temps moyen, vent arrière et grand largue sont des allures confortables et faciles. Réflexions théoriques et croquis compliqués ne sont plus de mise : le vent pousse le bateau et le bateau avance, même avec des voiles mal réglées, même sans voiles. La vitesse elle-même n'est pas nécessaire pour assurer le cap : on ne dérive pas. Il n'y a pas de problème de gîte. On peut s'ingénier à gréer toutes sortes de voiles grandioses. L'impression d'ensemble est plaisante.

Le bateau ne heurte pas les vagues, il court avec elles. Le vent apparent est plus faible qu'à toute autre allure. On est bien.
C'est la traîtrise du vent arrière : on se méprend aisément sur la force réelle du vent. Or, dès qu'il fraîchit, tout ce qui faisait l'agrément de l'allure devient facteur d'incertitude. La bateau, freiné aussi peu que possible et par là même très peu tenu sur sa route, réclame du barreur une attention vive pour être mené convenablement, à égale distance des deux dangers qui le guettent : l'empannage et l'auloffée.

Réglage des voiles

On porte toute la toile disponible : grand-voile, spinnaker — éventuellement trinquette de spinnaker et autres bonnettes, lorsqu'on le juge utile et si l'on est sûr de ne pas s'embrouiller dans les manœuvres.
Le foc est amené, sur les croiseurs; roulé par petit temps sur les dériveurs, sinon légèrement bordé sous le vent.

La grand-voile.

A cette allure, l'écoulement du vent sur les voiles est perturbé ; le rendement de la grand-voile est donc médiocre. Pour qu'elle recueille un maximum de force propulsive il faut lui donner du creux, limiter son dévers et présenter au vent la plus grande surface possible.

Au vent arrière le dévers est néfaste : il faut raidir le hale-bas.

Creux et dévers.

On donne du mou au guindant et à la bordure pour accentuer le creux.
A l'aide du hale-bas, on s'efforce de réduire le devers. Au vent arrière, en effet, on n'a aucune raison d'effacer le haut de la voile. De plus, une voile qui déverse tend, tout à la fois, à faire loffer et contre-gîter (donc abattre); il s'ensuit un roulis désagréable et le bateau devient difficile à tenir sur son cap.

Orientation.

Au vent arrière, en principe, la grand-voile devrait être perpendiculaire au vent, c'est-à-dire complètement débordée, contre les haubans. Mais le roulis s'installe d'autant plus facilement que le bateau n'est plus maintenu latéralement par le vent. D'autre part, une grand-voile trop débordée gêne l'écoulement des filets d'air hors du spi. Il est donc souvent préférable de la border un peu.

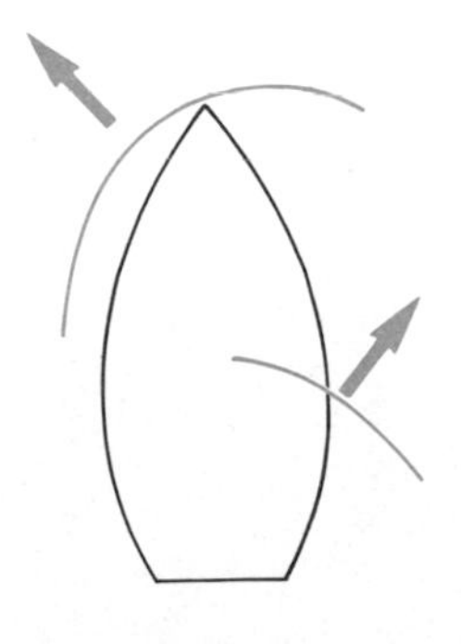
Border légèrement la grand-voile, pour limiter le roulis et faciliter la circulation de l'air dans le spi.

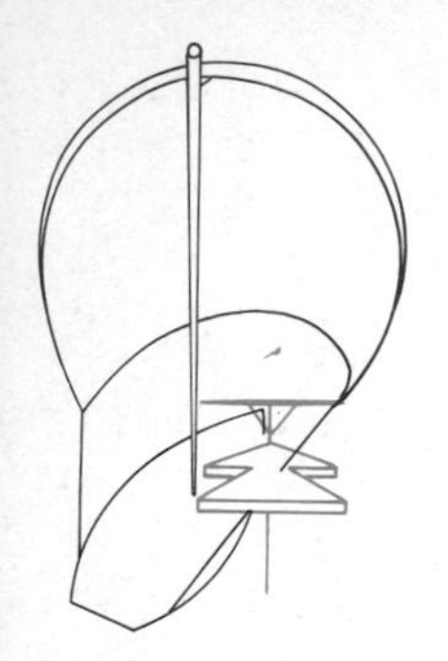

Le tangon doit être perpendiculaire au vent apparent...

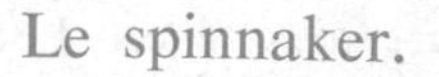

Le spinnaker.

A cette allure, on hisse le spi (cette manœuvre elle-même et la description de la voile sont détaillées au chapitre *Changer de voilure*).

Comme toutes les voiles, le spi doit défléchir le vent. Sa forme concave lui permet de le défléchir d'un angle particulièrement important, et tout le réglage de la voile est commandé par le souci d'y faire circuler la plus grande quantité de vent possible.

Il faut donc :

Ouvrir le spi au maximum du côté au vent, grâce au tangon, qui doit être perpendiculaire au vent apparent.

et perpendiculaire au mât.

Les deux points doivent être à la même hauteur...

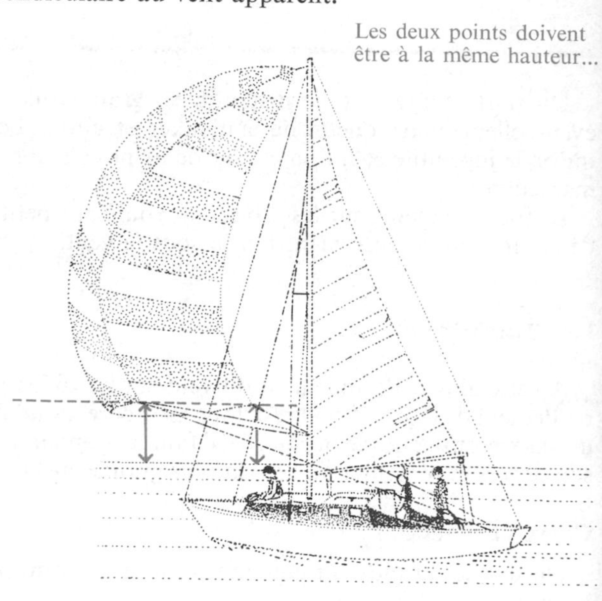

Creuser le spi, en faisant remonter le tangon, aussi longtemps que point d'amure et point d'écoute montent à l'unisson. La bordure de la voile doit demeurer horizontale (nous disons bien : parallèle à l'horizon). Sur les bateaux où il est possible de régler la hauteur du talon de tangon, il importe que celui-ci soit également maintenu perpendiculaire au mât, sinon il fatigue beaucoup ses manœuvres et risque de glisser le long du mât. Sur les dériveurs et petits croiseurs, où ce réglage n'est pas possible, on laisse le tangon se mâter légèrement.

Choquer l'écoute au maximum. C'est le principe de réglage de toutes les voiles, mais il revêt ici une importance particulière car le spi, pour tenir en place, doit pouvoir se vider très facilement de l'air qu'il dévie. Un spi trop bordé, où l'air ne circule plus, se dégonfle par le milieu et vient s'enrouler avec une facilité décourageante autour de l'étai.

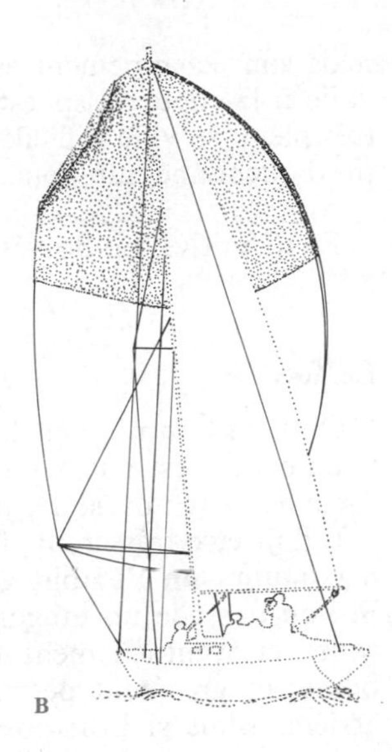

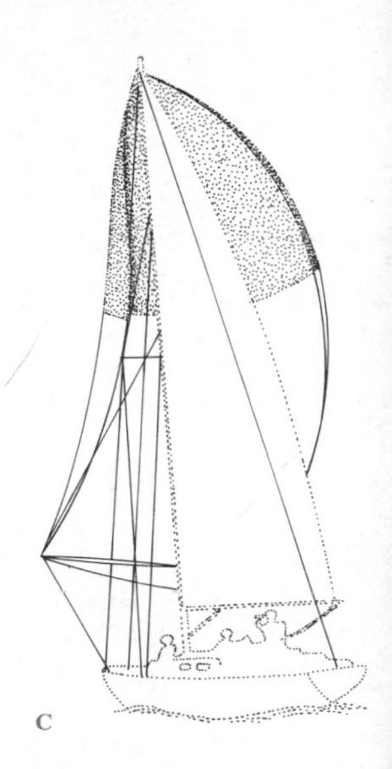

Le spi sans larmes, I.
A. Spi trop bordé : il va s'enrouler autour de l'étai.
B. Spi bien débordé : léger repli dans le haut du guindant.
C. Spi trop débordé : il va se replier complètement.

Comme les autres voiles, le spi doit être bordé à la limite du faseyement. Lorsqu'on le déborde un peu trop, on voit apparaître un léger repli dans le haut du guindant ; ce repli n'est pas néfaste en lui-même, mais indique qu'on est parvenu au rendement optimum, et très proche du point critique. Si l'on choque encore un peu, le spi se dégonfle cette fois non par le milieu, mais par repli complet du bord au vent. Ce mouvement peut être brutal et ébranler tout le gréement.

On navigue donc de préférence avec un guindant légèrement frémissant, sans laisser apparaître de repli.

Mais il serait vain d'espérer que le spi soit ainsi réglé une fois pour toutes. L'équilibre reste précaire, à la merci d'un coup de roulis, ou simplement d'une dévente provoquée par le passage d'un autre bateau. Un équipier surveille donc en permanence le guindant de la voile, prêt à embraquer l'écoute dès que le repli apparaît ou prend de l'importance. Il est toujours possible, même sur des gros bateaux, d'embraquer l'écoute à la main, en avant du filoir, et il ne faut pas hésiter à en embraquer beaucoup. On fait en quelque sorte tourner le spi autour de l'air qu'il contient, pour qu'il reprenne sa forme. Dès que celle-ci est à nouveau correcte, on choque tout ce qu'on a embraqué. C'est seulement lorsque le spi se replie sans cesse qu'il faut se résoudre à le border un peu. Par contre, lorsque son guindant ne frémit plus, ou que le repli n'apparaît pas dans les auloffées, il faut choquer sans attendre.

En principe, toute modification du réglage de l'écoute doit entraîner une modification correspondante du réglage du bras ; mais on ne peut manœuvrer le bras aussi aisément que l'écoute, car de son côté les forces exercées sont souvent considérables. Il est préférable en tous cas d'avoir un bras trop choqué plutôt que pas assez : bras trop choqué, l'entrée de l'air se trouve très légèrement réduite,

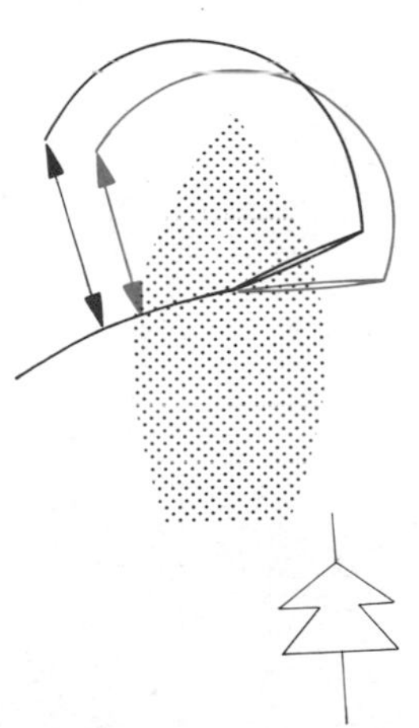

Mieux vaut un bras un peu trop choqué que pas assez : ainsi le spi se vide plus facilement.

mais son échappement est facilité car le passage entre la grand-voile et la chute du spi est plus large; bras pas assez choqué, le spi, très plein, se vide difficilement, et l'on ne tarde pas à le retrouver tire-bouchonné sur l'étai.

En définitive, on doit être convaincu qu'**un spi ne tient que si l'air y circule bien.**

Le foc.

Ou bien l'on n'a pas de spi, ou bien il est hors d'usage, ou bien l'équipage n'est pas assez entraîné pour l'établir par une certaine force de vent : on se résout alors à porter un foc.

Il doit être très creux, faire une poche pour défléchir le vent au maximum. On l'établit au vent (voiles en ciseaux), sur tangon. Si l'on possède un tangon de spi, il faut porter au vent le foc de route, et éventuellement le génois sous le vent, bordé en bout de bôme; ce gréement permet de courir jusqu'à 15 ou 20° du vent arrière. Mais si l'on possède un tangon de foc (bien plus long qu'un tangon de spi), il devient possible de porter le génois au vent, et l'on peut courir jusqu'à 30°, voire 40° du vent arrière.

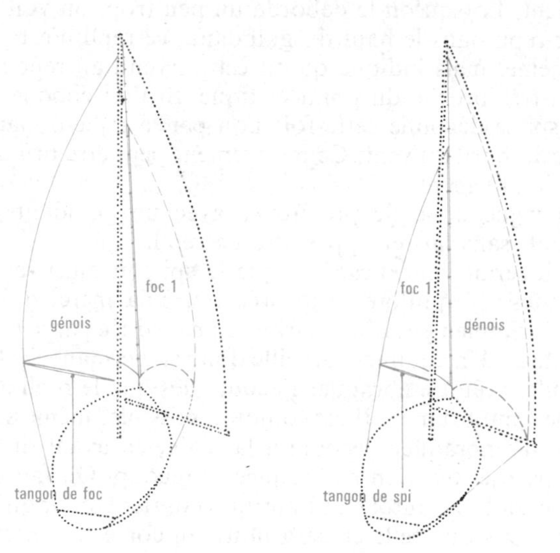

Faute de spi...

L'écoute de foc risquant fort de s'abîmer rapidement sur la ferrure de tangon, il est préférable d'utiliser en guise d'écoute un bras de spi, muni d'un mousqueton prévu pour être fixé au tangon (ne pas oublier de gréer à l'avance un autre bras de spi, sous le vent, si l'on doit virer lof pour lof).

Équilibre du bateau

A cette allure, l'équilibre du bateau à la barre est conditionné en partie par la dissymétrie du plan de voilure :

— Sous grand-voile seule, largement débordée, un bateau a naturellement tendance à venir au lof, il est ardent.

— Lorsqu'un foc est établi sur le bord au vent, on peut trouver un équilibre en faisant gîter le bateau à contre.

— Lorsqu'on porte un spi l'effet de la grand-voile est largement compensé, le bateau est équilibré; toutefois le spi fait souvent gîter à contre, ce qui rend le bateau désagréablement mou.

Par beau temps, la mer ne venant pas perturber la marche du bateau, il est relativement facile de tenir le cap. Les auloffées sont aisément contrôlables, on en est averti par le repli du guindant du spi. Les abattées, comme toujours, sont plus sournoises.

Si l'on abat un peu au-delà du vent arrière, c'est-à-dire si l'on navigue sur la **mauvaise panne,** le spi, déventé par la grand-voile, risque de s'effondrer et de s'enrouler autour de l'étai. S'il parvient à faire un premier tour, il est certain qu'on ne pourra pas l'empêcher de continuer; en loffant, on ne fera qu'aggraver les choses. Pour le dérouler il faut se placer en position inverse, c'est-à-dire virer lof pour lof et naviguer sur la mauvaise panne de l'autre bord : le spi se déroule alors presque tout seul.

Le spi sans larmes, II.
A. Le barreur a trop abattu...
B. ... ce qui nous donne ceci.
C. Mais on fait passer la grand-voile du côté du tangon...
D. ... et le spi se déroule tout seul. On remet la grand-voile sur la bonne panne. L'incident est clos.

En règle générale, lorsqu'on navigue vent arrière sous spi, dès que quelque chose ne va pas le barreur doit avoir le réflexe de loffer plutôt que d'abattre : un spi qui faseye se remet plus vite qu'un spi qui s'enroule sur l'étai.

La dérive.

Au vent arrière, le dériveur recevant une poussée dirigée dans le sens de sa marche, la dérive est en principe inutile. En la relevant complètement, on réduit dans une certaine mesure la surface mouillée. Ceci est la règle par petit temps, mais par temps plus frais, il est préférable de conserver un peu de dérive. Sans dérive en effet, la bateau n'est plus assez évolutif dès qu'il quitte le vent arrière vrai; à la moindre embardée il dérape. De plus le roulis s'installe plus facilement, qui entraîne une forte instabilité de route. Enfin, après chavirage, comment redresser le bateau ?

Cependant, si la dérive est trop basse, le bateau ne peut plus déraper du tout en cas d'auloffée; il chavire. Elvström dit que la dérive fait un « croc-en-jambe » au bateau.

Il faut rappeler que l'efficacité de la dérive croît comme le carré de la vitesse. Comme on va vite, et qu'on la sollicite peu, il n'est pas nécessaire d'en descendre beaucoup.

Mieux vaut garder la dérive légèrement baissée, ne serait-ce que pour pouvoir redresser.

Vent frais

Au vent arrière les difficultés surviennent quand le vent fraîchit. La « pente » que l'on dévale devient plus raide et l'on ne dispose pas de bons freins. Un bateau chargé de toile, lancé à grande vitesse dans une mer qui commence à se former, réclame une très vive attention à la barre.

Il semble difficile ici de parler tout à la fois des dériveurs légers et des bateaux de croisière. Au vent arrière dans la brise, un dériveur devient un engin fou, sans stabilité d'aucune sorte, sur lequel il faut faire preuve de réflexes remarquablement rapides, veiller à tout et se déplacer constamment pour rattraper un équilibre toujours compromis. Sous foc et grand-voile, la dissymétrie de la voilure entraîne les chavirages les plus imprévus, au vent comme sous le vent, et la plupart du temps on ne sait pas exactement ce qui s'est passé. Le spi, qui doit être un peu plus bridé que par vent moyen, rend le bateau plus stable; encore faut-il pouvoir l'établir, et l'amener. Tout cela peut être fort amusant, et sans gravité aucune pour un équipage entraîné, sur un plan d'eau bien surveillé. Mais plutôt que de navigation, il faudrait parler ici d'équilibrisme.

Sur un croiseur, l'état d'esprit est naturellement très différent. Un problème de sécurité domine tous les autres. A cette allure on ne peut pas s'arrêter facilement, et la présence d'un spi rend toute manœuvre longue et difficile : il faut beaucoup de temps pour revenir vers un équipier tombé à l'eau.

La première règle à observer, valable à toutes les allures mais singulièrement ici, est de s'amarrer, et de bonne heure; en fait, dès que le vent n'est plus très faible. Ensuite il faut savoir jusqu'à quel point on peut conserver le spi. En cas de fausse manœuvre, les réactions des bateaux sont fort différentes : les uns chavirent, à l'auloffée comme à l'empannage, ce sont les dériveurs légers — mais nous avons vu que leur problème est bien spécial; d'autres, en particulier les dériveurs lestés à faible tirant d'eau, n'opposent pas de résistance, se couchent sans faire de casse mais en expulsant parfois leur équipage; d'autres enfin résistent et cassent, ce sont les croiseurs lourds.

On peut conserver le spi assez longtemps, si l'on domine la situation. Tout dépend donc du degré d'entraînement de l'équipage. La maîtrise du spi s'acquiert progressivement, en s'efforçant de le porter à chaque fois dans un vent un peu plus frais (à condition d'effectuer ces essais dans des parages où une avarie ne risque pas d'avoir des conséquences graves). Nous verrons plus loin les différents motifs qui peuvent conduire à prendre la décision de l'amener.

Le gros problème de la conduite au vent arrière par vent frais, est de parvenir à conserver son cap. Les embardées surviennent plus facilement et ont beaucoup plus de conséquences qu'à toute autre allure. Il est d'ailleurs préférable de ne pas marcher plein vent arrière, mais de s'en tenir à 10° ou 15° pour se garder du risque principal, qui est l'empannage.

L'équilibre à la barre.

Instabilité due aux voiles.

Par vent frais, le spi compromet l'équilibre longitudinal. Il a tendance en effet à soulever l'arrière du bateau tout en tirant la tête de mât en avant. La coque étant freinée par l'eau, cette action fait **enfourner** le bateau, et compromet ainsi fortement la stabilité de route. Il faut charger le bateau sur l'arrière pour dégager l'étrave.

Il faut prendre soin de ne laisser aucun jeu au spi. On doit le hisser à bloc, immobiliser le tangon, éventuellement renvoyer l'écoute en bout de bôme. Lorsque le spi est soumis à un effort prolongé il est prudent de choquer ou d'embraquer quelques centimètres de drisse toutes les 2 ou 3 heures pour en limiter l'usure.

Si l'on navigue sous foc tangonné, il est judicieux d'utiliser le gréement de spi, qui permet de bien immobiliser le point d'écoute.

Sous spi, il faut charger l'arrière.

On s'efforce d'autre part de limiter au maximum le dévers de la grand-voile à l'aide du hale-bas.

Instabilité due à la mer.

Les vagues, le roulis contribuent à écarter le bateau de sa route. Une vague rattrapant le bateau, tend à le faire loffer si elle atteint la coque du côté au vent, abattre si elle l'aborde sous le vent. Ceci est d'autant plus net que la vague n'a pas pour seul effet de faire pivoter le bateau, mais qu'elle l'engage à la gîte ou à la contre-gîte selon le cas, ce qui accentue l'embardée.

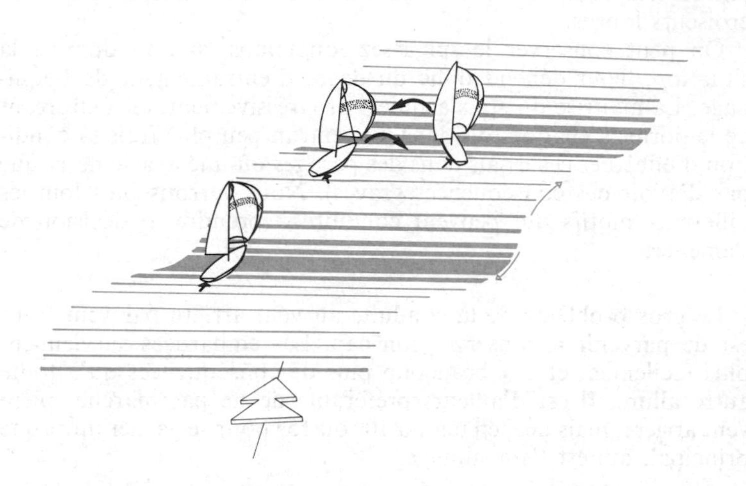

C'est avant l'arrivée de la vague qu'il faut agir pour éviter l'empannage ou l'auloffée.

L'usage judicieux de la barre est ici déterminant. Il est essentiel de prévenir l'action des vagues, car une fois le mouvement amorcé le safran est sans action. Lorsque la houle aborde le bateau du côté au vent, il faut abattre avant l'arrivée de la vague, et celle-ci vient simplement remettre le bateau sur sa route. Inversement, loffer devant une vague qui vient sous le vent, pour échapper à la glissade fatidique vers l'empannage.

Tout cela demande à la fois du doigté, et une grande fermeté à la barre. L'effet de frein du safran ne compte plus ici, l'essentiel étant de rester en route. Le travail qu'accomplit le barreur dans ces conditions est souvent épuisant.

L'auloffée.

Même s'il fait très attention, il peut arriver que le bateau lui échappe et parte au lof de façon irrésistible. Sous spi, on se trouve alors en position délicate. Le bateau se couche, ralentit très vite et s'arrête bientôt vent de travers. Il a tendance à rester couché, car le spi fonctionne en quelque sorte à l'envers : l'air y pénètre par le bas et s'échappe, comme il peut, par les côtés.

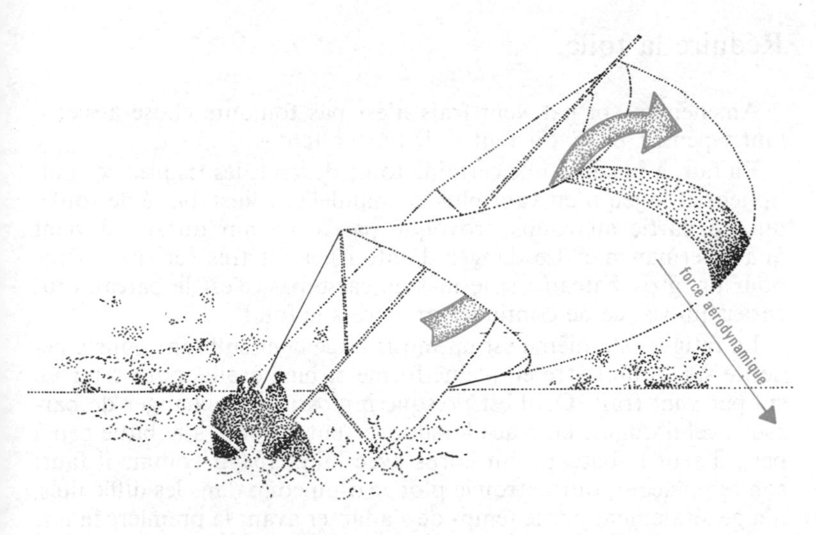

Le spi sans larmes, III.
Conclusion d'une auloffée : le bateau s'arrête et se couche. A-t-on un hale-bas sous le vent ?

Si l'on réagit assez tôt, pendant que le bateau a encore de la vitesse, on peut rétablir la situation en choquant en grand l'écoute de spi et en mettant la barre au vent. Mais si le bateau a déjà trop ralenti pour que le gouvernail soit encore efficace, on reste en travers, le spi bat violemment, ébranlant toute la mâture. Il faut en sortir, et vite. Une solution consiste alors à ramener le point d'écoute du spi à l'étrave. Ne pouvant plus se remplir, le spi est bien obligé de s'écraser : il se referme par le milieu. Dès lors la gîte diminue, le bateau peut reprendre sa route.

Pour pouvoir agir ainsi, il faut naturellement que le bateau possède un hale-bas sous le vent. Ce hale-bas, que l'on enlève généralement par petit temps pour ne pas alourdir le point d'écoute, doit donc être laissé en place par vent frais, en prévision de cette manœuvre d'urgence.

L'abattée.

Si l'auloffée est gênante, l'abattée risque d'être nettement plus grave : elle peut conduire non seulement à l'empannage, mais encore à une auloffée sur l'autre amure. Si on a gréé une retenue de bôme, le spectacle est grandiose, le bateau se trouve dans une position parfaitement indescriptible, très fugitive d'ailleurs car généralement quelque chose casse, et vite.

Lorsqu'il y a de la mer, la retenue de bôme est cependant nécessaire. Il faut alors s'efforcer de faire route prudemment à 10° ou 15° du plein vent arrière : tout compte fait, mieux vaut risquer l'auloffée.

Le spi sans larmes, IV.
Dessin impossible. Imaginer.

Réduire la toile.

Amener un spi par vent frais n'est pas toujours chose aisée; il faut y penser, et savoir rentrer le linge à temps.

En fait, à partir d'une certaine force de vent, les risques se multiplient et le jeu n'en vaut plus la chandelle. L'instabilité de route, due en partie au roulis provoqué par le ballant du spi, devient quasi permanente. Le danger d'enfourner est très sérieux, même pour un gros bateau : si le mât ne casse pas, c'est le bateau tout entier qui risque de continuer droit vers le fond.

La fatigue elle-même est un motif largement suffisant pour amener le spi. Il faut être en pleine forme et bien éveillé pour tenir un spi par vent frais. Or il est presque impossible de changer de barreur : celui qui est en place lorsque le vent fraîchit, s'habitue peu à peu; il sent le bateau, fait corps avec lui et réagit comme il faut; son remplaçant, qui se trouve plongé d'un coup dans les difficultés, n'a généralement pas le temps de s'adapter avant la première fausse manœuvre, qui coûte souvent au bateau son spi ou même son mât.

Courir longtemps sous spi dans une mer formée épuise nerveusement l'équipage, car toute détente est impossible. La fatigue entraîne souvent des décisions hasardeuses. Et l'on ne parle même pas des difficultés que l'on aurait à repêcher un homme à la mer.

Amener à temps est donc un impératif de la conduite sous spi. Hisser un spi plus petit n'est pas souvent souhaitable. C'est moins un problème de surface que de stabilité : le spi n'étant tenu qu'en deux points impose au gréement des à-coups et des tensions considérables. Il vaut mieux passer au génois ou au foc tangonnés, la perte de vitesse étant compensée par la stabilisation de la route. Cela peut aussi ramener le sourire sur les visages.

Il est intéressant également de prendre des ris dans la grand-voile. Celle-ci n'influe guère sur la marche du bateau à cette allure. Arisée, elle gêne moins le spi et surtout, lorsqu'une manœuvre rapide devient nécessaire, le bateau est plus évolutif et plus sûr avec la grand-voile qu'il aurait eue, par le même temps, au près.

Vent faible

Par tout petit temps, l'allure du vent arrière est tout aussi éprouvante que par brise fraîche. On se prend à regretter les excès de vent qui posaient naguère tant de problèmes. Cette fois on a le loisir de s'amuser avec le spi, qui sert à peu de choses, et d'inventer toutes sortes d'astuces pour faire avancer le bateau. Le roulis devient l'ennemi numéro un; sur un bateau lourd, lorsqu'on n'est pas en course, on a parfois intérêt à tout amener pour reposer gréement et équipage.

Il est bon cependant de savoir faire avancer son bateau par petit temps : cela peut devenir nécessaire pour sortir d'un passage délicat, gagner les quelques milles qui permettront d'éviter un courant, ou simplement rentrer à l'heure.

Peut-on parler de réglage des voiles ?

Dès que l'on avance un peu, le vent apparent est plus faible que le vent réel et l'on ne sent plus rien.

Un spinnaker fin (26 g/m²), muni d'écoutes légères (4 mm pour 100 m² par exemple), parvient peut-être à prendre sa forme : encore faut-il qu'il se vide.

On peut tenter de « travailler » les voiles : les laisser se gonfler en choquant doucement, et les retenir dès qu'elles atteignent la bonne orientation. Si le vent est presque nul il faut leur donner cette orientation en les repoussant à la main.

Les voiles doivent naturellement être aussi creuses que possible. Dans le roulis, les laisser battre permet d'avancer un peu.

On fait gîter légèrement le bateau pour donner la bonne orientation aux voiles, et l'on bouge aussi peu que possible. Inutile de se ramasser dans le fond du bateau, car le fardage serait ici plutôt bénéfique. Sur un dériveur, la dérive est complètement relevée.

On dit que siffler fait venir le vent.

Dès qu'il y a un peu de vent, l'allure du vent arrière est rapide et agréable, elle ne nécessite pas une grande finesse de réglages. Par vent frais, on a vu qu'elle pouvait devenir extrêmement contraignante. D'une certaine façon elle requiert alors, dans la conduite du bateau, une rigueur aussi grande que l'allure du près. Toutefois le souci est bien différent : au près, on s'efforce avant tout de conserver de la vitesse, quoiqu'il arrive ; au vent arrière, il s'agit de compenser à la barre les écarts dus aux variations du vent, aux mouvements de la mer, etc., en un mot de conserver le cap.

Certains barreurs préfèrent le près, d'autres le vent arrière. Il serait toutefois hasardeux d'en tirer des conclusions concernant leur tempérament personnel.

Au largue

Entre le près et le vent arrière s'étend le secteur du vent de travers, le vaste domaine du largue. Le mot l'indique assez : c'est le domaine de la liberté. On lâche la bride au cheval et celui-ci galope à l'aise.

C'est l'allure préférée du bateau, celle qu'il prend le plus naturellement. On va vite. Il est facile de tirer parti du vent. Lorsque celui-ci fraîchit, au lieu d'effacer prudemment la voilure comme on le fait au près, on peut l'offrir au vent davantage, on risque simplement d'aller encore plus vite. Il s'agit moins désormais de régler les voiles à la limite du faseyement que de les orienter pour défléchir le vent du meilleur angle et bénéficier ainsi du maximum de puissance. Cela peut aller très loin : bien mené à cette allure, un dériveur léger devient frénétique, sort de l'eau, plane...

Il y a de l'allégresse dans l'air. Tout paraît simple. Et puis soudain, sans raison apparente, brusquement le bateau ralentit, se redresse, obligeant l'équipage à rentrer précipitamment. Tout à coup le vent semble avoir presque disparu. Rien ne va plus : en voulant trop bien faire, on est tombé dans le guet-apens du décrochage.

Le décrochage.

Nous avons longuement parlé de ce phénomène au chapitre 3 : lorsqu'on borde peu à peu une voile, la force recueillie par cette voile augmente régulièrement jusqu'à atteindre un point critique au-delà duquel elle décroît d'un coup. Ce point se situe à l'instant où la voile devient pour le vent un obstacle plus qu'un déflecteur. L'écoulement de l'air, jusque-là régulier (laminaire) devient soudain turbulent (perturbé) et la pression du vent sur la voile diminue brutalement. C'est ce qui vient de se produire.

La rupture est déconcertante et plonge souvent un équipage novice dans l'embarras. Au près, le mauvais réglage des voiles était révélé par leur faseyement, il suffisait de les border un peu pour que tout rentre dans l'ordre. Rien n'indique par contre l'approche du décrochage, et lorsqu'il survient on ne s'en sort pas si facilement : il faut choquer les écoutes en grand, ou loffer franchement pour débarrasser les voiles des tourbillons avant de pouvoir reprendre la route.

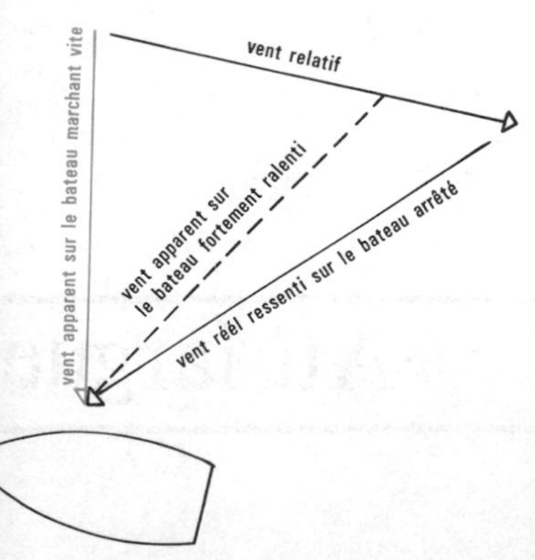

Au largue, les modifications du vent apparent peuvent être considérables.

Vent réel, vent apparent.

Un décrochage peut avoir des causes diverses (variation brusque du vent, embardée, ralentissement fortuit) mais dans tous les cas il se produit parce que l'on a soudain dépassé l'angle de déflexion maximum, parce que les voiles se sont trouvées un instant trop bordées par rapport au vent apparent.

Dans ce secteur, le vent soufflant par le travers, la différence de direction entre le vent réel et le vent apparent est plus importante qu'à toute autre allure. Le vent apparent est beaucoup plus pointu que le vent réel et plus l'on va vite, plus la différence s'accroît (elle peut atteindre fréquemment 30°). Il importe surtout de remarquer que la moindre variation de vitesse entraîne un changement notable de la direction du vent apparent. Lorsque le bateau ralentit un instant pour une raison quelconque, le vent apparent peut adonner à tel point que les voiles se trouvent soudain trop bordées ; l'écoulement de l'air, jusque-là régulier, devient turbulent; on décroche et le léger ralentissement initial s'aggrave brutalement alors qu'on n'a rien changé, ni le réglage des voiles, ni l'équilibre du bateau, ni le cap.

Les allures du largue.

La différence d'ambiance entre le moment où l'écoulement de l'air sur les voiles est régulier et celui où il devient turbulent est considérable. Nous admettrons que le décrochage représente la limite entre le largue et le grand largue, cette dernière allure étant déjà très proche du vent arrière, comme nous l'avons vu.

Le domaine du largue est si vaste qu'on le divise conventionnellement en deux zones : le petit largue et le largue proprement dit. Nous analyserons d'abord les principes de réglage communs à ces deux allures, puis les particularités de la conduite du bateau pour chacune d'elles. Sans doute faut-il préciser tout de suite que cette conduite est assez liée à l'état d'esprit qui anime l'équipage. Selon les cas, petit largue et largue peuvent être les allures les plus insouciantes, ou au contraire les plus fébriles. Le décrochage, que nous avons mis ici en vedette, ne constitue pas forcément une hantise, et l'on peut très bien naviguer à ces allures sans jamais décrocher; il suffit de ne pas trop border les voiles, le bateau va tout de même très vite. Mais lorsqu'on veut tirer du bateau le parti maximum, tout change : il faut border les voiles au mieux, et **le meilleur réglage est obtenu à la limite du décrochage.** A ce moment la conduite du bateau devient riche en émotions, surtout par vent frais. On atteint des vitesses exaltantes, et c'est d'autant plus passionnant qu'on ne sait jamais si on ne va pas tout à coup dépasser la limite et se retrouver tout bête.

Réglage des voiles.

Il faut que les voiles soient très creuses. Plus elles le sont, plus elles peuvent défléchir le vent d'un angle important sans décrocher. On recueille ainsi une force maximum, et d'autre part le risque d'être surpris est limité : les voiles très creuses sont bien réglées pour l'allure juste au moment où le faseyement de leur guindant disparaît. Cela constitue une indication précieuse.

L'orientation des voiles est à préciser constamment en fonction de la vitesse. Plus on va vite, plus le vent apparent est situé sur l'avant du bateau, plus on doit border les voiles pour continuer à défléchir le vent de l'angle optimum.

L'interaction des voiles est également à surveiller. A ces allures en effet, la voile d'avant, spi ou foc, a tendance à refermer. Les filets d'air se trouvent en quelque sorte comprimés dans le « couloir » entre les deux voiles, ce qu'il faut absolument éviter. Choquer l'écoute de la voile d'avant n'est généralement pas une bonne

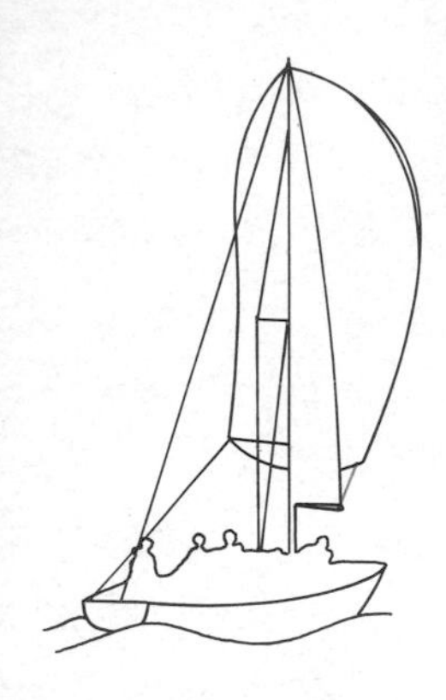

L'écoute de spi passée en bout de bôme doit être tournée sur un taquet du mât et non à l'arrière, sinon elle se transforme en écoute de grand-voile.

solution, car la voile poche; il vaut mieux passer cette écoute en bout de bôme afin d'écarter le point d'écoute de la voile.

Par vent frais, il n'est pas nécessaire d'aplatir les voiles, ni de les faire déverser. Il suffit de choquer un peu les écoutes : la déflexion est plus faible, mais la force exercée par le vent reste la même et se trouve mieux orientée, la puissance du bateau augmente encore.

Équilibre du bateau.

Au petit largue et au largue, beaucoup de bateaux ont tendance à être très ardents car le centre de voilure se trouve franchement déporté sous le vent. Cette tendance est très difficile à combattre. On parvient à l'éliminer dans une certaine mesure sur les dériveurs à dérive pivotante, en relevant celle-ci assez largement. Dans tous les cas, il importe surtout d'empêcher le bateau de gîter, car la gîte accroît singulièrement son ardeur.

La dérive, quel qu'en soit le modèle, peut être relevée au moins de moitié : on va vite, et par rapport à la composante propulsive la composante de dérive est relativement faible. Sur les dériveurs lestés, la dérive peut même être relevée complètement.

Dès qu'il y a un peu de vent, l'équipage d'un dériveur léger, en se reculant dans le cockpit et en faisant ce qu'il faut pour combattre la gîte, parvient facilement à faire planer le bateau, comme nous le verrons. Quand le vent est très faible, il importe surtout, et plus que jamais, de se tenir tranquille à bord. Un mouvement un peu brusque suffit parfois à provoquer le décrochage, et l'on perd un temps infini à rétablir un régime d'écoulement régulier sur les voiles. En régate par vent léger, à cette allure ce sont les statues qui gagnent, et souvent très largement.

Conduite au petit largue.

C'est au petit largue qu'un bateau atteint les plus grandes vitesses. L'écoulement de l'air sur les voiles est régulier, la force aérodynamique est grande et très bien orientée. Cependant sa composante de gîte peut prendre de l'importance par brise fraîche : sur dériveur, il faut alors faire un rappel énergique si l'on veut conserver les voiles réglées au meilleur angle de déflexion. C'est dur, mais quel résultat! C'est la joie complète.

A cette allure on se trouve en quelque sorte sur la ligne de partage entre le près et les allures portantes. On dispose de la plus grande latitude de réglage possible. L'orientation des voiles peut en effet varier du point de décrochage jusqu'au faseyement intégral. Le décrochage lui-même peut être rapidement rattrapé : s'il survient, il suffit de choquer en grand les écoutes pour débarrasser les voiles des tourbillons; on borde ensuite progressivement, et l'écoulement de l'air est à nouveau régulier.

Dans les risées, selon les circonstances on peut réagir de façon différente : soit loffer comme on le fait au près, soit abattre en choquant les écoutes. L'attitude à adopter dépend en bonne partie du but que l'on poursuit. Si l'équipier est au trapèze, et que l'on plane, il est préférable d'abattre en choquant pour que la gîte n'augmente pas et pour accélérer encore.

Une grave question se pose : faut-il porter le spi ou le génois ? Il n'est pas toujours facile de savoir lequel des deux sera le plus efficace. La figure montre le cas-limite où, théoriquement, spi et génois, avec les réglages de grand-voile appropriés, assurent la même vitesse. Pour tenir, le spi doit être bordé assez nettement, et la force importante qu'il recueille n'est pas orientée au mieux; le génois recueille une force plus faible mais mieux orientée. Jusque-là l'avantage est cependant au spi. Mais sous génois, la grand-voile peut être plus débordée que sous spi. En définitive, la meilleure orientation de l'ensemble grand-voile/génois compense la force plus importante recueillie par l'ensemble grand-voile/spi.

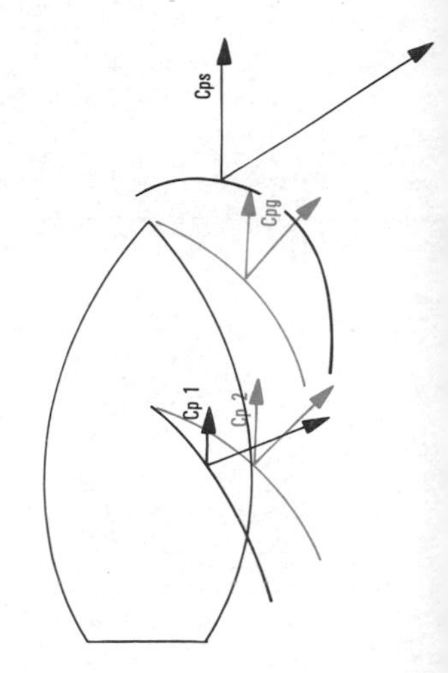

Cp 1 + Cps = Cp 2 + Cpg. En d'autres termes, spi et génois ont ici le même rendement.

Le moment où le spi devient plus efficace reste difficile à estimer. Lorsqu'il est hissé, on peut se fier à l'orientation de la drisse, qui indique la direction dans laquelle tire la voile, mais ce point de repère reste approximatif. En réalité, à cette allure, le spi n'est réellement avantageux que par petit temps. Par vent frais, le gain de vitesse risque de ne pas compenser l'allongement de route dû aux auloffées presque inévitables. Et il faut tenir compte du temps nécessaire pour hisser et affaler. Le jeu en vaut-il la chandelle ? Oui, pourquoi pas ?

Conduite au largue.

Au largue, pas d'hésitation : le spi est de rigueur, tant que le vent n'est pas trop fort.

C'est à cette allure toutefois que les décrochages les plus brutaux peuvent se produire. En abattant à partir du petit largue, on choque peu à peu les écoutes pour que les voiles conservent la bonne orientation par rapport au vent; vient un moment où la grand-voile s'appuie contre les haubans. Dès lors il n'est pas possible d'abattre encore sans décrocher. Même si l'on maintient rigoureusement son cap, la situation est précaire, il suffit d'un rien, d'un ralentissement dû au choc d'une vague par exemple, pour que le décrochage survienne. Lorsqu'il se produit, on ne peut cette fois s'en sortir en débordant les voiles, et pour cause. On est alors obligé de loffer franchement, jusqu'à ce que les voiles faseyent, puis l'on abat à nouveau, avec circonspection, pour reprendre la route.

A cette allure on peut constater de façon très nette la différence de comportement des bateaux selon le régime d'écoulement de l'air sur leurs voiles. Il arrive que deux bateaux, faisant la même route, avec le même réglage de voiles, naviguent à des vitesses très différentes : l'un des deux, venu sur cette route en abattant, a conservé un régime régulier, et va vite; l'autre, qui a loffé à partir du vent arrière, est toujours en régime turbulent, et se traîne. S'il veut changer de vitesse, le deuxième doit loffer franchement un instant. Jusque-là, les deux bateaux sont en réalité dans deux mondes différents.

Au largue, par vent irrégulier, il n'y a pas à s'interroger sur la conduite à tenir. Dans une risée, en loffant, on ne peut que charger encore plus le bateau. Ici il faut toujours abattre et choquer. Lorsque la risée est très forte, on a même la ressource d'abattre franchement, pour décrocher. L'écoulement de l'air devenant turbulent, la pression du vent sur les voiles diminue. En somme, le phénomène du décrochage constitue, à la limite, une sorte de soupape de sécurité.

Planer.

On dit qu'un bateau se met à planer lorsqu'il part soudain à grande vitesse, en paraissant effleurer à peine la surface de l'eau.

Dans certaines conditions d'allure et de vent, un dériveur plane spontanément, il est même difficile de l'en empêcher. Il semble donc que ce soit la chose la plus simple du monde. Mais planer longtemps, à des allures différentes et dans des vents divers, est un art qui requiert une technique très poussée.

Le phénomène.

La coque du bateau, se déplaçant sur l'eau en faisant avec l'horizontale un certain angle, qu'on nommera **angle de cabrage,** subit une force orientée vers le haut, la **poussée,** et une force orientée vers l'arrière, la **traînée.**

Quand la poussée devient supérieure à l'effet de pesanteur, la coque **déjauge** (sort en partie de l'eau). A ce moment la surface mouillée diminue; la traînée diminue d'autant. Les forces néfastes à l'avancement : frottement, succion, forces de rencontre, se trouvent considérablement réduites, et la vitesse augmente. La carène du bateau se comporte de plus en plus comme un ski nautique; le bateau passe sur sa vague d'étrave, qui se place alors vers le milieu de la carène, la partie arrière de la coque devient porteuse : on plane.

Pour planer, il faut donc :

— un bateau léger, possédant une carène large et plate à l'arrière;

— une bonne vitesse (ce qui suppose à la fois un vent suffisant, une surface de voilure importante et bien orientée);

— un angle de cabrage favorable (et qui doit le rester même lorsqu'on aborde une vague).

Conduite du bateau.

Les meilleures conditions pour planer sont : l'allure du petit largue, un vent de force 3, une mer peu agitée.

Le vent apparent est situé un peu en avant du travers; l'écoulement de l'air étant régulier, la force aérodynamique est grande; la gîte peut être aisément compensée.

Par vent très régulier, on amorce le plané en bordant le foc par à-coups pour faire décoller l'étrave, tout en se déplaçant légèrement vers l'arrière; par vent irrégulier, il suffit de profiter d'une risée : on abat un peu en bordant la grand-voile, et le bateau bondit.

Le véritable problème est de continuer à planer le plus longtemps possible, dans un vent qui n'est jamais parfaitement régulier, ni en force ni en direction.

D'abord le bateau doit être maintenu rigoureusement à plat. Cette exigence, qui n'est rien d'autre que la règle de conduite générale d'un dériveur, doit être appliquée ici avec une rigueur et une précision très grandes. Soit en pratiquant un rappel de valeur variable; soit, pour un rappel de valeur constante, en modifiant sans cesse le réglage des voiles et le cap du bateau.

La position de la dérive doit être soigneusement choisie. Il n'est pas nécessaire d'en descendre beaucoup, car on va vite. La dérive se règle de façon très précise en fonction de la voilure et du vent régnant. Selon que l'on porte ou non le spi, par exemple, les positions de la dérive sont différentes. On les découvre peu à peu à l'exercice (et l'on peut les repérer d'un trait de peinture).

Dans les auloffées et les abattées, il faut également tenir compte ici de la force centrifuge, qui dans un virage tend à incliner le haut du mât vers l'extérieur.

Par vent fort, ou irrégulier, on modifie constamment les réglages du bateau. On abat et on choque dans les risées : voile débordée la composante de gîte n'augmente pas, le bateau accélère sans gîter. On loffe et on borde dans les accalmies : voile bordée la gîte ne diminue pas, ce qui évite de contre-gîter. Si l'accalmie est brutale, on loffe vivement et la force centrifuge maintient un instant le bateau à plat, ce qui permet à l'équipier au trapèze de rentrer sans se baigner.

Il est certain que l'on parvient à un meilleur résultat si l'on peut conserver le bateau à plat sans changer de route au gré des variations du vent : il faut alors parvenir à faire un rappel variable. Tout d'abord le vent ne doit pas être trop fort. Ensuite il faut savoir sortir et rentrer à bon escient. Cela suppose une très grande coordination entre le barreur et l'équipier et une résistance physique remarquable. Mais un équipage entraîné obtient ainsi des résultats extraordinaires.

Quand planerai-je ?

Planer n'est possible que dans certaines conditions, d'allure et de vent.

Au près, la force exercée par le vent est mal orientée, la composante de gîte est importante et la composante propulsive faible : un dériveur monocoque ne peut déjauger (un multicoque y parvient).

Au bon plein, il est possible de planer si l'on parvient à faire un rappel suffisant pour maintenir le bateau à plat (équipier et barreur au trapèze).

Le petit largue est l'allure idéale. On commence à planer pour une force de vent très inférieure à celle qui est nécessaire aux autres allures.

Au largue il faut un peu plus de vent. Au grand largue et au vent arrière il faut beaucoup de vent et d'expérience.

D'une manière générale, il n'est pas possible de planer par vent faible. L'idéal est un vent moyen. Planer par vent fort, et surtout planer longtemps, est affaire de spécialiste : ici les réactions du bateau risquent toujours d'être plus rapides que les réactions de l'équipage. Le problème est de rester sur le bateau et que le bateau veuille bien rester sur l'eau. Ce genre d'exercice est situé à la limite de ce que l'on appelle « navigation à voile ». Le bateau paraît s'affranchir des lois qui régissent habituellement sa conduite. Il entre en transe, une vie différente l'anime : encore un peu, et l'on s'envole. Mais dans une mer un peu formée, cela se termine presque toujours de la même façon : lorsqu'on aborde une vague, l'angle de cabrage n'a plus la valeur nécessaire, il se transforme en angle de piqué, le bateau plonge et se vrille littéralement dans l'eau.

Bien qu'il soit très particulier, le phénomène du plané donne tout compte fait des indications précieuses sur ce que doit être la conduite du bateau.

Lorsque celui-ci est parfaitement réglé, tenu en main avec finesse et doigté, il paraît soudain savoir ce qu'il a à faire. Bien entendu, cela n'est pas toujours perceptible de façon aussi spectaculaire, mais il importe peut-être de conserver en arrière-plan cette idée : bien conduire un bateau, c'est tout simplement lui donner la possibilité de s'exprimer.

Cela n'exclut nullement un contrôle ferme et parfois énergique de ses réactions, mais ce contrôle s'exerce en abord de l'essentiel : il vise surtout à aplanir les obstacles, à créer les conditions d'une action qui, finalement, échappe quelque peu à l'analyse.

Sans aller jusqu'à vouloir jeter les fondements d'une « morale de la voile », remarquons pour finir qu'il ne sert à rien de malmener un bateau, et de chercher à en obtenir plus qu'il ne peut donner.

A trop fouetter son cheval on en fait une bourrique. Et il y a parfois des coups de bôme bien mérités.

9. Virer de bord

Dans la conduite du bateau, les virements de bord constituent des moments particuliers : soit vent debout, soit vent arrière, le bateau franchit alors le lit du vent et change d'amure. Les voiles qui, sous une même amure, n'étaient soumises qu'à des changements d'orientation progressifs, passent ici plus ou moins rapidement d'un bord à l'autre du bateau. Il y a dans ce mouvement un hiatus, un instant d'incertitude, dont il faut contrôler l'ampleur et les conséquences.

Le lit du vent est une sorte de mur. Louvoyer, c'est progresser au près de part et d'autre de ce mur; virer de bord, c'est sauter le mur sur son élan. Le souci de la vitesse, comme à l'allure du près, est ici essentiel.

Pour virer de bord vent arrière (ou lof pour lof), la vitesse, par contre, importe assez peu. Il faut plutôt se soucier de contrôler rigoureusement son cap, car les embardées peuvent faire tout rater : au vent arrière, le bateau file en équilibre sur la crête du mur — si l'on ose dire — et il s'agit de ne basculer ni d'un côté ni de l'autre.

Les deux modes de virement sont donc aussi différents que possible.

Virement vent debout

Virer de bord vent debout est une manœuvre simple : le bateau progressant au près, on loffe pour franchir le lit du vent et l'on se retrouve au près sous l'autre amure.

Durant cette évolution, les voiles faseyent dans le lit du vent. Le bateau parcourt donc un angle d'environ 90° sans force propulsive, sur son élan, sur son **erre.** L'essentiel du problème est là : si l'erre est insuffisante, ou mal utilisée, le bateau peut refuser de franchir le lit du vent; le virement de bord est alors raté, on **manque à virer.**

Pour effectuer un bon virement de bord, il faut donc observer quelques principes :

— **entamer le mouvement à partir du près;**

— **avoir de la vitesse;**

— **utiliser les voiles au mieux, au début et à la fin du mouvement;**

— **manœuvrer la barre sans freiner le bateau.**

Les deux premiers principes, qui concernent la préparation du mouvement, sont tout aussi importants que les deux derniers, qui ont trait à la manœuvre elle-même.

Principes de la manœuvre.

Préparation.

Venir au près. Si l'on amorce le mouvement à partir d'une allure autre que le près, l'angle mort que le bateau doit parcourir sans force propulsive est beaucoup plus grand. On risque fort d'épuiser son élan avant même d'atteindre la position vent debout.

Pour virer il importe donc, du moins dans les débuts, de venir d'abord au près et de se maintenir un instant à cette allure, le temps de vérifier que l'on est effectivement au près et que l'on a assez de vitesse pour se lancer.

Par la suite, il devient possible de virer dans la foulée en venant de loin, à condition de savoir accompagner aux écoutes le changement de cap progressif du bateau : à chaque instant les voiles doivent se trouver correctement bordées pour l'allure à laquelle on passe, afin de conserver un rôle actif jusqu'au bout. Lorsqu'on passe à l'allure du près, elles sont bordées pour le près.

Sur un dériveur, on peut parvenir assez vite à synchroniser ainsi le mouvement des voiles et la rotation du bateau. Sur un croiseur, la taille des voiles, leur nombre parfois, les moyens employés pour les border font que cette synchronisation est difficile à obtenir.

Avoir de la vitesse. Lorsqu'on se trouve au près serré, l'angle mort à parcourir pour franchir le lit du vent est aussi réduit que possible. Mais si le bateau peine pour avancer et ne parvient pas à prendre de la vitesse, cet angle lui paraîtra encore trop grand, et il risque de s'arrêter le nez contre l'obstacle. Il ne faut pas qu'il soit bridé. Il suffit en réalité de régler ses voiles au mieux pour l'allure du près, afin qu'il avance correctement comme si de rien n'était. En quelque sorte il n'a pas besoin de savoir que l'on va virer.

Il faut s'efforcer d'amorcer le virement de préférence à un moment où le bateau est particulièrement à l'aise, et au contraire savoir attendre un peu si un ralentissement s'est produit, par exemple si l'on vient de heurter une lame. La vitesse est vraiment la condition essentielle au départ.

Le rôle des voiles.

Lorsque le bateau franchit le lit du vent, les voiles faseyent. Non seulement elles n'assurent plus la propulsion du bateau, mais ce faseyement constitue un frein considérable : une voile qui faseye est nettement plus hostile à l'avancée d'un bateau qu'une voile trop bordée, ou même qu'une voile légèrement bordée à contre; le fardage qu'elle représente est énorme.

Il faut donc que les voiles conservent un rôle actif aussi longtemps que possible dans le premier temps de l'évolution et, dans un deuxième temps, qu'elles reprennent le vent au plus tôt sur le nouveau bord.

Premier temps. Le virement de bord s'amorce à l'aide de la grand-voile. On sait en effet que celle-ci a une action évolutive importante : lorsqu'on la borde, le bateau a tendance à loffer. On la borde donc au maximum. La gîte que peut alors prendre le bateau vient renforcer son action.

On borde ensuite progressivement le foc (s'il n'est pas déjà complètement bordé) pour qu'il porte le plus longtemps possible durant l'auloffée. Il faut remarquer ici que le mouvement de rotation du bateau a sur les voiles un effet particulier : le vent apparent adonne pour le foc, refuse pour la grand-voile. En conséquence, la grand-voile faseye assez tôt, mais le foc peut porter plus longtemps que ne semble le permettre son orientation par rapport au lit du vent. Sans doute ce phénomène n'est-il perceptible que sur un bateau à évolution lente; il n'en est pas moins réel et doit inciter à conserver le foc bordé le plus tard possible.

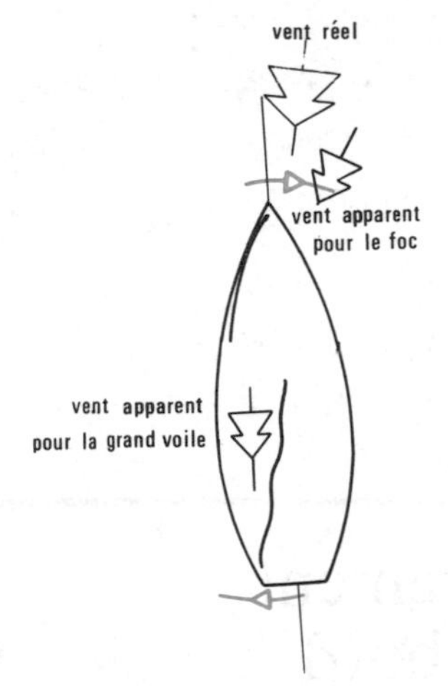

Il faut toujours garder le foc bordé le plus tard possible dans un virement de bord, surtout si la mer est agitée. Le foc continue en effet de propulser le bateau alors que la grand-voile ne porte déjà plus.

Deuxième temps. Vient un moment, cependant, où le foc ne peut plus porter : il est brusquement déventé. On choque son écoute en grand. Dans le même temps, on choque légèrement l'écoute de grand-voile pour que celle-ci se retrouve, sous l'autre amure, au réglage normal du près. Le bateau continue à évoluer sur son erre, franchit le lit du vent et abat de l'autre côté. Les voiles faseyent sur le nouveau bord. Ici, l'erreur classique — qui est la cause la plus fréquente du manque à virer — consiste à vouloir border le foc dès que l'on voit son point d'écoute battre de l'autre côté du mât. On constate alors avec étonnement que le foc reprend le vent sous l'amure d'origine, se gonfle à contre, ce qui a pour conséquence immédiate de stopper l'évolution. On a simplement oublié que le point de tire de l'écoute de foc n'est pas dans l'axe du bateau mais nettement sur le côté. Pour pouvoir border, il faut attendre que la ligne joignant le point d'amure du foc au point de tire ait, elle aussi, franchi le lit du vent; pratiquement, que le point d'écoute batte à peu près à la hauteur du hauban.

Naturellement, la grand-voile ne donne pas ce genre de souci. Elle reprend le vent d'elle-même sous la nouvelle amure. Si le bateau a perdu beaucoup de vitesse, on abat un peu en choquant les écoutes pour en reprendre avant de revenir au près.

Le rôle de la barre.

Un coup de barre brutal laisse souvent le bateau pantois. D'une part, le safran agit comme un frein; d'autre part, le virage étant trop court, l'erre s'éparpille. A l'inverse, un maniement timide de la barre conduit à faire une auloffée trop lente, au cours de laquelle l'erre s'épuise également en pure perte. Il faut donc trouver un juste milieu.

En réalité, beaucoup de bateaux virent sans qu'il soit nécessaire de pousser la barre. **Il suffit de lâcher la barre tout en bordant la grand-voile, et le bateau vire à la vitesse qui lui convient.**

Le barreur peut éventuellement intervenir comme régulateur de l'évolution : à la barre il accompagne le mouvement, pour l'arrondir, et le contrôler à partir du moment où les voiles faseyent.

Virement de bord sur dériveur

Pour réussir un bon virement de bord sur dériveur, il faut tenir compte de deux particularités :

— le bateau est léger, il perd son erre très vite mais reprend aisément de la vitesse : on a donc intérêt à ce que la traversée de l'angle mort soit rapide;

— le bateau est instable : il faut contrôler constamment son équilibre.

Rapidité.

Puisque le bateau perd rapidement son erre, il est bon de lui donner un surcroît de vitesse au départ. Etant au près, on laisse porter légèrement (de 3° à 4°) sans choquer les écoutes. Le bateau accélère, prend un peu de gîte; l'auloffée s'amorce naturellement, on l'accentue en bordant à fond la grand-voile. On lâche la barre et le bateau pivote presque sur place.

Si l'équipier se trouve au trapèze, il faut toutefois lui laisser le temps de rentrer, de se décrocher, de passer sous la bôme et de refaire son installation de l'autre côté! Dans ce cas il est nécessaire de garder la barre en main pour ne pas virer trop vite.

A la sortie du virement, le bateau a perdu une bonne partie de sa vitesse; on laisse porter à nouveau, un peu plus nettement qu'à l'amorce du virement (de 5° à 10°), en réglant les voiles au mieux pour reprendre de la vitesse avant de revenir au près.

Equilibre.

Le bateau quitte assez brusquement l'appui du vent, se redresse en tournant puis s'incline sur le nouveau bord. Durant ce renversement de situation, l'équipage doit assurer l'équilibre en suivant

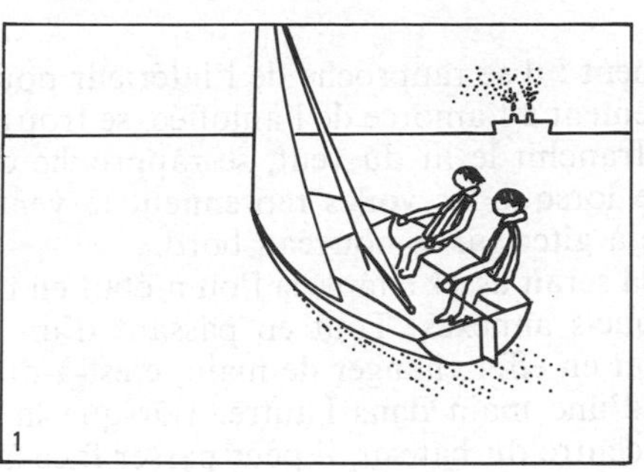

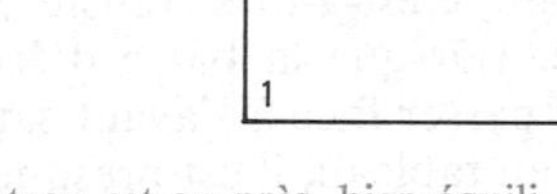

1. Le bateau est au près, bien équilibré, à bonne vitesse.

2. Les manœuvres sont claires.

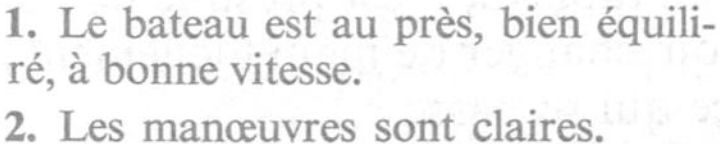

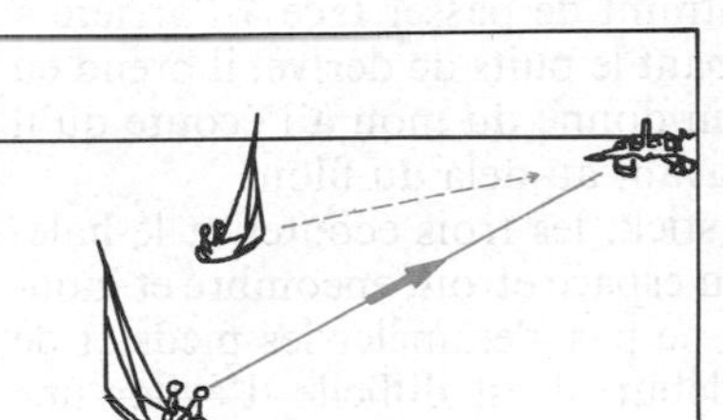

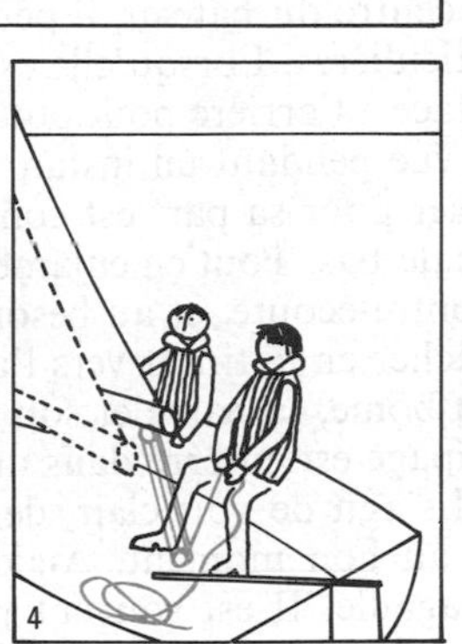

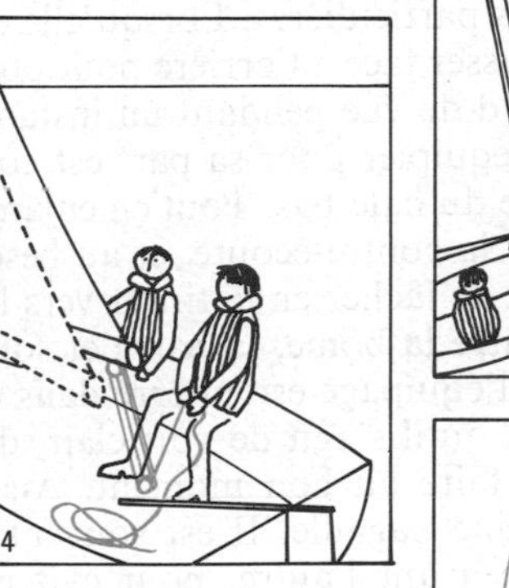

3. Le barreur débutant repère derrière lui, par le travers du bateau, le cap qu'il devra suivre après le virement.

4. Le barreur amorce le virement : il borde à fond la grand-voile et laisse gîter un peu, en accompagnant le mouvement à la barre ou en lâchant celle-ci.

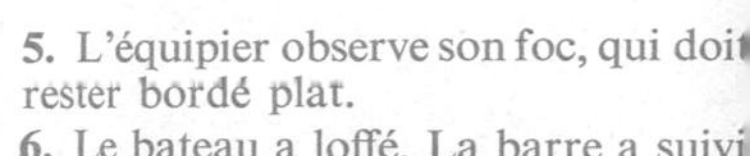

5. L'équipier observe son foc, qui doit rester bordé plat.

6. Le bateau a loffé. La barre a suivi le mouvement. La grand-voile faseye. Le foc est toujours bordé. Un des équipiers rentre dans le cockpit.

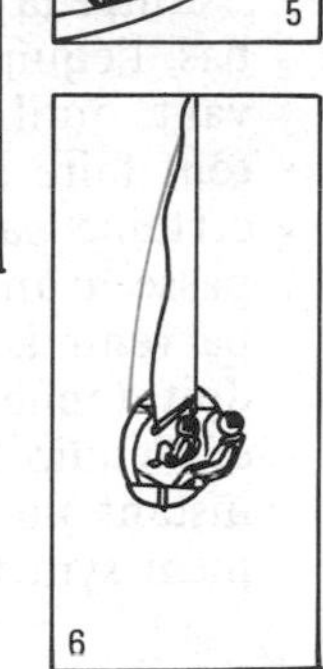

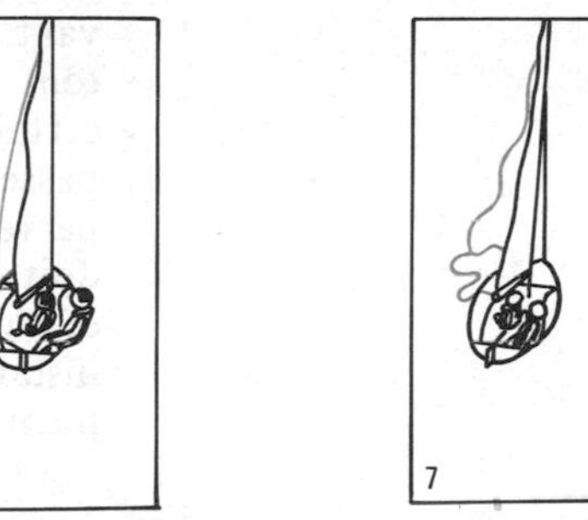

7. L'auloffée se poursuit, le foc faseye, on choque son écoute en grand. Le premier équipier est au milieu du bateau, le deuxième rentre.

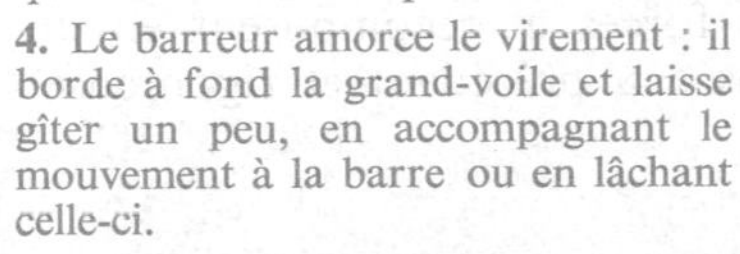

8. Le bateau est vent debout. Le barreur change de main en choquant ce qu'il avait embraqué d'écoute au début de la manœuvre. Les équipiers sont de part et d'autre de l'axe du bateau.

9. Le bateau abat sur le nouveau bord. La grand-voile porte déjà. Le foc a passé devant le mât et le focquier commence à embraquer l'écoute, sans border. Le premier équipier sort sur le nouveau bord. Le second est dans l'axe.

10. L'abattée est suffisante pour que l'on puisse border le foc.

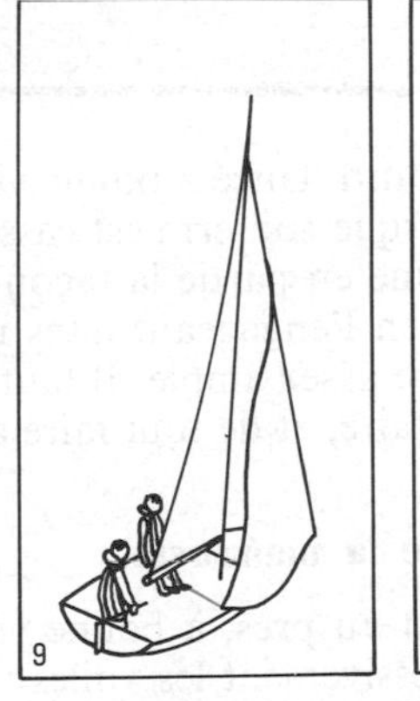

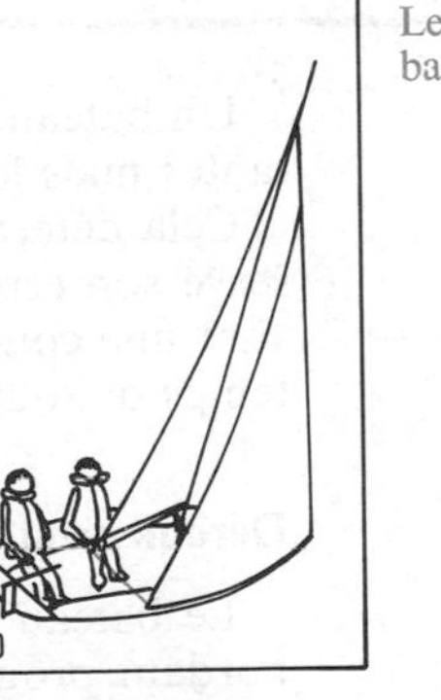

11. Les deux équipiers s'installent à la contre-gîte. Les voiles sont pleines. Lorsque l'abattée est suffisante pour que le bateau puisse accélérer franchement, le barreur redresse la barre.

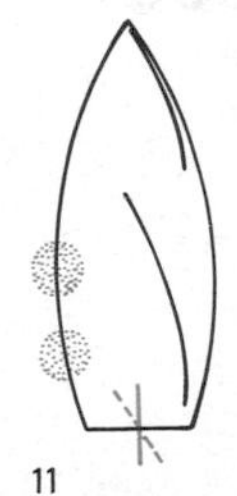

Un virement de bord réussi dure à peine cinq secondes.

le mouvement : il se rapproche de l'intérieur pour laisser le bateau gîter légèrement à l'amorce de l'auloffée, se trouve au milieu quand le bateau franchit le lit du vent, se rapproche du bord opposé et s'y installe lorsque les voiles reprennent le vent et que le bateau commence à gîter sur le nouveau bord.

Tout cela serait assez simple si l'on n'était en même temps requis par des soucis annexes. Tout en passant d'un bord à l'autre, le barreur doit en effet changer de main, c'est-à-dire transférer barre et écoute d'une main dans l'autre. Lorsque la barre d'écoute se trouve au centre du bateau, il peut passer face à l'avant sans difficultés particulières. Lorsqu'elle est au tableau, il est presque obligé de passer face à l'arrière pour pouvoir changer de main facilement; il perd de vue pendant un instant ce qui se passe.

L'équipier pour sa part est contraint de passer face à l'arrière à cause du hale-bas. Tout en enjambant le puits de dérive, il prend en main la contre-écoute, et au besoin donne du mou à l'écoute qu'il vient de lâcher en la tirant vers l'avant au-delà du filoir.

Entre la bôme, la barre et son stick, les trois écoutes et le hale-bas, l'équipage est enserré dans un espace étroit, encombré et mouvant, où il s'agit de voir clair, de ne pas s'emmêler les pieds et de tout faire au bon moment. Au début, il est difficile d'éviter une certaine pagaille. Il est souvent préférable que l'un des équipiers passe avant l'autre, pour éviter la bousculade. L'essentiel est de parvenir à une bonne coordination : un virement de bord réussi doit donner l'impression d'un simple chassé-croisé entre les voiles et l'équipage qui échangent leurs forces et recomposent en un instant un nouvel équilibre, opposé au précédent et rigoureusement symétrique.

Virement de bord sur croiseur

Un bateau lourd, lancé à bonne vitesse, possède une erre importante; mais lorsque son erre est cassée il repart difficilement.

Cela détermine en partie la façon dont il vire de bord : on préserve son erre en l'engageant dans un mouvement progressif, suivant une courbe assez ample. Il faut, de plus, que l'équipage ait le temps de tout faire, et de tout faire au bon moment.

Déroulement de la manœuvre.

Le bateau est au près, à bonne vitesse. On loffe doucement, en bordant progressivement les voiles : la grand-voile d'abord, le foc ensuite. Ici, les écoutes sont tournées, et ce n'est pas le moment de les libérer; on borde la grand-voile en écartant l'un des brins de l'écoute, le foc en tirant l'écoute vers le haut entre filoir et taquet. Si le bateau comporte des bastaques, on tend celle qui va se trouver au vent sur le nouveau bord. On ne largue la bastaque sous le vent que lorsque tout est fini.

Quand la grand-voile faseye, on relâche le brin de l'écoute sur lequel on tirait. Le foc, bordé à fond, porte pratiquement jusqu'au vent debout. On le lâche seulement quand son point d'écoute bat.

Dès que le bateau a franchi le lit du vent et commence à abattre sur la nouvelle amure, on embraque doucement l'écoute de foc sous le vent pour reprendre la plus grande partie du mou, sans border encore. Si le foc est un génois, un équipier se tient sur la plage avant pour l'aider à passer.

Il importe de ne pas border le foc trop tôt, mais il importe également de ne pas s'y prendre trop tard. L'idéal est de le border au moment précis où, étant passé, il ne peut encore travailler. Ce moment est assez bref, mais on le repère facilement avec l'habitude. Et si on le laisse passer, à nous les cabestans et les gros bras !

Il peut même devenir nécessaire, lorsqu'on n'a pas de cabestan, de faire une franche abattée : l'écoulement de l'air devenant turbulent, le foc n'oppose plus de résistance. Cette façon de procéder n'est qu'un rattrapage, mais il vaut certainement mieux agir ainsi que de revenir bout au vent et de perdre toute sa vitesse.

Sur un bateau qui comporte deux focs, et pas assez d'équipiers pour les manœuvrer au même moment, on borde d'abord le foc, ensuite la trinquette; si l'on fait l'inverse, le point d'écoute du foc bat furieusement contre la trinquette tendue, et risque de la détériorer rapidement. De plus, lorsque le foc est bordé en premier, on n'a ensuite aucun mal à border la trinquette; ce n'est pas le cas si l'on fait les opérations dans le sens inverse.

Les ordres.

La manœuvre de virement de bord sur un croiseur exige une parfaite coordination entre les équipiers : chacun a un rôle précis à remplir à un moment précis. Pour obtenir cette coordination, il est souhaitable que le chef de bord donne à haute voix les ordres de manœuvre. On n'utilise plus guère le *A Dieu Vat!* qui était d'usage jadis, sur les grands voiliers où le virement était souvent une affaire scabreuse. On peut, si on le souhaite, se créer un code à son idée. Mais la façon de procéder la plus courante est la suivante :

— On annonce d'abord : *Pare à virer!* Les équipiers répondent, lorsqu'ils sont prêts : *Paré pour le foc, Paré pour la trinquette...* Il peut être judicieux, quand l'heure du repas est proche, de s'assurer que tout est paré aussi en bas, dans la cuisine.

— La manœuvre commence à l'ordre : *Vire!* Le barreur pousse immédiatement la barre, mais les focquiers ne bronchent pas et attendent, pour choquer leurs écoutes, l'ordre : *Envoyez!*

— La rapidité de la manœuvre peut accessoirement être assurée par quelques jurons bien choisis, sans que l'on puisse en recommander certains plutôt que d'autres.

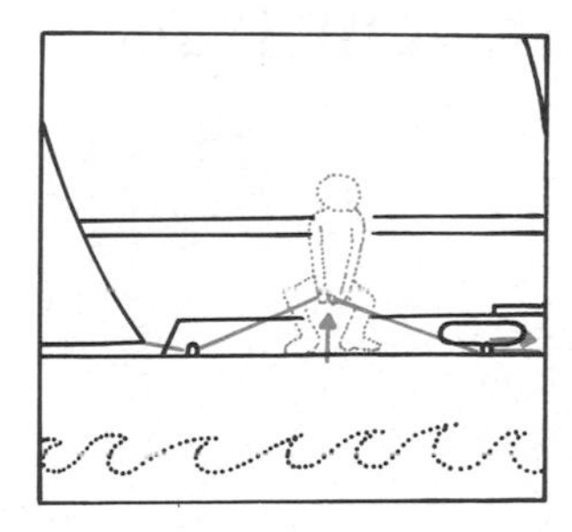

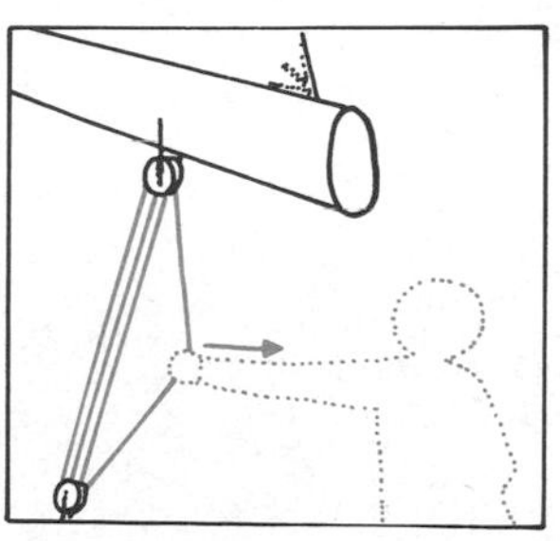

Tout homme est fort qui sait s'y prendre (proverbe turc).

Comportements.

Le mouvement d'un croiseur lourd est lent et puissant, ce qui peut permettre de rattraper éventuellement une légère erreur en cours de manœuvre; par contre, sur un tel bateau, un manque à virer représente une perte de temps considérable.

Pour des bateaux moins importants, croiseurs légers, dériveurs lestés, on ne peut donner des indications très précises. Il faut simplement rappeler que le comportement d'un bateau, au virement de bord comme ailleurs, dépend beaucoup plus de son poids que de sa taille : un bateau léger manque d'erre mais vire vite; un bateau lourd, même petit, a de l'erre et évolue plus lentement.

A poids égal, certains bateaux virent plus facilement que d'autres car des questions de formes, d'équilibre, interviennent aussi. D'une manière générale, on peut remarquer que les bateaux de conception ancienne montrent souvent une certaine répugnance à virer; les bateaux modernes sont plus dociles. Quoi qu'il en soit, l'essentiel est de connaître les réactions de son bateau et de ne pas lui imposer un rythme de manœuvre qui ne lui convient pas.

Virement de bord par vent frais

Pour tous les bateaux, les difficultés à virer de bord augmentent lorsque le vent fraîchit. Ces difficultés peuvent provenir de la force du vent elle-même, de l'état de la mer, mais peuvent être également liées aux maladresses de l'équipage.

Le vent.

A partir d'une certaine force de vent, la résistance due au fardage devient très importante. Un bateau qui vire aisément par force 4 peut refuser absolument de virer par force 7. Il ne parvient plus à emmagasiner assez d'énergie pour vaincre l'opposition du vent.

La difficulté provient souvent du fait que le bateau ne porte pas la toile qui convient au temps : un bateau sous-toilé n'a pas assez de puissance; un bateau dont la voilure est trop creuse ou mal équilibrée ne peut pas serrer le vent et gîte en général beaucoup, ce qui le freine; enfin si le bateau est sur-toilé, on ne parvient plus à border les voiles, elles restent creuses, la bateau gîte et se vautre. Dès lors, on peut se trouver rapidement en position dangereuse. Conserver la possibilité de virer est un des impératifs dont il faut tenir compte quand on choisit sa toile.

La mer.

Lorsque la mer commence à se former, les vagues risquent de casser l'erre du bateau au mauvais moment et de le renvoyer sous l'amure de départ. Il importe donc d'observer leur rythme, et de n'entamer la manœuvre qu'après la dernière grosse vague d'une série (les séries comportent en général 5 à 9 vagues).

Pour un dériveur, qui perd déjà facilement son erre dans un temps ordinaire, la seule chance de pouvoir virer dans une mer forte consiste à manœuvrer très rapidement, en amorçant le mouvement sitôt passée la crête d'une vague, pour franchir le lit du vent lorsqu'on se trouve dans le creux et se faire aider par la vague suivante pour abattre sur l'autre bord. Dans ce cas, un maniement énergique de la barre se justifie, car il importe plus de réussir à virer que de préserver une erre d'ailleurs hypothétique.

La même méthode est à utiliser sur un croiseur dans une mer très formée.

L'équipage.

Le succès de la manœuvre dépend en bonne partie de la façon dont l'équipage se comporte. Lorsqu'on ne domine pas la situation, on risque de pécher par excès de précipitation, ou bien de ne pas oser faire les choses complètement. Sur dériveur par exemple, beaucoup d'équipages ne bordent pas suffisamment les voiles, de crainte de chavirer. Sur croiseur, engourdis par le mal de mer, gênés par la gîte, les équipiers renoncent à border correctement le foc, sous prétexte qu'on va choquer tout de suite après!

Plus que jamais cependant il importe de préparer calmement sa manœuvre et de réunir d'abord toutes les conditions pour qu'elle réussisse : vitesse, bonne position des voiles, clarté des écoutes. Il vaut mieux prendre son temps et être sûr de son affaire, plutôt que se lancer dans des essais hâtifs qui sont en général de plus en plus mauvais.

Assurer le virement.

Lorsqu'on a tout lieu de craindre un manque à virer, on peut recourir à un expédient pour assurer la réussite de la manœuvre.

On peut virer sans toucher au foc. Le lit du vent passé, il prend à contre et oblige le bateau à abattre sous l'autre amure. On ne l'envoie que lorsque le virement est assuré. Naturellement, en agissant ainsi, on sacrifie toute la vitesse, et il faut ensuite laisser porter franchement pour en reprendre.

Lorsqu'à la suite d'une fausse manœuvre, ou parce qu'on manquait de vitesse au départ, le bateau s'est immobilisé voiles battantes, à peu près bout au vent, on peut encore le faire virer, en agissant vite.

Si le bateau est venu bout au vent bâbord amures, par exemple :

Ecarter à la main le point d'écoute du foc sur tribord pour qu'il forme une poche et prenne à contre; pousser la grand-voile sur bâbord en pesant sur la bôme pour limiter le dévers; inverser la barre, c'est-à-dire la mettre à bâbord (en effet le bateau va culer, et l'action de l'eau s'exercera sur la face arrière du safran).

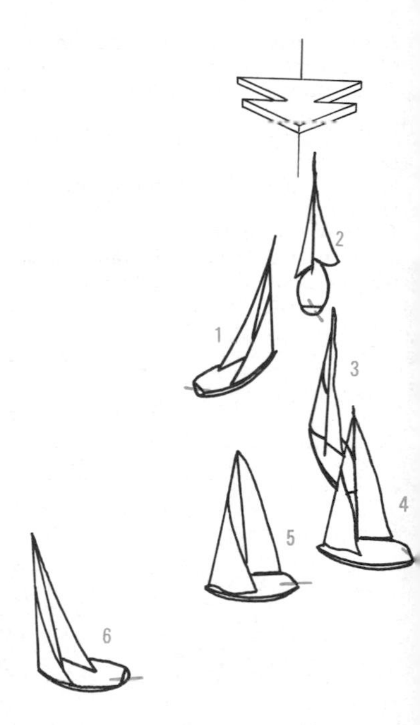

1. Le bateau loffe sans vitesse.
2. On fait porter à contre foc et grand voile et on inverse la barre.
3. On maintient le foc à contre.
4. Quand le virement est assuré on envoie le foc, on met la barre au vent.
5. On reprend de la vitesse au vent de travers.
6. On peut revenir au près.

1. On loffe sans vitesse.
2. On s'obstine.
3. Le bateau s'arrête avant même d'être vent debout.
4. Le bateau cule, on laisse la barre sous le vent.
5. On borde le foc sur bâbord, le bateau abat.
6. On envoie le foc et on le borde sous le vent.
7. On met la barre au vent.
8. On prend de la vitesse au vent de travers avant de recommencer.

Ainsi disposées, les deux voiles et la barre contraignent le bateau à éviter sur bâbord.

Lorsque ce mouvement est bien amorcé, lâcher la bôme, envoyer le foc, reprendre de la vitesse au vent de travers, puis revenir au près en bordant progressivement les voiles.

Si l'on n'a pas exécuté rapidement cette manœuvre, le bateau retombe peu à peu sous son amure de départ, et cette fois le virement de bord est définitivement raté. Il faut reprendre de la vitesse au vent de travers avant de pouvoir recommencer. On peut donc tout choquer et attendre que le bateau abatte de lui-même. On peut aussi accélérer le mouvement pour gagner du temps. On effectue alors les mêmes opérations que dans le cas précédent, mais dans l'autre sens : foc bordé à contre sur bâbord, grand-voile repoussée sur tribord, barre à tribord. On se retrouve ainsi plus vite à pied d'œuvre.

Même un amiral peut rater un virement de bord. Par beau temps et lorsqu'on dispose d'une bonne marge de manœuvre, c'est un incident sans conséquence grave; il suffit de recommencer, en s'efforçant tout de même de comprendre ce qui est arrivé. En réalité, il n'est pas toujours nécessaire de remplir toutes les conditions énoncées au début : il est possible, par exemple, de virer sans beaucoup de vitesse si l'on manie de façon parfaite la barre et les écoutes. A l'inverse, un foc qui faseye trop tôt n'occasionne pas forcément un manque à virer si l'on dispose d'une bonne vitesse. Mais un bon virement de bord est un tout, et par mauvais temps il est indispensable que tous les facteurs soient réunis pour assurer la réussite.

En fait, on doit s'appliquer constamment à réaliser des virements de bord parfaits. Avec les bateaux modernes, un danger se précise en effet : on prend l'habitude de voir son bateau virer tout seul en quelque sorte, et dès lors on n'apporte plus assez d'attention à cette opération. A la longue, on ne sait plus réellement virer de bord, et l'on en vient à rater sa manœuvre, le jour où précisément il ne faudrait pas la rater : par mauvais temps, alors qu'on ne s'est même pas assuré la marge nécessaire pour pouvoir, en cas d'échec, recommencer.

Toutefois si l'on ne parvient pas décidément à virer vent debout, le virement lof pour lof reste une solution possible.

Virement lof pour lof

Virer de bord lof pour lof, c'est changer d'amures au vent arrière, sans changer nécessairement de cap. La grand-voile, complètement débordée à cette allure, passe d'un bord à l'autre en accomplissant une rotation d'environ 180°; le spi doit être également déporté sur le nouveau bord au vent, ce qui nécessite le déplacement de son tangon.

De toutes les manœuvres de la navigation à voile, celle-ci est probablement la plus délicate dès qu'il y a un peu de vent : les risques d'embardées, qui sont la principale difficulté de la conduite au vent arrière, se trouvent ici aggravés par la modification d'équilibre qu'entraîne le mouvement des voiles. A tout instant le bateau peut échapper à la vigilance de son barreur, partir en auloffée sans qu'il soit possible de le retenir, ou au contraire abattre prématurément au-delà du vent arrière : c'est alors l'empannage, virement involontaire et incontrôlé au cours duquel la bôme pivote violemment d'un bord vers l'autre, semant la contusion sur son passage et entraînant le bateau dans une auloffée sur le nouveau bord, au grand dam du spinnaker.

Les conditions dans lesquelles il faut se placer pour entamer un virement lof pour lof sont donc bien précises :

— **Le bateau doit être plein vent arrière** et conserver son cap durant toute la manœuvre,

— **Le bateau doit être maintenu rigoureusement à plat.** Ceci est particulièrement important pour un dériveur : une gîte intempestive peut entraîner le bateau assez loin, dans une direction où il n'a rien à faire.

— Plus que jamais, **tout doit être clair à bord.** Les écoutes, et surtout l'écoute de grand-voile, doivent pouvoir filer librement; la bôme aussi (ne pas oublier de larguer sa retenue éventuelle).

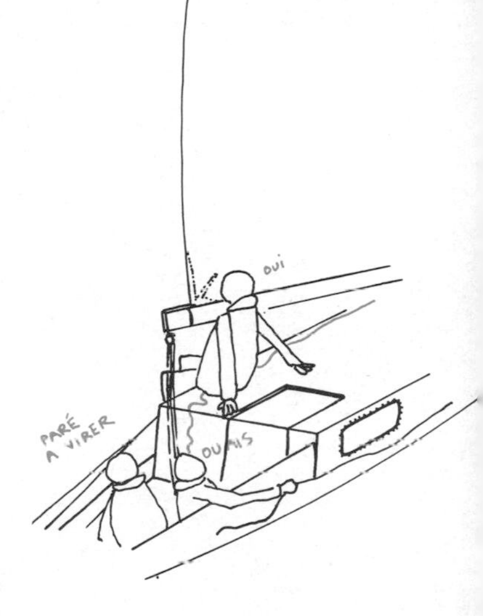

Il n'est pas nécessaire de se précipiter. A l'inverse du virement vent devant, ici la vitesse du bateau importe peu et un ralentissement ne compromet en rien la réussite. Il n'est pas non plus absolument nécessaire de synchroniser le passage des voiles d'un bord à l'autre.

Nous envisagerons donc séparément la manœuvre de chacune d'entre elles : la grand-voile d'abord, qui est soumise à l'action la plus spectaculaire; le foc ensuite; enfin le spi et ses caprices.

Passage de la grand-voile.

Les conditions dans lesquelles la grand-voile passe d'un bord à l'autre du bateau sont bien particulières. Dans le cas d'un virement vent devant, la voile faseyait en se rapprochant du lit du vent, perdait toute action propulsive, et ce temps mort devait être aussi réduit que possible. Ici, c'est exactement l'inverse. Lorsqu'on la rapproche du lit du vent en la bordant, la voile ne faseye pas et n'échappe à aucun moment à l'action du vent (ce qui serait bien commode). Son bord d'attaque est ici sa chute, qui n'est pas rigide et ne saurait demeurer parfaitement dans l'axe du bateau : elle ne cesse de recueillir le vent d'un côté que pour le reprendre immédiatement de l'autre.

Du moins, lorsque la voile se trouve ainsi bordée dans l'axe, l'action du vent sur elle est aussi faible que possible. Il est donc intéressant, dans un premier temps, de l'amener dans cette position pour aborder en douceur le moment critique de la manœuvre : le changement de panne.

Il est possible, nous le verrons, de faire passer la voile sans tant de cérémonie; pourtant, par vent frais, ou simplement lorsqu'on n'est pas très sûr de soi, cette méthode classique reste la seule valable.

Méthode classique.

1. Le hale-bas doit être raidi pour limiter au maximum le dévers de la voile et éviter particulièrement l'empannage chinois.

2. Le curseur de la barre d'écoute est placé dans l'axe du bateau, sinon il n'est pas possible de border suffisamment la voile; et on le bloque à cette place pour l'empêcher de filer à toute vitesse sous le vent lorsque la voile change de bord.

3. Sur un dériveur, la dérive est relevée environ des 2/3, surtout par vent frais, pour éviter que le bateau ne se fasse un « croc-en-jambe » s'il part en auloffée à la sortie du virement.

4. Sur les bateaux possédant une dérive-sabre comme le Vaurien, il faut toutefois prendre garde qu'ainsi relevée, émergeant en partie de son puits, la dérive n'arrête au passage la bôme ou n'accroche le hale-bas : ce serait le chavirage immédiat.

5. Le bateau est plein vent arrière, bien équilibré, les manœuvres sont claires.

6. Si le gréement comporte des bastaques, elles peuvent en général être choquées toutes les deux à cette allure.

7. On borde progressivement la grand-voile. Dans ce mouvement, le bateau cherche à loffer; il faut compenser cette tendance à la barre.

8. A mesure que l'on borde, le bateau se calme, la tendance à loffer disparaît, la vitesse diminue. La voile est maintenant bordée au maximum, mais elle reçoit toujours le vent sur le même côté (sur tribord). Il suffit désormais d'un très léger changement de cap pour changer de panne.

9. Le vent prend d'un seul coup la voile sur bâbord. Immédiatement le barreur file en grand son écoute et compense fermement à la barre la tendance du bateau à partir en auloffée sur le nouveau bord. Le mouvement de la bôme est ralenti par l'écoute qui est freinée dans ses poulies.

10. Le nœud en huit vient se bloquer dans la dernière poulie lorsque la voile a atteint la bonne orientation.

11. L'équilibre est retrouvé : le bateau a changé d'amures mais n'a pas changé de cap.

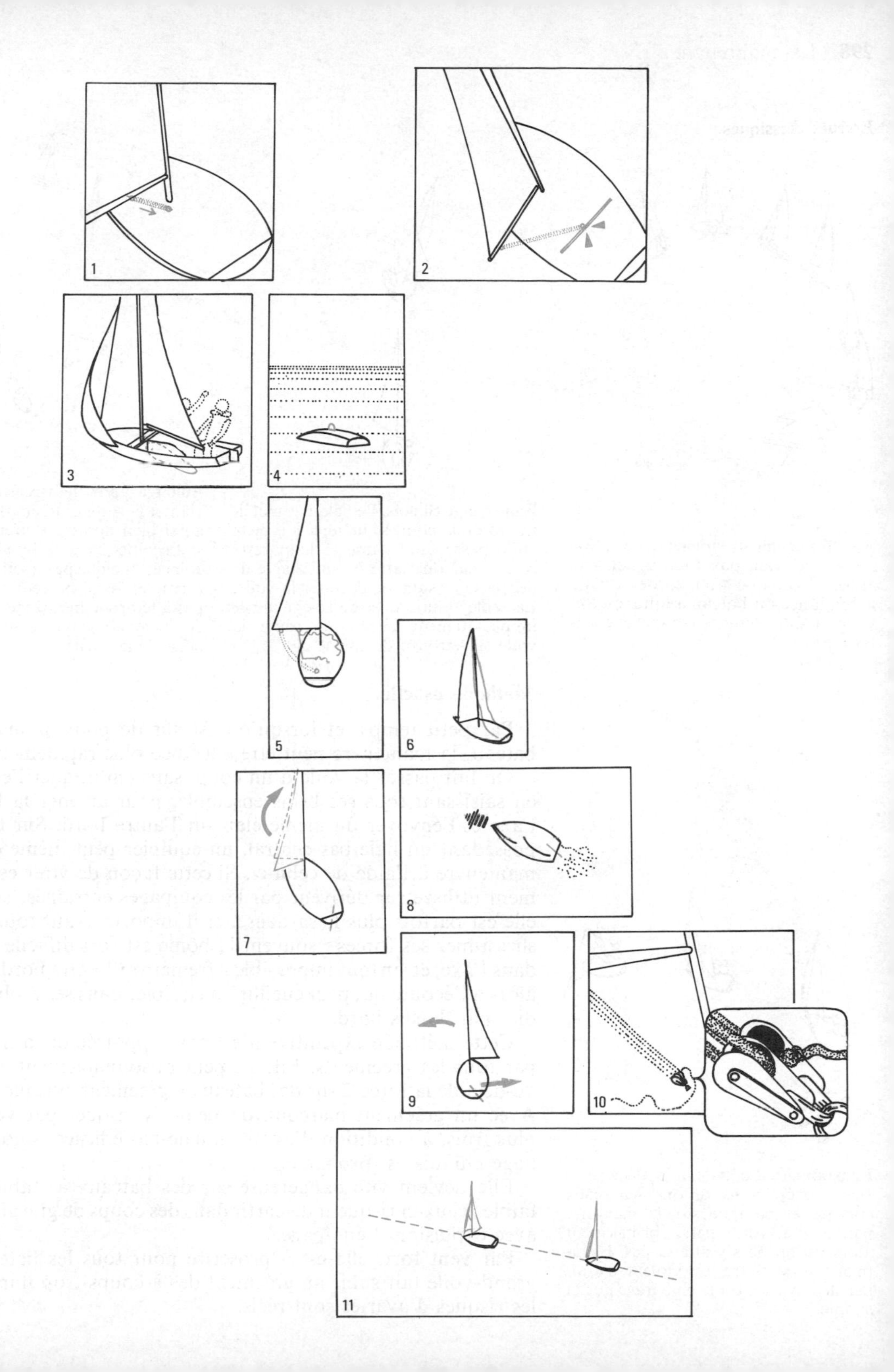
1
2
3
4
5
6
7
8
9
10
11

Erreurs classiques.

Auloffée avant le virement. Le bateau ne se trouvait pas tout à fait vent arrière. Lorsque l'on borde la voile, la tendance du bateau à loffer est très forte et difficilement contrôlable à la barre.

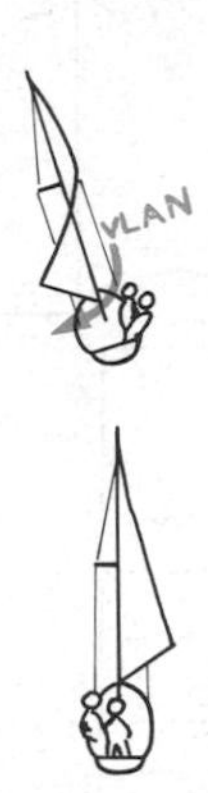

Empannage chinois. Le hale-bas n'était pas raidi, la bôme se mâte, le bas de la voile passe tandis que le haut reste retenu par une latte ou une barre de flèche. On risque de déchirer la voile. La seule solution est de ré-empanner immédiatement pour que toute la voile se retrouve du même côté.

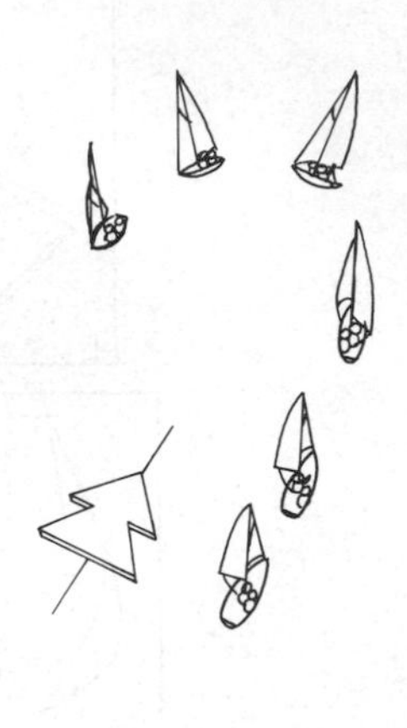

Auloffée après le virement. Elle survient à la suite d'un empannage, mais aussi bien après un virement correct si l'écoute de grand-voile se trouve coincée quelque part (sous un pied par exemple), si le barreur ne compense pas à temps le mouvement du bateau, et quelquefois même sous le simple effet d'une vague.

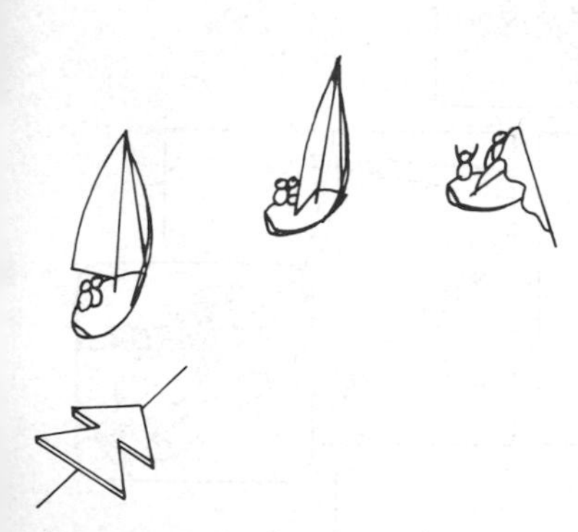

Empannage. Le bateau a dépassé le vent arrière sans qu'on s'en rende compte et navigue sur la mauvaise panne. La voile passe brutalement alors qu'on ne s'y attend pas. L'empannage peut être très violent, entraîner des avaries ou le chavirage pur et simple.

Méthode usuelle.

Par petit temps, et lorsqu'on est sûr de pouvoir maîtriser son bateau, la manœuvre peut être effectuée plus rapidement.

On fait passer la voile d'un coup, sans embraquer l'écoute mais en saisissant tous ses brins ensemble, pour amener la bôme dans l'axe et l'envoyer du même élan sur l'autre bord. Sur les bateaux possédant un hale-bas central, un équipier peut même exécuter la manœuvre à l'aide de celui-ci. Si cette façon de virer est fréquemment utilisée sur dériveur par les équipages entraînés, sur croiseur elle est parfois plus hasardeuse, et il importe avant tout de ne pas surestimer ses forces : souvent la bôme est fort difficile à ramener dans l'axe, et surtout impossible à freiner sur l'autre bord. Attention alors à l'écoute qui peut cueillir un équipier dans ses replis et l'expédier par-dessus bord.

Cette méthode expéditive n'est pas supportée de la même façon par tous les gréements. Elle ne peut raisonnablement être utilisée au-delà de la force 2 sur des bateaux à gréement aurique ou houari. Avec un gréement marconi, on peut s'y risquer par vent un peu plus frais, à condition d'avoir un hale-bas efficace, sinon l'empannage chinois est probable.

Elle devient vite dangereuse sur des bateaux à stabilité initiale faible : ceux-ci risquent de partir dans des coups de gîte gigantesques avec expulsion d'équipage.

Par vent fort, elle est à proscrire pour tous les bateaux car la grand-voile fait subir au gréement des à-coups trop importants, et les risques d'avaries sont réels.

Passage du foc.

Lorsqu'on porte un génois ou un foc au vent arrière, la manœuvre pose peu de problèmes aux équipiers du gaillard d'avant. Tout au plus faut-il prendre soin de ne pas laisser filer l'écoute d'un bord sans l'embraquer de l'autre, sinon le foc part en avant de l'étai, contre lequel le point d'écoute vient ensuite se bloquer lorsqu'on veut border.

Si la voile d'avant est tangonnée, la seule solution est de dégréer le tangon, de le poser sur le pont, de passer la voile et de tout regréer sur l'autre bord.

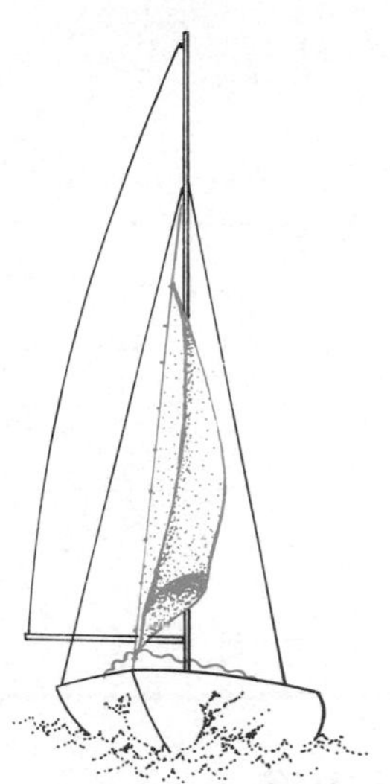

On a choqué en grand l'écoute tribord sans embraquer l'écoute bâbord : le point d'écoute du foc se prend dans l'étai.

Lof pour lof après manque à virer.

Cette manœuvre est liée a une circonstance précise : ou bien l'on ne dispose plus d'assez de place sous le vent pour préparer un nouvel essai de virement vent debout; ou bien l'on est persuadé qu'on le ratera encore et on préfère ne pas insister. Dans tous les cas le virement lof pour lof est alors considéré comme un pis-aller, on s'efforce de l'exécuter rapidement, dans la foulée.

Le bateau ayant manqué à virer se retrouve immobile, voiles battantes, vent de travers. Mêmc si l'on a abattu rapidcment jusqu'à cette allure (en bordant le foc à contre), il n'est pas possible d'arriver plus sans prendre d'abord de la vitesse. On borde donc les voiles pour l'allure du vent de travers (à la rigueur le foc un peu plus, la grand-voile un peu moins). En abattant, on déborde peu à peu les voiles pour continuer à accélérer.

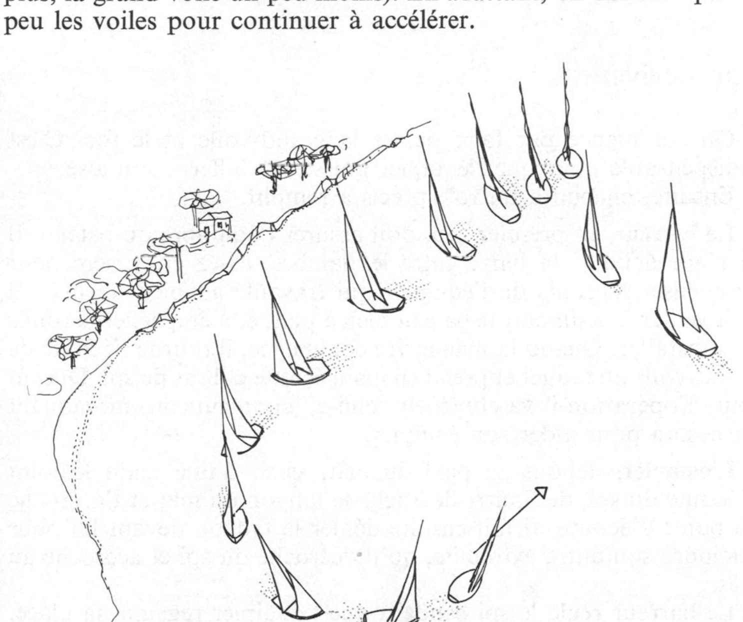

On a manqué à virer. Puisqu'on part en abattée, il peut être judicieux de continuer et de virer lof pour lof.

En approchant du vent arrière, on borde la grand-voile rapidement. Si le bateau évolue vite, il n'est pas toujours possible de la border complètement avant de virer — mais plus elle sera bordée, mieux cela vaudra.

Dès que la voile passe, l'écoute est choquée en grand, et même si l'on souhaite remonter rapidement dans le vent il est préférable de redresser la barre à ce moment, sinon l'auloffée risque de dépasser les espérances. Le foc est établi le plus rapidement possible sur le nouveau bord.

Avant de recommencer à border la grand-voile, on laisse passer le coup de gîte qui accompagne en général l'auloffée.

On revient au près en bordant progressivement les voiles.

Passage du spinnaker

Le spi est la seule voile qui puisse continuer à recevoir le vent durant toute la manœuvre. Son déplacement d'un bord à l'autre du bateau est moins ample que celui des autres voiles. Il n'en est pas moins délicat.

Lorsqu'on dispose d'un seul tangon (c'est le cas le plus général), il faut en effet le décrocher du spi pour l'installer sur le nouveau bord au vent. La voile est donc moins bien tenue au moment même où il faut la déplacer. L'idéal est cependant de conserver le spi bien plein durant toute la manœuvre, ce qui ne peut se faire que si l'on tient bien son cap vent arrière.

Sur dériveur.

On commence par faire passer la grand-voile et le foc. C'est indispensable pour que l'équipier puisse travailler à son aise.

Ensuite, chacun a un rôle précis à remplir.

Le barreur, en premier lieu, doit assurer l'équilibre du bateau. Il se place debout, la barre entre les jambes, assez en arrière pour compenser le poids de l'équipier qui travaille au pied du mât. Il doit veiller à maintenir le bateau bien à plat, et à empêcher le roulis de s'installer. Quand la manœuvre commence, il tourne l'écoute de grand-voile au taquet et prend en main écoute et bras de spi. Durant toute l'opération il va contrôler celui-ci, choquant ou embraquant au besoin pour aider son équipier.

L'équipier, debout au pied du mât, saisit d'une main le point d'écoute du spi, de l'autre décroche le tangon du mât et l'accroche au point d'écoute. Il fait ensuite défiler le tangon devant lui pour atteindre son autre extrémité, qu'il décroche du spi et accroche au mât.

Le barreur règle le spi pendant que l'équipier regagne sa place, puis repasse à celui-ci bras et écoute.

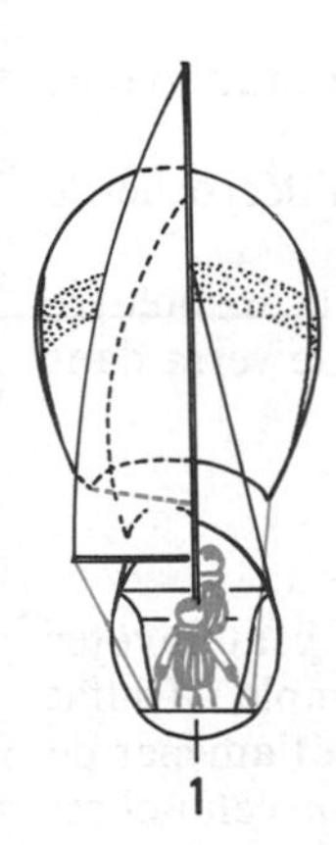

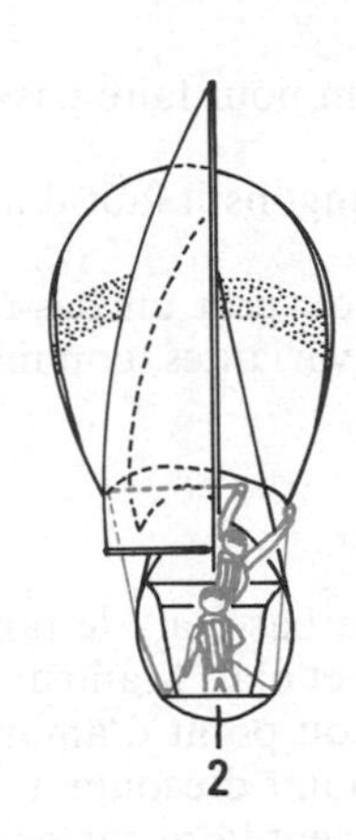

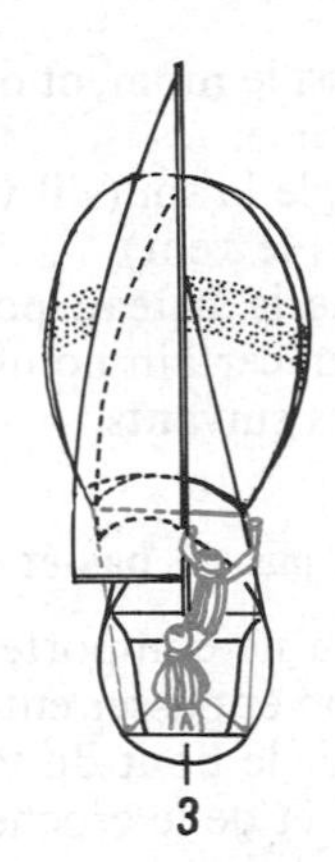

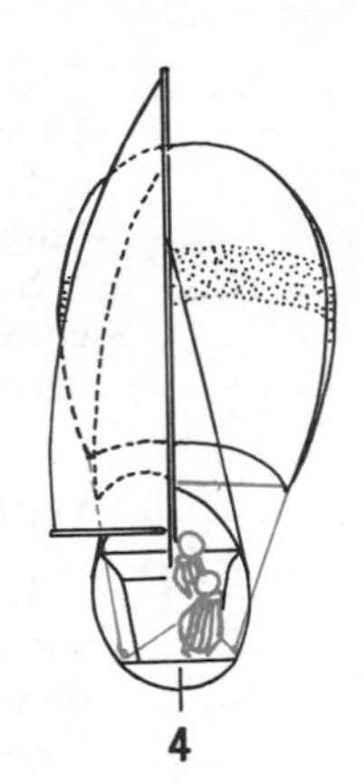

1. Après avoir fait passer la grand-voile et le foc, le barreur prend en main écoute et bras de spi, et assure l'équilibre du bateau.
2. L'équipier décroche le tangon du mât...
3. ... et l'accroche au nouveau point d'amure.
4. Il libère ensuite l'ancien point d'amure et accroche le tangon au mât.

Le point délicat de l'opération est évidemment le moment où le tangon est libéré du mât, et le spi tenu au tangon par ses deux points bas. La voile se trouve alors en quelque sorte trop bordée. Il faut cependant parvenir à la conserver gonflée, surtout par vent frais, pour éviter des à-coups qui pourraient conduire au chavirage via empannage ou auloffée.

Sur croiseur.

Les gréements de spi de croiseur sont extrêmement divers. La manœuvre comporte donc de nombreuses variantes en fonction de ces gréements. Après avoir exposé les principes généraux, nous nous en tiendrons à quelques exemples caractéristiques.

Principes de la manœuvre.

1. Pour qu'ils ne gênent pas la manœuvre, on affale la trinquette de spi ou le foc et on mollit en grand le ou les hale-bas de tangon.

2. Le barreur met le bateau plein vent arrière. Dans cette position, le spi a tendance à se déporter au vent. Il peut tenir sans tangon ; celui-ci retient le point d'amure plus qu'il ne l'écarte.

3. Deux éventualités : la manœuvre se fait avec un seul tangon, ou avec deux tangons.

— 1er cas : le tangon est décroché du point d'amure, pour être immédiatement croché au point d'écoute;

— 2e cas : on installe le deuxième tangon au point d'écoute.

4. Le spi, soit complètement libre, soit tenu par un ou deux tangons, est déporté sur le bord opposé, en choquant d'un côté et en embraquant de l'autre. C'est le point délicat de la manœuvre. Si l'on choque trop d'un côté et qu'on n'embraque pas assez de l'autre, le spi faseye. Si l'on embraque plus que l'on ne choque, il est bridé, risque de s'effondrer par le milieu et de s'enrouler sur l'étai. La manœuvre doit donc être parfaitement coordonnée.

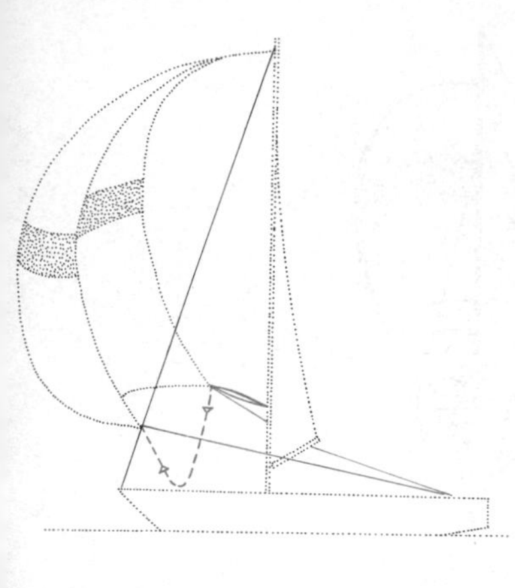

C'est aussi le moment opportun pour faire passer la grand-voile, en sens inverse.

5. On règle le spi (s'il y a 2 tangons il faut d'abord décrocher le tangon sous le vent).

Selon que le bateau possède ou non un bas-étai, la manœuvre comporte un certain nombre de variantes, comme on le verra dans les exemples suivants.

Un tangon, pas de bas-étai.

Le bateau ne comporte pas de bas-étai ; le tangon peut pivoter sur son talon et passer entre mât et étai. Manœuvre simple : il suffit de décrocher le bout du tangon du point d'amure, de l'amener de l'autre côté et de le crocher au point d'écoute, tant que celui-ci est encore près de l'étai. Ensuite on peut faire passer spi et grand-voile.

Un tangon, un bas-étai.

Le bateau est équipé d'un bas-étai. Dès lors le tangon ne peut plus passer d'un bord à l'autre en pivotant simplement sur son talon ; il faut le décrocher complètement. De plus, comme les tangons de dériveurs, il doit avoir des extrémités semblables, être symétrique, pour que le bout puisse devenir talon sous la nouvelle amure.

Ici intervient aussi la balancine : le tangon, libéré aux deux extrémités, est en effet soutenu par elle durant son transfert d'un bord à l'autre.

— Lorsque la balancine est gréée au milieu du tangon, il n'y a pas de problème particulier ;

— Lorsqu'elle est gréée en bout de tangon, il est nécessaire d'utiliser une seconde balancine. Le premier point de la manœuvre consiste à accrocher celle-ci au talon, lorsque le tangon est encore en place. A l'usage, on apprend à régler à l'avance la longueur de cette seconde balancine pour que le tangon se trouve immédiatement établi à la bonne hauteur sur le nouveau bord.

La manœuvre se déroule donc comme suit :

1. Le talon du tangon est décroché du mât.

2. Le bout du tangon est décroché du point d'amure. Le tangon se trouve alors suspendu à sa ou ses balancines, et le spi totalement libre (il importe que les opérations 1 et 2 se fassent dans cet ordre ; si l'on fait l'inverse, le tangon reste un moment braqué comme une lance devant le spi et risque de le transpercer).

3. On fait passer la grand-voile et l'on déporte le spi sur le nouveau bord au vent. Le tangon est transféré sur ce nouveau bord puis accroché, d'abord au nouveau point d'amure du spi, ensuite au mât.

Cette manœuvre, assez facile par beau temps, devient vite acrobatique par vent frais et mer agitée, et nécessite la présence de plusieurs équipiers.

Lorsque le bateau possède un bas-étai, la présence de deux tangons simplifie beaucoup les choses. Ces tangons peuvent être dissymétriques; toutefois, lorsqu'ils sont symétriques, on dispose d'une garantie supplémentaire : si l'on perd un tangon en effet, il est toujours possible d'utiliser la méthode ci-dessus avec celui qui reste.

Deux tangons.

Lorsque le bateau possède deux tangons, la présence d'un bas-étai ne change plus rien à la manœuvre.

1. Le deuxième tangon est mis en place sous le vent, enclanché au mât et croché au point d'écoute du spi.
2. Pendant le passage de la grand-voile, on fait également passer le spi, tenu par ses deux tangons.
3. Le tangon sous le vent se déplace vers l'avant; lorsqu'il est à portée de main on décroche son bout et on le pose immédiatement sur le pont en choquant la balancine.

Deux tangons, deux écoutes, deux bras.

Cette fois, nous sommes en présence d'un gréement compliqué que l'on ne trouve que sur des bateaux importants. Il comporte une écoute et un bras de chaque côté. L'écoute est en textile, le bras en acier. Le bout du tangon coulisse sur ce bras, si bien qu'il n'y a pas à en décrocher le point d'amure du spi lorsqu'il devient point d'écoute : il suffit de choquer bras et balancine en grand pour ramener le bout du tangon sur le pont. On trouve donc de chaque côté : 1 tangon, 1 écoute, 1 bras, 1 balancine, 1 hale-bas.

Le bateau est représenté ici tribord amures, avant le virement :

— à tribord, le bras est raide, l'écoute est molle (elle peut être tournée à bonne longueur pour entrer d'elle-même en fonction à l'issue du virement);

— à bâbord, le bras est mou, l'écoute travaille.

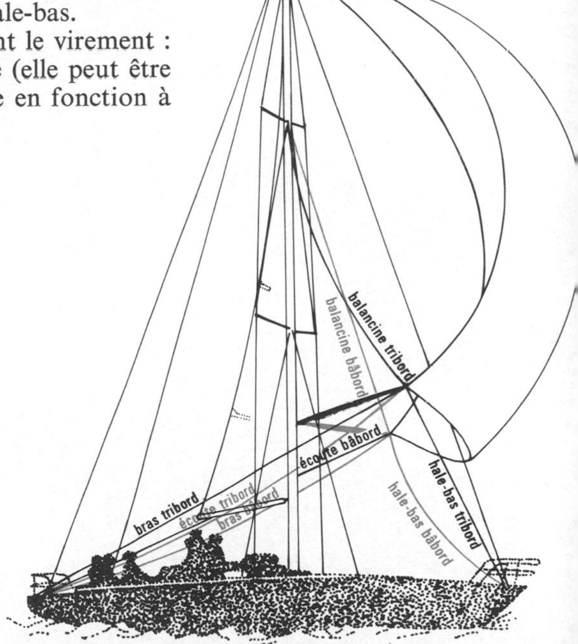

Le bateau est tribord amures et l'on s'apprête à virer : on a pesé la balancine bâbord pour amener le tangon à la hauteur du point d'écoute du spi. Lorsque la grand-voile sera passée, on déplacera le spi en choquant le bras tribord et en embraquant le bras bâbord. Il restera ensuite à choquer la balancine tribord pour amener le tangon tribord sur le pont, puis à régler le spi.

La manœuvre se déroule comme suit :

1. Le tangon bâbord est mis en place : on pèse sa balancine et on embraque le bras pour amener le bout du tangon au point d'écoute du spi.

2. On fait passer la grand-voile sur tribord, et l'on déplace le spi vers bâbord :

— en choquant le bras tribord (l'écoute tribord entre en action);

— en brassant à bâbord (l'écoute bâbord devient molle).

3. On choque la balancine et le bras tribord pour amener le bout du tangon sur le pont.

Le virement lof pour lof est généralement plus compliqué que le virement vent devant : cela est dû en particulier à la présence du spi. Il est également nettement plus dangereux par vent frais, car le bateau manque d'appui latéral, et peut à tout moment s'engager dans des embardées aux conséquences imprévisibles.

Nous avons dit qu'un virement lof pour lof pouvait constituer une solution de remplacement, après un manque à virer vent devant. Il faut maintenant ajouter que par mauvais temps, lorsqu'on n'est pas certain de pouvoir contrôler parfaitement son bateau, le virement lof pour lof (même sans spi) est à déconseiller : il est bien préférable de venir virer vent devant, quitte à perdre un peu de temps.

Si l'on ne peut virer vent devant, il reste encore une solution : affaler la grand-voile. Dès lors on vire lof pour lof sans problème.

10. Partir, arriver

Les manœuvres de départ et d'arrivée, sur une plage ou dans un port, sont souvent délicates, et spectaculaires. Elles mettent à l'épreuve l'habileté, la cohésion et le flegme des équipages. Retours involontaires à la plage dans le plus grand désordre, fantastiques ballets autour d'un corps-mort font la joie du connaisseur, généralement bien décidé à n'en pas perdre une miette. Il arrive qu'on se tire d'une mauvaise manœuvre avec quelque accroc à l'amour-propre. C'est la moindre des avaries.

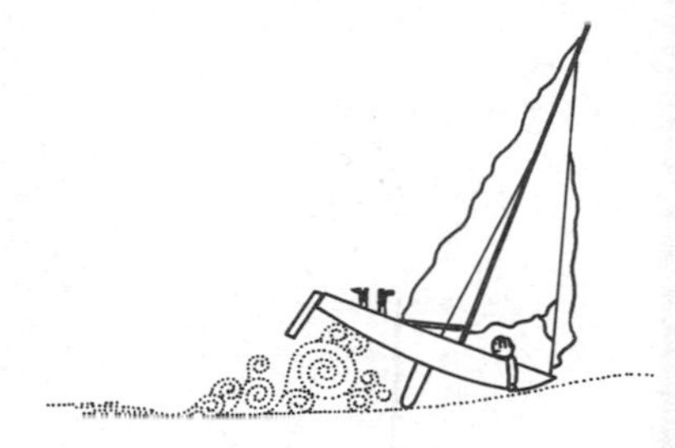

Pour toutes ces manœuvres, où les qualités évolutives du bateau sont primordiales, il faut rappeler un grand principe : un bateau n'est manœuvrant que s'il possède une certaine vitesse. Donc, vitesse à acquérir le plus tôt possible, au départ. A l'arrivée : vitesse à conserver assez longtemps pour bien se présenter, puis à perdre très rapidement. Dans les deux cas, il s'agit de limiter le pénible moment de flottement pendant lequel le bateau n'a pas encore — ou n'a plus — assez de vitesse pour être gouverné.

Pour le départ, on a tout intérêt à choisir une allure portante, quand c'est possible, ou au moins le vent de travers; ainsi le bateau prend rapidement de la vitesse et conserve assez aisément sa direction. A l'arrivée il faut parvenir, au dernier moment, à gagner la position où le bateau est freiné au maximum : vent debout, ou le plus près possible du vent (on ne peut espérer s'arrêter à une allure plus portante que le vent de travers).

Mais la configuration de la côte et des ports, la direction du vent, l'état de la mer contraignent souvent à nuancer ces données simples.

Départ de plage

Le bateau est préparé sur la plage, les voiles enverguées, le matériel mis à bord. Comme nous l'avons vu au chapitre 1, il est toujours préférable, lorsque la mer est calme, de ne hisser les voiles que lorsque le bateau est sur l'eau : on peut alors monter dans le cockpit pour effectuer l'opération, ce qui est tout à fait déconseillé à terre.

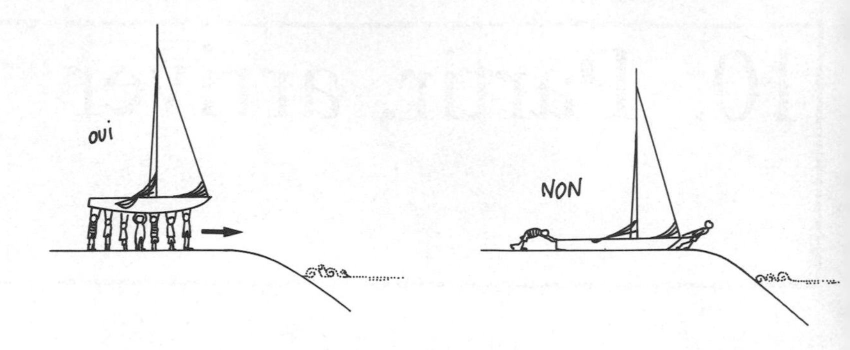

Faut-il rappeler, d'autre part, qu'un bateau doit toujours être porté jusqu'à l'eau, et non traîné? Il ne s'agit pas seulement de ménager la peinture, mais aussi d'éviter que du sable ne s'introduise dans le puits de dérive.

Ce transport du bateau étant considéré comme pénible, on évite en général les détours et l'on pique droit sur le point du rivage le plus proche. Ce n'est pas forcément le meilleur endroit pour l'appareillage. Avant de se lancer il faut tenir compte d'un certain nombre de choses : le vent, la pente de la plage, l'état de la mer.

La direction du vent. Quelle que soit la direction du vent, il faut tout d'abord éviter d'appareiller trop près d'un obstacle (pointe de roches, bateau au mouillage), même si l'on se trouve sous le vent à lui : le bateau échappe facilement au contrôle de son équipage dans les premiers instants et une embardée est toujours à craindre.

Si le vent souffle du large, imposant un départ au près, ou même simplement au vent de travers, il est bon de partir du point le plus au vent de la plage. On se donne ainsi la plus grande marge possible sous le vent, et nous verrons qu'elle est précieuse. De plus, c'est en général de ce côté que la mer est le plus calme.

Pour mener le bateau jusqu'à l'endroit choisi, on le tire dans l'eau, en le tenant par l'étai, et assez loin du bord pour que le ressac ne le renvoie pas sur le sable.

La pente. Parvenu au bon endroit, le barreur place son bateau bout au vent, en continuant à le tenir par l'avant. Mais la pente peut être raide, et l'on risque d'avoir de l'eau jusqu'à la ceinture; c'est beaucoup, même quand l'eau est bonne, et cela peut rendre difficile l'embarquement ultérieur. Il faut alors s'efforcer de tenir le bateau entre étai et hauban, par le côté au vent.

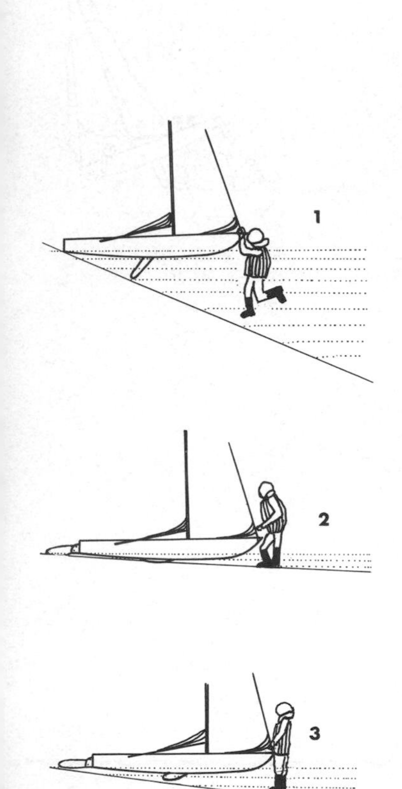

Problèmes de pente. 1. Assez d'eau pour la dérive, un peu trop d'eau pour le barreur. **2.** Le barreur est à l'aise, le safran est en place, mais on ne peut descendre la dérive. **3.** La pente idéale.

Appareiller sur une pente raide présente cependant un avantage : on peut déjà baisser en partie la dérive. Par contre la mise en place d'un safran, même relevable, demeure aléatoire car l'arrière du bateau est trop près du bord. Si la pente est douce, le barreur peut avancer assez loin dans l'eau ; il devient possible d'installer un safran relevable, mais on ne peut pas descendre beaucoup de dérive. En définitive, la pente idéale est celle où le barreur a de l'eau à mi-cuisse lorsqu'il se tient à l'étrave du bateau et que celui-ci flotte entièrement.

Selon la pente, les rouleaux brisent plus ou moins loin du rivage.

Les rouleaux. Cette affaire de pente prend toute son importance lorsqu'il y a des rouleaux. Sur une pente raide, les rouleaux brisent tout près de la plage, ils sont donc vite franchis. Sur une pente douce, ils brisent au contraire très loin, ce qui oblige le barreur à mener son bateau au-delà, ou rend nécessaire un départ à la pagaie.

Il importe en tout cas de partir de l'endroit le plus calme de la plage ; nous l'avons dit, c'est en général le côté le plus au vent. Il faut aussi choisir le bon moment pour se lancer, c'est-à-dire surveiller le rythme des rouleaux : série de gros et de petits se succèdent, et c'est souvent après le troisième gros que viennent les plus petits.

On doit enfin savoir admettre que parfois les rouleaux ne sont pas franchissables. Se promener dans la campagne est agréable aussi.

Départ vent de travers.

Intérêt de l'allure.

On sait que le vent de travers est l'allure naturelle du bateau. Livré à lui-même, celui-ci dérive à peu près vent de travers; en route, il trouve aisément son équilibre à cette allure, va vite et dérive peu.

Ces qualités rendent le départ vent de travers recommandable. Il n'est pas nécessaire de descendre beaucoup de dérive. Le réglage des voiles n'a pas besoin d'être très précis. De plus, une erreur de manœuvre est plus facilement pardonnée à cette allure qu'à toute autre : on a en général le temps de réagir avant que le risque de virer de bord ne se précise. Il serait dommage de ne pas profiter de cette indulgence et de s'obstiner à tenter un départ au près, quand le profil de la côte permet de choisir un point d'où le départ vent de travers est possible.

Cette allure est également la meilleure lorsqu'on doit appareiller sans safran. C'est souvent le cas lorsqu'on ne dispose pas d'un

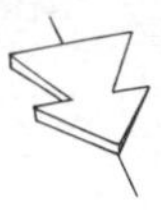

En se plaçant au vent de la plage on appareille aisément vent de travers; sous le vent de la plage, on est obligé de partir au près et l'on ne trouve jamais assez d'eau pour baisser la dérive.

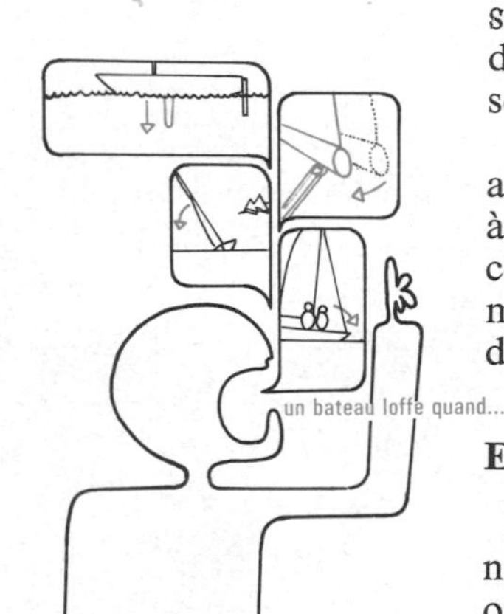

safran relevable; même avec un safran relevable, il est prudent d'appareiller ainsi lorsqu'il y a de la mer et qu'on veut ménager son matériel (le safran, relevé, est très fragile).

Il est vrai que tous les bateaux ne manœuvrent pas sans safran avec un égal bonheur. Cependant il paraît souhaitable d'apprendre à appareiller et à naviguer ainsi, car c'est le meilleur moyen de bien comprendre les réactions d'un bateau, de sentir ce qui influe sur sa marche, et finalement de ne pas se trouver pris au dépourvu en cas d'avarie de gouvernail.

Equilibre du bateau.

Pour faire loffer ou abattre un bateau sans le secours du gouvernail, il existe divers moyens, qui peuvent être employés séparément on conjointement. Nous en avons déjà parlé, mais il peut être utile d'en faire ici la récapitulation.

Un bateau loffe : quand il gîte; quand on borde sa grand-voile; quand on baisse sa dérive à fond; quand on le charge un peu sur l'avant.

Un bateau abat : quand il gîte à contre; quand on déborde sa grand-voile; quand on relève, même partiellement, sa dérive; quand on le charge sur l'arrière.

La vitesse joue aussi un rôle déterminant : un bateau est d'autant plus ardent qu'il va vite, d'autant plus mou qu'il va lentement (et plus encore s'il cule).

Quand on navigue sans safran, c'est en somme la grand-voile qui sert de gouvernail. La propulsion est assurée essentiellement par le foc. Comme la vitesse rend le bateau ardent, on voit que l'action du foc est finalement plus complexe que nous ne l'indiquions au début de ce livre. Trop bordé, ou faseyant, le foc a sans doute tendance à faire abattre le bateau, mais surtout il ne le fait plus avancer. Convenablement bordé, il lui donne de la vitesse, le bateau devient ardent mais surtout manœuvrant, ce qui permet de le faire loffer.

De toute façon, ces données théoriques ne font qu'esquisser grossièrement le problème. Dans la réalité, il faut beaucoup d'adresse, de flair, de maîtrise de soi pour parvenir à associer correctement les divers moyens d'action que nous venons d'indiquer, et pour les faire jouer en mesure. Il s'agit de mettre au point une démarche essentiellement dialectique, où l'esprit de finesse s'allie au sens de l'équilibre : le philosophe doit se doubler d'un funambule.

La cohésion de l'équipage est une des données essentielles. Au départ, l'équipier doit être parfaitement au courant des intentions du barreur. On convient du rôle de chacun dans la recherche de l'équilibre. En général, il est judicieux que l'équipier reste immobile, assurant une contre-gîte moyenne et constante, et que le barreur seul se déplace ; ceci pour éviter des mouvements d'ensemble excessifs ou des initiatives contradictoires. Tout doit être bien précisé : les explications avant la manœuvre sont en général plus claires et plus circonstanciées que les explications *pendant*, et moins hargneuses que les explications *après*.

Le départ.

Le barreur tient le bateau dans l'eau, par l'étai, bout au vent, ou légèrement incliné sur l'amure de départ, de telle façon que les voiles battent légèrement sous le vent et laissent le cockpit dégagé. L'équipier embarque et vérifie d'abord que les écoutes sont bien claires, l'écoute de grand-voile largement choquée. Il descend un peu la dérive, en fonction du fond. Il prend d'une main son écoute de foc, de l'autre l'écoute de grand-voile qu'il se tient prêt à passer au barreur.

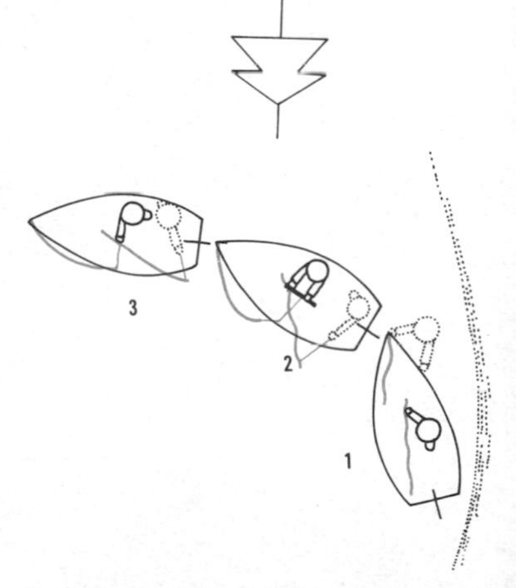

1. Prêts à partir. **2.** On commence à border le foc et à descendre la dérive. **3.** Maintenant seulement, on commence à border la grand-voile.

Celui-ci, sans bouger de l'endroit où il se trouve, entreprend alors de faire défiler rapidement le bateau devant lui, en l'orientant dans la direction choisie. Il saute à bord au moment où l'arrière du bateau passe à sa portée et se saisit de l'écoute de grand-voile. L'équipier borde son foc pour prendre tout de suite de la vitesse. Il songe à descendre un peu plus de dérive dès que possible, mais ceci ne doit pas constituer une obsession car on a tout intérêt à avoir, pour l'instant, un bateau un peu mou, et il est plus important de bien régler le foc.

Le départ s'effectue sous l'action du foc, la grand-voile étant juste assez bordée pour ne pas porter sur le hauban. Si tout va bien, si le foc est bien bordé (à la limite du faseyement), si le vent est régulier, pas trop frais, si le barreur maintient un équilibre latéral correct, le bateau part sans problème, il prend rapidement de la vitesse et ne dérive guère. C'est beau, mais c'est rare.

Gouverner sans safran.

Sans vitesse au départ, le bateau a tendance à abattre. Voyons ce qui se passe si l'équipage a décidé de ne pas intervenir. Le bateau abattant, le vent prend peu à peu dans la grand-voile. Le bateau accélère, devient ardent et loffe. Il loffe trop : la grand-voile puis le foc faseyent, la vitesse tombe; il abat à nouveau (s'il n'a pas viré de bord, ce qui arrive quand la grand-voile n'est pas assez débordée) et tout recommence.

Le bateau a donc tendance à suivre une route sinueuse qui n'est évidemment pas l'idéal et qu'il faut s'efforcer de rectifier en se déplaçant à bord et en modifiant le réglage des voiles. Mais cette action doit être douce et progressive, sinon l'on en arrive au schéma suivant : le bateau abat, l'équipage se porte aussitôt à la gîte et le barreur borde la grand-voile; le bateau loffe brutalement. On déborde la grand-voile et l'on saute à la contre-gîte : le bateau abat en grand. Après deux ou trois manœuvres de ce genre, on finit par suivre une route encore plus sinueuse qu'avant, et dont les ondulations vont généralement en s'amplifiant pour se terminer par un virement de bord, soit vent debout soit lof pour lof, et un retour à la terre, avec discussion vive en patois.

Il s'agit d'évoluer en souplesse dans le cockpit, d'agir sur la grand-voile de façon très circonspecte, de manière à simplement compenser, ou mieux, prévenir le mouvement du bateau sans déclencher le mouvement inverse. C'est en général la tendance à être trop ardent (tendance du bateau, mais aussi de l'équipage) qui l'emporte : on fait gîter de manière excessive, on borde trop les voiles, on répugne à perdre du terrain sous le vent. Cette tendance doit être combattue!

Par vent frais, la manœuvre est la même, mais le bateau est encore plus ardent. Par vent irrégulier, elle devient délicate : on doit évoluer sur la pointe des pieds, éviter plus que jamais les déplacements massifs de l'équipage d'un bord sur l'autre si l'on ne veut pas être pris à contre-pied, à l'occasion d'une rafale ou si le vent soudain refuse, et chavirer sans gloire.

Enfin, il vaut mieux attendre d'être bien dégagé de la terre pour mettre en place le safran. Durant cette opération, qui peut n'être pas facile dans une mer agitée, l'équipier tient les deux écoutes et s'efforce de maintenir seul le cap du bateau.

En définitive, mener correctement un bateau de cette manière demande une certaine habitude. L'animal ne livre pas d'un coup tous ses secrets. Lorsqu'on voit un bateau effectuer un bon départ de cette façon, on peut être sûr que son équipage est au courant de l'essentiel.

Quand il est possible de mettre en place dérive et safran dès le début, le départ vent de travers est évidemment d'une simplicité totale.

Départ vent arrière.

Quand le vent souffle de terre, tout invite au voyage : le bateau ne demande qu'à partir, la mer est belle et le vent léger sur la plage. Cependant, prudence : le bateau part bien en effet, parfois même sans équipage quand celui-ci, détendu, a oublié de le tenir au bord de l'eau. La mer belle, le vent léger peuvent brusquement changer de visage lorsqu'on a dépassé l'abri de la côte. Quand le vent souffle de terre, il vaut mieux écouter le bulletin météo que le chant des sirènes. De plus, avant l'appareillage, un petit tour sur les hauteurs renseignera utilement sur la force et la direction du vent au large.

Quand le vent souffle de terre...

La manœuvre de départ la plus simple consiste à appareiller sous foc seul; elle n'est possible que si l'on peut hisser aisément la grand-voile au large, ce qui n'est pas le cas sur tous les bateaux.

Il est souvent préférable de gréer complètement le bateau d'abord. Le barreur le tient bout au vent — c'est-à-dire, cette fois, l'étrave tournée vers la terre. S'il peut avancer assez loin dans l'eau, on met tout de suite le safran en place. Sinon, il faudra utiliser un aviron car il n'est guère possible de naviguer vent arrière sans gouvernail, sauf par petit temps.

L'équipier s'assure que les écoutes de foc sont claires et bien choquées; il file largement l'écoute de grand-voile afin que celle-ci puisse s'orienter jusqu'à s'appuyer sur le hauban durant le demi-tour du départ. La dérive n'est pas nécessaire, cependant on peut l'abaisser légèrement pour rendre le bateau mou.

Quand tout est prêt, le barreur, sans bouger de place, fait défiler le bateau devant lui en l'incitant à pivoter sur lui-même, et embarque par le tableau. Ce demi-tour doit être rapide quand le vent est frais, car à partir de la position vent de travers le bateau devient difficile à tenir. Le barreur a souvent intérêt à embarquer à ce moment s'il tient à être de la promenade. Dès qu'il est à bord il prend la barre ou l'aviron et se place très en arrière, à la contre-gîte, pour rendre le bateau mou.

Si l'on est parti sans safran, on vient ensuite lentement au vent de travers ou au bon plein pour le mettre en place.

Lorsqu'on quitte une plage très abritée, il faut éviter de se trouver plein vent arrière au moment où l'on sort de la zone de calme. Le vent peut alors vous tomber dessus, et souvent sa direction est un peu différente de celle qu'il affectait près de terre. Auloffées brutales ou empannages sont alors à craindre.

Départ vent debout.

Bien entendu, il n'est pas possible d'appareiller vent debout, ni même au près serré, car partant d'une plage, sans safran et avec peu de dérive, on ne peut espérer faire cap à moins de 70° du vent. S'il advient que le vent souffle exactement face à la plage, que celle-ci est rectiligne et qu'en plus il y a des rouleaux, un départ à la voile est à peu près impossible.

Mais ce cas est rare : ou bien le vent ne souffle pas tout à fait perpendiculairement à la plage, ou bien celle-ci présente une certaine courbure. Dès lors, en se plaçant au point le plus au vent possible, on parvient à se retrouver à peu près dans les conditions d'un départ vent de travers.

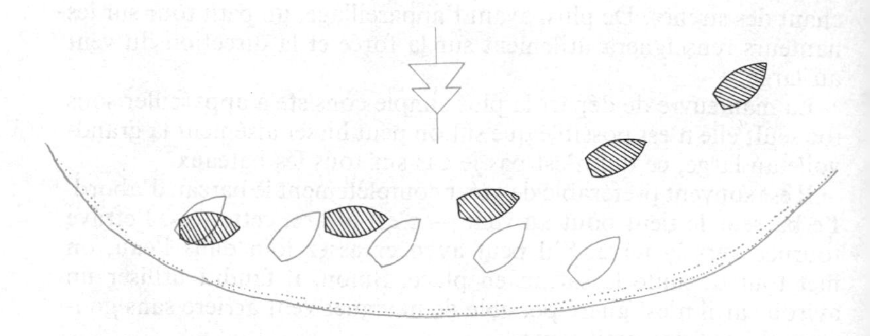

De la vitesse avant toute chose : en serrant trop le vent on dérive sans parvenir à s'écarter; en laissant porter bravement on prend de la vitesse, la dérive est réduite, on peut loffer peu à peu.

Mais la marge sous le vent est réduite. Hanté par le souci de s'écarter au plus vite de la côte, on risque de vouloir faire un près trop serré dès le départ; c'est le meilleur moyen de tout rater, car le bateau manquant de vitesse dérivera impitoyablement, sans que l'on puisse jamais avoir assez d'eau pour descendre la dérive. Il ne faut pas hésiter au contraire à prendre une allure assez arrivée, voiles bien pleines. L'équipier doit être particulièrement attentif à ne pas trop border son foc. L'essentiel est ici de prendre de la vitesse. On loffe peu à peu et l'on descend progressivement la dérive. Pas de près serré tant que la dérive n'est pas suffisamment basse.

La manœuvre est évidemment délicate. En guise de consolation, on peut remarquer que cette allure de départ présente moins de danger que le facile départ au vent arrière; ici, on est toujours assuré de revenir à la plage. Que cela se fasse parfois plus tôt que prévu n'enlève rien à la valeur de cette prudente considération.

Arrivée à la plage

A l'arrivée, on retrouve certains des problèmes qui se posaient au départ, en particulier pour le choix du point d'accostage. Si l'on a le vent devant, il est bon d'arriver sur une pente assez raide, afin de conserver dérive et safran le plus tard possible. S'il y a des rouleaux, on tente de se présenter à l'endroit le plus au vent de la plage, là où ils sont moins forts.

D'une certaine façon les rouleaux sont plus dangereux à l'arrivée qu'au départ. Le bateau va dans le même sens qu'eux et risque de prendre de la vitesse au mauvais moment; il est moins bien défendu de l'arrière que de l'avant; soulevé par l'arrière, il a tendance à glisser sur le côté et à venir en travers; enfin il est souvent nécessaire, aux allures portantes, d'opérer un demi-tour en arrivant pour faire tête aux rouleaux; c'est difficile.

D'une manière générale, à l'arrivée l'équipage doit sauter à l'eau très vite pour soulager le bateau et le maintenir perpendiculaire aux rouleaux, par l'avant ou par l'arrière selon les cas. Il est évident qu'un bateau ne doit pas être livré à lui-même dans ces moments-là.

Autre problème : penser à relever à temps dérive et safran. Le souci qu'on a de les installer rapidement au départ n'a d'égal que l'aisance avec laquelle on les oublie à l'arrivée.

Mais l'affaire essentielle demeure d'arriver à la plage avec très peu de vitesse, ou même plus de vitesse du tout. Une allure est à proscrire absolument : celle qui consiste à arriver droit sur la plage, vent arrière, voiles en ciseaux, planant majestueusement sur la crête d'un rouleau comme une planche de surf. C'est une arrivée de cirque, et il n'y a plus qu'à faire la quête parmi les spectateurs pour racheter du matériel.

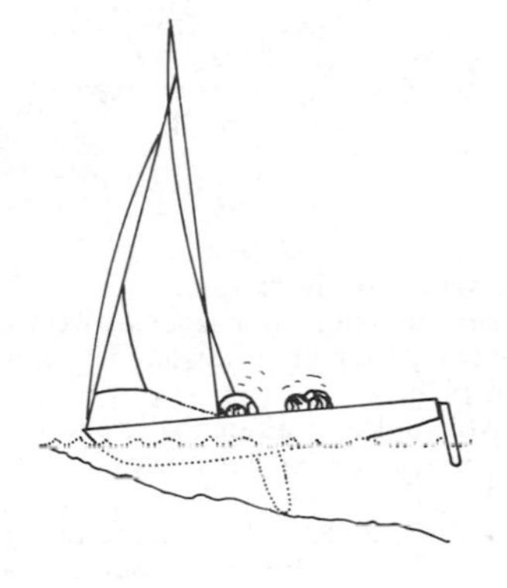

On l'a **encore** oubliée...

Arrivée vent de travers.

C'est le vent le plus commode pour rentrer car il laisse le choix entre plusieurs allures : près, vent de travers ou largue.

Par beau temps, on pique droit sur la plage, vent de travers, puis on loffe un peu pour venir au bon plein en relevant dérive et safran. Le bateau dérive vers le bord, en marchant en crabe.

S'il y a de la mer, le bateau doit arriver perpendiculairement aux rouleaux, soit en leur faisant tête, soit en leur présentant son arrière.

La solution la plus simple, et surtout la plus sûre, est de venir nettement au vent de l'endroit où l'on compte atterrir, d'affaler la grand-voile, puis de rentrer sous foc seul, en prenant soin de garder le bateau perpendiculaire aux rouleaux.

Pour affaler la grand-voile, il faut être au près bon plein et non vent debout, car le bateau ne peut rester longtemps dans cette dernière position : dès qu'il est arrêté, il abat et la voile reprend le vent avant d'être descendue.

Lorsque les rouleaux sont un peu forts, il est préférable d'arriver sur la plage en un point assez au vent; dérive et safran doivent être

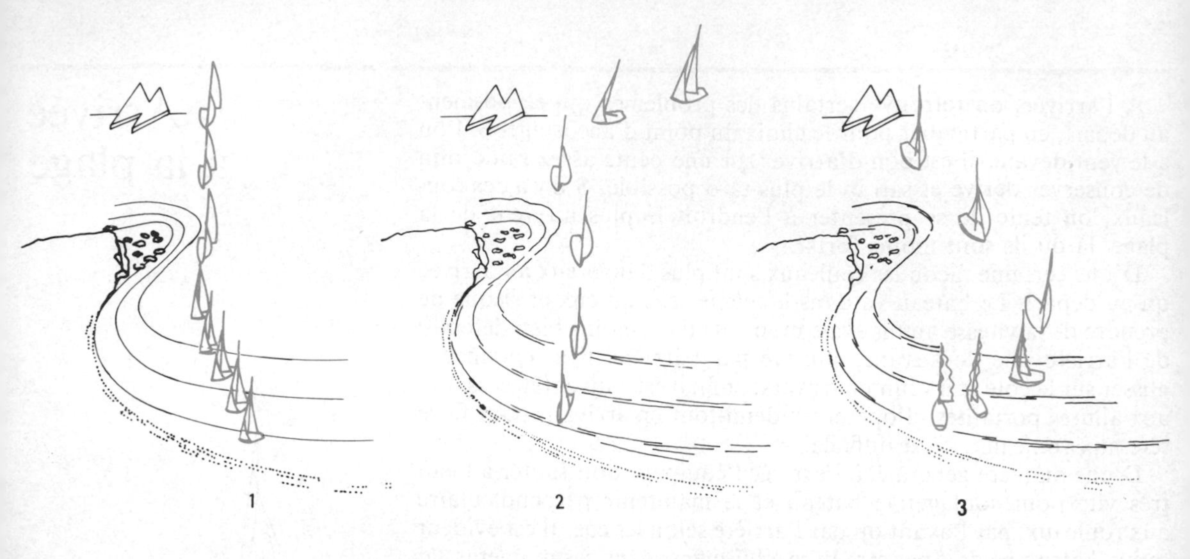

Arrivées vent de travers.
1. Mer calme : approcher au vent de travers, loffer et se laisser dériver au bon plein.
2. Mer agitée : affaler la grand-voile au bon plein et terminer sous foc seul.
3. Si l'on ne peut affaler la grand-voile il faut faire tête aux rouleaux au dernier moment.

enlevés (même les safrans relevables, quand les rouleaux sont forts) et le barreur peut s'aider d'un aviron pour conserver son cap. L'équipage saute à l'eau dès que possible, maintient le bateau pour qu'il ne vienne pas en travers, et dans la foulée le tire au sec.

Il peut arriver qu'on ne parvienne pas à affaler la grand-voile en mer, le hook étant coincé, par exemple. Il faut alors absolument arriver bout aux rouleaux. On pique sur la plage, vent de travers, en relevant assez tôt dérive et safran. Au dernier moment on loffe très vivement, de préférence sur l'arrière d'un rouleau. Le bateau passe le lit du vent et stoppe, toutes écoutes choquées; l'équipier est déjà à l'eau et le maintient par l'étrave pour affronter le rouleau suivant. A noter qu'on saute toujours à l'eau au vent du bateau quand il y a des rouleaux, pour ne pas risquer de passer sous la coque.

Cette méthode acrobatique n'est qu'un pis-aller. Une méthode moins hasardeuse consiste à faire sauter l'équipier (toujours lui!) dès qu'on aborde les rouleaux, pour que ce soit lui qui fasse éviter le bateau en le maintenant par l'avant. Il ne faut tout de même pas que les rouleaux soient trop gros.

Arrivée vent arrière.

La seule solution vraiment valable est d'arriver sous foc seul ou à sec de toile. Par beau temps on peut, à la rigueur, garder toute la toile; on vient en travers au dernier moment, dérive et safran relevés, voiles bordées au bon plein; le bateau dérive doucement vers la plage.

Lorsque les rouleaux sont importants et qu'on ne peut pas affaler la grand-voile, on mouille au-delà des rouleaux, on laisse le bateau culer jusqu'à la plage, où on le dégrée avant d'aller rechercher l'ancre.

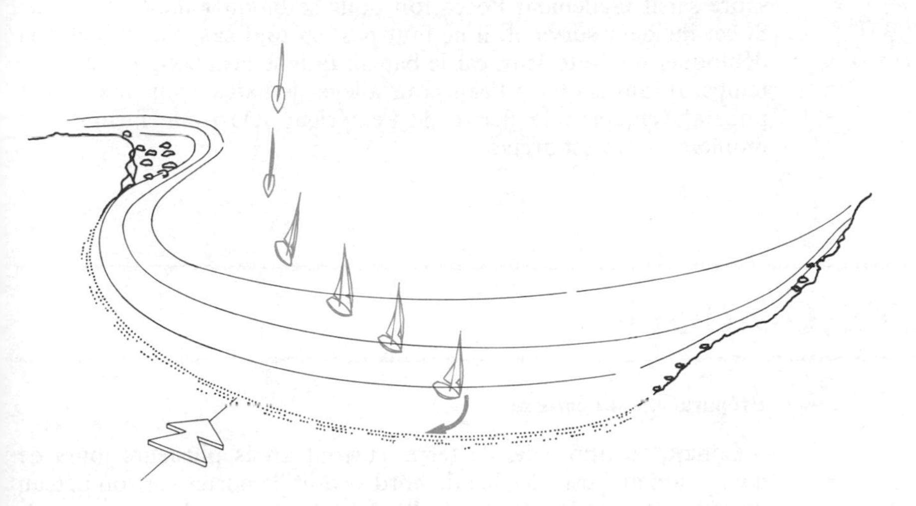

Arrivée vent debout. Abattre pour prendre de la vitesse, lofer, tout relever et arriver sur l'erre.

Arrivée vent debout.

Lorsque la brise vient de terre, il n'y a pratiquement pas de rouleaux au bord de la plage; plus on approche et plus le vent faiblit. Ce sont deux avantages sérieux qui garantissent une arrivée en douceur.

Cependant le retour vent debout n'est pas sans problème. Il faudrait pouvoir arriver au plus près et ce n'est pas possible car la dérive doit être relevée quand on approche de la plage.

Comme pour le départ vent debout, il faut donc trouver un biais. Une courbe de la côte permet peut-être une arrivée vent de travers. Ou bien le vent ne souffle pas tout à fait perpendiculairement à la plage. En se présentant par le côté au vent on approche alors au près serré; il est judicieux de jeter de temps à autre un coup d'œil par-dessus bord pour voir ce qu'il reste de hauteur d'eau. L'équipier remonte progressivement la dérive, le barreur laisse porter peu à peu, en choquant les écoutes pour que le bateau prenne de la vitesse : avec une surface de dérive moins grande mais une vitesse plus importante, la dérive n'augmente pas et le bateau ne marche pas en crabe. A la fin, une auloffée permet au bateau d'atteindre la plage sur son erre, dérive et safran relevés. Lorsqu'on connaît la plage, il faut évidemment choisir d'accoster à l'endroit où la pente est la plus raide, ce qui permet de conserver plus longtemps la dérive baissée et donc de faire un meilleur près.

Cette manœuvre peut être assez difficile à réaliser. Mais à partir du moment où l'on est obligé de relever la dérive, on a largement pied, et l'on peut sauter à l'eau pour tenir le bateau. Si l'on ne parvient plus à s'approcher à la voile cela vaut mieux que de s'obstiner à conserver la dérive basse trop longtemps. Lorsqu'elle touche le fond brutalement, une dérive pivotante peut se fausser; une dérive-

Sauf malchance, on a pied au moment où il faut relever la dérive.

sabre saisit facilement l'occasion pour se bloquer dans son puits. Si cet incident survient, il ne faut pas, en tout cas, s'acharner à la débloquer de l'intérieur, car le bateau fatigue beaucoup pendant ce temps. Il faut sauter à l'eau pour alléger le bateau puis le coucher pour s'attaquer à la dérive de l'extérieur. De toute façon, à ce moment-là, on est arrivé.

Manœuvres de port

Préparation du bateau.

Lorsqu'on approche de terre, surtout après plusieurs jours de navigation au large, le chef de bord se doit de porter sur son bateau un œil critique. On s'est installé dans le confort des longs bords courus en route libre, dans la sérénité des manœuvres lentes. Peu à peu, insidieusement, le matériel de port a été relégué loin au fond du bateau, ou noyé dans les coffres sous un amas d'objets plus immédiatement utiles. Il faut l'en exhumer; remettre tout en place; vérifier que les aussières, ces nids à bouteilles, sont de nouveau accessibles; que la chaîne d'ancre n'est pas coincée au fond du puits sous des sacs à voile et autres ballots. Désormais la gaffe et la godille ne feront plus partie des engins de pêche. Il faut également retrouver les défenses.

Le pont est dégagé, les drisses en ordre, la voilure choisie. Pour entrer dans un port on est souvent amené en effet à modifier celle-ci. Il faut qu'elle soit suffisante pour que le bateau reste manœuvrant, garde sa vivacité d'évolution à toutes les allures, dans un vent que l'on prévoit affaibli et irrégulier. Il faut en même temps qu'elle ne soit pas excessive. Conserver un génois, par exemple, est souvent dangereux : il est long à brasser, il risque de prendre à contre, il bouche la vue. Le foc de route est préférable. L'essentiel reste d'avoir un bateau équilibré, net et clair.

Il est bon d'effectuer toute cette préparation assez tôt, car plus la terre approche et plus l'attention est requise par elle, surtout si la côte vers laquelle on se dirige est inconnue. Cette approche est toujours un grand moment, il serait regrettable de le passer à faire le ménage.

Approche de la terre.

L'étude des documents officiels — *Instructions nautiques*, livre des *Feux*, cartes, profils de côtes, plans de ports — permet de se faire une idée assez précise de ce que l'on va rencontrer. L'observation directe vérifie, complète cette connaissance théorique, la modifie aussi. Au premier amer reconnu, quand l'idée devient un paysage

Mouillage forain : le repaire du Fazzio, près de Bonifacio.

réel, il se passe en effet quelque chose qui n'est pas consigné dans les livres. Pourquoi l'image d'une côte vue de la mer s'inscrit-elle si profondément dans l'esprit? Il semble que l'observation technique et la contemplation à ce moment ne s'excluent pas, mais collaborent activement : on sent mieux un paysage en le nommant, et le souci d'y trouver sa route enrichit le regard. Très naturellement, tout l'équipage participe à cette rencontre, et la découverte de la côte devient une sorte de création collective, moins éphémère qu'on ne le croit.

On approche et les amers se mettent en place, les alignements se révèlent, le paysage s'organise. Aux données permanentes livrées par les *Instructions nautiques* viennent s'ajouter les données variables qui sont celles du jour et de l'heure, le vent, la marée, les courants, la lumière aussi, la présence d'autres bateaux. Ceux-ci fournissent des indications précieuses pour la manœuvre, qu'ils naviguent ou qu'ils soient mouillés. Si l'on veut prendre un **mouillage forain** dans une crique ou dans un repli de la côte, la taille des bateaux qui s'y trouvent renseigne sur les fonds, leur évitage révèle l'action conjuguée du vent et du courant. En approchant d'un port, la forêt des mâts derrière une jetée permet de prévoir l'encombrement, les mouvements. Fumées, jupons, annoncent les vanités terrestres mais indiquent aussi la direction du vent au bord des quais. Ici encore la taille des bateaux mouillés, béquillés, échoués, leur répartition dans le port sont des données à considérer pour le choix d'un mouillage.

Le port de Saint-Malo après l'arrivée de la course Cowes-Dinard.

Choix du mouillage.

Pendant cette approche, il est essentiel que le chef de bord puisse avoir à chaque instant une vue claire de la situation. Il est souvent préférable qu'il ne prenne pas la barre, mais qu'il conserve toute sa mobilité pour donner le coup de pouce là où il faut. Il a expliqué auparavant son plan de manœuvre, réparti les tâches. L'équipage doit être prêt cependant à supporter stoïquement les décisions imprévues, contradictoires : au lieu d'accoster on peut être amené à mouiller, ou à prendre un coffre, ou encore à repartir; tant pis.

En entrant dans un port, l'idéal est de pouvoir faire un tour d'honneur, afin de repérer les emplacements disponibles. Mais les zones dégagées le sont rarement sans raison : elles cachent souvent une H.L.M. à berniques. Certains postes magnifiques peuvent d'autre part être réservés à des bâtiments de service ou aux pêcheurs. Il faut aussi éviter d'aller s'enfermer dans un endroit d'où il sera difficile de repartir. En entrant dans un port inconnu, le plus sage est donc de s'amarrer provisoirement à un ponton, à un coffre, à couple d'un bateau pour se renseigner. Les ports de plaisance correctement aménagés comportent d'ailleurs un appontement d'accueil que l'on peut gagner à la voile, et qui joue le même rôle que la réception dans un hôtel : on vient y prendre les instructions et son numéro de poste.

Lorsqu'on pénètre dans un port marchand, il faut se souvenir qu'il est interdit de louvoyer dans le chenal emprunté par les gros bateaux qui ne peuvent à cet endroit modifier ni leur cap, ni leur vitesse. Si l'on veut emprunter ce chenal, il vaut mieux le faire au moteur (encore faut-il que cet engin d'un autre âge ne tombe pas en panne au mauvais moment).

Mais à la « belle saison », les places sont chères dans les ports. On peut préférer un mouillage forain; on se détermine alors selon les caractéristiques de l'endroit : configuration de la côte, nature des fonds, courants, hauteurs d'eau. La durée du séjour, le temps qu'il fait et qu'il fera entrent aussi en ligne de compte. Les bateaux déjà installés indiquent généralement le meilleur point de mouillage et l'on peut se joindre à eux, tout en gardant ses distances, en n'oubliant pas que deux bateaux n'évitent pas forcément de la même façon et qu'il vaut mieux ne pas se trouver sous le vent d'un gros bateau lorsque le temps se gâte et que ce gros bateau chasse...

Manœuvres d'ancre

Il n'y a plus guère qu'en rade foraine que l'on puisse encore mouiller sur ancre. Ces refuges offrant en général un abri moins complet que les ports nécessitent un matériel de mouillage sérieux. Un petit dériveur n'a besoin que d'une ancre; il en faut au moins deux sur un bateau de croisière, et plusieurs lignes de mouillages, prévues chacune pour un usage précis.

Par beau temps et pour un arrêt bref, il est commode de mouiller sur ancre légère, si l'équipage reste à bord. Quand l'arrêt se prolonge et que l'on va à terre, il faut mouiller l'ancre principale. Si le mauvais temps menace, les deux ancres sont à utiliser ensemble.

Trois lignes de mouillage sont nécessaires : chaîne, aussière, ligne légère.

La **chaîne** est en général la ligne principale et ses avantages sont nombreux : lourde, elle repose sur le fond et permet à l'ancre de crocher dans les meilleures conditions; robuste, elle peut raguer sur le fond sans dommage. Avec une longueur de chaîne égale à trois fois la hauteur d'eau, on a un mouillage correct et le rayon d'évitage demeure limité. Précisons toutefois : trois fois la hauteur d'eau à marée haute, et mesurée depuis la surface de l'eau. C'est un minimum d'autant moins respectable que le bateau est plus grand et les fonds plus petits : 45 mètres de chaîne pour 15 mètres d'eau, c'est bien; dans 2 mètres d'eau, il vaut mieux prévoir au moins 20 mètres de chaîne.

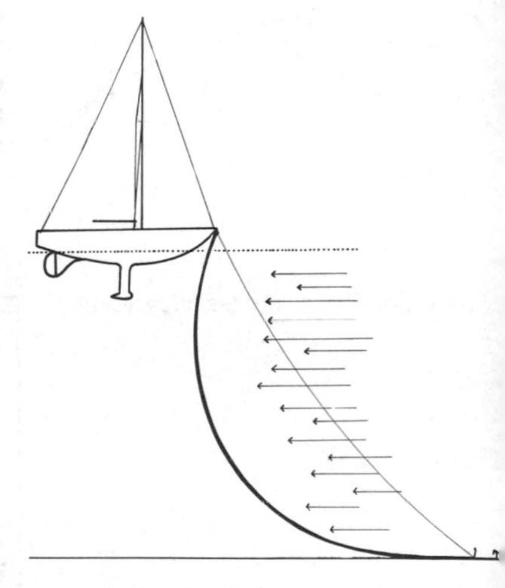

Le courant a peu de prise sur une ligne légère, il en a beaucoup sur une grosse ligne. Celle-ci prend une forme telle qu'il est parfois impossible de déraper tant que le courant ne mollit pas.

Le poids de la chaîne pose un problème si l'on mouille par fonds importants : il est difficile, voire impossible de la remonter sans guindeau (et plus question d'aller à Valparaiso). Au-delà de 10 mètres de fond, il est donc préférable d'utiliser l'**aussière.** Celle-ci assure également une tenue excellente, à condition de donner plus de longueur au mouillage (au moins cinq fois la hauteur d'eau). Mais elle est plus fragile que la chaîne et risque de s'user, d'une part dans le chaumard, d'autre part sur le fond. Il est bon de fourrer la partie qui passe dans le chaumard et de disposer quelques mètres de chaîne entre aussière et ancre.

Enfin la **ligne,** fine et longue, se révèle utile en bien des circonstances, en particulier pour des mouillages d'attente. Elle est indispensable, par exemple, si l'on est contraint de mouiller par calme plat dans un courant, avec des fonds importants.

Préparation du mouillage.

Préparer la chaîne.

Rappelons que l'extrémité de la chaîne doit être amarrée au fond du puits par une étalingure et non par une manille. Cet amarrage doit en effet pouvoir être largué très vite en cas d'urgence, si l'on est contraint de filer le mouillage par le bout. Or la manille rouille.

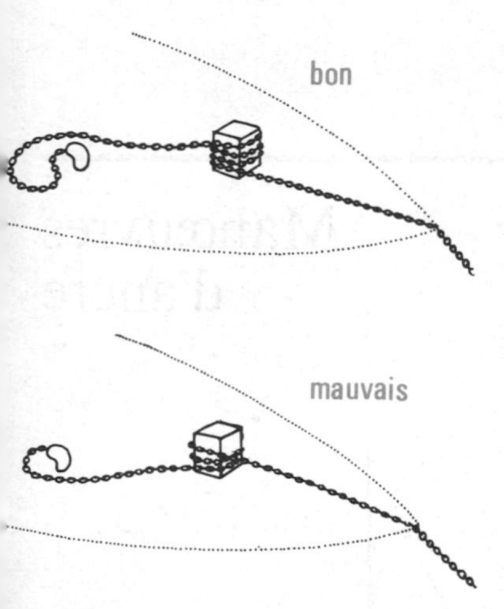

Pour préparer le mouillage, on commence par sortir du puits une longueur de chaîne au moins égale à trois fois la hauteur d'eau prévue; on l'arrête tout de suite par trois tours morts sur la bitte, dans le bon sens, c'est-à-dire de façon que le tour mort supérieur soit fait avec la partie de la chaîne qui rejoint l'**écubier ;** ainsi, quelle que soit la tension du mouillage ultérieurement, il est toujours possible de lui donner du mou, ce qui n'est pas le cas en sens inverse. Jamais de demi-clefs sur la bitte : elles se souquent et il faut employer marteau et burin pour les larguer.

Sur le pont, la chaîne est encombrante et risque de partir à l'eau dans un coup de gîte, c'est pourquoi on la sort de son puits le plus tard possible. Pour que la chaîne, sur le pont, soit claire, la méthode la plus simple et la plus rapide est celle du **tas bien pensé.**

Méthode dite : du **tas bien pensé.**

A. Sortir la chaîne et la mettre en tas.

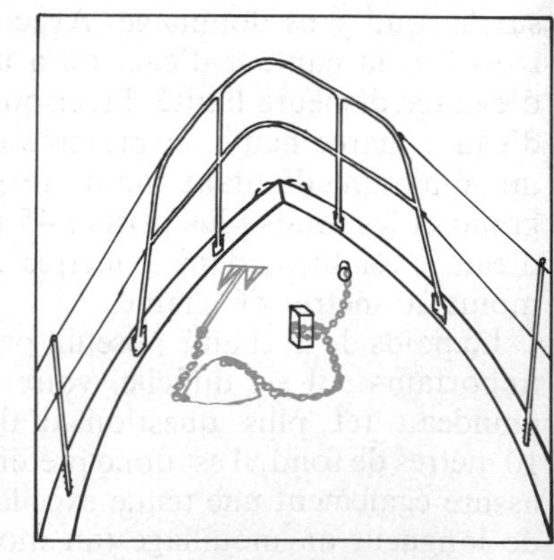

B. Tourner sur la bitte.

On commence par entasser la chaîne sur le pont, telle qu'elle sort de l'écubier, jusqu'à avoir la longueur désirée. Si la chaîne n'est pas marquée, ou que la peinture a disparu, on peut s'entraîner à la sortir de façon régulière, 50 cm par 50 cm; on peut amener ainsi du premier coup la longueur voulue sur le pont. On l'arrête sur la bitte. L'extrémité de la chaîne reliée à l'ancre se trouve pour lors coincée sous le tas; elle l'entraînera d'un seul bloc à l'eau si l'on tente de mouiller ainsi. Il faut donc, dans un deuxième temps, retourner le tas, c'est-à-dire en faire un autre, à côté du premier et de la même manière, mais en partant cette fois de l'extrémité qui est tournée sur la bitte. A la fin de l'opération, l'extrémité de la chaîne reliée à l'ancre est sur le dessus et peut filer facilement. Cette méthode permet de ne sortir la chaîne qu'au dernier moment car la manœuvre peut s'effectuer en moins d'une minute et ne requiert pas une attention soutenue.

Lorsque le temps est dur, le tas risque cependant de partir tout entier à l'eau dans un coup de gîte. Il est préférable alors d'utiliser une autre méthode et de préparer la chaîne un peu plus tôt en la rangeant en **biture** sur le pont. Au besoin, on peut amarrer cette biture par deux rabans.

Autre méthode : **prendre la biture.**

Pour être tout à fait prêt à mouiller, il faut encore que la chaîne soit en place dans le chaumard et l'ancre larguée de son support. On donne un peu de mou à la chaîne entre l'ancre et le chaumard pour qu'elle ne risque pas de sauter de celui-ci au moment où on laisse tomber l'ancre.

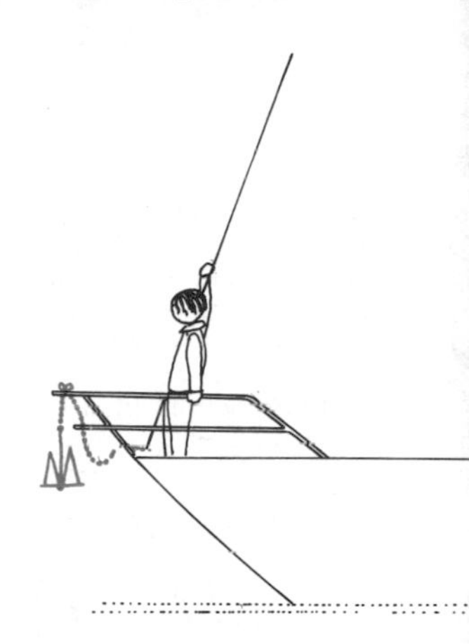

Paré à mouiller.

Préparer l'aussière.

On voit parfois des équipiers à la mine patibulaire trouver des gestes d'une délicatesse toute maternelle pour extraire d'un coffre une aussière bien lovée. C'est le plus souvent peine perdue.

C. Refaire le tas en sens inverse.

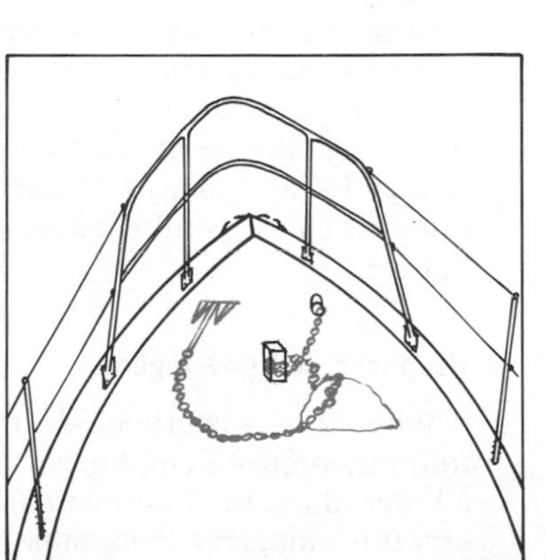

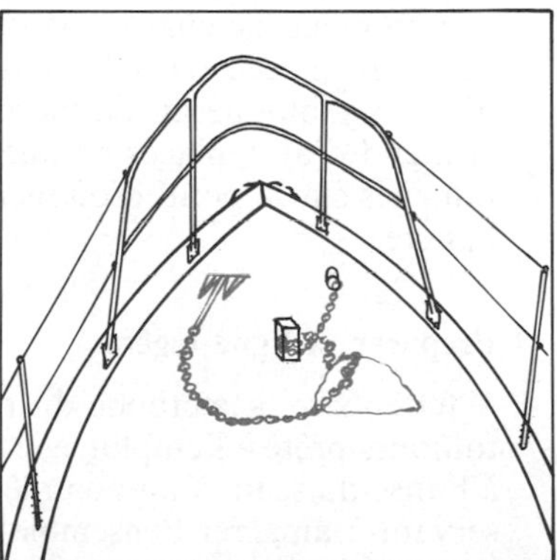

D. Paré.

Une aussière lovée est une aussière sacrée. Elle ne supporte pas le transport sans faire de nœuds. Lorsqu'on veut la déplacer, il faut la délover de l'endroit où elle se trouve pour la relover à l'endroit où on veut l'utiliser.

C'est un travail minutieux. En fait, lorsque l'aussière se trouve bien lovée dans un coffre, il n'est pas nécessaire de la transporter : on prend simplement l'extrémité sur laquelle on amarrera l'ancre et on la porte à l'avant (en passant sous les écoutes). Au moment du mouillage l'aussière se dévide à la demande. Si l'on ne peut procéder ainsi, il faut relover toute l'aussière sur le pont. Une aussière se love dans le sens des aiguilles d'une montre, en ovale et à plat pont; on fait plusieurs étages. Il faut commencer, à chaque étage, par l'extérieur et finir par l'intérieur, sinon toute l'aussière file à l'eau quand les premières boucles se dévident.

L'extrémité de l'aussière qui doit rester à bord est amarrée par une étalingure au fond de son coffre, ou par un nœud de chaise au pied du mât.

L'autre extrémité est amarrée sur l'ancre par un nœud de grappin, ou bien par un tour mort et un nœud de chaise. L'aussière est placée dans le chaumard avant de mouiller.

Deux manières de faire ajut.

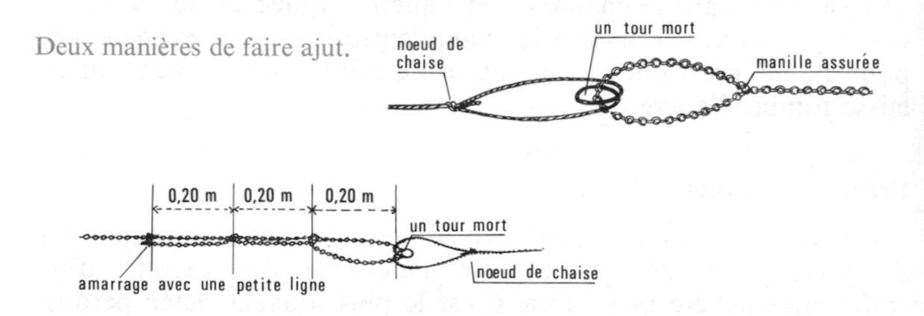

Lorsqu'on intercale de la chaîne entre l'aussière et l'ancre, il faut **faire ajut** entre cette chaîne et l'aussière, la boucle de la chaîne étant fermée par une manille ou deux demi-clefs, la boucle de l'aussière par un nœud de chaise. Dans ce cas, c'est également l'aussière qui doit être placée dans le chaumard, non pas la chaîne : le nœud d'ajut s'y bloquerait au moment où l'on file le mouillage. Chaîne et nœud d'ajut, placés en quelque sorte au-delà du chaumard, sont ramenés sur le pont, d'où ils filent directement à l'eau à la suite de l'ancre.

La ligne légère a deux manies : 1, elle s'emmêle facilement; 2, elle file à l'eau tout entière si elle n'est pas amarrée. Prévention : 1, ne pas la lover, mais la remiser en tas dans un seau ou dans un sac; 2, garder le premier mètre dehors pour l'amarrer au pied du mât.

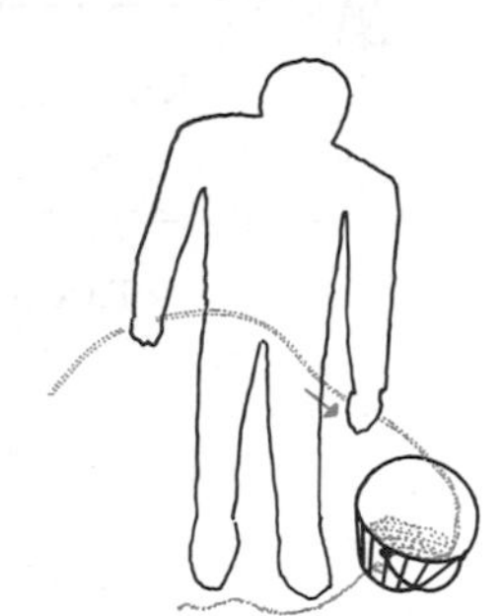

Préparer la ligne légère.

Ici encore la méthode du tas est efficace. Pour que la ligne soit toujours prête à l'emploi, elle est remisée dans un seau : on l'amarre à l'anse du seau, à un bon mètre de son extrémité libre (ce mètre-là servant à amarrer l'ensemble au pied du mât) et on l'entasse dans le seau régulièrement, comme une chaîne dans son puits. On peut aussi utiliser un sac, à condition qu'il ne soit pas trop grand.

Oringuer.

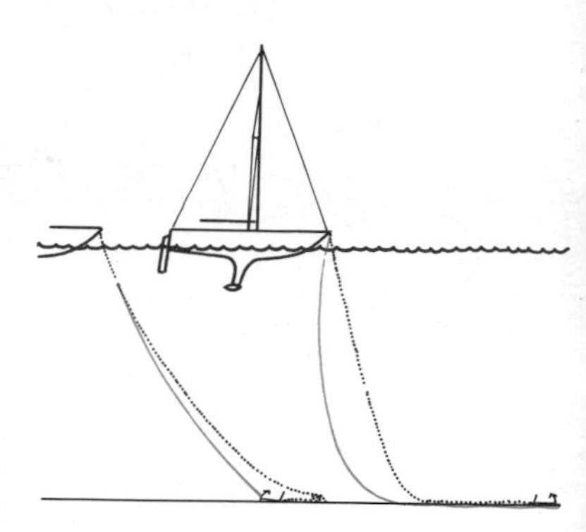

A gauche, l'orin est trop court, l'ancre est à l'envers. A droite, c'est correct.

Une ancre peut rencontrer toutes sortes de choses au fond de l'eau, et s'engager. Au moment de mouiller il est encore temps d'y penser, après c'est trop tard. Il est souvent prudent de frapper un orin sur le diamant de l'ancre, pour pouvoir relever celle-ci à l'envers si elle ne veut pas venir à l'endroit.

Que faire de l'extrémité libre de cet orin? On peut la frapper sur un flotteur, c'est commode au moment du mouillage mais par la suite le filin est à la merci d'une hélice de bateau; d'autre part, à l'appareillage, lorsque vent et courant ne sont pas dans la même direction, il faut utiliser l'annexe pour le récupérer. On peut l'amarrer au mouillage lui-même, sur la chaîne ou l'aussière, mais il y a encore des problèmes : il ne faut pas que mouillage et orin s'emmêlent; un orin trop court empêche l'ancre de crocher; s'il y a du courant, un orin trop gros et trop long présente un fardage important et peut entraîner l'ancre dans le mauvais sens. La bonne solution est d'utiliser un orin long et fin dont on garde l'extrémité à bord : la ligne légère fait parfaitement l'affaire.

Comme toutes les assurances, l'orin est bien gênant tant que l'on n'a pas à s'en servir. Il est cependant indispensable lorsqu'on mouille sur des fonds que l'on a tout lieu de croire encombrés. Et dans le doute...

Mouiller vent debout.

C'est la méthode classique.

On approche sous le vent du point de mouillage choisi, à une allure rapide : le vent de travers est idéal. Dans la mesure du possible, pour dégager la plage avant on amène le foc assez tôt, tout en le gardant prêt à être rehissé en cas de manœuvre ratée. Si le bateau évolue très mal sous grand-voile seule, on peut conserver le foc un peu plus longtemps, mais pas trop : l'équipier chargé du mouillage risque d'avoir avec lui des rapports difficiles; de plus durant l'auloffée, le foc peut reprendre du vent d'un côté ou de l'autre et faire abattre le bateau.

Façons d'amarrer l'orin sur la ligne de mouillage.

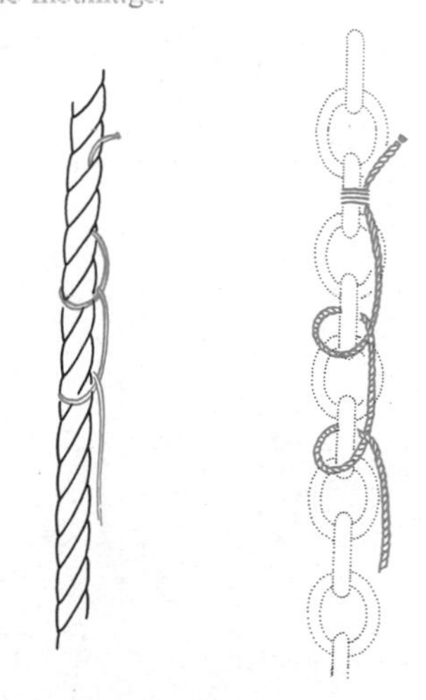

Juste sous le vent du point choisi, on loffe rapidement en bordant la grand-voile pour avoir le maximum de vitesse. Le bateau avance sur son erre et le barreur s'efforce de l'amener plein vent debout; il peut penser qu'il y est parvenu lorsque la bôme bat dans l'axe du bateau et que lui-même ne sait plus où mettre sa tête.

Pendant ce temps le chef de bord contrôle la progression du bateau en prenant des alignements par le travers. Il ne donne l'ordre de mouiller qu'au moment précis où le bateau s'arrête. Sinon l'ancre, dépassée par la ligne de mouillage, risque de surpatter et de ne pas crocher.

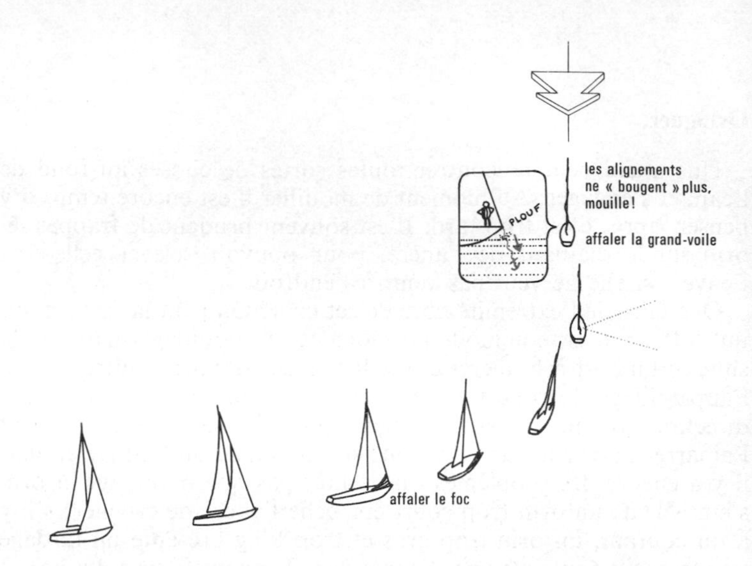

L'équipier laisse tomber l'ancre rapidement, en filant une longueur de mouillage égale à la hauteur d'eau, pas plus : sinon la ligne de mouillage tombe en tas sur l'ancre, de nouveau celle-ci peut surpatter[1].

A l'instant où l'on mouille, un autre équipier affale la grand-voile mais la tient prête, en cas de chasse, à être rehissée. Le bateau commence à culer; l'équipier laisse filer le mouillage à la demande, en freinant légèrement, pour que le bateau tout en prenant de l'erre en marche arrière, soit un peu retenu par l'avant et n'abatte pas. On freine la ligne de mouillage au pied, mais avec un pied muni d'une botte (les orteils écrasés dans le chaumard sont bons à jeter).

Lorsque le mouillage est complètement étalé, le chef de bord prend à nouveau des alignements par le travers pour vérifier que l'ancre a bien croché.

Mouiller vent arrière.

Diverses raisons peuvent conduire à choisir de mouiller vent arrière.

— Par tout petit temps, si l'on mouille vent debout le bateau cule trop lentement, la ligne de mouillage file mal; en mouillant vent arrière on peut conserver une vitesse suffisante pour étaler d'un coup et correctement le mouillage sur le fond.

1. Si l'on utilise une ancre à jas, il faut mouiller en prenant des précautions particulières pour ne pas surjaler ou surpatter :
— tenir l'ancre en pendant par sa chaîne et la faire descendre en maintenant toujours la chaîne tendue;
— ne jamais la jeter;
— ne mouiller que lorsque le bateau cule (ou avance, dans le cas d'un mouillage vent arrière).

— Quel que soit le temps, il est bon d'utiliser cette méthode lorsque les fonds sont d'herbe ou de goémon; en crochant brusquement, les ancres plates ou les ancres soc-de-charrue parviennent à traverser le tapis végétal, sans s'engorger comme elles le feraient si l'on mouillait vent debout.

— Si l'on mouille avec une vitesse suffisante, on est tout de suite renseigné sur la tenue du mouillage : lorsque la ligne se tend, le bateau doit **faire tête** (être rappelé par son ancre) assez brusquement. Si le rappel est mou il n'y a pas à hésiter : l'ancre ne tient pas, il faut repartir.

Pour mouiller vent arrière, on doit se présenter avec un mouillage particulièrement clair et qui accepte de filer sans histoire; donc utiliser la chaîne plutôt que l'aussière et ne pas oublier les tours morts sur la bitte, car en fin de course le bateau peut être rappelé un peu vivement.

Pour venir au vent de l'endroit où l'on va mouiller, on effectue d'abord un parcours au près bon plein pendant lequel on affale la grand-voile (qui demeure prête à être rehissée). Ensuite, sous foc seul, à vitesse réduite, on se rapproche du point de mouillage.

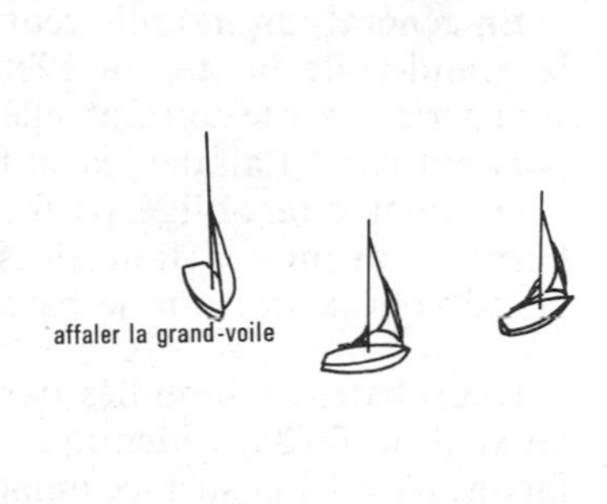

Par vent frais, on affale le foc très tôt; par vent faible on le garde au contraire presque jusqu'au moment de faire tête. On cherche à avoir à ce moment, une vitesse d'environ un nœud.

On mouille, et l'équipier de l'avant laisse filer la chaîne librement (par pitié pour la peinture de la coque!).

Lorsque toute la chaîne est filée, le barreur doit aider le bateau à faire tête en loffant du côté où se trouve la chaîne. Quand on dispose de deux chaumards, fixés de part et d'autre de l'étrave, ce côté a été choisi à l'avance. Quand il n'y a qu'un chaumard, situé à l'étrave, l'équipier de l'avant indique d'un geste, peu avant que le mouillage ne soit complètement étalé, le côté sur lequel il faut loffer. Le barreur loffe dès que le bruit de la chaîne courant sur le pont s'interrompt.

Mouiller dans le courant.

Lorsqu'il y a du courant à l'endroit où l'on doit mouiller, la manœuvre se complique parfois sérieusement.

On commence par faire un premier tour sur les lieux :

— pour évaluer d'abord la direction du courant et sa force;

— pour tenter d'estimer ensuite l'évitage approximatif du bateau (plus précisément : l'évitage de la ligne de mouillage d'une part, du bateau d'autre part). La présence d'autres bateaux peut donner des indications utiles mais cette estimation reste essentiellement affaire d'expérience.

De nombreux cas peuvent se présenter, selon la direction respective du vent et du courant :

Vent et courant vont dans le même sens. Pas de difficultés particulières (et cela jusqu'à 20° ou 30° de différence entre direction du vent et courant).

Le vent est perpendiculaire au courant. On approche bout au courant, vent de travers (sous foc et grand-voile si c'est nécessaire), en tenant compte de la dérive. Pour s'arrêter il suffit en principe de choquer les écoutes; dès que le bateau cule, on mouille et on affale tout.

Vent et courant vont en sens contraire (et jusqu'à 80° de différence). C'est ici que les vrais problèmes se posent et les solutions sont très variables en fonction de la disposition des lieux, de la force même du courant par rapport à celle du vent.

En général, on mouille vent arrière, sous foc seul. Si l'on garde la grand-voile haute, en effet, le bateau mouillé étant maintenu vent arrière par le courant, elle se plaque contre le gréement, on ne parvient pas à l'affaler; la situation est pour le moins étrange.

On peut être obligé parfois de mouiller vent debout, avec de l'erre en avant : il faut alors parvenir à affaler complètement la grand-voile avant que le bateau ne fasse tête au courant.

Deux bateaux mouillés dans le courant, même s'ils présentent au vent un fardage identique, n'évitent pas forcément de la même façon; c'est ici la surface immergée qui compte le plus. Il faut donc prendre largement ses distances. La barre doit être amarrée dans l'axe.

Si l'on reste à bord, on peut à la rigueur se maintenir à l'écart d'un autre bateau en mettant un peu de barre dans un sens ou dans l'autre.

Il faut aussi penser que dans un mouillage de ce genre, les conditions peuvent changer du tout au tout à la renverse du courant.

Mouiller sur plusieurs ancres.

Empenneler.

Empenneler consiste à mouiller, avant l'ancre principale, une autre ancre plus petite, reliée au diamant de la première par une certaine longueur de chaîne. C'est probablement le procédé le plus efficace pour tenir un bateau au mouillage par mauvais temps.

Lorsqu'on installe le système, on doit cependant penser au prochain appareillage : si l'on relie les deux ancres à l'aide d'une chaîne très courte, il faudra pouvoir relever ces deux ancres en même temps, ce sera lourd, et encombrant. Il est donc préférable de placer entre

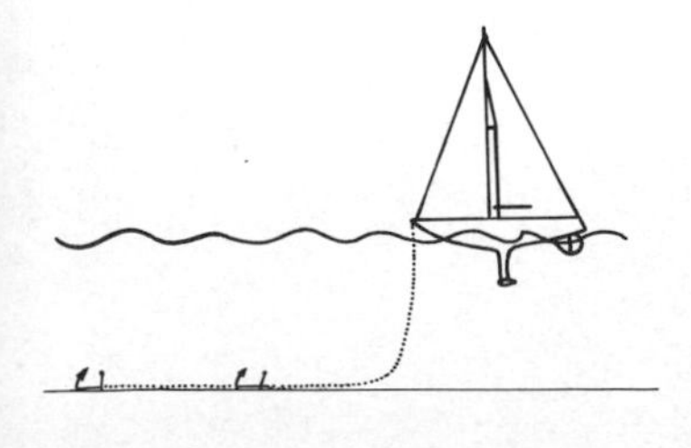

Empenneler.

les deux ancres une chaîne d'une longueur égale à une fois et demie la hauteur d'eau (à pleine mer), ce qui permet de remonter l'une des ancres sans déraper l'autre. Toutefois, si l'on ne dispose pas de la chaîne qui convient, il vaut quand même mieux empenneler trop court que de ne pas empenneler du tout. Pour que l'empennelage soit efficace, les deux ancres doivent travailler ensemble. Il faut donc que la chaîne qui les relie soit bien étalée et tendue. Ceci n'est possible que sur des fonds meubles. Sur fond de rocher, empenneler est inutile.

Lorsqu'on ne dispose pas d'une chaîne adéquate pour relier les deux ancres, on peut utiliser un bout de nylon, à condition que ce bout soit très court (de l'ordre de trois mètres).

Affourcher.

Il s'agit ici, après avoir mouillé une première ancre, d'aller en mouiller une seconde de telle sorte que les deux lignes de mouillage fassent entre elles un certain angle (de 40° à 180°).

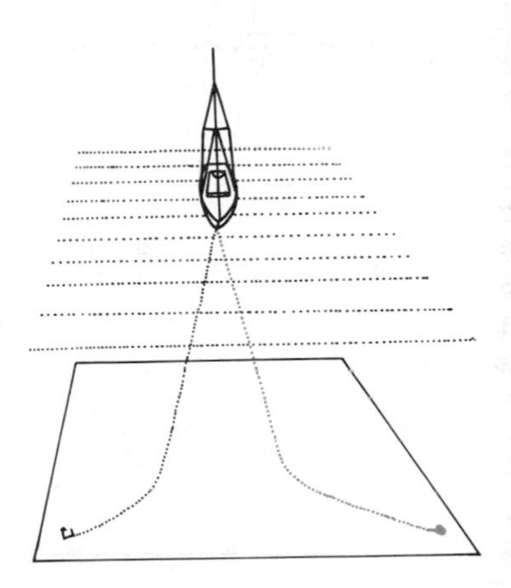
Affourcher.

Le principal intérêt de l'affourchage est de diminuer l'évitage du bateau, ce qui est d'autant plus nécessaire que le bateau est plus long. Mais son installation demande de la place : quand plusieurs bateaux ont affourché côte à côte, au moment du départ la récupération des mouillages entrecroisés est souvent pittoresque.

Par vent frais, l'angle d'affourchage ne doit pas dépasser 40°. De toute façon, ce type de mouillage n'est pas très efficace lorsqu'il faut étaler un coup de chien : les deux ancres travaillent rarement en même temps. Si le vent fraîchit d'un coup, il est généralement trop tard pour empenneler, car il faudrait déraper pour installer la deuxième ancre ; affourcher est alors une solution de rechange : il vaut toujours mieux avoir deux ancres à l'eau plutôt qu'une seule.

Pour installer le deuxième mouillage on utilise l'annexe, dans laquelle on embarque le mouillage complet, l'ancre d'abord, puis l'aussière qu'on love soigneusement par-dessus. Si l'ancre est trop lourde ou trop encombrante, on peut l'amarrer à l'arrière de l'annexe, ou même en dessous.

On s'écarte du bateau en filant l'aussière au fur et à mesure. Lorsque tout le mouillage est étalé, on le tend au maximum : tout en continuant à souquer, on immerge l'ancre en la retenant par un orin fixé au diamant.

On frappe un flotteur sur l'orin si l'on craint de ne pouvoir récupérer les deux ancres à partir du bateau. Sinon on le laisse couler, à l'abri des hélices.

Lorsque la ligne de mouillage est une chaîne, on ne parvient à l'étaler que si l'on intercale, entre chaîne et bateau, dix mètres de bosse que l'on reprend du bord par la suite en tendant le mouillage.

Lorsqu'on doit mouiller affourché pour un certain temps, il faut éviter que l'aussière et la chaîne ne fassent des tours sur elles-mêmes à proximité des chaumards. On relie chaîne et aussière par une surliure et un fourrage au niveau du fond, ce qui évite l'usure de l'aussière contre la chaîne aux points de frottements.

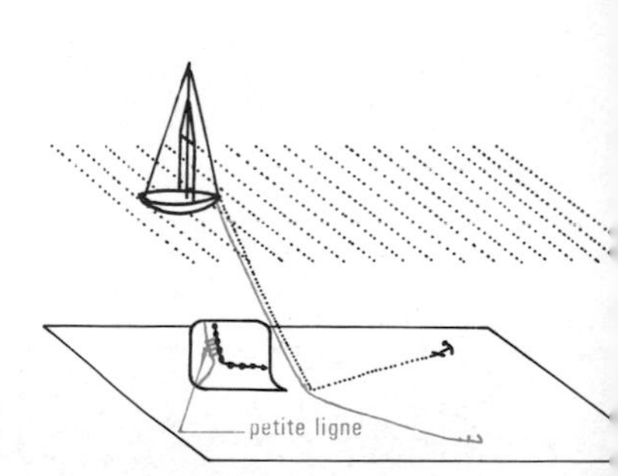

Pour éviter des tours entre aussière et chaîne : les relier par une surliure au niveau du fond.

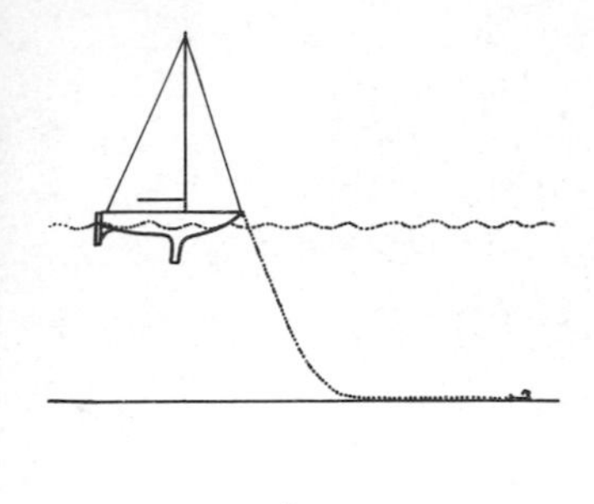

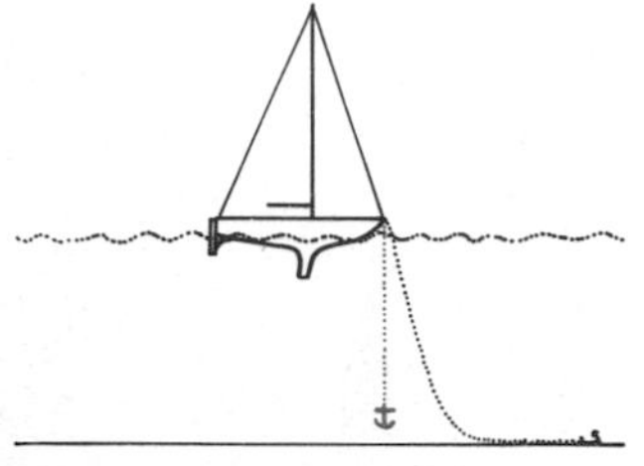

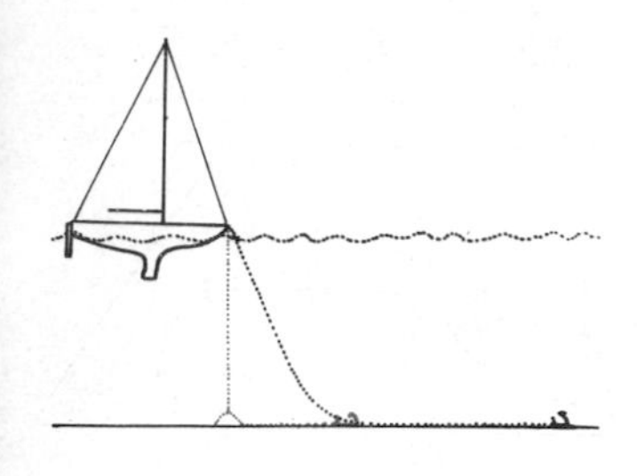

Mouiller en plomb de sonde.

Mouiller en plomb de sonde.

Coup de torchon : on n'a pas empennelé et il est trop tard pour le faire; la force du vent, l'état de la mer ne permettent pas d'affourcher convenablement, l'annexe étant volage; faute de mieux, on mouille une deuxième ancre en plomb de sonde.

La manœuvre doit se faire en quatre temps :

— dans une accalmie, remonter une quantité raisonnable de chaîne du mouillage principal, sans aller toutefois jusqu'à en compromettre la tenue;

— descendre la deuxième ancre sur le fond ;

— relâcher le mouillage principal, en filant à mesure la chaîne de la deuxième ancre ;

— ensuite, seulement, filer toute la chaîne du second mouillage en tas sur le fond.

En procédant ainsi, on évite que la chaîne du second mouillage ne tombe en tas sur son ancre. On ne peut parler véritablement d'un mouillage, il s'agit plutôt d'une précaution : si le mouillage principal vient à chasser on est automatiquement paré.

Mouiller tête et cul.

Une ancre à l'avant, une ancre à l'arrière. Cette méthode de mouillage, utilisée parfois en rivière pour diminuer l'évitage est en réalité peu efficace : le plus souvent le bateau se retrouve travers au vent et au courant, tirant sur ses deux ancres à la fois. La situation est alors très inconfortable, et l'on peut difficilement s'en sortir sans larguer (avec flotteur) l'un des mouillages.

Il existe une façon de procéder assez voisine et beaucoup plus intéressante. Les deux mouillages partent de l'étrave; l'un des deux vient sur l'arrière, où il est tourné, mais de façon à pouvoir être largué facilement si le bateau se met en travers. Quand cela se produit, on largue et on se retrouve affourché à 180°.

Appareiller sur ancre.

Préparation.

Appareiller, c'est demander à un objet flottant de devenir en quelques secondes, à l'instant où l'ancre dérape, un bateau manœuvrant, précis, rapide. Cela se demande poliment et non sans cérémonie.

Le départ décidé, sec ou pas sec on rentre le linge, on sort les voiles. Il importe de tout préparer avant de commencer à manipuler les mouillages : la grand-voile prête à être hissée, le foc endraillé, les écoutes claires, le pont dégagé.

Ensuite on s'occupe du mouillage. Si l'on a mouillé sur deux ancres, on commence par en relever une, de préférence la plus lourde. Il est en effet plus facile d'appareiller sur un mouillage léger.

Lorsqu'on a affourché, ou mouillé tête et cul, l'annexe est souvent nécessaire pour relever la première ancre. On remonte alors celle-ci par l'orin. Si l'on n'a pas oringué (on a eu tort) il est possible de tenter la manœuvre suivante : on donne du mou à la ligne de mouillage, les équipiers en annexe se déhalent le long de cette ligne pour venir à pic de l'ancre, et la relèvent.

L'ancre étant à bord de l'annexe, on embraque le mouillage à partir du bateau, en enfilant tout de suite la chaîne dans le puits, ou en lovant l'aussière à mesure qu'elle rentre à bord, et directement à sa place afin d'éviter la pagaille. Toute trace de ce second mouillage doit disparaître pour ne pas gêner la manœuvre.

Quand on a empennelé, le problème est différent. Si la chaîne qui relie les deux ancres est très courte, il faut relever l'ensemble d'un coup en dérapant, et c'est souvent pénible. Quand on a pris soin de placer entre les deux ancres une longueur de chaîne suffisante, il y a deux solutions possibles :

— En relevant le mouillage normalement, on remonte la première ancre sur le pont et l'on demeure mouillé sur la deuxième, mais de façon précaire car on se trouve presque à pic, et sur l'ancre légère. Dans ce cas, les voiles ont été hissées avant que l'on dérape la première ancre car il faut appareiller tout de suite.

— Si l'on a oringué la deuxième ancre, on peut aller la relever avec l'annexe, la démailler de sa chaîne et la rapporter à bord. A l'appareillage on remonte sans difficulté la première ancre suivie de la chaîne de l'autre.

Remonter le mouillage à bord.

Le cérémonial comporte plusieurs étapes dont la définition doit être claire pour chaque exécutant.

— On dit d'un bateau qu'il est **mouillé** lorsqu'il est retenu par une ligne de mouillage fiable, assez longue pour que l'ancre ne chasse pas.

— On est **à long pic** lorsqu'une partie du mouillage a été relevée, mais qu'il reste encore assez de ligne dehors pour que l'ancre tienne bien au fond (dans les conditions du moment). On a supprimé la « marge de sécurité », mais en redonnant de la chaîne on peut encore revenir à la position du mouillage initial.

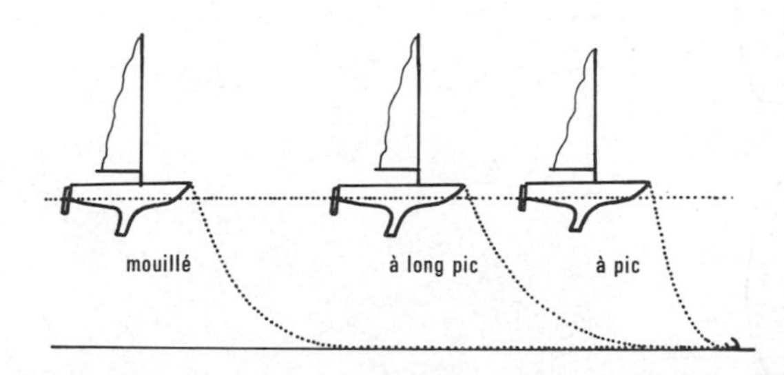

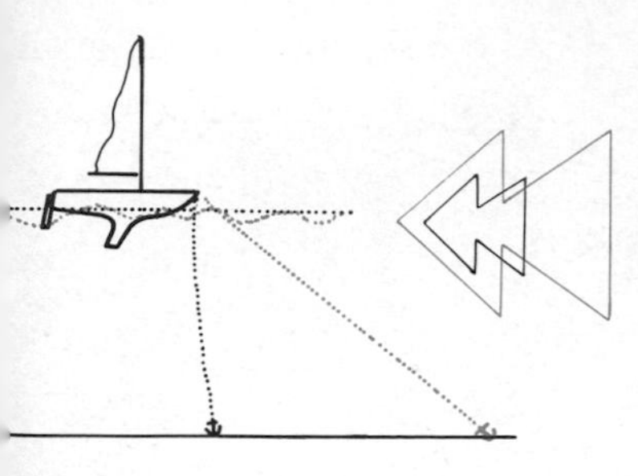

Par vent fort, on est à pic (l'ancre est prête à chasser) bien avant que l'étrave ne soit à l'aplomb de l'ancre.

— On est **à pic,** lorsque l'étrave du bateau se trouve à l'aplomb de l'ancre et que celle-ci, tenue encore au fond, est prête à chasser. Ce moment est difficile à apprécier. Toutefois, dans les mouillages de bonne tenue, la résistance à la traction augmente tout à coup. La position à pic est essentiellement transitoire, on s'y arrête à peine (au besoin on peut encore re-mouiller, mais il faut faire vite pour éviter que l'ancre drague, s'engorge ou s'engage). La manœuvre de départ s'effectue dès que l'à pic est annoncé; elle peut même souvent être amorcée un peu plus tôt, car beaucoup d'équipiers annoncent l'à pic trop tard, alors que l'ancre est dérapée et que le bateau cule déjà.

A long pic, à pic, ces notions sont très relatives et il faut une certaine habitude pour les apprécier correctement. « A long pic ça s'estime, mais à pic ça se sent » (Cyrano de Bergerac).

Appareiller.

Le bateau est en ordre, les voiles sont prêtes à être hissées, chacun est à son poste. On a choisi l'amure de départ : tribord, bâbord — ou amure indifférente. Tout le monde est au courant.

On vient à long pic et l'on hisse les voiles. Le chef de bord (qui se trouve de préférence... un peu partout, dirigeant la manœuvre et joignant le geste à la parole à chaque fois que c'est nécessaire) vérifie que l'on ne chasse pas, en prenant des alignements par le travers.

Les voiles hissées battent librement. La barre est au milieu.

On remonte la suite du mouillage lentement.

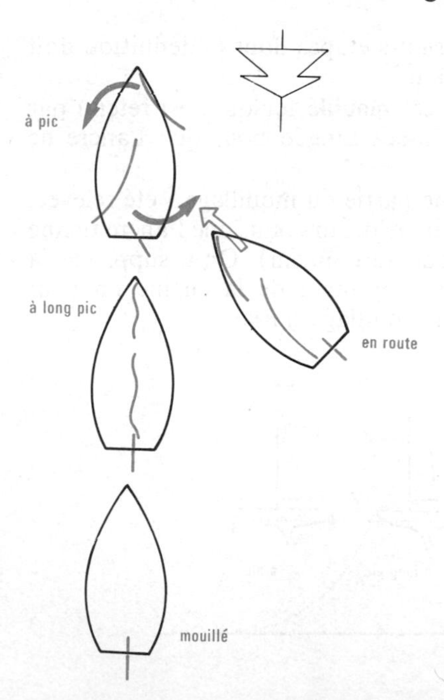

Pour abattre sur la bonne amure : foc, grand-voile et barre à contre.

Lorsque l'équipier annonce « à pic », le chef de bord a un temps très limité pour décider si l'on part ou si l'on ne part pas — selon que l'amure choisie paraît assurée ou non (ce temps est de l'ordre de 5 secondes si le bateau est vraiment à pic, nettement moins si l'ancre est, en fait, déjà dérapée!). Il faut envisager plusieurs cas :

— Si l'amure importe peu : bien entendu, on dérape sans réfléchir plus, le bateau abat d'un côté ou de l'autre pendant qu'on remonte l'ancre à bord.

— Si le bateau se présente sous la bonne amure, on dérape, en aidant au besoin le bateau à abattre, de la façon suivante (cas d'un départ tribord amures) : le foc est bordé à contre sur tribord; la bôme est poussée sur bâbord pour que la grand-voile prenne à contre; la barre est mise à gauche toute. Le bateau cule. Sous l'action conjuguée des voiles et de la barre, il évite tribord amures.

— Si le bateau est vent debout : pour assurer l'amure on utilise la méthode précédente, mais de façon plus énergique.

— Si le bateau se présente sous la mauvaise amure : aucune hésitation, on re-mouille *tout de suite*.

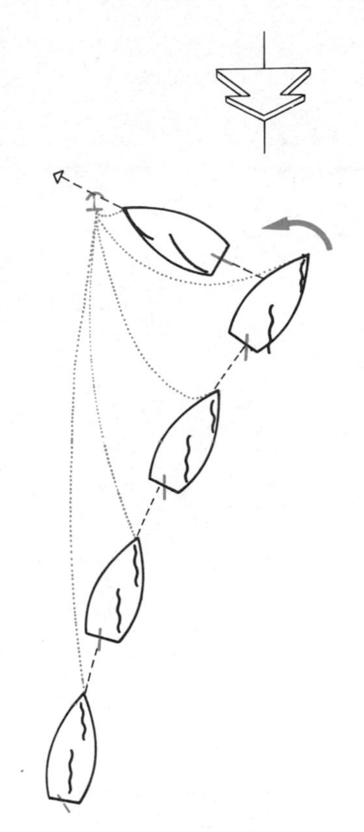

On peut aussi prendre de l'erre et se rappeler sur l'ancre.

Sur petit croiseur, par vent faible, on peut tenter de partir sous l'amure choisie en utilisant simplement l'erre acquise par le bateau durant la remontée du mouillage. Le bateau avançant, le gouvernail devient opérant. Si l'on veut partir tribord amures, on met la barre à gauche, le bateau dévie vers la droite, est rappelé par l'ancre et vient à pic tribord amures. Cette méthode est utilisable même avec un peu de vent.

Si le vent est très faible, ou le bateau très léger, on dérape **à la volée,** c'est-à-dire en remontant l'ancre d'une seule traite, sans chercher à faire évoluer le bateau, la barre restant au milieu. Il n'y a pas de position intermédiaire, l'ancre est dérapée dans la foulée et l'on profite ensuite de l'erre acquise pour abattre à la barre sous l'amure choisie. Il faut noter que le mouillage doit être remonté de façon régulière et continue, mais pas trop vite, sinon le bateau prend trop d'erre, on ne parvient plus à embraquer le mou de la chaîne à une cadence suffisante, on dépasse l'ancre sans l'arracher du fond, le bateau est rappelé brusquement en arrière : c'est vraiment raté.

Si l'on a mouillé dans un endroit très encombré, on ne peut se permettre de rater sa manœuvre et de partir sous la mauvaise amure. On peut alors décider de **laisser draguer :** on vient à pic, l'ancre chasse, et on se laisse ainsi culer lentement jusqu'à venir à un endroit plus dégagé. Cette méthode est peu recommandable dans un port où l'on risque de draguer une chaîne traversière et bien d'autres choses encore! Il faut en tout cas que l'ancre soit oringuée.

Il est certainement préférable d'utiliser la godille, non sans avoir vérifié, avant de déraper, que l'on est capable de gagner contre le vent par sa seule action. On peut alors se diriger, à sec de toile, vers l'endroit convenable.

Bien que cela sente mauvais et incommode les voisins, on peut aussi, à la rigueur, appareiller au moteur.

Appareiller dans le courant.

Lorsqu'on doit appareiller dans du courant, il est bon de réfléchir d'abord quelques secondes à ce qui va se passer. En premier lieu, il est probable qu'on ne pourra pas choisir son amure de départ : ce n'est possible que dans le cas très particulier où vent et courant sont exactement dans le même sens. Ensuite, le bateau risque, sitôt l'ancre dérapée, d'être le jouet du courant si le vent n'est pas assez fort.

Il faut donc, d'une part, repérer quelle est l'amure imposée, et les possibilités qu'elle offre; d'autre part, faire des essais sous voiles au mouillage, pour voir si l'on parvient à étaler le courant.

Il faut remarquer qu'un bateau mouillé dans du courant est dans une certaine mesure manœuvrant, puisque l'eau court le long de son safran. On peut donc l'orienter de façon à faire porter les voiles. Il est également possible de le diriger au mieux durant la remontée du mouillage et de faciliter ainsi la tâche des équipiers de l'avant. Enfin, toujours pour la même raison, lorsqu'on dérape, le bateau est pleinement manœuvrant tout de suite.

Autre particularité : dès que l'ancre est dérapée, le vent est différent de celui que l'on ressentait au mouillage; dans le pire des cas, vent et courant étant de même direction et de même force, le vent s'évanouit...

Deux cas principaux peuvent être envisagés.

Vent et courant vont dans le même sens, ou ne s'écartent pas l'un de l'autre au-delà de la perpendiculaire. Le vent reste donc sur l'avant du bateau, on peut hisser les voiles. Il est souvent possible de les faire porter durant la remontée du mouillage, ce qui est bien agréable pour les forçats qui tirent sur leur chaîne.

Vent et courant vont en sens contraire. Dès que le bateau au mouillage ne parvient plus à éviter suffisamment pour recevoir le vent au moins par le travers, il n'est pas possible de hisser la grand-voile. On doit donc appareiller sous foc seul. Il est prudent de s'assurer, avant de partir, que l'on parvient à étaler le courant avec ce foc, au besoin aidé de la godille.

Quand les conditions sont favorables, qu'il y a de l'eau à courir sous le courant, on peut aussi déraper à sec de toile. On hisse le foc tout en dérivant puis, en venant au près, on hisse la grand-voile. C'est une solution agréable, et élégante.

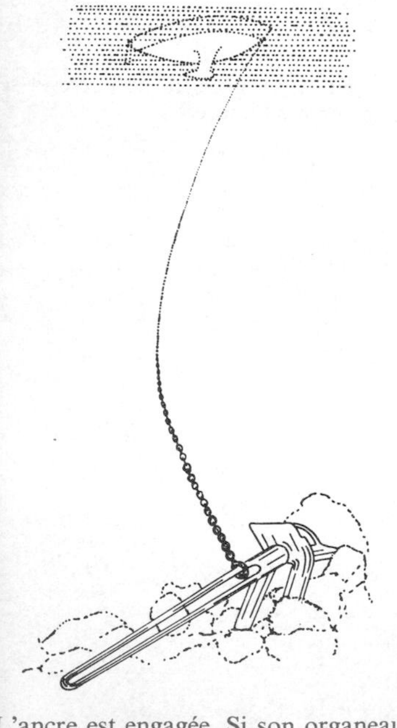

L'ancre est engagée. Si son organeau est coulissant, on peut tenter de le faire coulisser...

L'ancre est engagée.

Enfin l'orin va servir à quelque chose! Et la plupart du temps, en effet, il suffit de haler sur l'orin pour que l'ancre, tirée à l'envers, se décroche. Il y a cependant deux cas où l'orin ne sert à rien :

lorsqu'il s'est emmêlé dans le mouillage, et lorsqu'une autre chaîne a été mouillée par-dessus.

Si l'on n'a pas oringué, on peut essayer de faire tourner l'ancre, en tirant dessus par à-coups à 45°, puis à 90° de la direction initiale du mouillage. Encore un coup à 120°. Si l'on n'obtient pas de résultat sur un bord, on essaye sur l'autre.

Lorsqu'on dispose d'une ancre à bascule dont la verge comporte un anneau coulissant, on peut tenter la manœuvre suivante : on rentre la chaîne jusqu'à ne plus garder qu'une longueur de mouillage à peine supérieure à la hauteur d'eau, puis on remonte vent debout à la godille ou au moteur; lorsqu'on dépasse l'ancre, son anneau coulisse en principe le long de la verge. On peut alors la déraper à l'envers. Celui qui réussit cela a droit à une médaille en chocolat.

En désespoir de cause, il ne reste plus que la solution héroïque : aller voir. Avec une pierre sous le bras (pour descendre plus vite), un équipier se laisse glisser le long de la chaîne, tenue à pic. Lorsqu'il est au fond, on donne du mou au mouillage pour lui faciliter le travail. On a souvent intérêt à mouiller une autre ancre pendant cette opération. Une ancre oringuée, de préférence.

Manœuvres sur coffre et sur corps-mort

Pour la clarté des explications, nous ferons la différence entre un coffre et un corps-mort selon la manière dont le poids mort installé au fond de l'eau est relié à la surface. Dans le cas d'un coffre, la chaîne remonte directement jusqu'à la bouée sur laquelle elle est maillée. S'il s'agit d'un corps-mort, la chaîne repose tout entière sur le fond, et un orin la relie au flotteur de surface. Le coffre, qui doit soutenir le poids de sa chaîne, a donc en général une taille et une inertie plus grandes que le flotteur de corps-mort; il ne se dérobe pas au choc d'une étrave...

Prendre un coffre ou un corps-mort.

Qu'il s'agisse d'un coffre ou d'un corps-mort, la prise de mouillage exige une manœuvre précise. La marge d'erreur que l'on pouvait s'accorder en mouillant sur ancre est ici à peu près inexistante, et l'erre du bateau doit être estimée avec justesse pour qu'il ne s'arrête ni trop tôt ni trop tard. Trop tôt, et l'on assiste au numéro de la figure-de-proue-contorsionniste, pointant vers l'objet désiré une gaffe pathétique; trop tard, et si l'on a saisi le mouillage, le bateau brusquement rappelé vire sec, entame vent arrière un fringant tour de piste, dans les clameurs de l'équipage. Alentour, les têtes commencent à émerger des cabines, un peu partout on pare de nouvelles défenses. La paix des mouillages s'enfuit à tire-d'aile.

Il est tout de même préférable d'avoir un peu trop de vitesse que pas assez. Arrivant sur un coffre, on peut se permettre de parcourir encore deux ou trois mètres vent debout. Sur un corps-mort, l'erre que l'on possède peut être utilisée pour remonter rapidement l'orin à bord.

L'approche.

L'approche se fait au bon plein, foc affalé si possible, afin de dégager la plage avant. A cette allure, même sans foc, bon nombre de bateaux restent manœuvrants, peuvent ralentir ou accélérer à la demande, dérivent peu. Si ce n'est pas le cas, on conserve un petit foc jusqu'au bout.

Mieux vaut passer tout de suite une bosse dans l'anneau du coffre.

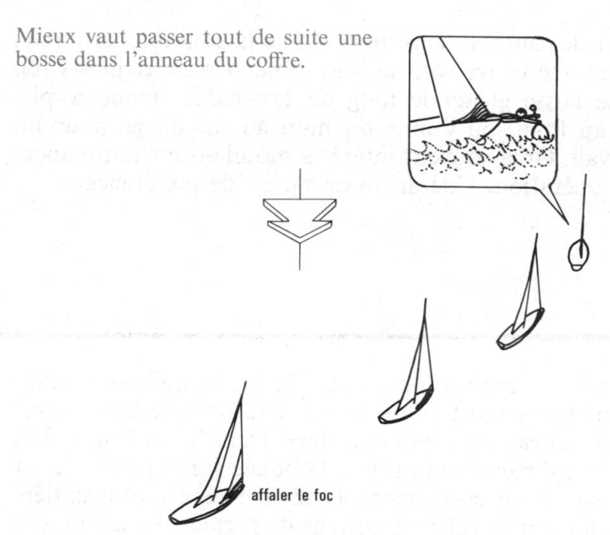

A une demi-longueur ou une longueur de la bouée, on loffe dessus. On doit avoir assez de vitesse pour que le safran réponde, mais juste assez, pour que le bateau ne parcoure pas plus d'une longueur sur son erre. Les écoutes sont largement choquées afin d'éviter que les voiles ne reprennent du vent si le bateau vient un peu en travers.

Naturellement, le courant peut rendre la manœuvre plus délicate. Il faut tenir compte de toutes les données déjà envisagées lors d'un mouillage sur ancre dans le courant, plus la nécessité d'une précision accrue. C'est ici, encore, lorsque le courant s'oppose au vent que les choses se compliquent, avec la dérive par-dessus le marché. Mais après tout, débrouillez-vous (et que celui qui n'a jamais raté un corps-mort nous jette la première pierre).

Amarrage.

Dès que l'on tient le coffre ou le corps-mort, on affale les voiles, puis l'on s'amarre.

L'amarrage sur corps-mort est simple. Précisons toutefois qu'on ne doit jamais s'amarrer sur l'orin : ce n'est pas sa fonction. On remonte entièrement celui-ci à bord, on tourne l'extrémité de la chaîne sur la bitte (3 tours morts au moins et pas de nœud) et on assure ces tours en frappant l'orin au mât ou à un taquet.

Lorsqu'on doit prendre un coffre, on prépare une bosse dont l'une des extrémités est tournée sur la bitte. En arrivant, on passe l'extrémité libre de la bosse dans l'anneau du coffre et on la ramène à bord pour la tourner également sur la bitte. Cette bosse ne doit pas être trop grosse, afin de bien coulisser dans l'anneau. Ce n'est qu'un amarrage provisoire — à la rigueur suffisant pour un arrêt très court.

En cas d'arrêt prolongé, on laisse tout de même cette bosse en place (elle est utile pour l'appareillage) mais il faut songer à s'amarrer plus sérieusement. Par beau temps, pour une durée limitée, on maille une chaîne sur l'anneau du coffre (passée simplement en double dans l'anneau elle ferait un coude brusque, ce qui n'est jamais très bon pour une chaîne). Par mauvais temps, ou pour un mouillage de longue durée, il faut s'amarrer sous le coffre, avec une chaîne que l'on maille sur la chaîne du coffre (manille solide et assurée). En effet, le coffre lui-même n'est pas toujours aussi solide que sa chaîne.

Si le plan d'eau est abrité, on peut suspendre le coffre à l'étrave (cas d'un petit coffre et d'un gros bateau) pour éviter que le bateau ne **tosse** dessus, ne le heurte. Si le mouillage est agité il faut au contraire prévoir un amarrage assez long.

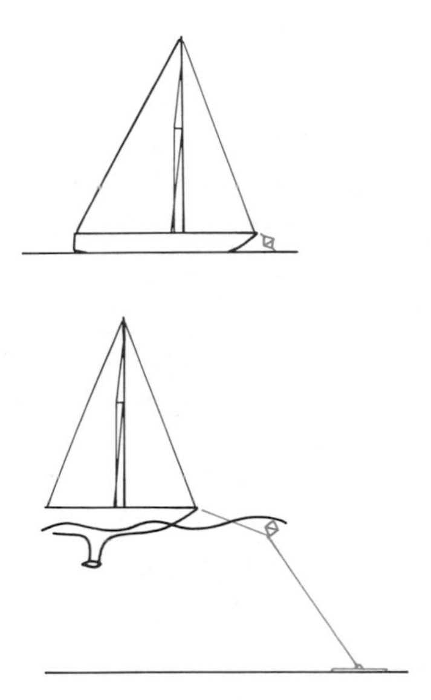
Pour préserver l'étrave : par petit temps on y suspend le coffre; par mer agitée on prend ses distances.

Amarré sur coffre ou sur corps-mort, dans un courant, on ne quitte pas le bateau sans avoir bloqué la barre dans l'axe : l'action du courant sur le safran ferait embarder le bateau.

Enfin, courant ou pas, on ne s'amarre pas sur un coffre ou sur un corps-mort sans savoir exactement ce qu'il y a au bout. Les apparences sont trompeuses (dans un sens ou dans l'autre). On se renseigne.

Appareiller d'un coffre ou d'un corps-mort.

Le problème est du même ordre que celui d'un appareillage sur ancre : il s'agit de faire éviter le bateau sous la bonne amure. Mais cette fois c'est plus facile car on peut rappeler sur un point fixe jusqu'au dernier moment.

Appareillage d'un coffre.

Commencer par démailler la chaîne. Le bateau reste amarré par la bosse sur l'anneau du coffre. Passer une bosse de manœuvre dans l'anneau et tourner ses extrémités à bord, au point voulu pour faire éviter le bateau. Si l'on décide, par exemple, de partir bâbord amures au bon plein, on tourne la bosse sur bâbord, à la hauteur des haubans; plus à l'arrière si l'on veut prendre une allure très arrivée.

En frappant la bosse au bon endroit, on évite sur la bonne amure.

Quand les voiles sont hissées, que tout est prêt, larguer la bosse d'amarrage; le bateau évite sur la bosse de manœuvre. Larguer celle-ci un peu avant que l'allure ne soit atteinte, car le bateau, sans vitesse, continue à abattre de lui-même.

Par petit temps et sur bateau léger, la bosse de manœuvre est inutile : on fait éviter le bateau en portant la bosse d'amarrage elle-même au point choisi.

Appareillage d'un corps-mort.

La manœuvre est un peu moins aisée. Par petit temps, on peut porter la chaîne sur le côté et la maintenir pour que le bateau évite sur elle. A la rigueur l'orin, s'il est solide, peut remplir cet office : on le porte sur le côté avant de larguer la chaîne. Mais l'orin n'est pas toujours conçu pour supporter une forte tension, et s'il y a du vent il est préférable d'assurer l'amure de départ en réglant les voiles comme pour un appareillage sur ancre.

Dans le courant, l'appareillage d'un coffre ou d'un corps-mort est plus facile que l'appareillage sur ancre. En rappelant sur l'orin du corps-mort, ou sur les bosses passées dans l'anneau du coffre, on parvient à faire éviter le bateau assez nettement. On peut donc, assez souvent, choisir son amure de départ.

Quand vent et courant sont de sens contraire il n'est pas toujours possible, cependant, d'éviter suffisamment pour pouvoir hisser la grand-voile. On est alors contraint ici aussi d'appareiller sous foc seul.

Manœuvres à quai

Il est parfois sage de manœuvrer au moteur ou à la godille dans un port encombré. Mais il ne faut pas manquer l'occasion d'y manœuvrer à la voile chaque fois que cela est possible! D'abord la voile peut être *aussi* un moyen de se tirer d'embarras, et il est bon d'être rompu aux subtilités de manœuvres délicates. D'autre part ces manœuvres, plus que toutes les autres, permettent d'acquérir la véritable maîtrise d'un bateau, de découvrir ses fines ressources : sa manière d'être dans une brise tout en caprices, sa plus petite vitesse de manœuvrance, son équilibre sur erre, la façon qu'il a d'économiser ou non celle-ci. Une manœuvre de port réussie est l'expression d'un accord profond entre le bateau et son équipage. C'est enfin un plaisir parfait.

Prudence s'impose toutefois. L'arrivée s'effectue à vitesse réduite, en gardant ses distances par rapport aux jetées, aux obstacles divers, fixes ou mobiles. L'imprévu guette au coin du musoir : un bateau (à mât court) peut être en train d'approcher derrière, qui va surgir d'un coup. Il faut pouvoir manœuvrer à tout instant, voire même s'arrêter; on aura préparé, dans tous les cas, un mouillage anti-hasard.

Les manœuvres d'approche du poste dépendent de la direction du vent par rapport aux obstacles, du courant parfois, de l'aire d'évolution dont on dispose et de bien autre chose encore. Ici, toute description de manœuvres conserve un caractère abstrait, car elle ne tient pas compte de ce qui survient, difficulté ou aide inattendue; elle ne se fonde que sur les données permanentes du problème, mais la solution est à réinventer en partie à chaque fois.

Différents modes d'accostage sont possibles : on choisit surtout en fonction de la configuration des lieux et de la place disponible.

L'accostage à quai est commode dans la mesure où il permet de transborder rapidement du matériel, d'embarquer et de débarquer facilement (du moins à marée haute). Mais cette installation exige de la place et il faut sans cesse régler les amarres.

Les solutions les plus agréables sont sans doute les amarrages à couple : soit d'un ponton, soit d'un bateau (gros de préférence). Ici, pas d'amarrages à reprendre sans cesse (mais dans le deuxième cas, l'obligation d'être aimable et discret!).

Actuellement, c'est toutefois l'amarrage perpendiculaire au quai ou à un ponton qui est la solution la plus fréquente.

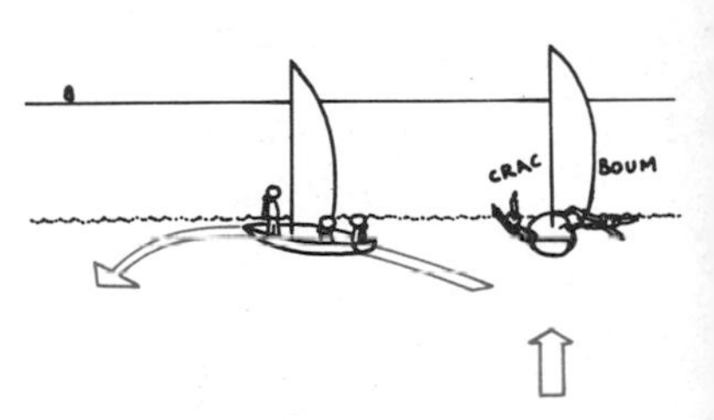

Un quai se prend de biais.

Accostage à quai.

Approche.

Le vent vient du quai. Il faut d'abord se présenter dans le bon sens, c'est-à-dire de façon à recevoir le vent sur l'avant du travers. Si on le reçoit sur l'arrière, on ne peut pas s'arrêter.

On se présente donc au bon plein, foc affalé (si le bateau reste manœuvrant sans lui), grand-voile juste assez bordée pour assurer la bonne vitesse de manœuvre. Dans tous les cas, il faut éviter d'arriver perpendiculairement au quai : un bateau qui se présente de biais peut être plus facilement dévié de sa trajectoire.

Quand il y a de la place, tout est facile : on termine parallèlement au quai, écoute complètement choquée, sans vitesse. Si l'on arrive trop vite, le bateau est encore manœuvrant, on peut repartir et recommencer en évaluant mieux la vitesse nécessaire; si l'on est trop court, on se laisse dériver et l'on recommence également.

Avec un peu d'habitude, on peut arriver à sec de toile, grand-voile affalée quelques secondes avant, et l'on vient à quai sur son erre (plutôt faible que forte, quitte à s'aider de la godille pour faire les derniers mètres). Lorsqu'on arrive, un équipier saute à terre et frappe rapidement les bosses, en commençant par celle de l'avant. En effet, retenu d'abord par l'arrière, le bateau risque d'éviter vent arrière et de reprendre le vent s'il a encore sa voile. Lorsqu'on arrive un peu trop vite, c'est également sur la bosse d'avant que l'on se freine, tout en débordant pour éviter le contact avec le quai. La voile est affalée aussitôt que possible.

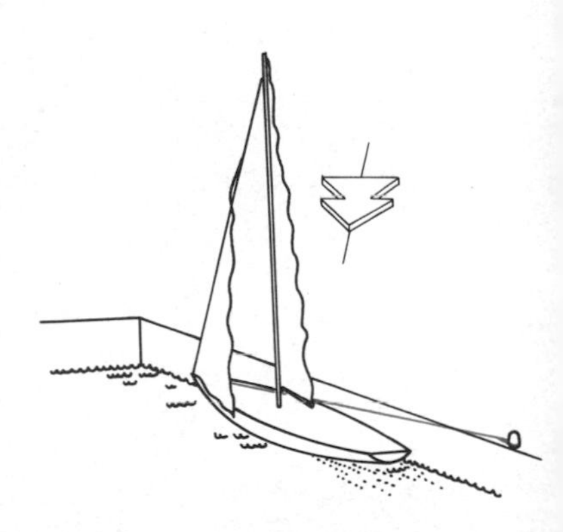

D'une façon générale, on arrête un bateau le long d'un quai en tournant d'abord l'amarre avant. Quand le vent vient du quai c'est indispensable, sinon les voiles risquent fort de reprendre le vent.

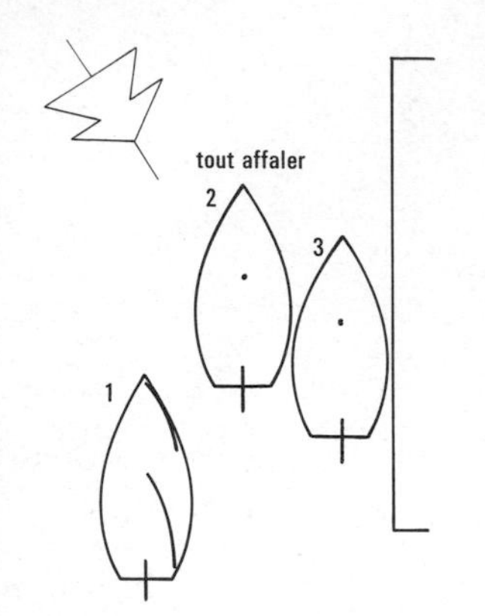

La méthode élégante. **1.** On approche au près. **2.** On affale tout. **3.** En principe, le vent met le bateau à sa place.

Le manque de place contraint souvent à accoster de biais, ou encore, lorsqu'on doit se placer entre deux bateaux, à choisir l'un d'eux comme poste d'amarrage provisoire. On se déhale ensuite tranquillement à quai.

Le vent est parallèle au quai. On se présente face au vent et l'on procède exactement comme pour la prise d'un coffre ou d'un corps-mort.

Le vent porte à quai. Cette fois la manœuvre est délicate, et il est préférable de choisir un autre point d'accostage lorsque c'est possible.

S'il n'y a pas le choix, on doit : venir au vent du point choisi, affaler la grand-voile (quand on sera plaqué le long du quai on ne pourra plus la déborder) puis approcher sous foc seul, ou mieux à sec de toile en se laissant dériver.

Evidemment cette façon de faire exclut toute possibilité de rattrapage en cours de manœuvre, et l'on ne pourra pas repartir du quai à la voile. Il est donc prudent de mouiller une ancre en approchant (sur aussière plutôt que sur chaîne). L'ancre étant mouillée, on peut continuer le parcours normal sous foc, en filant l'aussière par l'avant du bateau. On peut aussi choisir de se laisser culer sur elle, à condition d'avoir mouillé juste au vent du point d'accostage. Dans ce cas, attention à tout ce qui dépasse à l'arrière du bateau : safran, bôme, balcon, mât de pavillon, loch, etc.

Accostage avec du courant. Le courant ne peut être que parallèle à un quai. Si courant et vent vont dans le même sens, on accoste bout au courant et vent devant. Si courant et vent s'opposent, il faut choisir.

— En général, on accoste bout au courant, vent arrière, sous foc seul. On peut être contraint de porter un génois pour que le bateau conserve assez de puissance. Si le génois lui-même n'est pas suffisant pour avancer, il permet au moins de dériver lentement vers le quai, en s'aidant au besoin de la godille.

— Il arrive que le vent soit assez fort pour stopper le bateau malgré le courant. On peut alors accoster vent debout, mais attention : lorsque le bateau est arrêté, le courant agit sur le safran comme si l'on culait, ce qui risque d'être fort déconcertant. Il est donc souvent préférable, même dans ce cas précis, d'accoster bout au courant.

Accoster une estacade (ou un ponton) sur laquelle le courant porte, est une manœuvre acrobatique. Le cas, par bonheur, se présente rarement.

Amarrage.

Le long d'un quai sans marée, à couple d'un bateau ou d'un ponton, l'amarrage présente peu de difficultés. Il faut surtout qu'il soit très raide, pour ne laisser aucun jeu au bateau (les amarres sont raidies au cabestan).

On utilise normalement des **amarres de pointe,** qui partent de l'avant et de l'arrière du bateau et sont frappées aussi loin que possible sur le quai, en avant et en arrière.

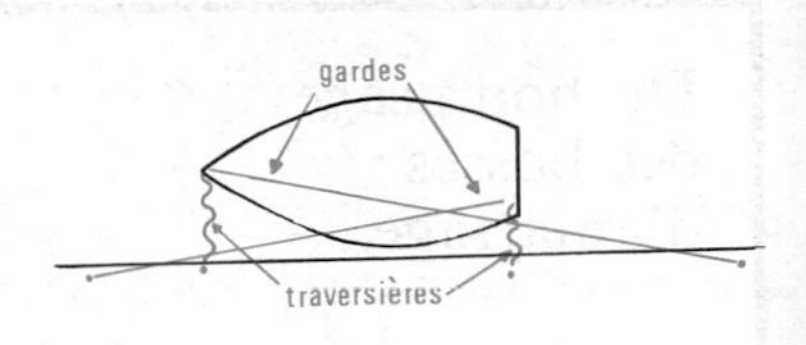

Lorsqu'on ne dispose pas d'une place suffisante, les amarres de pointe sont remplacées par des **gardes :** l'amarre arrière est portée sur le quai en avant du bateau, l'amarre avant en arrière. Les gardes se croisent donc. Il faut y adjoindre des **traversières** pour maintenir le bateau parallèle au quai.

Le long d'un quai à marée, on ne peut immobiliser le bateau; il faut toutefois restreindre son jeu latéral. On y parvient en frappant les amarres le plus loin possible en avant et en arrière, et non pas sur le quai, mais sur des barreaux d'échelle, à hauteur de la mi-marée. Si l'on frappe les amarres sur le quai, on doit en effet régler leur tension en fonction de la basse mer : à pleine mer, le jeu est considérable. En les frappant à hauteur de la mi-marée, le jeu est restreint à mi-marée, nul à basse mer et à pleine mer.

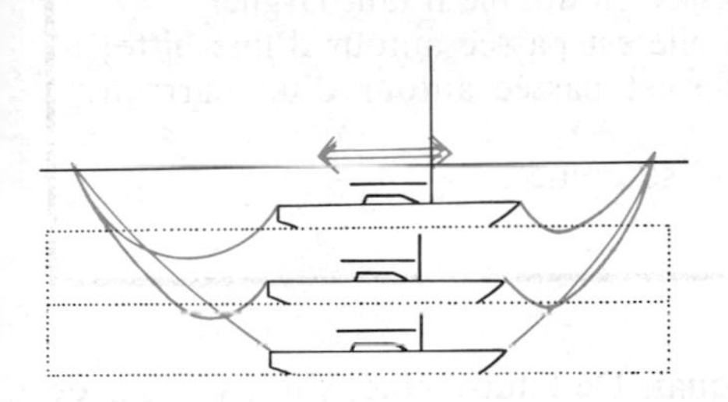

Amarres sur le quai : trop de jeu à mi-marée et à pleine mer.

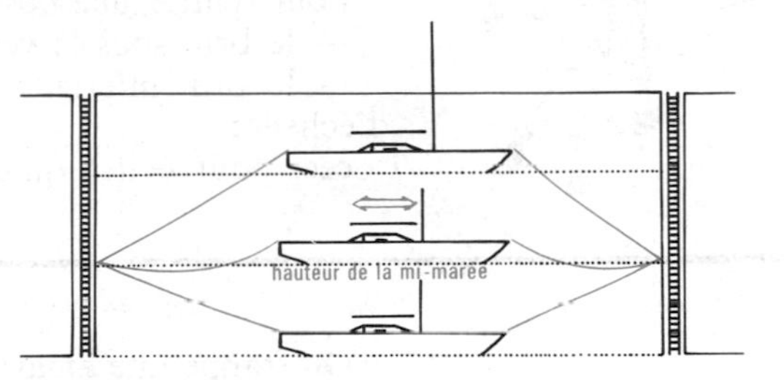

Amarres à mi-hauteur : le jeu est nul à pleine mer et à basse mer. Mais il faut s'amarrer par des nœuds de chaise à longue boucle si l'on veut pouvoir appareiller à pleine mer...

Amarrage perpendiculaire au quai.

Ici, le bateau est maintenu entre le quai et un mouillage (coffre, corps-mort ou ancre). Cette solution est la règle dans les ports à ressac où l'accostage est presque impossible. Elle est également, et surtout, la règle dans les ports modernes où il s'agit d'entasser le plus de clients possible.

Dans ce dernier cas, l'entassement est tel que la manœuvre d'approche à la voile est rarement réalisable. On y parvient, à la rigueur, lorsqu'il est possible d'arriver vent debout ou lorsque le vent, quelle que soit sa direction, est très faible — mais alors la godille est souvent plus pratique et plus efficace.

Approche.

Le vent vient du quai. On se présente au bon plein, foc affalé, à vitesse réduite. On loffe en face du « trou », pour venir sur son erre jusqu'au quai, ou plus sûrement contre l'un des bateaux dont on sera le voisin. Défenses en place, manœuvre très précise; c'est important quant au bon voisinage ultérieur.

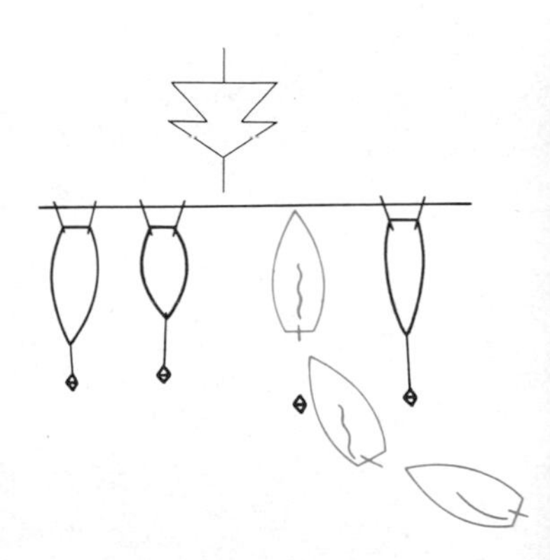

Encore une méthode élégante : loffer en face du trou et arriver au quai sans erre. La méthode prudente consiste à prendre d'abord le coffre.

Du bon usage des bosses d'amarrage.

On ne porte à terre que l'extrémité des bosses, juste ce qu'il faut pour amarrer, pas plus. En mettant toute la glène sur le quai, on l'encombre, on gêne tout le monde. De plus un naïf, passant par là, peut penser que sur ce bateau on a trop de filin et qu'on souhaite en être débarrassé...

En général, il est bon d'avoir fait à l'avance une grande boucle (1,50 m de circonférence environ) à l'extrémité de la bosse : lorsqu'on porte l'amarre à terre, il ne reste plus qu'à la capeler, sur une bitte ou sous un anneau (provisoirement du moins, dans ce dernier cas).

Le réglage des amarres se fait donc toujours à partir du bateau.

Lorsqu'on passe une bosse d'amarrage dans un barreau d'échelle ou dans un anneau de quai, on fait toujours un tour mort pour éviter le ragage et par conséquent l'usure du filin.

Pour rentrer une bosse passée en double il faut larguer :
— le brin sous le vent si elle est passée autour d'une bitte;
— le brin inférieur si elle est passée autour d'un barreau d'échelle;
ceci pour éviter qu'elle ne se coince.

On frappe une amarre à quai. De l'autre côté, s'il n'y a pas de coffre ou de corps-mort, on va mouiller une ancre (oringuée) avec l'annexe. Comme ce mouillage doit être fortement raidi, il importe de mouiller très loin pour qu'il ne chasse pas. Pour cette même raison, on mouille sur chaîne et non sur aussière : celle-ci ne plongerait pas suffisamment, pourrait gêner le passage des bateaux, ou être cisaillée.

Le vent porte au quai. Il faut, en arrivant, pouvoir mouiller très loin du quai et juste au vent de la place convoitée. Lorsqu'on a mouillé, on se laisse culer sur l'ancre pour venir à quai.

Dans certains ports actuels, où l'on trouve plusieurs séries de pontons parallèles, il n'est pas raisonnable d'évoluer à la voile entre les pontons. On peut s'y aventurer au moteur, mais attention aux orins. Reste la godille. On peut aussi parfois accoster dans un endroit facile puis se déhaler jusqu'à sa place à coups d'aussières. Enfin, il y a les services de remorquage du port.

Amarrage.

Le bateau doit être amarré très raide, pour ne pas tomber sur le bateau voisin et surtout pour ne pas se déplacer dans le sens longitudinal. C'est très important dans les ports à ressac. Un bateau qui fait des allées et venues dans le ressac fatigue beaucoup, tiraillé entre un mouillage élastique et un amarrage à quai qui ne l'est pas : se rapprochant du quai, il est rappelé par son mouillage, part en avant en prenant de la vitesse, et se trouve stoppé net par ses amarres arrière. Si le mouvement prend de l'ampleur, cela ne se termine pas sans casse.

Il ne faut donc pas laisser au bateau la possibilité d'amorcer le mouvement. Puisque le mouillage est toujours un peu élastique, ce sont les amarres frappées sur le quai qui doivent absorber le mou. On dispose donc deux amarres en V, assez écartées l'une de l'autre et munies au besoin d'amortisseurs sous tension. On leur donne ainsi une élasticité égale mais opposée à celle du mouillage. L'ensemble reste constamment tendu.

L'amarrage peut être raide, même dans un port à marée (à condition que le bateau ne soit pas trop près du quai) car la distance entre le quai et le mouillage reste à peu près constante, quelle que soit la hauteur d'eau.

Lorsqu'on dispose d'assez de place, on s'amarre en biais. L'ensemble de l'amarrage peut être plus long, et la tenue en est améliorée. De plus, on peut passer directement du bord à quai, et réciproquement, sans avoir à retoucher le mouillage. C'est également la meilleure façon d'amarrer une annexe à quai.

Ultime précaution en cas d'amarrage à quai (parallèle aussi bien que perpendiculaire) : sonder, pour estimer la hauteur d'eau qui subsiste à basse mer, afin de prendre à temps, le cas échéant, les dispositions d'échouage.

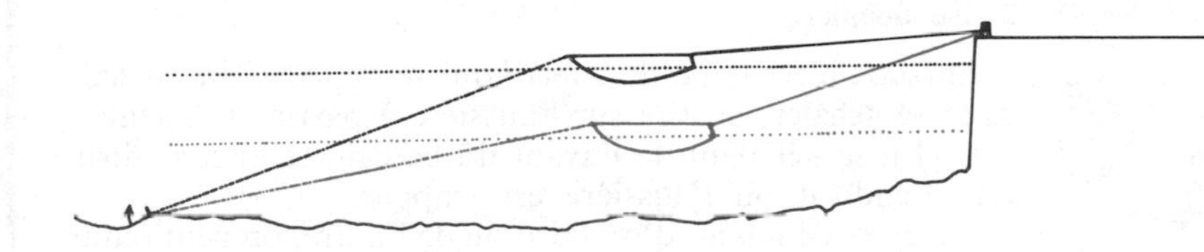

Une longue ligne de mouillage reste tendue à toute heure de la marée.

Amarrage à un ponton. L'amarrage perpendiculaire, entre ponton et mouillage, pose un petit problème. Ici, le quai est mobile, monte et descend avec la marée. A basse mer, ponton et bateau se rapprochent l'un de l'autre, l'amarre qui les relie devient molle et le bateau peut venir tosser contre le ponton. Les égoïstes, prévoyant la chose, se sont amarrés très loin du ponton (bouchant le passage et passant par les bateaux voisins pour débarquer). Les autres, pour ne pas tosser, reprennent le mou sur leur mouillage, puis n'y pensent plus. Lorsqu'on fait la même chose sur un bon nombre de bateaux, à la marée montante une lutte sévère s'engage. Quelquefois, en dépit de son ancrage, c'est le ponton qui chasse, ou la chaîne traversière reliant les mouillages qui se déplace. Et l'homme qui vocifère là-bas, piétinant sa casquette, c'est le capitaine de port.

Une autre formule d'appontement se généralise dans les ports de plaisance : le **cat-way.** Il s'agit d'un ponton sur lequel sont fixés rigidement, de place en place, des petits pontons perpendiculaires, très étroits et longs de 5 à 7 mètres. On s'amarre à couple de ces petits pontons et le problème évoqué ci-dessus n'existe plus.

Du bon usage de l'aussière.

1. Mise en place.

Pour **élonger** une aussière, on la délove, non pas à partir du bateau, mais à partir de l'engin sur lequel elle est portée (annexe... ou équipier).

Pour lancer une aussière à terre :
— prendre son extrémité, lover dans la main gauche (et dans le sens des aiguilles d'une montre) la quantité de filin jugée suffisante pour atteindre le but;
— reprendre ensuite dans la main droite une partie de ce que l'on vient de lover (de 3 à 5 tours de filin selon sa grosseur);
— lancer de la main droite, en gardant la main gauche ouverte pour que le filin puisse continuer à se délover à la demande.

2. Se déhaler.

Lorsque c'est le point à terre qui se déplace, on **est halé;** pour **se déhaler,** on tire sur l'aussière à partir du bateau.

— En se déhalant de l'avant du bateau, celui-ci se dirige vers l'endroit où l'aussière est frappée.

— En se déhalant, d'un bord ou de l'autre, on peut rendre le bateau très évolutif, même le barrer.

Lorsqu'on se déhale pour appareiller, l'aussière est passée en double à terre et l'on ne tire que sur l'un des brins.

Mais avec ce système, il faut que l'amarrage soit **raide-à-raide,** c'est-à-dire très souqué (au cabestan), sinon, le bateau souffre beaucoup.

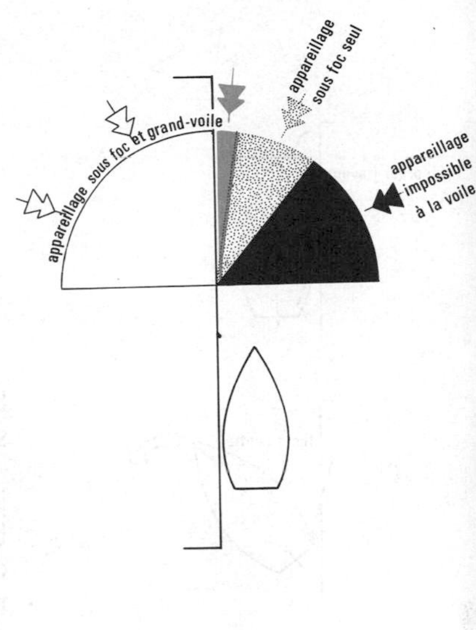

Appareiller d'un quai.

Appareiller d'un quai est simple quand le vent a tendance à en écarter le bateau. Il faut toutefois avoir le vent devant pour pouvoir hisser la grand-voile. Si le vent vient sur l'arrière du travers, on peut quelquefois appareiller sous foc seul; mais si la grand-voile est nécessaire on doit d'abord opérer un demi-tour pour se trouver dans l'une des situations schématisées par la figure.

Secteur blanc. Le vent souffle du quai : situation favorable, on peut hisser foc et grand-voile. Le bateau est retenu au quai par l'amarre de pointe avant, passée en double. On appareille comme d'un coffre. On se sert éventuellement de l'amarre arrière comme garde pour faire éviter le bateau.

Secteur bleu. Le vent porte légèrement au quai, mais il est encore possible de hisser la grand-voile sans qu'elle ne porte sur la paroi.

Le bateau est retenu par l'amarre de pointe avant et la garde descendante passée en double. On garnit le **couronnement** de défenses car il risque de s'appuyer sur le quai durant l'évitage.

On largue l'amarre de pointe. A la gaffe, on écarte l'avant du bateau pour qu'il passe le lit du vent. Le bateau évite sur sa garde; dès qu'il est au bon plein on peut border les voiles et rentrer la garde.

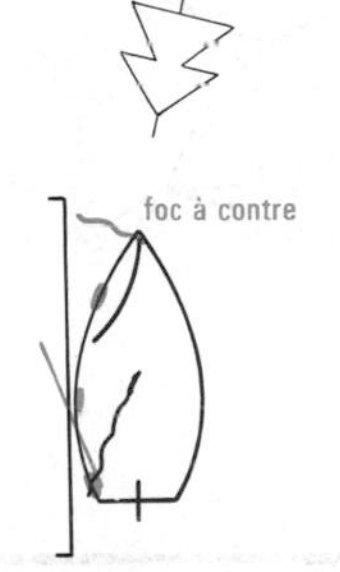

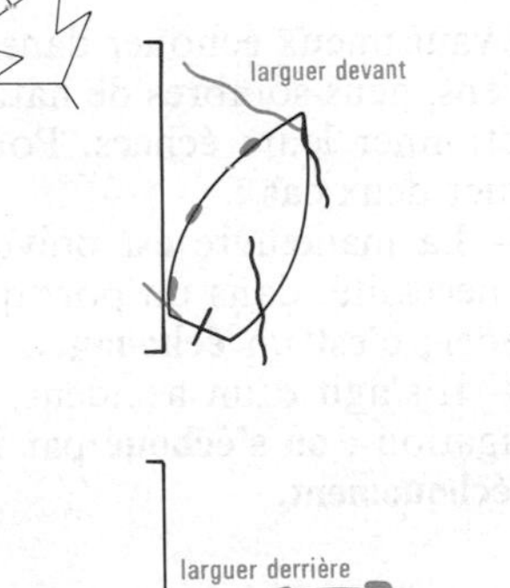

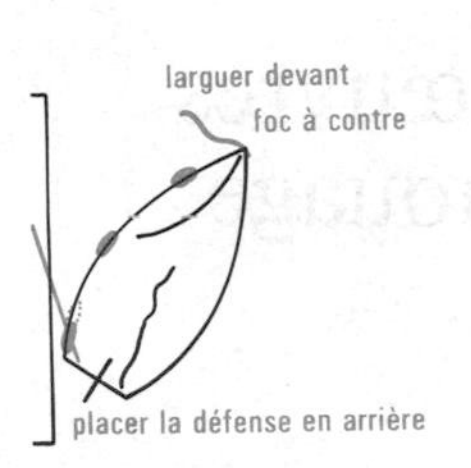

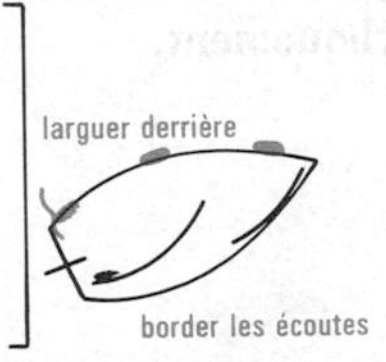

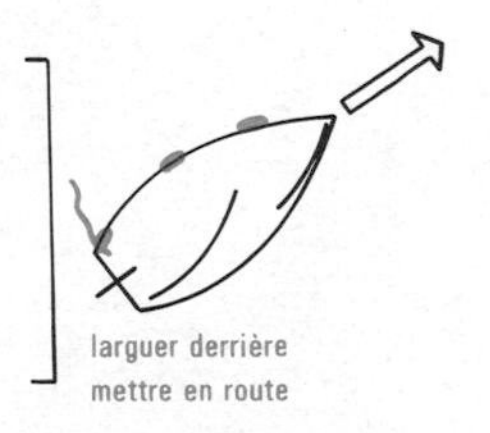

Appareillage du secteur blanc.

Appareillage du secteur bleu.

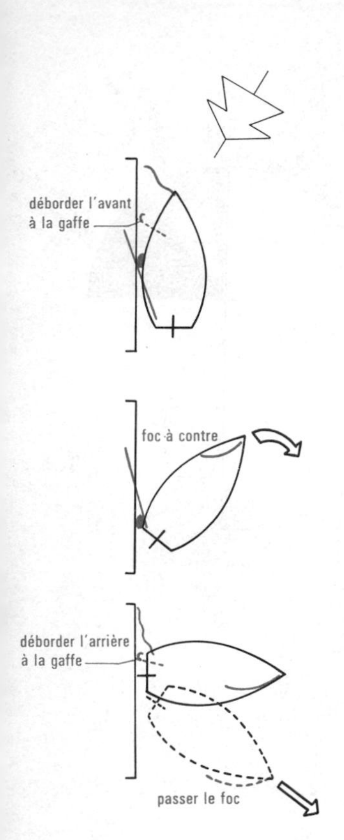

Appareillage du secteur grisé.

Secteur grisé. Le vent porte nettement au quai, on ne peut plus hisser la grand-voile; il est encore possible d'appareiller sous foc seul.

En larguant l'amarre de pointe, on déborde l'avant du bateau jusqu'à lui faire passer le lit du vent, on hisse alors le foc et on le borde à contre. Le bateau abat, en s'appuyant au quai par son couronnement. Lorsqu'il arrive au vent de travers, on borde le foc normalement et on rentre la garde; le bateau part en crabe; il faut de la place sous le vent.

Secteur noir. Le vent plaque le bateau contre le quai, impossible d'appareiller à la voile.

Dans ce cas, et d'une façon générale quand on ne peut quitter à la voile l'endroit où l'on se trouve (port encombré), il faut évidemment se déplacer à la godille, à coups d'aussière, ou au moteur, pour gagner un point d'où l'on puisse appareiller tranquillement sur ancre ou en dérive.

Manœuvres d'échouage

Il vaut mieux échouer dans un port que dans une entreprise. Les terriens, gens sombres de nature, utilisent le mot sans nuance pour sanctionner leurs échecs. Pour ce qui nous concerne, il faut distinguer deux cas :

— La manœuvre est prévue et organisée : **on échoue** le bateau par nécessité, dans un port qui assèche à basse mer, ou bien pour caréner; c'est un **échouage.**

— Il s'agit d'un accident, dû à une erreur de manœuvre ou de navigation : **on s'échoue** par inadvertance, sur un haut-fond; c'est un **échouement.**

Échouage.

Echouage à quai.

Lorsqu'on est amarré parallèlement au quai, on échoue en appuyant le bateau contre celui-ci.

Il faut tout d'abord sonder pour s'assurer que la quille aura une posée franche. Donner ensuite au bateau une gîte légère vers le quai : 2° à 3°, pas plus. En effet, lorsque le bateau échoue, les défenses s'écrasent et la gîte augmente un peu; au total il ne faut pas qu'elle prenne une importance telle que les haubans puissent porter sur le quai.

Pour améliorer l'appui, le bateau est amarré par le bord opposé au quai; on utilise des amarres de pointe et des traversières. Frapper une amarre sur le mât constitue une garantie supplémentaire.

L'ensemble de ces amarres doit être raidi juste avant que la quille ne touche le fond; il est indispensable que le bateau soit bien appuyé au quai au moment où il se pose.

Cette façon d'échouer est agréable : on peut se rendre à terre sans avoir à disputer ses bottes à la vase du port. Le problème des béquilles est évité.

Dans tous les autres cas il faut soit béquiller, soit échouer à flanc.

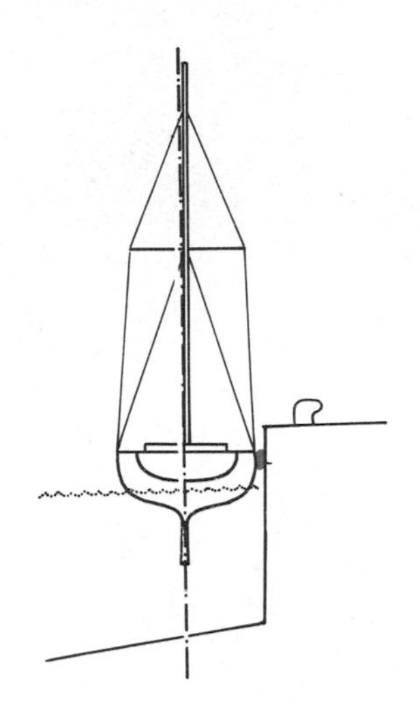

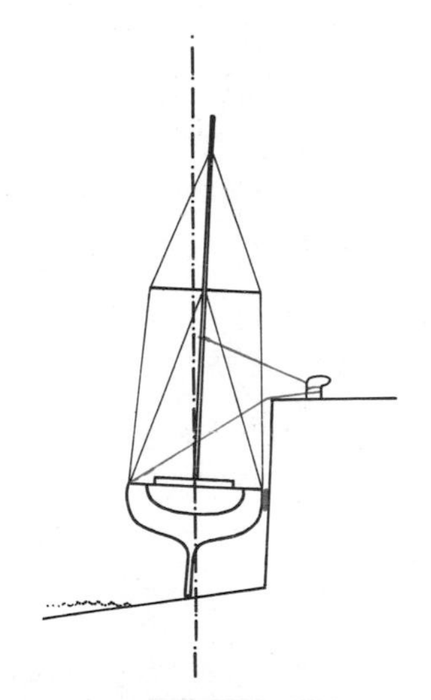

Ne pas oublier que les défenses vont s'écraser. Les haubans ne doivent pas porter contre le quai.

Echouage sur béquilles.

Les béquilles sont destinées à maintenir le bateau en équilibre sur sa quille, et c'est tout. Ni les béquilles elles-mêmes, ni leurs fixations ne sont prévues pour supporter des efforts importants. En conséquence, on ne peut échouer sur béquilles que si le fond est plat et homogène, car le bateau ne doit pas gîter.

Avant de béquiller, il est nécessaire de s'assurer de la qualité du sol, en sondant tout autour du bateau avec la gaffe ou l'aviron. Un fond de roches est rarement plan. Un fond de vase est rarement homogène : la vase peut dissimuler un caillou, une épave quelconque, qui risquent d'assurer une portance trop grande à une partie de la quille ou à l'une des béquilles.

Finalement, on ne béquille bien que sur fond de sable ou de galets.

Lorsque le sol accuse une certaine pente (cas d'une plage en particulier) le bateau doit être échoué dans le sens de la plus grande pente, étrave vers le haut. En travers de la pente, il gîterait; étrave vers le bas, il piquerait du nez dangereusement.

Echouer à flanc.

Lorsqu'on échoue à flanc, la vie à bord risque d'être fortement désorganisée, chaque chose et chacun y suivant son penchant. A ce détail près, c'est de loin la position d'échouage la plus naturelle et la plus sûre pour un bateau (à condition de ne pas oublier que le gréement a besoin d'espace libre). Elle est la seule utilisable sur fond de vase ou de roche.

Dans la vase, le bateau se vautre avec délices et jouit d'un confort parfait. Sur la roche il faut autant que possible lui protéger le flanc, en interposant des défenses, des glènes de filin, voire des matelas entre le bordage et la roche.

Echouage pour caréner.

Echouage sur béquilles.

On peut profiter d'une marée basse au port pour caréner, mais il est souvent plus agréable de choisir une plage et de venir y échouer spécialement pour cette opération. La plage est en général plus propre. De plus, en fonction de sa pente, on peut calculer avec précision l'heure à laquelle il faut venir échouer pour y rester le moins longtemps possible : il suffit d'arriver au moment où la mer doit encore descendre de la hauteur du tirant d'eau du bateau (ou un peu plus tôt si l'on souhaite prendre son temps).

Avant de venir échouer sur une plage, il faut toutefois être sûr : que son sol est régulier, sans cailloux; que le ressac ne s'y installe pas inopinément; que la météo est bonne.

Pour échouer. En approchant de la plage, mouiller par l'arrière, aussi loin que possible du rivage, afin de pouvoir se déhaler ultérieurement sur ce mouillage sans que l'ancre ne chasse. Utiliser une aussière comme ligne de mouillage : elle est plus légère, plus facile à filer, plus longue que la chaîne.

Echouer avec une certaine vitesse, de l'ordre de 1 nœud, afin que le bateau s'immobilise tout de suite. Porter une ancre à terre (en général l'ancre principale, maillée sur chaîne) pour maintenir l'avant du bateau.

Ensuite, mettre en place les béquilles. Si la mer descend rapidement, il peut d'ailleurs être prudent de les installer à l'avance dans leurs trous; durant l'approche on les maintient alors à l'horizontale, afin de ne pas gêner la manœuvre.

Pour se déséchouer. Il ne faut pas attendre que le bateau bouge pour enlever les béquilles, surtout quand il y a un peu de ressac. Il est possible de les enlever très tôt — pratiquement, dès que tout l'aileron est submergé.

Un bateau qui tosse sur ses béquilles vieillit de dix ans en dix minutes.

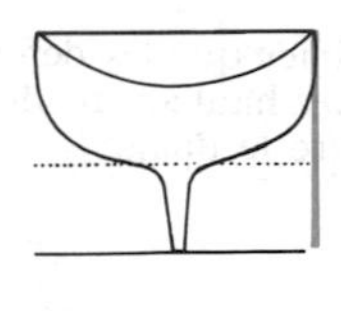

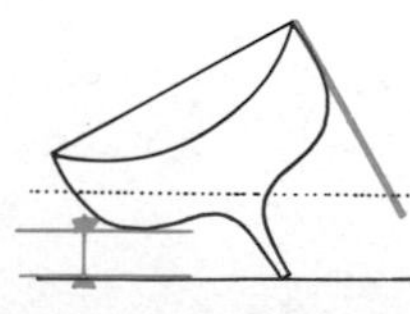

Dès que l'aileron est submergé on peut enlever les béquilles : la coque ne risque pas de heurter le fond.

Echouage à quai ou à flanc.

Ces deux méthodes ont le même inconvénient : il n'est pas toujours possible de faire le carénage complet dans la même marée. Lorsque le bateau est échoué à quai, le côté appuyé au quai est souvent difficile à atteindre. Pour finir le travail il faut, soit faire gîter le bateau lorsqu'il est à nouveau à flot et travailler à partir de l'annexe; soit échouer une deuxième fois dans l'autre sens.

Echouer à flanc sur sable est la meilleure solution pour les bateaux larges et de tirant d'eau faible : le carénage est beaucoup plus facile que si l'on avait échoué sur béquilles. Mais, sauf petits bateaux ou grand nombre de bras, il faut deux marées successives pour en venir à bout.

Abattage en carène.

On peut aussi caréner sans échouer, en ayant recours à un procédé simple : l'abattage en carène. Cette façon de faire est particulièrement intéressante dans les mers sans marée, c'est le seul moyen d'éviter les frais de **slip** (appareil destiné à haler les bateaux au sec sur un plan incliné).

L'opération consiste à faire gîter le bateau jusqu'à amener sa quille à l'horizontale. Cela se fait à partir de l'annexe, en halant sur une bosse que l'on a frappée **à la hauteur du capelage des galhaubans.** On peut à la rigueur utiliser la drisse de foc, à condition que celle-ci passe dans une poulie (et non dans une cage à réa) et qu'il y ait un galhauban à cette hauteur pour supporter l'effort. Le bateau gite plus facilement si un équipier s'installe en tête de mât, également à la hauteur des galhaubans : **il est essentiel de ne pas faire porter d'effort ailleurs qu'aux capelages, sinon l'on a de bonnes chances de casser le mât.**

Lorsque le bateau est gîté à l'horizontale, on peut éventuellement poser sa quille sur un ponton, ce qui permet de travailler tout à son aise. Sinon, on doit continuer à le maintenir durant toute la durée de l'opération; il faut une deuxième annexe et au moins un autre équipier pour caréner. Lorsqu'on abat en carène un Mousquetaire, trois personnes sont nécessaires pour le faire gîter, deux suffisent pour le maintenir, le troisième peut donc caréner. Notons qu'on peut également pratiquer l'abattage en carène au bord d'une plage, en ayant de l'eau jusqu'à mi-cuisse.

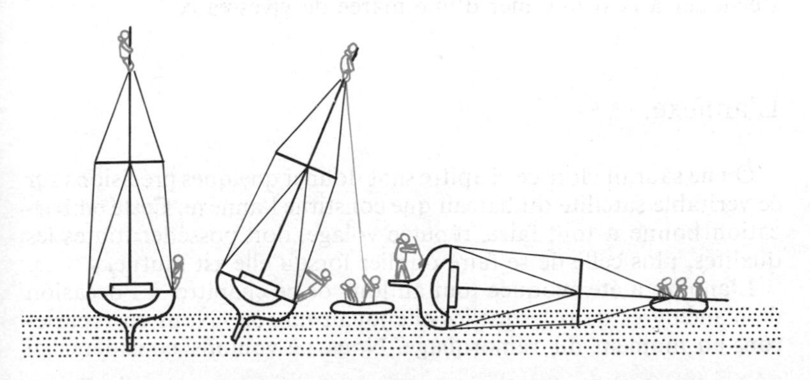

Un exemple d'abattage en carène. L'équipier suspendu au hauban donne l'impulsion de départ — et c'est lui qui se retrouve avec un balai-brosse sur la quille.

Quand un côté est propre, on laisse le bateau revenir (doucement) à sa position normale et l'on recommence sur l'autre bord.
Avant d'abattre en carène il est bon, naturellement, de ranger la vaisselle.

L'échouement.

A marée montante, par temps calme, si le bateau n'a pas souffert en touchant, l'échouement n'est qu'un incident. Il faut simplement prendre patience et attendre que le flot dégage le bateau.
A marée descendante ou par mauvais temps, il faut au contraire agir très vite. On peut envisager les manœuvres suivantes, classées par ordre d'efficacité croissante :
— s'efforcer de dégager le bateau en se repoussant sur le fond à l'aide d'une gaffe ou d'un aviron;
— si l'état de la mer le permet, désigner des volontaires (parmi les plus gros) pour se mettre à l'eau et pousser le bateau, qui se trouve allégé d'autant;
— tenter de se déhaler sur une ancre, mouillée grâce à l'annexe; cette dernière manœuvre est très efficace, encore faut-il la décider et la réaliser rapidement.
Ces diverses tentatives ne peuvent aboutir que si l'on s'efforce en même temps de faire gîter le bateau au maximum, pour réduire son tirant d'eau. A ce sujet, il faut signaler qu'un seul équipier installé en tête de mât, est beaucoup plus efficace (à partir du moment où le bateau gîte un peu) que tous les autres accrochés au bastingage. Ceux-ci peuvent être utiles en se plaçant vers l'avant pour que le talon de la quille se soulève.
Si l'on n'obtient aucun résultat sur un bord, on essaye sur l'autre. Si rien n'y fait, il ne faut surtout pas se précipiter sur les béquilles : à moins de connaître parfaitement le fond sur lequel on est échoué, ou d'avoir le temps de sonder très soigneusement, béquiller dans ces conditions est le plus sûr moyen de perdre son bateau. **Echouer à flanc reste, dans tous les cas, la solution la moins dangereuse.**
Ensuite, il n'y a plus qu'à attendre. Si l'on est pressé, éviter de s'échouer à la pleine mer d'une marée de vives-eaux.

L'annexe.

On ne saurait clore ce chapitre sans donner quelques précisions sur ce véritable satellite du bateau que constitue l'annexe. Cette embarcation bonne à tout faire, réputée volage, doit posséder toutes les qualités, plus celle de se faire oublier lorsqu'elle est inutile.
L'annexe a été évoquée tout au long de ce chapitre, à l'occasion de manœuvres dans lesquelles elle jouait un rôle. Nous en reparlerons au moment du remorquage. Nous ne voulons considérer ici

que les moments où elle possède son autonomie, lorsqu'elle sert à établir la liaison entre le bord et la terre.

Ce genre de navigation ne va généralement pas sans risques. D'une part, l'annexe est presque toujours surchargée en hommes et en matériel, dans le but mesquin de réduire les allées et venues. Ce n'est pas raisonnable. D'autre part, elle est souvent difficile à manœuvrer : le nageur ou le godilleur n'est pas toujours à son aise et ne peut déployer toute sa force dans un esquif aussi léger. Le danger le plus important est de se trouver déporté rapidement par le vent ou par le courant.

On reconnaît le bon marin à la façon dont il utilise son annexe. Quand le vent et le courant sont violents, il n'hésite pas à la porter d'abord jusqu'en un point d'où il peut se laisser dériver sur son objectif. Pour gagner contre le vent, il nage à petits coups rapides. Pour accoster un bateau, il arrive parallèlement à lui, bout au vent. On peut à la rigueur accoster en sens inverse (accostage *à l'anglaise* pour les Français, *à la française* pour les Anglais). L'essentiel est d'éviter l'accostage *à la cosaque*, perpendiculairement au bateau : il s'agit alors d'un **abordage.**

L'annexe doit offrir, toutes proportions gardées, les mêmes garanties qu'un bateau véritable. Elle doit être insubmersible, posséder un mouillage correct : ancre de 3 à 4 kg, orin léger d'une trentaine de mètres. Lorsqu'elle se mène à l'aviron, il faut prévoir à bord un aviron supplémentaire. Il est prudent d'embarquer aussi deux pagaies. On doit, enfin, porter les gilets de sauvetage. Il existe des annexes rigides (la plupart du temps en plastique) et des annexes gonflables. Pour notre part, nous utilisons ces dernières qui offrent de sérieuses garanties sur le plan de la sécurité et dont l'encombrement est réduit.

A terre, l'annexe doit être amarrée de telle sorte qu'elle ne rague pas contre le quai. On pratique l'amarrage en biais. Mieux encore, on la monte sur la cale.

Vent irrégulier, courants sournois, hauts-fonds, basses mers, vases molles, et des bateaux partout, telle est la terre. Les manœuvres à entreprendre pour s'en approcher sont toutes marquées d'incertitude. Il importe de les envisager sans dogmatisme excessif, en restant prêt à s'adapter constamment à l'imprévu. Cela suppose un esprit en éveil et un bateau manœuvrant.

Il n'y a pas que des traîtrises : on peut jouer des faiblesses du vent, un courant peut être conciliant. La présence d'autres bateaux, elle-même, n'est pas seulement une source de complications comme nous avons feint de le croire. Il importe précisément de signaler, pour finir, l'importance que peut prendre dans le déroulement des manœuvres un facteur particulier, imprévu, et cependant remarquablement efficace.

Ce facteur, c'est la simple fraternité des ports. Il est sans doute hasardeux de trop compter sur elle, mais il serait presque malséant de la négliger. Sur les quais vivent des contemplatifs, toujours disposés à donner la main pour frapper ou larguer une bosse d'amarrage. Sur l'eau, on rencontre même des gens heureux. Un port est ce lieu privilégié, à l'écart, — loin du large, mais loin de la ville aussi — où règne une ambiance détendue, où l'aigreur fait tache plus encore que le mazout. Une certaine connivence naît parfois entre ceux qui l'habitent. Tout commence par une amarre, qu'on lance vers un bateau inconnu, où elle est tournée de bonne grâce pour aider à la manœuvre. Cela s'appelle créer des liens.

11. Changer de voilure

Au cours des chapitres précédents, nous avons évoqué les modifications de voilure à effectuer sur un bateau en fonction du temps, de l'allure, des endroits plus ou moins encombrés où il doit évoluer. Ces modifications constituent en elles-mêmes de véritables manœuvres qu'il importe de savoir mener rondement et sans accroc. Certaines d'entre elles — changer une voile, prendre un ris, par exemple — impliquent un ralentissement momentané du bateau; d'autres — hisser ou affaler un spi — ne l'empêchent pas, en principe, de poursuivre normalement sa route. Toutes, en tout cas, remettant en cause l'ordre établi, sont de remarquables occasions de pagaille si elles ne sont pas réalisées avec la précision, voire la minutie nécessaire.

Ici, en effet, tout est affaire de détails et il est remarquable de constater comme de petites causes peuvent engendrer de grands effets.

Modifier la voilure, c'est d'abord manipuler de la toile dans des conditions parfois difficiles, et le destin des voiles tient à un fil : un foc est perdu parce qu'on a simplement oublié de crocher un de ses mousquetons dans la filière; une grand-voile déchirée pour une garcette oubliée.

Modifier la voilure, c'est également : affaler, hisser, étarquer, border rapidement. Ces opérations simples, évidentes, peuvent elles-mêmes être à l'origine d'ennuis sérieux si elles ne sont pas menées dans les règles; c'est alors, en général, que quelque chose se bloque, risquant de paralyser purement et simplement le bateau.

Tout en décrivant les manœuvres de changement de toile, ce chapitre constitue donc en même temps une sorte de mode d'emploi des voiles. Il propose une analyse détaillée, parfois même tatillonne, de tout ce qui entre en ligne de compte, à la fois pour réussir la manœuvre et pour ne pas saccager la garde-robe.

Sauf pour les problèmes de spi, il ne concerne pas le dériveur léger où des changements de toile ne sont généralement pas envisagés en route (quand le vent est trop fort, on rentre).

Quelle que soit l'opération à effectuer, on doit tout d'abord observer un certain nombre de principes :

Un bout pour toi,
tes deux mains pour le bateau.

1. Il faut rechercher une méthode laissant le bateau le moins longtemps possible sans toile. Avec de l'entraînement certains équipages changent de foc ou prennent un ris en moins d'une minute, établissent un spi en dix secondes. Il est cependant préférable d'éviter la précipitation, qui fait hisser un foc à l'envers, nouer une garcette de ris autour de la filière, ou transforme le spi en engin de pêche.

2. Dès que la mer est un peu agitée, les équipiers doivent être amarrés par des bouts de sécurité. C'est la fin du vieil adage : *une main pour toi, une main pour le bateau.* On dispose de ses deux mains, la manœuvre est plus rapide et l'on ne craint plus de tomber à l'eau.

Ce point est important car il est difficile de récupérer un homme tombé à la mer, au cours d'une manœuvre de changement de toile qui rend le bateau peu évolutif.

3. Il importe de choisir autant que possible le moment et le lieu de la manœuvre. Au près en particulier, démuni d'une partie de sa toile, un bateau perd de sa puissance, ralentit et dérive; il lui faut donc de l'eau sous le vent.

4. La manœuvre doit s'effectuer selon un protocole invariable, que l'équipage entier connaît. Elle ne commence que lorsque tout le monde est prêt.

Le foc

Les bateaux de plaisance actuels possèdent en général plusieurs focs, chacun d'eux ayant un domaine d'emploi assez précis. Lorsque les circonstances imposent une modification de voilure à l'avant, on change de foc.

Affaler ou hisser un foc peut se faire à toutes les allures, mais la manœuvre est plus facile aux allures portantes : la plage avant est moins encombrée de focs qui battent et de points d'écoute meurtriers; le foc que l'on hisse est mieux étarqué et plus facilement bordé.

La manœuvre dépend en partie de l'équipement du bateau.

Certains plaisanciers s'appliquent à tout avoir en double : étais, drisses, écoutes. Ce parti est trop systématique et il importe de faire un tri :

— Non seulement il n'est pas utile d'avoir deux étais, mais il est nécessaire de n'en avoir qu'un seul. Le système des deux étais est tout à fait aberrant : il est peu pratique d'une part, car les mousquetons se coincent souvent entre les deux étais; d'autre part, on ne parvient pas à avoir un étai bien raide, et ceci suffit à le condamner.

— La présence de deux fixations de point d'amure est intéressante et simplifie réellement la manœuvre.

— L'utilisation de deux drisses est acceptable, encore qu'elle entraîne souvent des confusions.

— Avoir deux paires d'écoute est utile.

En réalité, la rapidité est rarement obtenue grâce à un équipement compliqué. Une plage avant nette comme une piste de danse est la meilleure garantie d'une manœuvre précise et brève.

A changer de foc.

Préparer le nouveau foc.

S'il s'agit d'un petit foc, on le monte dans son sac sur le pont, et on amarre le sac à peu près à l'endroit où se trouvera le point d'écoute. Si le foc a été correctement rangé, son point d'amure est sur le dessus du sac.

S'il s'agit d'un grand foc, on l'a ferlé en saucisse avant de le ranger : il est monté tel quel sur le pont et allongé le long de la filière.

Pour endrailler, amener le point d'amure sur l'avant et l'accrocher (si l'on ne dispose que d'un seul point de fixation, accrocher à l'étai le mousqucton du bas).

Larguer le premier mousqueton du foc en place; endrailler le nouveau foc, au vent de celui-ci, entre son point d'amure et son deuxième mousqueton.

Il faut maintenant s'occuper des écoutes.

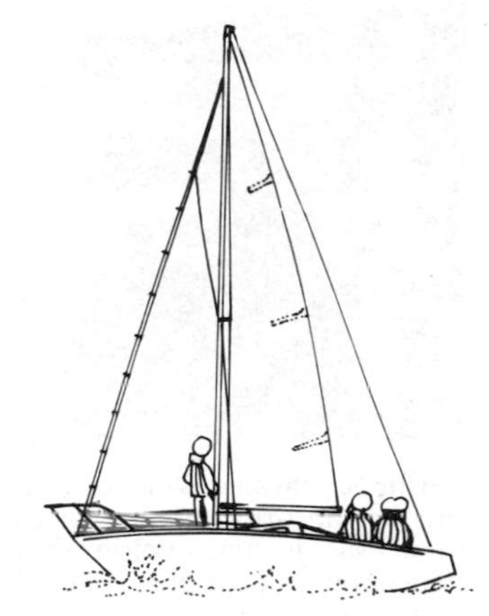

Le foc que l'on va hisser est endraillé.

Préparer les écoutes.

Plusieurs cas sont à envisager :

— Le foc possède ses propres écoutes, et des filoirs particuliers sont prévus pour elles. C'est le cas sur un Corsaire, par exemple, lorsqu'on installe le tourmentin. Les écoutes sont alors passées tout de suite dans leurs filoirs.

— Les mêmes écoutes sont utilisées pour les deux focs, et dans les mêmes filoirs : il n'y a rien à changer.

— Les mêmes écoutes sont utilisées pour les deux focs, mais doivent changer de filoirs. On prend alors la contre-écoute et on l'installe sous le vent dans le filoir prévu pour le nouveau foc.

— Le foc possède ses propres écoutes, mais elles doivent passer dans le même filoir que les écoutes actuellement en place : par exemple sur Mousquetaire, lorsqu'on change le foc nº 1 pour le foc nº 2. Cette fois on ne peut installer les nouvelles écoutes avant d'avoir affalé le foc en place.

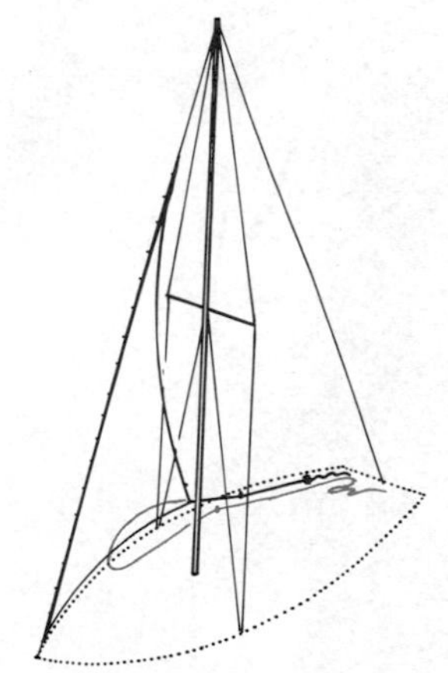

Pour gagner du temps, on passe la contre-écoute dans le filoir qui va servir pour le nouveau foc.

Le bon usage du cabestan (ou winch).

Garnir le cabestan. Voici ce qu'on appelle mordre : le tour du bas passe sur le tour voisin et le coince, on ne peut plus larguer la manœuvre.

La quasi-totalité des cabestans tournent dans le sens des aiguilles d'une montre (lorsqu'un cabestan tourne dans l'autre sens, c'est en général que les cliquets sont montés à l'envers). La manœuvre que l'on doit raidir est donc tournée sur le cabestan dans ce même sens.

En principe, plus on fait de tours sur le cabestan, moins il y a d'efforts à faire sur le brin que l'on tient à la main. Mais s'ils sont trop nombreux, les tours se chevauchent : le tour du bas vient mordre sur le tour voisin et coince définitivement l'extrémité par laquelle on pourrait donner du mou.

Le bon usage du cabestan doit donc être précisé en fonction de ce risque qui est très sérieux et peut conduire à des catastrophes; il importe essentiellement de ne jamais garnir le cabestan plus qu'il n'est nécessaire.

Cabestan d'écoute.

— Commencer par embraquer la plus grande partie du mou de l'écoute à la main, sans utiliser le cabestan;

— lorsque le mou est presque complètement repris, faire un premier tour sur le cabestan et continuer à embraquer;

— à la première résistance importante, faire un deuxième tour; ne prendre la manivelle que lorsqu'on ne peut plus embraquer;

— quand les tours glissent sur la poupée, c'est-à-dire que celle-ci tourne sans les entraîner, faire un tour supplémentaire;

— continuer ainsi, jusqu'à 4 ou 5 tours si nécessaire;

— lorsqu'on voit que le tour du bas a tendance à mordre sur le tour voisin, faire glisser les tours, en virant sans embraquer : le chevauchement disparaît;

— pour larguer l'écoute du cabestan : tirer simplement le filin vers le haut, dans l'axe du cabestan (à la verticale de la poupée); cela peut se faire même quand la manivelle se trouve en tête de cabestan (à condition qu'elle tienne bien en place).

Dégarnir un cabestan d'écoute. Tout le problème est d'éviter que l'extrémité libre de la manœuvre se prenne dans la poupée. On l'écarte de la main gauche, et de la main droite on tire vers le haut, tout droit, sans esquisser le moindre mouvement de rotation.

Dégarnir un cabestan de drisse. Cette fois on tire à l'horizontale. La manivelle peut rester en place, elle ne gêne en rien la manœuvre.

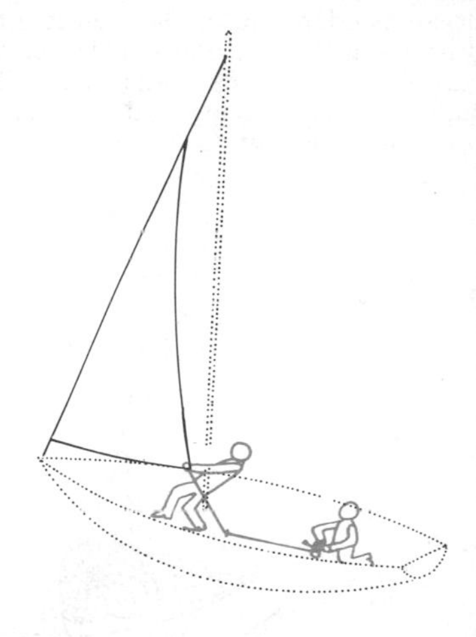

Cabestan de drisse.

— On hisse tout d'abord sans l'aide du cabestan;
— on garnit le cabestan d'un ou deux tours sur la fin, puis on augmente d'un tour à chaque fois que la résistance devient importante, comme dans le cas de l'écoute;
— il peut arriver que la fin de l'étarquage tombe dans l'intervalle entre deux cliquets : pour que le cliquet suivant s'enclanche, faire glisser les tours en virant sans embraquer;
— on largue la drisse du cabestan de la même façon que l'écoute.

Précaution capitale.

Ne jamais toucher à une manœuvre en amont d'un cabestan. C'est en effet la meilleure façon de faire mordre le tour inférieur sur le tour voisin. On ne s'en rend pas toujours compte (surtout la nuit) et s'il faut par la suite opérer un virement de bord urgent ou affaler rapidement la voile, on se trouve soudain coincé, bloqué, trahi, impuissant.

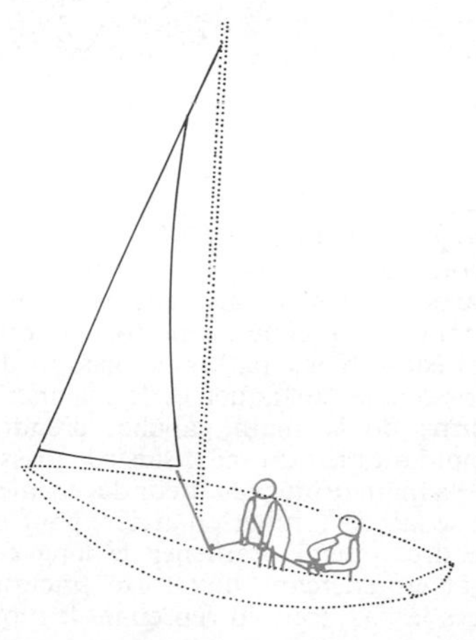

On peut donner la main en amont du filoir, mais jamais entre filoir et cabestan : l'écoute aborde la poupée sous un mauvais angle et les tours mordent.

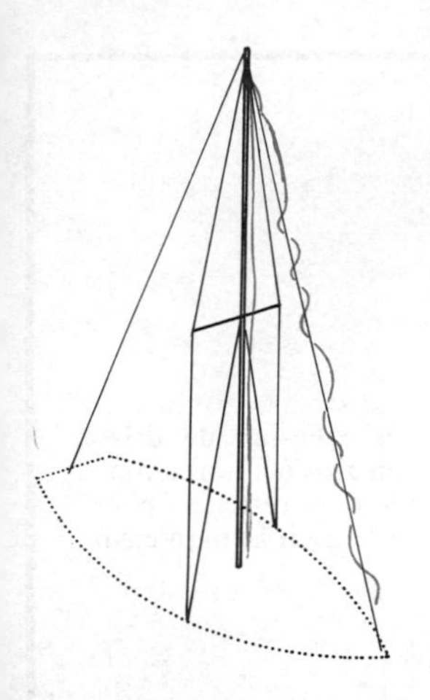

On a laissé un peu trop de mou à la drisse pendant qu'on la transférait d'un foc à l'autre. Elle semble s'être enroulée autour de l'étai, mais il suffit de l'en écarter pour que ces tours disparaissent.

Affaler.

Un équipier affale. Si l'on est en allure portante, on embraque l'écoute pour éviter que le foc ne parte à l'eau; si l'on est au près, il faut au contraire choquer légèrement, juste assez pour que les mousquetons coulissent bien sur l'étai.

Changer les trois points.

Dès que le foc est affalé, tourner le retour de la drisse au taquet; placer immédiatement les points de drisse des deux focs côte à côte et transférer la drisse de l'un à l'autre.

Il importe ici de faire bien attention, surtout la nuit. Si la drisse a trop de mou, elle se prend facilement dans le gréement; si on tarde à la transférer d'un foc à l'autre, elle risque de faire un tour autour de l'étai.

Dédrailler le foc amené. En passant un bras entre la drisse et l'étai, on risque moins de larguer en même temps des mousquetons du nouveau foc. Avant d'échanger les points d'amure (lorsqu'on ne dispose que d'une seule fixation) accrocher dans la filière un ou deux mousquetons du foc amené, pour ne pas le perdre.

Selon les cas, passer les écoutes d'un foc sur l'autre, ou passer les écoutes sous le vent du nouveau foc dans son filoir.

Hisser, étarquer, border.

Le foc est hissé rapidement. Dès qu'il est en haut, on le borde un peu, juste pour empêcher le point d'écoute de battre. On l'étarque ensuite et on ne le borde vraiment que lorsque la drisse est complètement tournée au taquet.

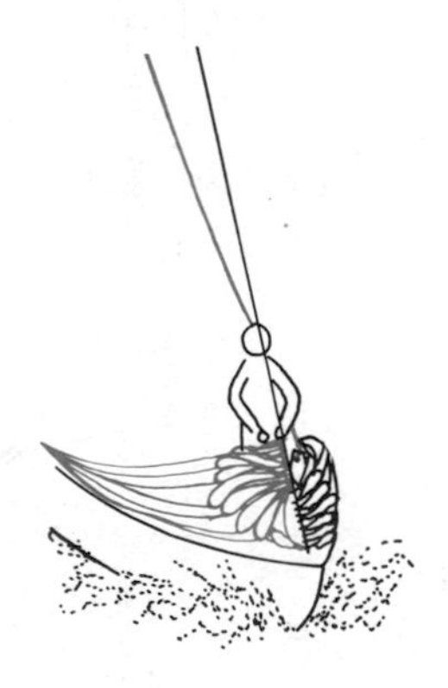

Le foc affalé par-dessus celui que l'on va hisser, cela fait beaucoup de mousquetons, et qui se ressemblent. En passant le bras entre l'étai et la drisse on y voit un peu plus clair.

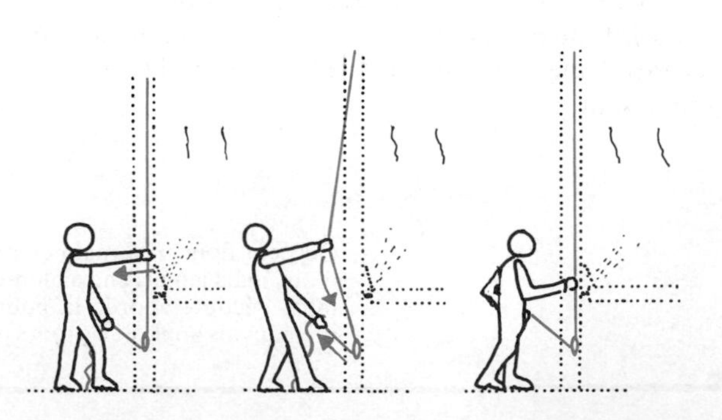

Comment étarquer.
Nombre d'équipiers « jouent de la harpe » mais n'étarquent pas. Voici comment procéder. Une fois la voile hissée à bloc, passer le garant de drisse sous le taquet et le maintenir ferme de la main gauche; prendre appui au pied du mât; saisir la drisse de la main droite à hauteur des épaules et se laisser tomber en arrière pour la tendre, puis la ramener le long du mât en exerçant une forte traction vers le bas, tout en reprenant le mou de la main gauche.

Mettre de l'ordre.

Passer les contre-écoutes dans leur filoir s'il y a lieu. Ranger le foc. Les petits focs se rangent dans un sac. On rentre d'abord le point d'écoute, puis le point de drisse, de telle sorte que le point d'amure se trouve sur le dessus du sac.

Les grands focs sont rabantés en saucisse sur le pont et rentrés point d'écoute en avant (soit dans leur sac, soit directement par l'écoutille) de façon à se présenter eux aussi par le point d'amure, à la prochaine utilisation.

La grand-voile

La manipulation d'une grand-voile est en général plus contraignante que celle d'un foc. Ici, on ne peut hisser ou affaler à n'importe quelle allure; conserver le bateau en route quand la grand-voile ne porte pas est souvent une affaire délicate; quand le temps se gâte et qu'il faut réduire la toile, plutôt que de changer de voile (on n'en possède pas forcément deux et l'opération est très longue) on diminue sa surface, en prenant des ris ou des tours de rouleau. Cette opération, sans être très compliquée, exige une certaine méthode et nous l'analyserons en détail, après avoir défini les conditions générales des manœuvres.

Hisser, affaler.

Le bateau doit recevoir le vent sur l'avant. Pour pouvoir glisser aisément le long du mât, la voile doit en effet battre librement, sans s'appuyer sur le gréement. Cela n'est possible, en principe, qu'à une allure comprise entre le vent debout et le petit largue. Au vent de travers, déjà, la ralingue ou les coulisseaux sont sollicités sous un angle trop grand et glissent mal.

Il faut noter cependant que le foc peut être un auxiliaire précieux dans cette manœuvre : bordé un peu plus qu'il ne convient pour l'allure, il dévente la grand-voile et permet d'opérer au vent de travers, même si les galhaubans sont fixés sur le pont en arrière du mât.

La bôme doit être soulagée, au moins à deux moments précis : lorsqu'on finit de hisser, lorsqu'on commence à affaler. Sinon, le tissu se tend en biais et la ralingue force à la sortie de la gorge, ou à la hauteur du dernier coulisseau. On déforme très rapidement une voile ainsi; on risque également d'arracher la ralingue, ou le coulisseau, ou son rail.

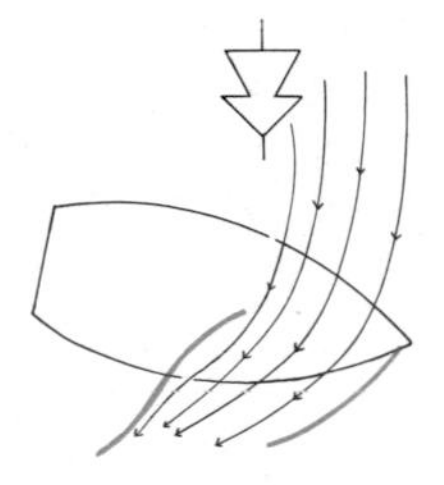

On peut, au besoin, affaler même au largue : le foc légèrement bordé dévente le guindant de la grand-voile, et la ralingue de celle-ci accepte de glisser.

Soulager la bôme avant d'étarquer ou avant d'affaler, sinon la ralingue force à la sortie de la gorge du mât.

En général, on soulage la bôme en pesant la balancine. Sur les petits bateaux qui n'ont pas de balancine, c'est un équipier qui s'en occupe. Pour que la bôme soit accessible, il faut alors que le bateau soit au près. **L'équipier doit se placer sous le vent et suffisamment en avant :** s'il reste au milieu du bateau et trop en arrière, il ne peut être efficace.

Moyens de réduire la toile.

Deux systèmes coexistent et s'affrontent, entre lesquels il faut choisir : les ris et les tours de rouleau.

Le système des ris est le système traditionnel. Sur la voile, à différentes hauteurs, sont cousues des bandes de ris, renforts comportant de part et d'autre de la voile une file de petits rabans, les garcettes. Lorsqu'on veut réduire la toile, on **serre** (on replie sur elle-même) la partie de la voile comprise entre la bordure et l'une ou l'autre des bandes de ris, et on la maintient serrée en nouant les garcettes autour d'elle.

Dans le système des tours de rouleau, de conception plus récente, la bôme est munie d'une mécanique, le **rouleau de bôme,** qui lui permet de tourner sur elle-même : la voile s'enroule tout simplement sur la bôme à mesure que l'on tourne.

A première vue, le système du rouleau paraît commode et rapide; il possède en propre certains avantages : on réduit la toile exactement de la quantité souhaitée, on peut rouler à d'autres allures qu'au près. Mais à l'usage, ses inconvénients se révèlent nombreux : la coûteuse mécanique du rouleau s'avère fragile; si l'on veut placer l'écoute ailleurs qu'en bout de bôme il faut utiliser un **croissant de bôme,** ferrure peu fiable, donc à déconseiller pour qui s'éloigne des côtes; enfin et surtout, ce système ne permet pas d'avoir une voile bien établie car il n'est pas possible de régler correctement la tension de la bordure. Et la voile se déforme vite.

Le système des ris n'a qu'un inconvénient : en prenant un ris on diminue la surface de toile d'une quantité invariable, quelquefois plus importante qu'on ne le souhaiterait. Mais il est très facile d'obtenir une belle voile : bien **arisée,** celle-ci porte parfaitement et ne risque pas de se déformer; l'installation est simple, sans mécanique, donc à l'abri des pannes; enfin, puisque la bôme n'a pas à tourner, l'écoute peut être fixée sur elle en n'importe quel point.

Les deux systèmes ont leurs partisans, mais il est certain que le système des ris est le plus sûr des deux et qu'il faut le connaître, dans tous les cas. Sur les voiles prévues pour une bôme à rouleau, il est prudent d'avoir une bande de ris : ce n'est jamais par calme plat que la mécanique tombe en panne...

La prise de ris

Pour que la prise de ris soit aisée et rapide, il faut tout d'abord se placer dans de bonnes conditions de travail.

La bôme doit être accessible et la voile ne doit pas porter. L'allure à adopter est donc le près bon plein.

Si l'on adopte une allure plus arrivée, voile battante la bôme est inaccessible. A l'opposé, l'allure du près serré n'est pas tenable car le bateau, manquant de puissance, s'arrête et tombe en travers : la voile reprend du vent, le bateau gîte, revient au près, s'arrête, abat à nouveau... Pas moyen de travailler correctement dans ces conditions. Il n'est pas possible non plus d'opérer convenablement en mettant le bateau en cape (foc bordé à contre) comme on le préconise parfois : on ne peut en effet tenir la cape sans que la grand-voile ne soit un peu bordée.

Or, il est essentiel que la voile ne porte pas, durant tout le temps de la manœuvre, sinon il faut faire un effort démesuré pour parvenir à tendre correctement sa bordure.

Cependant la voile ne doit pas battre exagérément ni trop longtemps. Ce mouvement l'abîme, détend la chute en particulier; à la limite, des lattes peuvent se briser et déchirer la toile. C'est une des raisons pour lesquelles il faut manœuvrer vite. Toutefois, si la voile bat trop violemment au cours de la manœuvre, c'est souvent parce qu'elle est trop tendue : il faut peser un peu plus la balancine, ou affaler un peu plus de toile.

Enfin, la bôme doit être immobilisée. Bôme ballante, il est aussi aisé de prendre un ris que d'enfiler des perles assis sur un cheval de rodéo. La bôme est maintenue à bonne hauteur entre la balancine et l'écoute, et latéralement par les équipiers qui s'appuient dessus pour travailler. Lorsqu'on n'a pas de balancine, l'extrémité de la bôme est posée sur le pont et immobilisée par l'écoute.

Il faut noter que, dans les deux cas, l'écoute doit toujours être soigneusement tournée au taquet. Si on la tient à la main, on risque toujours de la lâcher et d'entendre tout aussitôt le plouf caractéristique de l'équipier qui pique une tête.

La bôme, à condition d'être bien tenue, constitue un bon point d'appui pour travailler.

Comment obtenir une belle voile.

Une voile toujours bien établie, quelle que soit la réduction de surface qu'on lui fait subir, est un atout capital dans le vent frais. C'est, nous l'avons vu, le principal intérêt du système des ris : en réglant correctement le point d'amure et le point d'écoute, en utilisant judicieusement les garcettes, on peut obtenir une voile parfaite.

Le point d'amure doit être maintenu contre la bôme et amené le plus en avant possible vers le mât. Ce détail est important : le nouveau point d'amure doit être plus en avant que le point d'amure normal. Pour celui-ci le voilier a prévu en effet un coude de la ralingue, qui n'existe pas à la hauteur des ris. Si le nouveau point d'amure est trop en arrière, la voile fait des plis et, surtout, la ralingue à l'entrée de la gorge ou le dernier coulisseau sur son rail fatiguent beaucoup.

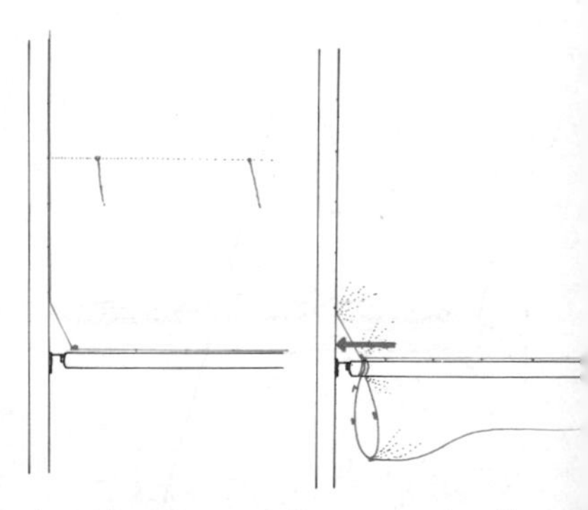

Au point d'amure d'une grand-voile, la ralingue part en biais. A la hauteur des ris, elle est toute droite : il faut pouvoir crocher le nouveau point d'amure plus près du mât que le point d'amure normal.

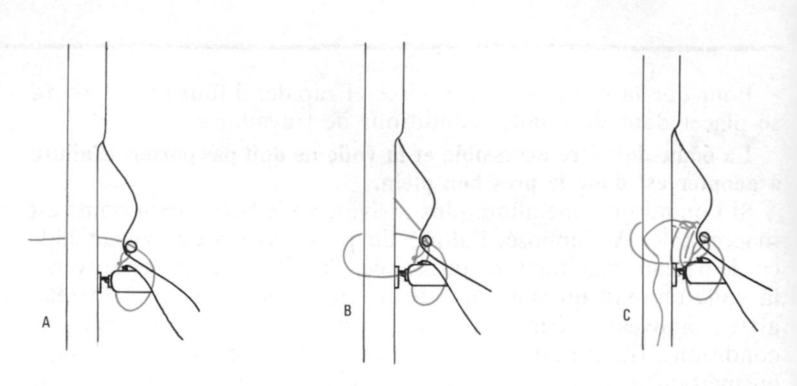

Montage d'une bosse d'amure.
A. Frapper la bosse sur la cosse de ris par un nœud de chaise, passer sous la bôme, puis dans la cosse...
B. ... puis autour du mât et à nouveau dans la cosse...
C. ... et terminer par deux demi-clefs autour des brins qui font le tour du mât.

Sur bon nombre de bateaux, la bôme comporte un crochet spécial sur lequel on enfile directement la cosse d'amure. Il est bon toutefois de savoir gréer une bosse d'amure, c'est le seul recours sur les bômes à rouleau détraqué. Sa mise en place est malaisée, et il faut veiller à ce qu'elle ne s'engage pas dans l'articulation du vit-de-mulet, où elle serait rapidement cisaillée.

Le point d'écoute doit également être maintenu le plus possible contre la bôme, sinon la dernière garcette travaille exagérément. Mais il ne doit pas être étarqué trop vivement vers l'arrière. Il est important de donner à la bordure la tension qui lui convient, et ceci pour plusieurs raisons : si elle est trop tendue, la voile se déforme à la hauteur des ris; trop molle, ce sont les garcettes qui subissent tout l'effort, et qui risquent de déchirer la toile. Surtout, c'est la tension de la bordure qui détermine la forme que va prendre la voile. Il importe donc de trouver un juste équilibre.

Le point d'écoute est tenu par une ou deux bosses. Divers systèmes permettent de les étarquer. Ces systèmes sont conçus non seulement pour rendre la manœuvre plus rapide, mais aussi pour contrôler le plus exactement possible la tension de la bordure.

Les garcettes permettent de serrer la toile en excédent. Il est toujours préférable qu'elles puissent passer entre la ralingue et la bôme (ralingue montée sur rail), car la toile est ainsi mieux tenue. Lorsque la ralingue est enfilée dans une gorge, on est obligé de les nouer autour de la bôme, la toile peut glisser et risque, au vent arrière, de s'abîmer entre bôme et hauban (c'est encore une bonne raison de faire un nœud en 8 sur l'écoute, à bonne longueur pour qu'il vienne se bloquer dans la dernière poulie juste avant que la bôme n'atteigne le hauban).

Sur les voiles à faible allongement (bôme relativement longue) les garcettes jouent en quelque sorte le rôle de coulisseaux. Il faut donc les régler soigneusement. A la place des garcettes, on réalise parfois un simple transfilage; celui-ci permet de mieux répartir la tension sur la voile, mais sa mise en place est assez longue. Sur les voiles à grand allongement, la bordure n'a pas besoin d'être tenue; on utilise alors des sandows, qui ne servent qu'à serrer la toile en excédent.

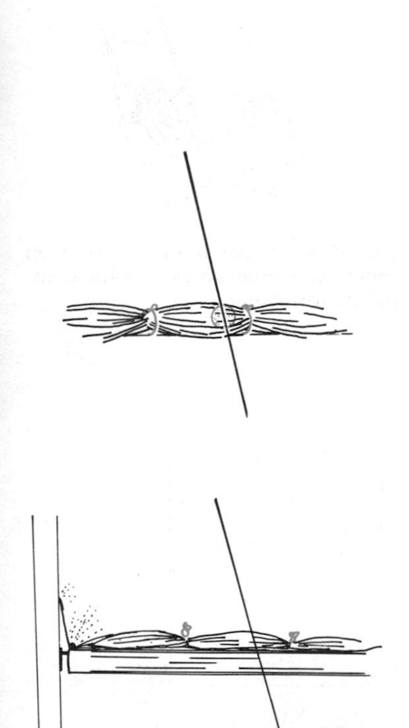

Amarrage des garcettes : nouées autour de la bôme, elles laissent glisser la toile et celle-ci peut être cisaillée au vent arrière entre bôme et hauban; nouées entre bôme et voile, la toile est mieux tenue.

A prendre un ris.

Nous décrirons ici la méthode la plus simple, celle qui ne nécessite aucun accastillage particulier. Elle est utilisée couramment sur les petits bateaux, et constitue d'autre part la seule solution en cas d'avarie de rouleau de bôme, ou de violon de ris.

Les différents moments de la manœuvre sont les suivants.

Préparer la bosse d'écoute.

On utilise deux sortes de bosses d'écoute : l'une à un brin, l'autre à deux brins. Seule la bosse à un brin peut être mise en place à l'avance sur la voile, la bosse à deux brins ne pouvant être immobilisée correctement.

La bosse à un brin est mise à poste complètement, c'est-à-dire : fixée à la cosse de ris par un nœud de chaise, passée en bout de bôme, puis à nouveau dans la cosse de ris, enfin arrêtée par deux demi-clefs peu serrées, sur le point d'écoute normal si elle est assez longue, sinon dans la cosse de ris.

Cette bosse peut être préparée un bon moment à l'avance. Il n'est toutefois pas conseillé de la laisser à poste en permanence : si légère soit-elle, elle finit par abîmer la voile.

D'une façon générale il est judicieux d'utiliser des bosses assez longues (de 2,60 m à 3 m) même si la boucle finale, une fois la bosse étarquée, paraît démesurément grande. Une bosse longue est facilement mise en place, et ceci est plus important que cela.

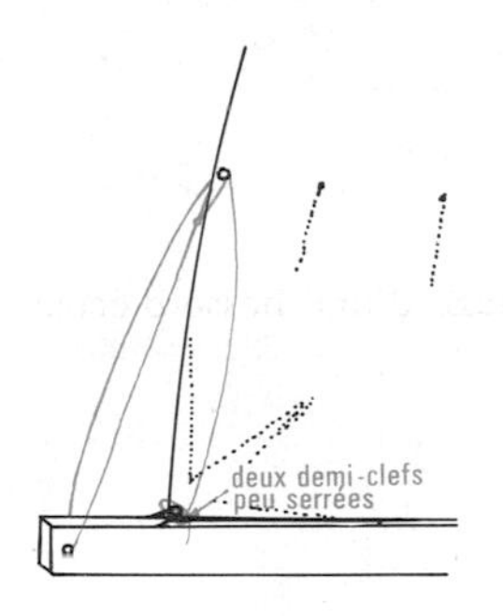

Bosse d'écoute à un brin, prête à servir.

Affaler.

Venir au bon plein. Soulager la bôme. Affaler une bonne quantité de toile (la valeur de deux ris pour en prendre un) afin de pouvoir ramener la bôme vers l'intérieur du bateau sans que la voile ne reprenne le vent. Lorsque le guindant est monté sur rail, dégager au moins un coulisseau de trop, puis bloquer la fermeture pour que les autres ne suivent pas.

Tourner la drisse au taquet dès que l'on a affalé la quantité de toile voulue.

Lorsque l'équipage est fatigué et que l'on souhaite opérer tranquillement, on peut aussi affaler toute la voile. Il faut toutefois se souvenir que le bateau ainsi démuni est facilement en proie au roulis. En outre, des confusions sont à craindre, entre garcettes de deux ris différents. Il n'est pas rare non plus que l'on emprisonne dans les garcettes tous les bouts voisins : écoutes, retenues, bouts de sécurité individuels. En tout cas, cette façon de procéder n'est réellement intéressante que lorsque le bateau suit normalement un cap très arrivé.

Prendre le ris.

Immobiliser la bôme.

Crocher la cosse de ris au point d'amure, ou fixer la bosse.

Au point d'écoute, si l'on utilise une bosse à un brin, procéder comme l'indique la figure : prendre en main le bout de la bosse et tendre la bordure; serrer le tour sur la bôme sans laisser glisser l'étarquage; terminer par une seule demi-clef gansée autour des deux brins arrière; placer la ganse et l'extrémité libre de la bosse dans le repli de la voile.

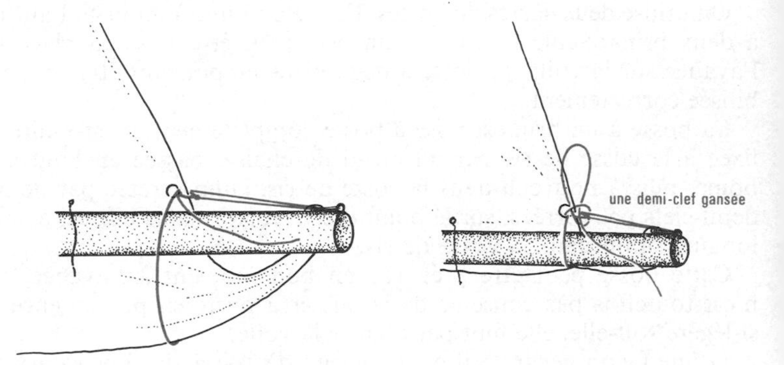

Montage d'une bosse d'écoute à un brin.

Si l'on utilise une bosse à deux brins, la frapper sur la cosse de ris comme l'indique la figure;

— le brin le plus long passe en bout de bôme, repasse dans la cosse puis, après étarquage de la bordure, est arrêté contre la cosse par une demi-clef gansée, faite autour des brins tendus;

— le brin le plus court fait une ou deux fois le tour de la bôme et est arrêté par une demi-clef sur la cosse de ris ou sur les mêmes brins que l'autre.

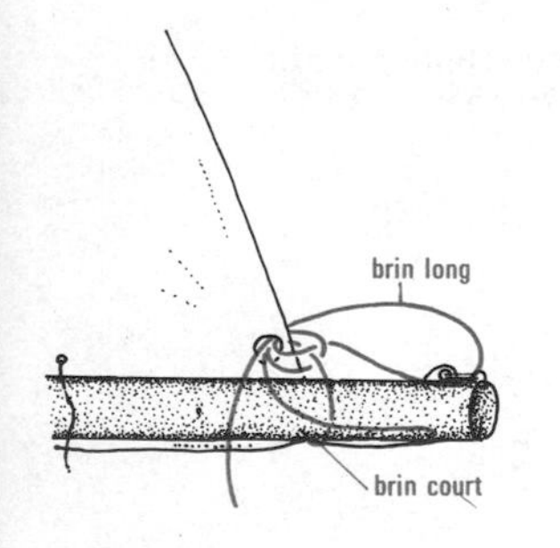

Montage d'une bosse d'écoute à deux brins.

Quel que soit le genre de bosse utilisée, l'opération doit pouvoir se faire sans effort. Si l'on est obligé de forcer pour amener le nouveau point d'écoute à sa place, c'est que quelque chose ne va pas :

— on a trop abattu, ou tenté de faire un près trop serré, impossible à tenir, ce qui condamne le bateau à reprendre sans cesse une allure trop arrivée;

— on n'a pas affalé assez de toile; dans ce dernier cas, on risque également d'être gêné par les battements de la voile.

Attention !

L'expérience prouve que les bosses emprisonnent volontiers toutes sortes de choses, et particulièrement ici : la grande écoute, le balcon arrière, les filoirs, la bouée de sauvetage, etc.

Il faut arrêter les bosses par une seule demi-clef gansée, comportant une grande boucle, et bien appliquée contre la cosse pour coincer les brins. Tout nœud supplémentaire est néfaste, car il se souque. Or, une bosse de ris doit pouvoir être larguée d'un geste.

Hisser, étarquer, faire servir.

Soulager la bôme.

En hissant, ne pas rengager sur le rail le coulisseau supplémentaire que l'on a sorti en affalant. Il forcerait trop, ce qui abîmerait la voile.

La drisse tournée, choquer la balancine, border la voile, reprendre la route.

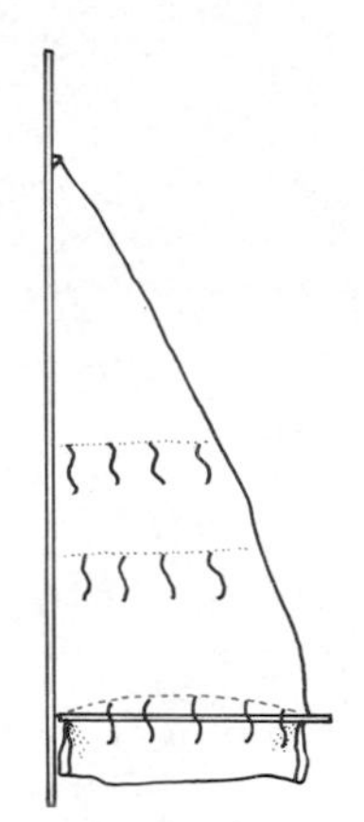

Bordure trop peu tendue.

Contempler la voile.

Si la bande de ris décrit un arc de cercle très accentué par rapport à la bôme, la bordure n'est pas assez tendue. Elle l'est trop si la bande de ris se trouve appliquée contre la bôme. Pour fixer les idées, précisons que la flèche de la bande de ris par rapport à la bôme doit être de 3 à 5 % de la longueur de la bordure.

Il est possible de redonner un peu de mou à la bordure, mais ce n'est pas très commode. Il est impossible, par contre, de l'étarquer plus sans amener à nouveau de la toile.

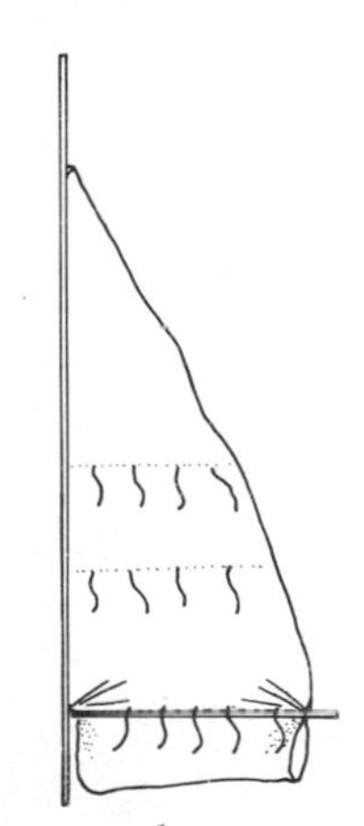

Bordure trop tendue.

Serrer la toile.

Venir au près pour que toute la bordure soit accessible. On tire toute la toile en excédent au vent et on la roule très serré. Les garcettes sont nouées par un nœud de rosette.

S'il faut absolument naviguer à une autre allure que le près, on renonce momentanément à nouer les garcettes, ce qui n'est d'ailleurs pas très gênant.

Il ne reste plus ensuite qu'à régler le hale-bas et c'est fini.

La manœuvre ainsi décrite paraît longue; en réalité, avec un équipage entraîné, le bateau ne reste guère plus d'une minute sans grand-voile.

Dernier détail : on peut être amené, le vent fraîchissant brusquement, à prendre deux ris d'un seul coup. Si l'on dispose d'assez de temps (et d'eau sous le vent), il est bon de prendre le premier, puis le second ris, au lieu d'aller directement à celui-ci. Sinon, lorsqu'il devient possible de renvoyer une partie de la toile, il faut tout larguer et prendre le premier ris.

A larguer un ris.

La manœuvre est simple et rapide. Néanmoins quelques précautions sont à prendre, la plus importante de toutes concernant le premier temps de l'opération : il faut larguer *toutes* les garcettes de ris. Un équipier s'en occupe, un second équipier vérifie qu'aucune garcette n'a été oubliée. Si le premier en prend ombrage, il a grand tort. Un oubli de ce genre est fréquent et si l'on renonce à la vérification pour ne vexer personne, la voile sera tout de même déchirée, pour tout le monde.

On est venu au près pour faire ce petit travail. Il ne reste plus qu'à :
— soulager la bôme;
— larguer la demi-clef gansée de la bosse d'écoute; larguer le point d'amure;
— amener un peu de toile pour rengager le coulisseau sur son rail;
— hisser, étarquer, reprendre la route;
— ranger les bosses de ris.
Lorsqu'on ne dispose pas d'une balancine, il faut penser à soutenir la bôme au moment où on largue la bosse d'écoute, sinon elle tombe lourdement sur le pont...

Les tours de rouleau.

Il y a une différence essentielle entre la prise de ris et la prise de tours de rouleau : celle-ci n'exige pas un déventement complet de la grand-voile. Il suffit de choquer juste assez d'écoute pour que le guindant dévente, permettant ainsi aux coulisseaux de glisser. Il est même possible de rouler à une allure plus arrivée que le bon plein, si la voile consent à descendre.
Enrouler correctement la ralingue de guindant, tendre la bordure : telles sont les deux difficultés principales de la manœuvre.

Rouler.

Enrouler la ralingue de guindant. La chose est plus facile lorsque la bôme comporte une gorge, prévue pour recevoir cette ralingue. Dans tous les cas, pour qu'elle s'enroule correctement, il faut :
— rouler en maintenant la ralingue toujours tendue, autrement dit : ne mollir la drisse qu'à la demande;
— veiller à ce que rien ne vienne s'engager dans la mécanique (ralingue, coulisseaux, plis de la toile);
— éviter que des coulisseaux ne soient pris dans les tours de la voile.
Tendre la bordure. Voilà le hic. Le seul moyen de tendre la bordure est de tirer sur la chute à mesure que l'on roule. Plutôt que d'exercer une traction continue, il vaut mieux procéder par secousses énergiques. De toute façon le résultat n'est pas garanti.
Pour rouler vite et bien, il faut en somme trois équipiers :
— un à la drisse, pour la filer à la demande;
— un à la manivelle de la mécanique, tournant d'une main, guidant la ralingue de l'autre;
— un à l'arrière pour tendre la bordure.

Larguer les tours.

Aucune difficulté, sauf si l'on souhaite ne dérouler que partiellement : alors, c'est affreux. Il faut parvenir à garder la ralingue de guindant constamment tendue pendant que l'on déroule. Si la synchronisation n'est pas bonne, la bordure se détend et la voile forme une poche hideuse dans la région du point d'amure.

Si on largue tous les tours, il est bon d'embraquer largement la balancine avant de dérouler : les coulisseaux sont alors faciles à engager sur le rail.

Changer de grand-voile.

Cette manœuvre est longue : elle peut durer de dix à vingt minutes par temps frais, même si la voile n'est pas très grande.

Pour affaler et pour hisser il faut venir au près; mais lorsque la voile est sur le pont, rien n'interdit naturellement de prendre une allure plus arrivée.

Le principal problème, ici, est d'y voir clair. Il est bon de ne pas manipuler les deux voiles en même temps, mais de dégager complètement la première avant de présenter l'autre. Il faut surtout que celle-ci se présente convenablement **ferlée.**

En principe, une grand-voile se ferle : bordure étalée, guindant plié en zig-zag par-dessus. Mais c'est un travail à effectuer dans le calme d'un port; au large, le vent s'entend à perturber cette belle organisation.

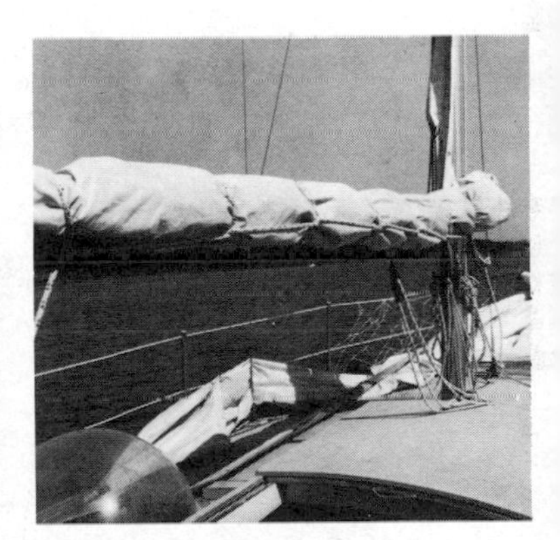

Façon de ferler une grand-voile.

Il faut donc envisager une solution plus simple : faire une poche, le long de la bordure, d'une largeur égale à un petit ris, et y descendre la voile le plus régulièrement possible; refermer cette poche autour de la voile et rabanter.

Au port, lorsqu'on laisse la voile enverguée sur la bôme, cette façon de ferler fait propre et distingué.

point de drisse
drisse
chute
guindant
balancine de tangon
point d'amure
bout
bordure
point d'écoute
tangon
rail de tangon
talon
hale-bas
bras
écoute

Le spinnaker

Le spinnaker (le spi, pour les intimes) était à l'origine une voile de course et son mode d'emploi reste marqué par cette vocation première. Voile légèrement aristocratique, elle ne se commet pas dans des manœuvres accessoires; elle ne supporte pas d'attendre et doit porter sitôt hissée (à moins d'être ferlée). Les mauvaises langues la disent capricieuse; elle est seulement éprise de plénitude et n'admet pas les demi-mesures. Sensible, elle s'évanouit facilement au grand émoi de ses soupirants.

Le réglage de la voile en route, sa conduite dans le virement lof pour lof ont été analysés précédemment. Les manœuvres pour la hisser et l'affaler méritent une étude particulière car elles recèlent une bonne partie des difficultés liées (du moins dans les débuts) à son utilisation.

La voile.

Les premiers spis utilisés en course ressemblaient à deux trinquettes jumelles, cousues ensemble pas leur ralingue de guindant. On a été amené peu à peu à arrondir les côtés de la voile et à la creuser, pour aboutir à un triangle curviligne, bombé et symétrique verticalement.

L'angle supérieur de la voile (qui fait en général 180°) est le point de drisse, ou têtière. Les deux angles inférieurs, semblables (qui font 135° environ), sont nommés alternativement point d'amure et point d'écoute selon qu'ils se trouvent au vent ou sous le vent. Le côté de la voile qui se trouve au vent est le guindant, le côté sous le vent est la chute. Le troisième côté est la bordure.

Il existe des spis de toutes tailles, et fabriqués dans des tissus plus ou moins légers pour être utilisés dans des forces de vent différentes. Ils n'ont pas tous exactement la même forme. Un spi de largue, qui peut être porté même plus près que le vent de travers est plus plat qu'un spi de vent arrière. De même, les spis de croisière sont moins creux et plus robustes que les spis de course.

Le gréement.

Le gréement comprend essentiellement :

— Une **drisse,** terminée par un mousqueton à émerillon, et qui passe dans une poulie située au-dessus de l'étai.

— Deux manœuvres latérales permettant de border et d'orienter le spi; fixées, l'une au point d'amure, l'autre au point d'écoute de la voile, elles échangent également leur nom selon l'amure : la manœuvre au vent est le **bras,** la manœuvre sous le vent l'**écoute.** Ecoute et bras passent par des renvois situés le plus possible à l'arrière et à l'extérieur. Des winches sont nécessaires pour les manœuvrer. Sur certains gros bateaux on utilise un bras en acier et une écoute en textile sur chaque bord.

— Un **tangon,** qui permet de déborder le point d'amure; l'extrémité du tangon fixée au mât s'appelle le **talon,** l'autre le **bout.**

Sur les petits bateaux, le tangon est presque toujours symétrique, c'est-à-dire que ses extrémités peuvent indifféremment être utilisées comme talon ou comme bout. Il est généralement dissymétrique sur les gros bateaux; ceux-ci disposent fréquemment d'un système de hale-haut/hale-bas, qui permet de faire monter ou descendre le talon le long du mât.

— Une **balancine de tangon,** qui soutient le tangon et permet de le hausser à la demande; elle est prise, soit en milieu de tangon (petits bateaux), soit en bout (gros bateaux).

— Un **hale-bas de tangon,** qui empêche le tangon de se mâter. Sur les petits bateaux, il est pris en milieu de tangon et renvoyé au pied du mât : l'orientation du tangon peut donc être modifiée sans que la tension du hale-bas varie. Sur les gros bateaux, il est renvoyé à l'étrave, et donc obligatoirement pris en bout de tangon; on ne peut dès lors modifier l'orientation du tangon sans avoir à reprendre le réglage du hale-bas.

Même sur un bateau de croisière, on essaye de ramener toutes les manœuvres jusqu'au cockpit : il est ainsi possible de retoucher le réglage de la voile sans envoyer un équipier sur l'avant.

Le spinnaker de dériveur

Sur dériveur, les manœuvres pour hisser et affaler le spi sont commandées avant tout par des problèmes d'équilibre. En général on hisse et on affale au vent. Avec un certain entraînement il est également possible de hisser sous le vent. Chacun s'ingénie d'ailleurs à perfectionner l'accastillage de son bateau pour que ces manœuvres puissent s'effectuer dans les positions les plus acrobatiques et en un temps record. Nous nous en tiendrons ici aux méthodes classiques, réalisées avec un matériel ordinaire.

Gréer le spi.

Un spi doit s'établir complètement à l'extérieur du gréement, en avant de l'étai et en dehors des haubans. Sur un dériveur, il ne peut être question de le gréer en route, tout est préparé à terre. Le côté sur lequel on hissera est choisi à l'avance. Pour la clarté des explications, convenons ici que la manœuvre va s'effectuer tribord amures.

La voile est installée dans le cockpit sur tribord, et rangée de manière à sortir en bon ordre. Les trois manœuvres, drisse, bras et écoute sont frappées sur la voile et sortent toutes du cockpit en avant du hauban tribord; elles sont tenues dans des taquets coinceurs à proximité du hauban, pour ne pas risquer d'entraîner le spi au-dehors. Elles suivent un parcours précis et ne doivent pas gêner la manœuvre du foc.

La voile est installée dans un endroit d'où elle ne risque pas trop de s'échapper en cas de chavirage (baille à spi, avaleur, etc.). Rentrer la toile en commençant par le milieu de la bordure et jusqu'à atteindre les deux angles inférieurs, que l'on met de côté. Continuer, en suivant les ralingues à la main pour s'assurer que la voile ne fait pas de tours sur elle-même, et placer la têtière sur le dessus du tas.

La drisse descend le long du hauban tribord, passe sous l'écoute de foc, en avant du hauban, rejoint le cockpit et est frappée sur la têtière (en général par un simple nœud).

Le bras (ici, manœuvre tribord), maillé sur le point d'amure du spi, sort en avant du hauban tribord, passe sous l'écoute de foc, rejoint son conduit à l'arrière, d'où il est renvoyé dans le cockpit.

L'écoute (manœuvre bâbord) sort en avant du hauban tribord, passe sous l'écoute de foc, contourne l'étai par devant, passe à l'extérieur du hauban bâbord, rejoint son conduit à l'arrière et est renvoyée dans le cockpit.

La balancine et le hale-bas sont généralement solidaires, et installés à demeure sur le mât. La balancine est souvent un simple sandow, doublé d'un brin inextensible qui empêche le tangon de descendre trop bas. Le hale-bas passe au pied du mât et est renvoyé sur l'arrière, à portée de main du barreur.

Le tangon est symétrique et muni en son milieu d'un dispositif (taquet coinceur ou autre) dans lequel est pris l'ensemble balancine-hale-bas. En général, on le croche au point d'amure du spi juste avant de hisser.

A hisser.

Le spi se hisse en général au vent arrière. On peut toutefois se rapprocher légèrement du grand-largue, pour limiter les risques de roulis et pour que le foc, se plaçant nettement sous le vent, ne gêne pas la manœuvre. Au moment de hisser, l'écoute de grand-voile est choquée en grand, retenue dans sa dernière poulie par un nœud en 8.

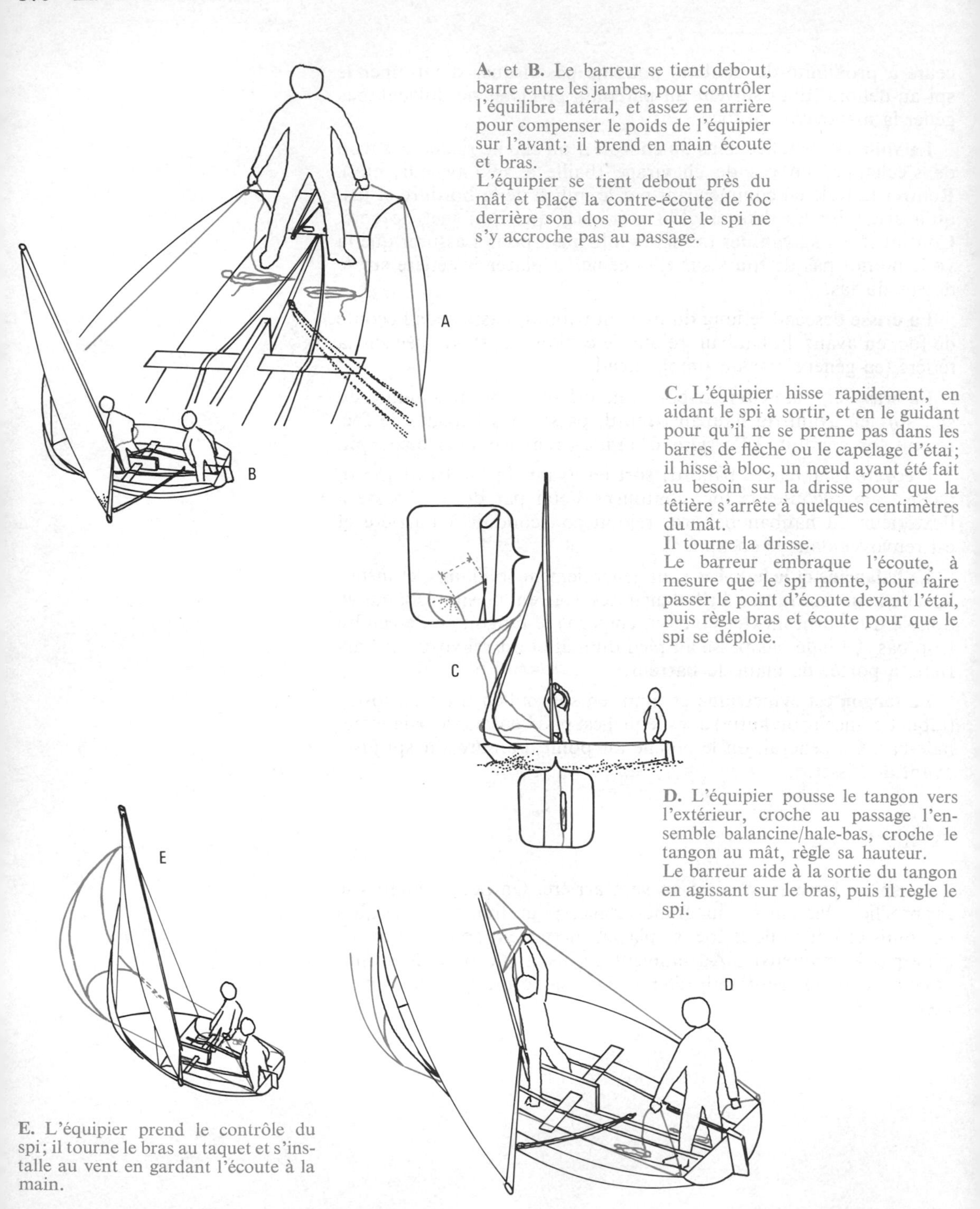

A. et **B.** Le barreur se tient debout, barre entre les jambes, pour contrôler l'équilibre latéral, et assez en arrière pour compenser le poids de l'équipier sur l'avant; il prend en main écoute et bras.
L'équipier se tient debout près du mât et place la contre-écoute de foc derrière son dos pour que le spi ne s'y accroche pas au passage.

C. L'équipier hisse rapidement, en aidant le spi à sortir, et en le guidant pour qu'il ne se prenne pas dans les barres de flèche ou le capelage d'étai; il hisse à bloc, un nœud ayant été fait au besoin sur la drisse pour que la têtière s'arrête à quelques centimètres du mât.
Il tourne la drisse.
Le barreur embraque l'écoute, à mesure que le spi monte, pour faire passer le point d'écoute devant l'étai, puis règle bras et écoute pour que le spi se déploie.

D. L'équipier pousse le tangon vers l'extérieur, croche au passage l'ensemble balancine/hale-bas, croche le tangon au mât, règle sa hauteur.
Le barreur aide à la sortie du tangon en agissant sur le bras, puis il règle le spi.

E. L'équipier prend le contrôle du spi; il tourne le bras au taquet et s'installe au vent en gardant l'écoute à la main.

A affaler.

La meilleure allure pour affaler est le grand-largue. Le spi se trouve ainsi placé dans la zone de déventement de la grand-voile. On affale toujours au vent. Si l'on doit à nouveau hisser le spi un peu plus tard, il ne faut pas oublier qu'on ne pourra le hisser que du côté où on l'a affalé.

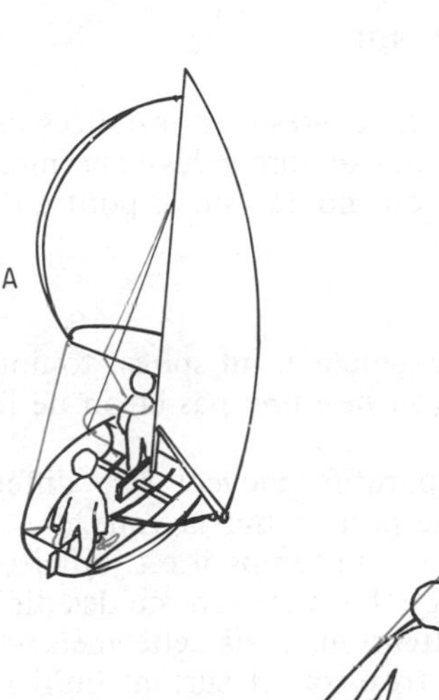

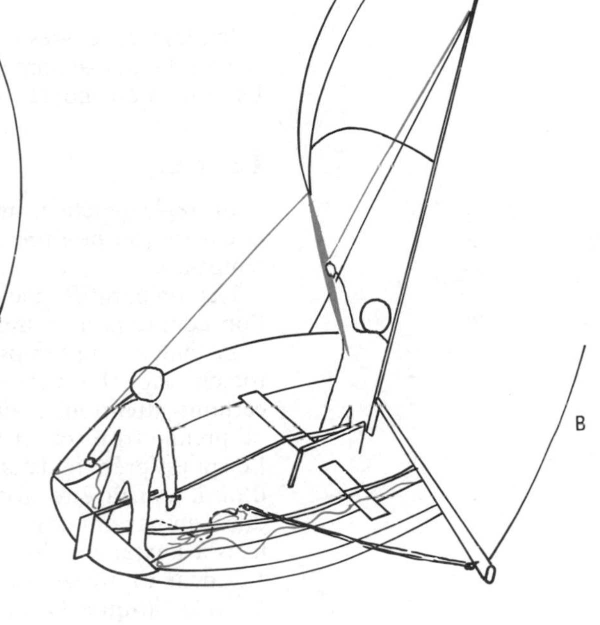

A. L'équipier se tient debout près du mât et place la contre-écoute de foc derrière sa tête, pour que le spi rentre bien par dessous cette contre-écoute. Le barreur se place dans la même position qu'au moment de hisser; il reprend écoute et bras.

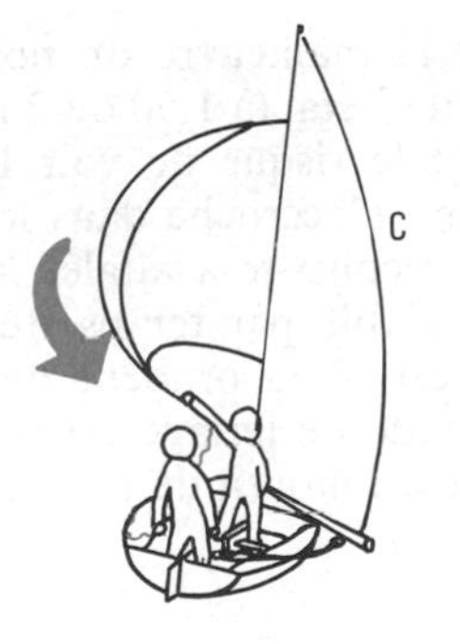

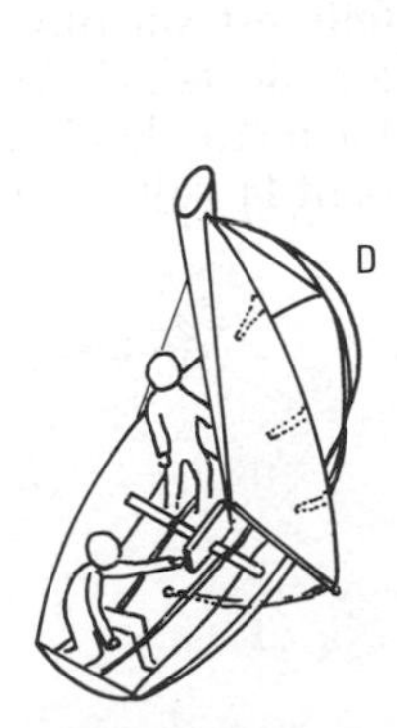

B. L'équipier décroche le tangon du mât et le rentre derrière lui, en décrochant au passage l'ensemble balancine/hale-bas, puis le point d'amure. Le barreur lâche l'écoute.

C. L'équipier tire sur le point d'amure pour faire venir tout le spi au vent. Le barreur lâche le bras.

D. L'équipier libère la drisse et rentre le spi, point d'amure d'abord, puis guindant, jusqu'à la têtière (le point d'écoute doit rentrer en dernier, pour que le spi ne puisse reprendre le vent au cours de cette opération).
Le barreur règle la dérive, prend en main l'écoute de foc, remet le bateau en route.
L'équipier entasse soigneusement la voile dans sa baille, les trois points restant bien dégagés; il coince drisse, bras et écoute dans leurs taquets; il règle et tourne la drisse puis reprend sa place et l'écoute de foc.

Le spinnaker du bateau de croisière

L'utilisation du spi implique ici une précaution essentielle : même par temps maniable, les équipiers doivent absolument être amarrés. Il est en effet toujours long et difficile de repêcher un homme à la mer quand on navigue sous spi.

Gréer le spi.

Ici, les manœuvres sont installées indépendamment du spi. Bras, écoute et hale-bas sont gréés en permanence sur des postes d'attente. La voile n'est montée sur le pont qu'au dernier moment.

La voile.

En règle générale, un spi est toujours préparé dans le calme de la cabine (on ne fume pas et on ne fait pas la cuisine pendant ce temps-là).

Les préparatifs peuvent être différents selon la méthode que l'on adopte pour hisser la voile.

La plupart du temps il est judicieux de hisser en conservant le foc en place. La mise à poste des différentes manœuvres exige une certaine attention, mais cette méthode permet d'éviter que le spi ne prenne trop tôt, et surtout qu'il ne s'enroule autour de l'étai. Le spi est préparé dans un sac, dans un seau ou dans un logement d'où il pourra être hissé directement. On y place d'abord la bordure, en partant de son milieu, jusqu'aux points d'écoute qui sont fixés à l'extérieur du sac, clairement disposés de part et d'autre. Les deux ralingues sont ensuite rentrées en accordéon, avec toute la toile, jusqu'à la têtière qui est également fixée hors du sac. Celui-ci est ensuite solidement étranglé pour que la voile se tienne tranquille.

Au moment de la manœuvre on pose le sac sur le pont, nettement en arrière de l'étai (à 1,50 ou 2 m selon la taille du bateau) : cela réduit encore le risque de voir le spi prendre trop tôt, et évite aussi qu'il ne s'accroche dans les mousquetons du foc.

L'autre méthode consiste à affaler le foc avant de hisser le spi (elle est surtout valable par temps très frais et pour des spis de grande taille). Il est alors prudent de ferler le spi au préalable. La méthode classique de ferlage est indiquée ci-contre. On maintient la voile ferlée au moyen de fils à casser, en laine ou en coton,

Façon de ferler le spi : on rapproche les deux ralingues en serrant la toile sans la rouler, puis l'on replie l'un des bords de la voile autour de l'ensemble (comme lorsqu'on ferle une grand-voile).

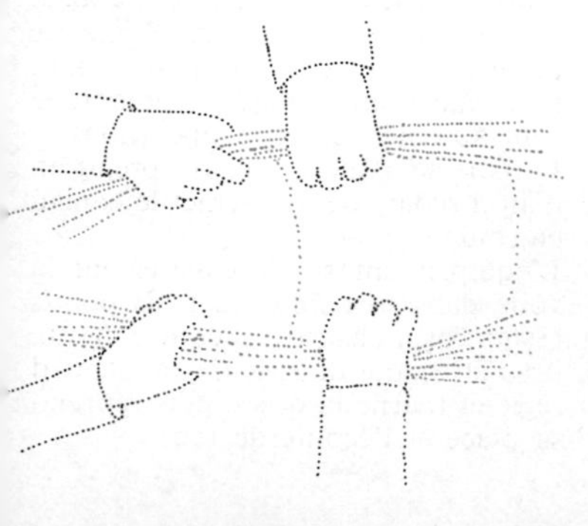

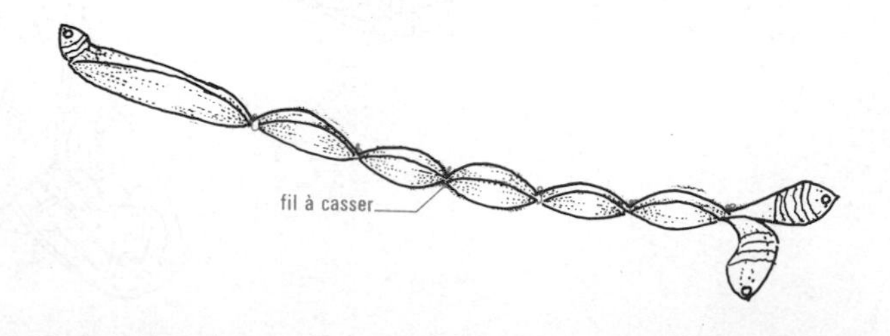

qui se rompent lorsqu'on embraque bras et écoute. Le premier fil est placé à plus de deux mètres du point de drisse (plus haut il risque de ne pas se casser), les fils suivants sont de plus en plus rapprochés à mesure que l'on descend vers la bordure.

Les manœuvres.

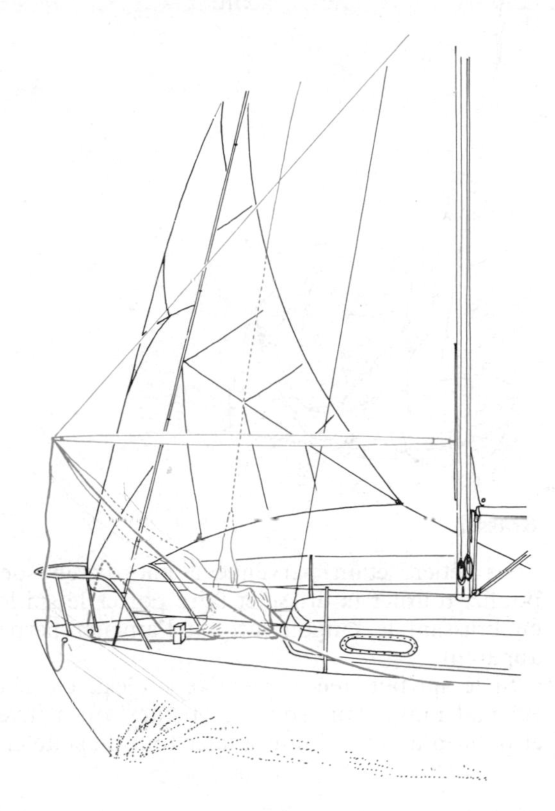

Le coup d'œil du chef.
Au vent : le point d'amure du spi passe devant l'étai; le bras rejoint l'arrière en passant à l'extérieur de tout; le hale-bas passe entre les pieds du balcon.
Sous le vent : la drisse est bien sous le vent du haut en bas; l'écoute passe par-dessus les filières et à l'extérieur de tout; le hale-bas passe par-dessus le balcon puis entre ses pieds.
Le sac à spi est placé bien en arrière de l'étai. Tout est clair.

A hisser.

Venir à la bonne allure.

Par forte brise en particulier, il est bon de laisser porter afin que le spi soit hissé à l'abri derrière la voile d'avant.

Toutefois, hisser plein vent arrière n'est pas recommandé : le vent perturbé par la voilure a tendance à gêner l'établissement correct du spi; par vent moyen on se place au largue, par vent plus frais au grand largue.

Hisser.

Le tangon est dans l'axe du bateau, contre l'étai; l'écoute est complètement choquée (ces deux précautions pour éviter que le spi ne se gonfle trop tôt).

On hisse rapidement. Par bon vent, il est prudent de prendre un tour sur un cabestan; en hissant directement, l'équipier de drisse risque de s'envoler si, malgré les précautions, le spi prend

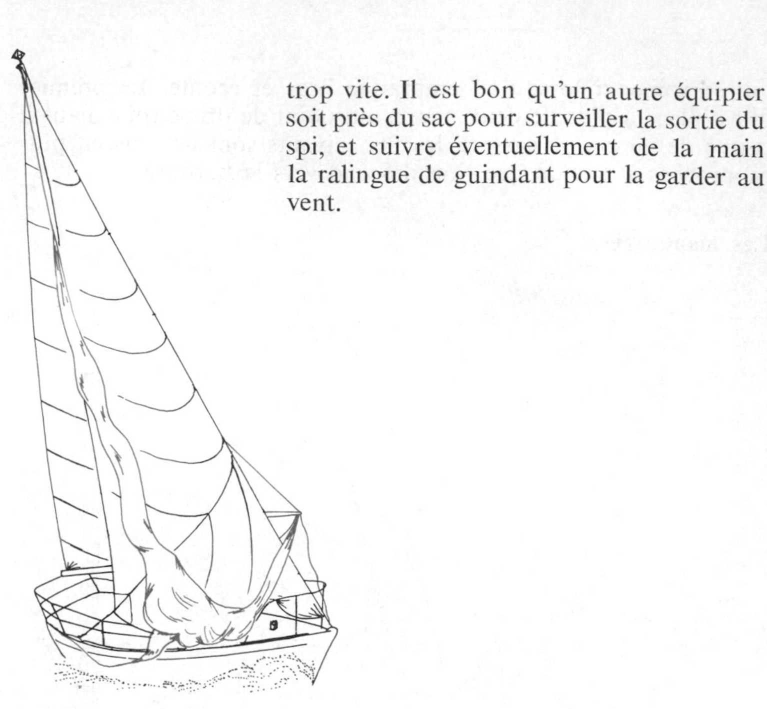

trop vite. Il est bon qu'un autre équipier soit près du sac pour surveiller la sortie du spi, et suivre éventuellement de la main la ralingue de guindant pour la garder au vent.

Le spi sort à l'abri du foc et ne s'accroche pas dans les mousquetons.

Brasser.

La têtière étant parvenue à une dizaine de centimètres de la poulie, tourner la drisse et faire porter le spi le plus vite possible, en brassant le tangon jusqu'à l'amener perpendiculaire au vent apparent.

Si le spi fait une « guêpière » c'est, en général, parce qu'il a été mal rangé dans son sac et que l'on a inversé point d'écoute et point d'amure. Il faut affaler tout de suite et recommencer.

Border.

Sitôt le tangon brassé, on embraque l'écoute jusqu'à ce que le spi soit bien plein.

Régler.

On reprend éventuellement son cap et l'on parfait le réglage en fonction de l'allure que doit suivre le bateau.

Au largue, il est possible de continuer à porter le foc, qui donne parfois un appoint de puissance, mais on préfère souvent le remplacer par une voile mieux appropriée : trinquette à spi, big boy, tall boy, etc.

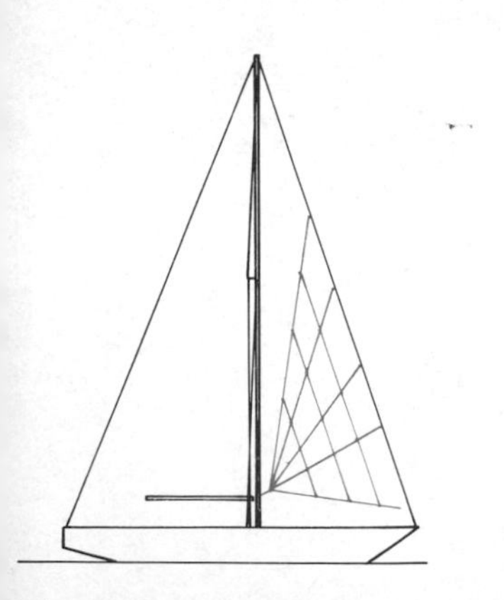

Filet à spi.

Au grand largue et au vent arrière, le foc est nuisible au rendement du spi et il vaut mieux l'affaler. Pour éviter que le spi ne s'enroule autour de l'étai, certains utilisent alors un **filet à spi,** sur l'utilité duquel les avis sont partagés. Pour être efficace, ce filet doit avoir une largeur de maille bien étudiée (la maille doit faire environ le 1/6e de la hauteur du guindant). Il ne doit pas être endraillé à l'aide de mousquetons mais avec des bouts, retenus sur la draille par un simple nœud de rosette. Il arrive malheureusement que le spi parvienne à s'entortiller dans cette installation, d'où il est aussi difficile à extraire qu'une aiguillette d'un trémaille.

On peut aussi ne rien mettre du tout. En tout cas, **il ne faut jamais laisser la drisse de foc le long de l'étai** car le spi, s'il se dégonfle, risque fort de venir se prendre entre les deux, et de s'enrouler alors de façon quasi définitive.

A affaler.

Hisser le foc.

Si le gréement (tangon, balancine, hale-bas) le permet, il peut être intéressant de rehisser le foc juste avant d'affaler le spi; celui-ci sera mieux déventé et ne risquera pas de s'enrouler sur l'étai.

Cependant, il faut y regarder à deux fois avant de se lancer dans cette manœuvre, et éviter toute confusion sur la plage avant.

Venir à la bonne allure.

Le principe est le même qu'au moment de hisser : il faut s'efforcer de placer le spi dans le cône de déventement de la grand-voile.

La meilleure allure pour affaler est le grand-largue. On évite le vent arrière (surtout s'il y a de la mer) à cause des risques d'empannage.

On peut éventuellement affaler au largue, bien que le cône de déventement de la grand-voile soit alors très réduit. Par vent faible, avec un équipage adroit, c'est parfois une solution intéressante : en effet, c'est souvent lorsqu'on se trouve au largue que la décision d'affaler doit être prise, quand le vent refuse, que le spi se met à déventer régulièrement, et qu'en même temps, pour des raisons de navigation, il n'est pas toujours souhaitable d'abattre.

Choquer l'écoute de grand-voile.

Au moment d'affaler il faut en effet augmenter le cône de déventement. De plus, étant appliquée contre le gréement, la grand-voile empêche le spi de se prendre dans les barres de flèche au moment où on l'affale.

Attention !

Ne pas fumer.

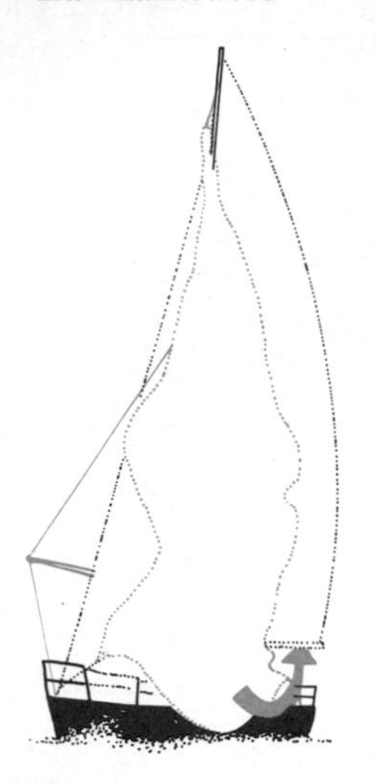

Pour éviter des batailles mémorables sur la plage avant, on fait rentrer directement le spi dans la cabine.

Larguer le point d'amure.

On choque le bras, jusqu'à ce que le point d'amure soit accessible et on le décroche. Sur les petits bateaux, quand le bras est épissé sur la voile, on le largue complètement.

Le spi flotte comme un drapeau dans le cône de déventement de la grand-voile.

Affaler.

Le point délicat est de mollir la drisse à la demande, à mesure que l'on rentre la voile.

On file la drisse lentement. Un ou plusieurs équipiers se saisissent de l'écoute pour ramener le point d'écoute à bord, puis rentrent la voile, en la tirant par le tissu, jamais par les ralingues, sinon le vent reprend dedans...

On peut étouffer le spi sur le pont, mais souvent la bête se défend avec âpreté. On risque de glisser sur le tissu et de déchirer la voile. Il est préférable de le rentrer au fur et à mesure dans la cabine, en le faisant passer sous la bôme et à l'extérieur des galhaubans.

Tourner la drisse.

Dès que le point de drisse est largué, crocher l'extrémité de la drisse à sa place habituelle. On peut à la rigueur laisser au balcon une drisse textile (bien que son fardage soit nuisible), mais non une drisse métallique : celle-ci risque de se prendre dans les mousquetons du foc. On doit donc la ramener au pied du mât, et il est prudent de la crocher toujours du même côté de l'étai, pour éviter des confusions ultérieures; si l'on a affalé sur le côté opposé, il faut faire passer la drisse devant l'étai avant de la crocher à sa place.

Remettre de l'ordre.

Le tangon est rangé à sa place. Les bras et le hale-bas sont amarrés au balcon, raidis par l'arrière, et éventuellement tenus le long du bord par du fil à casser, pour qu'ils ne bougent pas. Quand tout est clair, on hisse le foc, si on n'a pas osé le faire au début de la manœuvre. L'affaire est dans le sac.

Au repos, bras et hale-bas sont frappés aux pieds du balcon.

Le choix de la toile

Pour exécuter parfaitement les manœuvres de changement de voilure, il suffit d'un peu de pratique; mais il faut beaucoup d'expérience pour savoir décider, selon les circonstances, à quel moment et dans quelles proportions un changement de voilure s'impose. Le problème du choix de la toile ne peut jamais être résolu à l'aide de recettes simples du genre : « le premier ris à force 4 ». Les solutions sont variables à l'infini, selon les bateaux et les conditions dans lesquelles on navigue. On ne peut donner que des indications générales, en reprenant ce qui a été dit dans les précédents chapitres.

Le comportement du bateau est en partie défini, dès l'origine, par ses formes, son poids, sa taille, son plan de voilure. Il peut être plus ou moins **raide à la toile,** c'est-à-dire qu'il peut supporter plus ou moins de toile dans une force de vent donnée. Dans le vent frais, il peut se révéler plus ou moins ardent au près, plus ou moins stable sur sa route aux allures portantes. La gîte dans le premier cas, les embardées dans le second, indiquent assez nettement le moment où il faut intervenir.

En choisissant la toile qui convient au temps, on doit se préoccuper de la forme des voiles autant que de leur surface. Creuses par vent faible, elles doivent être de plus en plus plates à mesure que le vent fraîchit. Dans un vent très irrégulier, la solution consiste souvent à établir un foc plat, qui tire bien le bateau dans les rafales, et une grand-voile assez creuse qui lui permet d'avancer correctement dans les accalmies.

L'état de la mer entre aussi en ligne de compte : pour une même force de vent on peut conserver toute la toile en eaux abritées, mais être obligé de réduire nettement si le bateau tosse dans un mauvais clapot.

D'autres considérations, plus subjectives, peuvent nuancer les décisions : les capacités de l'équipage, le genre de navigation que l'on pratique. En régate, en course-croisière (ou simplement lorsqu'on dispose d'un équipage sportif et entreprenant) on est à l'affût du moindre gain de vitesse; les changements de toile sont effectués avec rigueur et rapidité. Dans une optique différente, un équipage débutant ne doit pas hésiter non plus à multiplier les manœuvres : il s'agit d'apprendre, de faire tous les essais possibles. Au contraire, lorsqu'on se promène, lorsque l'équipage est peu entraîné, on songe surtout à prendre de la marge; on réduit plus tôt que nécessaire, sachant que la difficulté de la manœuvre augmente avec la force du vent; de même, on y regarde à deux fois avant de renvoyer de la toile ou de hisser le spi.

Il n'y a donc pas de règle absolue. Tout au moins doit-on appliquer un principe minimum : en toutes circonstances, il importe d'avoir un bateau manœuvrant, c'est-à-dire doté d'une voilure équilibrée, et lui assurant de la puissance. A la voile, même si l'on n'a pas l'esprit de compétition, il est nécessaire de bien avancer; la vitesse est tout à la fois un élément de sécurité et de confort.

En définitive, un bateau sous-toilé ne vaut pas mieux qu'un bateau sur-toilé : l'un bouchonne, l'autre se couche, tous deux sont des anomalies dans le paysage.

12. Manœuvres de mauvais temps

A quel moment peut-on considérer que l'on entre dans le mauvais temps ? Sans doute dès que la force du vent et l'état de la mer ne permettent plus de faire exactement ce que l'on veut avec son bateau. Tout dépend donc du bateau sur lequel on se trouve et de son équipage. Pour des novices, le seuil du mauvais temps est vite atteint. L'expérience venant, il recule peu à peu.

D'une façon plus générale, on peut se risquer à dire qu'avec l'essor de la navigation de plaisance c'est la notion même de mauvais temps qui a évolué, d'une part en raison de progrès techniques très réels, d'autre part sous l'impulsion d'un état d'esprit nouveau, né de la course-croisière. On sait désormais que des bateaux, même petits, peuvent affronter sans dommage des temps très durs; on prend l'habitude de continuer à faire route dans des conditions où l'on aurait, naguère encore, pris la cape ou la fuite. Il est juste d'ajouter que cette hardiesse va de pair avec une conception de la sécurité beaucoup plus sérieuse et intransigeante qu'autrefois.

Entrer dans le mauvais temps est en fait une aventure individuelle : on ne peut plus compter que sur les moyens du bord, et il faut en premier lieu avoir une conscience exacte de ces moyens.

Dans ce chapitre nous ne parlerons pas des dériveurs légers; pour eux, la limite est vite atteinte au-delà de laquelle il devient déraisonnable de naviguer, même sur plan d'eau très surveillé. Tous les autres bateaux, aussi bien le canot qui sort pour la journée que le croiseur de haute mer, peuvent se trouver un jour confrontés au mauvais temps.

Cette éventualité doit être prise infiniment au sérieux, et cela bien avant l'apparition du premier cirrus bizarre. En matière de mauvais temps en effet, tout, ou presque tout, est affaire de prévoyance, à longue puis à courte échéance. Les manœuvres les plus judicieuses peuvent s'avérer vaines sur un bateau et avec un équipage mal préparés. Nous insisterons donc longuement sur cette préparation. C'est le seul point sur lequel on puisse se permettre d'être affirmatif — et où il est nécessaire de l'être.

Les manœuvres elles-mêmes, telles qu'on peut les décrire, correspondent approximativement à des degrés croissants de mauvais temps. Nous envisagerons successivement un temps *maniable*, où le bateau, quoique très gêné, peut continuer à faire route vers son but; un temps *peu maniable* où l'on est contraint d'adopter une allure de sauvegarde, cape ou fuite; enfin un temps *non maniable :* le bateau devient le jouet des éléments, et tout ce que l'on peut faire s'organise autour d'une préoccupation ultime, durer. Bien entendu la limite entre ces différents seuils demeure floue. Le choix de la manœuvre dépend d'une juste évaluation des possibilités et des risques, dans une situation donnée.

Préparation au mauvais temps

Il est difficile d'imaginer ce qu'est un bon coup de tabac. Les images, la lecture des bons auteurs, permettent de se faire une idée de l'état de la mer, de la violence du vent, mais on ne soupçonne pas en général à quel point il peut devenir pénible de se mouvoir, d'accomplir une manœuvre même très simple. Les facteurs psychologiques ont également une grande importance ici et sont mal prévisibles. Les mouvements auxquels le bateau est soumis, le spectacle alentour, et surtout (semble-t-il) les bruits très particuliers qui sont ceux d'une tempête finissent par installer dans l'esprit une certaine hébétude, alors même que l'on n'a pas le mal de mer.

Préparation à long terme.

Il est donc important de prévoir des manœuvres de mauvais temps très faciles à réaliser et bien connues de tout l'équipage.

C'est en premier lieu une question de matériel. Tous les systèmes de fixation, ceux des voiles de mauvais temps, ceux des harnais de sécurité : mousquetons, crochets, manilles, doivent être robustes et simples. Il importe surtout de vérifier périodiquement leur état. Nul n'ignore qu'il faut pour cela se faire violence et combattre en soi les reliquats d'une certaine crainte prélogique face aux grands phénomènes naturels : on enfouit le matériel de mauvais temps dans le coin le plus obscur du navire et l'on n'y touche plus, comme si l'exhiber ou même simplement en parler devait obligatoirement attirer la foudre.

Ce n'est pourtant pas au moment de l'établir qu'il faudra entreprendre la réparation d'une voile de cape, ou chercher à comprendre dans quel sens elle doit être hissée.

Une manœuvre de mauvais temps ne s'improvise pas. Les voiles doivent être essayées au moins une fois, dans un temps un peu frais. C'est le seul moyen de savoir si l'on possède un matériel vraiment adapté, et cela permet d'imaginer un peu quel sera le comportement du bateau dans le mauvais temps véritable.

De même il peut être judicieux de s'entraîner à la mise en place des systèmes particuliers dont on a cru bon de se munir : ancre flottante, stabilisateur, etc. On mesurera les difficultés qu'entraîne leur installation, et peut-être s'apercevra-t-on que tel ou tel engin ne convient pas au bateau que l'on possède; ce sera toujours autant de place gagnée à bord.

Ce sont souvent les petits détails qui font les grandes tempêtes. Il s'agit en somme de se contraindre, au moins une fois, à un vigoureux effort d'imagination pour tenter de prévoir tout ce qui peut arriver. Agir ainsi n'est pas faire preuve d'un goût morbide pour les situations pathétiques; c'est au contraire le moyen de se libérer de la hantise du mauvais temps, qui suffit à gâcher la plus paisible des croisières.

Préparation immédiate.

Un bulletin météo pessimiste, un ciel inquiétant, un vent fraîchissant commandent d'entamer sans retard toute une autre série de préparatifs, cette fois à courte échéance.

Ces préparatifs ne concernent que les bateaux qui sont en mer. **Lorsqu'on se trouve dans un bon abri, à l'approche du mauvais temps, la plus parfaite des manœuvres consiste à doubler les amarres.** Il n'y a **jamais,** dans ce cas, de raisons valables d'appareiller, surtout pas la nécessité d'être à l'heure à un rendez-vous ou de reprendre son travail. Ce dernier motif est particulièrement stupide : les cas de force majeure se font rares de nos jours, le mauvais temps en est un, il ne faut pas le lâcher.

En mer par contre, quand le temps *verdit*, il faut agir vite : tout à la fois choisir une tactique en fonction de l'endroit où l'on se trouve, et prendre des dispositions pratiques concernant le bateau et l'équipage.

La tactique.

Gagner un abri. Lorsqu'on se trouve à proximité d'une côte hospitalière, il n'y a pas d'hésitation possible, il faut rentrer. A condition toutefois que l'abri choisi :

— soit aisément repérable; avec le mauvais temps la visibilité peut se réduire considérablement, et rien ne ressemble plus à une côte grise qu'une autre côte grise;

— que son accès soit facile en tous temps; devant certains ports très abrités, par mauvais temps une barre s'établit, qui peut s'avérer infranchissable.

Lorsque les circonstances s'y prêtent, il est souvent judicieux de rallier un abri au vent, plutôt que sous le vent car en approchant de terre le **fetch** diminue (le fetch est la distance sur laquelle le vent peut brasser la mer sans rencontrer d'obstacles).

Prendre le large. Lorsqu'il ne paraît pas possible de se mettre à l'abri dans de bonnes conditions et que le vent porte à terre, mieux vaut gagner le large que rester à proximité des côtes. Cette affirmation qui heurte le bon sens terrien est particulièrement sûre : au large on rencontre généralement une mer mieux formée, plus régulière, donc moins dangereuse. D'autre part une manœuvre manquée, une avarie mineure peuvent avoir des conséquences moins graves au large qu'à proximité d'une côte sous le vent.

Se dégager des endroits dangereux. Quelle que soit la tactique adoptée, il importe en tout cas d'éviter ces endroits réputés dangereux que sont les hauts-fonds et les passages étroits où règne un courant violent.

Sur les hauts-fonds, plateaux ou basses, la mer grossit rapidement et déferle. Les vagues déferlantes sont probablement le danger le plus réel auquel on se trouve exposé dans le mauvais temps. Une vague normale n'est qu'un déplacement d'eau dans le sens vertical, sans libération d'énergie; une déferlante est une vague dont la crête se déplace horizontalement, parfois avec une force énorme.

Dans les passages étroits, lorsque le courant va dans le sens du vent, la houle s'allonge, les vagues ne déferlent pas. Mais lorsque le courant s'oppose au vent, la houle est raccourcie, creusée, déferlante; il arrive ainsi que l'on rencontre une agitation monstrueuse dans des endroits comme le Raz de Sein, le Raz de Portland, alors qu'à quelques milles de là la mer est encore très maniable.

Toutes ces considérations doivent dicter en partie la marche à suivre. Mais il reste bien des inconnues : la force, la durée du mauvais temps, les avaries possibles. En tout état de cause il faut mettre le bateau et l'équipage en mesure de soutenir un siège. Car c'est de cela qu'il s'agit.

Le bateau.

« **Home, sweet home** ». Dans la tempête, l'intérieur du bateau représente une sorte de havre de paix où l'on doit pouvoir sauvegarder un certain confort. Ce confort dépend essentiellement de l'énergie avec laquelle on se défend des deux fléaux majeurs : le désordre et l'humidité.

Tout doit être rangé, immobilisé, saisi. Epicerie, droguerie et quincaillerie devront garder leur place respective, leur mariage dans les fonds produisant en général un effet désastreux sur l'estomac du consommateur le plus vorace. Rien n'est plus démoralisant qu'un intérieur mal tenu, c'est bien connu; ici, cela peut même tourner au drame, et la vie en bas devenir infernale.

Parvenir à conserver cet intérieur sec est beaucoup plus difficile. Il faut tout au moins commencer par vider l'eau qui peut s'y trouver, ce qui permet en même temps de vérifier le fonctionnement de la pompe. Ensuite, il faut transformer l'endroit en place forte, c'est-à-dire en fermer hermétiquement toutes les issues. Assurer les panneaux, boucher les aérateurs, le trou d'écubier lui-même. Lorsque le bateau comporte un rouf à grandes vitres, on doit avoir à bord des panneaux de bois qui viendront les renforcer si les choses se gâtent pour de bon (insistons : il est aléatoire d'entreprendre des travaux de menuiserie dans la tempête; ces panneaux doivent être prévus, les trous de fixation faits, les vis choisies, le tournevis retrouvé).

Espérer une étanchéité absolue reste malgré tout illusoire, d'autant plus qu'il faut bien, de temps à autre, ouvrir le panneau de la descente pour entrer ou sortir. On doit donc mettre en lieu sûr, et soigneusement emballé dans des sacs en plastique, tout ce qui doit absolument rester sec, les allumettes en particulier (notons qu'il est toujours plus judicieux d'avoir beaucoup de petites boites d'allumettes plutôt que quelques grosses).

Sur le pont, il faut également tout mettre au clair, pour avoir ses aises. Ramasser tout ce qui n'est pas indispensable à la manœuvre. Vérifier l'amarrage des engins de sauvetage, canot, radeau, etc. Saisir solidement tous les accessoires : tangon, aviron, ancre. Tout doit être examiné avec le souci de laisser au vent et à la mer le moins de prise possible.

L'équipage.

Penser d'abord au mal de mer; c'est une affaire sérieuse qui peut influer considérablement sur la situation; on ne s'en moque que dans les tempêtes de cabaret. Administrer des pilules sans attendre la levée de la houle et des cœurs.

Penser aussi que l'on ne pourra sans doute pas faire de cuisine avant un moment. Préparer des boissons chaudes et les placer dans des bouteilles thermos. Disposer dans un endroit facile à atteindre des choses faciles à avaler (biscuits, fruits secs, chocolat).

Ensuite, faire capeler les harnais de sécurité. Le système utilisé doit être aussi sérieux que le harnachement d'un parachutiste : il doit tenir étroitement au corps et ne pouvoir glisser ni d'un côté ni de l'autre.

Prévoir des bouts d'amarrage en fonction du rôle de chacun : le barreur et les équipiers qui doivent rester dans le cockpit seront amarrés très court, de sorte qu'ils ne puissent passer par-dessus bord; les équipiers travaillant sur le pont ont besoin d'une plus grande latitude d'action, néanmoins leur bout d'amarrage ne doit pas excéder 2 m de long; ce bout ne devra jamais être croché dans les filières, mais uniquement en des points très robustes : haubans, pitons spécialement prévus, la meilleure solution étant évidemment les lignes de vie, sur lesquelles on peut faire coulisser le mousqueton sans jamais avoir à le détacher.

L'amarrage peut constituer au début une entrave assez désagréable; raison de plus pour s'y habituer bien avant que les circonstances ne l'exigent. Dans le mauvais temps, cette discipline ne doit pas se relâcher un seul instant. On ne doit se larguer que lorsqu'on se trouve dans la cabine; on doit s'amarrer avant d'en sortir. Même dans l'échelle de descente on peut être surpris par un coup de mer.

Les manœuvres

Toute cette préparation doit être effectuée selon un plan précis, rigoureux et immuable. On peut affirmer que la réussite des manœuvres ultérieures en dépend en grande partie.

En abordant maintenant la description de ces manœuvres, il n'est plus possible d'être aussi catégorique. Tout devient affaire de circonstances. Dans ces pages, il est bien évident que nous nous acheminons, pas à pas, vers une tempête formidable; dans la réalité on ne sait jamais exactement ce qui va se passer. La tempête peut prendre un tour imprévu, et toute décision doit être dictée par ce même esprit de prévoyance qui animait les préparatifs : ce qui compte, c'est moins l'instant présent que ce qui risque de survenir un peu plus tard.

Dans cette optique on peut au moins proposer deux principes d'action.

— Toute manœuvre doit être décidée à temps, c'est-à-dire un peu avant qu'elle ne devienne indispensable. Un changement de foc peut se transformer en exercice de haute voltige, qui n'aurait pas présenté de difficultés particulières cinq minutes plus tôt.

— Tant qu'il reste une possibilité d'action, on ne doit pas se contenter d'un à-peu-près. Le plus grave est, en effet, de subir trop passivement les événements : un bateau qui bouchonne pendant des heures épuise son monde, alors qu'un effort bref, pour modifier la voilure ou changer d'allure, suffirait parfois pour que la situation devienne d'un coup beaucoup plus confortable.

Ces principes sont commandés essentiellement par le souci de ménager la forme physique et morale de l'équipage. C'est le point important.

Poursuivre sa route.

Il est rare que le mauvais temps s'installe brutalement, de manière théâtrale. En général, on le voit venir, et dans un premier temps on poursuit sa route, pour gagner un abri, pour prendre le large, ou tout simplement pour continuer.

Que l'on fasse route au près ou portant, les caractéristiques propres à chaque allure se retrouvent ici mais leurs difficultés sont naturellement plus marquées.

Au près.

Sans reprendre ce que nous avons dit de la réduction de voilure au chapitre 8, rappelons simplement que pour progresser au près dans un vent fort :

— il faut rechercher un bon équilibre entre les voiles;

— la forme des voiles importe au moins autant que leur taille;

— on doit conserver une certaine puissance, pour rester manœuvrant.

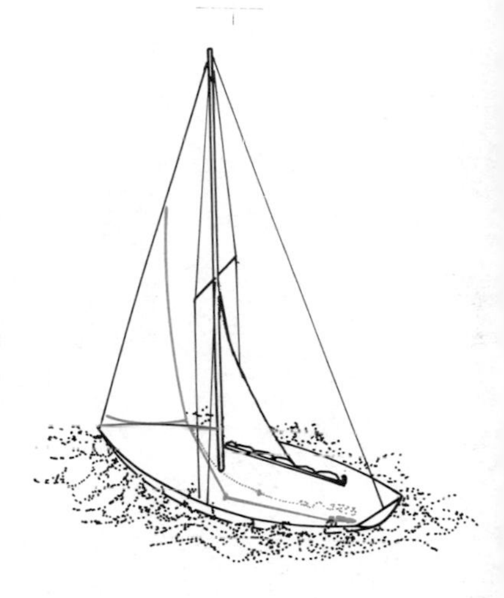

Au près dans un temps dur : rehausser le point d'amure du foc, doubler son écoute.

L'allure du près dans le mauvais temps présente certains avantages. Tout d'abord on ne risque pas d'être surpris. On se rend parfaitement compte de la force du vent, de l'évolution du temps. Le bateau a un comportement sans équivoque, il indique clairement ce dont il a besoin. D'autre part il présente à la mer sa partie la mieux défendue, l'étrave. A l'arrière, dans le cockpit, on est relativement abrité.

C'est tout de même une allure très inconfortable : la rencontre du bateau avec les vagues est parfois très dure, le tangage est éprouvant, les gens sont malades, la vie à l'intérieur est pénible.

Pour continuer à avancer dans une mer déjà forte, on s'efforce de barrer à la lame : loffant face à la vague pour réduire le choc, abattant sur son dos pour reprendre de la vitesse. C'est assez simple en théorie, mais souvent difficile à réaliser, surtout la nuit.

En fait le bateau est soumis à des efforts énormes. Tenter de faire un près serré est illusoire : le fardage, la gîte, les vagues l'interdisent. On est contraint de prendre une allure un peu plus arrivée.

Les risques que l'on court sont essentiellement des risques d'avaries de gréement : voile déchirée, écoute rompue, mât cassé. Lorsqu'on doit faire un long bord au près, il est bon de rehausser le point d'amure du foc pour mettre celui-ci à l'abri des paquets de mer; il est également prudent de doubler l'écoute de foc, soit avec sa contre-écoute, passée du même bord dans un filoir différent et tournée à un taquet, soit avec un bout prévu pour cet usage et muni d'un mousqueton que l'on accroche au point d'écoute (cette précaution peut d'ailleurs être prise également en temps ordinaire, dès que l'on doit rester plusieurs heures sur le même bord).

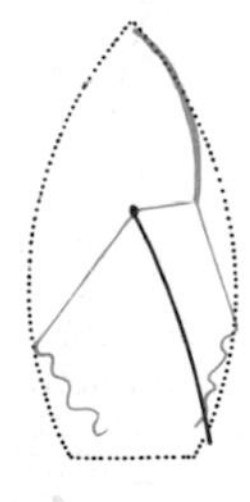

En masquant légèrement la voile d'avant, on ralentit, le bateau fatigue moins.

Il faut enfin sentir le moment où le bateau demande grâce. Dans un premier temps, on peut réduire la vitesse en **masquant** légèrement la voile d'avant; il suffit pour cela de border sa contre-écoute. C'est un premier pas vers la cape courante.

Aux allures portantes.

Le principal avantage de ces allures est toujours le même : on court dans le même sens que le vent et la mer, et la vie à bord est assez confortable. C'est relatif cependant, car si le bateau ne heurte plus les vagues il peut rouler énormément. De plus toutes les « traîtrises » du vent arrière se retrouvent ici, aggravées :

— le vent paraît moins violent, on se rend mal compte de l'évolution du temps;

— le bateau devient très instable sur sa route; une auloffée ou un empannage risquent d'être catastrophiques;

— on présente à la mer la partie la moins défendue du bateau.

S'il peut être souhaitable, dans un premier temps, de rester légèrement surtoilé pour gagner rapidement un abri, il faut être sûr de ce que l'on fait, et de pouvoir amener de la toile sans problème lorsque cela deviendra indispensable. Il faut le faire sans plus attendre lorsqu'on sent que le bateau devient dur à la barre et que sa tendance à loffer augmente.

Bientôt il est prudent d'amener purement et simplement la grand-voile, car le risque d'empannage devient trop grave. On avance encore très vite avec la seule voile d'avant; celle-ci peut d'ailleurs être assez grande.

Prendre une allure de sauvegarde.

La cape courante.

La cape est la position d'attente classique lorsque la force du vent et l'état de la mer ne permettent plus de continuer à faire route au près.

Elle se prend grand-voile arisée, bordée normalement, foc bordé à contre, barre amarrée sous le vent. La grand-voile fait loffer, le foc fait abattre : le bateau continue à avancer un peu, en dérivant beaucoup.

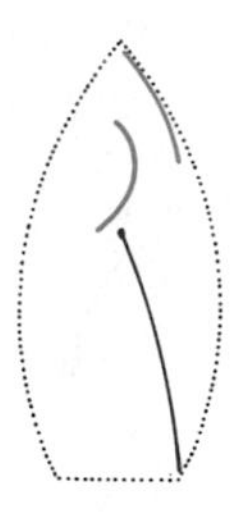

Côtre en cape courante : foc bordé normalement, trinquette bordée à contre.

Ceci est le principe. Selon les bateaux, il faut rechercher par tâtonnements cette position d'équilibre. Sloops et côtres tiennent généralement la cape sous tourmentin et grand-voile au bas-ris; un bateau très ardent peut la prendre sous tourmentin seul, barre sous le vent; pour un autre, la barre doit être amarrée dans l'axe, ou même au vent. Avec un plan de voilure très divisé, comme celui du ketch ou du yawl, l'équilibre se trouve aisément sous artimon et tourmentin. De toute façon il faut chercher, essayer, voir ce que cela donne.

Cette allure présente en tout cas beaucoup d'intérêt. Elle permet d'attendre, de se maintenir au vent d'une côte dépourvue d'abri, et cela dans des conditions assez confortables. Le bateau fatigue peu; sa dérive crée au vent de la coque des turbulences qui contrarient la hargne des vagues; une fois l'équilibre trouvé, il n'est plus nécessaire de laisser quelqu'un à la barre. Tout le monde au repos, au chaud. Enfin, le bateau reste très disponible. Il peut être à nouveau manœuvrant en quelques instants. Un homme tombant à la mer a des chances d'être repêché.

Mais tout cela a des limites. Lorsque la mer grossit encore, ce bel équilibre est à la merci d'une vague plus grosse que les autres, balayant le pont et couchant le bateau. La mâture recommence à souffrir. Déventé dans les creux, couché sur les crêtes, le bateau ne peut plus tenir.

Voilà une tempête qui commence à devenir sérieuse. S'il n'est pas possible de mettre en fuite, certains utilisent alors l'ancre flottante.

La cape sur ancre flottante.

Cette allure se prend, en principe, à sec de toile, et il existe toutes sortes de systèmes, prévus ou improvisés, pour tenter de freiner le bateau.

L'ustensile classique, mis à l'honneur par le capitaine Voss, est un sac de toile tronconique, dont la grande base est maintenue ouverte par une armature. Sur celle-ci est gréée une patte d'oie et un filin de retenue. De plus, l'appareil est lesté pour travailler à une certaine profondeur, et muni d'un orin qui permet de le retourner pour le ramener à bord.

C'est donc un engin assez encombrant. Il semble que l'ancre flottante ait rendu des services, sur certains bateaux, dans des circonstances bien précises. Ses inconvénients sont en tout cas évidents :

— Elle est difficile à installer.

— On est obligé de conserver une voile arrière, car l'expérience prouve que le bateau ne se maintient pas dans le lit du vent. Sur un ketch, cela ne pose pas de problème. Sur un sloop il faut tenter de gréer un petit foc sur l'étai arrière, le point d'écoute bordé vers l'avant : ce n'est pas simple.

— Enfin le bateau a tendance à culer, ce qui met le safran en grand danger de rupture. Pour immobiliser celui-ci il faut encore une installation spéciale.

En définitive, si l'ancre flottante s'avère parfois efficace, il semble que ce soit par mauvais temps moyen. Par très gros temps, cette entrave devient dangereuse. Beaucoup préfèrent prendre la cape sèche, dont nous parlerons tout à l'heure.

Notons qu'on utilise, à bord des canots pneumatiques de sauvetage, des ancres flottantes en forme de parachute qui donnent toute satisfaction sur ce type d'embarcation.

La fuite libre.

Entre faire route au vent arrière et fuir, il n'y a pas, au départ, de différence de manœuvre; mais faire route sous-entend que l'on continue vers le but prévu; fuir, c'est renoncer à son objectif et partir vent arrière là où le vent et la mer vous poussent. L'esprit de l'allure est donc très différent.

La fuite n'est évidemment possible que si l'on a beaucoup d'eau à courir sous le vent. Elle est plus confortable que la cape, mais elle présente tous les risques de la navigation au vent arrière. Elle exige la présence constante d'un barreur. Un homme à la mer n'a à peu près aucune chance d'être repêché.

Au début, on fuit avec une voile d'avant. Si le vent fraîchit encore, on continue à sec de toile. Même ainsi les risques d'embardées demeurent. On peut stabiliser le bateau avec des **traînards**, c'est-à-dire en filant par l'arrière des bosses plus ou moins longues : quelques mètres suffisent parfois.

Mais si le bateau a encore trop de vitesse, ou si l'on craint de se rapprocher trop vite de terre, il devient nécessaire de chercher d'autres solutions.

La fuite retardée.

Mouiller une ancre flottante par l'arrière est probablement dangereux : le bateau est trop retenu, l'arrière ne soulage pas convenablement à la lame.

Il est préférable de traîner de grosses aussières, que l'on file soit en long, soit en boucle. Si on peut les lester, elles travaillent en profondeur et leur action est plus régulière.

Ce procédé a des avantages certains. Il assure un confort remarquable et réduit le déferlement des lames à l'arrière du bateau. Mais évidemment celui-ci n'a plus aucune possibilité d'évolution.

Diverses améliorations peuvent être envisagées : pour mieux tenir le bateau il peut être bon, par exemple, d'établir un tourmentin;

pour éviter le plein vent arrière, les traînards peuvent être amarrés un peu sur le côté, etc. Encore une fois, il n'y a pas de règles absolues, il faut tâtonner, juger du résultat ; il s'agit en fait de trouver quelle est la bonne vitesse pour le bateau par rapport à la vitesse des vagues.

Cependant, si la côte est proche, il importe moins de chercher cet équilibre que de ralentir à tout prix. Dès lors, tous les moyens sont bons : on file tout ce que l'on possède d'aussières et de bosses, des voiles, des seaux, des planchers et même l'ancre flottante.

En principe, tout ce que l'on traîne aplatit la mer, mais en fait, le risque d'embarquer une déferlante devient très sérieux. Il faut condamner la descente, renforcer si possible la cloison arrière du rouf.

L'amarrage des traînards les plus puissants doit être prolongé jusqu'à l'avant du bateau par un filin passant à l'extérieur des haubans, et tourné sur la bitte. En effet, pour les récupérer le moment venu, il est nécessaire de pouvoir faire tête sur eux : les remonter par l'arrière est à peu près impossible tant que le vent demeure frais.

Durer.

Il faut enfin parler du mauvais temps exceptionnel, de ces tempêtes-cataclysmes qui ne sont pas l'apanage des *quarantièmes rugissants* mais qui peuvent également survenir — de façon généralement inattendue — dans nos parages.

Ici, que peut-on dire ? Il y a des tempêtes qui échappent à tous commentaires autres que ceux des navigateurs qui les ont subies et qui en sont revenus. Il n'y a plus que des histoires, des faits [1].

1. Il est impossible de parler du très mauvais temps sans évoquer l'ouvrage de K. Adlard Coles, *Navigation par gros temps* (Ed. de la mer), qui constitue une véritable « bible » de la question. Suite de récits extraordinaires, vécus par l'auteur ou recueillis par lui, ce livre s'efforce de tirer la leçon des faits, point par point, sans jamais se risquer à édicter des règles générales. Aussi exemplaire que le récit lui-même, nous paraît être le ton de l'auteur, ce mélange inimitable de flegme et de modestie qui est la marque des marins véritables.

Les trainards sont amarrés à l'avant, passent dans le chaumard, à l'extérieur des haubans, et sont tournés à l'arrière sur des taquets. Le moment venu, il suffit de les libérer de ces taquets : on fait tête sur eux et on peut les remonter facilement.

Il n'est plus question de manœuvre, au sens propre du mot. L'équipage perd l'initiative; il ne s'agit plus que de tenir, de survivre en attendant mieux.

Il devient impossible de rester sur le pont. Le bateau est à sec de toile (si l'on n'a pas eu le temps de tout amener la seule solution est de prendre des *ris irlandais*, à coups de couteau...). Les mesures de sécurité sont renforcées, tout le monde se ramasse à l'intérieur, sauf le barreur éventuellement. Une ultime précaution consiste à quadriller le cockpit, à hauteur d'entre-jambes, à l'aide de cordages solidement amarrés auxquels on puisse se retenir.

Que faire ? Quelle allure prendre ?

Adlard Coles, pour sa part, dit avoir utilisé fréquemment la cape sèche. Le bateau se met en travers, avec un angle de gîte souvent important. Il oppose ainsi très peu de résistance à la mer et dérive en créant au vent à lui des remous qui contrarient peut-être légèrement les vagues. Naturellement, on ne peut plus espérer le moindre confort à l'intérieur du bateau et l'on doit y éprouver une certaine angoisse à se sentir ainsi totalement livré aux éléments.

Dans un véritable ouragan, il est possible que l'état de la mer n'autorise plus cette allure, et qu'à partir d'un certain point le bateau risque purement et simplement de chavirer. Bien que tout le monde soit à l'intérieur, un homme doit se tenir prêt à bondir, harnaché, amarré, pour mettre le bateau en fuite si la situation devient intenable.

Filer de l'huile ? Il semble bien que cette pratique soit réservée à de gros bateaux, disposant de réserves importantes : aux pétroliers, par exemple... Sur un petit bateau dérivant très rapidement, le principal résultat de la manœuvre est de transformer le pont en patinoire, ce qui n'arrange pas les choses.

D'après la majorité des récits de navigateurs, il semble que l'allure la plus fréquemment adoptée dans les tempêtes exceptionnelles soit la fuite. Le plus curieux est qu'on ne paraît plus envisager, alors, de retarder cette fuite en remorquant des aussières. Cette pratique semble réservée à un certain degré de mauvais temps; elle deviendrait dangereuse au-delà, risquant de ne pas laisser le bateau céder comme il faut à l'assaut de lames énormes. Moitessier, en particulier, utilise cette fuite rapide, maintenant son bateau à 15 ou 20° du vent arrière pour éviter d'aller piquer du nez dans la vague précédente et de **sancir,** c'est-à-dire de chavirer cul par-dessus tête. Naturellement le bateau doit atteindre des vitesses effrayantes et risque de partir dans des auloffées vertigineuses. Mais ici il serait indécent de vouloir encore donner quelque conseil, et, pris d'un léger malaise, nous préférons nous retirer sur la pointe des pieds.

Mouiller.

Sans vouloir à tout prix terminer ce chapitre sur une catastrophe spectaculaire, il paraît toutefois nécessaire de dire quelques mots d'une manœuvre de dernière chance : mouiller. Les petits croiseurs côtiers en particulier peuvent être amenés à la tenter lorsqu'il leur est impossible de tenir face à la mer et que la tempête les pousse irrésistiblement vers la côte.

Cette manœuvre doit être envisagée avec beaucoup de sang-froid. Pour mouiller avec le maximum de chances de réussite, il faut utiliser ce qu'on a de mieux en fait de matériel de mouillage; si l'on dispose de plusieurs ancres, autant les empenneler toutes et mettre toute la longueur de ligne disponible. Lorsqu'on mouille, on file immédiatement toute la ligne, car si l'ancre chasse au départ elle risque fort de ne plus crocher.

Dans toute la mesure du possible, on essaye de choisir son endroit, un fond de bonne tenue, une hauteur d'eau raisonnable. Il faut aussi envisager le cas où le mouillage ne tiendrait pas, et se placer de telle sorte que l'on fasse côte à l'endroit le moins dangereux.

Faire côte.

Si l'ancre ne croche pas, ou que le mouillage casse, cette fois on y va.

Il n'y a pas véritablement de méthode pour y aller : de toute façon c'est dangereux.

Faire côte sur de la roche est probablement le plus mauvais des cas. Le bateau a peu de chances de résister longtemps. Il est d'ailleurs très difficile de se maintenir à bord, en raison des chocs répétés; les éclis de bois ou de plastique peuvent blesser gravement. Mais en quittant le bateau on risque aussi d'être fracassé contre la roche.

La situation est souvent moins grave lorsqu'on peut faire côte sur des rochers couverts de goémon — et donc, généralement, à marée basse. Le goémon calme la mer, et le débarquement s'avère déjà moins aléatoire.

Arriver sur du sable semble plus réjouissant, bien que le bateau, là aussi, puisse être rapidement mis en pièces. En gagnant la terre ferme, on risque évidemment d'être malmené par les rouleaux. Il est difficile de se maintenir en surface car l'eau, contenant une grande quantité de bulles d'air, manque de densité. Pour franchir les rouleaux il faut disposer d'une flottabilité importante : utiliser le radeau de sauvetage ou l'annexe pneumatiques.

Si l'on a la chance de pouvoir échouer dans la vase, les risques sont bien moindres. Le bateau peut résister; mieux vaut rester à bord en attendant les secours.

La mauvaise visibilité, les bruits, les mouvements très durs du bateau, l'humidité ambiante, l'inévitable désordre, tout cela constitue la toile de fond d'une tempête. L'action elle-même dépend avant tout du climat qui règne à bord. Le mal de mer, la crainte, la fatigue peuvent rendre rapidement dramatique une situation simplement délicate.

Ici le rôle du chef de bord apparaît déterminant. C'est à lui d'entraîner et de ménager tout à la fois son équipage, d'entretenir la confiance. Il doit faire preuve de sang-froid, d'audace, de prudence, et d'humour.

13. Godille, moteur, remorque

Après avoir évoqué les pires tempêtes, il serait agréable de parler du calme plat. Dans un manuel on ne peut malheureusement aborder ce sujet sans chercher tout aussitôt les moyens d'en sortir. Nous n'échapperons pas à la règle (et le bon usage des calmes plats reste, après tout, affaire de goûts personnels).

Il nous faut donc envisager maintenant les moyens de se déhaler lorsque la voile s'avère inopérante : ce sont essentiellement la godille et le moteur. L'absence du vent n'est d'ailleurs pas le seul cas où l'emploi de ces auxiliaires se trouve justifié; ils peuvent rendre service pour rattraper une manœuvre un peu ratée, évoluer dans un port fourmillant, sortir d'une position périlleuse. Lorsqu'ils se révèlent eux-mêmes insuffisants ou défaillants, la remorque reste une solution ultime. En dépit des apparences, ce n'est pas la plus reposante.

La godille

La godille est sans aucun doute un art, et sa maîtrise constitue l'une des plus nobles conquêtes de l'apprenti marin. Les services qu'elle peut rendre, apparemment modestes, peu vantés, sont innombrables. Il n'est pas d'exemple d'instrument alliant une efficacité sans défaillance à une aussi remarquable économie de moyens.

Le principe.

Comme tous les principes supérieurs, celui de la godille n'est pas complètement circonscrit par l'analyse. Lorsqu'on a dit que la godille est en quelque sorte une hélice alternative, à pas variable, on n'a pas tout dit. Et même si l'on parvenait à tout dire, il faudrait encore le faire. La description du mouvement paraît en effet sans portée pratique : elle pourrait trouver sa place, à la rigueur, dans un roman d'avant-garde, ou servir à l'illustration d'un traité sur *La Psychanalyse du Biais*. Mais elle gagne à rester évasive.

Le godilleur voit toujours la même face de la pelle.

L'initiation doit se faire de préférence sur un canot lourd, par mer calme et vent nul. Certains choisissent un endroit désert. Le godilleur est debout dans son bateau, face à l'arrière, jambes écartées, corps droit. Il tient la poignée de l'aviron à deux mains, pouces en dessous, à la hauteur des épaules. La pelle est complètement immergée, aussi verticalement que possible, et l'aviron équilibré de façon à reposer sans poids dans la dame de nage ou dans l'engoujure du tableau.

S'il conserve la pelle à plat dans l'eau, et remue l'aviron de droite et de gauche, le godilleur ne rencontre pas de résistance et n'obtient aucun résultat. A l'opposé, s'il place la pelle perpendiculaire à la surface de l'eau, la résistance au mouvement de l'aviron est forte, mais sans conséquences appréciables : si le bateau se déplace un peu, c'est essentiellement qu'il est dérangé par les tourbillons naissant sur son arrière.

Il faut donc donner à la pelle une certaine incidence, un certain biais : l'incliner légèrement vers la gauche et tirer l'aviron vers la droite; puis l'incliner vers la droite et tirer vers la gauche. C'est simple. La face supérieure de la pelle ne repousse pas franchement l'eau, elle l'écarte insidieusement tout en y prenant appui. Ce phénomène doit pouvoir être décrit scientifiquement; disons simplement qu'on s'efforce d'utiliser au mieux les ressources ambiguës de la voie oblique.

En pratique, le véritable problème réside dans l'enchaînement du mouvement en fin de course. **Les mains ne doivent pas glisser sur la poignée de l'aviron, l'inversion est assurée par un simple mouvement des poignets.** Dans le même temps la face supérieure de la pelle ne doit quasiment pas relâcher sa pression sur l'eau, sinon l'aviron n'est plus tenu et sort de son engoujure; c'est ce qui se produit, inévitablement, dans les débuts.

La seule ressource est de recommencer, jusqu'à ce que l'aviron reste à sa place. Comptons une heure de travail pour un sujet moyennement doué. Ensuite, ce n'est plus qu'une question de perfectionnement. Pour tourner, on incline simplement la pelle un peu plus d'un côté que de l'autre. Pour interrompre le mouvement sans que l'aviron s'échappe, on place vivement la pelle perpendiculaire à la surface de l'eau, comme un safran.

Mais il faudra encore quelques heures de mise au point avant de pouvoir connaître les plus hautes satisfactions que réserve la pratique de la godille : sur l'eau calme d'un port aux rives peuplées, godiller d'une main (l'autre dans la poche) tourné vers l'avant du bateau, progresser à petits coups tranquilles, tout en ayant l'air de penser à autre chose.

> A la godille, on peut aussi faire marche arrière. Même position du corps que pour la marche avant; plonger la pelle à plat dans l'eau sous un angle de 45° environ, poser la poignée sur l'une de ses épaules, appuyer des deux mains sur l'aviron et lui faire décrire des huit à plat en maintenant toujours la même inclinaison. Ne pas bouger les hanches.
> La manœuvre interdit la désinvolture du godilleur qui va de l'avant, mais rend service à qui désire faire culer son canot de deux ou trois mètres en ligne droite sans évolutions superflues.

Utilité de la godille.

Le premier intérêt de la godille est qu'elle est vite parée, vite en action, prête à donner le coup de pouce pour assurer une manœuvre dans un moment critique, virement difficile par exemple. Elle permet d'autre part des évolutions précises dans un espace restreint. Ses avantages sur le moteur sont évidents. Aucune nuisance : elle ne fait pas de bruit; environnement intact : elle ne sent pas mauvais et ne salit rien; ambiance sécurisante : elle ne tombe jamais en panne et ne se prend pas dans les orins.

On doit évidemment lui reconnaître quelques limites : même avec un opérateur musclé, la vitesse obtenue est modeste; la godille peut s'avérer insuffisante pour lutter contre un courant, même faible, ou une brise un peu fraîche. En l'absence d'un moteur elle demeure en tout cas beaucoup plus efficace qu'une paire d'avirons de nage qui, sur un bateau de quelque importance, ne servent guère qu'à battre l'eau.

Pour que la godille possède toutes ses lettres de noblesse, il lui manque, en fait, d'avoir été utilisée par un fantaisiste (manchot de préférence) pour la traversée de l'Atlantique; mais cela ne saurait tarder.

La pagaie.

Il faut en passant dire un mot de la pagaie, que l'on emploie en général sur les dériveurs légers et les annexes pneumatiques. Sur un dériveur, elle a l'avantage de prendre peu de place et de pouvoir être utilisée sans dispositif spécial (engoujure ou dame de nage). Sur les pneumatiques, même lorsqu'il est possible de godiller, les pagaies deviennent nécessaires dès qu'il faut avancer contre un vent frais ou dans le clapot.

L'apprentissage de la pagaie ne revêt pas un caractère initiatique comme celui de la godille, et la réussite n'est pas liée à une ascèse particulière : il faut avouer qu'on avance même en pagayant mal. Les puristes s'astreignent à pagayer bras tendus, plongeant la pelle de la pagaie très en avant, tirant sans fléchir le bras, en utilisant le buste.

Lorsqu'on se trouve seul à bord on utilise la pagaie d'un seul côté, et non alternativement à droite et à gauche. On s'installe à l'arrière du bateau, côté sous le vent (s'il y a du vent). Si l'on se trouve à tribord par exemple, au premier coup de pagaie le bateau part sur bâbord; en fin de mouvement, on utilise la pelle comme un safran pour corriger la direction, et jusqu'à engager un peu le bateau dans la direction opposée pour qu'il s'écarte moins lors du mouvement suivant. Sur un dériveur, il est bon de baisser la dérive pour limiter les embardées.

Le bon pagayeur ne plie jamais les bras.

Le moteur auxiliaire

Son rôle exact.

Naguère encore le monde de la plaisance était divisé en deux catégories d'individus : les uns croyaient aux moteurs auxiliaires et passaient des heures à tenter d'amadouer ces mécaniques retranchées dans un mutisme farouche; les autres, les purs, les méprisaient.

Cette opposition, nourrie parfois d'arguments pseudo-philosophiques, n'a plus désormais de raison d'être. D'une part, les moteurs consentent de plus en plus souvent à marcher — quoiqu'il ne faille rien exagérer; d'autre part, leur présence à bord s'avère à peu près indispensable, ne serait-ce que pour pénétrer (si l'on en a encore envie) dans des ports où il n'est plus possible, ni même autorisé, d'entrer à la voile.

Il est évident qu'un moteur peut procurer d'autres avantages : il permet de rentrer à l'heure malgré le calme plat, il peut aider à sortir d'un mauvais pas, pallier les conséquences d'une avarie de gréement; permettre de manœuvrer plus rapidement pour repêcher un homme à la mer s'il est assez puissant pour le temps qu'il fait (à condition de ne jamais oublier le danger que représente l'hélice pour celui qui se trouve dans l'eau).

Il peut être aussi très dangereux, dans la mesure même où on lui accorde trop de confiance.

En fait, il importe de définir sans ambiguïté son rôle exact. Un moteur auxiliaire ne doit jamais être considéré comme un élément de sécurité; en d'autres termes, il faut toujours prendre les mêmes précautions de navigation que si l'on n'avait pas de moteur. En comptant sur lui, la tentation est parfois grande de couper court, de s'aventurer dans des parages où le bateau se trouve à la merci d'une saute de vent ou d'un calme plat. Cette attitude est à proscrire absolument. Le moteur est là, *en plus*. S'il marche, tant mieux. S'il ne marche pas, il ne faut pas que ce soit grave.

Possibilités d'évolutions.

Au départ, on suppose que l'on a choisi un moteur dont la puissance est en rapport avec le poids et le fardage du bateau. Cependant, même avec un moteur approprié, les qualités manœuvrières du bateau sont très différentes, selon qu'on a ou non la possibilité d'orienter le jet de l'hélice.

Le jet de l'hélice.

Trois cas peuvent se présenter.

— L'hélice est orientable. C'est le cas avec un moteur hors-bord.

La manœuvrabilité est grande : dans n'importe quelle orientation le jet de l'hélice conserve toute sa puissance. Même lorsque le bateau se trouve à l'arrêt, l'étrave contre un quai, il est encore possible à l'aide du moteur de faire pivoter l'arrière du bateau vers la droite ou vers la gauche.

— L'hélice est fixe mais envoie son jet sur le safran. En orientant celui-ci il est donc possible de dévier plus ou moins le jet, et le bateau conserve une bonne manœuvrabilité, même à l'arrêt.

— L'hélice est située de telle sorte que l'orientation de son jet ne peut pas être modifiée par le safran. C'est malheureusement le cas sur la plupart des voiliers à moteur fixe. Il n'y a aucune possibilité d'évolution à l'arrêt. Le bateau n'est manœuvrant qu'en ayant de la vitesse, comme à la voile.

Sur certains bateaux, l'hélice n'est même pas dans le prolongement de la quille.

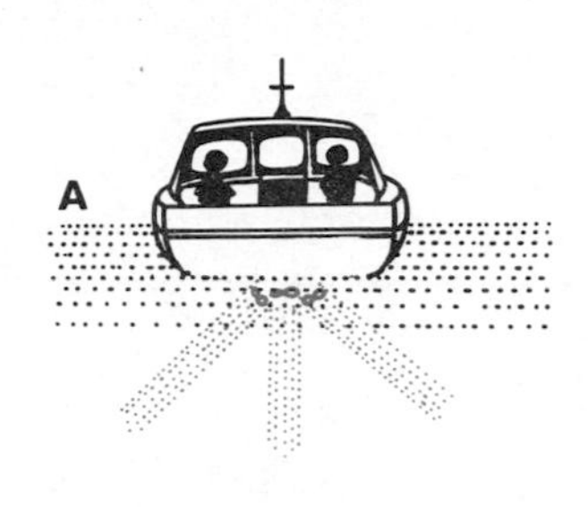

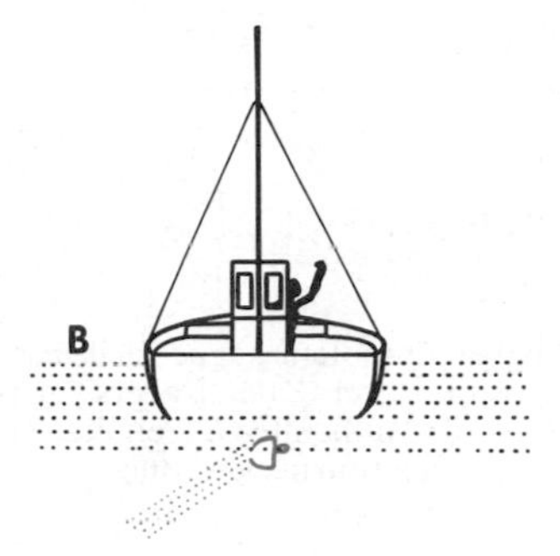

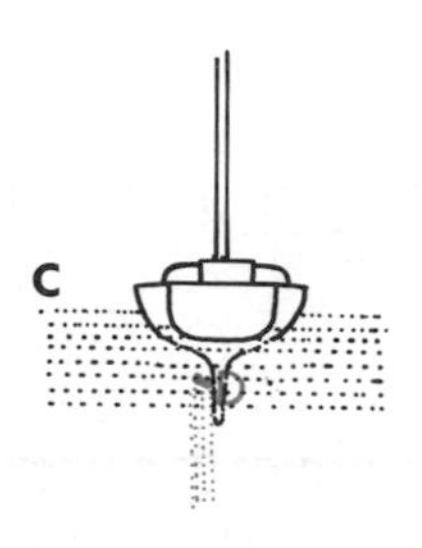

Possibilités d'évolutions.
A. L'hélice est orientable : le bateau est très manœuvrant, même à l'arrêt.
B. L'hélice est fixe mais envoie son jet sur le safran : les possibilités de manœuvre sont encore bonnes, même à l'arrêt.
C. L'hélice n'envoie pas son jet sur le safran : le bateau n'est manœuvrant que s'il a de la vitesse.

La marche arrière.

Avec un moteur auxiliaire, on ne peut espérer faire des évolutions raffinées en marche arrière. Rien n'est prévu pour cela :

— l'hélice n'est pas faite pour tourner à l'envers, elle est donc nettement moins efficace; de plus elle se trouve dans une position très mauvaise par rapport à l'ensemble du bateau;

— le jet n'est pas dirigé sur le safran et n'a donc pas d'effet évolutif (sauf sur un moteur hors-bord orientable);

— le safran lui-même se trouve mal placé pour agir correctement.

En fait, la marche arrière doit être surtout considérée comme un frein. Elle permet de casser l'erre du bateau, et ce n'est déjà pas si mal.

L'action du vent.

Même au moteur, il faut compter avec le vent. Le fardage prend ici une importance considérable : l'action du vent sur les superstructures et le gréement tend constamment à ramener le bateau vers sa position naturelle d'équilibre, c'est-à-dire vers le vent de travers. Il est donc toujours possible de gagner cette position, que l'on vienne du vent arrière ou du vent debout; par contre, par brise fraîche, il peut être difficile de la quitter, soit pour loffer, soit pour abattre. Pour évoluer correctement on a d'autant plus besoin de vitesse que le vent est fort.

En réalité, lorsqu'on navigue au moteur, le vent devient une sorte d'étranger. Ce n'est pas ce même vent qu'on avait dans les voiles! On retrouve, certes, quelques constantes : par exemple, pour s'arrêter, même au moteur il faut venir vent debout; avec vent arrière, même au moteur on bénéficie d'un gain de vitesse appréciable. Mais il faut bien voir que dans l'ensemble le rapport force du vent — vitesse et puissance du bateau se trouve radicale-

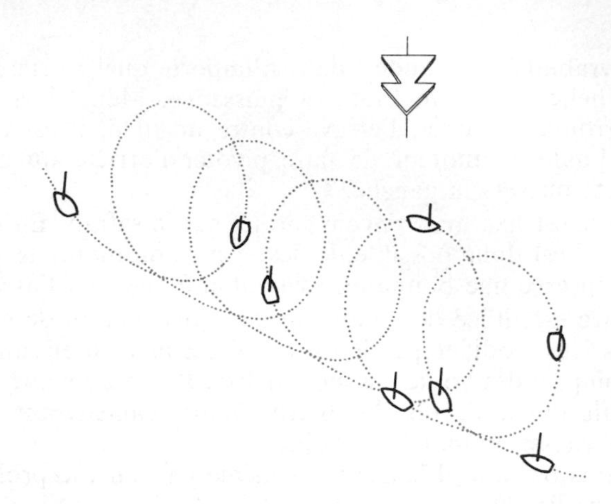

Un bateau à moteur gagne facilement la position vent de travers mais éprouve des difficultés à s'en écarter. Il ne sait pas tourner en rond.

ment modifié. Plus il y a de vent, plus le bateau manœuvre mal; il tend à avoir au contraire trop de puissance par petit temps. La vieille complicité s'est perdue.

D'une manière générale, le bateau à voile sur lequel on met en route le moteur auxiliaire paraît tout à coup soumis à des lois nouvelles, quelque peu déroutantes, et le barreur risque d'éprouver un certain sentiment de frustration. Les manœuvres au moteur, elles non plus, ne s'improvisent pas, et il peut être bon d'aller s'entraîner, au moins une fois, dans un endroit désert : accoster, appareiller, apprécier les capacités d'évolution du bateau et les moyens de casser son erre, pour ne pas être surpris lorsqu'une manœuvre effective deviendra nécessaire.

Les permis de conduire.

Aucun permis n'est exigé pour la conduite d'un bateau dont le mode de propulsion principal est la voile, même si son moteur dépasse la puissance de 10 CV. Toutefois, il convient de déterminer si la voile est effectivement le moyen de propulsion principal. Un navire à voile équipé d'un moteur auxiliaire est considéré comme un navire à moteur si le quotient S/P est inférieur à 2, S étant la surface de voile au près (donc à l'exclusion des spis et des voiles d'étai), P étant la puissance réelle maximale totale en CV du ou des moteurs.

Si le bateau est considéré comme navire à moteur, et si la puissance réelle de ce moteur est supérieure à 10 CV, il faut un permis.

— Le permis A permet la navigation à moins de 5 milles des côtes.

— Le permis B permet la navigation sans limitation pour les navires d'une jauge inférieure à 25 tonneaux.

— Le permis C permet de conduire en tous lieux des navires de plaisance à moteur de tous tonnages.

Pour plus de détails, on consultera avec profit le livre d'Yvonnick Guéret, *Permis de conduire en mer*.

Faire route.

La possibilité de faire route au moteur est limitée :
— par la force du vent;
— par la quantité de carburant disponible : celle-ci est généralement trop peu importante pour permettre un long trajet, surtout lorsque le bateau doit lutter contre le vent et la mer.

En général on utilise le moteur surtout par calme plat. On navigue alors à sec de toile.

Cependant, si l'on veut gagner au vent avec le moteur, tout affaler et faire route vent debout est beaucoup moins efficace que de naviguer au près avec moteur et grand-voile : on affale simplement le foc, ce qui permet de serrer le vent davantage, sans pour autant que la dérive en soit augmentée [1].

A une allure portante, il est évidemment intéressant de conserver le foc. Attention alors à n'utiliser le moteur que s'il permet un gain réel de vitesse! Il devient parfaitement inutile si le bateau atteint déjà, à la voile seule, la vitesse maximum que pourrait lui donner le moteur par calme plat.

Rappelons aussi qu'un bateau naviguant au moteur doit obéir à des règles de priorité et de route différentes de celles d'un voilier (voir chapitre Sécurité).

Manœuvrer dans un port.

Mille cas de manœuvre peuvent se présenter, qu'il n'est pas question de détailler ici. En fait, un voilier manœuvrant sur son moteur auxiliaire reste un voilier, et la quasi-totalité des conseils donnés pour les manœuvres de port à la voile restent valables ici : venir de biais et non bout au quai, tenir compte du vent qui peut plaquer le bateau contre un obstacle, etc.

La manœuvre au moteur offre certaines facilités : on peut évoluer vent debout, plus besoin de tirer des bords; un seul homme tient entre ses mains de quoi faire avancer, évoluer, ralentir le bateau. Ce n'est pourtant pas toujours aussi simple qu'on le croit :

— Au moteur, un bateau est souvent **bordier** : il répond mieux à la barre sur un bord que sur l'autre, il lui faut donc plus de vitesse sur son mauvais bord pour être évolutif. C'est ennuyeux.

— Une hélice dans un port, c'est une mouche survolant une toile d'araignée : elle se prend dans tous les cordages qu'elle effleure, dans les orins de corps-mort en particulier. Il faut y penser en permanence : éviter de frôler les coffres, passer derrière les bateaux

1. Notons que la règle 14 du « Règlement pour prévenir les abordages » prévoit que : Tout navire faisant route à la voile et en même temps au moyen d'une machine, doit porter, de jour, à l'avant, à l'endroit où il sera le plus apparent, un cône noir d'au moins 0,61 m de diamètre à la base, la pointe en bas.

au mouillage plutôt que devant — et prendre garde à ne pas se paralyser soi-même : ne pas laisser pendre le long du bord ses propres écoutes, amarres ou bosses.

En principe, au moteur, un bateau doit pouvoir se ranger à peu près comme une voiture, ainsi que le suggère la disposition des ports modernes. En fait, les corps-morts et autres amarres sont souvent si nombreux autour de la place convoitée, qu'il faut parfois arrêter très vite le moteur et sortir l'humble godille, ou se déhaler à coups d'aussières. En tout cas, il est téméraire de vouloir s'engager dans une place en marche arrière, à moins d'être fort habile et de bénéficier de conditions de vent favorables.

La remorque

Le remorquage doit être envisagé selon deux points de vue différents, radicalement opposés et néanmoins inséparables : celui du remorqueur, et celui du remorqué.

En ce qui concerne le remorqueur, nous envisagerons uniquement ici les manœuvres pouvant être réalisées par un voilier muni d'un moteur auxiliaire.

Pour le remorqué, le problème est de savoir à quelle sauce il sera mangé. Il doit se préparer à affronter des bonnes volontés de toutes tailles et de tout poil.

A bord du remorqueur.

C'est en principe le remorqueur qui passe la **remorque,** et non l'inverse : la manœuvre est plus simple, et nous verrons qu'elle présente pour le remorqué des avantages certains.

Cette remorque risque de subir des à-coups violents. On choisit donc ce que l'on a de mieux en fait de cordage (généralement la grosse ligne de mouillage). Dans tous les cas, la remorque doit être plutôt trop grosse que trop fine, et aussi longue que possible : plus elle est longue, plus la prise en remorque est aisée.

Elle doit être tournée à bord du remorqueur en un point très solide, et situé nettement en avant de l'hélice; si elle est tournée à l'arrière, la manœuvrabilité du remorqueur se trouve considérablement réduite. On cherche donc un point d'amarrage situé au centre de rotation du bateau.

Il faut également penser au trajet que doit suivre cette remorque à bord : pour que l'on garde la possibilité de loffer, elle doit passer

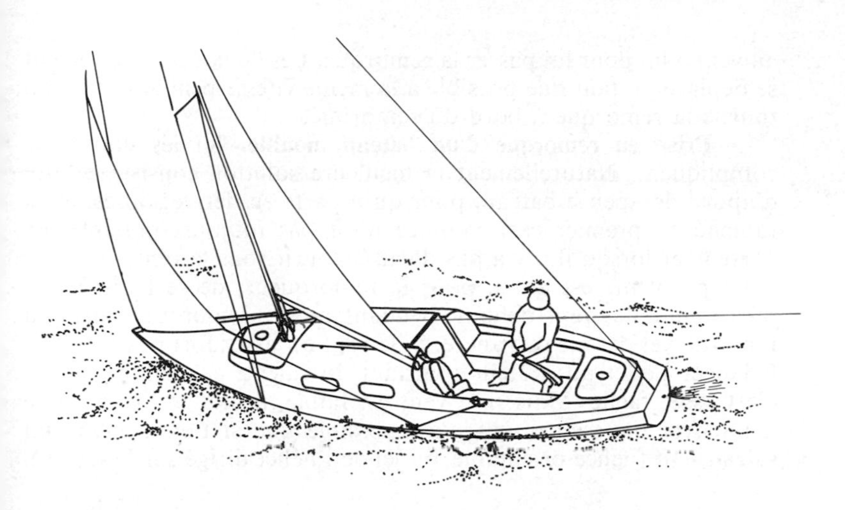

au vent de la grande écoute et du pataras (entre les deux pataras le cas échéant).

Pour que le remorqueur reste manœuvrant, la remorque ne doit pas être tournée à l'arrière, mais plutôt vers l'avant du bateau.

On la love soigneusement sur le pont, pour qu'elle puisse filer rapidement au moment de la prise en remorque.

Normalement, le remorqueur fait toutes ces manœuvres au moteur, quitte à re-hisser les voiles une fois le convoi en route.

Passer la remorque.

Le remorqueur se place toujours au vent du remorqué : il est en effet plus facile de lancer la remorque avec le vent. Il peut d'ailleurs être commode d'utiliser une **touline,** c'est-à-dire, une ligne légère munie d'une pomme à son extrémité — ce qui permet de la lancer d'assez loin avec précision. Le bout de la remorque est ensuite amarré sur cette touline pour passer d'un bateau à l'autre.

Différents cas peuvent se présenter.

— **Prise en remorque d'un bateau en dérive.** C'est le cas le plus facile. On se rapproche du bateau le plus lentement possible; on passe au vent à lui, très près, très lentement, pour lancer la remorque, puis l'on se met en dérive légèrement en avant du remorqué pendant qu'il s'amarre.

— **Prise en remorque d'un bateau faisant route sous voiles.** La manœuvre est à peu près la même : on rattrape le bateau, on se place

Le remorqueur passe au vent du bateau à remorquer pour lui lancer la remorque. Il déborde sa grand-voile pour ralentir pendant qu'on tourne la remorque à bord.

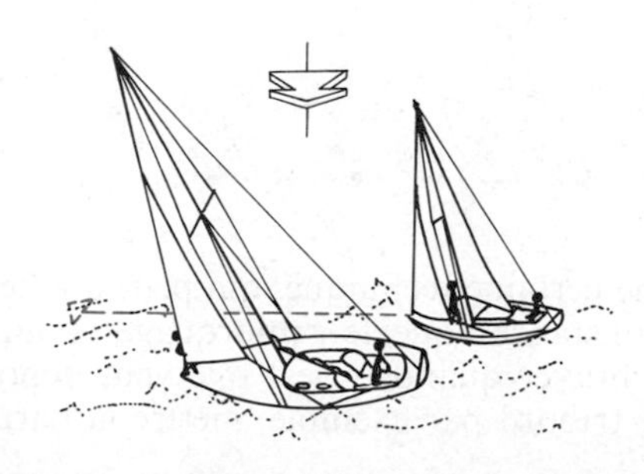

au vent à lui pour lui passer la remorque. Les deux bateaux doivent se déplacer autant que possible à la même vitesse pendant que l'on tourne la remorque à bord du remorqué.

— **Prise en remorque d'un bateau mouillé.** Ici les choses se compliquent. Naturellement la meilleure solution consiste à faire d'abord déraper le bateau, pour qu'il parte en dérive; on est ainsi ramené au premier cas. Mais ce n'est pas toujours possible, en particulier lorsqu'il n'y a pas d'eau à courir sous le vent.

Le problème est alors, pour le remorqueur, de se tenir à peu près immobile, vent debout, pendant que le remorqué tourne la remorque et dérape son ancre. Si le vent est assez fort pour contrebalancer l'effet du moteur tournant au ralenti en marche avant, c'est assez facile. Mais si le vent est faible, il faut se livrer à une manœuvre incessante, qui n'est possible que si l'on possède un **safran actif** (hélice orientable, ou jet de l'hélice dirigé sur le safran).

Petit exercice de bonne conduite. Pour faire évoluer un bateau sans avancer, la règle de base est de donner d'abord de la barre et ensuite seulement de mettre les gaz.
Départ en haut à droite.
1er temps : chercher à se déplacer de droite à gauche, perpendiculairement au vent, en conservant toujours la même orientation par rapport à celui-ci. A chaque fois que l'on abat trop, on redresse en mettant la barre à gauche toute et en donnant plus ou moins de gaz (triangles plus ou moins grands).
2e temps : se laisser culer en s'efforçant de rester vent debout. A chaque fois que l'on s'en écarte, on met la barre toute du côté où l'on tombe et l'on donne des gaz. Ne jamais battre en arrière.
3e temps : même exercice qu'au 1er temps, mais cette fois de gauche à droite.
4e temps : remonter vent debout et recommencer.
Lorsqu'on réussit un carré parfait, on peut s'estimer maître de manœuvre.

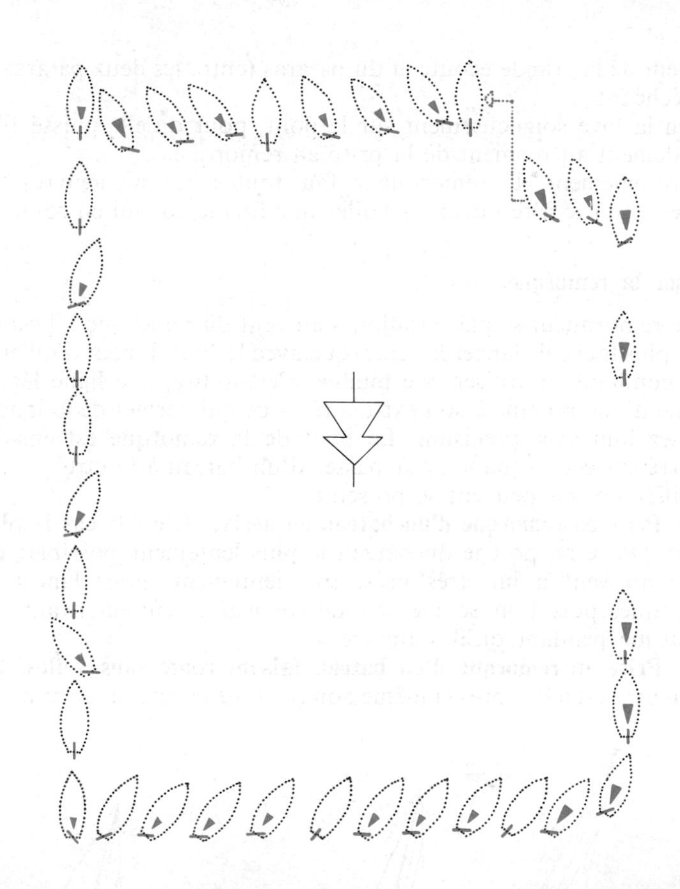

Cette manœuvre exige une certaine technique, qui peut d'ailleurs être utile en d'autres circonstances que le remorquage. Pour se tenir immobile, il faut : débrayer quand on est pile vent debout; dès que le bateau abat, sur tribord par exemple, mettre la barre à tribord toute, puis embrayer; débrayer lorsque le bateau se trouve à nouveau vent debout, etc. En aucun cas il ne faut utiliser la marche arrière pour redresser le bateau : c'est le plus sûr moyen de venir complètement en travers.

Lorsqu'on ne dispose pas d'un safran actif, l'opération est beaucoup plus délicate, car il est impossible de s'arrêter. Tout doit donc se faire à la volée. Le remorqueur vient se placer assez loin derrière le bateau à remorquer et approche au ralenti, pour que tout le monde ait le temps de se préparer. Lorsqu'il passe à la hauteur du bateau en difficulté, il lui envoie la remorque et poursuit sa route vent debout, aussi lentement que possible, mais suffisamment vite pour rester manœuvrant. On file la remorque en grand. Pour faciliter les choses, il est souhaitable que cette remorque soit très longue et que le remorqué remonte une partie de sa chaîne avant l'opération.

Mettre en route.

Pour démarrer en souplesse, tendre la remorque aussi doucement que possible et, au moment précis où elle est tendue, accélérer franchement. Si on met les gaz au bon moment, la remorque reste tendue et les deux bateaux prennent de la vitesse en même temps. Il faut noter que la remorque en se tendant risque de faire abattre le remorqueur; le barreur doit prévenir ce mouvement en faisant au départ un cap un peu plus proche du vent que nécessaire.

Dès que l'on est en route, le remorqueur règle la longueur de la remorque. Celle-ci doit être assez longue pour n'être jamais tendue, et tremper dans l'eau. En réalité, même avec une remorque très longue, il est parfois difficile d'éviter les à-coups, surtout au vent arrière, car les deux bateaux vont rarement à la même vitesse en même temps.

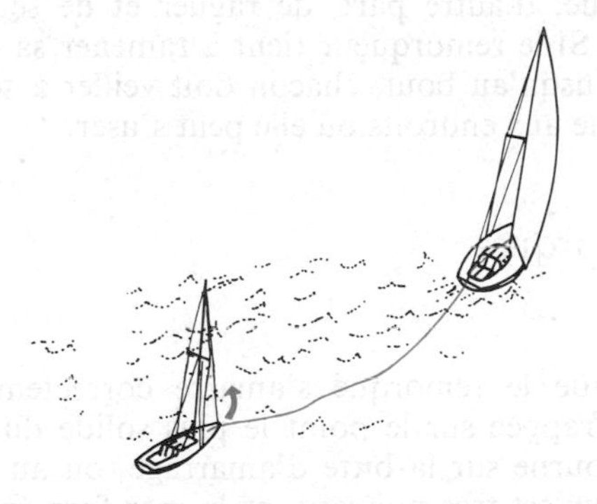

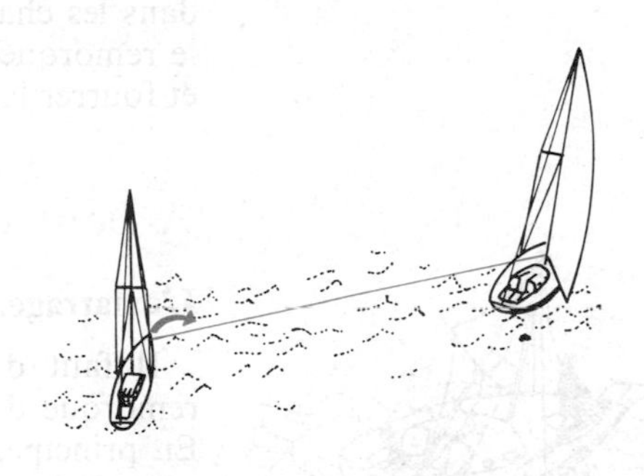

Quand la remorque se détend, le remorqué s'écarte franchement. Quand la remorque se retend, elle le ramène en ligne sans à-coup.

Surveiller la remorque.

Diminuer la violence de ces à-coups est d'abord une question de manœuvre. Lorsque la remorque est détendue :

— le remorqueur doit ralentir, puis accélérer au moment précis où elle se tend à nouveau ;

— le remorqué doit changer de cap, pour qu'au moment où la remorque se tend, le premier effort de celle-ci le ramène sur sa route au lieu de le tirer brutalement en avant.

Il est également possible de donner une certaine élasticité à la remorque :

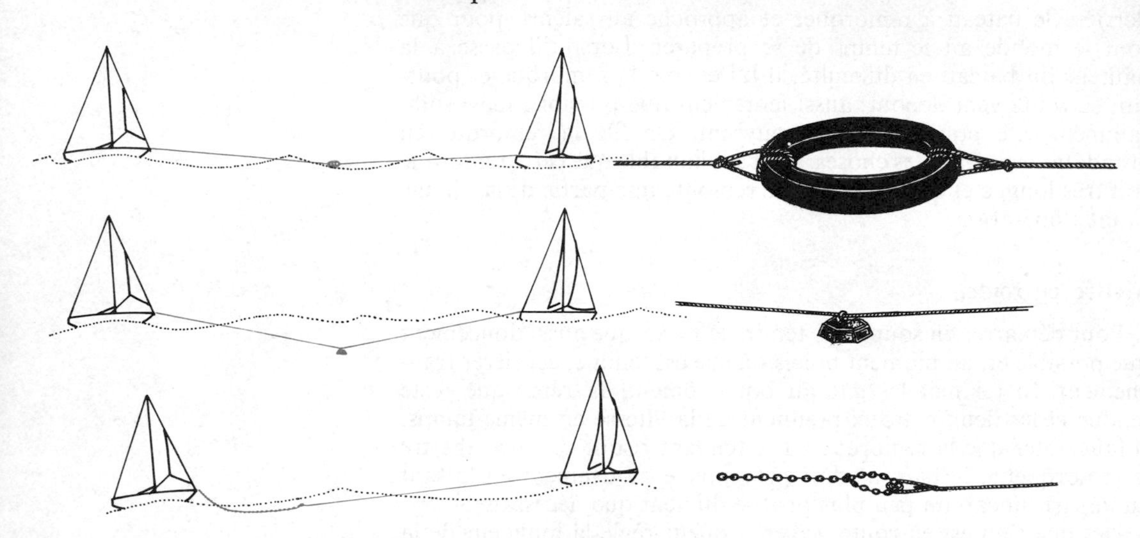

Trois autres moyens d'amortir les à-coups.

— on y intercale un pneu;

— on la leste dans le milieu;

— le remorqué peut l'amarrer à l'extrémité de sa chaîne d'ancre, dont il file plusieurs mètres (jusqu'à vingt ou trente mètres par mauvais temps).

La remorque risque, d'autre part, de raguer et de se cisailler dans les chaumards. Si le remorqueur tient à ramener sa prise, et le remorqué à aller jusqu'au bout, chacun doit veiller à son bord et fourrer la remorque aux endroits où elle peut s'user.

A bord du remorqué.

L'amarrage.

Il peut être prudent de ceinturer le bateau : lorsqu'on est déjà mal en point on évite des dégâts supplémentaires.

Il faut d'abord que le remorqué s'amarre correctement. La remorque doit être frappée sur le point le plus solide du bateau. En principe, on la tourne sur la bitte d'amarrage, ou au pied du mât. Si le remorqueur est très puissant, et la mer formée, il peut être prudent de ceinturer le bateau lui-même.

Pour tourner la remorque, on ne doit employer que des nœuds larguables, des nœuds qui ne se souquent pas, c'est-à-dire essentiellement le nœud de remorque et le nœud de chaise; jamais de demi-clefs à capeler!

Les soucis.

Les véritables soucis commencent pour le remorqué aussitôt après l'amarrage. Ils tiennent pour la plupart à une seule et même cause : le remorqueur va presque toujours trop vite. Derrière, on souffre terriblement, sans toujours avoir la possibilité de se libérer.

Le chef de bord pris au piège a tout le temps de songer, pour la prochaine fois, à un certain nombre de précautions à prendre :

— Se méfier des bateaux trop puissants (si la situation n'est pas critique et lorsqu'un choix est possible).

— Prendre l'aussière du remorqueur plutôt que d'utiliser la sienne; premièrement c'est plus commode, ensuite on hésite moins à la larguer si cela ne va pas.

— Ne pas tourner cette remorque tout de suite, mais attendre de voir quel genre de traitement on va subir; faire simplement quelques tours morts sur la bitte, et tenir à la main l'extrémité de l'aussière.

Il est bon de savoir que l'on peut dans une certaine mesure agir sur le remorqueur (si celui-ci n'est pas un trop gros bateau, et surtout si l'on voit qu'il a amarré la remorque sur son arrière). Lorsqu'on souhaite, par exemple, le faire venir sur la gauche, il suffit de mettre la barre franchement à droite : il obéit.

En cours de remorquage, il faut se tenir un peu au vent du sillage du remorqueur; c'est particulièrement nécessaire aux allures portantes, pour ne pas risquer de venir le percuter quand on est poussé par les vagues. Ce genre d'avatar est assez fréquent, surtout si l'on est remorqué par plus petit que soi.

On espère enfin qu'à l'arrivée, le remorqueur se souviendra qu'on n'a pas de marche arrière, et qu'il s'arrêtera bout au vent.

Remorquage par l'annexe.

Il existe une façon économique de résoudre le problème du moteur auxiliaire : en offrir un à l'annexe plutôt qu'au bateau. Ce moteur, de 1,5 à 4 CV, moins onéreux que celui qu'il aurait fallu pour le bord, ne rend sans doute pas les mêmes services, mais autorise tout de même certaines manœuvres. De plus, au mouillage, les va-et-vient dans l'annexe sont plus rapides et moins fatigants.

Pousser.

Pour manœuvrer, on peut tirer ou pousser le bateau. Le pousser est plus efficace, mais cela ne peut se faire qu'avec une annexe pneumatique.

Il suffit d'appuyer l'étrave de l'annexe contre le tableau (au milieu, ou sur le côté si le gouvernail est extérieur). On obtient une manœuvrabilité plus grande en s'amarrant très court : si l'annexe pousse franchement vers tribord, le bateau vient rapidement sur bâbord et vice-versa.

Pousser le bateau avec l'annexe n'est pas la solution qui vient le plus immédiatement à l'esprit; c'est pourtant la plus efficace.

Utilisée ainsi, l'annexe gonflable est très sûre, même au large dans le clapot. Il est possible de la parer un bon moment avant d'arriver au port : amarrée à l'arrière, avec un équipier à bord, elle est prête pour le moment où l'on a besoin du moteur.

Tirer.

Il est également possible de tirer le bateau à l'aide de l'annexe, que celle-ci soit gonflable ou rigide. Mais on n'y parvient vraiment que par calme plat, ou dans des mouillages très abrités : dans le clapot, on risque de remplir rapidement.

Il faut que la remorque soit tournée sur l'étrave de l'annexe (à l'extrême rigueur en son milieu) même si cela s'avère fort gênant pour le barreur; si elle est tournée à l'arrière, on ne peut plus manœuvrer.

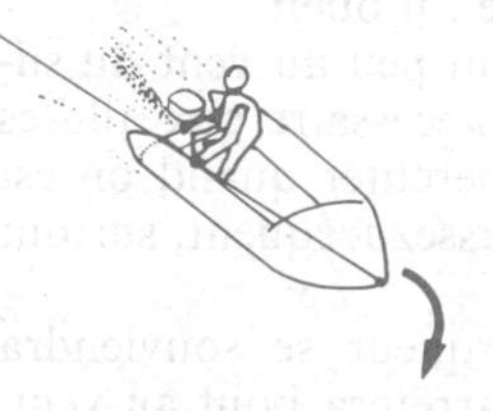

Tirer le bateau : la remorque doit être frappée tout à l'avant de l'annexe.

Le barreur doit faire passer la remorque d'un côté à l'autre du moteur quand il a besoin d'évoluer. Il peut d'ailleurs barrer commodément en agissant simplement sur elle : s'il la pousse vers la gauche, l'annexe va à gauche et inversement. Cette méthode est rendue possible par la grande différence de poids entre remorqueur et remorqué.

Une autre solution consiste à manœuvrer le bateau en le prenant à couple. Cela ne peut se faire que sur une eau très calme, et même en évoluant très lentement on risque fort, dans l'annexe, de se faire copieusement doucher.

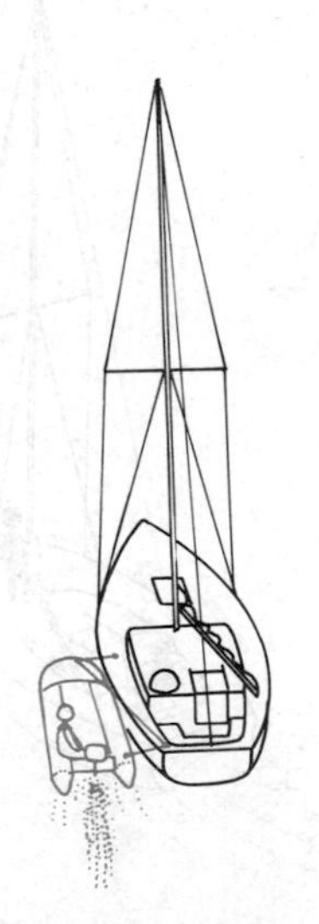

Remorquer à couple : pour que l'ensemble soit manœuvrant, l'annexe doit être amarrée le plus possible à l'arrière du bateau. C'est la garde qui travaille, et non les traversières.

Beaucoup d'eau passera encore sous la coque avant que l'on acquière la pleine maîtrise du bateau et c'est normal puisqu'on a choisi de compter sur ces éléments incontrôlés que sont le vent et la mer. Il faut trouver peu à peu sa place dans ce monde du mouvement, et que la vie du bateau vous passe dans le corps. Sur un dériveur, on finit par avoir (sauf respect) la fesse intelligente. Sur un gros bateau, on trouve au long des jours un équilibre si particulier qu'on en vient, une fois débarqué, à ne plus savoir aller droit sur la terre ferme. La justesse de la manœuvre est liée à cette imprégnation : si l'on se sent de plus en plus à l'aise à bord, il est probable que le bateau lui-même va de mieux en mieux.

Nous voudrions insister, pour conclure, sur cette évidence : lorsqu'on navigue à la voile, il n'est pas possible de se satisfaire de manœuvres approximatives. La discipline que l'on a choisie est exigeante et n'admet guère les demi-mesures. Au cours de l'apprentissage, on a certainement eu l'occasion de s'apercevoir qu'une manœuvre bâclée déclenche souvent un mouvement d'hostilité générale : le bateau passe aussitôt du côté des éléments incontrôlés, les manœuvres de rattrapage ne font qu'aggraver la situation, les coïncidences les plus malencontreuses surviennent et se coordonnent avec rigueur pour engendrer une confusion totale. Ici, tout est absolument lié, et tout va très vite. Finalement sur un bateau mal manœuvré on est constamment en danger, et la présence d'un moteur n'y change pas grand-chose. Si l'on s'obstine à vouloir naviguer à la voile, la seule solution dictée par le bon sens n'est pas de compter sur son moteur, mais bien de perfectionner sa manœuvre.

Il semble malheureusement que la solution inverse soit de plus en plus souvent suggérée, de différentes façons : en particulier lorsqu'on décide d'interdire l'entrée à la voile dans les ports de plaisance. Une décision de ce genre nous paraît comporter plus de risques que d'avantages, dans la mesure où elle peut servir de caution à la médiocrité et à la négligence. Il est peu probable que celui qui ne sait pas manœuvrer au port sache manœuvrer au large, dans le mauvais temps, et soit vraiment prêt à faire face à des situations imprévues. Si le nombre croissant des bateaux rend nécessaire l'organisation des ports, il semble toujours possible d'y ménager des endroits aisément accostables à la voile et d'où l'on puisse ensuite, par des moyens annexes, gagner sa place. Cette façon de faire serait sans doute plus agréable pour tout le monde, et tout de même plus conforme à la vocation des ports eux-mêmes.

En réalité, la véritable sécurité n'est jamais obtenue par des solutions faciles. Elle est liée au but que l'on poursuit; elle ne doit pas le contredire. Si l'on choisit de naviguer à la voile, c'est probablement que l'on accepte d'affronter une réalité entière — sans chercher systématiquement la difficulté, mais sans s'y dérober non plus lorsqu'elle se présente. La sécurité consiste alors à observer strictement les règles du jeu : parmi celles-ci le souci d'une manœuvre exacte est primordial. Dans la mesure où l'on se soumet à ces règles, il est normal que l'on veuille jouer le jeu entièrement, et conserver le simple droit de prendre le temps comme il vient, le mauvais vent avec le bon.

troisième partie

L'équipage

Ayant étudié le bateau, la manœuvre, nous pouvons aborder maintenant les problèmes de la vie en mer. Nous parlerons encore, durant quelques pages, des dériveurs et de la façon dont doit être envisagée la sécurité à bord de ces bateaux lorsqu'on n'est plus un débutant. Ensuite, nous pénétrerons pour de bon dans le domaine de la croisière, c'est-à-dire de l'aventure.

Parler d'aventure, et commencer par donner des conseils de prudence et des recettes de confort ménager, voilà qui paraîtra peut-être extrêmement décevant. En réalité les exigences de la sécurité et de la vie à bord, telles que nous les envisagerons dans les chapitres qui suivent, dépassent très largement les questions pratiques et les problèmes d'ordre matériel. Il s'agit ici d'envisager les aspects humains de l'aventure : une croisière, c'est avant tout une entreprise menée par quelques hommes qui ont choisi, pour un temps, un but commun et qui constituent ce que l'on appelle un équipage. Ces hommes peuvent être d'excellents navigateurs, de fins manœuvriers, des techniciens de premier ordre : cela ne suffit nullement à garantir la réussite. La véritable clef du problème est bien de savoir comment on parviendra à vivre, agréablement et en sécurité, tous ensemble, pendant huit ou quinze jours — et sur un bateau.

Le souci de la sécurité n'est pas l'antithèse de l'esprit aventureux, mais bien plutôt le garant de son authenticité. Il est facile de hasarder sa vie et celle des autres; moins facile de se préparer minutieusement, de s'entraîner, de s'organiser pour réussir dans la lutte que les éléments risquent d'imposer (lutte tant morale que physique, où chacun doit faire appel à toutes ses ressources; lutte serrée pour gagner contre un courant, lutte contre le sommeil, contre le mal de mer, lutte à l'aveuglette dans la brume et peut-être, un jour, lutte sauvage pour ramener tout le monde et le bateau à bon port).

L'aventure, c'est aussi de chercher à former un groupe humain cohérent, à l'abri des préjugés, ayant comme lien la solidarité de la vie en mer, et comme règle de base la tolérance mutuelle. La cohésion de ce groupe dépend sans doute du bon vouloir de chacun; elle dépend aussi d'un certain nombre de préoccupations pratiques, qui exigent d'être pensées dans leurs plus petits détails.

Les pages qui suivent sont le reflet de notre expérience propre en la matière. Certaines exigences, certains partis y apparaissent, qui pourront quelquefois surprendre. Ils sont le fait d'une école de croisière et nous n'avons pas cru devoir les effacer ici. Un contexte différent nécessiterait sans doute que l'on y apporte quelques nuances. L'essentiel est d'être persuadé qu'un équipage ne peut vivre (et encore moins survivre) sans observer une certaine règle — règle conçue précisément pour ménager une liberté véritable, donner à chacun la chance d'agir bien et de se sentir à l'aise dans un monde où les faux-semblants ne résistent pas longtemps.

14. La sécurité

Sur le plan de la sécurité, comme sur d'autres plans, beaucoup de choses ont changé en quelques années. L'apparition de matériaux nouveaux, de conceptions nouvelles en matière d'architecture navale, une culture croissante des choses de la mer et de la voile, des règlements beaucoup mieux adaptés qu'auparavant ont rendu caducs certains conseils, certaines sagesses respectables. Les bateaux dangereux sont devenus rares. Les coques sont plus solides, les gréements sont plus résistants, et l'on peut se permettre souvent de faire route par des forces de vent qui auraient contraint naguère encore à mettre en fuite.

Cette évolution, en éliminant certains risques, en a pourtant fait croître d'autres. Naviguant dans des temps plus durs, sur des bateaux aux mouvements plus brusques que ceux d'autrefois (car ils vont plus vite), on risque davantage une chute par-dessus bord. Naviguant en d'autres saisons que l'été, l'eau étant plus froide, on risque plus souvent l'hydrocution. Les qualités mêmes des bateaux et du matériel de sécurité engendrent plus facilement l'insouciance.

En réalité, le fond du problème reste toujours le même. La sécurité dépend avant tout d'une bonne connaissance de la réalité de la mer, et d'une juste appréciation des moyens dont on dispose face à elle. Dans cette optique, elle est une préoccupation de tous les instants, et nous en parlons d'ailleurs pratiquement à chaque page de ce livre. De façon plus immédiate, elle suppose aussi une information très précise sur les dangers que l'on court, sur la façon dont ils surviennent, les moyens de les prévenir ou de limiter leurs conséquences. C'est le sujet de ce chapitre.

Sécurité du dériveur

Tous les principes que nous énoncions au chapitre 1 à l'intention des débutants demeurent valables pour les équipiers confirmés, et en particulier les dispositions réglementaires : bateau insubmersible, en bon état, possédant tout l'armement obligatoire, ancre et ligne de mouillage, chaumard à l'étrave, aviron ou pagaies, écope; chaque équipier portant un gilet de sauvetage en permanence.

Cela dit, il est nécessaire de donner ici quelques précisions supplémentaires. Le débutant fait ses essais à quelques dizaines de mètres du rivage, sous l'œil d'un observateur prêt à intervenir. Plus tard, lorsqu'on a son bateau en main, que l'on connaît bien ses réactions, que l'on est capable en cas de chavirage de le redresser et de repartir, on s'écarte évidemment un peu plus, on pense disposer d'une autonomie un peu plus grande...

En réalité, sur un dériveur, il ne s'agit jamais que d'un semblant d'autonomie. Même les plus grands champions ne sont pas assurés de pouvoir revenir à terre par leurs propres moyens. Lorsqu'on est en difficulté, le salut ne peut venir que de l'extérieur. Cette seule constatation situe exactement le problème.

Le lieu, le temps.

La législation prévoit que les dériveurs légers (et les bateaux de sport à quille) ne doivent pas s'éloigner à plus de deux milles d'un point de la côte où ils peuvent facilement trouver refuge, sauf s'ils sont surveillés par un accompagnement approprié.

Deux milles c'est déjà beaucoup, et cette notion de distance limite ne constitue bien évidemment qu'une précaution minimum : elle garantit dans une certaine mesure une intervention rapide des sauveteurs en cas de besoin. Encore faut-il, pour que cette garantie existe, que deux autres conditions soient remplies : d'abord que le périmètre dans lequel on navigue soit surveillé; ensuite que le temps soit correct.

Naviguer sans surveillance sur un plan d'eau désert est dans tous les cas, et même par très beau temps, une imprudence. Sur un plan d'eau très fréquenté, c'est déjà moins hasardeux : si l'on chavire, on sera (peut-être) remarqué par les bateaux voisins — mais il faut bien se dire que ceux-ci ne peuvent pas faire grand-chose. En réalité, lorsqu'on ne dispose pas d'un « accompagnement approprié », la seule solution consiste à avoir un surveillant à terre, une personne bien informée, sachant regarder, et sachant exactement où s'adresser pour obtenir des secours immédiats en cas de nécessité. Pour que cette surveillance soit efficace, il faut évidemment que l'équipage du dériveur s'en tienne au programme prévu, et n'aille pas par exemple se promener derrière des rochers où on ne le voit plus. Pour limiter les risques, il faut également que cet équipage ait une certaine connaissance du plan d'eau sur lequel il navigue : il est utile de consulter une carte (et plutôt une

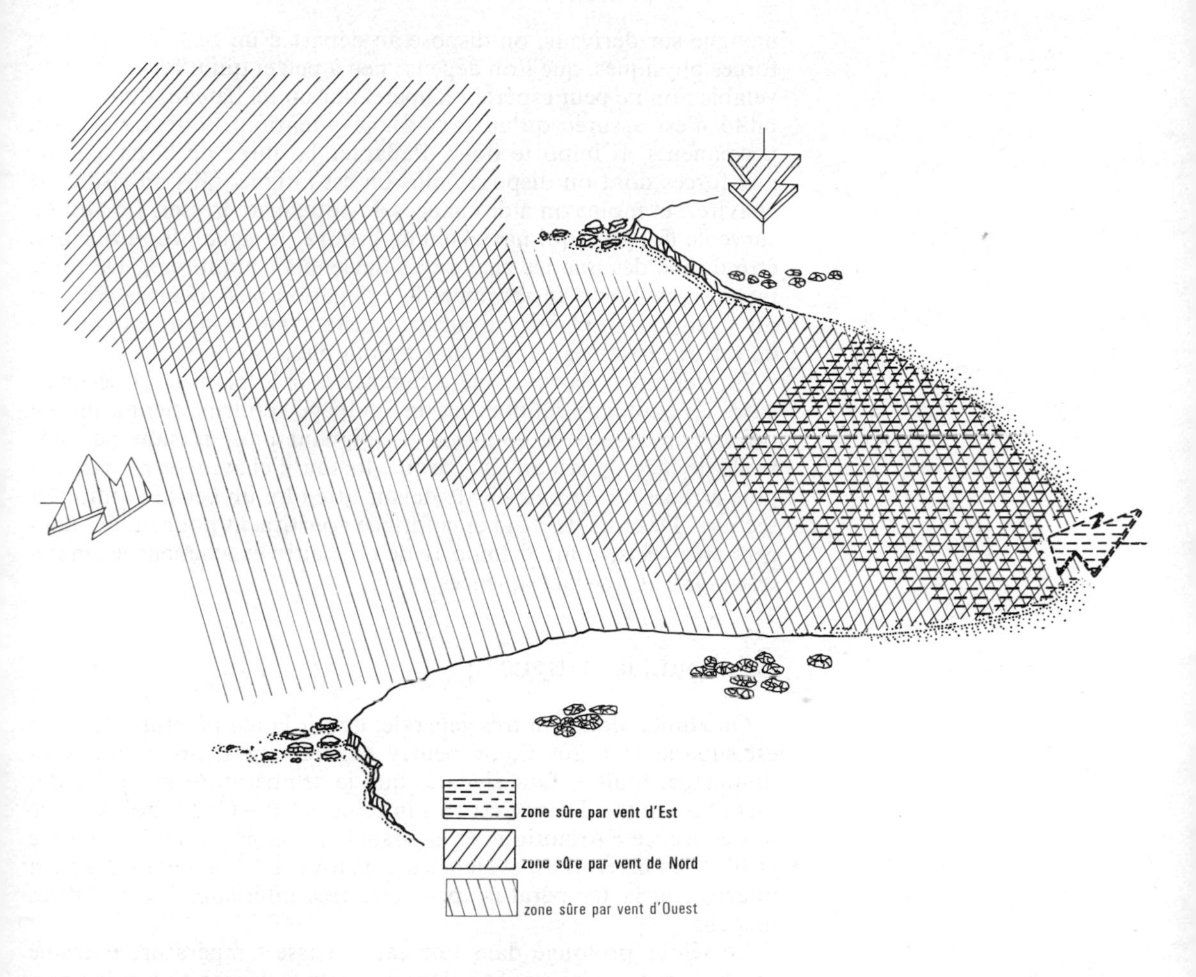

carte marine qu'une carte touristique), de se renseigner sur les dangers que l'on peut rencontrer très localement, caillou non balisé, courant, haut-fond sur lequel, même par beau temps, on peut voir surgir un clapot trop dur pour un dériveur.

Selon la direction du vent et la configuration de la côte, le périmètre dans lequel un dériveur peut naviguer en sécurité varie, en forme et en étendue ; dans tous les cas, il faut se réserver la possibilité de rallier la côte à une allure portante.

En ce qui concerne le temps qu'il fait, les choses sont simples. On doit être convaincu que sortir en dériveur par vent fort est une stupidité, et qu'un vent de force 4-5 avec rafales à 6 est beaucoup trop fort en mer pour la majorité des équipages. On est pratiquement certain de chavirer, on n'est pas sûr de pouvoir redresser, les avaries matérielles sont probables; le sauvetage peut être difficile dans une mer agitée; on fait courir inutilement des dangers à d'autres que soi.

Une surveillance efficace, un temps correct sont des conditions nécessaires, mais pas tout à fait suffisantes. Il existe un dernier facteur important, celui de la durée de la navigation. Lorsqu'on navigue sur dériveur, on dispose au départ d'un certain capital de forces physiques, que l'on dépense peu à peu et qui n'est pas renouvelable : on ne peut espérer récupérer sur un tel bateau, dont la stabilité n'est assurée qu'au prix d'une attention, voire d'un effort permanents. Il importe donc d'adapter la durée de la navigation aux forces dont on dispose : plus on est fatigué, plus on risque de chavirer, et moins on a de chances de pouvoir redresser. Lorsqu'on surveille des gens qui naviguent en groupe, le signal du retour doit être donné dès que les chavirages deviennent nombreux. De toute façon, il est bon d'interrompre la navigation bien avant le coucher du soleil : si un chavirage survient juste avant la nuit, les chances de retrouver les naufragés sont très faibles.

En définitive, la véritable différence, sur le plan de la sécurité, entre un équipage débutant et un équipage confirmé tient à un fait précis : un équipage confirmé, s'éloignant plus, n'étant pas surveillé de façon aussi étroite, risque, lorsqu'il chavire et ne parvient plus à redresser le bateau, de devoir attendre un certain temps les secours. Dès lors, le froid et la fatigue constituent pour lui des dangers très réels, dont il importe de connaître exactement les manifestations et les conséquences.

Le froid, la fatigue.

On admet, de façon très générale, que si la température de l'eau est supérieure à 20° C, on peut y barboter plusieurs heures sans dommage. Mais il faut signaler que la température moyenne des mers bordant la France est très inférieure à 20° C (du moins en ce qui concerne l'Atlantique et la Manche) : en général 17° C en été et 10° C en hiver. Il est évident que, surtout en hiver et dans les eaux intérieures, la température peut être très inférieure à ces chiffres moyens.

Le séjour prolongé dans une eau à basse température entraîne un épuisement progressif de l'organisme par déperdition calorique. Un certain nombre d'études ont permis de préciser les délais moyens d'apparition de la perte de connaissance (qui va entraîner, dans la grande majorité des cas, la mort) : vingt à soixante minutes dans une eau à 10° C, deux à trois heures dans une eau à 17° C. Ces chiffres moyens concernent des sujets en bonne santé, d'âge moyen, vêtus normalement et plongés dans une eau calme, n'effectuant pas d'effort physique.

A ces chiffres bruts il faut ajouter deux remarques importantes :

— La durée de la survie se divise en deux périodes : dans un premier temps, le sujet est encore agissant, il peut participer à son propre sauvetage; dans un deuxième temps, bien que toujours conscient, il ne peut plus aider les sauveteurs. La première période est d'autant plus courte par rapport à la seconde que la température de l'eau est plus basse.

Voir à la p. 443
le traitement du « coup de froid ».

— Un effort physique intense, et surtout poursuivi pendant un certain temps, s'il contribue initialement à augmenter la production de chaleur de l'organisme, épuise ses réserves d'énergie, et donc les possibilités de survie prolongée.

De ces constatations on peut tirer les conclusions suivantes :

— Il faut être bien habillé. Les vêtements, et principalement les vêtements de laine contribuent à retarder la déperdition de chaleur. (Notons ici, quoique dans un tout autre ordre d'idée, qu'il est bon d'avoir toujours sur soi un couteau : on peut être pris dans une écoute au moment du chavirage, et ne pouvoir s'en défaire; cela s'est vu.)

— Lorsqu'on navigue en eau froide, la meilleure solution consiste à porter une combinaison de plongée; celle-ci augmente de trois à quatre fois les délais de perte de connaissance.

— La déperdition calorique par la tête est très importante : il est nécessaire de disposer d'une brassière de sauvetage maintenant sans effort la tête hors de l'eau.

— Il faut éviter tout effort musculaire intensif, dès que l'on voit que l'on ne parvient pas à redresser le bateau. Si l'on ne peut se hisser sur la coque, il faut rester accroché au bateau, s'y amarrer si possible et ne plus bouger.

Décisions à prendre.

Lorsqu'on ne parvient pas à redresser le bateau et que les secours sont problématiques, deux questions peuvent se poser : Faut-il mouiller ? Faut-il abandonner le bateau ?

Si le vent ou le courant portent vers le large, il faut sans aucun doute mouiller. Si le bateau dérive vers la côte il est évidemment préférable, la plupart du temps, de se laisser déporter, et d'attendre pour mouiller d'être tout près de la terre. Tout ceci est affaire de circonstances; il importe avant tout de ne pas prendre de décision au petit bonheur, et de bien repérer d'abord dans quel sens on dérive.

Une coque se remarque; un nageur, non.

Ne pas quitter le bateau est une règle pratiquement absolue. Si l'on parvient à se jucher sur la coque, on est sûr d'être retrouvé à plus ou moins bref délai. Même si l'on ne peut que rester accroché au bateau, cela vaut mieux que d'entreprendre de regagner la côte à la nage. Nager 300 mètres, tout habillé, dans les vagues, et même soutenu par sa brassière de sauvetage, constitue une performance qui n'est pas à la portée d'un nageur moyen. La plupart du temps on sous-estime d'ailleurs la distance à laquelle se trouve la côte. Même lorsqu'elle est toute proche, il faut encore penser au courant : il est impossible de progresser dans un courant défavorable, même faible.

Il faut donc rester accroché à son bateau. Si cette règle souffre des exceptions, elles sont rarissimes. Nous n'en connaissons, pour notre part, qu'un seul cas vraiment caractérisé. Lors de la tempête-cataclysme du 6 juillet 1969, l'équipier d'un dériveur léger chaviré a quitté le bateau : on l'a retrouvé, épuisé mais vivant, sur un rocher. Le barreur est resté accroché à la coque et s'est noyé. Ce jour-là, la mer était dans un tel état que tout espoir de secours était illusoire, et se maintenir le long d'une coque était sans doute impossible.

Ce fait correspond à des circonstances tout à fait exceptionnelles; puisqu'il s'est produit, on se doit de le signaler, mais on ne peut en aucune façon en tirer une leçon d'ordre général.

Concluons : un bateau impeccable, une bonne forme physique, un temps clément, une surveillance efficace, telles sont les données de base de la sécurité du dériveur. Si l'on considère qu'un dériveur est un véritable bateau (et ce doit être le cas dès que l'on fait avec lui autre chose que des régates), il est indispensable que ses équipiers se comportent en véritables marins. Savoir ne pas sortir, si le vent est trop fort ou simplement si l'on ne se sent pas très en forme; savoir rentrer à temps, bien avant d'être vraiment fatigué et bien avant la nuit, tels sont de ce point de vue les véritables critères. Ils prouvent que l'on a une bonne connaissance des limites imposées par la mer et une conscience exacte de ses propres limites. Ce dernier point est essentiel. Car finalement, tout bien pesé et réflexion faite, le véritable ennemi public nº 1, dans ce genre de sport, c'est tout de même la vanité.

Sécurité du croiseur

Un bateau de croisière emporte sa sécurité avec lui. L'équipage est pleinement responsable : il sait que, dans la plupart des cas, il ne peut attendre de secours que de lui-même. A lui d'être suffisamment préparé et d'avoir convenablement préparé le bateau pour éviter autant que possible les coups durs, et pour s'en sortir si un coup dur survient malgré tout.

La sécurité d'un croiseur est donc une affaire complexe, et qui se situe à plusieurs niveaux. Elle tient tout d'abord à des données évidentes : bateau en bon état, équipage compétent. Elle tient ensuite à un certain nombre de choix : choix d'un programme de navigation convenable, tenant compte en particulier de la catégorie de navigation à laquelle le bateau appartient; choix d'un correspondant à terre, compétent, informé, sachant interpréter un silence et intervenir à point nommé. Elle tient enfin, de façon plus immédiate, à une connaissance précise des principaux risques que l'on court — homme à la mer, abordage, incendie, explosion, avaries diverses — et des parades que l'on peut leur opposer. Elle doit prévoir les ultimes conséquences : le naufrage, et le nouveau type de navigation qui commence alors...

Les catégories de navigation.

On ne peut aller n'importe où avec n'importe quel bateau. La Marine marchande a en effet prévu, pour chaque type de bateau, un rayon d'action maximum. Les dériveurs légers, nous l'avons vu, ne doivent pas s'éloigner à plus de deux milles d'un refuge. Tous les autres bateaux sont affectés, selon leurs caractéristiques et l'armement de sécurité dont ils sont munis, à une catégorie de navigation bien définie. Ces catégories sont au nombre de cinq.

5e **catégorie.** Navigation au cours de laquelle le bateau ne s'éloigne pas à plus de cinq milles d'un abri. Appartiennent à cette catégorie les canots de pêche et de promenade et les bateaux de « camping nautique » comme le Maraudeur. Avec de tels bateaux, la plus grande traversée possible est donc de dix milles. Cela permet déjà de grandes promenades le long de la côte, une échappée jusqu'aux îles les plus proches, dans la mesure où celles-ci offrent des abris sûrs : on peut aller de Concarneau aux Glénans, par exemple, ou de Granville aux îles Chausey; mais non pas aux Anglo-Normandes.

4e **catégorie.** Navigation au cours de laquelle le bateau ne s'éloigne pas à plus de vingt milles d'un abri. C'est la catégorie des « caboteurs » et des petits croiseurs côtiers. Son domaine est déjà très vaste. Un Corsaire, par exemple, peut longer les côtes françaises, de Dunkerque à la Gironde. Mais il doit s'arrêter là, car les abris sont trop espacés sur la côte des Landes. Il peut aussi

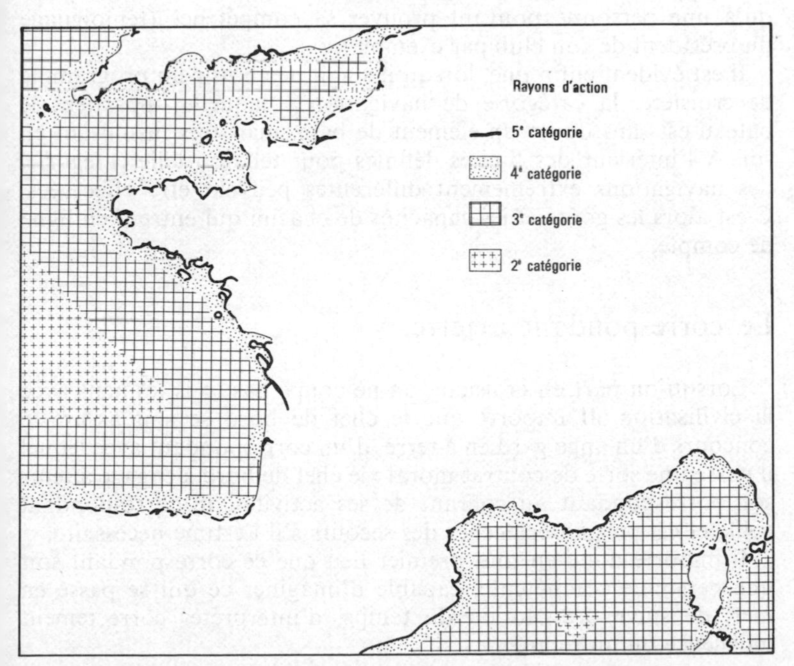

Rayons d'action.
5e catégorie : il existe de nombreuses zones côtières où l'on se trouve constamment à moins de 5 milles d'un abri.
4e catégorie : zones de croisière les plus courantes (95 % des bateaux naviguent dans cette catégorie); les possibilités sont très grandes, il existe cependant quelques zones où l'on n'a pas d'abri à moins de 20 milles : la côte des Landes et deux petites portions de la côte corse.
3e catégorie : c'est déjà le domaine de la croisière de haute mer.

caboter tout au long de la côte sud de l'Angleterre, à condition d'avoir traversé la Manche au Pas-de-Calais (ou sur un car-ferry).

3e catégorie. Navigation au cours de laquelle le bateau ne s'éloigne pas à plus de cent milles d'un abri. Cette catégorie couvre le domaine de la grande croisière côtière, à laquelle le Mousquetaire peut prétendre. Elle permet de se promener d'un bout à l'autre de l'Europe, sans toutefois entreprendre des traversées telles que Ouessant-Cap Finisterre, ou Ecosse-Norvège.

2e catégorie. Navigation au cours de laquelle le bateau ne s'éloigne pas à plus de deux cents milles d'un abri. C'est la catégorie dans laquelle sont classés la Galiote et le Nautile. On peut tout traverser, sauf les grands océans.

1ère catégorie. Navigation au cours de laquelle on peut s'offrir l'Amérique, les trois caps, et le tour du monde dans tous les sens.

Une telle réglementation a paru contraignante à certains plaisanciers; nous pensons au contraire qu'elle est libérale et bien adaptée aux réalités de la croisière. Dans l'ensemble, les bateaux sont affectés à une catégorie qui représente bien leur zone maximum de navigation raisonnable, celle que peut parcourir un équipage très entraîné.

Signalons que l'on a prévu, en outre, le cas des navigateurs chevronnés qui souhaitent entreprendre une grande traversée à bord d'une petite unité : un bateau peut être autorisé à naviguer dans une catégorie supérieure à la sienne pour la durée d'une traversée ou d'une course. L'autorisation doit être demandée à la Commission nationale de la sécurité (Marine marchande, bureau de la plaisance, place Fontenoy, Paris, VIIe). Elle n'est évidemment accordée qu'à une personne pouvant prouver sa compétence (témoignage du président de son club par exemple).

Il est évident enfin que, lorsqu'il s'agit de choisir un programme de croisière, la catégorie de navigation à laquelle appartient le bateau est sans doute un élément de base, mais très insuffisant en soi. A l'intérieur des limites définies pour telle ou telle catégorie, des navigations extrêmement différentes peuvent être effectuées. C'est alors les goûts et les capacités de chacun qui entrent en ligne de compte.

Le correspondant à terre.

Lorsqu'on part en croisière, on ne coupe pas tous les liens avec la civilisation. Il importe que le chef de bord se soit assuré le concours d'un ange gardien à terre, d'un correspondant avec lequel il passe une sorte de contrat moral : le chef de bord s'engage à tenir son correspondant au courant de ses activités, le correspondant veille et est prêt à déclencher des secours s'il l'estime nécessaire.

Il importe donc en tout premier lieu que ce correspondant soit une personne compétente, capable d'imaginer ce qui se passe en mer, de suivre l'évolution du temps, d'interpréter correctement un silence ou un retard.

Lorsqu'on appareille pour une promenade de la journée, avec retour au point de départ, le rôle du correspondant est assez simple. Il est sur place, il peut juger du temps qu'il fait et de l'état de la mer. Si le bateau n'est pas rentré dans les délais prévus, il doit apprécier sainement la situation. Le calme plat peut être à l'origine du retard; il est bon d'ailleurs que le chef de bord et le correspondant se soient mis d'accord sur la conduite à tenir dans ce cas précis. De même, il est souhaitable que le chef de bord ait prévu, en cas de détérioration du temps, un abri d'où il puisse téléphoner à son correspondant pour le rassurer. Ainsi celui-ci ne risque pas de déclencher des secours inutiles. Enfin, si le bateau ne rentre pas tout simplement parce que « l'on était trop bien aux îles », le correspondant a toutes raisons de rendre son tablier et d'inviter le chef de bord à chercher un autre souffre-douleur.

Lorsqu'on part en croisière, il faut de préférence avoir un correspondant qui soit lui-même un plaisancier confirmé, capable de suivre de près l'évolution du temps, d'imaginer les réactions du chef de bord dans telle ou telle situation. Il est d'ailleurs souhaitable qu'il connaisse bien le chef de bord, car dans la surveillance qu'il doit effectuer entre une grande part subjective.

Le correspondant doit connaître le nom, le numéro d'immatriculation et le quartier d'inscription du bateau, le nom de la série, la couleur de la coque et des voiles, le numéro de voilure. Il doit connaître également les noms et adresses des membres de l'équipage.

Les premières indications sont indispensables s'il y a des recherches à faire. Les noms et adresses des équipiers sont nécessaires s'il faut transmettre des messages dans un sens ou dans l'autre.

Le correspondant doit être parfaitement au courant du plan général de la croisière, mais aussi du programme de chaque étape. **Cela implique que le chef de bord lui téléphone ou lui télégraphie** (le courrier est trop lent) **à chaque escale,** pour lui dire où il en est, l'informer des projets pour le lendemain, et fixer au moins approximativement la date du prochain rendez-vous.

Si le chef de bord indique ses intentions avec précision et régularité, et respecte le programme donné; si le correspondant s'astreint à « suivre » le bateau et s'il en a le souci, on dispose sans aucun doute d'une garantie fondamentale. En cas d'avarie grave, ou de naufrage, on sait que le manque de nouvelles va alerter le correspondant, que les recherches seront déclenchées aussitôt, et tout de suite dirigées vers le bon endroit. Il n'existe pas de meilleure parade au risque ultime que l'on court en cas de perdition : celui de succomber au désespoir.

Mais l'existence d'un correspondant à terre ne peut évidemment tout résoudre. Il existe aussi un certain nombre de risques qui peuvent surgir en mer, contre lesquels il faut se prémunir et lutter seuls, avec les moyens du bord. Ce sont ces risques que nous allons analyser maintenant.

Un homme à la mer

La chute d'un homme à la mer est l'accident le plus fréquent en croisière. Il est bon d'avoir, à son sujet, des idées nettes :

— Par très mauvais temps, le repêchage d'un homme tombé à la mer s'avère presque toujours irréalisable.

— De nuit, quel que soit le temps, il est souvent impossible de retrouver le naufragé.

— La plupart des victimes sont des chefs de bord; ils ont en effet tendance à ne pas s'amarrer. L'accident est souvent fatal car l'équipage, dans bien des cas, est incapable de mener à bien l'opération de repêchage.

Il faut être persuadé que le risque de tomber à la mer est un risque permanent. Dès que le temps n'est plus très calme (parfois bien avant de prendre le premier ris), il devient très sérieux. Il ne guette pas seulement ceux qui travaillent sur le pont, mais tout le monde. A bord de l'*Arche*, bateau des Glénans, un équipier a été littéralement extrait de la cabine par une boucle de la grande écoute, lors d'un empannage, et s'est retrouvé à l'eau. Un autre, à bord du *Glénan*, sortait juste la tête du capot pour faire un relèvement; une rafale a couché le bateau et le navigateur s'est retenu de justesse dans les filières où le coup de gîte l'avait envoyé.

Une circonstance particulièrement propice à cet accident, quel que soit le temps, est l'allure du vent arrière. L'embardée entraînant un empannage guette le meilleur barreur, et c'est souvent un homme assommé par la bôme qui passe par-dessus bord. De plus, comme on porte en général à cette allure un spinnaker, de longues minutes se passent avant que le bateau soit manœuvrant et puisse revenir vers le point de chute.

Cependant, en prenant un minimum de précautions, le risque de tomber à la mer peut être, la plupart du temps, aisément éliminé. Nous allons donc examiner tout d'abord les différentes parades possibles : elles dépendent, pour l'essentiel, de la présence et de l'utilisation correcte d'un matériel approprié. Nous envisagerons ensuite la conduite à tenir si malgré tout l'accident survient.

La prévention.

Filières et balcons, amarrages individuels empêchent en principe de tomber à l'eau.

Si l'on tombe à l'eau et que l'on n'était pas amarré, gilet de sauvetage et bouées lancées du bateau permettent de se maintenir en surface.

Sifflet, lampe, phoscar permettent de signaler l'endroit où l'on se trouve et d'être repêchés.

Filières et balcons.

Nous avons parlé des balcons, des filières et de leurs chandeliers au chapitre « Matériel d'armement ». Précisons simplement ici que, selon la réglementation de la Marine marchande, filières et balcons doivent être assez solides pour résister « sans ruptures ni arrachements à la projection brutale, en un point quelconque, d'une personne d'au moins 75 kg ».

Equipier au complet.

Ensemble ligne de vie – mousqueton – bout – harnais.

Les lignes de vie sont des câbles fixés à plat pont, un de chaque bord, d'un bout du bateau à l'autre. On y croche son mousqueton avant même de sortir de la cabine et l'on peut ensuite se déplacer sans jamais se détacher.

Le mousqueton, de forme particulière, doit être en parfait état : ni oxydé, ni bloqué, ni sale. Il est bon qu'il soit muni d'un anneau, dans lequel le bout est pris, afin que celui-ci ne puisse pas coulisser dans le mousqueton lui-même.

Le bout est en nylon de 10; il doit être parfaitement épissé ou cousu.

Enfin le harnais lui-même doit être conçu comme un harnais de parachutiste. Il doit comporter en particulier une sangle d'entre-jambes, afin qu'il ne puisse glisser en aucun cas. Le point d'amarrage du bout doit se trouver sur la nuque : l'homme tombé à la mer et traîné par le bateau conserve ainsi la tête hors de l'eau.

Chacun des éléments de cet ensemble (à commencer par les points de fixation des lignes de vie sur le pont) doit pouvoir résister à une traction de 1 500 kg; nous exigeons 2 000 kg à bord de nos bateaux, pour que le matériel puisse supporter une certaine usure avant d'être changé.

L'idéal est d'utiliser un bout assez court pour que les équipiers de pont ne puissent même pas tomber à l'eau. C'est possible quand on travaille un certain temps en un point précis du bateau (mât, étai). C'est plus difficile lorsqu'il faut se déplacer, sur les petits bateaux du moins où l'installation de lignes de vie est problématique. En fait, il faudrait pouvoir disposer d'un amarrage court et d'un amarrage long. Certains munissent leur harnais de deux bouts et de deux mousquetons; solution un peu encombrante, et pourtant recommandable car elle permet de changer de point d'amarrage sans être jamais décroché. D'autres utilisent un bout long et y font un nœud à plein poing dans lequel ils passent le mousqueton quand ils veulent disposer d'un amarrage court; solution commode mais moins sûre que la précédente.

Il est essentiel en tout cas de s'habituer très tôt à ce harnachement et de commencer par beau temps. On s'aperçoit vite d'ailleurs que l'amarrage donne, à qui sait s'en servir, un point d'appui fort utile dans la manœuvre, et qu'il confère paradoxalement une réelle liberté de mouvement.

On s'amarre systématiquement :
— la nuit, quel que soit le temps;
— sous spinnaker, quels que soient le temps et l'heure;
— le jour, dès que le temps n'est plus très calme, et dès qu'une manœuvre (changement de foc, prise de ris) fait courir le risque, si mince soit-il, de tomber à l'eau.

Gilet de sauvetage.

Les gilets homologués portent obligatoirement un numéro, précédé des lettres GS pour les **gilets de sauvetage** agréés sur les bateaux de moins de 2 tonneaux, des lettres BS pour les **brassières de sauvetage** agréées sur les bateaux de plus de 2 tonneaux.

Le gilet doit être d'un modèle approuvé par la Marine marchande. Il en existe de toutes sortes. L'idéal est d'utiliser un gilet à harnais incorporé : cela simplifie nettement les problèmes d'habillement.

Attaché au gilet, un sifflet permettant à l'homme tombé à l'eau de signaler sa présence; et la nuit, une lampe étanche (réellement étanche : lampe de plongée par exemple).

La bouée fer-à-cheval est simplement placée dans un sac en toile, d'où on peut l'extraire d'un geste. La petite bouée lumineuse est tenue par deux pinces à ressort.

Bouées de sauvetage.

Les bouées n'ont d'utilité que si on peut les jeter à l'eau d'un simple geste; s'il faut commencer par défaire des sangles ou des bouts, le naufragé est loin dans le sillage quand la bouée est enfin libre. Il faut les maintenir en place par des sandows ou un support adéquat, à portée de main du barreur.

La bouée-couronne est parfaite si son diamètre est assez grand pour qu'on puisse se glisser dedans. Mais une telle bouée est très encombrante et on ne sait où la ranger à bord. Plutôt qu'une bouée-couronne trop petite, on choisit donc une bouée fer-à-cheval.

Phoscar.

Complément obligatoire de la bouée, à laquelle il est relié par un filin de quelques mètres de long, le phoscar est une boîte cylindrique en métal contenant du carbure de calcium. Il est fixé au bateau par deux pattes soudées. Dès que l'on a lancé la bouée, on arrache la boîte de ses pattes et on la jette également à la mer. L'eau y pénètre par les deux orifices découverts lors de l'arrachement des pattes. Le carbure dégage de l'acétylène qui s'enflamme au contact d'une capsule de phosphore de calcium, elle-même échauffée par le contact de l'eau. Une lueur, visible à plusieurs milles le jour comme la nuit, s'en dégage pendant une heure environ.

Le naufragé, s'il a réussi à saisir la bouée, doit s'écarter du phoscar, car il y a danger de brûlure; c'est d'ailleurs pourquoi le filin qui relie les deux objets doit avoir au moins cinq mètres de long. L'allumage du phoscar, instantané s'il y a du clapot, peut ne pas se produire par mer calme. Le naufragé doit, dans ce cas, asperger la boîte; geste à renouveler si le vent éteint la flamme.

L'état du phoscar que l'on possède à bord doit être vérifié fréquemment. On peut être assuré qu'il n'est plus en état de fonctionner lorsqu'on constate un début d'arrachement des pattes soudées.

Sur beaucoup de bateaux, on remplace maintenant le phoscar par des feux électriques. Ces bouées lumineuses miniatures s'allument automatiquement quand elles sont en position de flottaison (c'est-à-dire tête en haut). A bord, on les range donc tête en bas dans un logement approprié, d'habitude un simple tube d'où elles peuvent être extraites d'un geste.

Manœuvres de repêchage.

Un équipier est tombé par-dessus bord; il n'était pas amarré; sa vie dépend maintenant du calme et de la compétence de l'équipage.

Il y a des exemples de réflexes désastreux : le barreur tente de virer alors que le bateau est sous spi, plaçant aussitôt le bord dans une situation inextricable; un équipier saute à l'eau pour secourir son camarade...

En fait, toute la manœuvre doit se dérouler selon un ordre bien précis. Le mode d'opération que nous allons proposer n'est certes pas un rituel dogmatique; il peut varier suivant le bateau, les capacités de l'équipage, le temps, l'opportunité. L'essentiel est qu'une ligne de conduite existe, qu'elle soit connue de tous, qu'elle ait fait l'objet d'exercices préalables. Chacun doit connaître son rôle, et le chef de bord a désigné expressément celui qui doit prendre le commandement si lui-même passe par-dessus bord.

Recherche.

— A l'instant où l'accident survient, le barreur lance le cri : « Un homme à la mer! »
— Il jette à l'eau la bouée et le phoscar.
— Il note l'heure, à la minute près, ou l'indication du loch.

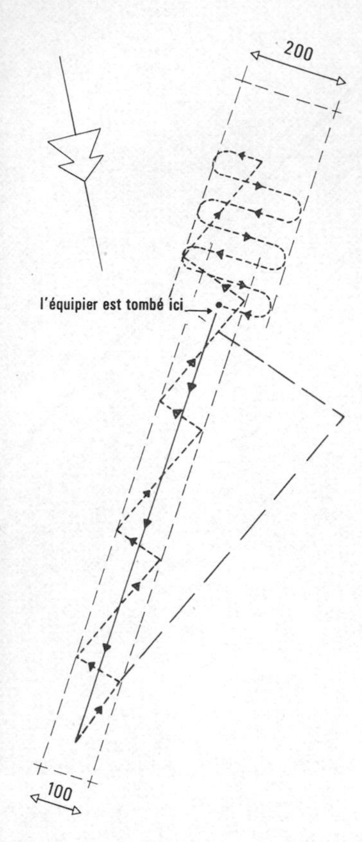

L'équipier qui fait la navigation doit appliquer une méthode rigoureuse, et qui ne s'improvise pas. Pour porter la route sur le papier quadrillé ou sur la carte (qui n'est rien d'autre à ce moment qu'un grand papier quadrillé), il faut avoir choisi :
— une échelle : la plus commode est sans doute 1 cm par nœud et par minute;
— un système de direction : on utilise en principe le cap compas, à condition qu'il n'y ait pas de déviation.
Au moment où l'on fait demi-tour, on a le choix entre deux possibilités : soit remonter dans un couloir de 100 m de large (distance maximum pour être sûr de voir le naufragé), soit tirer deux bords menant directement au but. Lorsqu'on a dépassé le point présumé de la chute sans avoir rien trouvé, on revient en arrière en balayant systématiquement une zone de 200 m de large.

— Puis il reprend son rôle de barreur : l'œil fixé sur le compas, il suit rigoureusement son cap, en attendant que le reste de l'équipage soit prêt.

S'il y a un peu de mer, personne ne monte sur le pont avant d'avoir capelé gilet et harnais. Ce n'est pas le moment de perdre un autre équipier.

Cas simple : le bateau est manœuvrant, il fait jour, il fait beau, l'un des équipiers n'a pas quitté des yeux le naufragé. On manœuvre immédiatement pour revenir sur celui-ci, comme si l'on cherchait à prendre un coffre.

Cas difficile : le bateau n'est pas manœuvrant (spi, voile d'étai, équipage endormi), ou bien il fait nuit. Plus que jamais il faut procéder avec méthode : la seule chance de retrouver le naufragé est de faire une navigation extrêmement précise. Le barreur suit donc rigoureusement son cap, pendant que tout le monde se prépare.

Si l'on est au près ou au vent de travers, c'est encore assez simple : quand tout le monde est prêt, il suffit de virer de 180° pour faire route directement sur le naufragé.

Si l'on est au vent arrière sous spi, il en va tout autrement. Un bateau sous spi a peu de chances d'être manœuvrant avant cinq minutes; s'il marche à 6 nœuds, le naufragé se trouve à un demi-mille derrière lorsqu'on est enfin prêt à rebrousser chemin.

Pendant que l'on amène le spi, il faut qu'un équipier « fasse la navigation ». Sur la carte ou sur une feuille de papier quadrillé, il marque un point (la chute), l'heure de cette chute et la route suivie par le bateau. Il note la vitesse de celui-ci. Il peut ainsi calculer, au moment où l'on fait demi-tour, la distance à laquelle se trouve le naufragé.

Tout se passe ensuite au chronomètre. On remonte en tirant des bords courts de part et d'autre de la route : un bord de tant de secondes, un autre de tant de secondes, etc.

Si l'on ne trouve rien, et que l'on est certain d'avoir dépassé le lieu de l'accident, on ratisse la zone en sens inverse, toujours en effectuant une navigation très précise.

Accostage.

Quand on a rejoint le naufragé, il faut pouvoir l'accoster sans vitesse. Pour cela, il faut **mettre en panne** au vent à lui : voile d'avant masquée, barre sous le vent, et se laisser dériver. Si l'on est arrivé au près, cette manœuvre peut être réussie du premier coup. Sinon, on peut effectuer la classique manœuvre dite « de l'homme à la mer », telle qu'elle est décrite par le premier dessin. Mais il faut savoir que tous les bateaux ne réagissent pas de la même façon, et qu'il est parfois nécessaire de procéder comme le montre le deuxième dessin. L'essentiel est évidemment de s'être entraîné, d'avoir mis au point la manœuvre qui convient le mieux à son propre bateau.

On peut aussi, sans manœuvre spéciale, immobiliser le bateau le plus près possible du naufragé, et lui lancer une bouée amarrée à un

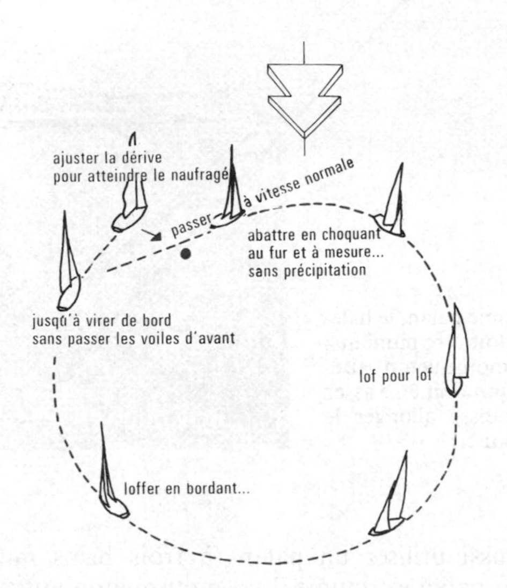

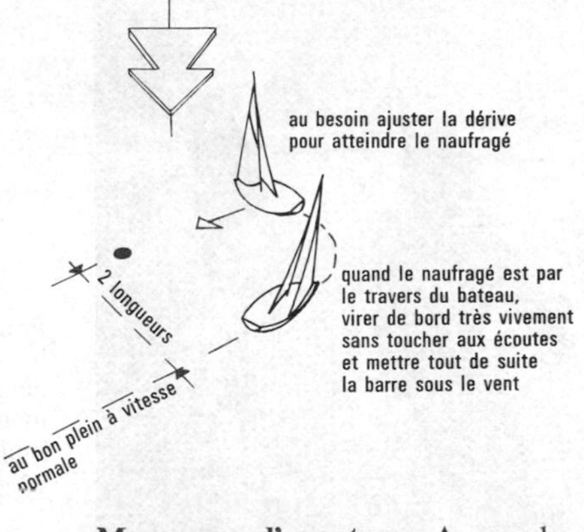

Manœuvres d'accostage. A gauche, façon de procéder avec des bateaux comme *La Sereine* ou les côtres des Glénans. A droite, méthode à appliquer avec des bateaux du type Nautile ou Galiote.

cordage, lui-même tourné à bord (de préférence à l'avant du bateau). Attacher la bouée à la ligne de sonde peut être une bonne solution.

On remarque souvent qu'un naufragé qui voit les secours arriver relâche brusquement son effort; beaucoup d'hommes tombés à la mer et ayant résisté longtemps sont morts ainsi, au moment où on allait les repêcher. Il peut être bon qu'un équipier — dûment amarré, à un cordage suffisamment long — se jette à l'eau pour aller chercher le naufragé. On peut aussi y aller avec l'annexe, ou le canot de sauvetage. L'important est de parvenir à bien amarrer le naufragé et à le ramener contre la coque.

Repêchage.

Il faut maintenant parvenir à le hisser à bord. C'est souvent un très dur travail.

Le bateau doit être stoppé. S'il tient mal la panne, il faut tout affaler et amarrer la barre sous le vent.

Lorsque le franc-bord du bateau est peu élevé, le naufragé encore vaillant, et les gens du bord herculéens, il est possible que l'homme se retrouve en un clin d'œil dans le cockpit. Mais c'est peu fréquent. La plupart du temps, il faut s'aider d'un dispositif quelconque. Nous en avons retenu trois : l'échelle, la grand-voile et le palan.

— Une échelle de coupée est une solution simple et efficace. Il faut que cette échelle soit conçue de façon à pouvoir être crochée instantanément en n'importe quel point du bateau, et qu'elle soit lestée dans le bas pour ne pas flotter. Il faut aussi, pour qu'elle soit utilisable, que le naufragé ait encore quelques forces et puisse s'y agripper. Sinon, il faut employer un autre moyen.

— On peut affaler la grand-voile, la dégager complètement du mât et la laisser filer à l'eau, pour en faire une sorte de hamac où le naufragé s'allonge, ou est allongé. Puis on hisse.

Un homme pesant 100 kg est hissé sans effort...

... et passe sans difficulté par-dessus les filières.

Pour être utilisé comme palan, le hale-bas de grand-voile doit être muni aux deux bouts d'un mousqueton aisément larguable; le filin doit être assez long pour qu'on puisse allonger le palan à 4 m au moins.

— On peut aussi utiliser un palan (à trois brins minimum). Chaque poulie du palan est munie d'un mousqueton automatique. On croche l'un d'eux sur l'œil d'une drisse, l'autre sur le harnais du naufragé. On embraque la drisse pour allonger le palan, puis on la tourne au taquet. Il ne reste plus qu'à raidir le palan pour hisser l'homme à bord.

Le hale-bas de grand-voile peut faire office de palan, s'il est muni des mousquetons adéquats. Notons qu'un palan véritable n'est utilisable rapidement que s'il est rangé de façon correcte : soit complètement allongé, les brins serrés par du fil à casser tous les 20 cm; soit complètement resserré, les deux poulies l'une contre l'autre et la glène lovée par ailleurs.

L'homme est à bord. S'il est encore en pleine forme, c'est la joie générale...

Parfois il est mal en point. Mais, pour ne pas nous abattre le moral, nous ne parlerons pas ici des soins à apporter aux noyés et aux gens « glacés jusqu'aux os ». On trouvera toutes indications utiles sur ces sujets à la fin du chapitre.

Abordages

La prévention des abordages en mer suppose que tout le monde respecte les mêmes règles. Ces règles sont strictes et souples à la fois car elles sont basées, non pas sur les droits, mais sur les devoirs de chacun. **On ne dit pas que tel navire a priorité sur tel autre, les choses sont plus subtiles et plus vraies : tel navire doit s'écarter de la route d'un autre, lequel doit garder son cap, sauf si le premier ne l'a pas aperçu.** On voit qu'il y a ici toute une mentalité nouvelle à acquérir, si l'on vient de la ville...

Le texte officiel du « Règlement pour prévenir les abordages en mer » figure obligatoirement à l'inventaire des bateaux de 4e, 3e, 2e et 1ère catégories. C'est-à-dire qu'on doit l'avoir à bord dès que l'on veut naviguer à plus de cinq milles d'un abri. Ce texte figure dans le SH 1 (ouvrage nº 1 du Service hydrographique, dont nous parlerons en détail dans la partie « Navigation »), lui-même obligatoire à bord des bateaux des catégories 1, 2 et 3. Mais cet ouvrage est difficile à consulter rapidement. Il est bon d'avoir à bord (même en 5ᵉ catégorie) l'ouvrage SH 1 B, beaucoup plus lisible.

On peut apprendre le texte du règlement par cœur (c'est même indispensable pour les permis moteur), mais il faut surtout s'attacher à en retenir l'essentiel, quitte à le consulter rapidement en cas de doute.

Nous nous en tiendrons ici aux principales règles de barre et de route.

A la voile.

On s'écarte de la route :
— de tous les bateaux que l'on rattrape;
— lorsqu'on est tribord amures, des bateaux naviguant également tribord amures et que l'on a sous le vent;
— lorsqu'on est bâbord amures, de tous les bateaux tribord amures; des bateaux naviguant également bâbord amures et que l'on a sous le vent.

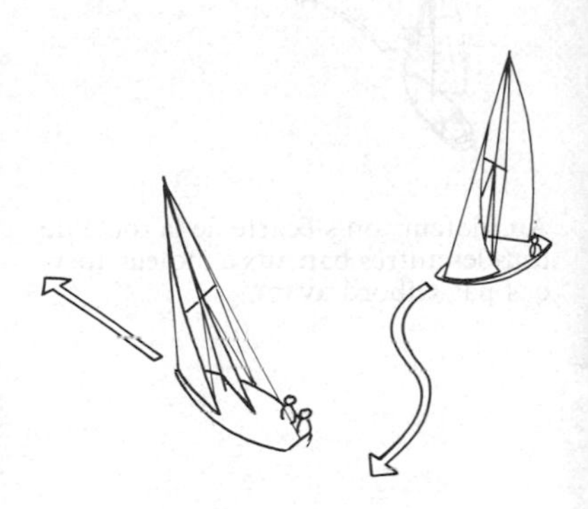

Le bateau au vent doit s'écarter.

En principe, on n'a donc jamais à se dérouter lorsqu'on est au près tribord amures. « Tribord amures au plus près, roi des mers », disait-on jadis. Mais à bord d'un bateau de plaisance on n'est roi de rien du tout. Il est évident que, même à cette allure, on se déroute si l'équipage de l'autre bateau n'a rien vu ou si ce bateau n'est pas manœuvrant.

Notons enfin que l'on s'écarte par principe de tous les bateaux arborant, de jour des cônes, bi-cônes, sphères et paniers; de nuit des feux superposés — blancs ou de couleur — sur le même mât. Une fois que l'on a pris du champ, on peut consulter à loisir le SH 1 B pour savoir de quel genre de bateau il s'agissait.

Au moteur.

On s'écarte de la route :
— de tous les bateaux que l'on rattrape;
— des voiliers, et de tous les bateaux arborant cônes, bi-cônes, sphères, paniers, feux superposés dans le même mât;

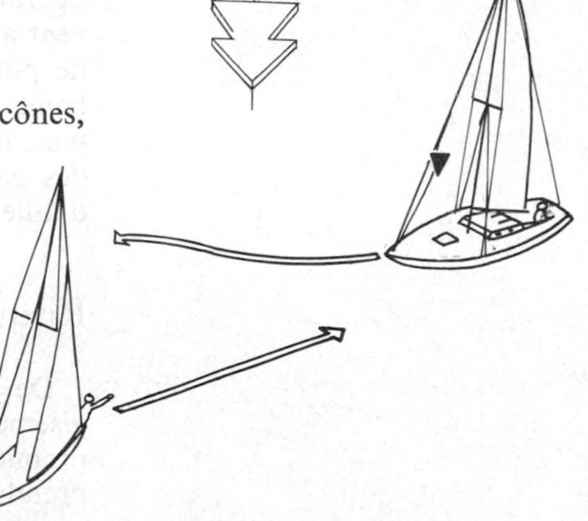

Le bateau de droite navigue au moteur (comme l'indique le cône hissé pointe en bas); il s'écarte donc de la route de celui de gauche qui navigue uniquement à la voile.

— des navires à moteur aperçus par tribord avant (très exactement dans un secteur de 112° 5, secteur de visibilité des feux de route).

Enfin, lorsque deux bateaux navigant au moteur font des routes opposées, ils se déroutent tous les deux légèrement pour se croiser à droite.

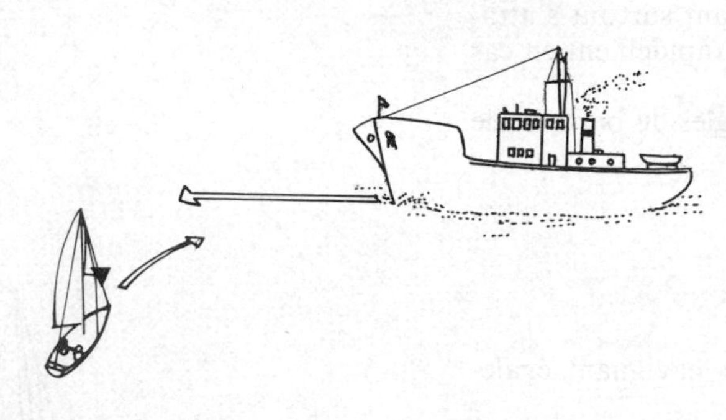

Au moteur, on s'écarte de la route de tous les autres bateaux à moteur aperçus par tribord avant.

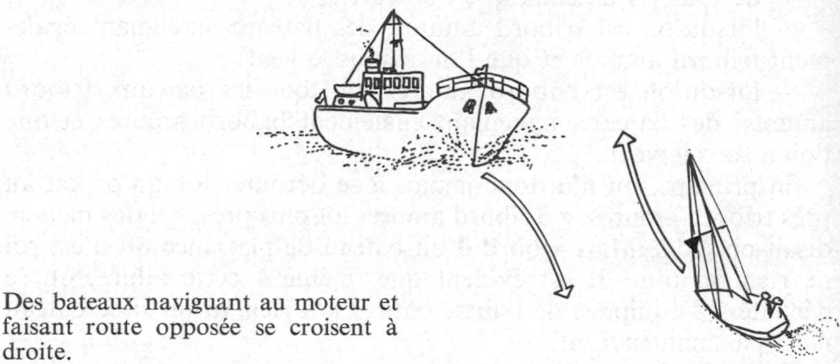

Des bateaux naviguant au moteur et faisant route opposée se croisent à droite.

Dans un chenal.

Les dispositions concernant la navigation au large n'ont plus cours dans les chenaux, où la règle essentielle est de garder sa droite.

Mais il est bon de savoir que naviguer dans un chenal est une opération fort délicate pour un navire de fort tonnage : il n'a souvent aucune place pour manœuvrer, et s'il ralentit trop il risque de ne plus être manœuvrant du tout. Dans un chenal, à bord d'un bateau de plaisance, il faut donc non seulement tenir sa droite, mais ne rien faire qui puisse gêner, si peu que ce soit, la manœuvre des navires. Dans bien des cas les bateaux de plaisance peuvent d'ailleurs se tenir légèrement en dehors des limites du chenal.

Risques d'abordage.

De jour. Deux bateaux font des routes de rencontre quand le gisement de l'un par rapport à la route de l'autre ne varie pas. La première chose à faire quand on aperçoit un bateau est donc de prendre son gisement, c'est-à-dire de relever l'angle entre l'axe de son propre bateau et la direction dans laquelle se trouve l'autre bateau. On évite tout calcul en prenant un point de repère : on voit le bateau dans le prolongement de tel chandelier, par exemple. Si le bateau reste toujours derrière le chandelier (si le gisement ne varie pas), les deux bateaux font des routes de rencontre : il faut manœuvrer.

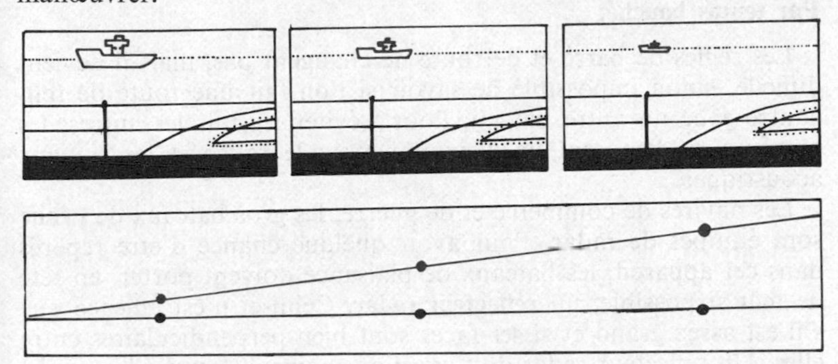

Le gisement du bateau ne varie pas : DANGER.

De nuit. Les feux des navires permettent de connaître la route qu'ils suivent. Tout navire porte un feu vert à tribord et un feu rouge à bâbord, dont le secteur éclairant est de dix quarts de chaque bord (soit 112° 5). Il peut porter également un certain nombre de feux blancs; le SH 1 B donne tous renseignements utiles à ce sujet.

Notons simplement que les feux de couleur sont bien moins visibles que les feux blancs (deux milles au lieu de dix milles); ce sont donc tout d'abord les feux de hune qui permettent de se faire une idée de la direction du navire. Il faut savoir que sur les gros bateaux le feu arrière est plus haut que le feu avant et que les superstructures : lorsque ces feux apparaissent superposés, c'est que le bateau vient droit sur vous.

Les feux de couleur deviennent visibles lorsque le bateau se rapproche (des jumelles 7 × 50 sont très utiles pour les distinguer). Il n'y a aucun risque d'abordage lorsqu'on voit le feu rouge de l'autre dans le secteur de son propre feu rouge, ou son feu vert dans le secteur de son propre feu vert. « **Rouge sur rouge, rien ne bouge ; vert sur vert, tout est clair.** »

Lorsqu'on fait route de rencontre avec un gros bateau et que c'est à lui de se dérouter, il faut immédiatement se demander : « Ai-je été vu ? » Si l'on n'en est pas sûr, il est sage de se dérouter soi-même, franchement, et suffisamment à l'avance. En effet :

— un gros bateau ne peut pas toujours manœuvrer à temps, en raison de sa vitesse et surtout de la lenteur de ses réactions;

— en mer libre il est fréquent (surtout à l'heure de la soupe) que certains cargos soient confiés au seul pilote automatique; il n'y a personne sur la passerelle;

— la nuit, de la passerelle d'un cargo, il est pratiquement impossible de voir les feux d'un voilier.

Une manœuvre n'est pas toujours suffisante pour éviter l'abordage. Il faut alors s'efforcer de signaler sa présence par tous les

Réflecteur radar.

moyens : braquer un phare puissant (si l'on en a un) sur la passerelle du bateau; ou encore, si le danger devient imminent, tirer des fusées en direction de la passerelle, en utilisant de préférence des fusées blanches ou vertes.

Par temps bouché.

Les règles de barre et de route ne changent pas, mais il devient difficile, sinon impossible de savoir si l'on fait une route de rencontre avec un autre bateau. Pour s'éviter les uns les autres, les navigateurs disposent de deux moyens : le radar et les signaux acoustiques.

Les navires de commerce et de guerre, les gros bateaux de pêche sont équipés de radar. Pour avoir quelque chance d'être repérés dans cet appareil, les bateaux de plaisance doivent porter, en tête de mât si possible, un **réflecteur radar.** Celui-ci n'est efficace que s'il est assez grand et si ses faces sont bien perpendiculaires entre elles. Un réflecteur radar doit avoir au moins 20 cm de diagonale. Si l'on parvient à le placer assez haut (entre 5 et 10 m), il se voit autant sur un écran radar qu'une coque métallique de 10 m de long.

On ne peut guère compter sur les signaux acoustiques. Ceux que l'on émet soi-même ne sont entendus que par les autres voiliers : sur les petits bateaux à moteur, le bruit les couvre; sur les navires, la porte de la timonerie les arrête.

Les signaux émis par les autres bateaux révèlent sans doute leur présence, mais ne permettent pas de connaître la route qu'ils suivent ni la distance à laquelle ils se trouvent. A l'intérieur d'une coque de voilier, on entend fort bien les moteurs des navires, le bruit de leurs hélices, même quand ils sont loin. Mais en réalité on ne s'en trouve guère avancé.

Par temps bouché, la prudence consiste à s'écarter autant que possible des passages fréquentés, en particulier des routes de cargos. Si on ne peut les éviter, il faut tout au moins couper ces routes à angle droit : on limite ainsi au maximum les risques de rencontre.

Accidents de bord

Nous ne saurions recenser ici tous les petits accidents qui peuvent survenir à bord. Beaucoup d'entre eux ont pour origine le désordre ou la négligence : glisser sur des nouilles répandues par terre, s'empêtrer dans un foc jeté en vrac, poser le pied sur un panneau de pont mal fermé, tout cela peut occasionner des chutes graves, et de belles fractures. Il y a aussi des accidents de manœuvre : on s'écrase facilement un doigt en tenant une écoute trop près du cabestan, ou une chaîne d'ancre trop près du chaumard; on peut s'en casser un ou plusieurs si l'on place le pouce en opposition aux autres doigts quand on tourne la manivelle d'un moteur ou quand on déborde un quai... Il n'est pas sérieux de grimper au mât par ses propres moyens : il faut utiliser une chaise de calfat. De toute façon, la liste des imprudences réalisables à bord ne sera jamais close. Un proverbe typiquement maritime le dit fort bien : « Quand une connerie est possible, elle est déjà faite; quand elle est impossible, elle se fera. »

Nous nous en tiendrons donc ici aux accidents graves qui peuvent affecter le bateau et mettre en péril l'équipage : avaries de gréement, voies d'eau, incendie, explosion.

Avaries de gréement.

La meilleure des parades consiste à avoir un gréement en bon état au départ, et à le surveiller périodiquement. Sur un bateau de croisière, il est sage de faire une inspection de détail tous les huit ou quinze jours, en grimpant dans la mâture et en vérifiant l'état des haubans, des manchons, des goupilles, des boulons, des drisses, l'usure des axes, etc. De plus, il est judicieux d'y jeter chaque jour un coup d'œil critique (les jumelles permettent de le faire sans trop se fatiguer). C'est une bonne habitude à prendre, car on est alors alerté par la moindre modification survenue. Ce coup d'œil peut être jeté systématiquement au lever du jour, ce qui permet en même temps de repérer les éventuelles erreurs de passage de drisses commises au cours de la nuit.

Ces précautions mettent normalement à l'abri d'une mauvaise surprise. Mais rien n'est parfait; ni les hommes qui oublient de remplacer le matériel à temps; ni le matériel lui-même. Un hauban, une ferrure peuvent se rompre sans préavis, un manchonnage peut lâcher...

Après un démâtage en Manche...

On dit que, si un hauban se rompt, il faut immédiatement virer de bord; que si l'étai lâche tout à coup, il faut venir au largue; que si le pataras casse, il faut venir vent de travers. C'est la logique même. Si le mât est resté debout, une réparation de fortune est toujours possible, pour peu que l'on ait à bord un bout de câble et des serre-câbles. On s'y emploie sans retard.

Mais il ne faut pas trop se bercer d'illusions; la plupart du temps, on n'a pas le loisir de tenter la moindre manœuvre : le mât dégringole. Encore heureux si personne ne le reçoit sur la tête.

On se trouve d'un seul coup en mauvaise posture : le mât qui ballotte au bout des haubans et de la voile peut crever la coque; le bateau n'est plus manœuvrant.

Il faut tout de suite hisser et saisir le mât sur le pont ou, si cela n'est pas possible, s'en débarrasser au plus vite en coupant les haubans (nécessité d'avoir un coupe-boulon à bord).

Ensuite il faut songer à conduire le bateau en lieu sûr. En principe on a choisi une route sur laquelle on dispose toujours d'abris sous le vent (voir le chapitre « La Route »). Le moteur, un gréement de fortune, la godille doivent permettre de l'atteindre, ou même la simple action du vent : il est toujours possible en effet de faire route à 30° de part et d'autre du vent arrière, même sans aucun moyen de propulsion.

Voies d'eau.

Nous ne parlerons pas ici des voies d'eau qui se produisent sur des coques en mauvais état : le bonheur des bateaux fourbus est de somnoler sur les vasières.

Même sur un bateau sain et bien entretenu, des voies d'eau peuvent toutefois se déclarer. Ce sont parfois de simples infiltrations; si faibles soient-elles, elles ne sont pas à négliger, leur inconvénient le plus immédiat étant de rendre désagréable la vie à bord; il faut les localiser et y porter remède.

Le problème grave est celui des voies d'eau causées par un accident : coque crevée sur un rocher ou sur une épave, superstructures défoncées à la suite d'un bris d'espar ou d'un chavirage.

Le combat a lieu sur deux fronts : il faut tout à la fois obstruer la brèche et évacuer l'eau.

On peut boucher le trou provisoirement avec un matelas, un oreiller ou des habits; on prépare ensuite un morceau de contreplaqué permettant d'effectuer une réparation de fortune. Il est donc toujours utile d'avoir quelques morceaux de contreplaqué à bord; sinon il faut le prélever sur les emménagements : table, porte de placard, plancher.

Si l'entrée d'eau est importante, la pompe est généralement inefficace; il faut utiliser des seaux pour vider le bateau. C'est seulement lorsque le trou est obstrué (tant bien que mal) et le plus gros de l'eau évacué que la pompe peut entrer en action, tandis que l'on fait route vers l'abri le plus proche.

Il faut que cette pompe soit très solidement fixée à demeure, dans un endroit où l'on puisse s'installer confortablement : le travail peut durer des heures.

Les pompes à membrane à simple action sont les meilleures. Leur corps doit être facilement démontable pour pouvoir être nettoyé. Le tuyau d'aspiration doit être annelé ou rigide pour ne pas s'écraser sous l'effet de la dépression; son extrémité doit comporter une crépine débouchable. Le tuyau de refoulement lui-même doit être installé à demeure, et doit déboucher à l'extérieur du bateau — à la rigueur dans le cockpit.

Incendie, explosion.

Les risques d'incendies à bord tiennent essentiellement aux produits inflammables que l'on embarque, l'essence notamment. Le mieux est évidemment d'éviter de prendre à bord de tels produits ou, en tout cas, de **les stocker systématiquement en un endroit ne communiquant pas avec l'intérieur du bateau.**

Nous avons dit en détail, au chapitre 6, ce que nous pensions des moteurs à essence. Pour notre part, nous avons éliminé les moteurs fixes à essence de tous les bateaux habitables, et n'utilisons les moteurs hors-bord que sur des bateaux ouverts.

Lorsqu'on utilise de tels moteurs, il est essentiel de ne pas manipuler d'essence durant leur fonctionnement; de même toute flamme est à proscrire : pas de cuisine, et défense de fumer.

L'alcool, lui aussi, s'enflamme assez facilement; on ne doit en verser dans un réchaud ou dans une lampe que lorsqu'ils sont parfaitement éteints.

Un incendie se propage avec une très grande rapidité sur un bateau en plastique; nettement moins vite sur un bateau en bois; pas du tout (aux emménagements près) dans une coque en béton ou en métal. Les moyens d'extinction exigés par les règlements répondent parfaitement aux dangers courus. Il faut ici aussi se reporter aux textes. Notons simplement qu'on doit choisir très soigneusement à bord l'emplacement du ou des extincteurs; ils doivent être facilement accessibles, quel que soit l'endroit où se déclare l'incendie. Chacun, à bord, doit en connaître parfaitement le fonctionnement, et le chef de bord ne doit pas manquer de l'expliquer à tout nouvel équipier ou passager.

Les **explosions** se produisent sur les bateaux où il y a de l'essence ou du gaz. Ne parlons plus de l'essence, mais parlons du gaz butane.

Les réchauds à gaz butane sont certainement très commodes, propres, faciles à entretenir. Ils constituent cependant un risque permanent. Un joint qui fuit, une molette mal serrée : le gaz s'échappe et tombe dans les fonds. On ne se doute de rien, puis un jour — une étincelle suffit — tout explose. Si l'on utilise ce genre d'appareil, il faut donc prendre un certain nombre de précautions :

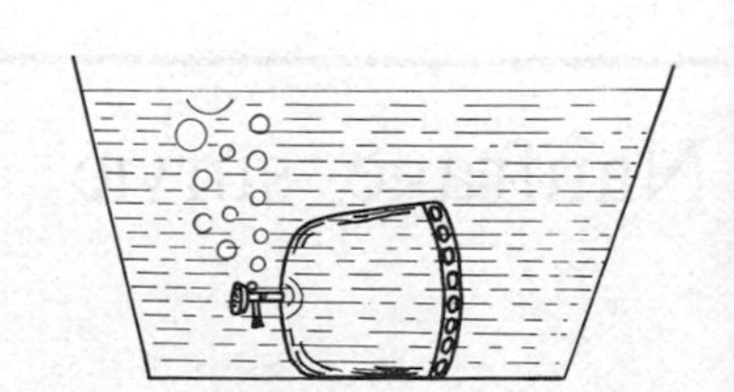

Tant qu'il sort des bulles, le réchaud doit être considéré comme une bombe à retardement.

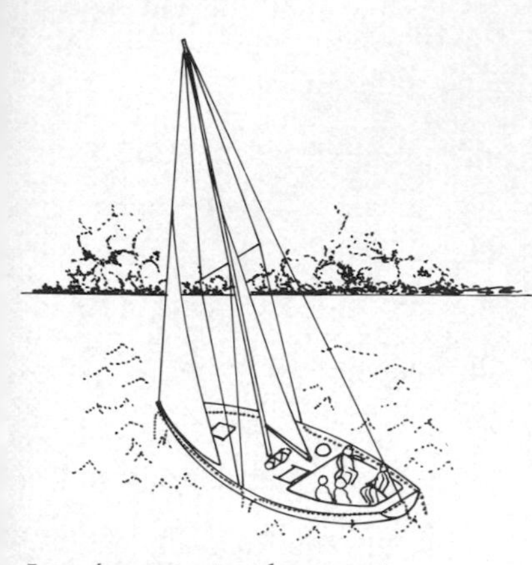

Le gréement est un bon paratonnerre. à condition que chacun de ses éléments soit mis à la masse.

— Adopter de préférence un réchaud dont le brûleur se visse directement sur la bouteille.

— A chaque changement de bouteille, plonger l'ensemble bouteille-brûleur dans l'eau; tout le monde sait qu'il faut le faire, personne ne le fait, et c'est pourtant le seul moyen d'être sûr qu'il n'y a pas de fuite.

— Surveiller de très près les réchauds à deux feux. Ce sont les plus fuyants. Changer fréquemment les joints.

— Veiller à remettre le bouchon des bouteilles vides; il reste toujours un peu de gaz dedans et certaines d'entre elles fuient dès que l'on dévisse le bouchon ou le brûleur.

— Jeter impitoyablement l'ensemble du réchaud dès qu'il ne paraît plus être en parfait état.

Le réfrigérateur à gaz est un engin à proscrire absolument, et la raison en est évidente : si la flamme s'éteint personne ne s'en aperçoit. La *Marie-Grillon*, dont les débris calcinés furent retrouvés le 10 juillet 1970 au large des Minquiers, était équipée d'une installation de réfrigérateur au butane.

D'une manière générale, lorsqu'on a du gaz ou de l'essence à bord, il est utile d'installer un **détecteur de gaz,** appareil que l'on trouve désormais à des prix abordables. Il faut s'astreindre à vérifier chaque jour qu'il fonctionne bien : on approche du filament un briquet à gaz, ouvert (mais non allumé); si l'appareil ne réagit pas, il faut changer le filament. Celui-ci doit être installé en un point bas du bateau, et cependant protégé de l'eau; mouillé, il est hors d'usage.

Foudre.

La foudre peut provoquer des catastrophes à bord; elle peut littéralement faire éclater le bateau, ou pour le moins y mettre le feu. Le mât et le haubannage constituent un bon paratonnerre, à condition d'être « mis à la masse », c'est-à-dire reliés à l'eau, soit par les cadènes lorsqu'elles sont très longues, soit par la chaîne d'ancre que l'on place en guirlande tout autour du bateau, en prenant soin qu'elle relie à l'eau chaque hauban, pataras et étai.

Naufrage, survie

Abordage, explosion, grosse voie d'eau ou autre accident grave : un bateau peut devenir inutilisable, voire même couler s'il n'est pas insubmersible.

Pour l'équipage, il s'agit dès lors de survivre, c'est-à-dire de se maintenir sur l'eau, et de préférence hors de l'eau jusqu'à l'arrivée des secours. Nous retrouvons ici toute l'importance du rôle du correspondant à terre : c'est lui qui donnera l'alerte. Quand le fera-t-il ? Tous les naufragés sont hantés par cette question :

« Quand commencera-t-on à me rechercher? Tiendrai-je jusque-là? » Il faut avoir les moyens de tenir, peut-être plusieurs jours, sans succomber au froid, à la fatigue, à la soif, au désespoir.

En réalité, lorsqu'on fait naufrage, il faut être persuadé que l'on dispose encore de possibilités énormes. Si le bateau est insubmersible, on peut y tenir très longtemps, et même continuer à naviguer. Si l'on est obligé d'embarquer dans le canot de sauvetage, on est encore sur un bateau véritable, capable s'il le faut de traverser l'Atlantique : le docteur Bombard l'a fait.

L'insubmersibilité.

L'insubmersibilité est très réalisable, du moins sur des bateaux de petit tonnage. Celle du Mousquetaire est obtenue à l'aide de 800 à 900 l de matériaux expansés; il en faut 2 000 l environ pour insubmersibiliser un Nautile. Evidemment, ces matériaux prennent de la place à bord; il faut savoir ce que l'on veut.

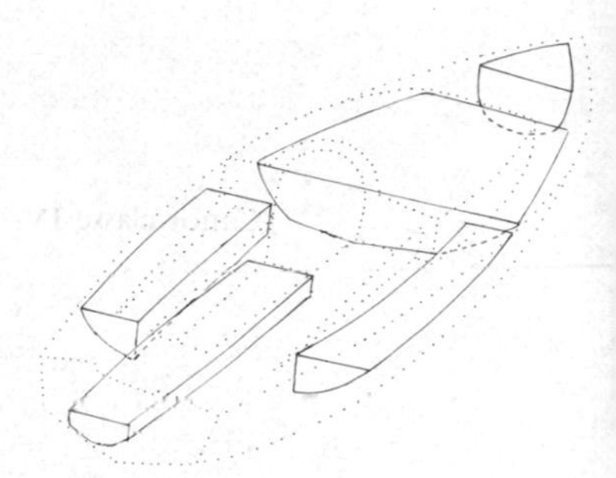
Insubmersibilité du Mousquetaire.

L'insubmersibilité d'un certain nombre de bateaux a été vérifiée par la Marine marchande (qui peut en communiquer la liste). Pour les autres, le seul moyen de s'assurer qu'ils sont bien insubmersibles est de faire un essai ; on vide le bateau de tout ce qu'il contient, on remplace les poids à bord (y compris celui de l'équipage) par des gueuses, et on le remplit d'eau douce.

L'insubmersibilité est une garantie remarquable. L'équipage reste sur le bateau et dispose donc de vivres (au moins les boîtes de conserve), d'eau douce, de tout un matériel de sécurité et de navigation. Avec un Mousquetaire plein d'eau, il est même possible de continuer à faire route, à 1 ou 2 nœuds, et donc de gagner un abri par ses propres moyens.

Naturellement la vie à bord est exempte de confort; le pont n'est plus qu'à quelques centimètres de la surface; s'il y a un peu de mer, il est constamment balayé par les vagues; l'équipage ne peut se reposer et il est constamment trempé. La situation peut devenir intenable si la mer est grosse.

La décision d'abandon doit être cependant bien réfléchie. On pare le canot pneumatique, mais on reste à bord tant que cela paraît possible.

Le canot pneumatique.

En plaisance, on utilise trois types de canots pneumatiques pour le sauvetage. Les canots de classe IV, dont la présence à bord permet la navigation jusqu'à 200 milles d'un abri pour les bateaux de 10 m de long au maximum. Les canots de classe II, exigés sur les bateaux de plus de 10 m de long, naviguant entre 20 et 200 milles d'un abri. Les canots de classe I, obligatoires à bord des bateaux s'éloignant à plus de 200 milles.

Canot classe IV.

Le canot de classe IV.

C'est en fait l'annexe, qui sert également de canot de sauvetage. Il peut être gonflé soit avec un gonfleur à soufflet, soit — en cas de détresse — à l'aide des bouteilles de gaz comprimé qui y sont fixées (dans ce cas le gonflage est réalisé en moins d'une minute).

A l'escale c'est une annexe agréable, car tout l'équipage peut y embarquer. En cas de naufrage, c'est un canot de sauvetage d'autant plus sûr que chacun en connaît parfaitement l'utilisation. Un sac de survie à bord contient une toile de tente et divers objets (fusées, lampe étanche, etc.).

Ce canot a une assez bonne tenue à la mer. Si l'on peut y gréer une voile, il est possible de faire route, vent arrière ou grand largue, à deux nœuds environ.

Le canot de classe II.

Cet engin ne sert qu'au sauvetage. Il est enfermé dans un sac ou dans un conteneur rigide, d'où on ne le sort qu'en cas de nécessité, ou pour l'obligatoire vérification annuelle. Il comporte un toit auto-éréctable et un important matériel de survie, souvent placé dans un second container relié au premier par un filin.

La plupart des canots de cette classe sont ronds, et ressemblent à des igloos. Leur forme exclut toute possibilité de faire route, et d'ailleurs une ancre flottante incorporée les rend aussi statiques que possible. Ils dérivent dans le sens du vent et l'équipage n'a qu'à attendre.

En fait, ces canots ronds, qui sont plutôt des radeaux, sont surtout bien adaptés aux navires de commerce et de pêche. Ceux-ci sont en effet en liaison radio fréquente avec la terre et les autres bateaux; dans la plupart des cas ils peuvent signaler leur naufrage et donner

Canot classe II.

leur position; les secours arrivent vite, et moins le canot s'éloigne des lieux du naufrage, mieux cela vaut.

Mais imaginons le cas d'un bateau de plaisance faisant naufrage, à la suite d'une explosion par exemple, au premier jour d'une traversée Concarneau-La Corogne. Pour peu qu'il fasse beau, personne ne s'inquiétera avant quatre ou cinq jours; quand on déclenchera enfin les recherches, il faudra les mettre en œuvre dans tout le golfe de Gascogne. A bord d'un canot statique, l'équipage attendra donc, sans rien pouvoir faire, pendant au moins cinq jours, peut-être beaucoup plus.

Il nous paraît donc préférable d'utiliser, comme nous le faisons sur nos bateaux de haute mer, des canots de classe II de forme oblongue, propulsables à la voile et comportant des dérives latérales. Ceux que nous employons permettent de naviguer, à 1 ou 2 nœuds, à 70º du vent. Dans l'exemple précédent, l'équipage embarqué à bord d'un tel canot aurait peut-être pu regagner la côte avant même que l'on déclenche les recherches, ou du moins s'en approcher suffisamment pour rencontrer un bateau.

La possibilité de se déplacer est capitale; il faut surtout souligner son importance sur le plan psychologique : l'équipage agit, contribue à son propre sauvetage; il perd beaucoup moins vite courage que s'il n'avait rien à faire.

Le canot de classe I.

Exigé pour la navigation au-delà de 200 milles d'un abri, ce canot comporte un certain nombre de perfectionnements par rapport au modèle précédent : double fond, double entrée, flottabilité supérieure, etc.

Ajoutons ici qu'il est imprudent d'acheter un canot pneumatique sans l'avoir vu gonflé, ou tout au moins déplié. Il ne faut pas manquer une occasion (le salon de la Navigation de plaisance en est une) de voir de près, de toucher et d'inspecter ce matériel. Il est bon également de participer à des démonstrations, à des exercices de sécurité. Aux Glénans nous en faisons systématiquement au début de chaque croisière, en essayant d'approcher au mieux les conditions réelles d'utilisation. Ainsi, le jour où il faut utiliser réellement le canot, chacun sait ce qu'il faut faire; c'est le meilleur moyen d'éviter la panique.

Utilisation et vie à bord.

Lorsque l'abandon du bateau est décidé, c'est bien la panique qu'il s'agit d'éviter avant tout. Il faut procéder par ordre et aussi calmement que possible.

Le canot ne se gonfle pas sur le pont (sauf s'il s'agit de l'annexe, dont on connaît bien l'encombrement). On le lance à l'eau. On fait suivre le même chemin au conteneur annexe, s'il existe. Puis on déclenche le gonflement.

L'embarquement se fait sans précipitation. D'abord une ou deux personnes, puis tout le matériel (eau, vivres, vêtements en grand nombre, cartes, etc.), puis tout le reste de l'équipage. Le matériel est soigneusement amarré. On largue la bosse de retenue. Reste à s'installer à bord le moins inconfortablement possible, en asséchant au mieux l'intérieur du canot, en essorant les vêtements trempés.

Une nouvelle croisière commence. Le chef de bord établit son programme de navigation, programme modeste mais qui généralement convient à tout le monde : cap à terre. La vie à bord s'organise, et de nombreuses questions surgissent : comment résister à la faim, à la soif, au froid, à l'ennui ?

Manger.

On l'oublie un peu dans nos civilisations opulentes : on peut très bien vivre plusieurs jours sans manger. Dans l'équipement du canot on trouve d'ailleurs souvent des aliments en tube. Loin des préoccupations gastronomiques, disons qu'ils sont comestibles.

On peut aussi se mettre en pêche; il y a le matériel qu'il faut; et l'on va (enfin) à la bonne vitesse.

Boire.

Si l'on peut facilement sauter quelques repas, boire est en revanche indispensable.

La question de la conservation de l'eau est résolue, mais le conteneur n'en possède qu'une quantité relativement faible. Il est bon d'avoir prévu, en plus, un jerricane, que l'on remplit simplement aux trois quarts afin qu'il puisse flotter, et que l'on amarre au conteneur.

On sait d'autre part, depuis l'expérience du Dr Bombard, confirmée par les travaux du Dr Aury, que la consommation de l'eau de mer n'entraîne pas les troubles autrefois redoutés. C'est une eau hypertonique, c'est-à-dire qu'elle n'est pas en mesure d'irriguer complètement l'organisme, mais son absorption est préférable à une privation totale.

Il faut en boire dès que l'on n'a plus d'eau douce; en boire peu et souvent, soit deux gorgées huit ou dix fois par jour. A ce rythme, durant dix jours, aucun trouble grave n'apparaît.

Bombard encore a montré que la chair de poisson contenait 200 à 250 g d'eau douce par kilo. On extrait cette eau avec une presse si l'on dispose de cet outil, ou plus simplement en pratiquant de larges incisions dans la chair.

Enfin la pluie peut résoudre le problème et l'on mobilise aussitôt tous les récipients possibles, où l'eau va ruisseler grâce à la voile et à la tente.

Se réchauffer.

C'est l'une des préoccupations majeures des naufragés, et ils ne disposent que de moyens de fortune pour y parvenir : bien tordre les vêtements mouillés, s'abriter du vent, s'isoler du fond du canot en y étendant des vêtements, se serrer les uns contre les autres. On fabrique maintenant des couvertures spéciales, revêtues d'une feuille d'aluminium, qui conservent remarquablement la chaleur.

Se distraire.

L'inactivité est extrêmement pesante et difficile à supporter pour un équipage naufragé. Il est facile de la combattre quand le canot peut progresser, car il faut alors faire la navigation, manœuvrer si peu que ce soit. Dans un canot statique il n'y a pas grand-chose à faire; il n'est pas idiot d'y emporter un jeu de cartes.

Mais l'on veille aussi, sans relâche. Qu'un bateau apparaisse à l'horizon, se rapproche, et passe sans avoir rien vu, le moral de l'équipage en prend un mauvais coup. Il faut tenter de se faire remarquer par tous les moyens.

Les appels au secours.

Il existe de petits émetteurs de détresse qui diffusent automatiquement dès qu'ils sont mis en marche les signaux réglementaires, *S.O.S.* en morse, ou *Mayday* en phonie. Ces appareils coûtent encore fort cher, mais les fabricants s'efforcent de mettre au point des modèles moins onéreux, destinés à la plaisance.

En attendant, les signaux de jour et de nuit sont constitués par les fusées, fumigènes, feux de bengale, lampes et miroirs. Il faut savoir les utiliser rapidement, et donc avoir ouvert le coffret qui les contient et lu le mode d'emploi. Tout l'équipage doit être parfaitement au courant de l'utilisation de ce matériel.

Il doit surtout savoir qu'on doit l'utiliser avec parcimonie. Tirer des fusées au hasard ne sert à rien, il faut les garder pour le moment où l'on est pratiquement sûr qu'elles seront vues. Les fusées simples restent très peu de temps en l'air. Les fusées-parachutes ont déjà plus de chances d'être aperçues. Le plus efficace de tous les signaux est sans doute le fumigène de couleur orange : sa fumée s'étire sur plusieurs milles et met longtemps à se dissiper.

Lorsqu'enfin un navire passe, et soudain se déroute pour venir droit sur le canot, il importe encore de garder son sang-froid, et d'organiser calmement l'ultime transbordement. Quand enfin tout le monde est en lieu sûr, il est permis de tomber dans les bras du capitaine.

Quoi qu'on fasse, toutes les catastrophes évoquées dans ce chapitre, la description des moyens à utiliser et des manœuvres à faire pour les éviter ou y remédier, conservent un caractère un peu académique. C'est qu'en réalité deux accidents ne se produisent jamais de la même façon; les circonstances sont sans cesse différentes, et mille détails particuliers viennent modifier le cours des événements.

Cette simple constatation indique bien toutefois à quel niveau se situe la véritable sécurité. Il est évidemment nécessaire de disposer d'un bateau en parfait état et doté d'un équipement homogène (on sait que la résistance d'une chaîne est égale à celle de sa plus faible maille). Il est indispensable de disposer d'un matériel de sécurité complet et de savoir s'en servir. Mais la sécurité tient aussi à une réflexion permanente, à une recherche personnelle, portant sur son propre bateau, sur son propre équipage et sur la navigation que l'on fait. Il faut s'entraîner, il faut imaginer : parfois les circonstances exigent que l'on fasse vite, parfois que l'on se contraigne à agir lentement. Ce qui prime en définitive, c'est un certain esprit de sécurité, où s'allie le flair de la bête sauvage et la connaissance sans cesse approfondie d'un milieu, d'un mode d'existence ayant ses exigences propres. On est en sécurité lorsqu'on est parfaitement adapté au milieu dans lequel on vit. Au-delà des règlements et des questions matérielles, c'est donc toute la conception de la navigation qui est en cause.

Secourisme en mer

Ces quelques notes ne prétendent pas remplacer les manuels de secourisme (il en existe de fort bons). Leur but est d'indiquer le plus simplement possible, à propos des divers accidents qui peuvent survenir à bord, ce qu'il faut faire et peut-être surtout ce qu'il ne faut pas faire.

Noyade

Il existe deux types de noyade : la noyade par hydrocution et la noyade par asphyxie.

L'hydrocution est due généralement à une différence de température importante entre le corps et l'eau. Elle peut survenir lorsqu'on prend un bain après s'être longuement exposé au soleil, ou lorsqu'on passe par-dessus bord et que l'eau est très froide. Elle est caractérisée par une perte de connaissance très brutale, avec arrêt cardiaque; l'asphyxie survient secondairement.

La noyade par asphyxie est due à l'épuisement du nageur, qui ne peut plus se soutenir sur l'eau et coule; l'arrêt cardiaque peut suivre rapidement l'arrêt respiratoire.

Les précautions à prendre sont connues. Pour éviter l'hydrocution, il ne faut pas se baigner après une exposition prolongée au soleil (et moins encore si cette exposition a été accompagnée d'efforts musculaires), ou après un repas copieux et bien arrosé. Il est bon, de toute façon, d'entrer dans l'eau progressivement, en commençant par s'asperger la nuque et l'abdomen. Quelques signes annoncent parfois l'hydrocution : démangeaisons cutanées, sensation de fatigue anormale, crampes, malaise interne. Il faut immédiatement sortir de l'eau.

Lorsqu'on navigue en eau froide, nous l'avons déjà dit, le port d'une combinaison de plongée est pratiquement indispensable.

Pour éviter la noyade par asphyxie lorsqu'on est tombé à la mer, il importe de faire le moins d'effort possible en attendant d'être repêché : tout effort entraîne une déperdition calorique et donc un épuisement rapide.

Soins aux noyés.

Sauver un noyé est toujours une question de secondes; la moindre perte de temps peut avoir des conséquences catastrophiques. Il est donc très souhaitable que tous les membres de l'équipage aient participé à une séance de réanimation (sur un mannequin) et connaissent bien la méthode du **bouche à bouche,**

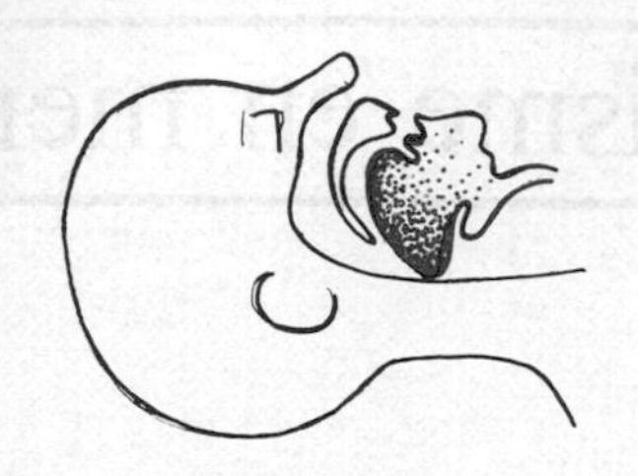

Tête à l'horizontale, les voies aériennes supérieures sont obstruées par la langue.

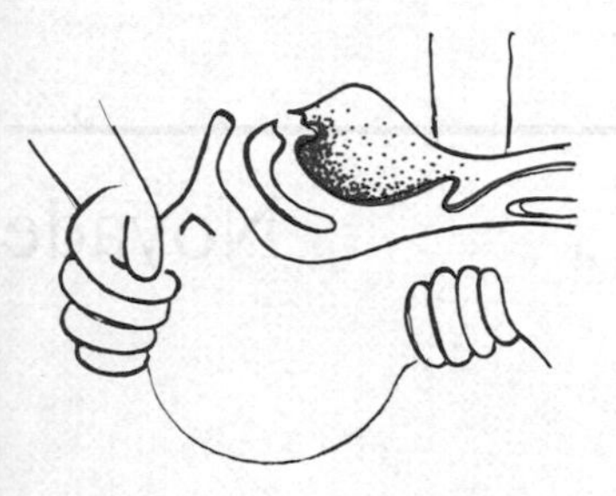

Pour que les voies aériennes soient dégagées, il faut que la tête soit rejetée très en arrière (en hyperextension).

qui est la méthode de réanimation respiratoire la plus simple et la plus efficace. Il n'est pas du tout ridicule en tout cas que le chef de bord l'enseigne à ses équipiers en début de croisière. Etre entraîné permet de ne pas perdre de temps.

En présence d'un noyé il faut, tout à la fois, commencer immédiatement la réanimation respiratoire et se préoccuper de savoir s'il y a ou non arrêt cardiaque : on recherche le pouls non pas au poignet mais sur les artères fémorales, au pli de l'aine. Si le cœur a cessé de battre, il faudra mener de front réanimation respiratoire et réanimation cardiaque.

Traitement de l'arrêt respiratoire.

On pratique le bouche à bouche de la façon suivante.

— Etendre le noyé à plat dos et lui mettre la tête de côté pour retirer de la bouche et de l'arrière-gorge les mucosités et corps étrangers qui ont pu y pénétrer, et aussi les prothèses dentaires (mais tout cela très vite).

— Prendre la tête à deux mains et la basculer franchement en arrière. Ceci est essentiel : il faut que le cou du noyé soit en hyperextension pour que l'air puisse pénétrer dans ses poumons (il est bon de placer des vêtements en billot sous ses épaules).

— Appuyer d'une main sur le front et de l'autre, doigts en crochet, écarter la mâchoire inférieure pour ouvrir largement la bouche.

— Coller ses lèvres autour de la bouche du noyé, tout en obstruant ses narines avec la joue pour éviter les fuites d'air.

— Souffler énergiquement. On doit voir la poitrine du noyé se soulever. Si elle ne se soulève pas, c'est probablement que l'on n'a pas suffisamment tiré la tête en arrière.

— S'écarter légèrement pour laisser l'expiration se faire, puis insuffler à nouveau, et continuer selon son rythme personnel (12 à 15 insufflations par minute).

Insufflation.

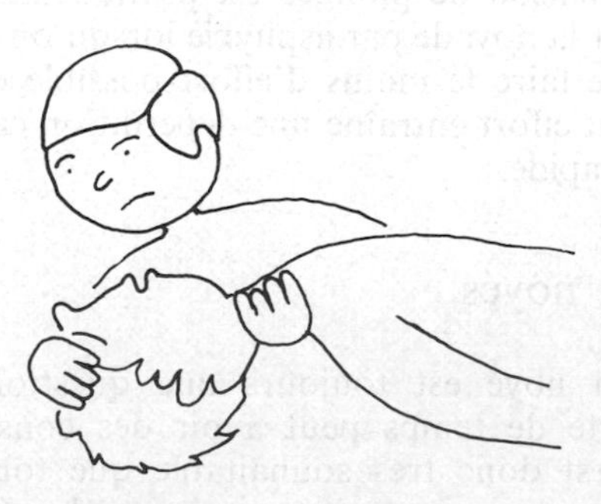

Expiration.

Quelques cas particuliers :

— Si le noyé est convulsé et qu'il n'est pas possible de lui ouvrir la bouche, il faut pratiquer le bouche à nez. La position de la tête est la même; avec une main, appuyer sur le front, avec l'autre fermer la bouche du noyé en mettant le pouce sur ses lèvres. Souffler en faisant attention de ne pas obstruer les narines. Ecarter ensuite les lèvres du noyé pour faciliter l'expiration et recommencer le mouvement.

— Si le noyé est un enfant, coller les lèvres autour de sa bouche et de son nez tout à la fois. Arrêter l'insufflation dès que la poitrine est gonflée. Suivre un rythme un peu plus rapide que pour l'adulte (environ 20 insufflations par minute).

— Il peut être bon d'utiliser un tube spécial (type HSB) dont le principal avantage est d'empêcher la chute de la langue du noyé en arrière.

Traitement de l'arrêt cardiaque.

Lorsque le cœur s'est arrêté, il faut l'aider à redémarrer tout en pratiquant le bouche à bouche. Lorsqu'on est seul, on effectue entre chaque insufflation cinq massages cardiaques, en procédant de la façon suivante.

— Poser le talon de la main gauche sur le tiers inférieur du sternum, bien **au milieu** de la poitrine, et poser la main droite sur la gauche.

— Les bras tendus, se laisser aller en avant et appuyer de tout son poids sur le sternum. Agir par séries de deux pressions brèves et énergiques. Répéter ce massage environ 60 fois par minute.

On doit prendre garde que si le noyé est une personne âgée ou un enfant, un massage trop énergique peut entraîner une fracture des côtes. Effectuer alors le massage avec une seule main; avec deux doigts, s'il s'agit d'un nourrisson.

Traitement de l'arrêt respiratoire et traitement de l'arrêt cardiaque doivent être menés avec persévérance. Si l'on est plusieurs, on peut se relayer. Lorsque le noyé est réanimé il doit être transporté le plus rapidement possible à terre pour que le traitement soit poursuivi en milieu spécialisé.

Traitement du coup de froid.

Quelqu'un qui a eu très froid dans l'eau, même s'il n'a pas perdu connaissance, doit être traité avec autant de soins qu'un noyé. A ce sujet il faut savoir que les pratiques habituellement conseillées — déshabiller le naufragé, le frictionner, voire lui donner de l'alcool — sont mal adaptées et peuvent même, en cas de « coup de froid » grave, être très dangereuses.

Des études sur l'hypothermie — c'est-à-dire sur la chute de température du corps — ont montré que le froid, pénétrant dans le corps, déclenche une réaction de défense de l'organisme qui se traduit par une constriction des vaisseaux sanguins, d'abord dans la zone **périphérique,** puis dans une zone dite **intermédiaire,** le sang refluant peu à peu dans la zone des **centres vitaux** (cœur, cerveau) pour tenter de leur conserver leur chaleur.

Si cette dernière zone se refroidit aussi, c'est grave : ici l'avenir peut tenir à quelques dixièmes de degrés en plus ou en moins...

Lorsqu'un naufragé a eu un « coup de froid », il s'agit donc avant tout de lui éviter la moindre baisse de température. Pour cela il faut éviter de le déshabiller, mais l'isoler au plus vite de l'extérieur, l'idéal étant de l'enfouir dans un grand sac en plastique ou à défaut dans un sac de couchage, deux ou trois personnes se serrant contre lui.

Par ailleurs il faut éviter de le réchauffer superficiellement par des frictions ou une absorption d'alcool : la dilatation des vaisseaux sanguins de la zone périphérique entraîne un afflux de sang dans cette zone, qui est encore relativement froide, et cela peut provoquer une chute de température supplémentaire des centres vitaux, puisque le sang refroidi y retourne, et en plus grande quantité.

En principe le meilleur traitement du « coup de froid » consiste à plonger la victime dans un bain de température au moins égale à 45° C (c'est la température que peut supporter le coude trempé dans l'eau). Mais cela est rarement réalisable à bord... On peut tout au moins, une fois la victime isolée, lui faire absorber des boissons très chaudes, qui provoqueront un réchauffement « de l'intérieur ». Comme pour une noyade, il faut en tout cas prendre contact le plus rapidement possible avec un médecin.

Traitement de l'arrêt respiratoire et traitement de l'arrêt cardiaque doivent être menés avec persévérance. Si l'on est plusieurs, on peut se relayer. Lorsque le noyé est réanimé il doit être transporté le plus rapidement possible à terre pour que le traitement soit poursuivi en milieu spécialisé.

Problèmes de santé

Des petits ennuis : un bon coup de soleil, une brûlure bénigne mais mal soignée, peuvent gâcher la plus agréable des croisières. Il suffit généralement d'un peu de bon sens et de quelques notions de secourisme élémentaire pour éviter cela. Dans le cas d'accidents graves : brûlures sérieuses, plaies importantes, fractures, il faut surtout être capable de ne pas faire de bêtises, et savoir juger de l'urgence que représente le mal.

Nous envisagerons d'abord les ennuis courants auxquels il est possible de porter remède à bord, puis les cas graves.

Les ennuis courants.

Coups de soleil.

Entreprendre de rôtir systématiquement au soleil dès le premier jour des vacances est imprudent : les coups de soleil peuvent être dangereux car la brûlure qui en découle est souvent très étendue. Le sujet rôti commence à se plaindre d'une grande fatigue, il vomit, il a de la fièvre, ne parvient pas à dormir...

La prévention consiste évidemment à ne s'exposer au soleil que très progressivement, et à s'appliquer sur la peau une crème filtrant les rayons ultra-violets.

Le traitement curatif est celui des brûlures, dont nous parlerons plus loin.

Coups de lumière.

On a gardé les yeux trop longtemps fixés sur le spi; on a procédé à une visée solaire au sextant; la réverbération est intense : il en résulte des « coups de lumière » qui peuvent être graves, entraîner un affaiblissement de la vue et même une cécité temporaire; on peut y récolter à tout le moins une conjonctivite (cuisson oculaire, œil rouge).

Prévention : casquette à visière, verres fumés. Traitement curatif : emploi d'un collyre.

Insolation, déshydratation.

Le sujet atteint d'insolation transpire abondamment, sa peau est brûlante, il est fébrile, il a mal à la tête, il a très soif. On doit l'installer dans un endroit ventilé, à l'abri du soleil, une serviette mouillée sur la tête; on lui fait absorber du café fort et des boissons salées (pas d'alcool).

La prévention de l'insolation, comme de la déshydratation, consiste à s'abriter du soleil et à boire régulièrement entre les repas de l'eau fraîche, des jus de fruits, du thé, etc.

Infections.

Un panaris ou un furoncle font parfois horriblement souffrir. Ce sont les deux cas d'infection les plus courants.

Le **panaris** est un abcès du doigt, souvent appelé aussi « mal blanc ». Il est généralement dû à une piqûre, à une petite coupure négligée. Le doigt devient de bois, prend un aspect tuméfié; la fièvre et l'insomnie commencent à exercer leurs ravages.

L'incision d'un panaris ne peut être effectuée que par un médecin. En attendant, il faut baigner le doigt cinq ou six fois par jour dans du Dakin tiède, de l'Hexomédine transcutanée ou une solution d'ammonium quaternaire (Merseptyl, Mercryl, Cetavlon) et l'entourer d'un pansement trempé dans le liquide du bain.

Si le panaris évolue très vite, consulter au plus tôt un médecin, qui prescrira un antibiotique à forte dose. Si le médecin est loin, il est bon d'avoir à bord de la Pyostacine (pour un adulte, dix comprimés par jour en quatre prises, pendant quatre jours).

Le **furoncle** est une infection causée par le staphylocoque. Cette infection est dangereuse dans la mesure où elle peut prendre une grande extension.

On ne doit jamais presser un furoncle avec les doigts, ni le percer avec une épingle. On doit également éviter les pansements. Appliquer sur le mal de la pommade Collargol et consulter un médecin si les choses s'aggravent.

Diarrhée.

C'est le plus *courant* des ennuis courants... Une diarrhée peut être due à un simple coup de froid; elle peut provenir aussi d'une intoxication (conserves, poisson) ou d'une erreur d'hygiène alimentaire : abus de laitages, de fruits, de graisses, de certaines cuisines locales (il est bon de savoir, par exemple, que les « pâtes fraîches » italiennes doivent être consommées le jour même).

Les traitements sont multiples. Le plus simple est de se mettre à la diète : soupe de carottes ou eau de riz le premier jour, riz sans assaisonnement pendant deux jours ensuite. Eviter les orgies pendant encore quelques jours.

On peut aussi prendre des médicaments :

— Elixir parégorique ou Diarsed, ou pastis léger;

— Ganidan, trois ou quatre fois par jour, plus boissons abondantes.

Attention : une diarrhée prolongée et mal soignée peut entraîner un état grave de dénutrition et de déshydratation.

Angine.

Incident fréquent, l'angine donne souvent de la fièvre. On la prévient en suçant des pastilles de Solutricine. On la soigne avec des gargarismes à l'eau de mer chaude et, s'il y a lieu, de la pénicilline par voie orale.

Rage de dents.

Il est fort imprudent de partir en croisière avec des dents en mauvais état : on risque de voir gâché tout son plaisir et de gâcher celui des autres... Une visite au dentiste s'impose donc avant le départ. Si malgré tout on est pris de rage en mer, on peut trouver un certain apaisement :

— dans le cas d'une carie (la douleur se réveille en général la nuit), en plaçant dans la dent malade un coton imbibé d'essence de girofle;

— dans le cas d'un abcès, en prenant des bains de bouche au Synthol; et, au besoin, un antibiotique.

Brûlures.

Il arrive souvent que l'on se brûle à bord au moment de la préparation des repas, ou lorsqu'on s'affaire autour du moteur. Ces brûlures sont généralement bénignes. Mais on peut également être gravement brûlé à la suite d'une explosion de gaz butane ou d'essence.

Il est bon de savoir tout d'abord :

— qu'une brûlure est le plus souvent stérile, puisque le liquide brûlant ou la flamme ont désinfecté en même temps qu'ils brûlaient;

— qu'une brûlure peut être grave de deux façons : par son étendue et par sa profondeur. Selon son étendue elle peut mettre la vie en danger, au début par le choc, ensuite par infection et dénutrition. Selon sa profondeur elle peut laisser des cicatrices douloureuses, non seulement inesthétiques mais gênantes, et parfois des brides qui peuvent entraver le fonctionnement d'une articulation.

Brûlures peu étendues.

On considère qu'une brûlure est peu étendue lorsqu'elle ne couvre pas plus de 10 % de la surface corporelle chez l'adulte, 7 % chez l'enfant (la surface d'une main équivaut à un peu plus de 1 % de la surface corporelle). Mais une brûlure peu étendue peut être profonde.

D'une manière générale il faut adopter la conduite suivante :

— Tout d'abord s'efforcer de ne pas infecter une plaie qui est propre; donc se laver les mains très soigneusement; nettoyer la peau autour de la plaie sans toucher la plaie elle-même.

— Appliquer sur la brûlure du biogaze ou du tulle gras ou une pommade antibiotique.

— Appliquer par-dessus une compresse stérile et un peu de coton, ensuite une bande Velpeau, assez serrée au début; le fait de serrer un peu la bande élimine l'exudation du plasma.

— Si la peau est brûlée au creux d'une articulation, faire le pansement en extension pour que les deux surfaces brûlées ne risquent pas d'adhérer ensemble. Si deux doigts adjacents sont brûlés, faire de même un pansement séparé pour chaque doigt.

— Ne plus toucher ensuite au pansement, sauf pour desserrer un peu la bande extérieure si elle serre trop.

Le tableau ci-après reprend ces diverses données en tenant compte de la profondeur de la brûlure.

Brûlures étendues.

Une brûlure étendue est une très grande urgence. C'est la vie du blessé qui est en jeu.

— Ne pas déshabiller le blessé; lui retirer simplement bagues, ceinture, chaussures.

Profondeur	Signes	Causes les plus fréquentes	Remèdes	Prévention
1er degré	Rougeur, douleur cuisante.	Ecoulement d'un liquide bouillant sur la peau.	Biogaze, tulle gras, pommade.	Dès que la mer est agitée, le cuisinier doit porter bottes et pantalon de ciré les recouvrant.
2e degré	Rougeur, douleur, cloques.	Comme 1er degré, plus manipulation d'un moteur chaud.	Mêmes remèdes, ne pas percer les cloques avant le le 3e jour.	Il faut attendre que le moteur soit froid avant d'entreprendre la réparation.
3e degré	Plaque noirâtre, grisâtre ou jaune, insensible.	Immersion dans un liquide bouillant, feu aux vêtements.	Pansement, emmitouflage, EVACUATION.	

— L'envelopper dans une couverture, le coucher tête basse, le réchauffer avec des bouillottes.

— Lui donner beaucoup à boire (mettre 5 g de sel par litre d'eau) mais surtout pas d'alcool.

— Eviter de parler et de tousser devant lui.

— L'évacuer d'extrême urgence vers un centre pour brûlés, par voie aérienne si cela est possible.

En règle générale il est bon, pour toute brûlure (sauf si elle est vraiment bénigne) de rechercher un avis médical à la première escale, particulièrement si la brûlure concerne le visage, un pli de flexion, le périnée ou les organes génitaux.

Plaies.

La conduite à tenir est différente selon l'importance de la plaie.

Les petites plaies doivent simplement être nettoyées avec soin, à l'eau douce savonneuse, au Dakin ou à l'ammonium quaternaire. Les corps étrangers sont retirés de la plaie avec des pinces ou des ciseaux passés à l'alcool à 90° (ou au Mercryl). On passe de l'Hexomédine sur la plaie et on la recouvre d'un pansement.

Les plaies importantes, souvent plus impressionnantes que les brûlures, sont en général des blessures moins graves que celles-ci. Trois problèmes se posent : arrêter l'hémorragie, désinfecter, fermer la plaie.

Arrêter l'hémorragie.

— Il ne faut pratiquement jamais poser de garrot : trop peu serré, il aggrave l'hémorragie; trop serré et maintenu en place plus d'une heure et demie, il peut compromettre définitivement la vitalité du membre. Un garrot ne s'utilise que dans des cas extrêmement graves (amputation accidentelle), quand rien ne semble pouvoir arrêter l'hémorragie. Si l'on met un garrot, il faut le desserrer toutes les heures, et noter l'heure de la pose.

— On arrête l'hémorragie en faisant une compression locale avec le doigt ou le poing, puis un pansement compressif : Sofra-mycine, compresses stériles, ouate en abondance, bien serrer avec une bande de crêpe, surélever le membre.

Désinfecter.

Nettoyer la plaie et ses environs, si la peau est sale, avec un désinfectant comme le Mercryl; sinon appliquer un antiseptique aux ammonium quaternaires du type Cétavlon.

Fermer la plaie.

S'il y a un médecin à bord, il fera des points de suture. S'il n'y en a pas, on peut souvent fermer une plaie de la façon suivante : bien sécher la peau autour de la plaie; après désinfection, appliquer directement un sparadrap adhésif (sans compresse) ou mieux une bandelette de Steri-strip, rapprocher les lèvres de la plaie et coller de l'autre côté.

Fractures.

Toutes les fractures imposent évidemment une hospitalisation aussi rapide que possible. La conduite à tenir en attendant est différente selon les cas.

Fracture d'un membre.

Il importe essentiellement d'immobiliser le membre fracturé en bonne position.

L'attelle doit immobiliser l'articulation qui se trouve au-dessus de la fracture et celle qui se trouve au-dessous, par exemple le coude et le poignet pour une fracture de l'avant-bras.

Le membre doit être en position de fonction, c'est-à-dire : pour le bras, coude en flexion à 90°; au contraire pour la jambe, membre allongé, avec le pied à angle droit. Cela pour que le membre reste utilisable s'il devait rester bloqué dans cette position.

On donne des calmants et un somnifère au blessé pendant qu'on rallie le port rapidement.

En cas de fracture ouverte (plaie faisant communiquer la fracture avec l'extérieur), on doit :

— mettre sur la plaie un pansement stérile;
— immobiliser sur une attelle;
— donner un antibiotique;
— rentrer d'extrême urgence ou demander du secours.

La pharmacie du bord.

Thermomètre.
Ciseaux, pinces à disséquer, épingles doubles.
Mercryl laurylé, 1 flacon.
Hexomédine transcutanée, 1 flacon à large col.
Hexomédine solution, 1 flacon nébuliseur.
Soframycine, 1 tube.
Biogaze Bottu, 1 boîte (métallique).
Compresses stériles, 1 boîte.
Coton hydrophile, 1 sachet 100 g.

1 gaze 5 cm.
1 gaze 10 cm.
1 nylex ou crêpe 5 cm.
1 crêpe 10 cm.
Urgoplaie ou Tricostéril, 1 sachet.
Albuplast 2 cm, 1 rouleau.
Elastoplaste 8 cm, 1 rouleau.
Steri-strips.

Médicaments.
Aspirine, Optalidon (migraines).
Collyre (conjonctivite).
Quinine, Dénoral (rhume, grippe).
Ganidan, Diarsed (diarrhées).
Rectopanbiline, Microlax (constipation, fréquente à bord!).
Imménoctal (insomnies).
Soludécadron (chocs, allergies).
Vibramycine (antibiotique).

Cette liste constitue un strict minimum. Le tout tient à l'aise dans une boîte métallique, genre boîte à biscuits de 1 kg. Fixer le couvercle de la boîte par un ruban adhésif pour préserver les produits pharmaceutiques de l'humidité.

Autres fractures.

Toute suspicion d'atteinte à la colonne vertébrale impose de ne déplacer le blessé qu'avec les plus grandes précautions : il importe surtout de le transporter exactement dans la position où on le trouve, sans modifier la forme de la colonne vertébrale. Il est bon de l'installer sur une planche (de couchette par exemple), ce qui simplifiera d'ailleurs son transport par la suite.

Dans le cas d'un traumatisme de la nuque, on doit maintenir le cou du blessé bien droit dans le prolongement du corps, l'installer à plat dos, tête en arrière, strictement calé dans sa couchette jusqu'à l'arrivée au port.

Tout choc important à la tête nécessite une radiographie du crâne.

Dans le cas d'une fracture des côtes (le blessé ressent une vive douleur et respire avec peine) il faut mettre en place un bandage thoracique ou mieux un Elastoplaste, bande de tricot élastique et adhésive (très efficace également pour les entorses).

Appendicite.

Douleurs abdominales accompagnées de fièvre, de vomissements et de dérangements intestinaux : c'est peut-être l'appendicite et il faut rentrer au plus vite. Les antibiotiques ne doivent être administrés que le plus tard possible, et seulement si la fièvre devient importante.

Ne pas oublier enfin que, dans les cas où une évacuation est nécessaire, tous les moyens sont bons : appeler au moyen des fusées rouges un bateau rapide ou doté d'un émetteur radio, déranger un porte-avion ou un paquebot...

En espérant que vous n'aurez jamais à le faire, bonne route, et meilleure santé.

15. La vie à bord

Dans un bateau de croisière, plusieurs personnes vivent ensemble, préparent leurs repas, mangent, flânent, dorment, bricolent à l'occasion et naviguent. Le non-initié est toujours étonné que la vie soit possible et même, à ce qu'on dit, agréable dans un espace aussi restreint, dans un volume aux formes aussi surprenantes, dans un milieu rarement immobile et presque toujours exposé aux intempéries.

C'est probablement que la vie à bord d'un bateau ne repose pas tout à fait sur les mêmes critères que la vie à terre. Les buts que l'on poursuit, le rythme des heures et des jours, les occupations quotidiennes, les rapports entre les êtres y prennent un tour si particulier que l'on pourrait presque parler d'une autre vie. Bateau et équipage, en croisière, forment un monde autonome, avec ses lois propres, ses rites, ses rires, ses angoisses aussi; une certaine ambiance s'y installe que nul, étranger au bord, ne peut imaginer. Cette ambiance, qui est l'œuvre de tout l'équipage, est fragile, et constamment à recréer. Qu'est-ce qu'une croisière réussie ? Personne ne saurait le dire exactement. C'est une conjonction heureuse entre quelques êtres, un bateau et des lumières de rencontre. C'est précieux comme un secret partagé. On sait simplement que c'est inoubliable.

Aussi bien, dans ce court chapitre consacré à la vie à bord, ne s'agit-il pas de chercher à percer les mystères de cette réussite. Tout au plus peut-on donner quelques indications minimum, permettant d'éviter les plus grosses erreurs, de limiter autant que possible l'importance des nombreux facteurs d'usure : désordre, froid, fatigue, faim, mésentente, qui rendent la réussite improbable et peuvent même, avec l'appui du mal de mer, transformer l'espérance de paradis en réalité infernale. Il s'agit de rechercher les éléments d'une harmonie entre les êtres, les objets et les exigences quotidiennes, toutes choses qui portent en mer le même nom qu'à terre et sont pourtant à redéfinir complètement.

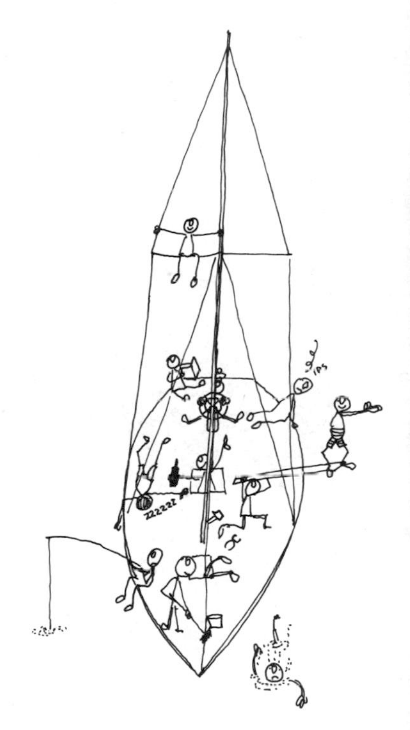

Un bateau de croisière n'est pas seulement un moyen de locomotion, c'est aussi un endroit où l'on vit.

Les hommes

Nous prenons ici le terme d'homme dans son meilleur sens : « Etre appartenant à l'espèce animale la plus évoluée de la terre » *(Petit Robert)*. On sait que les femmes font partie de cette espèce.

A bord d'un bateau on distingue deux sous-espèces : d'une part le chef de bord, homme ou femme; d'autre part l'équipage.

Le chef de bord.

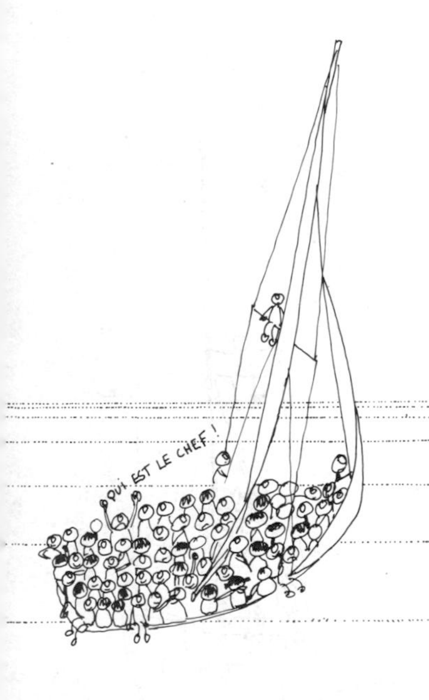

L'homme libre qui chérit la mer peut souhaiter y vivre sans contrainte, et sans être soumis à une autorité quelconque. C'est possible, à condition de naviguer tout seul. Dès que l'on est plusieurs, il n'en est plus question : il faut un chef de bord.

Des siècles d'expérience ont confirmé la nécessité d'un tel personnage, et ceux qui croient pouvoir l'abolir ne rencontrent que des déboires. Sans doute, pour une promenade de la journée, ou pour une croisière effectuée par petites étapes et par beau temps, cette nécessité n'apparaît-elle pas forcément; tout peut se dérouler normalement, encore que l'entretien du matériel soit quelque peu livré au hasard. Mais, dès qu'une difficulté surgit — le vent qui fraîchit, la brume qui tombe, quelque chose qui casse —, dès qu'une décision rapide s'impose, la confusion apparaît dans le choix de la manœuvre à faire ou dans la répartition des tâches. La discorde s'installe; c'est triste et souvent c'est dangereux.

En fait, on s'aperçoit vite qu'une bonne vie à bord ne peut se concevoir sans une coordination de tous les instants et dans tous les domaines : manœuvre, navigation, entretien du bateau, sécurité, rythme de vie, conception générale de la croisière. Pour que cette coordination existe, il faut un homme capable de faire, en permanence, la synthèse de ces différentes données, puis de répartir correctement le travail. Il faut un chef de bord. On choisit normalement comme chef de bord le plus compétent de l'équipe. Si tout le monde est aussi compétent, on en choisit un quand même, quitte à en prévoir un autre pour la croisière suivante. Pour celle-ci, depuis le moment où l'on a décidé de partir et jusqu'au pot final, un seul commande.

Et son rôle est difficile. Pour commencer, le chef de bord est responsable de la vie de son équipage, ce qui suffirait à préoccuper un homme. Il doit connaître très précisément l'état du bateau, et le surveiller en permanence; il doit s'être assuré que l'équipage est au courant des exigences de la sécurité et que chacun sait ce qu'il a à faire en cas de coup dur. Il est responsable d'autre part de la bonne marche du bateau, depuis le réglage des voiles jusqu'à la navigation. C'est à lui de répartir les tâches et d'organiser l'emploi du temps de telle façon que l'harmonie règne à bord. C'est à lui d'apprécier jour après jour, en fonction du temps qu'il fait ou de toute autre circonstance, si le but poursuivi est toujours à la mesure des capacités du bateau et de l'équipage. Cette dernière responsabilité est essentielle et l'on sait qu'il y a parfois des décisions douloureuses à prendre.

Pour remplir un tel rôle, pour avoir constamment une telle vue d'ensemble, il est nécessaire que le chef de bord ait un certain recul. Son mode de vie s'en ressent. Autant que possible, il doit rester hors quart, de façon à disposer au mieux de son temps. Dans le même esprit, il ne doit pas se laisser absorber par une tâche de détail dans les moments importants. Par exemple, il ne doit pas prendre la barre durant des manœuvres d'appareillage, mais conserver toute sa liberté d'action pour pouvoir diriger l'ensemble, se déplacer, tout voir, donner le coup de pouce au bon moment, là où il le faut.

Il doit également savoir confier des responsabilités à ses équipiers, se contentant de vérifier ce qui a été fait. Car, pour être chef de bord, il n'en est pas moins homme : il faut qu'il dorme de temps en temps.

Cependant sa vigilance s'exerce même durant son sommeil, par l'intermédiaire des consignes écrites qu'il a laissées aux équipes de quart : me réveiller si le vent tourne de 20°, s'il faut réduire la toile, si la visibilité tombe... Ou encore : si l'on aperçoit un cargo, lorsque tel phare sera en vue, au lever du jour...

Restant en bon état, conservant sa capacité de réflexion, le chef de bord constitue ainsi une sorte de réserve morale et physique de l'équipage. Il est disponible face à l'imprévu. Par beau temps, il coule des jours paisibles et règne, benoît, sur un pacifique empire. Par mauvais temps, il subit la plus grande fatigue, l'insomnie et le poids de ses propres décisions.

Et néanmoins ce ne doit pas être un personnage silencieux, isolé dans une lointaine méditation et ne participant pas à la vie du bord. Une bonne part de l'ambiance dépend de lui : il doit savoir éveiller l'intérêt de l'équipage à toutes sortes de choses, guider sa réflexion, ne pas garder ses raisons pour lui, démontrer par l'exemple la bonne manœuvre, enfin faire participer tout le monde à la marche de la croisière. Il est le meneur de jeu et ce rôle d'instructeur est essentiel, non seulement dans une école de voile, mais à bord de tout bateau de croisière, car il est dans l'ordre que celui qui a reçu transmette à son tour.

En résumé, un bon chef de bord a le don d'ubiquité; il a des yeux derrière la tête, et toutes sortes d'antennes; le jugement sûr, le sommeil léger, un moral à toute épreuve et si possible une bonne réserve d'humour : car s'il doit prendre son rôle au sérieux et faire preuve au besoin de fermeté, on souhaite aussi qu'il ait du bon sens et ne se prenne pas trop au sérieux lui-même.

L'équipage.

Pour une course-croisière, pour une traversée océanique, on s'efforce d'avoir autant que possible un équipage cohérent, composé de gens aux compétences variées, vigoureux et d'une endurance à toute épreuve.

En croisière « ordinaire », il faut bien reconnaître que la plupart du temps l'équipage est assez hétéroclite. Le recrutement est à base de parenté, d'amitié ou de hasard. On connaît parfois, au moins par ouï-dire, la compétence des parents et des amis, et il arrive que le hasard fasse bien les choses. Dans tous les cas, lorsque l'équipage est composé de nouveaux venus, une sortie d'entraînement est indispensable pour juger de sa qualité; sortie au cours de laquelle on effectue toutes les manœuvres courantes, où l'on a cent occasions d'apprécier le sens marin de chacun. Alors seulement on peut savoir si la croisière envisagée est possible. On ne part pas pour l'Irlande avec un équipage de débutants : il faut au moins un second expérimenté et un bon chef de quart. Si l'on ne peut avoir les équipiers qu'il faut pour le programme prévu, il faut changer de programme tout simplement.

De toute façon ce n'est pas uniquement la compétence technique qui fait le bon équipier de croisière. On peut même se risquer à dire que celle-ci n'est pas fondamentale au départ. L'équipier de croisière idéal, c'est avant tout un garçon ou une fille d'un commerce facile, gai, serviable et disponible pour les multiples obligations du bord. C'est aussi, de préférence, un personnage résistant, sur qui l'on peut compter durant les longues heures d'un coup dur. Cette disponibilité, cette résistance dépendent essentiellement de qualités morales, qui malheureusement demeurent souvent cachées dans le courant de l'existence. La valeur d'un équipier nouveau n'est vraiment bien connue qu'à la fin de la croisière...

Du moins faut-il, au départ, éliminer autant que possible les malentendus et mettre clairement au courant le nouvel arrivant des nécessités de la vie à bord. Non informé, tel équipier risque de rechigner devant les obscures besognes de l'entretien ou de la cuisine. Tel autre prendra en toute bonne foi des initiatives scabreuses en matière de route ou de manœuvre. Il faut que chacun sache qu'en mer on ne passe pas son temps à barrer ou à manœuvrer, mais qu'il existe toutes sortes de servitudes, et que les activités varient selon les directives du chef de bord.

Il faut aussi que chacun, en mettant son sac à bord, soit décidé à supporter un certain inconfort, une certaine promiscuité, à faire l'apprentissage de la tolérance. La mer, dit-on, révèle la valeur d'un homme. C'est très exact, mais cela mérite d'être formulé d'une autre façon : en fait, la mer offre à chacun une chance de se révéler. Il est des gens qui se sentent mystérieusement transformés dès qu'ils mettent les pieds sur un bateau, qui voient toutes choses d'un œil neuf, qui ne se reconnaissent plus, tout simplement parce qu'ils sont en train de devenir eux-mêmes. Il arrive qu'on voie revenir à terre un équipage absolument différent de celui qui était parti. Tel est le mystère des rapports entre l'océan et l'espèce animale la plus évoluée de la terre.

Les choses

Nous évoquerons ici les choses de la vie quotidienne, celles qui ont pour but d'assurer la permanence de cet être fragile qu'est l'homme, de le protéger contre ce qui le mine, le froid, la fatigue, la faim, le désordre. A bord d'un bateau comme à terre, on a des habits, un lit, une cuisine, des endroits pour ranger, mais la ressemblance s'arrête aux mots. Chacune de ces choses doit être adaptée au milieu marin, c'est-à-dire répondre à des exigences bien particulières.

Certaines commodités domestiques, comme les poulaines, ou l'éclairage du bord, qui posent surtout des problèmes d'ordre technologique, ont été étudiées plus haut, au chapitre « Matériel d'armement ».

Les habits.

« Un très grand et très connu navigateur, écrit Annie Van de Wiele, prenait le quart en chapeau melon. Et pourquoi pas, s'il s'y sentait à l'aise ? Il n'y a qu'un seul critère pour la tenue de mer, c'est le confort personnel; si le vêtement répond à vos besoins, c'est l'essentiel... La seule chose avec laquelle il ne faut pas plaisanter, c'est la question des cirés. »

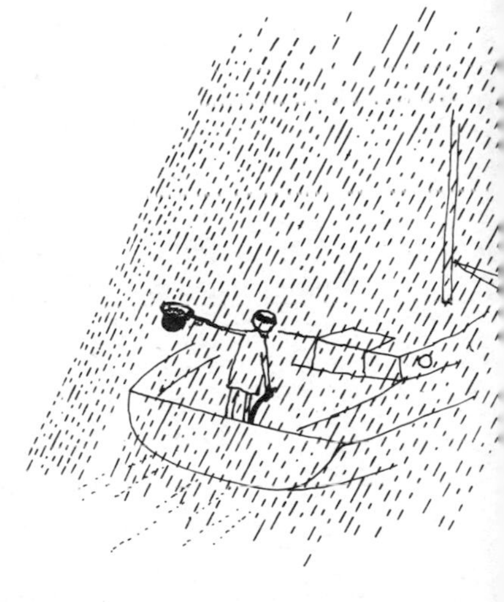

Notons tout de même qu'il est bon de prévoir, même en été, un habillement très complet, comprenant :

— des vêtements destinés à conserver la chaleur, maillots de corps et collants;

— des vêtements destinés à protéger du vent et de l'humidité : classiques tricots de coton rayés, à mailles très serrées, grosses marinières de drap, ou encore vestes de mer en nylon, qui sont très chaudes et très légères.

Mais effectivement la question des cirés est capitale. Il y a des cirés de toutes sortes : manteaux, combinaisons d'une seule pièce, vestes, pantalons. A bord d'un petit bateau de croisière, c'est l'ensemble veste-pantalon qui paraît constituer la solution la meilleure.

La veste, pour être vraiment imperméable, doit comporter un double système de fermeture (par exemple un boutonnage ou une fermeture à glissière, et un rabat fixé par une bande de Velcro); aux poignets, une bande de serrage en jersey; des poches (à rabat muni de Velcro) ne communiquant pas avec l'intérieur.

Le pantalon doit monter assez haut pour être largement recouvert par la veste; il faut donc un pantalon à bretelles; sans braguette ni ouvertures latérales; recouvrant les bottes et si possible serré sur elles.

Aux pieds, l'on met des bottes par temps frais, par-dessus des chaussettes de laine (élément de confort de premier ordre, la chaussette de laine). Le choix de ces bottes est presque aussi délicat que celui du ciré. Faut-il les prendre doublées ? La toile mouillée d'eau de mer sèche difficilement. Non doublées ? Elles sont malsaines. Qu'on les choisisse au moins munies de semelles blanches; les semelles de caoutchouc noir laissent sur les ponts des traînées très difficiles à enlever.

Lorsqu'il fait beau, on porte des chaussures légères, à semelles anti-dérapantes. Les chaussures de tennis conviennent assez bien. Les affreuses sandales en matière plastique ne glissent jamais, pas même sur une cale mazouteuse. Rester pieds nus est en tout cas fortement déconseillé : on ne dispose pas de tant d'orteils qu'on puisse ainsi les livrer aux mille ennemis qui les guettent sur un pont de bateau.

Comme coiffure, le bonnet de laine est très agréable par temps frisquet. S'il pleut, il ne garde pas les idées au sec. Le capuchon de ciré présente l'inconvénient de boucher les oreilles, instruments utiles en toutes circonstances. Le classique suroît des terre-neuvas est sans doute préférable. Dans tous les cas, le grave problème de l'étanchéité au niveau de l'encolure ne peut être résolu qu'à l'aide d'une serviette-éponge; on en emportera plusieurs.

Des gants sont parfois utiles, si le froid est vif; en laine ou en plastique, car le cuir se détériore vite.

Malgré les cirés, il arrive toujours que des vêtements soient mouillés. Il faut donc prévoir des rechanges — et les économiser; garder autant que possible une tenue complète sèche et chaude pour les circonstances exceptionnelles où un vrai repos peut être sérieusement envisagé...

Notons encore que tout vêtement mouillé à l'eau de mer doit être rincé à l'eau douce, sinon il ne sèche guère : le sel qui s'y incruste attire l'humidité. Il est bon de savoir enfin que la seule matière qui reste toujours chaude, même mouillée, est la laine portée directement sur la peau.

La couchette.

Au port, on dort royalement dans une couchette de 60 cm de large. En mer, il est impossible d'y fermer l'œil : elle est trop large pour que l'on puisse s'y caler confortablement. Le navigateur qui passe la nuit cramponné à son matelas a tout le temps d'évoquer le sort des malheureux alpinistes qui bivouaquent contre la paroi d'une face-Nord...

Pour bien dormir en mer, il faut en réalité disposer d'une couchette réglable, luxe qui s'obtient à peu de frais au moyen d'une

toile à roulis. Ce système est constitué d'un rectangle de forte toile, qui se fixe sur le fond de la couchette à l'aide d'un transfilage, passe sous le matelas et remonte vers le plafond. La toile est généralement terminée par un gousset dans lequel on glisse un bâton; sur ce bâton sont frappés des bouts qui permettent de suspendre la toile à des pitons fixés dans le plafond. La toile doit remonter d'au moins 50 cm pour que le dormeur ne soit pas trop gêné par le bâton; et il vaut mieux qu'elle monte presque jusqu'au plafond pour assurer un certain isolement et procurer un peu d'obscurité.

Pour diminuer la largeur de la couchette, il suffit de resserrer le transfilage. C'est ce que l'on fait aux allures portantes, quand le bateau roule. Le matelas est alors à moitié suspendu et prend une forme concave; on est bien calé. En revanche, lorsque la gîte est constante — au près, par exemple — on relâche le transfilage et on se cale côté coque ou côté toile.

Le matelas lui-même ne doit pas être trop épais, de façon à ne pas amplifier les oscillations que lui communiquent les mouvements du bateau. Un matelas en mousse synthétique, enfermé dans une housse en toile plastifiée amovible, constitue sans doute la solution la plus commode : l'ensemble sèche facilement.

Pour la même raison, le sac de couchage lui-même doit être également en matière synthétique. Les duvets prévus pour camper dans l'Himalaya sont inutiles. En mer on souffre surtout de l'humidité; tant qu'on est bien au sec, on n'a pas froid.

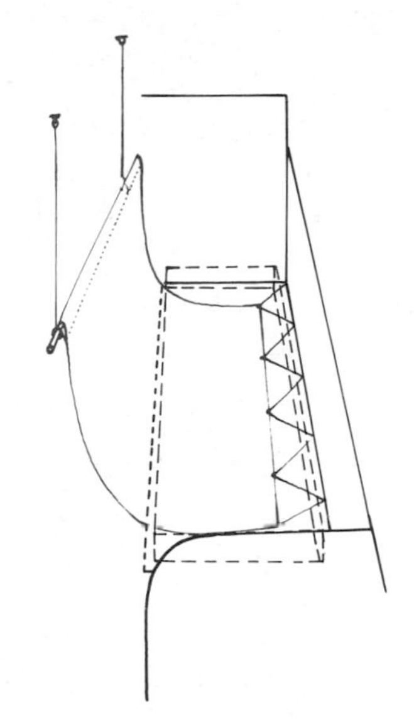

Montage d'une toile à roulis.

A bord de l'*Iroise*.

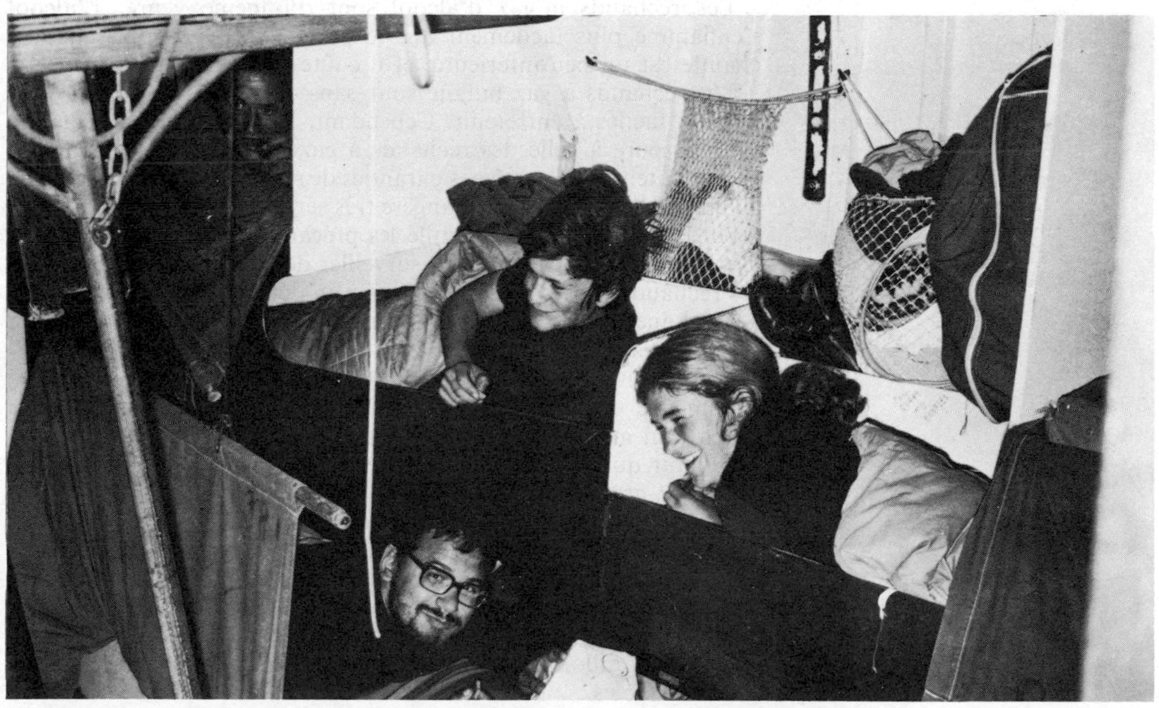

La cuisine.

La cuisine dispute à la table à cartes l'endroit le plus stable et le mieux aéré du bateau. Dans la plupart des cas, elle se trouve donc très près de la « sortie », à droite ou à gauche de la descente.

On trouve parfois des cuisines d'un luxe inouï, à bord de certains bateaux. Très modestement, nous décréterons ici que la cuisine est l'endroit où se trouve le réchaud, et nous nous pencherons essentiellement sur celui-ci.

Un bon réchaud doit avoir trois qualités : développer une puissance de chauffe suffisante; fonctionner à l'aide d'un carburant non dangereux; être facile à allumer.

Les Anglais emploient souvent une petite cuisinière à charbon, car la température des mers qui entourent l'Angleterre assigne à ces foyers un double rôle de chauffage et de cuisine. Mais l'emploi d'une cuisinière nécessite que l'on construise autour d'elle un bateau suffisamment grand. Après quoi, il faut encore apprendre à l'allumer et à l'entretenir.

Les réchauds à essence sont à proscrire sans hésitation, tout comme les moteurs du même nom et pour les mêmes raisons : dangers du stockage et de la manipulation du carburant.

Les réchauds à gaz de pétrole sont bien, en dépit d'un caractère souvent bourru. Leur allumage et leur nettoyage réclament parfois de la patience, voire de l'obstination. Mais ils ont une grande puissance de chauffe et ne présentent aucun danger.

Les réchauds à gaz d'alcool sont du même genre. L'alcool s'enflamme plus facilement que le pétrole. Mais sa puissance de chauffe est un peu inférieure, et il coûte plus cher.

Les réchauds à gaz butane sont sans doute les plus propres et les plus faciles à entretenir. Cependant, leur puissance de chauffe est inférieure à celle des réchauds à gaz de pétrole, et surtout ils ne présentent pas les mêmes garanties de sécurité. Nous avons parlé au chapitre précédent des dangers très sérieux que représente le gaz à bord d'un bateau, et détaillé les précautions à prendre. Rappelons simplement ici qu'il faut surveiller de très près l'étanchéité de ces réchauds, et qu'il est bon d'avoir un détecteur de gaz à bord.

Quel que soit le réchaud choisi, il est bon qu'il puisse assurer une certaine stabilité aux casseroles qu'on lui confie. L'idéal est évidemment qu'il soit suspendu à la Cardan ou tout au moins monté sur un axe orienté dans le sens de la longueur du bateau. Pour obtenir un minimum d'oscillations, il faut que cet axe soit un peu plus haut que le fond de la casserole (en principe au niveau du centre de gravité du liquide qu'elle contient).

Cependant, quel que soit le système adopté, le contenu du récipient constitue une véritable carène liquide qui peut subir des accélérations importantes. Le seul remède est d'utiliser des récipients à fond large (ce qui d'ailleurs améliore la chauffe), à bord élevés, et de ne les remplir que très partiellement. Par mauvais temps, seules les bouilloires et les marmites à pression avec leur couvercle sont utilisables.

Devant le réchaud et les casseroles, il faut une place pour le cuisinier. Celui-ci doit pouvoir se servir de ses deux mains : il doit donc être assis de préférence, ou en tout cas, s'il reste debout, avoir le dos et les pieds bien calés. Il doit avoir à portée de main les ustensiles et les provisions dont il a besoin. Il est donc souhaitable que la cuisine soit garnie d'un nombre suffisant d'équipets (placés au bon endroit et conçus de telle façon que rien ne puisse en tomber), de placards et de tiroirs contenant les vivres nécessaires pour 24 ou 48 heures, petit dépôt réapprovisionné régulièrement à partir des autres points de stockage répartis dans le bateau.

Quelquefois, la cuisine comporte un évier. C'est un élément de confort supplémentaire, à condition que cet évier soit suffisamment profond, et étroit, pour être utilisable en mer. Il peut être branché par l'intermédiaire d'une pompe sur la réserve d'eau douce, si celle-ci est assez importante pour qu'un certain gaspillage soit acceptable. Il est bon de toute façon d'installer une autre pompe, et celle-ci branchée sur la réserve d'eau de mer...

La table à cartes.

La table à cartes est située généralement en face de la cuisine, lorsque l'on trouve assez de place pour l'installer. Sur les bateaux assez importants, le navigateur est privilégié, qui dispose d'un coin

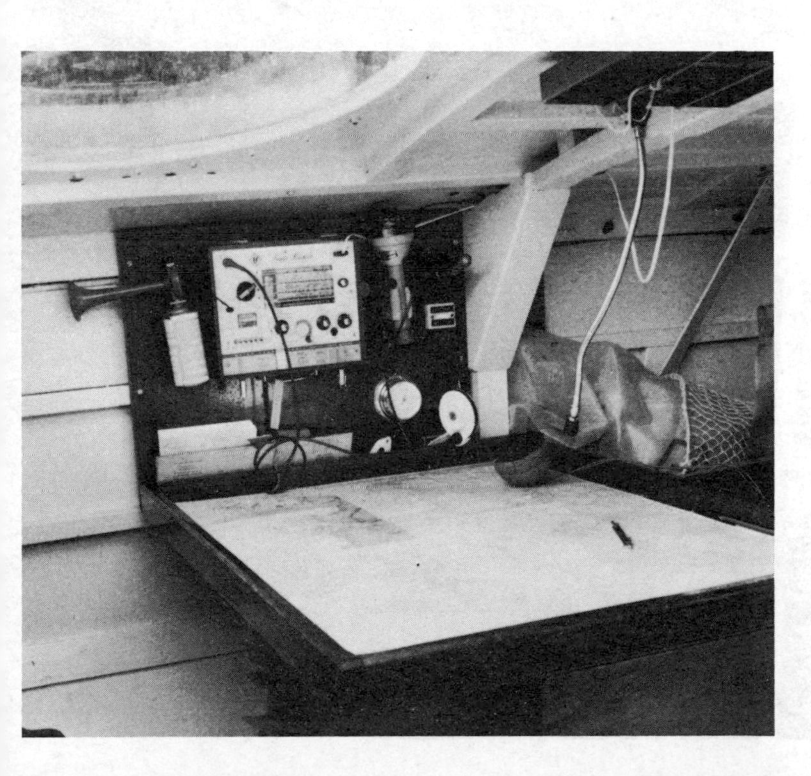

tranquille, d'une vaste table où les plus grandes cartes tiennent à l'aise, qui a tous ses instruments sous la main ou devant les yeux, ses documents bien rangés sur une étagère. Sur un petit bateau, la place manque pour organiser un tel royaume. Le navigateur doit se contenter généralement d'un grand carton à dessin, qui sert tout à la fois de tiroir et de table à cartes. Ce n'est pas une mauvaise solution. Lorsqu'on navigue toujours dans la même région, une solution également bonne consiste à coller la carte dont on se sert habituellement sur une plaque de contre-plaqué, puis à la vernir ou à la faire plastifier par un spécialiste. Cette opération double le prix de la carte, mais décuple sa longévité.

Il faudrait encore parler de la table du carré, qui ne trouve d'ailleurs sa place, elle aussi, que sur les bateaux d'une certaine taille. Faire remarquer qu'elle est généralement assez solide pour recevoir les plats et les coudes des convives, mais pas assez pour accueillir un équipier complet lancé sur elle par un coup de roulis — ce qui pourtant arrive.

Mais nous nous écartons ici de l'essentiel. Un dernier aspect des choses reste à envisager, et peut-être le plus important de tous : celui des volumes de rangements.

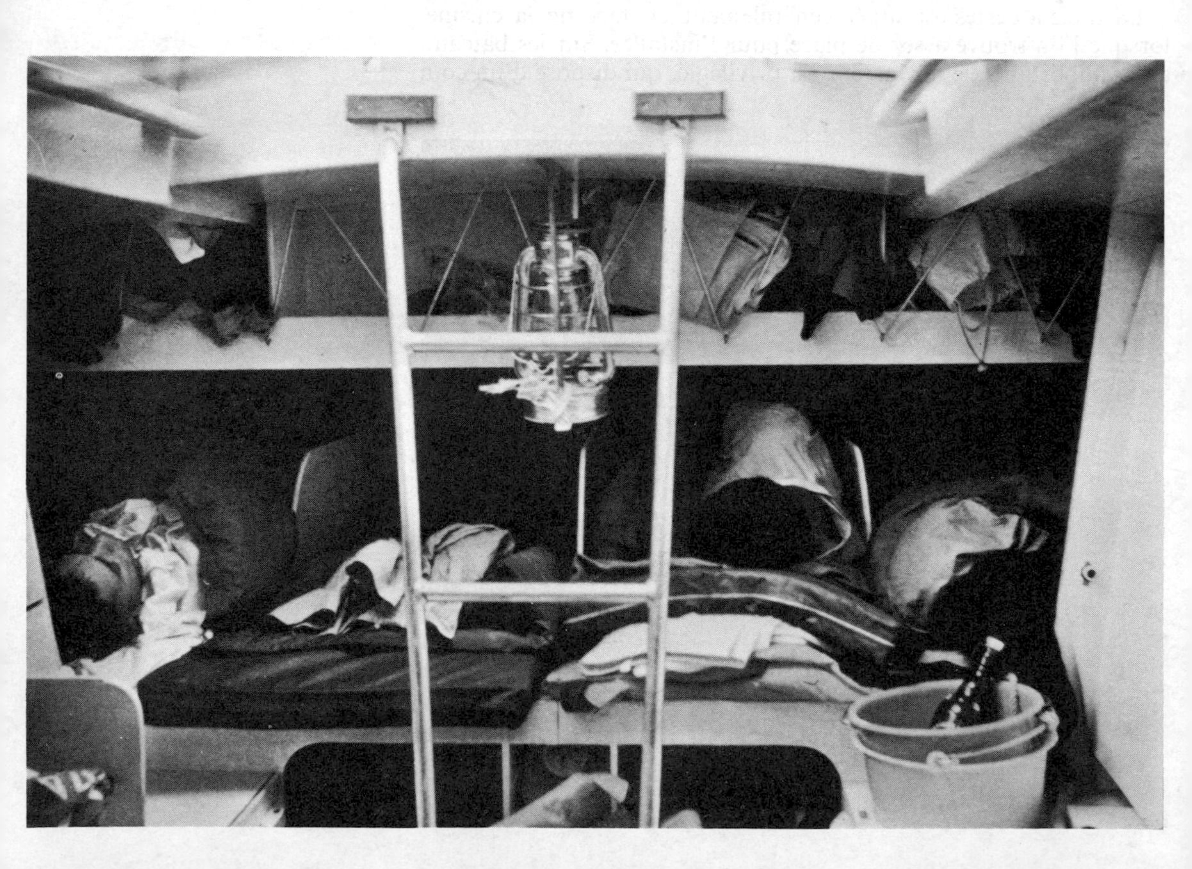

Chaque objet doit avoir sa place, y compris et tout particulièrement, la lampe à pétrole.

Les rangements.

L'exiguïté d'un voilier de croisière rend tout désordre absolument insupportable. Chaque objet doit donc avoir sa place, ne la quitter que pour être mis en service, la regagner aussitôt après. Cela est vrai pour tout ce qui est à bord, aussi bien le compas à pointe sèche que la bouteille de vinaigre, le pull-over de rechange ou les bosses de ris. Cela implique que les emménagements aient été prévus en conséquence.

Matériel de bord.

Les voiles sont traditionnellement rangées dans le poste avant. L'ennui est que, par mauvais temps, on ne peut ouvrir le capot-avant et qu'il faut transporter les voiles tout le long du bateau, tant à l'aller qu'au retour.

Le transport d'une voile trempée est laborieux et désagréable. Le mieux est de répartir les voiles en deux lots : celles de beau temps à l'avant, celles de gros temps à l'arrière, dans les coffres du cockpit, par exemple.

Pour chaque voile, on doit disposer d'un sac de couleur différente, ou marqué d'un signe indiquant le nom de la voile. Ce sac doit être très grand afin qu'on puisse y faire pénétrer la voile avec aisance, même mouillée. Les sacs peuvent être suspendus à une série de crochets, le bas saisi par un sandow afin d'éviter le ragage sur la coque.

La place logique du gréement de rechange est aussi le poste avant.

Les objets de nécessité générale, tels que les outils, le matériel de réparation des voiles, la quincaillerie (manilles, cosses, mousquetons...) doivent être groupés en un lieu bien précis, connu de tous et facilement accessible afin que leur recherche, à n'importe quelle heure, ne perturbe pas la vie du bord.

Provisions.

Le logement prévu dans la cuisine contenant le nécessaire pour l'immédiat, il est tout à fait souhaitable de pouvoir ranger l'essentiel du ravitaillement sous les couchettes et dans les fonds.

Cette méthode a l'avantage de permettre d'équilibrer les poids. Les choses les plus lourdes sont à loger au centre du bateau et le plus bas possible. Il ne faut pas oublier en effet qu'à bord d'un bateau moderne l'équipage, les bagages et le ravitaillement représentent un pourcentage important du déplacement.

La logique veut que l'on stocke les boîtes de conserve dans les fonds, où il y a de grandes chances pour qu'elles soient mouillées. Si l'on part pour une croisière un peu longue, il vaut mieux enlever leurs étiquettes avant que l'eau des fonds ne s'en charge et les marquer pour éviter d'ouvrir une boîte de cassoulet au petit déjeuner (il est à noter que chaque boîte de conserve française porte un numéro et que deux boîtes portant le même numéro contiennent la même chose).

L'eau douce, sur les petits bateaux, est stockée dans des jerrycans, ce qui permet de faire l'approvisionnement facilement. Mieux vaut plusieurs petits jerrycans qu'un gros.

Sur les bateaux plus importants, on installe une outre en plastique, d'habitude dans les fonds, à un endroit où elle ne risque pas de raguer et donc de se percer. Pour remplir cette outre, il faut disposer d'au moins un jerrycan. Celui-ci doit toujours être plein, lorsqu'on est en mer; c'est en effet une réserve indispensable au cas où l'on souillerait accidentellement l'eau de l'outre.

Vêtements et affaires personnelles.

Lorsque sont satisfaites les exigences du bateau, lorsque les provisions sont rangées, on utilise au mieux les volumes encore disponibles. C'est dire que les possibilités de rangements personnels sont fonction de la longueur de la ligne de flottaison et du nombre des équipiers.

Sur un petit bateau, la solution est souvent le sac individuel, où l'on range l'ensemble de ses affaires. On peut aussi disposer des filets dans l'angle du pont et de la coque. Ces logements sont extensibles, peu exposés à l'humidité, mais nuisent à l'esthétique intérieure.

Lorsqu'on dispose de plus de place, il faut attribuer à chaque équipier un volume de rangement personnel.

Dans tous les cas (sac, filet, placard), il est recommandé de placer chaque vêtement dans un sac étanche (les sacs en plastique vendus par rouleaux sont très commodes). C'est le seul moyen d'avoir toujours des habits secs.

Un rangement collectif des bottes et des cirés est acceptable pour quatre personnes au maximum. Au-delà, il est bien préférable que chacun ait son casier (une capacité de 13 litres environ suffit pour ranger cirés et bottes bien roulés); cela évite beaucoup de pagaille, de désordre et de heurts. Evidemment rien ne sèche, mais dans une penderie pas plus. En revanche on a toujours intérêt à trouver un rangement collectif pour les brassières, du moins lorsqu'elles sont toutes identiques.

Les beaux habits réservés aux escales méritent une penderie. Il n'est pas nécessaire que celle-ci soit plus large qu'un cintre, ni plus haute qu'une robe (0,50 $\times$ 1 m). Il n'est pas utile qu'elle soit profonde : bien serrés les uns contre les autres, les vêtements se balancent moins et ne sont pas usés prématurément par le ragage.

Reste à caser le bric-à-brac personnel, briquet, tabac, appareil photo, souvenirs... Un équipet vide-poche près de chaque couchette est indispensable.

Le rythme de vie

Quelques hommes, quelques emménagements plus ou moins rustiques sur un bateau solide et marin, et maintenant la mer.

Si l'on commence par une petite étape, tout le monde reste sur le pont, participe à la manœuvre, toutes les heures du jour sont vécues en commun. Mais un bateau vit 24 heures sur 24, et très vite on s'aperçoit qu'il faut s'organiser, se partager les heures, prendre un rythme de vie tout à fait différent de celui que l'on avait à terre.

Lorsqu'on navigue au cabotage, il est certes fréquent que tout l'équipage puisse dormir aux mêmes heures, une fois le mouillage atteint. Pourtant, même dans ce genre de navigation, diverses contingences peuvent conduire à étendre le rythme de la vie à bord sur 24 heures et non sur 16 ou 18. Il faut appareiller au milieu de la nuit pour profiter de la marée; l'heure de la renverse impose d'aller, à l'aube, prendre un mouillage forain pour attendre le courant favorable; quelqu'un doit être debout à 1 heure du matin pour surveiller l'échouage, etc. Bien souvent, ces tâches ne requièrent pas, même sur un petit bateau, la présence de l'ensemble de l'équipage; et si tout le monde se lève au milieu de la nuit pour effectuer une quelconque manœuvre, personne ne se réveille le lendemain; on rate peut-être une belle matinée de navigation.

En somme, dès que l'on navigue de façon un peu intensive, il devient indispensable d'établir des quarts : l'équipage est divisé en plusieurs groupes qui assurent par roulement la marche du bateau et les servitudes de la vie du bord.

Les quarts

L'organisation des tours de quart est très variable, selon le type de croisière que l'on effectue, l'époque de l'année, les conditions météorologiques, le nombre d'équipiers dont on dispose, leur vigueur et leur compétence.

Cette compétence est rarement complète : l'un sait régler les voiles mais ignore tout de la navigation, tel autre veille mieux qu'il ne barre. Il importe avant tout de créer des quarts homogènes, avec des équipiers aux aptitudes complémentaires.

En dehors de cette exigence, il n'y a aucune règle absolue. La durée des quarts peut être variable : elle est en général de trois ou quatre heures. Certains équipages adoptent un roulement qui demeure le même durant toute leur croisière. D'autres préfèrent une rotation de l'horaire au bout de deux ou trois jours.

L'équipe de quart est plus ou moins importante suivant la taille du bateau, c'est évident. Certains préfèrent constituer des équipes

TABLEAUX DE QUARTS

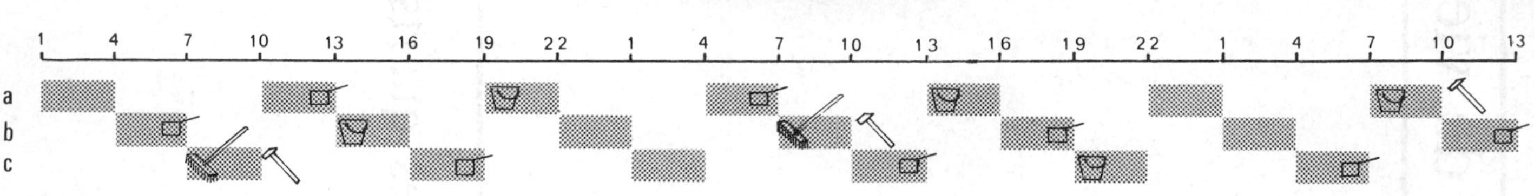

Roulement de quart pour 9 équipiers : 3 équipes de 3. Les servitudes (sauf l'entretien) sont assurées pendant le quart (solution pour une croisière longue, au cours de laquelle il faut pouvoir se reposer vraiment). Avec des quarts de 3 h, le roulement se décale d'un jour sur l'autre. Avec des quarts de 4 h, il est immuable.

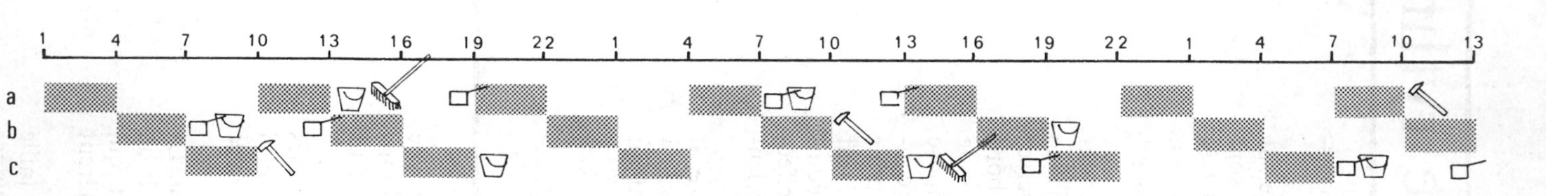

Roulement de quart pour 6 équipiers : 3 équipes de 2. Même principe de roulement que le précédent. L'équipe de quart est trop réduite pour assurer à la fois la navigation et les servitudes, celles-ci sont assurées hors-quart.

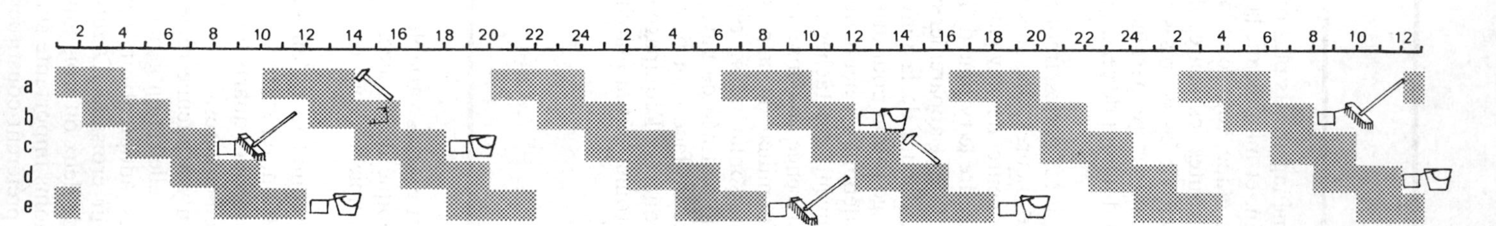

Roulement de quart pour 5 équipiers : 2 équipiers de quart avec remplacement d'un équipier toutes les 2 heures. Servitudes assurées hors-quart. Chaque équipier a 6 heures de repos et le roulement se décale automatiquement. Inconvénient du système : remue-ménage à bord toutes les deux heures.

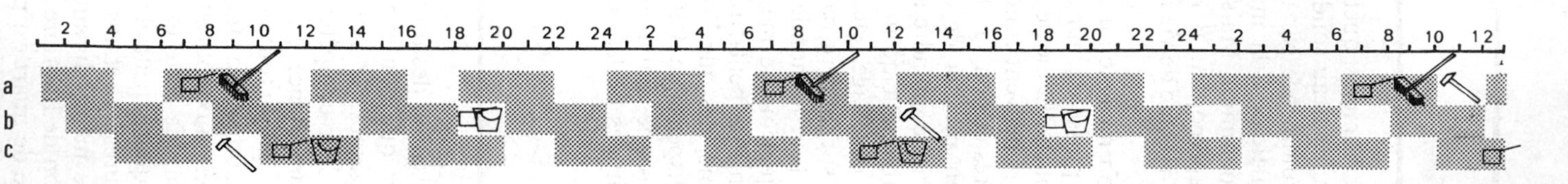

Roulement de quart pour 3 équipiers : 2 équipiers de quart avec remplacement d'un équipier toutes les 2 heures. Avec des quarts de 4 h, le roulement ne se décale pas et chaque équipier assure toujours la même servitude. Les temps de repos sont très réduits : on ne peut tenir ce rythme longtemps.

vaisselle — cuisine — entretien — nettoyage — quart

fixes; d'autres acceptent fort bien de changer d'équipier en cours de quart; mais lorsque les horaires se chevauchent il s'ensuit, la nuit surtout, un remue-ménage presque constant...

Nous nous garderons de proposer une solution à tous ces problèmes. Chacun, après usage, adopte le système qui lui paraît préférable; nous indiquons seulement sur le tableau ci-contre quelques exemples de roulements.

L'essentiel est que le rythme adopté permette à chacun d'assumer à tour de rôle les tâches indispensables de la vie du bord : naviguer, cuisiner, nettoyer, entretenir... Il importe que ce rythme soit maintenu de façon rigoureuse. On doit non seulement prendre son quart à l'heure, cela se comprend facilement, mais aussi le quitter à l'heure, sauf circonstances exceptionnelles. Sinon, c'est toute la vie du bord qui est décalée, le travail mal fait, le rythme de sommeil rompu.

Naviguer

On réveille le quart montant un peu à l'avance pour que chacun ait le temps de se préparer et soit sur le pont à l'heure dite. Cette exactitude est une politesse que chacun s'efforce de rendre à son tour.

A la relève, on met le ou les successeurs au courant de la situation : événements survenus au cours des heures précédentes; difficultés rencontrées selon le temps, l'état de la mer; comportement du bateau. On précise la route suivie, on désigne les amers en vue, on transmet les consignes du chef de bord. Par mer forte et au vent arrière, il peut être bon que le barreur descendant et le barreur montant tiennent ensemble la barre durant deux ou trois minutes, afin que le nouveau venu prenne conscience du rythme imposé par la mer. On profite aussi du changement de quart pour faire telle ou telle manœuvre, difficile à réaliser par une seule équipe. Lorsque le quart descendant quitte le pont, il a transmis au quart montant tout l'acquis des heures écoulées.

Bien souvent, sur les petits bateaux, chaque équipe ne comporte que deux personnes : l'une barre, l'autre veille et assure la navigation. De jour comme de nuit, le rôle du veilleur est capital : son attention ne doit pas plus se relâcher que celle du barreur. La mer « libre » n'est pas exempte de dangers, et des abordages se produisent parfois dans des conditions ahurissantes. Il faut donc être constamment en état d'alerte. La nuit, il est bon de prendre un certain nombre de précautions particulières, qui méritent d'être précisées ici.

La nuit.

L'équipe qui est de quart au coucher du soleil doit laisser le pont dans un ordre parfait. Les drisses correctement lovées, chacune à son taquet, chaque chose à sa place et bien saisie, les objet inutiles ramassés. La nuit est propice aux pires confusions et il s'agit d'en réduire les risques au maximum.

Pour les quarts de nuit, il s'agit surtout de voir clair. Lorsqu'il n'y a que deux personnes sur le pont, un sérieux problème se pose, pour le veilleur en particulier, qui remplit en même temps le rôle de navigateur. Contraint de descendre de temps à autre dans la cabine, d'allumer une quelconque lumière pour regarder la carte, il lui faut ensuite de longues minutes pour se réadapter à l'obscurité, et l'efficacité de sa veille s'en trouve considérablement réduite.

Il n'est peut-être pas inutile de donner ici quelques indications un peu techniques sur les conditions d'une bonne vision nocturne.

Rappelons tout d'abord que la perception de la lumière par l'œil humain dépend d'un double système de cellules :

— d'une part les *cônes*, qui ne sont excités que par des lumières vives, mais permettent de distinguer les couleurs;

— d'autre part les *bâtonnets*, sensibles aux lumières les plus faibles, aveuglés par les lumières vives, et ne permettant pas de distinguer les couleurs. L'extrême sensibilité des bâtonnets est due à la présence dans leur corps cellulaire d'un dérivé de la vitamine A, le *pourpre rétinien*, qui est immédiatement détruit par une lumière vive, et ne se reconstitue que dans l'obscurité. La reconstitution n'est complète qu'au bout d'une vingtaine de minutes. Seule la lumière rouge ne le dégrade pas.

Au centre de la rétine, on ne trouve que des cônes; sur le pourtour des cônes et des bâtonnets. En conséquence :

— le secteur central, qui permet en vision diurne la perception précise des formes et de leur couleur, devient en vision nocturne pratiquement inutilisable si la source lumineuse fixée est trop faible;

— le secteur périphérique, qui assure en vision diurne la perception confuse de l'environnement, devient de nuit le seul secteur vraiment utile. Il perçoit et signale la plus faible lueur, sans toutefois indiquer sa couleur ni sa forme exacte. Tout ceci à condition que le pourpre des bâtonnets ne soit pas détruit par une illumination trop forte.

De ces notions découlent quelques considérations pratiques pour la navigation de nuit :

— Le veilleur ne doit être relevé que par un équipier adapté à l'obscurité depuis au moins dix minutes.

— La lumière rouge ne détruisant pas le pourpre, il faut passer au rouge (vernis à ongle) les ampoules des compas et celle de la table à cartes.

— Les lampes électriques individuelles à lumière blanche doivent être maniées avec beaucoup de précaution, pour ne pas éblouir ceux qui sont adaptés à l'obscurité.

— Pour identifier de nuit un détail fin, mieux vaut ne pas le fixer directement, mais promener le regard à quelques degrés de lui.

— L'appréciation des couleurs doit être systématiquement mise en doute.

Tout cela étant dit, il ne faut pas se faire une montagne de la navigation de nuit. Par temps clair, l'œil bien adapté à l'obscurité, on est souvent surpris de voir très à l'avance les balises et les cailloux non éclairés. Il est certain qu'au cours de ces longues heures de veille, le froid, la fatigue se font parfois très agressifs. Mais l'aventure est cependant fascinante — même si l'on attend avec impatience la venue de l'aube qui dissipera les mystères...

Cuisiner

La cuisine que l'on peut faire à bord est évidemment en rapport avec les possibilités qu'offre le bateau. Sur un Corsaire, il est difficile de manger chaud autrement que par beau temps. Par temps frais, on peut tout au plus préparer des boissons chaudes et les placer en bouteilles thermos avant le départ. Les étapes que l'on fait sont de toute façon assez courtes.

Sur des bateaux plus grands, on peut presque toujours cuisiner, sauf par fort coup de vent. Encore faut-il que quelqu'un veuille bien s'y mettre... Tout le monde est capable de changer un foc par grosse mer, et l'on connaît bien des équipiers qui recherchent cette occupation tonique et satisfaisante, mais personne ne revendique le rôle de cuisinier par le même temps.

Le petit déjeuner est un repas important.

C'est pourquoi on doit répartir également cette servitude parmi les équipiers et ne jamais l'attribuer exclusivement à l'élément féminin de l'équipage qui est, lui aussi, en vacances (et pas forcément plus doué).

Il reste que cuisiner par temps frais réclame d'avoir le cœur bien accroché, et de bien s'accrocher soi-même. Toutes sortes de fixations peuvent être utilisées, y compris le harnais de sécurité. L'attirail du cuisinier comporte obligatoirement des bottes et un pantalon de ciré par-dessus les bottes : protection élémentaire contre les risques de brûlures dans les situations renversantes.

Quant à ce que l'on mange et à ce que l'on boit, nous pensons tout simplement, au risque de froisser les diététiciens, qu'avant tout la cuisine en croisière doit être appréciée — en veillant simplement à ce qu'elle ne le soit pas trop... Il est à noter que le petit déjeuner est un repas important, qu'il doit comporter environ le tiers de la ration calorifique quotidienne. Le repas de midi peut être un simple casse-croûte; on dispose en général de plus de confort et de loisirs pour cuisiner le soir. Par ailleurs on remarque souvent que les quarts de nuit sont l'occasion d'agapes, d'autant plus monstrueuses qu'elles ont un caractère vaguement clandestin (l'ultime saucisson, dévoré pendant que les autres dorment, a une saveur extraordinaire). Il est judicieux de prévoir une « boîte de quart », comportant fruits secs, biscuits, chocolat, casse-croûte. Placée entre le cockpit et les réserves stratégiques, elle tempère à point nommé les fringales.

Nettoyer, entretenir

Les opérations de nettoyage (dont la vaisselle fait partie) doivent être faites trois fois par jour. C'est le seul moyen de vivre sur un bateau net et sans odeur et de ne pas consacrer chaque fois une journée entière à tout nettoyer en fin de croisière. Bien entendu, on ne nettoie pas le bateau quotidiennement de fond en comble; seuls le pont et les fonds situés sous le carré ont droit à ce traitement de faveur. Pour le reste, on peut très bien étaler les travaux sur les sept jours de la semaine, en divisant le bateau en sept parties dont une est nettoyée à fond chaque jour.

Répétons encore une fois ici que l'ordre à bord est une nécessité impérieuse. Les lieux de prédilection du désordre sont la cuisine et le poste avant, régions réputées malsaines car le mal de mer y rôde. Le rangement des ustensiles, des outils, des voiles, du matériel de navigation doit être un souci permanent. C'est essentiel au maintien de la belle humeur générale. C'est aussi capital pour la sécurité.

A cet égard la vie en croisière est sans aucun doute très éducative : chaque négligence, chaque erreur se trouvent sanctionnées, non par quelque supérieur hiérarchique, mais par la mer elle-même; tout ce qui n'est pas rangé tombe, se renverse, glisse, se mouille ou disparaît. Tout ce qui disparaît dans les fonds s'oxyde ou pourrit.

A l'heure de la vaisselle, un problème se pose : que faire des ordures ? Au large, on peut jeter par-dessus bord tout ce que les poissons mangeront, tout ce qui est putrescible et qui sera rapidement détruit. Le reste — les bouteilles en plastique tout particulièrement — doit être entreposé dans un endroit adéquat, en attendant les poubelles du prochain port.

Les travaux d'entretien concernent principalement le gréement, la voilure et l'accastillage : il y a toujours une drisse à retourner, un réa à graisser, une surliure à faire, une couture à reprendre. En moyenne, pour garder un bateau en bon état, il faut qu'un cinquième de l'équipage consacre aux travaux d'entretien une heure par 24 heures de navigation. Ceci ne concerne pas la coque : il faut compter en plus le temps consacré au carénage, aux vernis à refaire, à la rouille à piquer...

Souffrir

Qui va-t-en mer pour son plaisir
Irait en enfer pour passer le temps

disaient les vieux marins long-courriers à l'époque de l'apparition des premiers yachtmen. Ils pouvaient en effet être perplexes en voyant des gens affronter sans y être obligés, la fatigue, le froid, l'humidité, la faim... Nous avons vu que ces facteurs d'usure ne sont toutefois pas invincibles, et qu'on peut la plupart du temps leur opposer des remèdes simples et efficaces. Ils sont cependant redoutables car ils préparent le terrain à un mal qui répand la terreur, qui ne respecte personne, qui frappe à son heure, qui abolit les forces et la volonté, qui revêt les formes les plus sournoises et dont la thérapeutique est aléatoire : le mal de mer.

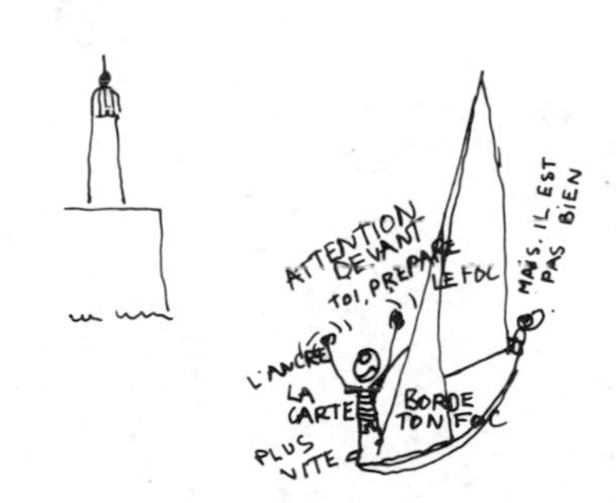

Le mal de mer.

Redouté par les débutants qui craignent d'être raillés, accepté avec une certaine philosophie par les plaisanciers chevronnés, le mal de mer est fort répandu, et, il faut le dire, fort désagréable. C'est lui qui transforme un gaillard joyeux et enthousiaste, bondissant de la chaîne d'ancre à la drisse de grand-voile, de la drisse de grand-voile à celle du foc, en une pauvre loque aux couleurs de cadavre, prête à donner dix ans de sa vie pour rentrer au port.

Quelques privilégiés en sont totalement exempts. On en rencontre cependant fort peu, du moins en mer.

La gravité et la fréquence du mal varient beaucoup avec les individus. Heureusement, le mal de mer dans sa forme la plus sévère est presque toujours passager. Il disparaît après quelques heures de navigation, ne laissant qu'un mauvais souvenir vite oublié. Il arrive aussi que la sensibilité au mal de mer s'atténue à la longue.

Description clinique.

On commence par ressentir un malaise bizarre qui s'aggrave progressivement, qui mollit bras et jambes, obscurcit le cerveau, annihile la volonté. Des nausées avec sueurs froides apparaissent, puis ce sont les fameux vomissements. On est parfois un peu soulagé. Hélas! ce n'est souvent qu'une courte rémission. Les vomissements reprennent; d'abord alimentaires, puis bilieux, enfin secs et dans ce cas particulièrement pénibles. Leur répétition et, surtout, leur intensité traduisent la gravité du mal. La plupart des équipiers, modérément atteints, sont encore capables d'une certaine activité entre deux vomissements. D'autres, affalés dans le fond d'une couchette, ne sont plus bons à rien.

Le mal de mer ne revêt pas toujours cette forme classique. Bien souvent, ses manifestations sont plus discrètes, plus insidieuses, au point qu'elles peuvent être ignorées par ceux qui en sont atteints. Ce peut être une simple migraine, mais tenace, rebelle aux thérapeutiques habituelles. Plus souvent, une certaine somnolence, qui se traduit par une sorte de viscosité mentale, un ralentissement du fonctionnement cérébral, une aboulie. Lorsqu'un équipier en est atteint, il suffit parfois de le « secouer » pour que tout s'arrange. Encore faut-il que le chef de bord soit en état de le faire. S'il est lui-même malade, c'est plus grave : il retarde une décision urgente, ses ordres deviennent flous et passent au conditionnel : « Il faudrait prendre un ris... Cette écoute est trop faible, il faudrait la changer... On devrait vérifier la route... » On est mal parti, sur cette voie-là.

Le mal de mer survient dans diverses circonstances. Tantôt très rapidement, avant même que l'on ait quitté le mouillage ou après quelques milles, alors que la mer n'est pas très agitée. C'est la forme qui atteint le débutant ou ceux qui ne sont pas amarinés en début de saison ou en début de croisière. Tantôt, en cours de croisière, un équipier, apparemment très amariné, cède brutalement. Dans ce cas, les causes sont diverses : il peut s'agir d'un état de moindre résistance causé par la fatigue, le froid, le manque de sommeil, la faim. Un peu de repos, un bon repas et le malaise disparaît. Plus souvent, ce mal de mer est dû à un changement ou à une aggravation des conditions de navigation : par un vent ou une mer de force 6 ou 7, on voit succomber beaucoup d'équipiers vaillants jusque-là. Il existe, pour chacun, un véritable seuil de déclenchement du mal de mer.

Causes du mal.

Le signe majeur de cette maladie étant la nausée, il est habituel de lui voir attribuer des causes digestives. Et l'on entend tel équipier, au terme d'une morose méditation, incriminer le plat absorbé la veille...

Illusion, car s'il existe, certes, des nourritures dont la digestion est laborieuse, il n'en reste pas moins qu'une personne bien amarinée ingurgite sans incident toutes les créations culinaires de l'équipage.

Le point de départ semble bien être le fait de soumettre à des excitations anormales le système des canaux semi-circulaires, régulateur de l'équilibre, situé dans l'oreille interne. La vue des objets en mouvement ajoute au malaise, et l'on connaît des personnes sensibilisées chez qui la contemplation d'un film nautique déclenche les premiers symptômes.

Les mouvements du bateau sont donc la cause essentielle du mal de mer. Par temps de demoiselle, il n'y a pas de malade à bord, même en début de croisière. Mais d'autres facteurs peuvent intervenir. En premier lieu, la position à bord : on est sûrement moins malade sur le pont qu'à l'intérieur. Peut-être parce qu'on est à même de juger la cause immédiate des mouvements du bateau et, en partie, de les prévoir. Ceci est encore plus net lorsqu'on tient la barre : le barreur n'est pas malade, et souvent même le simple fait de prendre la barre arrête un mal de mer à ses débuts. A cela s'ajoute l'avantage non négligeable de respirer l'air frais.

A l'intérieur, on est moins malade si le bateau est bien ventilé. La position du corps a une influence : la position couchée et tête basse est la meilleure. La plus mauvaise est, sans conteste, la position assise, ce qui explique la difficulté de faire la cuisine ou la navigation, de s'habiller et de se déshabiller.

Des facteurs personnels peuvent intervenir et en tout premier lieu l'anxiété, provoquée peut-être par la crainte du mal de mer, ou bien due à un manque de confiance en soi ou dans les capacités du chef de bord. Cela explique le rôle bienfaisant des histoires drôles, des chansons qui font rougir, et d'un brillant soleil. Ils calment cette anxiété.

Quant à la vraie peur elle-même, elle aurait plutôt pour effet de stopper le mal de mer — et le hoquet.

Traitement.

On sait qu'il existe de nombreux médicaments destinés à prévenir le mal de mer. Nous ne saurions recommander l'un plutôt que l'autre. Chaque individu doit trouver celui qui lui convient et respecter sa posologie propre. Ces produits doivent être absorbés au moins une heure avant l'embarquement.

On cite également des recettes : le petit verre d'eau de mer (Slocum); la tranche de pain rassis (pêcheurs bretons); le chewing-gum...

Il paraît essentiel, en tout cas, d'appareiller en bonne forme physique. Il faut d'autre part éviter le froid, l'humidité, et l'insomnie, ce sont les fourriers du mal de mer. On s'aperçoit, d'ailleurs, que cette expérience est intransmissible : les conseils des anciens ne sont pas entendus, et le débutant plein de zèle, en tenue légère dans le vent, prolonge son quart inutilement, arbore un air faraud, jusqu'au moment où il est terrassé. La croisière suivante le voit, en revanche, botté, casqué, bien couvert et faisant le plein de sommeil.

Il faut s'alimenter, ce qui est également difficile à admettre, car pour ce qui est de l'appétit... Les légumes, les fruits, le fromage,

Il existe de nombreux médicaments pour prévenir le mal de mer.

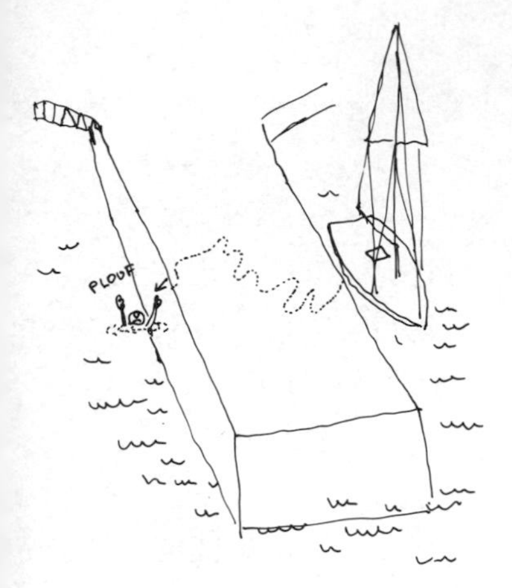

avalés en petite quantité et souvent, permettent d'échapper au cercle vicieux : manque d'appétit — épuisement — mal de mer — manque d'appétit. Il est bon également de prendre du bouillon salé, ou de boire de l'eau de Vichy, car l'on est déchloruré.

Si le mal de mer épargne fort peu d'individus, en revanche il se prolonge rarement au-delà de 48 heures, et ce n'est que dans ses formes durables et sévères, caractérisées par des vomissements incoercibles, qu'il faut envisager de débarquer le malade.

Citons, pour terminer, un phénomène curieux : le mal de terre. Une personne, parfaitement à l'aise au cours d'une longue étape en mer, débarque sur le quai, ressent aussitôt un malaise avec sensation vertigineuse, qui peut aller jusqu'à gêner la marche. Ce balancement au rythme du bateau est d'ailleurs sans gravité, souvent cocasse, toujours fugitif.

La mésentente.

Les problèmes posés par la vie en commun comptent sans aucun doute parmi les facteurs d'usure les plus éprouvants à bord. Il n'existe pas de pilule contre la mésentente. Dans ce petit monde confiné, les tics et les manies de chacun peuvent prendre une importance dramatique; lorsqu'une mauvaise ambiance s'établit, le moindre incident se trouve amplifié; c'est l'enfer.

Il est difficile de formuler quelques conseils à ce propos. Il existe, de toute évidence, des gens « impossibles »; certains tempéraments, lorsqu'ils se rencontrent, forment un mélange explosif, et l'on n'y peut pas grand-chose.

Il y a toutefois certaines causes de mésentente qui sont prévisibles et sur lesquelles on peut agir :

— L'absence de commandement, soit qu'il n'existe pas de chef de bord, soit que le chef de bord choisi ne parvienne pas à s'imposer.

— De grandes différences entre les équipiers, et ceci moins sur le plan intellectuel que sur le plan moral : ceux qui s'efforcent d'échapper aux corvées, qui sont toujours en retard, qui font une sale gueule en permanence ne favorisent évidemment pas l'harmonie de l'ensemble.

— La disproportion entre l'équipage et la croisière. Nous avons déjà évoqué cette question, et elle est sans nul doute fondamentale. Une communauté lancée, sans raisons profondes, dans une entreprise au-dessus de ses forces ne peut que se lézarder à la longue. Les limites à ne pas dépasser sont, en réalité, les limites propres du chef de bord. Tant que le chef de bord domine la question et sait prendre la mesure de son équipage, celui-ci s'enrichit au contact de situations différentes et de plus en plus difficiles. Mais que le chef de bord soit dépassé par les événements, ou ait préjugé de la résistance de tel ou tel équipier, et le doute s'insinue dans les esprits. Des voies d'eau de ce genre mènent au naufrage les croisières les plus brillamment inaugurées.

Être bien

A la lecture de ce seul chapitre, on pourrait penser qu'une croisière en plaisance est une chose fort peu plaisante et que la réprobation des vieux longs-courriers (vaguement amicale tout de même) n'est pas dépourvue de fondement. Mais il est bien évident que tous les problèmes traités ici sont en abord de l'essentiel, que toutes les contraintes de cette vie ont pour seul but de rendre possible, pour tous, une liberté véritable.

Non seulement les diverses activités que nous avons évoquées laissent du temps pour faire autre chose, pour pêcher, pour flâner, pour rêver et pour rire — mais l'esprit même dans lequel elles sont effectuées leur ôte généralement leur caractère de corvées. Il se trouve que chaque instant de la vie en mer, pour peu que l'entente règne à bord, prend un relief incompréhensible. C'est peut-être que, dans un monde réduit à l'essentiel, chaque acte de la vie retrouve toute sa valeur. Allez savoir. En mer, on peut être bien tout le temps, au soleil comme dans le temps dur; dans les soirées paisibles, dans les longues nuits, dans les petits matins glacés. On est bien parce que l'on a un bateau net et qui marche, parce que l'on est en accord avec les signes du ciel, parce que l'on fait une navigation précise, parce que l'on soigne un atterrissage. Il y a aussi le bonheur des escales.

Notre expérience propre nous porterait à dire que l'on est bien surtout parce que la croisière est un moment idéal pour s'exprimer et pour écouter les autres s'exprimer. Dans une école de croisière, les gens qui forment un équipage ne se connaissent pas à l'avance, viennent d'horizons divers, ont chacun leur expérience propre. Au fil des jours, il y a cette découverte étonnante et toujours renouvelée des autres, des différences fécondes et de ressemblances profondes. Il y a l'amitié qui naît, et qui ne se dément plus. Parmi toutes les joies qu'offre la vie en mer, c'est peut-être celle-là la plus pure, et la plus durable.

quatrième partie

Météorologie

Le temps qu'il fera demain, en mer, est pour nous une affaire importante — malheureusement nous sommes bien incapables de le prévoir tout seuls. Naguère encore, on spéculait sur la couleur du ciel, le comportement du chat du bord, les rhumatismes du capitaine; on en tirait des prédictions, qui n'étaient pas forcément fausses. Nous ne savons plus faire cela. En revanche, nous disposons maintenant, par l'intermédiaire des services météorologiques, de renseignements sur le temps que les anciens n'auraient même pas osé imaginer. C'est essentiellement à l'aide de ces renseignements que nous pouvons espérer avoir des vues claires de l'avenir.

La météorologie a été longtemps — et est encore parfois — décriée. Les météorologistes ont un rôle difficile à tenir. Ils travaillent sur une réalité complexe et aléatoire, dont les manifestations sont ressenties de façon très diverse par chaque individu. L'échelle à laquelle ils considèrent les phénomènes n'est pas la même que celle de l'usager moyen, ce qui entraîne souvent pour celui-ci des déceptions amères et lui donne l'impression que la prévision est un jeu de hasard. En réalité, les véritables utilisateurs des renseignements météorologiques — marins et aviateurs notamment, qui ont des raisons bien précises de s'intéresser au temps qu'il fera — savent que ces renseignements ont un caractère très sûr. L'utilisation du radar et des satellites pour l'exploration du ciel, des calculateurs électroniques pour le traitement des informations reçues, l'évolution (moins spectaculaire, mais sans doute plus révolutionnaire encore) des méthodes de raisonnement elles-mêmes, font que la valeur de ces renseignements ne cesse d'augmenter.

Si les bulletins météo sont parfois encore tenus en suspicion, c'est probablement que l'on a tendance à les considérer comme des « produits de consommation », à avaler tels quels. Or il faut bien se dire, tout d'abord que la compréhension des bulletins suppose un minimum de connaissances de la part du consommateur; ensuite que les prévisions fournies concernent des zones très vastes et ne peuvent tenir compte des nuances du temps en tel ou tel point particulier. On doit donc faire une partie du travail soi-même. Pour nous plaisanciers, comme pour tout le monde, la prévision correcte du temps est soumise à ces deux préalables : interpréter correctement les bulletins; être capable d'en déduire, à l'aide de ses observations personnelles, le tour que prendra le temps localement, dans la région où l'on navigue.

Pour avoir une vue claire de la situation exposée dans les bulletins météo, il ne suffit pas de savoir vaguement ce que signifient les mots *dépression*, *anticyclone* ou *front polaire*. Autant l'avouer crûment : nous n'avons rien compris à la météo tant que nous ne nous sommes pas décidés à plonger dans les livres, à acquérir une connaissance un peu moins superficielle des principaux phénomènes atmosphériques, de leurs raisons d'être et de leur organisation d'ensemble. Il faut sans aucun doute en passer par là, et c'est pourquoi nous nous sommes risqués ici à consacrer tout un chapitre à l'étude de ces données générales. Chapitre un peu aride, qui n'est d'ailleurs rien d'autre que le récit de notre recherche personnelle, et qui tient une place un peu à l'écart dans ce livre : on n'y parle guère de bateau, on part même se promener dans les montagnes, lieux où il semble bien que nous n'ayons rien à faire. Mais les montagnes sont des endroits commodes pour étudier concrètement le comportement de l'air, avant d'affronter les grands espaces eux-mêmes, les nuages, les masses d'air, les pentes invisibles qui existent dans le ciel et le long desquelles court le vent. Ici les spécialistes froncent déjà le sourcil, pressentant que nous allons parler de ces choses dans un langage un peu approximatif. C'est vrai. Mais vouloir traiter en quelques pages un si vaste sujet était de toute façon une gageure : nous avons dû choisir parfois entre la clarté et la rigueur, bien qu'il soit toujours répréhensible de dissocier ces deux qualités; et nous avons préféré la clarté. Ajoutons que cette recherche nous a passionnés; ce n'est pas une excuse, mais cela explique peut-être que nous n'ayons pas toujours trouvé le ton serein qui convenait.

Le deuxième chapitre s'efforce d'apporter des éléments pour la deuxième partie du travail, c'est-à-dire pour la prévision à l'échelon local, à partir de l'observation personnelle. Celle-ci ne peut avoir de valeur que si l'on connaît assez précisément les caractéristiques du temps de la région où l'on navigue, les *types de temps* qui y apparaissent le plus couramment, les particularités avec lesquelles il faut compter. Nous tenterons donc de définir, au moins à grands traits, le temps océanique et le temps méditerranéen, et nous conclurons sur quelques considérations concernant la prévision elle-même.

Tels quels, ces deux chapitres ne constituent, de toute évidence, qu'une simple ouverture sur un domaine immense. Au lecteur de poursuivre lui-même la recherche, d'une part en lisant les ouvrages que nous citons en bibliographie (et dans lesquels nous avons d'ailleurs largement puisé), d'autre part en prenant l'habitude d'observer le ciel, en devenant familier de ce monde fabuleux dont rien, pas même les analyses les plus austères, ne saurait ternir l'éclat.

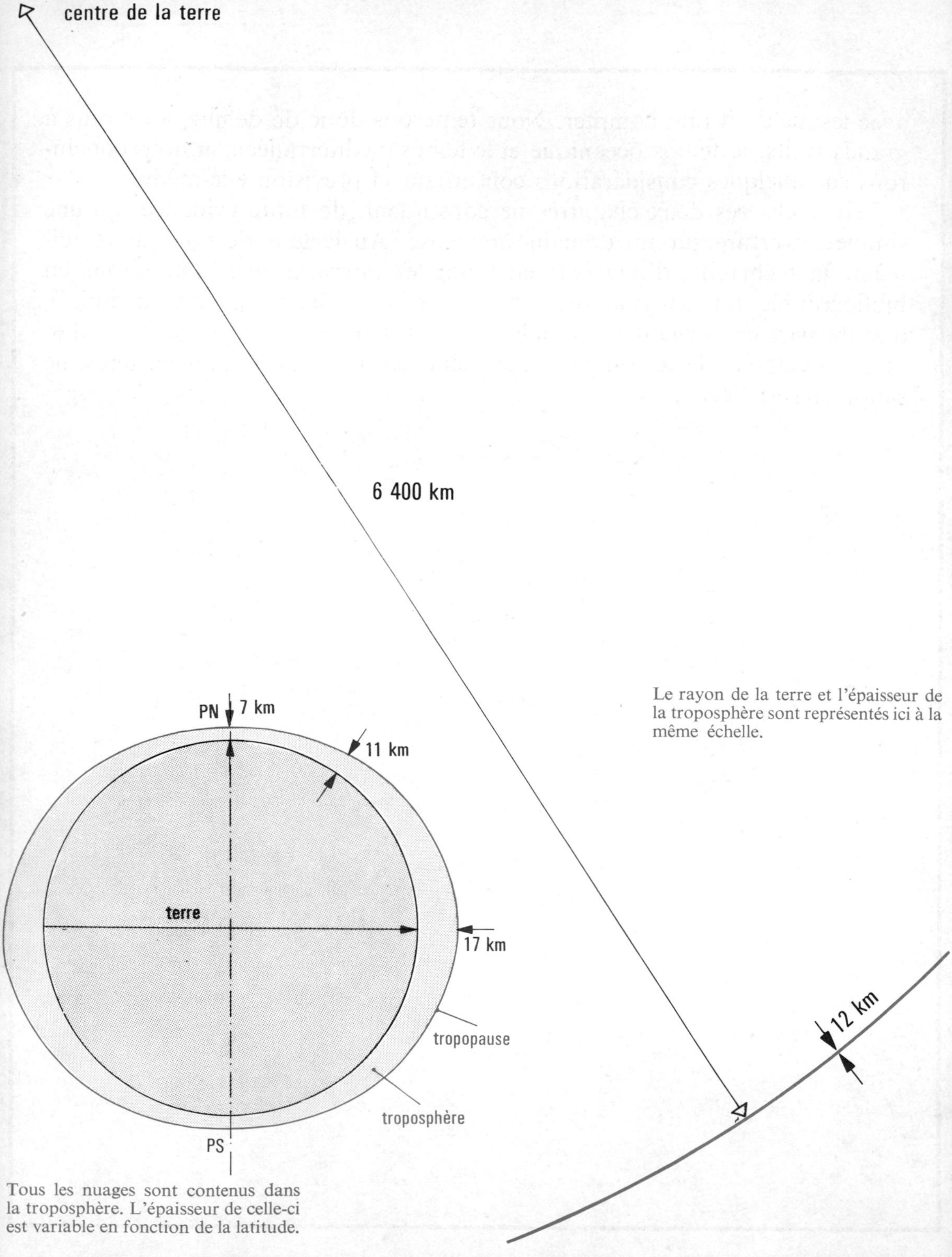

centre de la terre

6 400 km

PN
7 km
11 km
terre
17 km
tropopause
troposphère
PS

12 km

Le rayon de la terre et l'épaisseur de la troposphère sont représentés ici à la même échelle.

Tous les nuages sont contenus dans la troposphère. L'épaisseur de celle-ci est variable en fonction de la latitude.

16. La vie de l'atmosphère

La météorologie est une science honorable, en tout premier lieu parce qu'elle s'efforce de répondre honnêtement aux questions des enfants obstinés. Le soleil réchauffe la terre, tout le monde sait cela. Mais pourquoi a-t-on de plus en plus froid à mesure que l'on s'élève au-dessus du sol, alors qu'on se rapproche du soleil ? Pourquoi fait-il chaud à l'équateur et froid aux pôles ? Pourquoi ce nuage reste-t-il immobile au sommet de la montagne, bien que le vent soit violent ? Et pourquoi les nuages ? Et pourquoi le vent ? D'où viennent-ils et où vont-ils ?

Saluons au passage les esprits bien faits, ou dotés d'une solide mémoire, que ces questions font sourire. Et procédons par ordre.

Le soleil rayonne de l'énergie vers la Terre, boule entourée d'une atmosphère. Une partie de cette énergie est directement réfléchie vers l'espace lorsque le faisceau solaire aborde la planète, et n'a aucune influence sur celle-ci. Une autre partie, assez petite, est absorbée par l'atmosphère elle-même, qui s'en trouve légèrement échauffée (un rayon lumineux absorbé par un obstacle se transforme en effet en chaleur). Une autre partie enfin, la plus importante, est absorbée par le sol et le réchauffe puissamment.

Remarquons tout de suite que si le transfert d'énergie était à sens unique, la température de la terre ne ferait qu'augmenter, et que nous ne serions pas là pour en parler. Mais la Terre, comme tout corps échauffé, rayonne à son tour. Globalement — c'est le mot — elle rayonne autant d'énergie qu'elle en reçoit. Un équilibre s'établit donc.

La première constatation importante est celle-ci : dans le même temps, le sol absorbe environ trois fois plus d'énergie que l'atmosphère qui le surplombe. Il est donc en moyenne plus chaud qu'elle et commence à la réchauffer par la base. Ce réchauffement se fait sentir jusqu'à une altitude d'environ 12 km. Depuis le sol jusqu'à 12 km, la température décroît donc avec l'altitude. C'est la caractéristique principale de cette basse couche de l'atmosphère, que l'on nomme **troposphère :** sphère changeante. L'épaisseur de cette couche varie, selon la latitude (12 km n'est qu'une moyenne : elle est beaucoup plus importante à l'équateur qu'au pôle); elle varie aussi d'un jour à l'autre, en fonction du temps qu'il fait. Sa limite

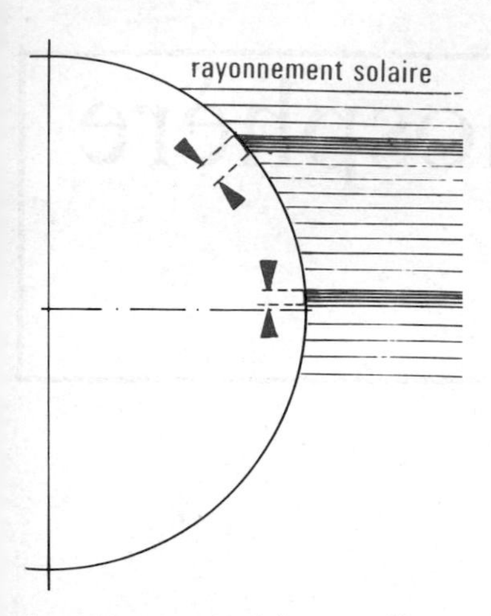

Le rayonnement solaire est uniforme, mais aux latitudes élevées il se répartit sur une plus grande surface qu'à l'équateur.

supérieure est nommée **tropopause.** Au-delà, et jusqu'à 50 km d'altitude, c'est la **stratosphère,** région où la température croît légèrement et où les vents, variables, peuvent être très violents. Plus haut, nous sortons du sujet.

La troposphère, avec ses 12 km d'altitude, apparaît en tout cas d'une épaisseur dérisoire, comparée aux 6 400 km de rayon du globe terrestre : c'est un papier de soie autour d'une orange. Cette mince pellicule contient cependant 80 % de la masse d'air totale, et 90 % de l'eau atmosphérique; c'est en son sein qu'apparaissent tous les nuages, et la plupart des phénomènes qui nous intéressent ici.

Deuxième question : pourquoi fait-il froid aux pôles et chaud à l'équateur ?

Les rayons solaires sont parallèles (ou peuvent être considérés comme tels), mais la Terre est sphérique. Les régions polaires se trouvent défavorisées : elles reçoivent moins de rayons par unité de surface que les régions équatoriales, très bien exposées.

Cette réponse toute simple, satisfaisante apparemment, est en réalité traîtresse. Elle recèle une nouvelle question, et celle-là va nous entraîner très loin. Le calcul des quantités d'énergie absorbée respectivement par l'équateur et par les pôles révèle en effet un déséquilibre énorme entre ces deux régions, déséquilibre qui devrait se traduire par une différence de température bien plus grande que celle que l'on constate dans la réalité. Normalement, les régions équatoriales devraient être terriblement chaudes, les régions polaires terriblement froides : aussi invivables les unes que les autres. S'il n'en est pas ainsi, si la température est, finalement, supportable à peu près partout (avec plus ou moins de pull-overs), c'est, de toute évidence, parce qu'il se produit des échanges entre l'équateur et les pôles. Dès lors, nouvelle question : comment s'effectuent ces échanges ? La réponse, cette fois, risque d'être un peu longue : elle est l'objet même de la météorologie.

La physique enseigne que tout corps échauffé en un point tend à répartir dans toute sa masse la chaleur reçue. Cette répartition peut s'effectuer par **conduction,** c'est-à-dire par contact, de proche en proche, à l'intérieur de la masse elle-même. Mais ce n'est pas le cas pour la planète Terre, car le sol est mauvais conducteur de la chaleur. Le transfert peut également s'effectuer par **rayonnement.** Mais le rayonnement de la Terre se perd presque entièrement dans l'espace. Seule une petite partie en est réfléchie par les nuages (c'est ce qui explique que les nuits soient moins froides lorsque le ciel est couvert que lorsqu'il est clair), mais elle est bien insuffisante pour établir un équilibre entre l'équateur et les pôles, car les quantités de chaleur à transférer sont considérables.

Conduction et rayonnement sont les seuls moyens d'échange sur la Lune, par exemple. Et l'on enregistre sur celle-ci des températures de 200° C dans les régions ensoleillées, et de — 100° C dans les régions à l'ombre.

Mais la Terre possède une atmosphère et des océans. L'air et l'eau sont eux-mêmes mauvais conducteurs de la chaleur; mais ils peuvent se déplacer. L'air peut également transporter de l'eau, soustraite par évaporation aux lieux humides de la planète. Ces deux éléments si mouvants, qui paraissent soumis à un brassage incessant, ne peuvent-ils contribuer à l'égalisation des températures à la surface du globe ? Et cette égalisation des températures ne serait-elle pas, précisément, la raison d'être de leurs mouvements ? C'est effectivement ce que les météorologistes ont mis en évidence : sur la planète Terre, les échanges thermiques se font essentiellement par l'intermédiaire de grandes masses fluides qui se déplacent, les unes de l'équateur vers les pôles, les autres des pôles vers l'équateur. Les échanges se font par **convection.**

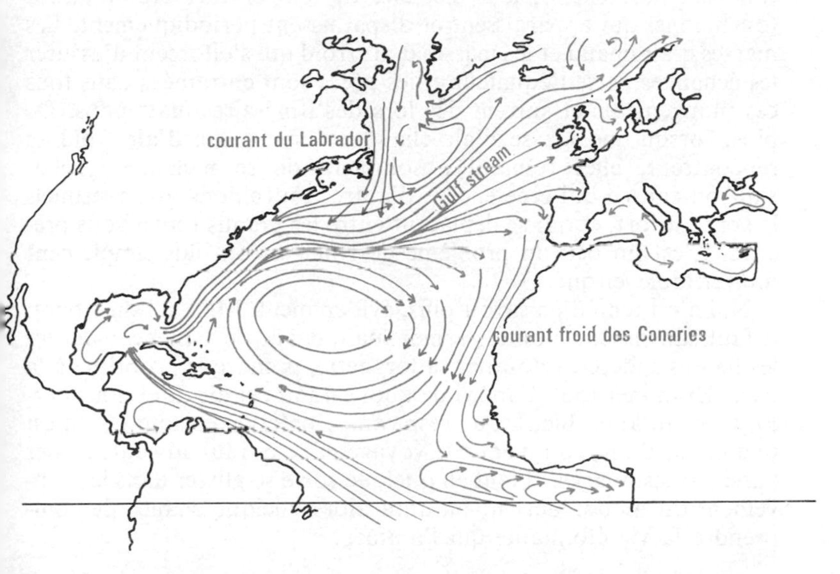

Principaux courants marins dans l'Atlantique Nord.

Il existe ainsi des courants océaniques chauds — tel le Gulf Stream — qui transportent la chaleur des mers tropicales vers le Nord, et des courants océaniques froids — tel le courant du Labrador — descendant en sens inverse. Ces courants sont toutefois très lents, et n'assurent qu'une petite partie des échanges. L'essentiel passe par l'atmosphère : les masses d'air équatoriales, chaudes, ont tendance à se déplacer vers les pôles; les masses d'air polaires, froides, à descendre vers l'équateur.

En fonction de ce schéma, il semble que l'on puisse donner facilement, dès maintenant, l'explication du vent. On est en droit de penser que les principaux vents existant dans l'atmosphère sont des vents de Nord et des vents de Sud. Or, si l'on considère les moyennes des vents à la surface du globe, telles qu'elles ressortent d'observations effectuées durant de nombreuses années, on doit rapidement déchanter. Les composantes de Nord et de Sud n'y figurent pas (elles s'annulent, en moyenne); les vents moyens sont

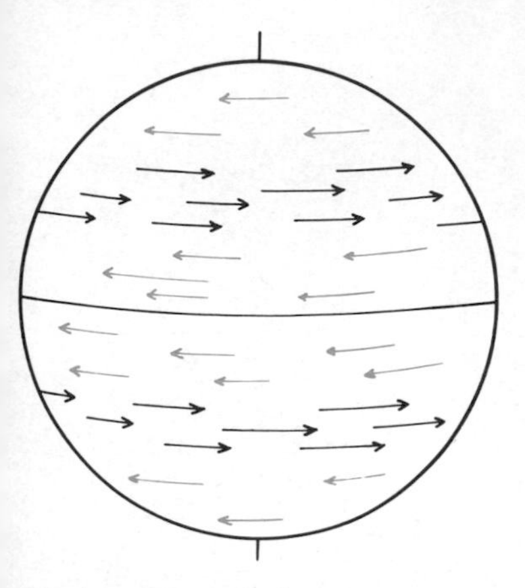
Vents moyens au sol.

d'Est et d'Ouest : vents d'Est sur les régions équatoriales et sur les régions polaires, vents d'Ouest sur les régions tempérées. Il apparaît d'autre part que les vents sont, en moyenne, très faibles : à peine deux mètres par seconde. Et pourtant nous en connaissons qui vont vite.

Ici, les questions des enfants commencent à devenir agaçantes. On pourrait y répondre de façon péremptoire, et schématique, en tenant par exemple le discours suivant. La Terre tourne sur elle-même. Comme elle est pleine de creux et de bosses, ce mouvement de rotation crée dans l'air des tourbillons. Certains de ces tourbillons tournent dans un sens, d'autres dans l'autre; les uns ont la pointe en haut, les autres ont la pointe en bas. D'autre part, les océans et les continents se réchauffent et se refroidissent à des cadences différentes : leur inégalité de température crée d'autres tourbillons, qui apparaissent et disparaissent périodiquement. Les masses d'air chaud et les masses d'air froid qui s'efforcent d'assurer les échanges entre l'équateur et les pôles sont entraînées dans tous ces mouvements et suivent dès lors des itinéraires inattendus. De plus, lorsqu'une masse d'air chaud et une masse d'air froid se rencontrent, elles refusent absolument de se mélanger : elles s'affrontent, ce qui crée encore d'autres tourbillons, dans lesquels le vent est fort, et qui se déplacent entre les grands tourbillons précités. C'est un peu un problème de rouages, ou plus simplement un véritable cirque.

Nul n'est tenu d'en savoir plus, évidemment. Mais si l'on y tient, il faut sans aucun doute s'armer maintenant de patience; quitter les hautes sphères, retourner sa lorgnette, prendre le problème à la base. Examiner tout d'abord de quoi est fait cet air dont nous parlons (et qu'aussi bien nous respirons); préciser ensuite ce qu'est une masse d'air, comment elle voyage et ce qui lui advient; passer aussi par les nuages. Il faut en quelque sorte se glisser dans le mouvement du monde aérien; on aura alors quelque chance de comprendre la vie étonnante qui l'anime.

L'air

L'air est constitué d'un mélange de gaz, dont les deux principaux sont l'oxygène et l'azote. Il contient également une grande quantité d'eau. Cette eau peut y figurer elle-même sous forme gazeuse : c'est la vapeur d'eau, qui est invisible; ou bien sous forme liquide et solide : ce sont les nuages.

Insistons sur ce point : la quantité d'eau contenue dans l'air est très importante. Le rayonnement solaire, en réchauffant les océans et autres lieux humides de la terre, provoque en effet une évaporation considérable. On a pu estimer que le soleil, dans les bons jours, prélevait la valeur d'un verre d'eau à l'heure par mètre carré d'océan. Ce sont donc des milliards de tonnes d'eau qui se trouvent en suspension dans l'air.

L'air, d'autre part, pèse un certain poids. Le sol subit donc une pression de la part de l'atmosphère. La **pression atmosphérique,** en un endroit donné du globe, est égale au poids de la colonne d'air qui surplombe cet endroit. Elle diminue, comme de juste, avec l'altitude, mais de moins en moins vite à mesure que l'on monte : l'air est compressible en effet, et l'on constate un certain tassement de ses couches inférieures. Pression et altitude sont, en tout cas, intimement liées, à tel point que l'évaluation de l'altitude s'effectue couramment par la mesure de la pression : les altimètres des avions sont des baromètres. Notons tout de suite qu'en météorologie l'unité de pression utilisée est le **millibar** (mb) et que la pression moyenne à l'altitude 0, c'est-à-dire au niveau moyen de la mer, est de 1 013 mb [1].

1. Soit 760 mm de mercure (expérience de Torricelli).

Pression et température moyennes en fonction de l'altitude.

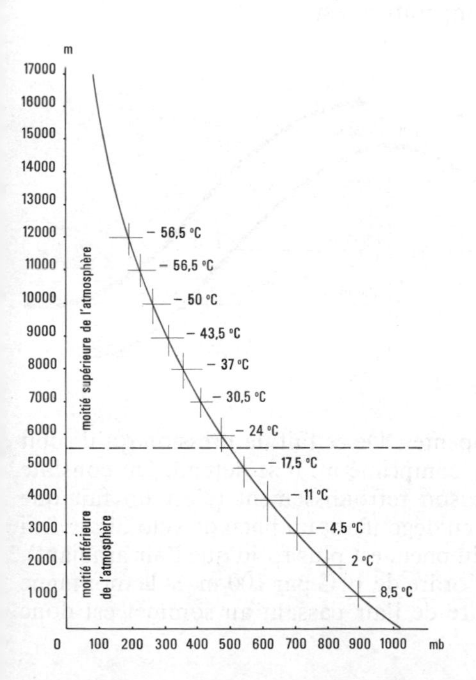

Exemple de répartition verticale de la température à la latitude de la France.

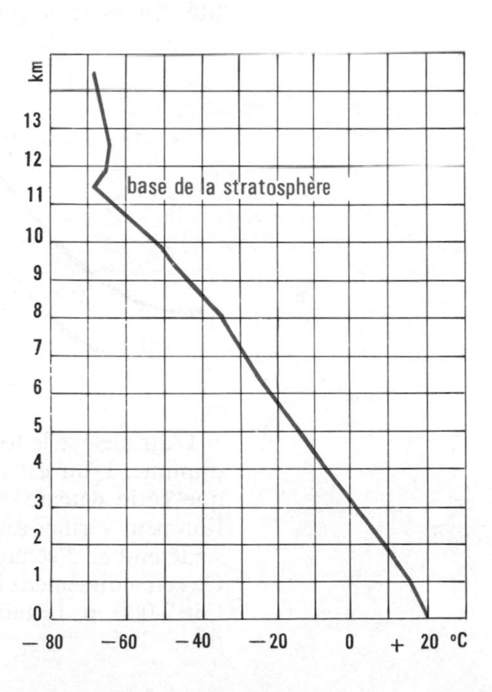

L'air enfin, nous le savons, possède une certaine température et, dans la troposphère, cette température diminue avec l'altitude. Le **gradient vertical thermique,** qui correspond au taux de décroissance de la température entre le sol et la tropopause, est en moyenne de 6° C par kilomètre.

En somme, une quelconque particule d'air, immobile, prise en un point de la troposphère, se trouve définie par ces trois coordonnées : température, pression, quantité d'eau qu'elle contient.

Mais une particule d'air est rarement immobile. Et dès qu'elle se déplace, ses caractéristiques se modifient. L'air en mouvement (sujet de notre étude) peut ainsi subir des transformations telles que l'on est en droit de parler, à son propos, de différents « états ». Il importe d'analyser ces états de près; c'est la clef de toute la suite.

États de l'air.

Prenons l'exemple d'un vent qui arrive au pied d'une montagne, et qui est contraint de s'élever pour la franchir. Ce cas est un peu particulier, dans la mesure où le mouvement de l'air est imposé ici par le relief (mouvement **orographique**), alors que les mouvements en atmosphère libre ont d'autres origines. Mais il est éclairant.

Nous franchirons quatre fois la montagne, avec quatre qualités d'air différentes.

Premier cas. L'air qui parvient au pied de la montagne contient de l'eau uniquement sous forme de vapeur et en très petite quantité. Supposons que sa température est de 17° C.

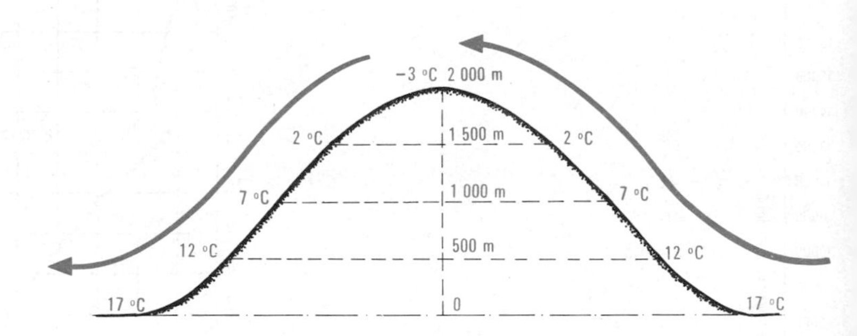

L'air s'élève le long des pentes. De ce fait, la pression qu'il subit diminue. L'air est moins « comprimé » : il se détend. On constate que cette **détente** entraîne son refroidissement (c'est un fait que l'on peut vérifier aisément en dégonflant un pneu de vélo : l'air, qui se détend en s'échappant du pneu, est plus froid que l'air ambiant). Ce refroidissement est de l'ordre de 1° C par 100 m. Si la montagne fait 2 000 m, la température de l'air passant au sommet est donc de — 3° C.

L'air descend ensuite de l'autre côté. La pression qu'il subit augmente. Il se comprime, et cette compression entraîne son réchauffement. Ce réchauffement s'effectue au même rythme que le refroidissement précédent : 1° C par 100 m. Au pied de la montagne, l'air a retrouvé sa température initiale : 17° C.

Trois choses sont à retenir de cette première escalade :

— En montant l'air s'est refroidi, mais il reprend sa température à la fin de la descente. Les transformations qu'il a subies se soldent par un bilan nul : pas de perte ni de gain de chaleur. Les variations de température de l'air en mouvement se font de façon **adiabatique,** c'est-à-dire sans échange de chaleur avec l'entourage.

— Le taux de variation de température de l'air en mouvement est de 1° C par 100 m, si cet air ne contient de l'eau que sous forme de vapeur. On le nomme : gradient adiabatique de l'air non saturé, ou plus simplement **gradient adiabatique sec.**

— On voit que le gradient vertical de l'air en mouvement est nettement différent du gradient vertical de l'air immobile : 10° C par km au lieu de 6° C par km.

Deuxième cas. L'air a la même température que dans le cas précédent : 17° C. Il est toujours limpide, mais il contient cette fois une plus grande quantité de vapeur d'eau.

En montant, il se refroidit. A une certaine altitude (disons par exemple : à 1 000 m, où la température de l'air est de 7° C), il se passe soudain quelque chose : tout se brouille. On assiste à l'apparition d'un nuage. Pourquoi ?

Parce que l'air ne peut contenir qu'une certaine quantité d'eau sous forme de vapeur, et qu'il en admet d'autant moins qu'il est

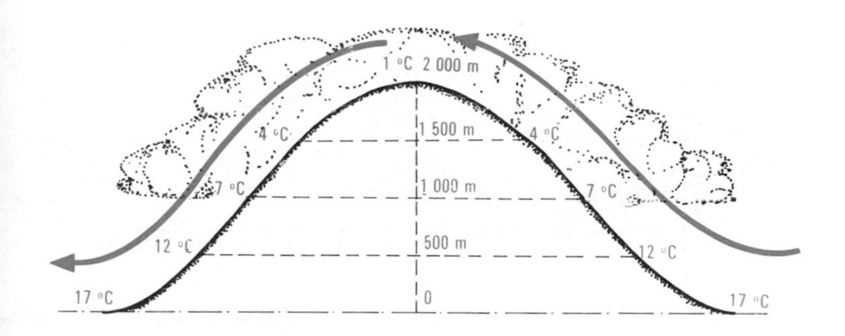

plus froid. Le rapport entre la quantité de vapeur d'eau que l'air contient effectivement et la quantité maximum qu'il peut contenir pour une même température, définit son **humidité relative.** Celle-ci s'exprime en pourcentage. Dans notre exemple, la quantité de vapeur d'eau que l'air acceptait facilement à 17° C, devient en somme un maximum à 7° C. Son humidité relative est alors de 100 %. La **saturation** est atteinte. Que l'air se refroidisse encore, et l'excédent de vapeur d'eau se transforme en gouttelettes microscopiques, maintenues en l'air par le vent. Il y a **condensation :** passage de l'état gazeux à l'état liquide : nuage.

Notons que fréquemment, cette condensation se produit avec un certain retard. L'air est alors en état de **sursaturation.**

Sa vapeur d'eau se condensant, l'air n'en continue pas moins à s'élever le long de la montagne. Mais, à partir du moment où la condensation s'est produite, sa température décroît moins vite avec l'altitude. La condensation, en effet, libère de la chaleur (la chaleur même qui avait entraîné, naguère, l'évaporation de l'eau au-dessus de l'océan; on la nomme : **chaleur latente**). Les variations de température se font désormais selon un gradient différent, qui est le gradient pseudo-adiabatique saturé (*pseudo*, parce qu'il y a échange de calories entre l'air et les gouttelettes d'eau ou les cristaux de glace contenus dans le nuage) et que nous appellerons par la suite : **gradient adiabatique saturé.** Ce gradient peut varier entre 0,5° C et 0,8° C par 100 m. Nous supposerons ici qu'il est de 0,6° C.

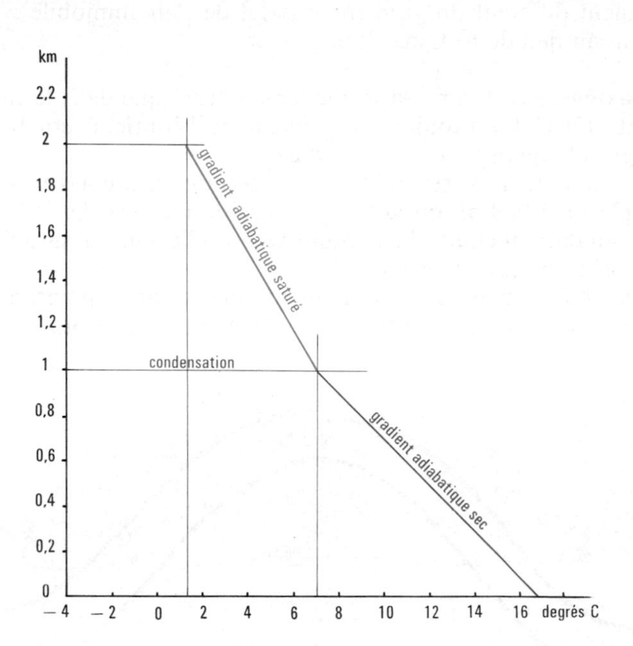

Une masse d'air qui s'élève se refroidit moins vite quand la vapeur d'eau qu'elle contient se condense.

Au sommet de la montagne, l'air est donc moins froid que dans le premier cas. Il est à 1° C. Dans la descente, il se comprime, se réchauffe à raison de 0,6° C par 100 m. A mesure qu'il se réchauffe, les gouttelettes d'eau s'évaporent. A 1 000 m d'altitude, l'évaporation est totale. L'air est à nouveau limpide. Dans la suite de la descente, la température croît selon le gradient adiabatique sec. Au pied de la montagne, l'air est à nouveau à 17° C.

Conclusions de cet épisode :

— la condensation est due au refroidissement de l'air;

— en montant, l'air saturé se refroidit moins vite que l'air limpide.

Remarquons ici que la condensation de la vapeur d'eau peut dépendre de refroidissements ayant une autre origine que l'ascension de l'air : refroidissement par rayonnement (c'est le cas la nuit : l'air rayonne sa chaleur et ce rayonnement n'est plus compensé par celui du soleil); refroidissement par contact avec une surface froide (la bouteille que l'on sort du réfrigérateur se couvre de buée). Mais en atmosphère libre, la cause la plus fréquente du refroidissement, et donc de la condensation, est bien cette détente de l'air ascendant telle que nous venons de l'analyser.

Si l'on peut prendre une vue d'ensemble de la montagne, on constate que le nuage qui couvre son sommet a une base très nette, à 1 000 m d'altitude. Il est immobile, bien que le vent le traverse. En réalité, ce n'est jamais le même nuage; les gouttelettes d'eau qui le composent se renouvellent sans cesse.

Les nuages qui naissent en atmosphère libre ont des caractéristiques semblables. Leur base est souvent horizontale; dans une situation donnée, des nuages de même origine ont tous leur base à la même altitude. Et l'on peut déjà deviner qu'un nuage, même lorsqu'il dérive avec le vent, n'est pas une simple « balle de coton », bien stable, mais plutôt un agglomérat en renouvellement continuel de particules montantes et descendantes, les unes se condensant, les autres s'évaporant.

Troisième cas. L'air qui aborde la montagne a toujours la même température, mais contient cette fois une grande quantité de vapeur d'eau. La condensation de celle-ci survient très vite : à 200 m d'altitude par exemple, donc à une température de 15° C. Au sommet, l'air est à 4,2° C.

Mais, au cours de l'ascension, il s'est produit un nouvel avatar : il y a eu **précipitation.** Il a plu. En dépit des apparences, la pluie est un phénomène extrêmement complexe, que nous ne nous hasarderons pas à vouloir expliquer. Il a plu, c'est-à-dire que l'air a perdu une partie de son eau.

Lorsqu'il descend sur l'autre versant, l'air se réchauffe selon le gradient adiabatique saturé. Mais il contient moins d'eau qu'auparavant : il y a un moins grand nombre de gouttelettes à évaporer. Après 1 000 m de descente, par exemple, la température étant de

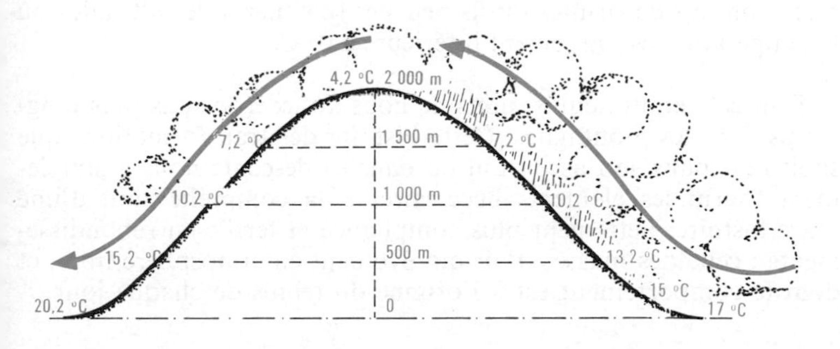

10,2° C, l'évaporation est totale. Le réchauffement s'effectue ensuite selon le gradient adiabatique sec, à raison de 1° C par 100 m. Au pied de la montagne, l'air est à 20,2° C. Autrement dit, après son passage sur la montagne, l'air est plus chaud qu'avant (ce phénomène est bien connu des météorologistes sous le nom d'**effet de foehn).** La chaleur libérée par la condensation n'est réabsorbée qu'en partie par l'évaporation; « l'excédent » contribue à augmenter la température de l'air.

Conclusion simple : en perdant de l'eau, l'air s'est réchauffé.

Quatrième cas. Dans les exemples précédents, le vent était chaud. Imaginons qu'il est beaucoup plus froid. L'air qui aborde la montagne est à 6° C.

La condensation se produit, par exemple, à 300 m. L'air est alors à 3° C. Sa température, décroissant ensuite selon le gradient adiabatique saturé, est de 0° à 800 m. On pourrait penser que les gouttelettes d'eau qui composent le nuage vont alors se transformer en glace. Or, ce n'est pas toujours le cas. On constate souvent que cette transformation s'effectue très progressivement, et n'est complète que pour une température voisine de — 40° C. Les gouttelettes d'eau restant ainsi à l'état liquide en dessous de 0° C, sont dites en état de **surfusion.**

Cet état est précaire. Un automobiliste franchissant la montagne, lorsqu'il parvient à une altitude où la température est inférieure à 0° C, voit avec ennui son pare-brise se couvrir de givre. Il suffit en effet d'un simple choc (ou de la présence d'impuretés dans l'air) pour que les gouttelettes d'eau surfondue se transforment instantanément en glace. Les brouillards givrants n'ont pas d'autre origine.

Pour faire le tour complet des transformations possibles de l'air, remarquons enfin que lorsque celui-ci est très froid, la vapeur d'eau qu'il contient se transforme directement en glace, sans passer par l'état liquide; de même, en sens inverse, passe directement de l'état solide à l'état gazeux. Ce phénomène est nommé : **sublimation.**

Les nuages composés de cristaux de glace apparaissent à haute altitude (en général au-dessus de 6 000 m). Ils sont très reconnaissables à leur aspect soyeux, à leur blancheur éclatante. Les nuages composés de gouttelettes d'eau sont plus gris. Ils sont moins élevés, mais l'on sait désormais qu'ils peuvent se situer à des altitudes où la température est largement inférieure à 0° C.

Tout cela étant acquis, nous ne nous attarderons pas plus longtemps dans les montagnes. Cette histoire des transformations que subit l'air dans son ascension ou dans sa descente nous a simplement fourni les éléments nécessaires à la compréhension d'une autre histoire, nettement plus compliquée et fertile en rebondissements : celle des masses d'air qui évoluent en atmosphère libre, et dont le comportement est à l'origine du temps de chaque jour.

Les masses d'air

La principale caractéristique du monde aérien est sans doute celle-ci : il est extrêmement influençable. Ainsi, lorsque des particules d'air séjournent pendant un certain temps sur une aire géographique déterminée, elles finissent par acquérir, en fonction du lieu, des caractéristiques semblables : même humidité, même température. Elles constituent alors un ensemble homogène : une **masse d'air.** C'est ainsi que l'on peut parler de masses d'air chaud et de masses d'air froid, de masses d'air humide et de masses d'air sec, de masses d'air tropical et de masses d'air polaire. Les dimensions de ces ensembles sont très variables : ils peuvent avoir quelques centaines ou plusieurs milliers de kilomètres d'étendue, des centaines ou des milliers de mètres d'épaisseur.

Une masse d'air est donc caractérisée en premier lieu par son origine. Mais, nous l'avons dit, les masses d'air voyagent. On conçoit aisément qu'en cours de route elles puissent subir l'influence des régions qu'elles traversent, que leurs caractéristiques puissent se trouver modifiées au gré des circonstances. Il en est qui deviennent ainsi absolument méconnaissables.

Afin de caractériser plus nettement ces masses d'air, deux notions sont à mettre en évidence maintenant. L'une concerne leur température : qu'appelle-t-on masse d'air chaud, masse d'air froid, de quel « chaud » et de quel « froid » s'agit-il ? L'autre a trait à leur tempérament (si l'on ose dire) : il y a des masses d'air stable et des masses d'air instable. Quelle est la différence ? Quand on navigue à la voile, on la découvre très vite.

Air chaud, air froid.

Les sensations de chaud et de froid, telles que nous les éprouvons, sont souvent trompeuses. Notre évaluation du « plus chaud » et du « plus froid » est encore plus contestable. En réalité le corps humain est peu sensible aux faibles variations de température. Il l'est beaucoup plus aux variations de l'humidité relative de l'air. Ainsi, à l'arrivée d'une masse d'air très humide peut-on avoir une impression de froid, alors même que la température est en hausse, car l'air humide nous retire plus de calories que l'air sec.

De toute façon, lorsqu'il s'agit de déterminer la température de la masse d'air qui envahit notre espace vital, nos impressions sensorielles, même justes, s'avèrent très insuffisantes; la notion de chaud et de froid, en météorologie, se situe à une tout autre échelle.

Pour le comprendre, revenons un instant au premier cas de notre exemple de tout à l'heure : celui de l'air passant, sans condensation, par-dessus la montagne. Si l'on compare deux particules de cet air, prises à des altitudes différentes, l'une à 400 m, par exemple, dans la montée, l'autre à 1 500 m dans la descente, on constate qu'elles n'ont pas la même température : l'une est à 13° C, l'autre à 2° C. Cependant nous savons que l'air, après avoir franchi la montagne, retrouve la température qu'il avait au moment de l'aborder. Peut-on vraiment dire que l'une de ses particules est plus chaude que l'autre ? En fait, pour les comparer efficacement, il faut les ramener par le calcul (en tenant compte du processus adiabatique), à une même pression. On constate alors que leur température est la même.

Il en est de même dans le deuxième cas évoqué, où la condensation survient. En revanche, dans le troisième cas, où l'air perd une partie de son eau en cours de route, si l'on compare deux particules d'air, l'une prise avant la précipitation, l'autre après, on constate qu'elles sont différentes : à la même pression, l'une est réellement plus chaude que l'autre.

En somme, de l'air chaud s'élevant en altitude peut atteindre une température très basse : il n'en est pas moins de l'air chaud. L'arrivée d'une masse d'air chaud peut ainsi se trouver signalée (et c'est souvent le cas) par l'apparition en altitude de nuages constitués uniquement de cristaux de glace.

Les sondages verticaux effectués à travers l'atmosphère permettent de connaître la température et la teneur en eau de l'air à telle ou telle altitude. En ramenant par le calcul différentes particules d'air à une même pression, dite **pression de référence** (conventionnellement : 1 000 mb), les météorologistes peuvent savoir à quels genres de masses d'air ils ont affaire.

Brises côtières.

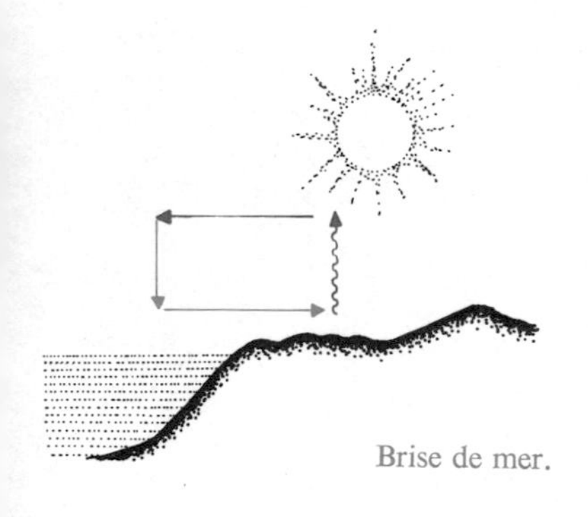
Brise de mer.

Le comportement de l'air chaud et de l'air froid l'un par rapport à l'autre tient essentiellement à leur différence de densité. L'air chaud est plus léger, l'air froid est plus lourd. L'air chaud a tendance à monter, l'air froid à descendre et à s'étaler.

Un exemple typique des rapports qu'ils entretiennent nous est offert par le phénomène des brises de terre et des brises de mer, que l'on peut observer fréquemment sur la côte dans les périodes de beau temps.

Ce phénomène est lié à une constatation fondamentale : la terre et la mer ont des propriétés thermiques bien différentes. La terre se réchauffe et se refroidit très vite; la mer, au contraire, est sujette à des variations de températures lentes.

Le jour, la terre se réchauffe sous l'action du soleil. Elle réchauffe l'air qui la surplombe, et cet air chaud tend à s'élever. L'air plus froid qui surplombe la mer tend à s'étaler et à venir combler le vide laissé par l'air chaud. Le vent souffle de la mer vers la terre.

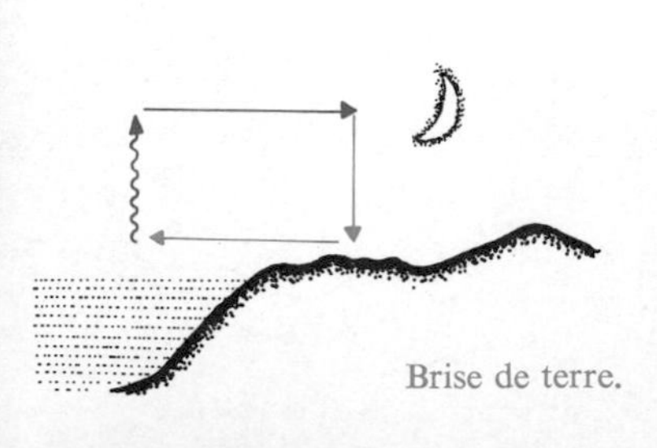
Brise de terre.

La nuit, la terre se refroidit. La mer est plus chaude (ou moins froide) qu'elle. Le vent souffle de la terre vers la mer.

En somme, air chaud et air froid s'organisent en une sorte de circuit vertical : l'air chaud s'élève; l'air froid prend la place de l'air chaud et se réchauffe; l'air chaud qui s'est élevé se refroidit et redescend pour prendre la place abandonnée par l'air froid. C'est le principe même de la convection dont nous avons déjà parlé.

Ce qu'il importe de noter essentiellement c'est que, du fait de leur densité différente, l'air chaud et l'air froid ne se mélangent pas plus que de l'eau et de l'huile. Dans le cas des brises côtières, les choses s'arrangent en somme assez bien. Mais, à une tout autre échelle, quand une masse d'air chaud et une masse d'air froid se rencontrent, cela ne va pas sans heurt, nous aurons l'occasion de le voir.

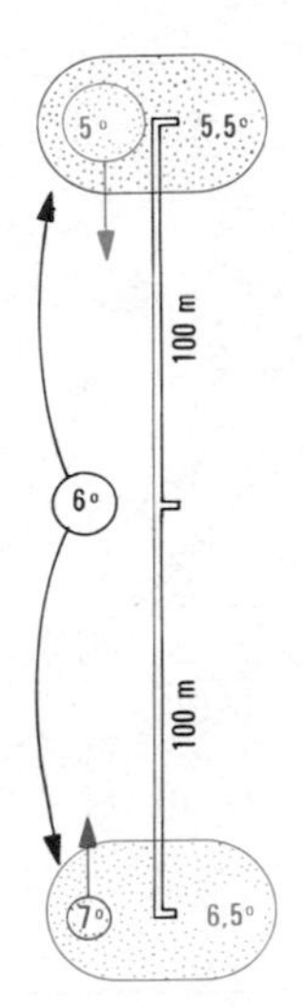

Le gradient vertical thermique de la masse d'air (0,5° C par 100 m) est inférieur au gradient adiabatique : l'air est stable.

Air stable, air instable.

Des mouvements verticaux peuvent apparaître au sein même d'une masse d'air, en fonction des influences qu'elle subit. Dans certains cas, ces mouvements sont rapidement amortis : la masse d'air est dite **stable.** Dans d'autres cas, ils sont au contraire amplifiés : la masse d'air est **instable.**

Supposons une masse d'air limpide, dont le gradient vertical thermique (le taux de variation de température entre sa base et son sommet) est de 0,5° C par 100 m, c'est-à-dire plus faible que le gradient adiabatique sec. Sous l'effet d'une poussée quelconque, une particule d'air appartenant à cette masse gagne 100 m en altitude. Sa température décroît, selon le gradient adiabatique sec, de 1° C. Elle se trouve plus froide, donc plus lourde que l'air avoisinant : elle a tendance à redescendre. Dans les mêmes conditions, une particule d'air descendant de 100 m se trouve plus chaude, donc plus légère que l'air avoisinant : elle a tendance à remonter. La masse d'air considérée est stable.

S'il s'agit d'une masse d'air saturé, les variations de température se font selon le gradient adiabatique saturé, mais le résultat est le même.

Prenons maintenant une autre masse d'air, dont le gradient vertical thermique est beaucoup plus important : de 1,2° C par exemple. Une particule d'air montant de 100 m se refroidit seulement de 1° C : elle est alors plus chaude que l'air avoisinant, elle a donc tendance à poursuivre sa montée. A l'inverse, une particule descendant de 100 m est plus froide que l'air avoisinant : elle a tendance à poursuivre sa descente. La masse d'air est parcourue de mouvements verticaux qui entretiennent en son sein une remarquable turbulence : cette masse d'air est instable.

On voit donc ici que le degré de stabilité ou d'instabilité d'une masse d'air dépend du rapport entre le gradient vertical thermique de la masse d'air considérée et les gradients adiabatiques. Deux cas particuliers doivent être envisagés :

— Le gradient vertical thermique de la masse d'air est égal au gradient adiabatique (sec dans le cas d'une masse d'air limpide, saturé dans le cas d'une masse d'air saturé) : cette masse d'air est en **équilibre indifférent.**

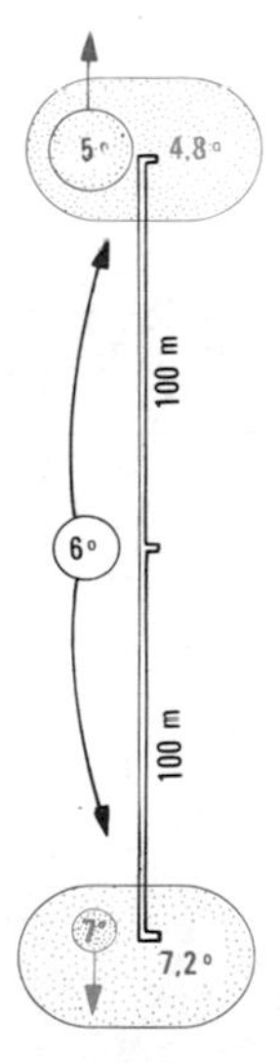

Le gradient vertical thermique de la masse d'air (1,2° C par 100 m) est supérieur au gradient adiabatique : l'air est instable.

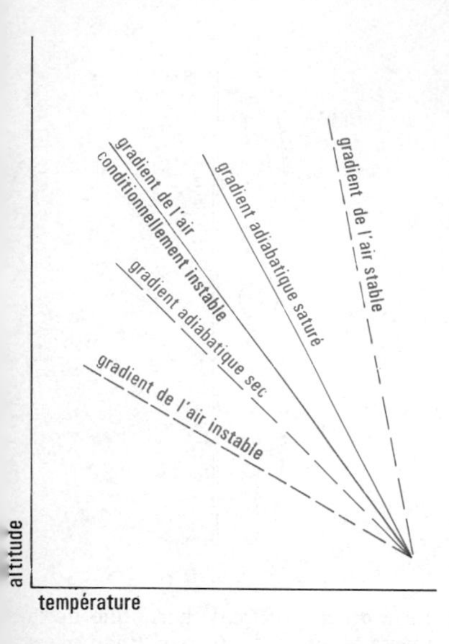

Le gradient vertical de température d'une masse d'air détermine son degré de stabilité ou d'instabilité.

— Le gradient vertical thermique est compris entre les deux gradients adiabatiques. Aussi longtemps que l'air demeure limpide, la masse d'air est stable. Mais si, pour une raison quelconque (élévation globale de la masse, par exemple), la condensation survient, la masse d'air devient instable. On dit d'une telle masse d'air qu'elle est **conditionnellement instable.**

A partir de ces diverses constatations, on peut conclure que :
— **Tout ce qui tend à augmenter le gradient vertical thermique d'une masse d'air (réchauffement par la base, ou refroidissement par le sommet) tend à rendre cette masse d'air instable.**
— **Tout ce qui tend à réduire son gradient vertical thermique (refroidissement par la base, réchauffement par le sommet) tend à la rendre stable.**

Naturellement, si la température croît avec l'altitude au lieu de décroître, le gradient vertical thermique étant inversé, la stabilité est totale. C'est le cas dans la stratosphère. De telles **inversions de température** existent également dans la troposphère, lorsqu'une masse d'air chaud passe au-dessus d'une masse d'air froid. La couche où se produit l'inversion bloque les mouvements ascendants, se comporte comme un véritable couvercle, hermétique aux échanges verticaux.

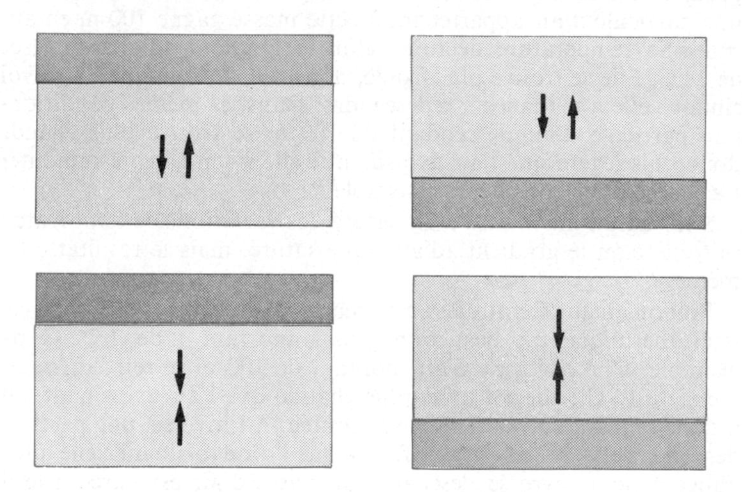

Refroidi par le sommet ou réchauffé par la base, l'air devient instable.

Réchauffé par le sommet ou refroidi par la base, l'air devient stable.

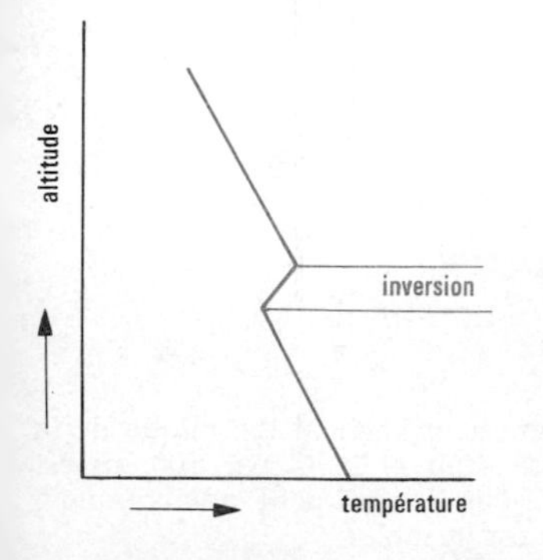

A notre niveau, la stabilité ou l'instabilité d'une masse d'air se trouve concrétisée par le genre de vent qui en découle. Une masse d'air stable donne des vents qui peuvent être forts, mais qui sont réguliers. Dans une masse d'air instable au contraire, le vent est irrégulier, souffle souvent en rafales désordonnées : il faut sans cesse veiller au grain...

Mais pour identifier les masses d'air, il existe un moyen beaucoup plus sûr encore. Il suffit de lever les yeux, de regarder le ciel : les mouvements de l'air y sont révélés, de la façon la plus nette qui soit, par les nuages.

Nuages

Une masse d'air instable est révélée par des nuages bourgeonnants, convulsés, roulés sur eux-mêmes. Généralement bien séparés les uns des autres, prenant parfois un grand développement vertical, ces nuages témoignent d'une activité convective intense dans l'atmosphère. Ce sont des **cumulus** (ou nuages **cumuliformes**).

On en voit souvent monter dans le ciel, les jours de beau temps, aux heures les plus chaudes. Ils s'organisent parfois en ligne de file, au-dessus de la côte, reproduisant avec exactitude son profil (révélant, en mer, la présence d'une île lointaine). L'apparition de ces cumulus est à rapprocher du phénomène des brises de terre et de mer, évoqué plus haut. Elle révèle l'existence de courants ascendants au-dessus du sol surchauffé; l'air en s'élevant se refroidit, se condense, forme ces nuages, séparés les uns des autres par des pans de ciel bleu qui recèlent les courants descendants. Bien souvent, au-dessus de la côte le ciel est lourd, alors qu'il est parfaitement dégagé en mer. L'air au-dessus du sol est instable, l'air au-dessus de la mer est stable. Si l'on veut profiter du soleil, il faut appareiller (mais si l'on veut en profiter jusqu'au dernier rayon, on rentrera vent debout...).

Dans une masse d'air stable, il n'existe pas de ces mouvements convectifs; on ne voit jamais apparaître de tels nuages. Lorsque la condensation survient, elle est due à un refroidissement général de la masse. Les nuages qui en résultent s'étalent en voiles plus ou moins épais, en nappes qui recouvrent souvent tout le ciel. Ce sont des nuages uniformes, plats, tristes, du type **stratus** (nuages **stratiformes**).

Il arrive également que les deux catégories de nuages se trouvent associées, que des cumulus s'organisent en bandes : petites billes, galets, vastes dalles, selon l'altitude. Ces nuages révèlent généralement une instabilité limitée, une turbulence, sur la ligne de rencontre de deux masses d'air différentes.

Bien entendu, le monde des nuages échappe, par mille nuances, à cette classification sommaire. Il est parfois bien difficile de s'y retrouver. La familiarité avec les nuages est aussi longue à acquérir que la familiarité avec le vent qui fait avancer les bateaux. Elle réclame de la patience, une crainte innée des affirmations catégoriques, un certain goût de la contemplation — ce que d'aucuns, dédaigneusement, nomment rêverie, ignorant combien une rêverie peut être active!

Officiellement, les nuages sont répartis en dix **genres** différents. Cette classification tient compte à la fois de la forme des nuages et de l'altitude à laquelle ils apparaissent. La troposphère, domaine des nuages, a été ainsi divisée en trois étages. Le nom d'un nuage indique à la fois sa structure et l'étage qu'il habite :

— Les cirrus, cirrocumulus et cirrostratus sont les nuages de l'étage supérieur; apparaissant entre 6 et 13 km d'altitude sous nos latitudes, ils sont constitués de cristaux de glace.

— Les altocumulus et altostratus sont les nuages de l'étage

Cumulus (humilis).

moyen (entre 2 et 7 km d'altitude); ils sont principalement constitués de gouttelettes d'eau.

— Les stratocumulus et les stratus sont les nuages de l'étage inférieur (entre le sol et 2 km).

Classification un peu trop rigoureuse : trois genres de nuages lui échappent. Ce sont les nuages à développement vertical, qui peuvent occuper plusieurs étages en même temps : les nimbostratus, les cumulus, et surtout l'énorme cumulonimbus.

Pour décrire ces dix genres de nuages, nous nous en tiendrons à notre première classification : nuages d'instabilité, nuages d'instabilité limitée, nuages de stabilité — tout en tenant compte de ce concept d'étages.

Nuages d'instabilité.

Cumulus (Cu). Nuages séparés les uns des autres, aux contours précis, à développement vertical plus ou moins important. Leur base est souvent horizontale et leurs sommets comportent fréquemment des protubérances en forme de tours ou de dômes parfois bourgeonnants (aspect de chou-fleur).

Il existe des cumulus de toutes tailles. Les plus petits sont dus souvent à un échauffement très localisé du sol : un cumulus peut

Cumulonimbus.

naître au-dessus d'un simple champ de blé, dont l'échauffement est nettement plus important que celui du petit bois voisin. C'est un cumulus *humilis*, comme les petits nuages clairsemés le long de la côte : c'est le nuage de beau temps par excellence. Il ne donne jamais de pluie.

Des cumulus plus importants : cumulus *mediocris*, ou cumulus *congestus*, envahissant de grandes portions du ciel, indiquent souvent l'arrivée d'une masse d'air froid, qui se réchauffe au contact du sol et devient donc instable. La base de ces gros cumulus est souvent de couleur sombre, leur sommet d'une blancheur éclatante dans le soleil. Un cumulus *congestus* peut avoir plusieurs kilomètres de diamètre, atteindre 5 000 m d'épaisseur. Les hautes tours qu'il lance dans le ciel le caractérisent nettement. Il donne parfois des averses, mais surtout des rafales de vent, violentes et désordonnées.

Cumulonimbus (Cb). Roi des nuages, le cumulonimbus est un cumulus *congestus* qui a enflé démesurément. Son épaisseur varie de 5 à 12 000 m. Son sommet est constitué de cristaux de glace et s'étale souvent, en prenant une forme d'enclume, à la limite de la stratosphère. Il témoigne de la présence de courants ascendants extrêmement puissants; il donne des averses violentes, de pluie, de grêle ou de neige, et des orages. Sous un tel nuage, le vent souffle en tempête, dans des directions souvent imprévisibles.

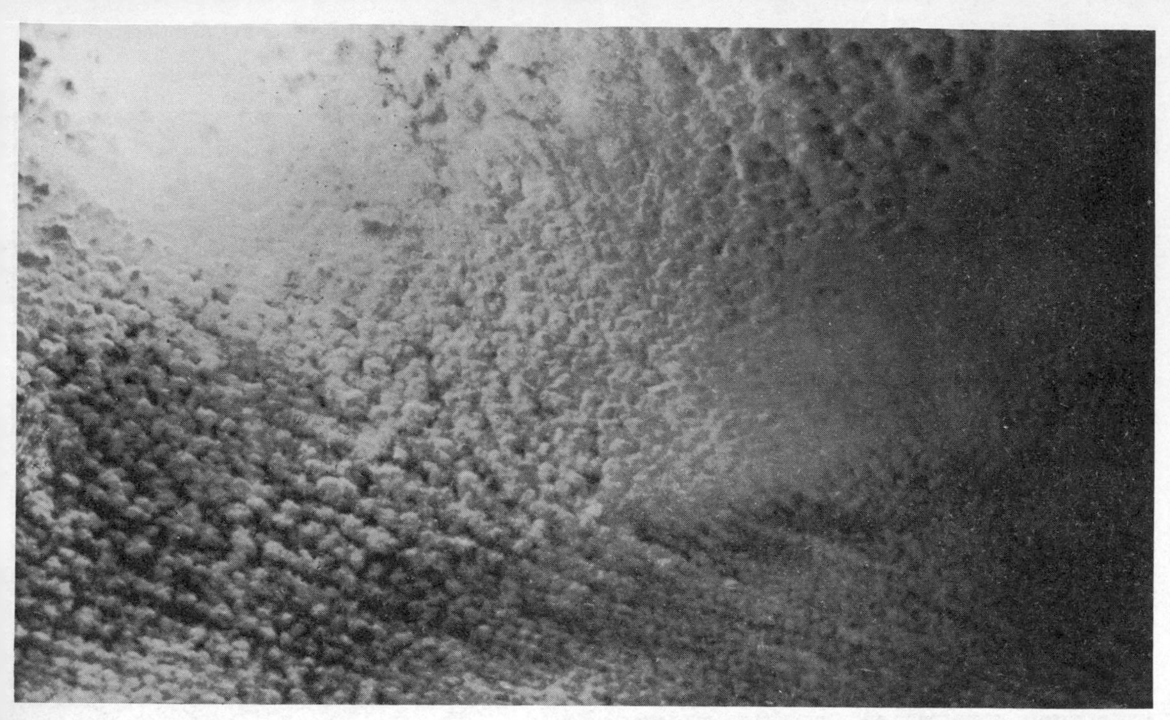

Cirrocumulus.

Altocumulus.

Stratocumulus.

Nuages d'instabilité limitée.

Cirrocumulus (Cc). Petits nuages de l'étage supérieur, très blancs, très brillants, sans ombre propre ni ombre portée; assemblés en bancs, en rides, en champs de billes régulièrement disposées, en général sur un ciel très bleu. Chaque bille a une largeur apparente inférieure à 1° : c'est dire qu'elle se trouve cachée derrière un petit doigt tenu à bout de bras.

Altocumulus (Ac). Nuages de l'étage moyen, présentant le même genre d'organisation que les cirrocumulus, mais avec des éléments plus gros (il faut trois doigts pour les cacher). Galets, lamelles, rouleaux, blancs ou gris, ou à la fois blancs et gris, plus ou moins épais, plus ou moins soudés, au travers desquels on devine souvent le soleil. Les nuages dont parle le dicton : « Ciel pommelé, femme fardée ne sont pas de longue durée », sont des altocumulus.

Les altocumulus sont des nuages très fréquents. On peut en voir s'établir simultanément à des niveaux différents (entre 1 500 et 5 000 m). Lorsqu'ils ont un caractère orageux, ils peuvent devenir très épais, tout en restant assez clairs.

Stratocumulus (Sc). Nuages de l'étage inférieur, qui se présentent en bancs ou en nappes, gris ou blanchâtres ou les deux à la fois, et qui ont presque toujours des parties sombres. Leurs éléments ont l'aspect de larges dalles, de galets, de rouleaux souvent épais. Ils peuvent se souder et envahir tout le ciel, leurs formes ondulées n'étant révélées que par les nuances du gris. Ils donnent rarement de la pluie, mais plutôt de la bruine.

Cirrus.

Nuages de stabilité.

Cirrus (Ci). Nuages de l'étage supérieur, les cirrus sont assez différents des autres nuages évoquant la stabilité. Ce sont des nuages isolés, des filaments blancs, des cheveux légers, des coups de griffes sur le ciel. Uniquement composés de cristaux de glace, ils sont brillants, n'ont ni ombre propre ni ombre portée. Les formes qu'ils prennent révèlent souvent la présence d'un vent fort en altitude.

Cirrostratus (Cs). Voile ténu, transparent, d'aspect parfois fibreux, parfois lisse, qui succède souvent aux cirrus. Le bleu du ciel pâlit, mais l'éclat du soleil est encore presque intact. La présence de ce nuage n'est souvent révélée que par les phénomènes de halo qu'il provoque autour du soleil ou de la lune. On cite en particulier un halo de 22° d'ouverture : en tendant le bras, la main écartée devant l'astre, on a ce halo au bout des doigts.

Altostratus (As). Voile plus épais, plus bas que celui du cirrostratus, auquel il succède souvent; de couleur grisâtre ou bleuâtre, d'aspect strié ou uniforme, couvrant partiellement ou entièrement le ciel. Le soleil apparaît encore à travers ce voile, comme à travers un verre dépoli. On ne se méfie pas et l'on attrape en mer des coups de soleil fantastiques.

L'altostratus peut s'épaissir encore, devenir très gris et laisser tomber quelques gouttes d'eau.

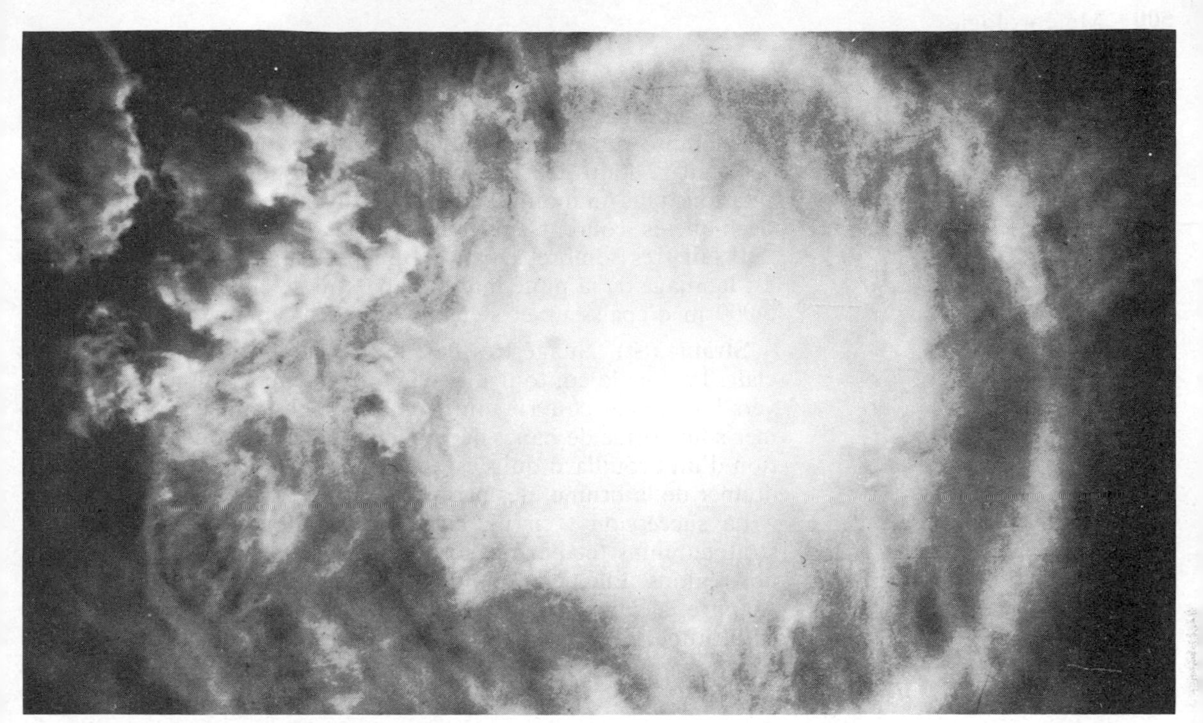
Cirrostratus.

Altostratus.

Nimbostratus (Ns). Couche nuageuse épaisse et grise, souvent très sombre, qui envahit tout le ciel en succédant généralement à un voile épais d'altostratus. Son aspect est rendu flou par des précipitations plus ou moins continues. Souvent, des petits nuages noirs, déchiquetés, courent en dessous.

Il fait très sombre, il faut allumer les lampes. Le nimbostratus est le nuage de la pluie interminable (ou de la neige). Il peut avoir 5 000 m d'épaisseur et s'étendre sur des centaines de milles.

Stratus (St). Nuage très bas, d'un gris uniforme, souvent assez clair. Parfois le contour du soleil est nettement discernable à travers lui. Il peut couvrir tout le ciel ou bien traîner au-dessus de la mer sous forme de bancs déchiquetés. Il résulte souvent de l'évolution d'un brouillard qui s'est un peu élevé au-dessus du sol. Il peut donner de la bruine, des prismes de glace ou de la neige en grains.

La succession : cirrus, cirrostratus, altostratus, nimbostratus, stratocumulus (et parfois stratus) est parfaitement classique dans nos régions. Elle correspond, comme nous le verrons au prochain chapitre, à l'arrivée d'une masse d'air chaud; l'avant-garde croise en altitude, et le gros de la troupe a les pieds dans l'eau.

Stratus.

Nimbostratus.

Brouillards.

Les météorologistes disent : **brouillard,** quand la visibilité au sol est inférieure à 1 km. Ils parlent de **brume** quand la visibilité s'étend de 1 à 2 km. Les marins, quant à eux, parlent de brume dans tous les cas. Rien n'est très clair en ce domaine.

Les brouillards et les brumes que nous connaissons en mer sont liés à des phénomènes d'advection et de rayonnement.

Brouillard d'advection. C'est le plus fréquent en mer. L'advection — par opposition à la convection — est un déplacement de l'air dans le sens horizontal. Le brouillard d'advection résulte de la condensation survenant dans une masse d'air chaud et humide qui passe sur une surface froide. Ce genre de brouillard est presque permanent sur les bancs de Terre-Neuve, où l'air qui s'est réchauffé et chargé d'humidité sur le Gulf Stream arrive sur le courant froid du Labrador. D'une façon générale, plus on monte en latitude, plus la mer est froide, plus ce genre de brouillard est fréquent. Il apparaît plus souvent en hiver qu'en été. Dans nos régions, il affecte particulièrement les endroits où règne un fort courant : raz de Sein, chenal du Four, raz Blanchard par exemple. Le brassage qui se produit dans un courant entraîne souvent la montée en surface des eaux froides du fond.

Brouillard de rayonnement. Il sévit essentiellement sur terre, par temps clair et calme. Pendant la nuit, le sol perd sa chaleur par rayonnement; l'air en contact avec lui se refroidit et la vapeur d'eau qu'il contient se condense. Ce brouillard est particulièrement dense au petit matin : c'est l'heure la plus froide. Il traîne parfois longtemps dans les bas-fonds, où l'air froid a tendance à descendre. Il apparaît dans les estuaires et déborde parfois un peu en mer, masquant les feux de la côte.

Classification des masses d'air

Avec l'habitude, on parvient à identifier tel ou tel nuage d'un seul coup d'œil. Pour nommer de façon précise la masse d'air dans laquelle on se trouve, il faudrait faire appel à d'autres sens que la vue : le toucher, l'odorat lui-même — car les masses d'air ont parfois une odeur, qui dépend de leur histoire...

Nous savons que les masses d'air sont caractérisées par leur origine et par les itinéraires qu'elles empruntent. C'est ainsi que l'on distingue des masses d'air arctique, des masses d'air polaire, des masses d'air tropical et des masses d'air équatorial, à caractère maritime ou continental selon le cas [1].

L'air arctique. Issu de la calotte polaire, l'air arctique est, au départ, froid, sec, et stable. Se déplaçant vers des latitudes plus clémentes, il se charge d'humidité sur mer et se réchauffe par la base : il devient instable. Il trouve parfois, du côté de l'Islande, un chemin qui lui permet de descendre d'une seule traite jusqu'à nos régions. Il fait alors très froid. Le ciel est pâle, d'une couleur vert émeraude très caractéristique, peuplé de cumulus et de cumulonimbus. Les orages sont fréquents, les grains violents, les vents forts. Entre les grains, la visibilité est extraordinaire.

L'air polaire. L'air polaire maritime est généralement de l'air arctique qui n'a pas réussi à s'échapper, et qui a séjourné assez longtemps dans les régions subpolaires (entre 60 et 70° de latitude). Il s'est chargé peu à peu d'humidité, s'est réchauffé de façon progressive. Lorsqu'il parvient dans nos régions (ce qui est courant), cet air polaire maritime est instable, mais à un degré moindre que l'air arctique. Les nuages cumuliformes sont moins importants, les grains moins violents. La visibilité est toujours remarquable.

L'air polaire continental est de l'air arctique qui a fait un détour par les continents. Ses caractéristiques sont différentes selon la saison, et la nature des sols qu'il a rencontrés. Il est stable en hiver, parfois instable en été. Lorsqu'il parvient chez nous, venant de Russie, il donne en hiver un temps sec et froid, un ciel sans nuages; en été, un beau temps peu nuageux.

L'air tropical. L'air tropical maritime, issu des régions subtropicales (entre 30° et 40° de latitude), est chaud et chargé d'humi-

1. Nous utilisons ici l'ancienne classification, moins scientifique mais plus imagée que la classification désormais officielle. Celle-ci tient compte de la structure des masses d'air telle qu'elle est révélée par les sondages.

dité, instable à l'origine. En gagnant les latitudes tempérées, il se refroidit par la base et tend vers la stabilité. Son arrivée sur nos régions est souvent signalée par la célèbre succession de nuages stratiformes dont nous avons parlé plus haut. Parfois, cet air tropical maritime est encore instable en arrivant, ce qui se traduit par des orages sévères.

L'air tropical continental, originaire d'Afrique du Nord ou du Proche-Orient, est très sec et très stable au départ, et ne sait pas faire de nuages. Mais en passant sur la Méditerranée ou sur l'Atlantique, il se charge d'humidité. Son arrivée en Europe, l'été, est signalée par un temps très chaud, et des orages violents sur les reliefs.

L'air équatorial. Très chaud, très humide, très instable, l'air équatorial participe à l'élaboration des cyclones tropicaux. Il atteint rarement nos latitudes. Lorsqu'il y parvient, il donne lieu à des perturbations extrêmement violentes.

Les masses d'air n'ont pas toujours des caractéristiques aussi tranchées que celles que nous venons d'énoncer. Il n'y a d'ailleurs pas une seule et unique masse d'air polaire, ou une seule masse d'air tropical, mais de très nombreuses variétés de masses d'air d'origine polaire ou tropicale, qui évoluent, circulent à des vitesses plus ou moins grandes, se réchauffent ou se refroidissent, s'humidifient ou se dessèchent, deviennent plus ou moins stables, au gré de leurs périples. Le fait essentiel, déjà noté, est que deux masses d'air de température différente, donc de densité différente, lorsqu'elles se rencontrent ne se mélangent pas : elles s'affrontent. La zone dans laquelle a lieu cet affrontement est nommé **surface frontale,** sa trace au sol est appelée **front.**

Les principaux fronts sont :

— le front arctique, séparant les masses d'air arctique des masses d'air polaire;

— le front polaire, séparant les masses d'air polaire des masses d'air tropical;

— le front intertropical, zone de convergence des vents des deux hémisphères.

Nous aurons de sérieuses raisons de reparler du front polaire, au prochain chapitre.

Le vent

Au cours de cette étude du comportement de l'air en mouvement et des différentes masses d'air qui voyagent sur le globe, nous avons signalé au passage la présence du vent, expliqué quelques-unes de ses manifestations locales. Le moment est venu, désormais, de reprendre la question sur un plan général : qu'est-ce que le vent ? Pourquoi souffle-t-il dans telle ou telle direction ? Pourquoi est-il plus ou moins violent ?

Pour répondre, il faut tout d'abord reconsidérer la notion de pression atmosphérique, que nous avons tout juste évoquée à propos du phénomène de détente. Il est clair désormais que cette notion de pression atmosphérique est liée à la notion de température : l'air froid étant plus lourd que l'air chaud, le poids d'une colonne d'air en un endroit donné dépend de la température de cet air lui-même. A ce facteur thermique s'ajoutent des facteurs dynamiques : rotation terrestre, mouvements des masses d'air. On constate en tout cas que la pression peut varier sensiblement, d'une heure à l'autre, en un même endroit. On conçoit aisément qu'elle soit également variable d'un point à un autre.

La comparaison des pressions relevées en différents points du globe est une des clefs de la météorologie. Pour effectuer cette comparaison, on ramène d'abord toutes les mesures à un même niveau de référence, qui est le niveau de la mer; on porte ensuite les résultats obtenus sur des cartes, et l'on relie entre eux tous les points du globe où la pression s'avère être la même. Ainsi apparaissent des lignes d'égale pression, que l'on nomme **isobares.** Tracées habituellement de 5 en 5 millibars, les isobares révèlent en quelque sorte le relief de l'atmosphère, de même que les lignes de niveau des cartes d'état-major révèlent le relief terrestre, et les lignes de sonde des cartes maritimes le relief sous-marin.

Le tracé des isobares fait en général apparaître sur les cartes un certain nombre de « figures » — dites **figures isobariques** — qui correspondent à des mouvements caractéristiques du relief aérien. On peut remarquer en particulier qu'en certains endroits les isobares sont circulaires et s'emboîtent plus ou moins régulièrement les unes dans les autres. Lorsque la cote des isobares diminue à mesure que l'on se rapproche du centre de la figure, on est en présence d'une « cuvette », d'une **zone de basses pressions,** ou **dépression.** Au contraire, lorsque la cote des isobares augmente à mesure que l'on se rapproche du centre, on a affaire à une « colline », à une **zone de hautes pressions,** ou **anticyclone.**

D'autres figures apparaissent encore :

— des vallées, prolongeant les dépressions entre des zones de hautes pressions : ce sont des **talweg;**

— des promontoires, prolongeant les anticyclones jusque dans le champ dépressionnaire : ce sont des **dorsales;**

— des zones de pression relativement basse reliant deux dépressions : ce sont des **cols;**

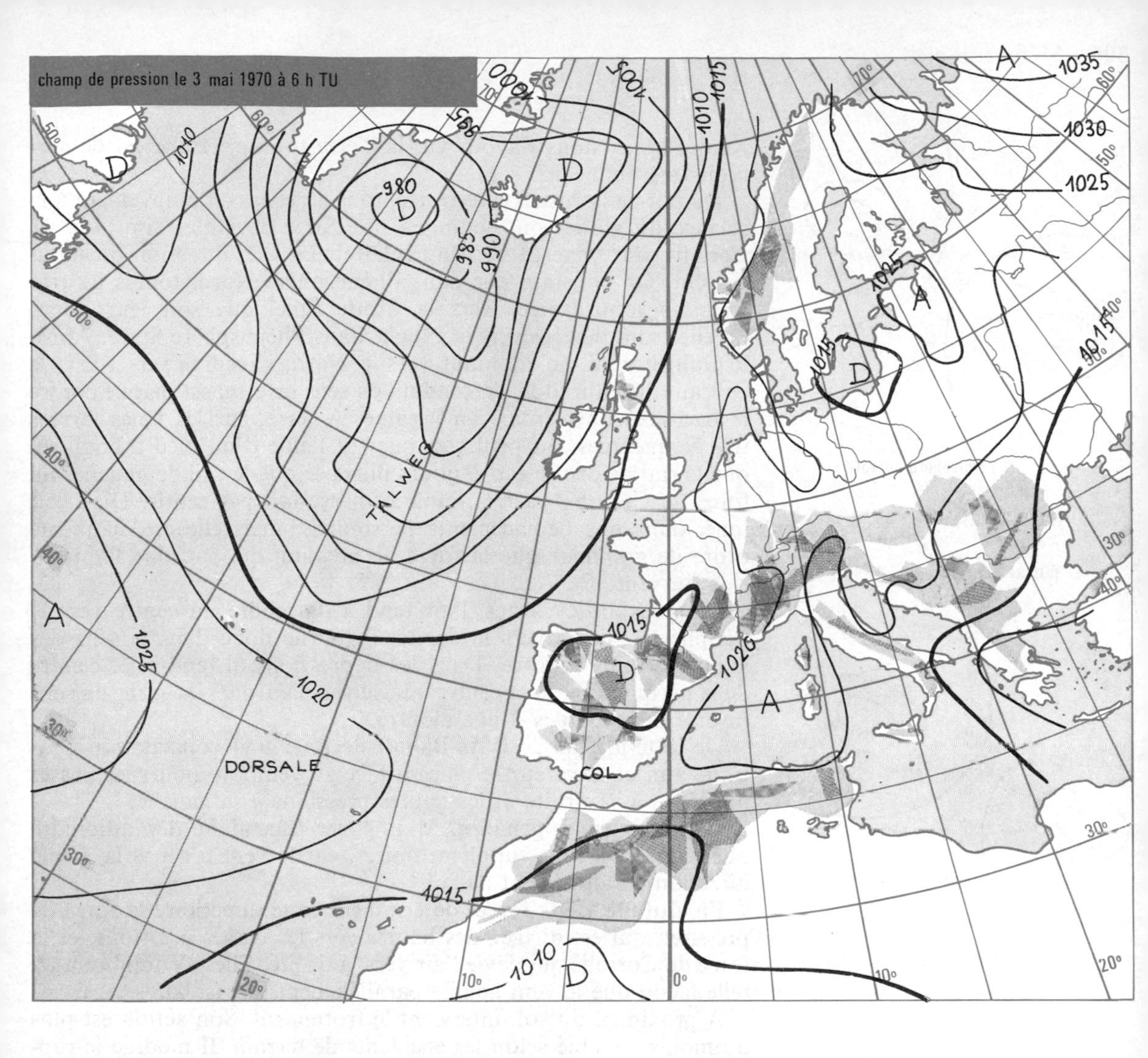

— enfin des zones où le relief est peu accentué, la pression peu différente de la pression moyenne, et qu'on nomme : **marais barométriques.**

Le vent est en rapport direct avec ce relief atmosphérique. On aimerait en donner une définition très simple : le vent est un déplacement d'air des hautes vers les basses pressions; c'est l'air qui s'échappe du pneu; c'est un ballon dévalant la pente d'une colline. Malheureusement, ce n'est que partiellement exact.

Direction du vent.

Un ballon, lâché au sommet d'une colline, roule dans le sens de la plus grande pente. On pourrait penser qu'il en est de même pour l'air; autrement dit, que la direction du vent est perpendiculaire aux isobares. C'est probablement ce qui se passerait si la Terre était immobile, et si c'était une boule parfaitement lisse et

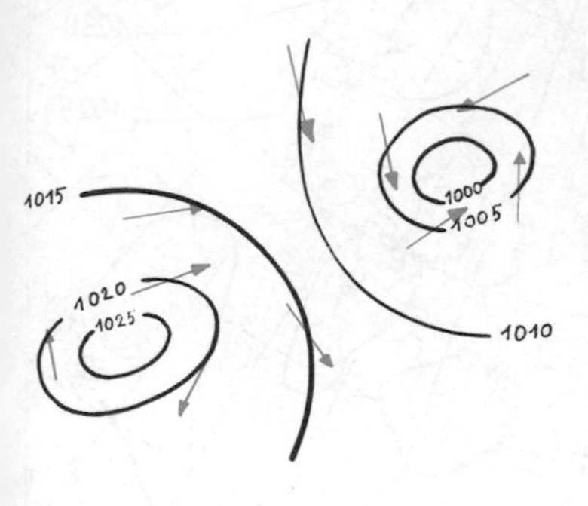

hémisphère boréal

Loi de Buys-Ballot.

hémisphère austral

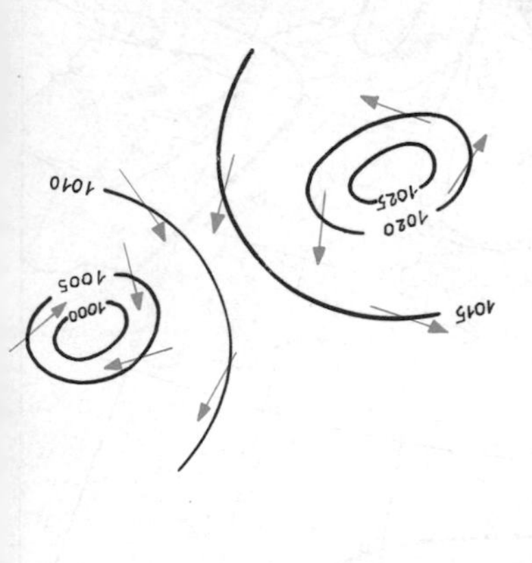

ronde. Mais, nous l'avons vu, la Terre tourne, et elle est de surcroît très abîmée.

Du fait de la rotation terrestre, tous les corps en mouvement à la surface du globe sont soumis à une force déviante, dite **force de Coriolis,** qui s'exerce perpendiculairement à la direction du mouvement. On constate que dans l'hémisphère Nord, toutes les trajectoires sont déviées vers la droite (quel que soit leur sens); qu'elles sont déviées vers la gauche dans l'hémisphère Sud [1]. Ainsi, le Gulf Stream, en montant vers le Nord, s'incurve vers l'Est; le courant du Labrador, descendant en sens inverse, est plaqué contre la barrière continentale américaine. A terre, sur les voies ferrées très fréquentées, on peut constater (à l'aide d'un pied à coulisse) que le rail de droite est toujours plus usé que le rail de gauche. La force de Coriolis est très faible et ne se fait pas sentir, Dieu soit loué, dans nos déplacements personnels, mais elle est du même ordre de grandeur que la force de pression qui entraîne l'apparition du vent.

Dans les anticyclones, l'air tend à descendre du centre vers la périphérie : dévié vers la droite, il tourne donc dans le sens des aiguilles d'une montre. Dans les dépressions, il tend à descendre de la périphérie vers le centre : dévié vers la droite, il tourne en sens inverse des aiguilles d'une montre.

De cette loi **(loi de Buys-Ballot)** découle une constatation pratique : un observateur se plaçant face au vent a toujours les basses pressions à sa droite et les hautes pressions à sa gauche.

C'est le grand principe. Il importe cependant d'y adjoindre quelques précisions supplémentaires, car le vent n'a pas la même direction en altitude et au sol.

En altitude, deux forces déterminent cette direction : la force de pression, qui est dirigée des hautes vers les basses pressions, et la force de Coriolis qui dévie l'air vers la droite. Elles s'équilibrent de telle façon que le vent souffle parallèlement aux isobares.

A proximité du sol, intervient le frottement. Son action est plus ou moins sensible selon les accidents de terrain. Il modifie le rapport des forces de telle sorte que l'air, au sol, est moins dévié vers la droite qu'en altitude. On peut dès lors remarquer que le vent a tendance à « sortir » des anticyclones, et à « rentrer » dans les dépressions. Sur mer, l'angle qu'il fait avec les isobares est en moyenne de l'ordre de 30°.

La différence de direction entre vent en altitude et vent au sol explique un phénomène que l'on peut souvent observer en mer, dans un temps à grains. L'observateur, placé vent debout, et qui voit un grain venir droit devant, constate finalement que ce grain passe à sa gauche. C'est le grain approchant un peu sur la droite dont il convient de se méfier.

M. Buys-Ballot.

1. Cette donnée est fondamentale, et l'on peut préciser une fois pour toutes que tous les mouvements atmosphériques s'effectuent, dans l'hémisphère Sud, en sens inverse de l'hémisphère Nord. Nous ne parlerons ici que de l'hémisphère Nord. De toute façon le lecteur qui s'aventure dans les mers du Sud lira ce chapitre la tête en bas.

Supposons que le vent est constant, c'est-à-dire que les particules d'air sont animées d'un mouvement continu. Dans ce cas, les forces qui s'exercent sur ces particules sont en équilibre.

1. **Vent en altitude (plus de 2 000 m), isobares rectilignes.** Pour qu'il y ait équilibre des forces, Cr (force de Coriolis) qui est perpendiculaire au vent doit être égale et opposée à P (force de pression) qui est perpendiculaire aux isobares et fonction de leur écartement. Ce vent est le **vent géostrophique;** son échelle figure sur les cartes météo et permet d'évaluer la vitesse du vent au sol.

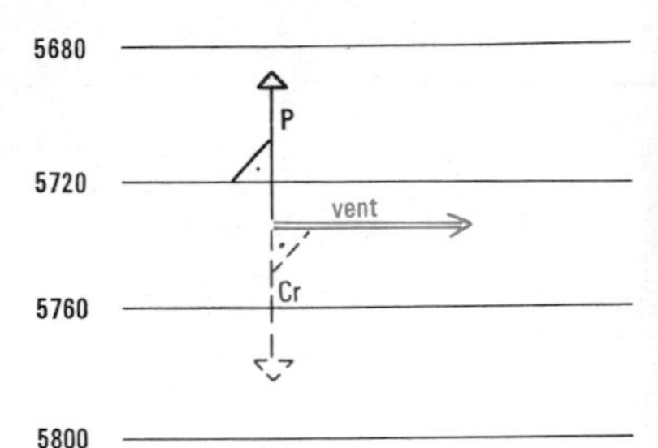

2. **Vent en altitude, isobares curvilignes.** Pour qu'il y ait équilibre des forces, Cr qui est perpendiculaire au vent doit être égale :
à P + C (force centrifuge) dans un anticyclone;
à P — C dans une dépression.
P est perpendiculaire aux isobares. C est perpendiculaire au vent, donc parallèle à P; concourante à P dans un anticyclone, opposée à P dans une dépression. Ce vent est dit : **vent du gradient.**

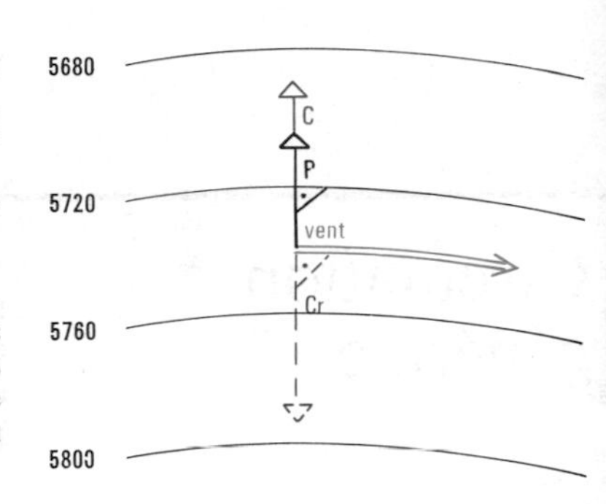

3. **Vent au sol, isobares rectilignes.** Les trois forces doivent s'équilibrer. P est perpendiculaire aux isobares. Cr est perpendiculaire au vent. F (force de frottement) est opposée au vent (ou perpendiculaire à Cr). Plus F est grande, plus le vent se rapproche de la direction de P. Ce vent est égal à environ 0,8 × le vent géostrophique.

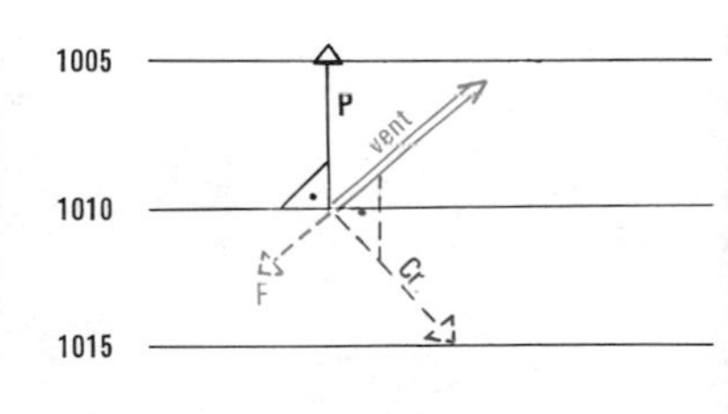

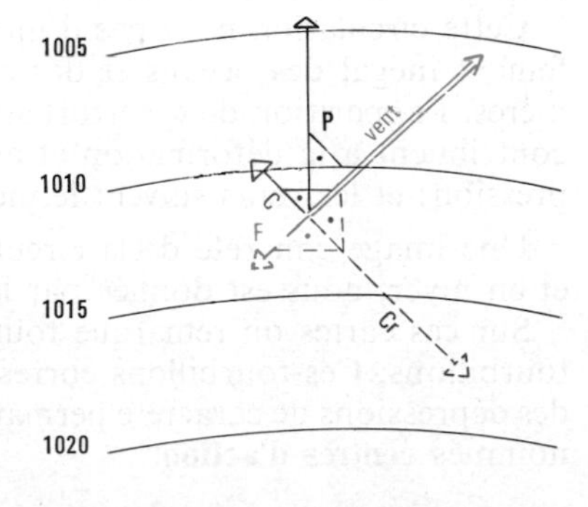

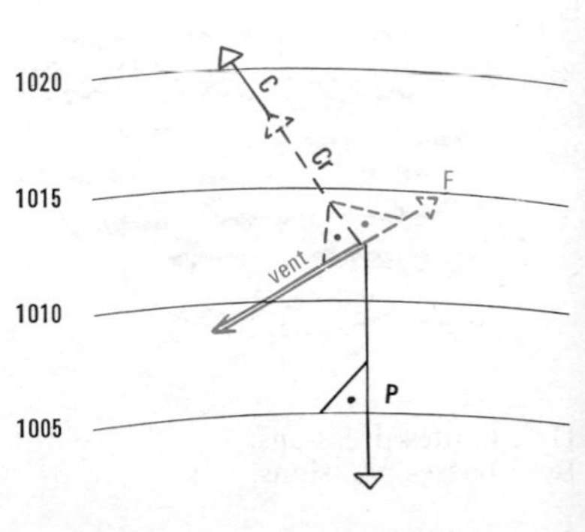

4-5. **Vent au sol, isobares curvilignes.** Les quatres forces doivent s'équilibrer. P est perpendiculaire aux isobares. Cr est perpendiculaire au vent. C est perpendiculaire au vent. F est opposée au vent (ou perpendiculaire à Cr). Ce vent est égal à 0,8 × le vent géostrophique.

Vitesse du vent.

La vitesse du vent est en relation simple avec le **gradient de pression,** représenté sur les cartes par l'écartement des isobares. Plus les isobares sont rapprochées, plus la pente est raide, plus le vent est fort. A nos latitudes, des isobares espacées de 100 km indiquent des vents d'environ 100 km à l'heure.

On peut remarquer que dans les anticyclones, les isobares sont généralement assez espacées : les vents y sont faibles. Autour des dépressions au contraire, les isobares sont souvent très serrées et indiquent donc des vents violents.

Notons enfin qu'en raison du frottement, le vent au sol est nettement moins fort qu'en altitude. A quelques mètres de hauteur, la différence est déjà sensible (de l'ordre de 10 % dans les dix premiers mètres). Elle le devient de plus en plus à mesure que l'on s'élève.

Circulation générale

Les cartes isobariques moyennes, celles qui donnent la répartition moyenne des pressions à la surface du globe, en hiver et en été, permettent de constater entre l'équateur et les pôles, et ceci dans les deux hémisphères, une alternance des zones de hautes pressions et des zones de basses pressions :

— basses pressions à l'équateur;
— hautes pressions sous les tropiques;
— basses pressions dans les régions tempérées;
— hautes pressions aux pôles.

En appliquant la règle de Buys-Ballot, il est aisé de comprendre désormais que les vents moyens au sol soient d'Est et d'Ouest, et que l'on trouve :

— des vents dominants d'Est dans les régions tropicales (les **alizés**);
— des vents dominants d'Ouest dans les régions tempérées;
— des vents dominants d'Est dans les régions polaires.

Notons en plus deux zones de calme : à l'équateur (région où le gradient de pression est faible; c'est le « Pot au noir ») et sous les tropiques (zones de hautes pressions paisibles et ensoleillées).

Cette circulation n'est pas d'une régularité absolue. Le réchauffement inégal des océans et des continents, les variations saisonnières, l'apparition de « perturbations » dans les zones tempérées, contribuent à la déformation et au morcellement des ceintures de pression; et les vents suivent le mouvement.

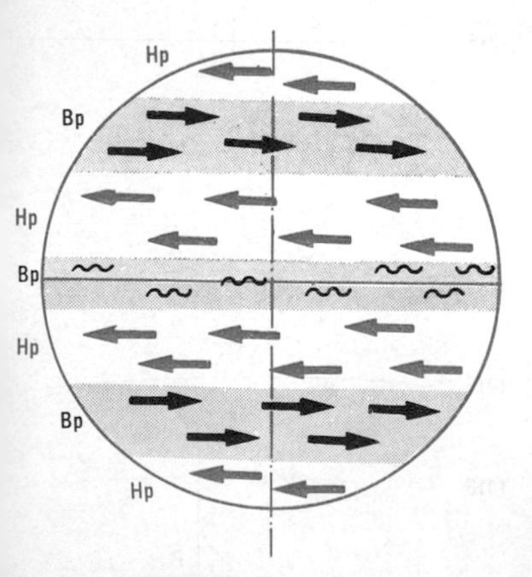

Hp : hautes pressions.
Bp : basses pressions.

Une image concrète de la circulation générale moyenne, en été et en hiver, nous est donnée par les cartes ci-contre.

Sur ces cartes on remarque tout d'abord un certain nombre de tourbillons. Ces tourbillons correspondent à des anticyclones et à des dépressions de caractère permanent ou semi-permanent qui sont nommés **centres d'action.**

A. Vents moyens et centres d'action en juillet.

B. Vents moyens et centres d'action en janvier.

— Les grands tourbillons qui apparaissent sur le Pacifique et sur l'Atlantique (et dont la répartition est d'ailleurs d'une symétrie impressionnante) sont des anticyclones, d'origine dynamique : ils sont un effet de la rotation de la terre. D'une saison à l'autre, ils ne font que se décaler légèrement et leur configuration ne change pas. Ce sont des centres d'action **permanents.** L'anticyclone de l'Atlantique Nord, celui qui nous intéresse plus particulièrement, est nommé **anticyclone des Açores;** c'est lui qui dirige les masses d'air tropical maritime vers nos latitudes.

— Plus difficiles à distinguer, mais non moins importantes sont les dépressions situées entre 60° et 70° de latitude Nord, entre les vents d'Est de la calotte polaire et les vents d'Ouest des régions tempérées : au nord des Aléoutiennes, à l'ouest du Groenland, au sud de l'Islande. Ce sont également des centres d'action permanents, d'origine dynamique. On peut remarquer d'ailleurs combien anticyclones et dépressions sont liés : la dépression des Aléoutiennes est située au nord-est de l'anticyclone du Pacifique Nord, la dépression d'Islande au nord-est de l'anticyclone des Açores. On peut remarquer aussi que cette dépression d'Islande est nettement plus marquée en hiver qu'en été. Beaucoup de plaisanciers arguent de ce fait pour rester chez eux durant cette période de l'année.

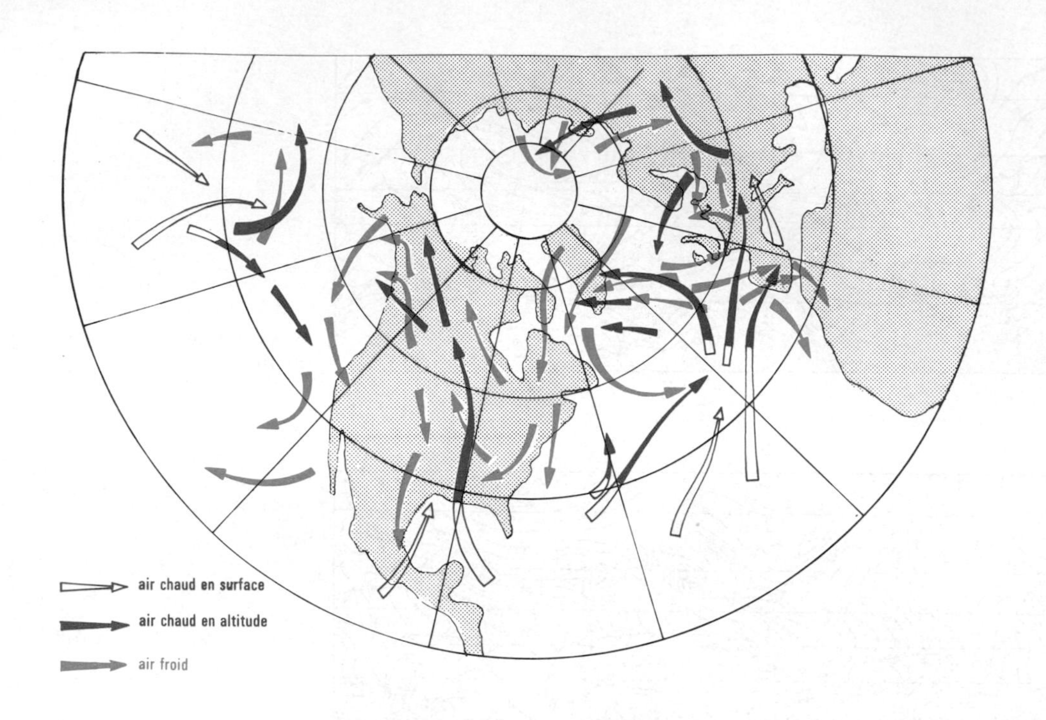

Exemple de circulation générale des masses d'air entre les tropiques et les régions polaires (7 mai 1933).

— Sur les continents, des modifications beaucoup plus nettes surviennent, d'une saison à l'autre. Elles sont liées aux variations de température importantes auxquelles le sol est soumis. Le cas du continent asiatique est particulièrement remarquable. En hiver, le sol se refroidissant, les hautes pressions s'établissent, un anticyclone apparaît : les vents divergent vers les océans. En été, le sol est surchauffé, l'anticyclone est remplacé par une vaste zone dépressionnaire : les vents convergent des océans vers l'intérieur, c'est la saison des pluies. Ce phénomène est bien connu sous le nom de **mousson.** Les anticyclones et les dépressions qui se forment ainsi sur les continents ont donc une origine thermique. Ce sont des **centres d'action saisonniers.** L'anticyclone eurasien est de ce type.

Cette image de la circulation générale n'apporte, hélas, aucun éclaircissement sur la façon dont s'effectuent les transferts de chaleur entre l'équateur et les pôles. En réalité, cette explication reste à trouver. L'examen des cartes synoptiques (c'est-à-dire des cartes qui donnent une « vue d'ensemble ») montre que des masses d'air se détachent de temps à autre de la calotte polaire et font route vers l'équateur. En compensation de ce mouvement, des masses d'air chaud quittent l'équateur en direction du Nord. La force de Coriolis déviant tous les mouvements vers la droite, il est probable que ni les unes ni les autres ne peuvent aller jusqu'au bout, et que le transfert de chaleur s'effectue par étapes. Une masse d'air équatorial, par exemple, arrivant à la latitude 45°, continue à subir l'action de la force de Coriolis, et tend donc à redescendre vers le Sud. Mais au sommet de sa courbe, cette masse d'air s'est refroidie; elle est donc à même de refroidir à son retour les régions dont elle est originaire. Le même processus se répéterait de place en place. Cela se passe peut-être ainsi, peut-être autrement.

Sans doute les perturbations qui interviennent dans ces grands mouvements — dépressions extra-tropicales, cyclones tropicaux, trombes, orages, tornades... — jouent-elles aussi un rôle dans l'établissement de l'équilibre thermique de la planète, mais il n'est guère possible de préciser ce rôle avec exactitude. Il subsiste encore bien d'autres inconnues.

Le vent et la mer

La ressemblance entre la circulation générale de l'atmosphère et la circulation dans les océans est très remarquable. Ceci n'est d'ailleurs pas vraiment surprenant puisque les mouvements aériens et les mouvements marins ont, pour l'essentiel, les mêmes causes. Nous avons déjà signalé au début de ce chapitre l'existence de ces grands courants océaniques qui contribuent à assurer les échanges thermiques entre l'équateur et les pôles. L'examen d'une carte des courants généraux permet de constater que la ressemblance va très loin. Le sens de rotation du Gulf Stream correspond précisément au sens de rotation des vents autour de l'anticyclone des Açores. Des courants froids, le Labrador ou le courant des Aléoutiennes, correspondent aux descentes d'air froid venant des pôles. En certains endroits, des courants saisonniers s'établissent au rythme même des moussons.

A ces courants dits de **densité,** s'ajoutent des courants de **dérive,** provoqués par le vent, et obéissant à des lois qui sont tout à fait identiques à celles qui régissent le vent lui-même.

En somme, il serait possible ici de reprendre tous les points essentiels de l'analyse précédente pour décrire la circulation océanique. Reconnaissons toutefois que cela n'aurait guère de portée pratique pour nous. Nous avons des raisons de nous intéresser aux grandes migrations atmosphériques, parce qu'elles nous courent après et font notre temps quotidien; mais nous, nous ne courons en général que sur un tout petit morceau de mer, et la connaissance des courants d'ensemble n'a pas d'importance immédiate pour la croisière que nous ferons demain.

Ce qui nous importe en revanche énormément, c'est un point particulier des rapports entre l'atmosphère et les océans : la manière dont se rencontrent le vent et la mer à l'endroit où nous naviguons et dans les alentours, ce qui se passe à la limite de ces deux éléments, surtout quand le vent est un peu fort.

Les vagues.

Lorsque le vent souffle sur une mer calme, le frottement de l'air crée de petites rides sur l'eau. Celles-ci peuvent être très fugitives. Mais si le vent insiste un peu, des ondulations, des vaguelettes se forment, puis des vagues, qui courent sur l'eau dans le sens du vent.

Avec moins de brutalité, le vent a le même effet sur la mer qu'un pavé dans une mare : il y fait naître des trains d'ondes, et il importe de remarquer que ce sont ces ondes qui se déplacent, et non pas l'eau elle-même. Les particules liquides se contentent d'accomplir sur place, au passage de chaque ondulation, un mouvement orbital, mouvement dont on peut se faire une idée en regardant un bouchon se balancer au gré des flots : lorsque la vague arrive, le bouchon s'élève sur la pente et part un peu en avant; puis, la crête passée, il descend et repart en arrière pour se retrouver finalement à peu près à son point de départ. On ressent d'ailleurs quelque chose de ce mouvement à bord d'un bateau courant dans le sens des vagues, lorsque celles-ci sont suffisamment importantes : le bateau accélère sur l'avant de la vague, puis semble nettement freiné à l'arrière de celle-ci.

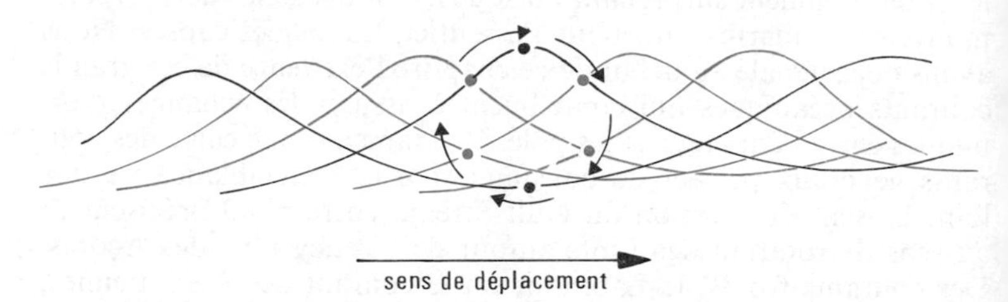

En dépit des apparences, l'eau ne se déplace pas : le bouchon retrouve sa place par rapport au fond après le passage de la vague.

Les vagues ne correspondent donc pas à ce déplacement horizontal de l'eau que l'œil a tendance à imaginer.

Une vague peut être définie tout d'abord par ses dimensions : sa **hauteur,** c'est-à-dire la distance verticale entre le sommet de la crête et le fond du creux; sa **longueur,** c'est-à-dire la distance entre deux creux ou entre deux crêtes (on peut parler, très exactement, de longueur d'onde). Le rapport entre la hauteur et la longueur caractérise sa **cambrure.** Une vague est toujours beaucoup plus longue que haute; sa cambrure devient critique lorsque le rapport entre la hauteur et la longueur est de l'ordre de 1/13. Si la hauteur augmente encore, la vague se casse, elle **déferle ;** cette fois il y a réellement déplacement d'eau dans le sens horizontal.

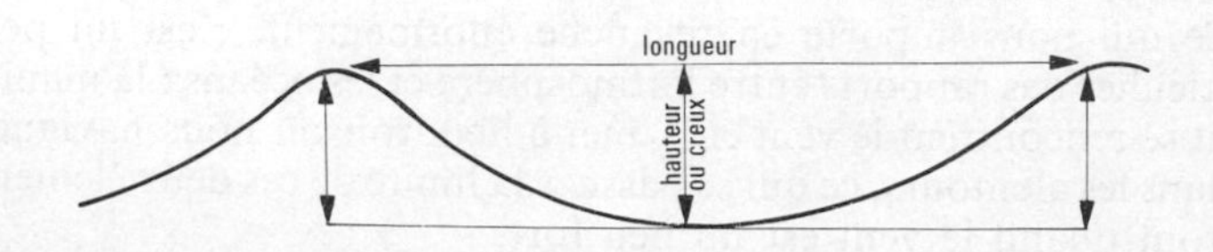

Une vague est également définie par la **profondeur** jusqu'à laquelle son mouvement se fait sentir. On considère que cette profondeur est égale à la longueur de la vague, mais pratiquement le mouvement se trouve déjà très atténué à une profondeur égale au 1/9 de cette longueur.

La vague, enfin, se déplace. Elle fait partie d'un système de vagues, qui a son rythme propre, caractérisé par sa **période,** c'est-à-dire le temps qui s'écoule entre le passage de deux crêtes en un point donné, et par sa **célérité,** c'est-à-dire la distance parcourue par une vague en un temps donné.

Il existe évidemment une relation directe entre la longueur des vagues et les caractéristiques du système de vagues. Cette longueur (L) est égale au produit de la période (T) par la célérité (C) : L = T C.

Ces définitions sont un peu sèches (c'est bien tout ce qu'il y a de sec dans cette affaire), mais on va les voir s'animer dans la description (schématique) des principaux aspects que peut prendre la mer à l'endroit où l'on se trouve.

On parle de **mer du vent** pour qualifier le ou les systèmes de vagues qui se forment sur place, sous l'action du vent actuel. On parle de **houle,** lorsqu'on voit apparaître au contraire des vagues qui viennent de loin et qui résultent d'un vent qui a soufflé (ou souffle encore) ailleurs.

La mer du vent.

Supposons donc que le vent commence à souffler, sur une mer calme, à l'endroit où l'on se trouve. L'importance des vagues qui vont se former dépend de trois facteurs :

— la force du vent,

— la durée de son action,

— le **fetch,** c'est-à-dire la distance sur laquelle le vent peut exercer cette action sans rencontrer d'obstacle, ou sans changer lui-même de direction.

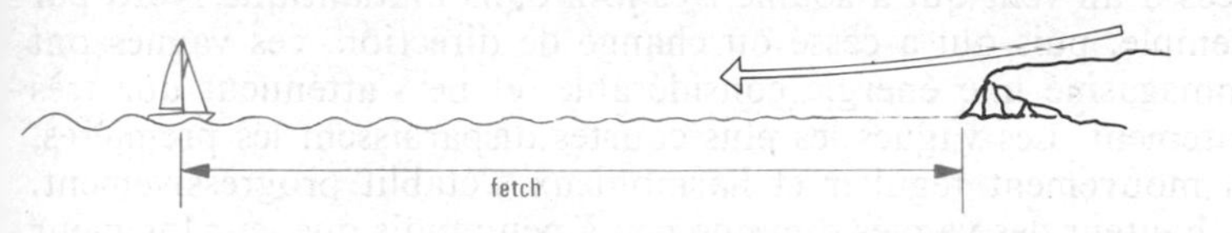

Les vagues qui se forment commencent à prendre de la hauteur. Elles sont tout d'abord fortement cambrées (elles sont jeunes) car leur célérité est encore faible par rapport à la vitesse du vent. Si le vent persiste, elles s'allongent peu à peu; hauteur, longueur, période, célérité augmentent progressivement pour atteindre finalement un maximum, qui est fonction de la force du vent. Celui-ci peut alors continuer à souffler pendant des jours et des jours, s'il ne change pas de force les caractéristiques des vagues qu'il a créées ne changent plus.

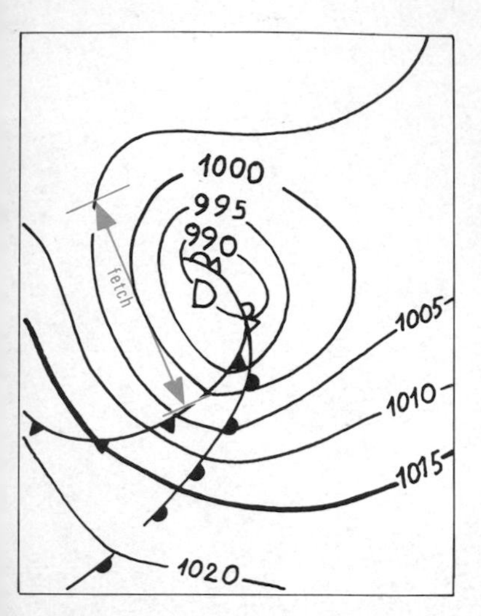

Distance sur laquelle le vent souffle dans la même direction, le fetch peut être mobile.

Si le fetch est trop court toutefois, les vagues ne peuvent atteindre leur forme optimum. Lorsque les premières vagues nées à l'endroit où le vent s'est mis à souffler atteignent le bout du fetch (la côte par exemple), un équilibre s'établit. Ici encore, le temps pendant lequel le vent continue à agir n'intervient plus, si ce vent conserve la même force. On conçoit facilement que plus le fetch est court, moins les vagues ont la possibilité de prendre de l'ampleur. Il n'en résulte pas que la navigation soit forcément plus agréable dans une petite mer fermée qu'au large : les vagues ne peuvent s'allonger, elles sont courtes, abruptes et le bateau y fatigue plus que dans une mer bien formée.

Il faut remarquer d'autre part que le vent n'est jamais parfaitement régulier ni en force ni en direction, si bien que l'aspect de la mer du vent n'est jamais très homogène : il y a des vagues plus courtes que d'autres, et plus ou moins de travers. Lorsque le vent change franchement de direction, le premier système de vagues ne s'atténue que lentement, un autre système apparaît, qui se combine à lui; des vagues d'âge différent se rencontrent, s'enchevêtrent. La mer du vent présente alors un aspect assez chaotique et n'hésite pas à sauter sur le pont des bateaux.

La houle.

Parfois, au milieu du chaos de la mer du vent, on peut distinguer une pulsation plus lente, plus ample qui se propage dans une direction souvent très différente de celle du vent actuel et semble douée d'une vie autonome : c'est la houle qui survient. Certains jours de calme, cette houle apparaît dans toute sa splendeur : la mer est lisse et parcourue d'ondulations immenses et régulières, qui peuvent être très hautes mais qui sont surtout très allongées, espacées parfois de deux ou trois cents mètres.

Les vagues deviennent de la houle à partir du moment où elles sortent du champ d'action du vent qui les a fait naître — pour parler plus savamment : lorsqu'elles quittent leur aire génératrice. Nées d'un vent qui a soufflé très loin dans l'Atlantique Nord par exemple, puis qui a cessé ou changé de direction, ces vagues ont emmagasiné une énergie considérable, et ne s'atténuent que très lentement. Les vagues les plus courtes disparaissent les premières, un mouvement régulier et harmonieux s'établit progressivement. La hauteur des vagues diminue peu à peu tandis que leur longueur augmente.

La houle ainsi formée peut parcourir des centaines, voire des milliers de milles. Elle persiste d'autant plus que la longueur des vagues est grande. On la voit ainsi arriver parfois sur nos côtes, alors que le temps est beau, le vent léger ou nul, le soleil éclatant. Elle blanchit les rochers du littoral — « la mer travaille », dit-on — et l'on peut être sûr que quelque part au large le vent a soufflé très fort, la veille ou l'avant-veille. D'après la hauteur et la période des vagues, on peut même se livrer à des estimations approximatives sur la force de ce vent et sur la distance à laquelle il a soufflé.

Cette houle est parfois annonciatrice du mauvais temps. En effet, les vagues elles-mêmes peuvent aller plus vite que le vent qui les fait naître : le vent agit sur les particules liquides, dont le mouvement orbital est moins rapide que la célérité du train d'ondes déclenché. Un vent de 10 m/s peut ainsi fort bien entretenir des trains de vagues dont la célérité est de 12 m/s. Cette différence peut se traduire, au bout d'un certain nombre d'heures, par une avance assez considérable des vagues. Bien souvent la houle précède donc les perturbations qui l'ont engendrée. Il est bon d'être sur ses gardes lorsque dans un temps serein on voit le ressac s'établir.

Les vagues et les obstacles.

L'état de la mer peut varier considérablement en fonction des obstacles que les vagues rencontrent sur leur chemin. L'une de ces modifications les plus spectaculaires survient lorsque les vagues (et le vent qui les pousse) se heurtent à un courant contraire. Elles se trouvent alors freinées, étranglées en quelque sorte entre le vent et le courant : leur longueur diminue, leur hauteur augmente; leur cambrure devient parfois excessive, elles se brisent et déferlent. Lorsque le courant s'oppose au vent, on a donc souvent une mer hachée, très abrupte et qui peut être dangereuse. En revanche, lorsque le courant et le vent vont dans le même sens les vagues s'allongent, s'arrondissent : le déferlement n'est généralement pas à craindre.

Les vagues se modifient également en fonction du profil des fonds sous-marins. En certains endroits où les fonds remontent brusquement, elles se trouvent soudain freinées; comme dans le cas d'un courant contraire, leur hauteur augmente, elles se brisent et déferlent. Ce sont les **brisants** caractéristiques des hauts-fonds. Les régions où règne un fort courant étant souvent des régions de hauts-fonds (les raz, par exemple), on comprend que l'on puisse y trouver parfois des mers mémorables.

Aux abords de la côte, d'autres phénomènes peuvent apparaître. En certaines régions, la remontée des fonds n'est pas progressive, mais brutale; on constate alors que les vagues déferlent toutes au même endroit et constituent ce que l'on appelle une **barre.** Devant certaines côtes, cette barre peut s'établir sur une grande longueur. Elle peut être aussi très localisée, se former à l'entrée d'un estuaire où l'accumulation des sédiments transportés par la rivière constitue un véritable seuil sous-marin que les vagues ne peuvent franchir sans se briser : les barres qui ferment l'entrée de la rivière d'Etel ou de l'Adour en sont des exemples.

Il faut encore remarquer que les ondes de la houle peuvent subir des déformations importantes lorsqu'elles abordent une île, ou une pointe. On observe alors des phénomènes de « diffraction » (remarquablement mis en évidence par les photos aériennes), tout à fait analogues à ceux qui peuvent affecter les ondes acoustiques et lumineuses. La houle passe de part et d'autre de l'île et se reforme derrière, l'interférence des deux trains de houle ainsi créés engendrant souvent une mer confuse à quelque distance. Abordant un cap, ou une simple jetée, la houle les contourne, et souvent vient rendre précaire un abri que l'on croyait sûr...

Mais enfin toutes les vagues finissent par mourir. Lorsqu'elles arrivent en eau peu profonde, le mouvement des particules d'eau prend une forme elliptique, s'aplatit. Freinées par le fond, les vagues ralentissent, reprennent de la hauteur : au dernier moment tout se passe comme si le creux antérieur de la vague, se trouvant en eau moins profonde que le creux postérieur, allait moins vite que celui-ci; il se trouve alors dépassé par la crête, qui s'écroule à grands fracas.

La « profondeur » des vagues étant fonction de leur longueur, les plus longues vagues — c'est-à-dire les plus anciennes — sentent le fond très tôt et peuvent grossir énormément avant d'atteindre le bord. Ce sont les houles les plus longues et les plus lentes qui donnent les plus forts ressacs. Le spectacle est souvent somptueux de ces vagues qui se dressent à la verticale, parfois sous un soleil éclatant, acquérant une nouvelle jeunesse et se parant de mille feux au moment de mourir. Sur des côtes à très faible pente, il leur arrive de progresser longtemps en restant à la limite du déferlement. C'est alors que debout sur une simple planche, en équilibre sur la crête de la vague, on peut connaître quelques instants d'une gloire inouïe avant de venir s'échouer dans un grand poudroiement d'écume sur le sable chaud.

17. Le temps qu'il fait

Les principaux phénomènes atmosphériques ayant été expliqués vaille que vaille au chapitre précédent, il s'agit maintenant de voir comment ils s'organisent concrètement pour nous, navigateurs à voile; quel temps en résulte dans les régions que nous parcourons habituellement, c'est-à-dire le proche Atlantique et la Manche d'une part, la Méditerranée occidentale d'autre part.

Parler du temps qu'il fait, en moyenne, dans une région déterminée, est une entreprise sans doute plus périlleuse que de décrire l'atmosphère. On peut schématiser les grands mouvements d'ensemble sans déclencher la foudre, mais il est hasardeux de vouloir établir des catégories dans le temps quotidien. Pour ne pas nous égarer, nous nous attacherons ici, en tout premier lieu, à ce que l'on voit. L'approche du temps océanique, en particulier, peut être effectuée valablement, nous semble-t-il, par l'intermédiaire des ciels très caractéristiques que l'on y rencontre. La notion de « type de ciel », notion qui peut paraître hasardeuse car le ciel est bien le paysage le plus changeant du monde, est intéressante dans la mesure même où elle exige que l'on apporte toutes sortes de nuances à ce que l'on dit. Elle permet également de mettre en évidence (tout en laissant place à l'imprévu), les principaux « types de temps » qui apparaissent d'un bout de l'année à l'autre, du moins dans les régions atlantiques. Pour la Méditerranée, de tels schémas sont beaucoup moins valables. Il faudra tenir compte de toutes sortes de particularités, et accepter des analyses moins systématiques.

Dieu merci, nous n'en sommes pas encore à « frapper les cieux d'alignement » comme le fait « la bande au professeur Nimbus » dans une célèbre chanson de Georges Brassens. Et si nous nous risquons à parler, à la fin du chapitre, non plus du temps qu'il fait mais du temps qu'il fera, c'est essentiellement pour offrir au lecteur les premiers éléments d'une recherche, qui par définition n'est jamais close.

Le temps océanique

La région du proche Atlantique est une zone de rencontres, d'échanges, de passages, dotée d'un ciel changeant, et parcourue de lumières subtiles. Le temps y paraît très divers. Cependant il semble possible d'en proposer tout d'abord une image d'ensemble assez simple — quitte à la nuancer par la suite.

Le temps sur cette région est régi essentiellement par les grands centres d'action que sont l'anticyclone des Açores et la zone dépressionnaire d'Islande; leur position et leur importance respectives déterminent la hauteur à laquelle se rencontrent les masses d'air polaire et les masses d'air tropical, c'est-à-dire la hauteur du front polaire.

En hiver, l'anticyclone est bas en latitude; il ne dépasse guère le 40e parallèle. La zone dépressionnaire d'Islande gagne vers le Sud. Le front polaire est situé à nos latitudes. L'affrontement des masses d'air y crée des perturbations qui, emportées dans le courant général Ouest-Est des régions tempérées, atteignent fréquemment les Iles britanniques et la France. On parle alors de **régime perturbé d'Ouest.**

En été, l'anticyclone des Açores s'étend vers le Nord, la zone dépressionnaire d'Islande est très haute en latitude. Les perturbations du front polaire sont rejetées au-delà du 60e parallèle, elles défilent du Groenland à la Scandinavie sans nous atteindre. On est alors en **régime anticyclonique.**

Bien entendu, ce schéma admet toutes sortes de variables, et qui ne concernent pas seulement le printemps et l'automne. Il ne fait pas toujours beau en été! L'anticyclone des Açores, généralement solide sur son versant ouest, est plus fragile sur son versant est : celui-ci s'effondre périodiquement, livrant passage aux perturbations. Il arrive aussi que certains étés, pour des raisons d'ailleurs mal connues, l'anticyclone ne monte pas aussi haut que d'habitude. On parle alors d'« été pourri », car le front polaire reste à nos latitudes.

De même, la saison d'hiver n'est pas une perpétuelle tempête d'Ouest : l'anticyclone sibérien s'étend parfois jusqu'à nos régions, contraignant les perturbations à infléchir leur route vers le Sud ou vers le Nord, et apportant un beau temps sec et froid.

A travers ces quelques données très générales apparaît en tout cas une première grande distinction, dont la portée pratique ne saurait échapper à personne : le temps que l'on constate sur les côtes de l'Atlantique et en Manche est très différent selon que les perturbations du front polaire passent ou non par là. Ces perturbations constituent un phénomène de première importance, que nous allons étudier en premier lieu.

Perturbations du front polaire.

Une masse d'air chaud issue des tropiques contourne l'anticyclone des Açores et se dirige vers le NE. Une masse d'air froid venant des pôles contourne la zone dépressionnaire d'Islande et se dirige vers le SW. Ces deux masses d'air se rencontrent quelque part au large de Terre-Neuve; il s'établit entre elles une surface de discontinuité que l'on nomme **surface frontale** et dont la trace au sol est nommée : **front.**

Cette surface frontale n'est pas obligatoirement perturbée. Lorsque les deux masses d'air ne se déplacent pas à grande vitesse, lorsque leur température, leur degré d'humidité ne forment pas un contraste important, la rencontre peut être paisible.

Parfois la masse d'air chaud tend à repousser la masse d'air froid devant elle. Mais l'air chaud, plus léger que l'air froid, est contraint de s'élever au-dessus de celui-ci. La surface frontale s'incline donc peu à peu vers les pôles jusqu'à devenir presque horizontale (la pente est de l'ordre de 1/100 à 1/1 000). Le front qui en résulte est appelé **front chaud.**

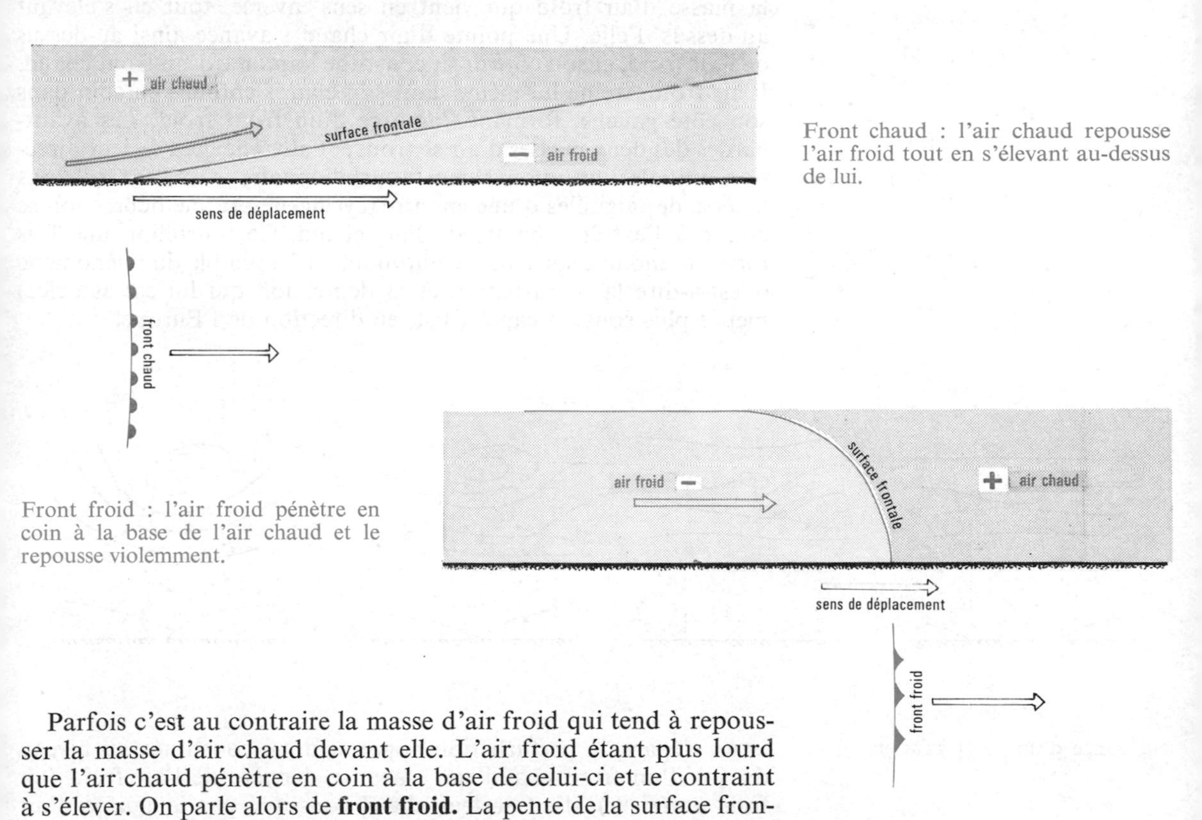

Front chaud : l'air chaud repousse l'air froid tout en s'élevant au-dessus de lui.

Front froid : l'air froid pénètre en coin à la base de l'air chaud et le repousse violemment.

Parfois c'est au contraire la masse d'air froid qui tend à repousser la masse d'air chaud devant elle. L'air froid étant plus lourd que l'air chaud pénètre en coin à la base de celui-ci et le contraint à s'élever. On parle alors de **front froid.** La pente de la surface frontale est, ici aussi, inclinée vers le Nord, mais elle est beaucoup plus raide que dans le cas d'un front chaud (de l'ordre de 1/50).

Lorsque les masses d'air sont peu différenciées, les fronts sont peu actifs. Leur activité est faible dans un autre cas : lorsque le flux d'air froid et le flux d'air chaud sont parallèles ou presque. Le front polaire prend alors alternativement des caractéristiques de front chaud et de front froid, sans qu'il se produise de troubles notables. On dit que ce front est **stationnaire.**

Mais ce genre de situation est rarement durable. La plupart du temps les masses d'air chaud et les masses d'air froid, qui quittent leur lieu de naissance au gré d'impulsions irrégulières, sont animées de vitesses différentes et possèdent des caractéristiques bien tranchées. Elles s'affrontent. La limite du front polaire devient très nette, et c'est alors qu'il y a, à proprement parler, **frontogénèse.** Le front polaire, subissant la poussée des masses d'air, se trouve déformé. Des ondulations y apparaissent, et chacune de ces ondulations est l'amorce d'une perturbation.

L'affrontement des masses d'air.

La masse d'air chaud qui se dirige vers le NE tend à repousser la masse d'air froid qui vient en sens inverse, tout en s'élevant au-dessus d'elle. Une pointe d'air chaud s'avance ainsi au-dessus de l'air froid, et son côté droit constitue l'amorce d'un front chaud. L'air froid, freiné lui-même dans son élan, s'enfonce en coin dans son côté gauche, formant l'amorce d'un front froid. Les avant-gardes des deux masses d'air se trouvent alors déviées de leur direction initiale; un mouvement tourbillonnaire s'amorce en sens inverse des aiguilles d'une montre **(cyclogénèse);** une dépression se creuse à l'extrême pointe de l'air chaud. Ce tourbillon une fois formé prend une sorte de vie autonome. L'ensemble du phénomène (c'est-à-dire la perturbation et la dépression qui lui est associée) met le plus souvent cap à l'Est, en direction de l'Europe.

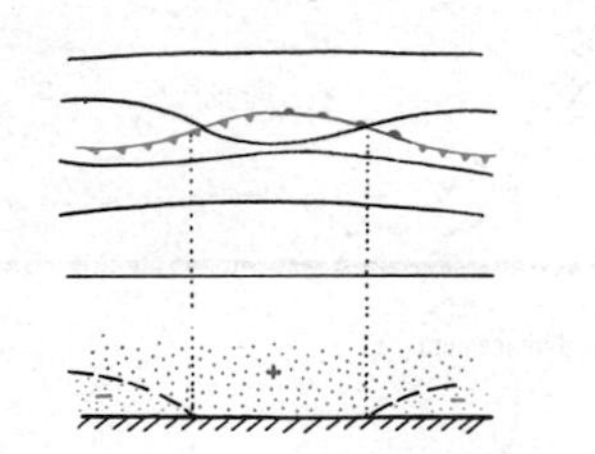

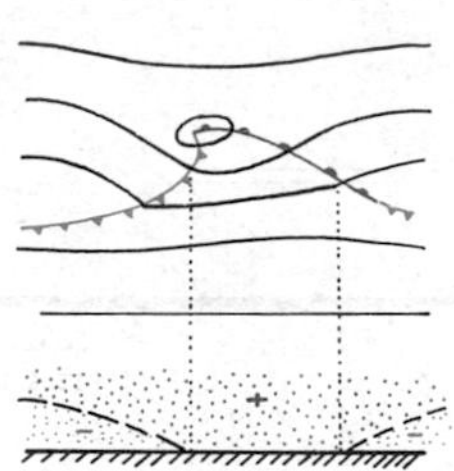

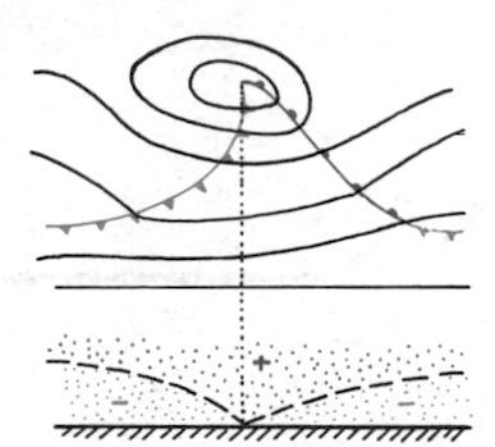

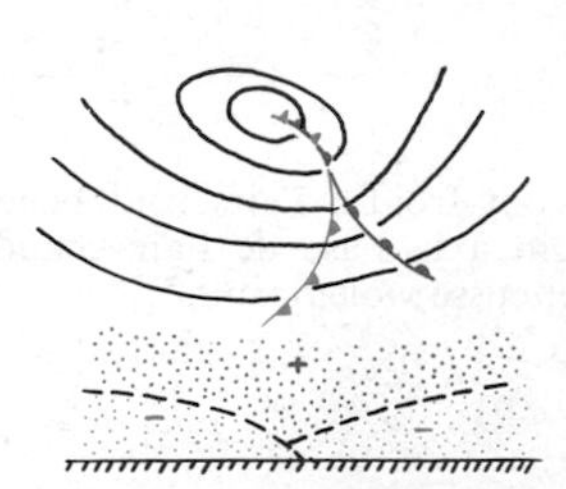

Naissance d'une perturbation.

Au départ, la perturbation apparaît donc constituée au niveau du sol d'un front chaud qui s'avance derrière de l'air froid **(air froid antérieur),** d'un **secteur chaud** constitué par la pointe d'air chaud elle-même, et d'un front froid suivi d'air froid **(air froid postérieur).**

En cours de route elle prend peu à peu de l'extension, se déploie sur des centaines de milles, parfois sur plusieurs milliers, tandis que son caractère dépressionnaire s'accentue. A mesure qu'elle se développe, cependant, sa structure même évolue : on constate en effet que le front froid se déplace plus rapidement que le front chaud, et qu'il rattrape peu à peu celui-ci. Le secteur chaud qui les sépare s'étrangle, l'air chaud étant peu à peu rejeté en altitude par la poussée de l'air froid postérieur. Finalement le front froid rattrape le front chaud, il y a **occlusion.** Cette occlusion débute dans la partie la plus étroite du secteur chaud et gagne peu à peu toute l'étendue des fronts. Il ne subsiste plus alors qu'un front unique, dit : **front occlus** et qui est lui-même peu à peu rejeté en altitude. Les caractéristiques de ce front dépendent de l'éventuelle différence de température entre l'air froid postérieur et l'air froid antérieur : si l'air froid postérieur est plus chaud que l'air froid antérieur, il tend à s'élever au-dessus de celui-ci : c'est une occlusion à caractère de front chaud; si au contraire l'air froid postérieur est le plus froid des deux, il s'enfonce en coin sous l'air froid antérieur : c'est une occlusion à caractère de front froid.

A partir de ce moment la perturbation commence à s'essouffler. La dépression se comble. Le front occlus s'atténue peu à peu et finit par disparaître **(frontolyse).** La perturbation meurt. Sa vie n'a duré que quelques jours, peut-être une semaine. Le trajet qu'elle a suivi est très variable selon le profil du champ de pression qu'elle a traversé : qu'un anticyclone protège le proche Atlantique, elle est déviée vers le Nord et va mourir du côté de la Scandinavie; que cet anticyclone soit situé sur les Iles britanniques, il est possible qu'elle soit déviée vers le Sud et aille se perdre en Méditerranée...

Mais ce n'est pas fini. Nous avons vu en effet, que, lorsque le front polaire se trouvait déformé sous la poussée des masses d'air, il se formait plusieurs ondulations et que chacune d'elles donnait

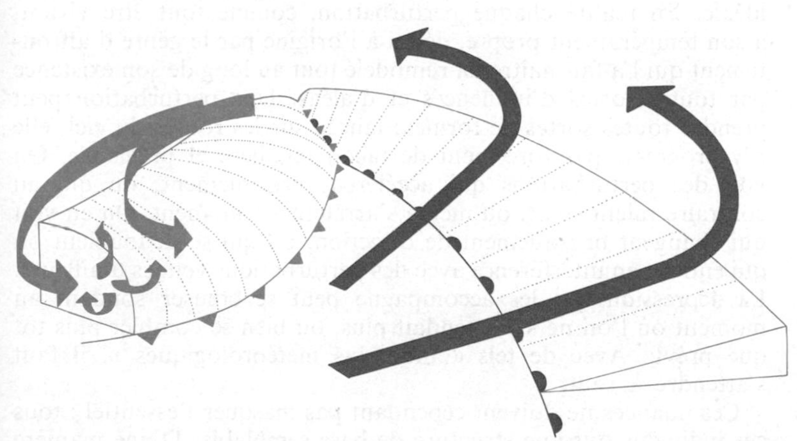

Mouvement des masses d'air dans une perturbation.

naissance à une perturbation. La première perturbation est donc suivie de toute sa famille. Cette **famille de perturbations** comporte quatre à six membres en moyenne, qui s'avancent par rang d'âge : les vieux vont devant, plus ou moins occlus, suivis des jeunes qui ont encore leurs deux jambes. On constate souvent que ces derniers passent sensiblement plus au sud que leurs aînés.

Enfin, lorsque la dernière perturbation s'en va, c'est l'invasion d'air polaire, le « coup de balai » final. Comme cet air est rarement homogène, on peut encore subir quelques **fronts froids secondaires,** souvent violents. Puis tout s'apaise. L'invasion d'air froid entraîne une hausse de pression généralisée et fait enfin apparaître ce que le touriste moyen appelle « le beau temps » et que les météorologistes peu enclins à l'optimisme (pas plus qu'au pessimisme d'ailleurs) nomment simplement : **intervalle.**

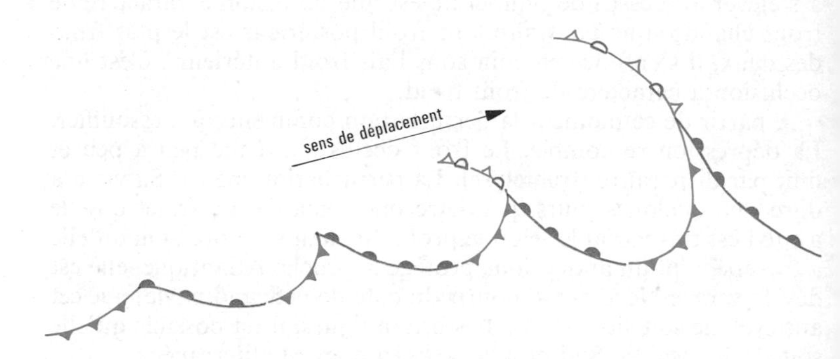

Famille de perturbations.

Passage d'une perturbation.

Cette description de la naissance et de l'évolution d'une famille de perturbations est évidemment rudimentaire, et quelque peu idéale. En réalité chaque perturbation, comme tout être vivant, a son tempérament propre, défini à l'origine par le genre d'affrontement qui l'a fait naître, et remodelé tout au long de son existence par toutes sortes d'influences et d'aléas. Une perturbation peut prendre toutes sortes de formes; lancée sur les routes du ciel, elle n'y progresse pas forcément de façon régulière et prévisible. On voit des perturbations qui accélèrent brusquement, ou qui au contraire ralentissent, ou même s'arrêtent un moment. On en voit qui changent brusquement de direction, ou qui se dédoublent ou qui entrent en interférence avec des perturbations venues d'ailleurs. La dépression qui les accompagne peut se creuser soudain au moment où l'on ne s'y attendait plus, ou bien se combler plus tôt que prévu. Avec de tels « individus météorologiques », il faut s'attendre à tout.

Ces nuances ne doivent cependant pas masquer l'essentiel : tous ces individus ont une structure de base semblable. D'une manière générale, le passage d'une perturbation au-dessus de la région où l'on navigue est marqué par une série de phénomènes qui se déroulent dans un certain ordre, et qui révèlent une organisation précise. Ces phénomènes sont essentiellement des variations importantes de la température, de la pression, du vent et de l'aspect du ciel.

Température. On subit tour à tour le passage d'air froid polaire, puis d'air chaud tropical, puis à nouveau d'air froid. Les variations de température qui en résultent font la fortune des pharmaciens.

Pression et vent. Les variations de pression sont clairement illustrées par le croquis ci-dessous. A mesure que la masse d'air chaud (léger) progresse, la pression baisse. Elle est minimum au moment où cette masse d'air chaud a envahi tout le ciel, c'est-à-dire au passage du front chaud et du secteur chaud. Elle remonte ensuite rapidement à l'arrivée de l'air froid (plus dense).

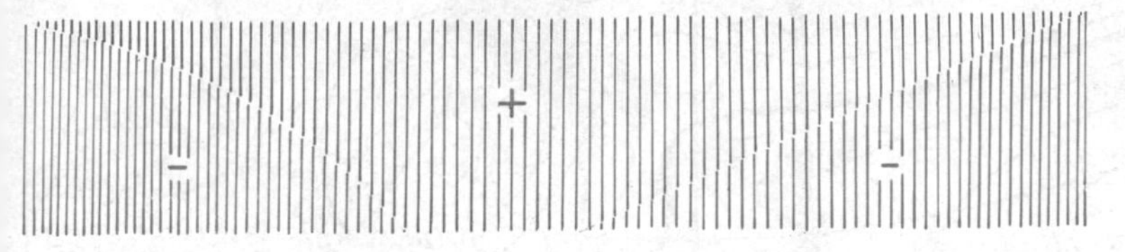

A l'approche du front chaud, l'air froid dense est remplacé progressivement par de l'air chaud, plus léger : le baromètre baisse. A l'arrivée du front froid, l'air chaud est à son tour remplacé par de l'air froid : le baromètre remonte.

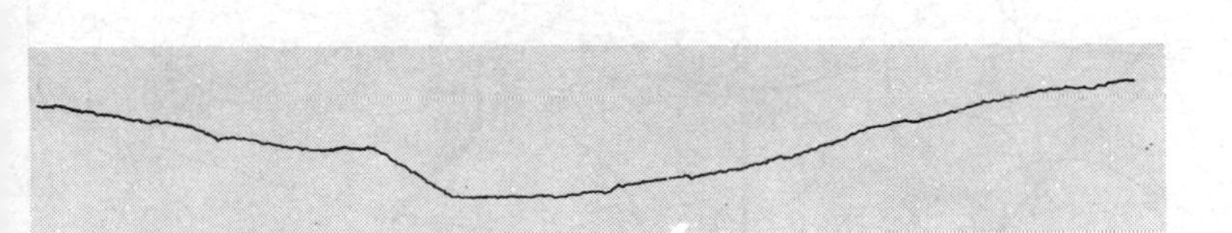

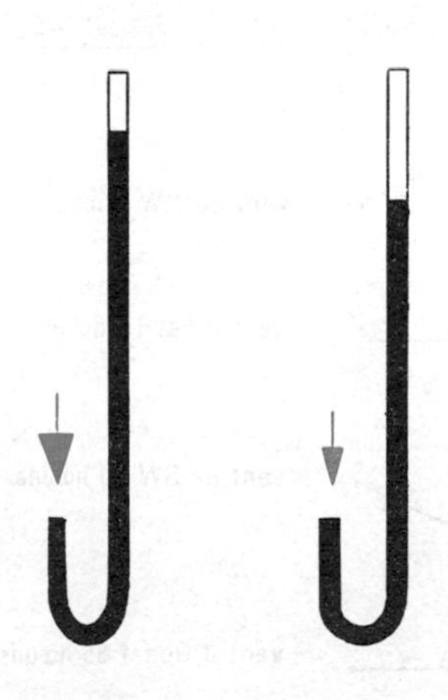

Expérience de Torricelli : selon le poids de l'air ambiant, le mercure monte plus ou moins haut dans le tube. Air froid : hautes pressions. Air chaud : basses pressions.

On sait d'autre part qu'autour d'une dépression le vent tourne dans le sens inverse des aiguilles d'une montre, et qu'il est d'autant plus violent que la dépression est creuse. Il est donc aisé de prévoir (et l'examen d'une carte isobarique le confirme) que, pour un observateur situé dans l'axe de déplacement de la dépression, le vent s'oriente tout d'abord au secteur SE ou Sud, remonte progressivement au SW et passe au NW en fin de dépression. L'examen

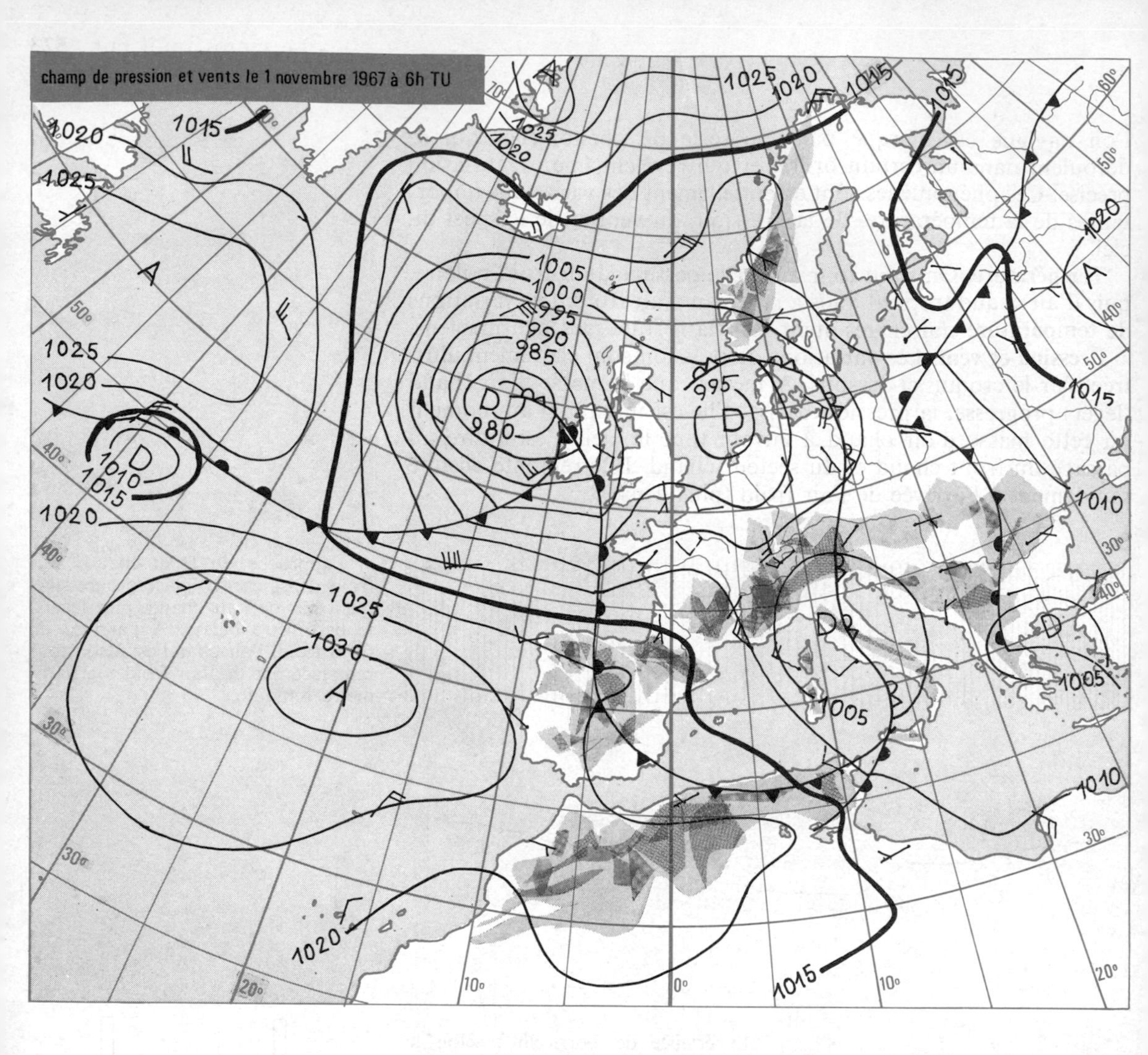

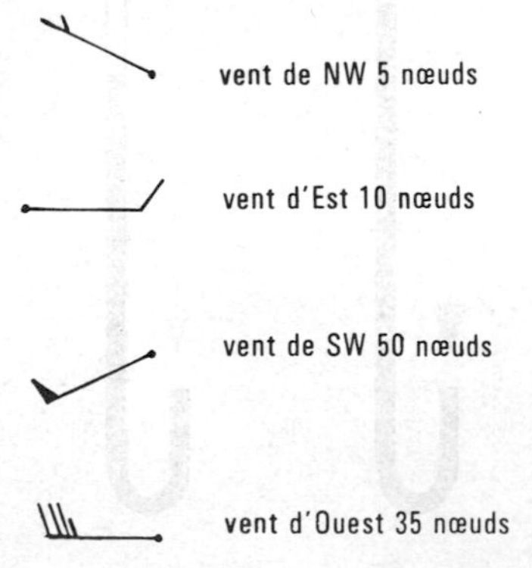

Représentation conventionnelle du vent sur les cartes météorologiques.

de la carte permet de préciser ce que l'on constate effectivement dans la réalité : la direction du vent change nettement au passage du front chaud (rupture des isobares), demeure à peu près stationnaire durant la traversée du secteur chaud (isobares rectilignes) et vire à nouveau au passage du front froid. L'écartement plus ou moins grand des isobares permet d'autre part de repérer la force du vent en tel ou tel point de la dépression. On observe généralement les vents les plus forts dans la partie méridionale de la dépression, à une certaine distance du centre (50 à 200 milles), et aussitôt après le passage du front froid.

Ces variations du vent en direction et en force ont évidemment pour conséquence des modifications importantes de l'état de la mer. La force du vent entraîne l'apparition de vagues plus ou moins grosses, mais surtout sa rotation fait apparaître des systèmes de vagues différents, les premiers venant du Sud ou du SW, les derniers du NW ou du Nord : l'interférence de ces systèmes de vagues crée souvent une mer mauvaise, à l'arrivée du front froid et durant l'invasion d'air polaire qui lui succède. Lorsque plusieurs perturbations se suivent, ce sont finalement de nombreux systèmes de vagues qui s'affrontent, et la mer peut alors être totalement chaotique.

L'aspect du ciel. On s'en douterait : le grand brassage auquel sont soumises les masses d'air favorise la naissance de formations nuageuses importantes. Mais ici apparaît un fait nouveau : ces formations nuageuses ne se promènent pas au hasard dans le ciel; leur répartition dans l'espace et leur succession dans le temps sont au contraire si caractéristiques qu'elles constituent un véritable **système nuageux,** c'est-à-dire un groupement organisé, comprenant plusieurs zones différentes dans lesquelles l'aspect du ciel présente des particularités marquées.

Il existe différents systèmes nuageux, nous le verrons. Celui qui accompagne une perturbation du front polaire (et dont le nom complet est : système nuageux dépressionnaire mobile extra-tropical) est le plus caractéristique de tous. Chacune de ses zones correspond à un « moment » précis de la perturbation et lui donne son nom. C'est ainsi qu'un observateur, situé dans l'axe du déplacement de la perturbation, verra passer successivement la **tête,** le **corps,** le **secteur chaud** et la **traîne** de ce système nuageux. Un observateur situé un peu plus au nord n'en connaîtra que la **marge froide;** situé un peu plus au sud il subira la **marge chaude** et éventuellement la **zone de liaison** qui relie cette perturbation à la suivante.

La mise en évidence d'un tel système nuageux est particulièrement intéressante pour nous : en connaissant les différents aspects que peut prendre le ciel, il est possible en effet de voir venir une perturbation, de se situer par rapport à elle, de suivre les différentes étapes de son déroulement. Nous fonderons donc notre analyse de détail sur la description des principaux **types de ciel** qui caractérisent ce déroulement.

Ciels de perturbation

Il est évident que la notion de type de ciel ne doit pas être prise dans un sens trop absolu. Les systèmes nuageux varient notablement d'une perturbation à l'autre, selon l'âge de celles-ci et aussi selon la saison à laquelle elles se produisent. C'est ainsi que les systèmes vraiment typiques ne se manifestent la plupart du temps qu'en hiver; en été, époque qui nous intéresse particulièrement, on assiste surtout au passage de systèmes **atténués** dont les caractéristiques sont assez différentes. Il y a toutes sortes de variantes et nous en tiendrons compte, même si cela complique un peu les choses.

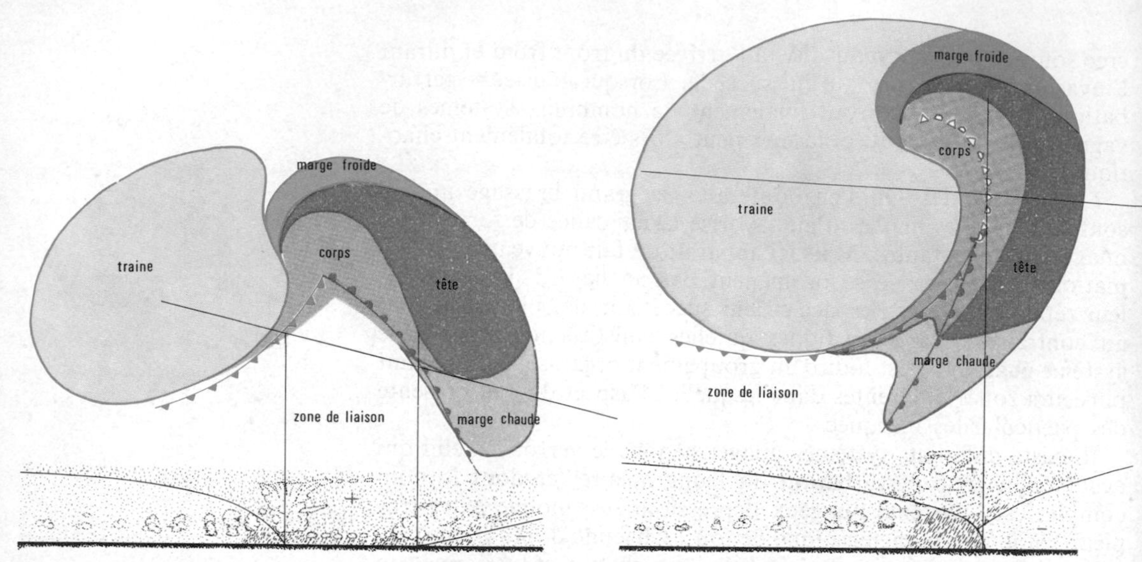

Système nuageux dans une perturbation jeune. Système nuageux dans une perturbation occluse.

Tête.

La tête du système nuageux est caractérisée par un ciel de cirrus organisés, envahissant progressivement le ciel, accompagnés ou suivis d'un voile de cirrostratus ou d'altostratus peu épais. La pression baisse lentement. Le vent a tendance à s'orienter au secteur Sud en fraîchissant.

La tête du système correspond à l'arrivée d'air chaud et humide en altitude. Elle débute à grande distance de la partie centrale de la perturbation : plusieurs centaines de milles, en général.

L'air chaud s'élevant lentement au-dessus de l'air froid se détend; parvenu à six ou sept kilomètres d'altitude, la vapeur d'eau qu'il contient se transforme en cristaux de glace. Les premiers nuages à apparaître sont donc des cirrus, du genre *uncinus* (en forme de virgules, de crochets) ou *fibratus* (d'aspect fibreux). On les appelle aussi « émissaires » car ils annoncent l'approche de la perturbation. Ils proviennent d'une région bien déterminée de l'horizon (en général Ouest ou SW), où ils paraissent très denses.

Le ciel reste clair et des cumulus de beau temps peuvent encore s'y promener. On remarque cependant qu'ils s'aplatissent. Cet aplatissement est dû à une diminution de la convection, limitée par l'air chaud en altitude.

La lumière est souvent très belle durant ces premières heures et les lointains sont nets. « Trop nets », disent les habitants de la côte qui, depuis la veille, ont remarqué cette visibilité anormale et en déduisent que « le temps va changer ».

Progressivement en effet la lumière s'atténue. Succédant aux cirrus et venant de la même région qu'eux, un cirrostratus s'étend

Ciel de tête.

peu à peu et couvre bientôt tout le ciel, provoquant autour du soleil ou de la lune, ces phénomènes de halo dont parlent tant de dictons : « Soleil cerclé, toile à rentrer », « Cercle à la lune vers le soir, vent et pluie à minuit ».

En réalité l'apparition de cirrus et de cirrostratus ne peut apporter la certitude que l'on se trouve dans la tête d'une perturbation. Ils apparaissent aussi, nous le verrons, dans la marge froide, où tout s'arrange très vite. Le fait que le baromètre commence à baisser, que le vent descende et s'installe au SE n'est pas non plus déterminant. Mais le « plafond » continue à s'abaisser lentement. La masse d'air chaud progresse et succédant au cirrostratus c'est bientôt un altostratus, nuage de l'étage moyen, qui envahit le ciel. Cet altostratus est encore peu épais, il est du type *translucidus*, d'abord légèrement bleuté, puis virant au gris. Ce nuage annonce la fin de la tête et le début du corps de la perturbation.

En été, lorsqu'on est en présence d'un système atténué, le ciel de tête peut être beaucoup moins caractéristique : les cirrus sont organisés moins régulièrement et sont rarement suivis d'un cirrostratus. Il arrive même que l'on n'observe aucun cirrus et que les seuls nuages composant la tête soient des altocumulus, dont les éléments sont disposés en un immense dallage laissant apercevoir encore le bleu du ciel (altocumulus *stratiformis perlucidus*) ou prennent des formes de rouleaux, de galets *(undulatus)* ou même d'os de seiche *(lenticularis)*.

Ici aussi, un connaisseur peut s'y tromper et penser qu'il se trouve dans la marge chaude du système, qui est caractérisée par la présence de nombreux altocumulus très étendus...

Ciel de corps.

Corps.

Le corps du système est caractérisé par l'apparition d'une couche continue d'altostratus ou de nimbostratus, fréquemment doublés de nuages bas déchiquetés et donnant en général des pluies continues. La pression baisse encore et atteint son point le plus bas à l'arrivée du front chaud. Le vent qui n'a cessé de fraîchir passe du Sud au SW ou à l'Ouest.

La masse d'air chaud envahit maintenant les étages inférieurs du ciel. A l'altostratus *translucidus* succèdent des altostratus de plus en plus épais *(opacus)* et de plus en plus bas. Parfois il commence déjà à pleuvoir. Le plus souvent la visibilité est encore assez bonne, jusqu'au moment où apparaissent les « diablotins » : petits nuages noirs courants sous la voûte grise, cumulus *fractus* annonçant des précipitations importantes. Ces petits nuages précèdent l'arrivée de l'énorme nimbostratus. Il pleut alors sans désemparer, souvent pendant des heures. La visibilité devient médiocre et même franchement mauvaise au passage de la partie la plus basse du nimbostratus, qui caractérise l'arrivée du front chaud. A ce moment la masse d'air chaud envahit tout le ciel, le thermomètre remonte, le baromètre est au plus bas, le vent vire assez nettement (de 20 à 40° environ) pour venir au SW ou à l'Ouest.

L'air chaud qui vient d'arriver est généralement stable. Parfois, cependant, il est instable et des cumulus *convectus* ou des cumulonimbus peuvent se développer au-dessus de l'altostratus ou du nimbostratus. On ne les voit pas, mais leur présence est révélée par des précipitations plus irrégulières, parfois de l'orage, et des bourrasques violentes.

Dans un système atténué, le nimbostratus peut être absent, et l'altostratus lui-même présente plutôt une structure d'altocumulus, doublé ou non de nuages déchiquetés et donnant des précipitations plus faibles et intermittentes.

A ce stade de la description, il est nécessaire de faire des distinctions entre les perturbations d'âge différent. Dans le cas d'une perturbation jeune, au front chaud succède un secteur chaud, à la sortie duquel on retrouve la « deuxième partie » du corps qui correspond au passage du front froid. C'est le cas que nous allons étudier ici. Lorsqu'on a affaire à une perturbation plus évoluée, le front froid suit plus ou moins rapidement le front chaud, sans que l'on remarque de secteur intermédiaire. Le cas d'une perturbation occluse est particulier et sera envisagé à la fin.

Secteur chaud.

Dans le secteur chaud, le ciel est généralement très bas, envahi d'une couche souvent continue de stratocumulus, accompagnés parfois de brouillards. Les précipitations sont faibles (bruine). La pression barométrique et le vent conservent des caractéristiques à peu près constantes jusqu'à l'arrivée du front froid.

Ciel de secteur chaud.

La masse d'air chaud occupe désormais toute la place. En général, durant le passage du secteur chaud, la pluie cesse ou est remplacée par de la bruine; le plafond a tendance à s'élever un peu et est constitué de bancs de stratocumulus plus ou moins compacts. L'apparition de ce genre de nuages est liée à la turbulence provoquée par le frottement de l'air au niveau de la mer.

Lorsqu'on se trouve un peu au sud de la perturbation, dans la zone qui la relie à la perturbation suivante et qu'on nomme zone de liaison, la visibilité est parfois mauvaise, par stratus, du moins en hiver.

En été, le secteur chaud et la zone de liaison sont en général moins nuageux.

A l'approche du front froid, il n'est pas rare que le ciel s'obscurcisse à nouveau, ou bien, en hiver, que la « boucaille » se renforce. On retrouve ici le corps de la perturbation.

Le front froid lui-même est constitué par une sorte de barrière assez redoutable. L'air froid postérieur repousse en effet violemment l'arrière-garde de la masse d'air chaud. Cet air chaud, rejeté brusquement en altitude, devient instable : des cumulus *congestus* et des cumulonimbus souvent énormes apparaissent et constituent une **ligne de grains** sur le passage de laquelle on enregistre de vives bourrasques, des averses violentes, parfois des orages. A l'arrivée de ce front froid, on constate fréquemment que le vent redescend un moment au Suroît puis saute au Noroît; et c'est tout à coup le soleil; mais il fait plus froid.

Traîne.

Cette dernière partie de la perturbation est caractérisée par un ciel variable, où alternent les éclaircies et les passages nuageux qui donnent des averses, des grains ou des orages. Le baromètre amorce une remontée rapide. Le vent s'installe au NW et souvent fraîchit encore.

Le ciel de traîne est le plus beau des ciels. L'air froid y règne en maître et, dès son apparition, le thermomètre accuse une baisse sensible tandis que le baromètre remonte. Cet air froid, réchauffé par la base au contact de l'océan, est devenu instable. Le ciel de traîne comporte donc des nuages bourgeonnants, cumulonimbus générateurs des grains violents, cumulus *congestus* à fort développement vertical, donnant parfois des averses et presque toujours des surventes. Dans les éclaircies, la visibilité est extraordinaire. Le ciel est d'un bleu intense ou prend parfois la teinte vert pâle caractéristique de l'air polaire. Le vent est souvent très fort et surtout irrégulier : pour la navigation à voile, la traîne constitue souvent la partie la plus dangereuse de la perturbation.

Ciel de traîne.

En été, cette traîne est parfois moins caractérisée. Les cumulonimbus en sont souvent absents, on y rencontre surtout des cumulus et des cumulus *congestus* plus ou moins menaçants. Ils sont parfois accompagnés d'altostratus et de bancs de stratocumulus.

La traîne d'une perturbation peut être très large : elle s'étend parfois sur un millier de kilomètres, son passage peut durer vingt-quatre heures et plus. Très souvent, dans le ciel de traîne, on voit apparaître les premiers cirrus de la perturbation suivante. Lorsqu'il n'y a pas d'autre perturbation à venir, le temps s'apaise peu à peu, le vent remonte au Nord, les gros nuages disparaissent. Bientôt ne subsistent plus dans le ciel que quelques cumulus de chez *Humilis* (la meilleure marque de cumulus).

Ciel de marge froide.

Marge froide.

Un observateur situé un peu au nord de l'axe de déplacement de la perturbation voit passer la marge froide du système : il reste constamment dans l'air polaire et ne subit le passage d'aucun front.

En réalité, les perturbations circulent en général trop haut pour que l'on puisse observer fréquemment sous nos latitudes des ciels de marge froide. Cela peut néanmoins se produire, surtout en hiver, et il est bon de noter les caractéristiques de ce ciel qui pourrait être aisément confondu avec un ciel de tête. En effet **la marge froide du système nuageux est caractérisée par un voile de cirrostratus partiel ou complet, succédant parfois à des cirrus. La pression baisse et le vent s'oriente au SE.** Il y a de quoi s'y tromper.

Cependant ce voile de cirrostratus, au lieu de s'épaissir, se désagrège peu à peu et l'on voit apparaître bientôt des nuages appartenant à d'autres types de ciel (traîne atténuée ou intervalle). La pression remonte et le vent, au lieu de descendre vers le Sud, passe à l'Est et gagne peu à peu le Nord.

Ciel de marge chaude.

Marge chaude.

Beaucoup plus fréquemment l'on se trouve un peu au sud de la perturbation, sur le passage de la marge chaude et de la zone de liaison qui lui succède.

La marge chaude est caractérisée par des bancs isolés d'altocumulus, disposés irrégulièrement, d'étendue assez faible, souvent de forme lenticulaire et en transformation incessante. Ces nuages sont généralement précédés de cirrus et parfois accompagnés de cirrocumulus.

La présence fréquente de l'altocumulus *lenticularis*, de cirrocumulus (tôt le matin) et surtout l'aspect éminemment changeant du ciel sont les preuves les plus évidentes que l'on se trouve dans cette marge chaude, où les variations de la pression et du vent sont par ailleurs très lentes.

Le ciel ne se couvre jamais complètement : la nébulosité des altocumulus et des cirrocumulus passe par un maximum puis diminue. Sur le continent et principalement en été, le ciel d'intervalle (que nous étudierons plus loin) réapparaît souvent ensuite et l'on ne ressent pas les effets de la perturbation. Sur mer, des bancs de stratus et de stratocumulus peuvent apparaître; on a alors un ciel couvert qui correspond à une zone de liaison avec la perturbation suivante.

Un front occlus est souvent caractérisé par une nébulosité importante.

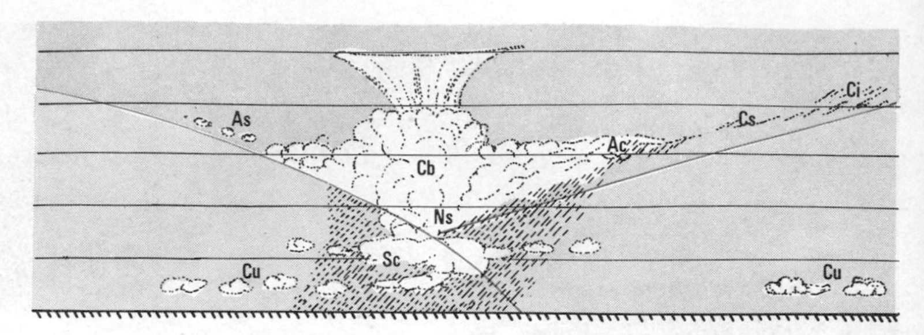

Une situation fréquente : passage d'une famille de perturbations à 50° de latitude N.

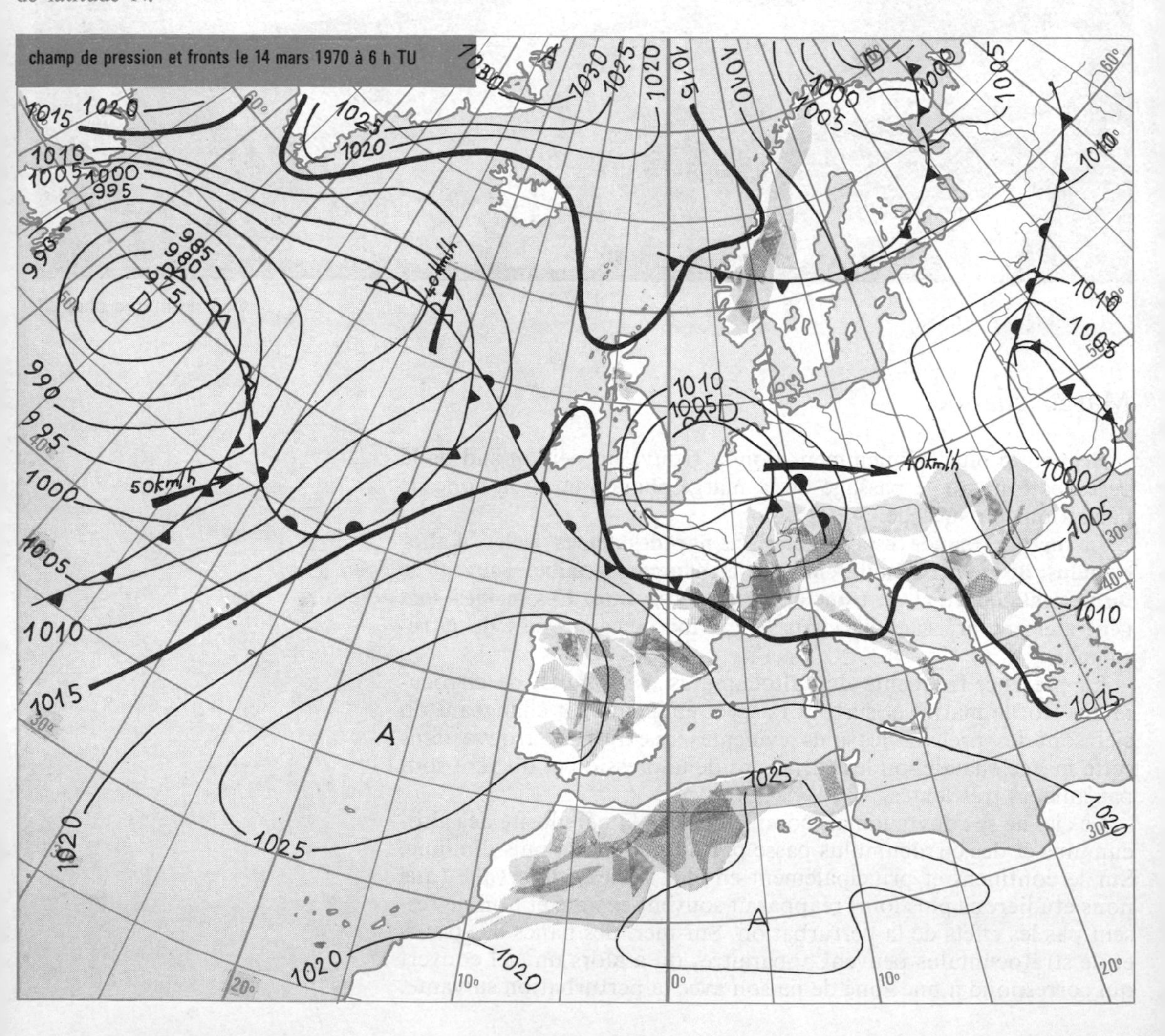

Front occlus.

L'arrivée d'une perturbation occluse est signalée par un ciel de tête tout à fait normal. Mais le corps de la perturbation a des caractéristiques particulières, puisqu'il n'est constitué que d'un seul front, le front froid ayant rattrapé le front chaud. Le front occlus s'annonce en général à peu près comme un front chaud, mais la ligne de cumulonimbus de l'ancien front froid suit immédiatement, ou apparaît même soudée au nimbostratus (ou à l'altostratus si la masse d'air chaud est déjà rejetée à quelque hauteur).

En fait, les bases de tous ces nuages se ressemblent fort. Mais les précipitations changent de rythme, les averses succédant à la pluie continue; la rotation du vent est importante, le baromètre remonte rapidement, la température baisse : tous ces signes indiquent que l'on avait affaire à un front occlus. On peut noter aussi que ce front occlus est souvent remarquable par sa grande nébulosité (nombreux stratocumulus, stratus *fractus* ou cumulus *fractus*) et que la superposition partielle des différentes couches nuageuses donne parfois des précipitations abondantes.

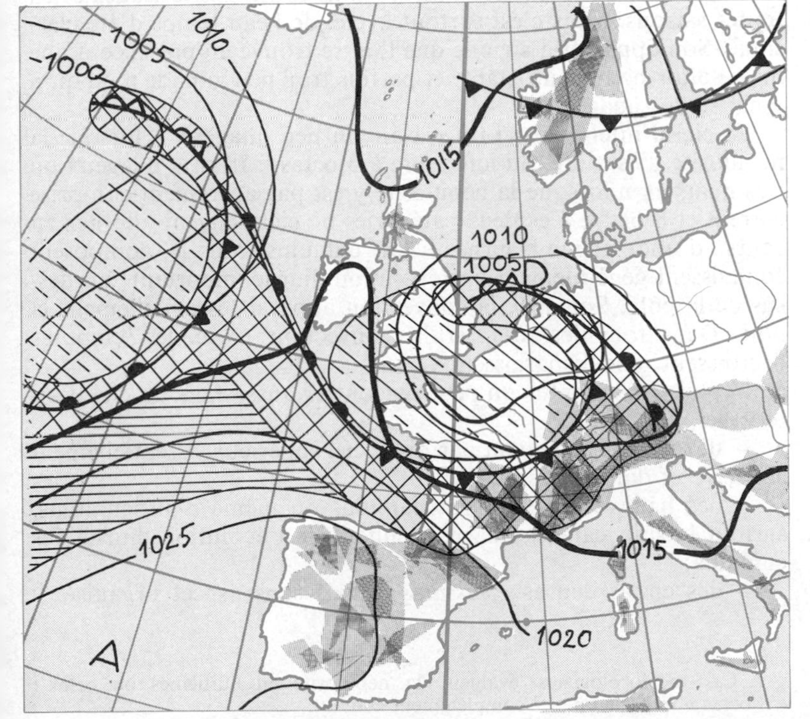

Système nuageux correspondant à la situation de la page précédente.

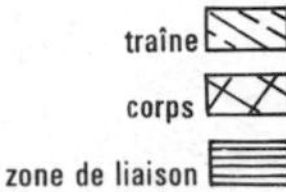

Ciels de beau temps

Le terme de beau temps peut prêter à équivoque, et les météorologistes évitent en général soigneusement de l'utiliser. Pourtant le beau temps existe, nous ne craignons pas de l'affirmer, et il serait dommage de le camoufler sous un nom savant qui lui porterait ombrage. Il suffit de s'entendre sur le sens du terme.

Pour un navigateur à voile, le beau temps n'est pas forcément le temps ensoleillé. Il n'est pas non plus le temps trop calme : il faut du vent pour naviguer. En réalité il s'agit surtout d'un temps sain, bien établi, sur lequel on peut compter. Du point de vue météorologique, c'est un temps d'intervalle, caractérisé par l'absence de perturbations du front polaire ou de formations orageuses. Les types de ciel qui correspondent à ce temps apparaissent en dehors de tout système nuageux organisé. Parmi ces ciels, on peut en distinguer trois principaux : le ciel d'intervalle proprement dit, le ciel de turbulence (ou ciel stratiforme) et le ciel d'instabilité.

Ciel d'intervalle.

Ciel clair, ou comportant des cumulus à faible extension verticale, et parfois quelques bancs isolés de nuages de l'étage moyen ou supérieur.

Ce type de ciel peut être observé sous toutes les latitudes et en toutes saisons. Mais c'est surtout le ciel de beau temps d'été classique. Son apparition signifie que l'on se trouve en présence d'une masse d'air homogène, stable et parfois trop peu humide pour qu'il y naisse des nuages.

Un ciel d'intervalle est dit « clair ou peu nuageux » lorsque la nébulosité y est nulle ou inférieure à 3 octas [1]. Il est « nuageux ou très nuageux » lorsque la nébulosité y est passagèrement comprise entre 3 et 8 octas. Ces deux catégories de ciel peuvent alterner au cours d'une même journée ; les cumulus qui le composent connaissent généralement une évolution diurne importante au-dessus de la côte. Sur mer, la convection apparaît essentiellement la nuit. Dans tous les cas, si la convection cesse, les cumulus décroissent puis disparaissent.

En plus des cumulus on peut rencontrer aussi dans un ciel d'intervalle :

— des stratus masquant parfois le ciel supérieur, essentiellement sur terre et dans les estuaires;

— des bancs isolés de stratocumulus ou même d'altocumulus, surtout le soir, car ces nuages résultent de l'évolution diurne des cumulus;

— des cirrus denses *(spissatus)*, mais sans aspect organisé.

1. Les météorologistes évaluent la nébulosité en huitièmes ou **octas** : « 8 octas » indique un ciel complètement couvert.

Le temps d'intervalle est d'autre part souvent caractérisé par :
— Des brumes légères qui ne limitent pas notablement la visibilité mais donnent au ciel un ton de « bleu lavé » typique du beau temps anticyclonique.
— Des brouillards d'advection qui peuvent couvrir toute la Manche par exemple, au printemps par vent de NE.
— L'apparition de la rosée avant même que le soleil soit couché; on constate fréquemment qu'en fin d'après-midi le pont est trempé (d'eau douce); il reste mouillé toute la nuit et ne sèche qu'au soleil du lendemain matin.

Brises côtières.

Ce type de ciel peu nébuleux, caractéristique d'une situation à faible gradient, est favorable à l'apparition des brises côtières, qui viennent heureusement prendre le relais d'un vent synoptique souvent faible (le vent synoptique étant le vent général, lié au profil du champ de pression).

Nous avons analysé le principe de ces brises au chapitre précédent : brise de mer soufflant le jour, « appelée » par l'ascendance de l'air au-dessus des terres surchauffées; brise de terre soufflant la nuit lorsque la terre s'est refroidie et que la mer se trouve plus chaude qu'elle. La force de ces brises est donc liée à l'importance de l'ensoleillement dans la journée, et du refroidissement de la terre par rayonnement la nuit.

Le « jeu des brises » apparaît en de nombreux endroits de la côte, mais les conditions dans lesquelles il s'établit sont très variables d'un point à un autre. On constate fréquemment que les brises ne sont pas alternatives, mais qu'elles suivent en quelque sorte le déplacement du soleil (on les nomme *brises solaires*) : brise de NE le matin, tournant à l'Est puis au SE et expirant en général avant midi, pour reprendre au SW dans l'après-midi et remonter au NW ou au Nord dans la soirée; disparaissant à nouveau et reprenant au NE dans la deuxième partie de la nuit.

Lorsque le vent synoptique est faible ou nul, les brises règnent. Lorsqu'il prend quelque importance, il arrive qu'elles se combinent à lui, modifiant sa direction, le renforçant ou le réduisant selon les cas. Ainsi par vent synoptique de NE, nous avons constaté : en Bretagne Sud, un vent frais ou même très frais de NE la nuit, un vent de NE faible, ou du calme, ou une brise faible de SW le jour; en Bretagne Nord au contraire, un vent de NE frais dans la journée, un vent de NE faible, du calme ou une brise de SW la nuit.

La distance à laquelle les brises se font sentir en mer (ce que l'on appelle leur « limite d'extension ») est elle-même très variable : elle est de l'ordre de 5 à 10 milles en général, peut atteindre parfois (mais rarement) 20 milles.

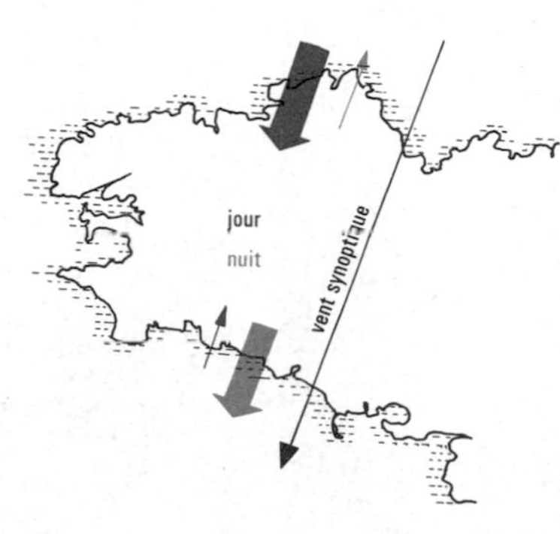

Par vent synoptique de NE : brise de terre (nocturne) forte en Bretagne-Sud, faible en Bretagne-Nord; brise de mer (diurne) faible en Bretagne-Sud, forte en Bretagne-Nord.

Ciel de turbulence.

Ciel stratiforme, composé de stratocumulus en couche continue, parfois de stratus. Précipitations nulles, ou très faibles (sous forme de bruine, de neige en grains ou d'aiguilles de glace).

Cette définition l'indique assez : il s'agit ici essentiellement du beau temps d'hiver, de ces jours paisibles et gris sur lesquels s'étale un grand manteau de stratocumulus *stratiformis*, capable parfois de couvrir l'Europe entière.

Ce type de ciel peut cependant se rencontrer en toutes saisons et sous toutes les latitudes, dans les zones de hautes pressions ou en bordure de celles-ci.

Sur terre, il résulte généralement de la turbulence provoquée par le frottement de l'air à la surface du sol. Les stratocumulus qui couvrent le ciel peuvent subsister plusieurs jours consécutifs au-dessus d'une même région. On constate des élévations passagères de la couche nuageuse aux heures les plus chaudes de la journée.

Ce type de ciel est rare en été mais, en cette saison, présente une évolution diurne assez nette : les stratocumulus se forment pendant la nuit et se résorbent plus ou moins rapidement au cours de la matinée.

Sur mer, il s'agit souvent d'un ciel de stratus, se formant dans les basses couches de masses d'air chaud et humide qui parviennent sur des eaux plus froides (brouillards de Terre-Neuve). Il arrive fréquemment aussi que ce type de ciel constitue la zone de liaison d'une série de perturbations.

Il faut remarquer que le ciel stratiforme, généralement très bas, peut masquer un autre type de ciel qui évolue au-dessus de lui.

Ciel d'instabilité.

Ciel cumuliforme, composé de cumulus congestus qui peuvent atteindre le stade de cumulonimbus et être accompagnés d'averses ou parfois d'orages.

Ce type de ciel indique une assez forte instabilité verticale au sein d'une masse d'air importante. Il ressemble beaucoup au ciel de traîne d'une perturbation, et cependant se présente toujours indépendamment de tout ensemble nuageux organisé.

Il est en fait assez rare sous nos latitudes, où l'on ne voit pas souvent de grandes masses d'air chaud, humide et instable. Mais on peut le rencontrer en Méditerranée, la nuit. Il provient alors d'une évolution très accentuée d'un ciel d'intervalle : les cumulus atteignent et dépassent le stade du cumulus *congestus* pour devenir cumulonimbus. Des orages surviennent ainsi la nuit, alors que dans la journée le temps est calme et le ciel clair. Sur terre, c'est l'inverse qui se produit : l'évolution a lieu le jour et les orages éclatent en fin d'après-midi.

Ciel d'instabilité.

On peut constater, durant plusieurs jours consécutifs, une alternance du ciel d'instabilité et du ciel d'intervalle, sans qu'il y ait le moindre changement de masse d'air, ni aucune approche d'un système nuageux.

Ciels d'orage

La notion de temps orageux n'est pas toujours plus facile à cerner que la notion de beau temps. En dehors de ses aspects spectaculaires, il peut s'agir aussi d'un temps incertain, bizarrement « détraqué », sans caractéristiques bien tranchées. Il n'est pas toujours possible d'y voir clair.

On peut toutefois discerner deux types de temps orageux, ayant des origines différentes. Le premier est le résultat de l'évolution d'un ciel de beau temps relatif, lorsque la convection, de nuit en mer, de jour à terre, est suffisamment importante pour transformer des cumulus inoffensifs en cumulus *congestus* ou en cumulonimbus. Ce genre d'orage naît dans une masse d'air homogène qui, fortement réchauffée par la base, est devenue instable. Sous nos latitudes, un tel processus a lieu presque uniquement en été, et le plus

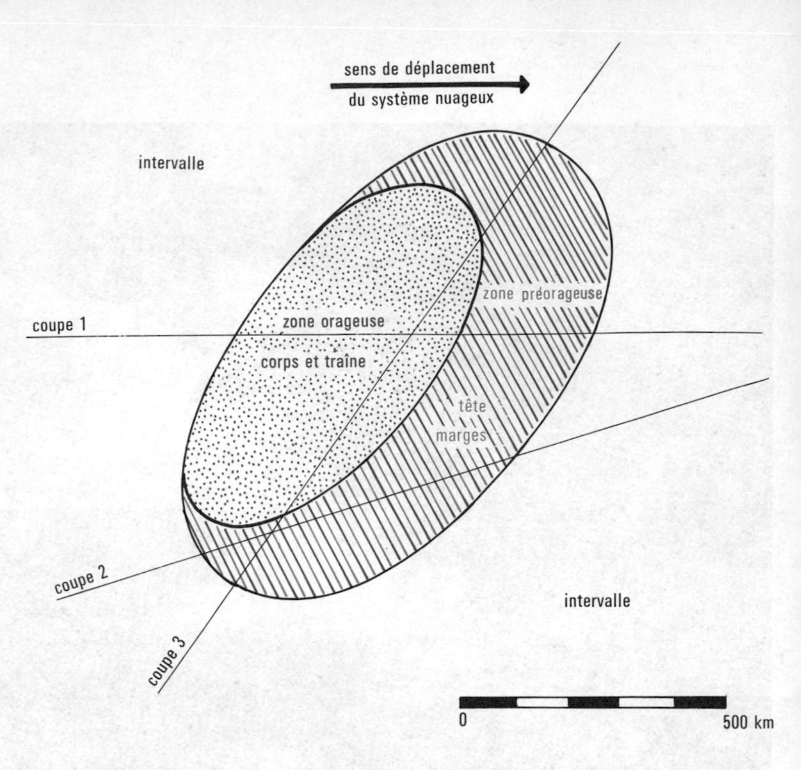

Système nuageux orageux.

souvent dans des zones de marais barométrique. Il est d'autre part nettement influencé par les conditions locales : nature de la surface (terre ou mer), relief, régime des vents, et toute autre particularité ayant une influence sur la température et l'humidité des basses couches de l'atmosphère.

L'autre type d'orage est celui qui apparaît dans les perturbations du front polaire : nous en avons déjà parlé en décrivant le front chaud et le front froid de ces perturbations. Ici les orages ne dépendent plus des conditions locales, mais uniquement de l'affrontement des masses d'air et sont d'autant plus violents que la masse d'air chaud est instable et chargée d'humidité.

Nés d'un simple phénomène de convection ou liés à une instabilité frontale, les orages présentent en tout cas des formations nuageuses suffisamment caractéristiques pour que l'on puisse, ici aussi, parler de système nuageux. Il n'est évidemment pas possible d'analyser la structure de ces systèmes d'une façon aussi précise que celle des systèmes nuageux dépressionnaires, mais l'on peut tout au moins y distinguer deux types de ciel : le ciel pré-orageux (ciel de tête et ciel de marge) et le ciel orageux (ciel de corps et de traîne).

Ciel pré-orageux.

Ciel caractérisé par des cirrus denses et un voile partiel de cirrostratus épais, doublé de bancs d'altocumulus, avec parfois quelques cumulus.

Les nuages dans un système nuageux orageux.

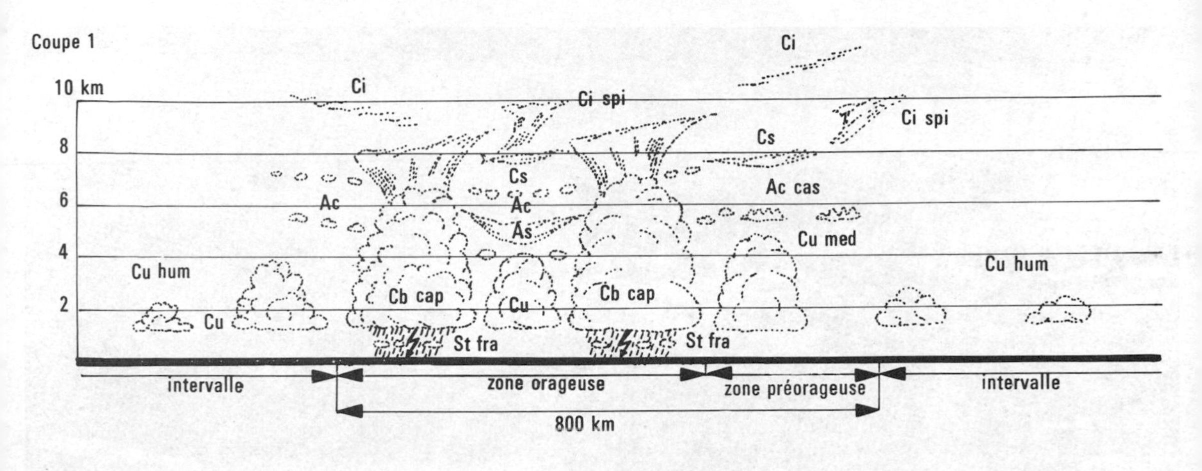

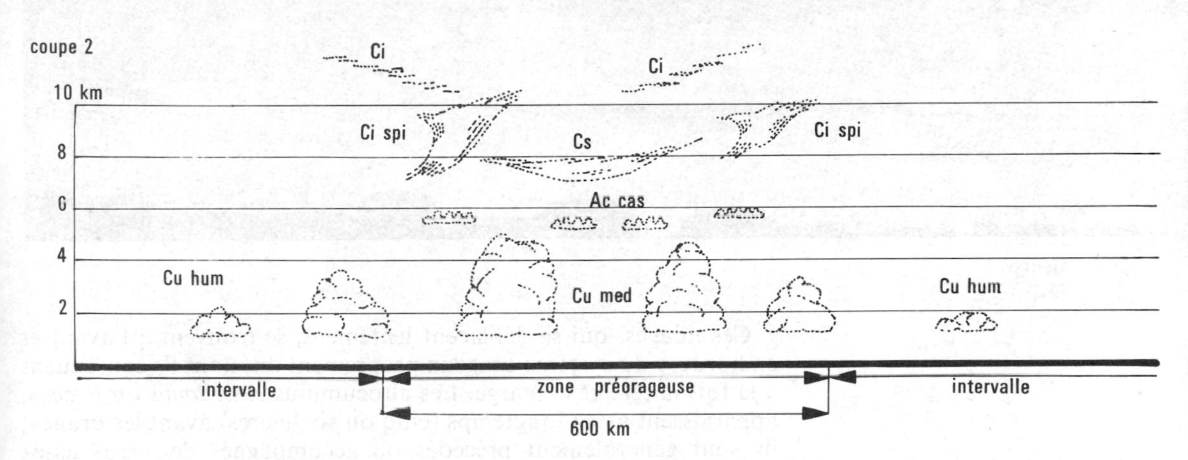

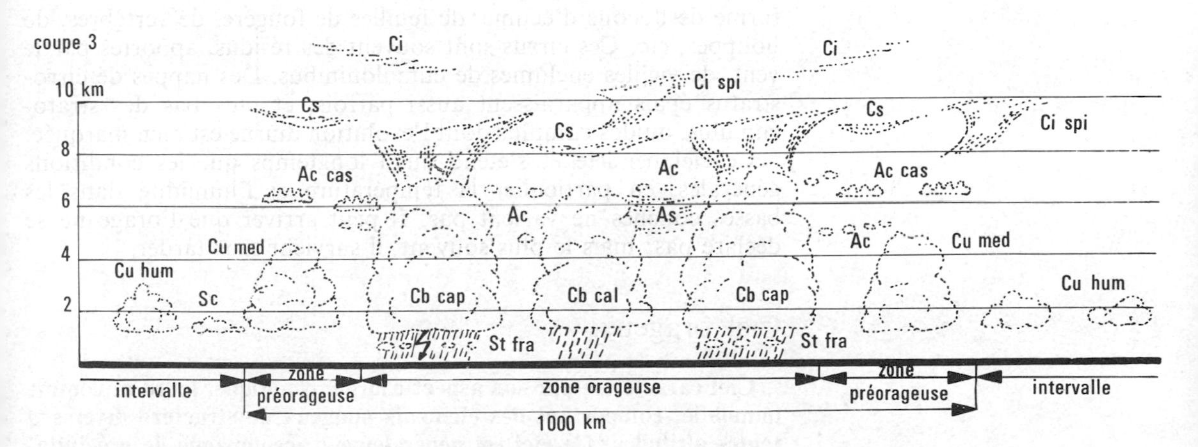

spi : spissatus / **cas** : castellanus / **med** : mediocris / **cap** : capillatus / **hum** : humilis / **fra** : fractus / **cal** : calvus

Ciel pré-orageux.

Ces nuages, qui se déplacent lentement, se trouvent à l'avant et en bordure du système orageux proprement dit, dont ils constituent à la fois la tête et la marge. Les altocumulus *castellanus* ou *floccus*, apparaissent assez longtemps (cinq ou six heures) avant les orages; ils sont généralement précédés ou accompagnés de cirrus assez opaques et de formes très variées : cirrus *uncinus* ou *spissatus* en forme de flocons d'écume, de feuilles de fougère, de vertèbres, de houppes, etc. Ces cirrus sont souvent des résidus, apportés par le vent, de vieilles enclumes de cumulonimbus. Des nappes de cirrostratus épais apparaissent aussi parfois, et plus bas des stratocumulus, ou des cumulus dont l'évolution diurne est bien marquée.

Ce ciel persiste et s'étend aussi longtemps que les conditions générales, en particulier la température et l'humidité dans les basses couches ne varient pas. Il peut arriver que l'orage ne se déclare pas; mais le plus souvent, il survient sans tarder.

Ciel orageux.

Ciel caractérisé par son aspect chargé, chaotique, lourd et comme immobile, comportant des éléments nuageux de structure diverse à toutes altitudes. Ce ciel est généralement accompagné de précipitations sous forme d'averses.

Ciel orageux.

Le ciel orageux succède habituellement au ciel pré-orageux mais peut résulter également, et surtout en été :

— de la transformation du corps et de la traîne d'un système nuageux dépressionnaire qui parvient dans une zone où le gradient barométrique est très faible;

— du développement rapide de cumulus *congestus* jusqu'au stade de cumulonimbus lorsque, dans des régions où la convection était déjà très forte, des conditions d'instabilité apparaissent aux étages moyen et supérieur du ciel.

Le ciel orageux est caractérisé par la présence de nuages convectifs à grand développement vertical. On peut remarquer en particulier le bourgeonnement de la partie supérieure de ces nuages, qui évolue avec une grande rapidité. Des cumulus *congestus* se développent dans toutes les directions et se transforment rapidement en cumulonimbus redoutables. Ceux-ci, après un parcours limité (en général moins de 100 milles) durant lequel ils sèment grains et bourrasques, se désagrègent petit à petit, laissant dans le ciel des bancs ou des voiles nuageux à différents étages : cirrus et cirrostratus, altocumulus et stratocumulus aux formes très variées. D'autres cumulonimbus se forment, puis se désagrègent à leur tour un peu plus tard, et le cycle recommence.

Cette désagrégation des cumulonimbus est la raison pour laquelle on peut voir, dans un ciel orageux, une très grande diversité de nuages à tous les niveaux. C'est aussi pour cette raison qu'il n'est pas possible de distinguer vraiment le ciel de corps du ciel de traîne.

Dans les éclaircies relatives qui séparent les foyers orageux, on aperçoit fréquemment des altocumulus *castellanus* ou *floccus*. Plus près des foyers apparaissent des couches de stratocumulus *opacus*, ou *undulatus*.

L'extraordinaire spectacle offert par un ciel d'orage peut durer quelques heures ou plusieurs jours. Parfois aussi, lorsqu'on le croit terminé il recommence, avec une vigueur nouvelle.

Types de temps

La notion de type de temps peut surprendre. Il semble bien en effet que l'on ne retrouve jamais dans la réalité deux situations météorologiques exactement semblables. Cependant, des analyses effectuées sur de nombreuses années font apparaître certaines constantes, certains « modèles » de temps qui se manifestent de façon suffisamment régulière et durable pour que l'on puisse raisonnablement espérer les retrouver dans l'avenir. **Un type de temps est un type de circulation atmosphérique, lié en général à une saison précise, réapparaissant fréquemment au cours de cette saison, et persistant plusieurs jours, voire plusieurs semaines.** Cette question de durée est importante : lorsqu'on parle de « temps à grains », par exemple, ou de « temps bouché », on ne peut considérer qu'il s'agit là d'un type de temps, mais seulement d'un moment particulier qui s'inscrit dans un type de temps beaucoup plus général.

Les « modèles » de types de temps sont basés essentiellement sur une étude des répartitions caractéristiques des pressions en surface et de leur évolution jour après jour. Lorsqu'une situation réelle commence à ressembler à l'un de ces modèles, qu'elle en reproduit les conditions d'ensemble et qu'elle évolue de la même façon que lui, on peut considérer que l'on se trouve en présence d'un type de temps établi.

Il faut cependant remarquer qu'à des situations de surface semblables peuvent correspondre des champs de pression différents en altitude. Pour reconnaître avec certitude un type de temps, il faudrait donc considérer en même temps la carte de surface et la carte d'altitude de l'atmosphère moyenne (c'est-à-dire la surface 500 mb). Cette comparaison est évidemment du domaine du météorologiste professionnel. Nous nous en tiendrons ici à la carte de surface, qui permet déjà une bonne analyse de la situation, et nous nous bornerons également à décrire les types de temps les plus fréquents parmi tous ceux que l'on rencontre sur le proche Atlantique.

Régimes perturbés.

Courant perturbé d'Ouest aux latitudes élevées.

Situation assez fréquente en été.

Les perturbations circulent à la hauteur des Iles britanniques.

L'isobare 1015 (ligne de pression moyenne) passe au nord de la Manche. La pression est plutôt haute en Manche et dans le golfe de Gascogne.

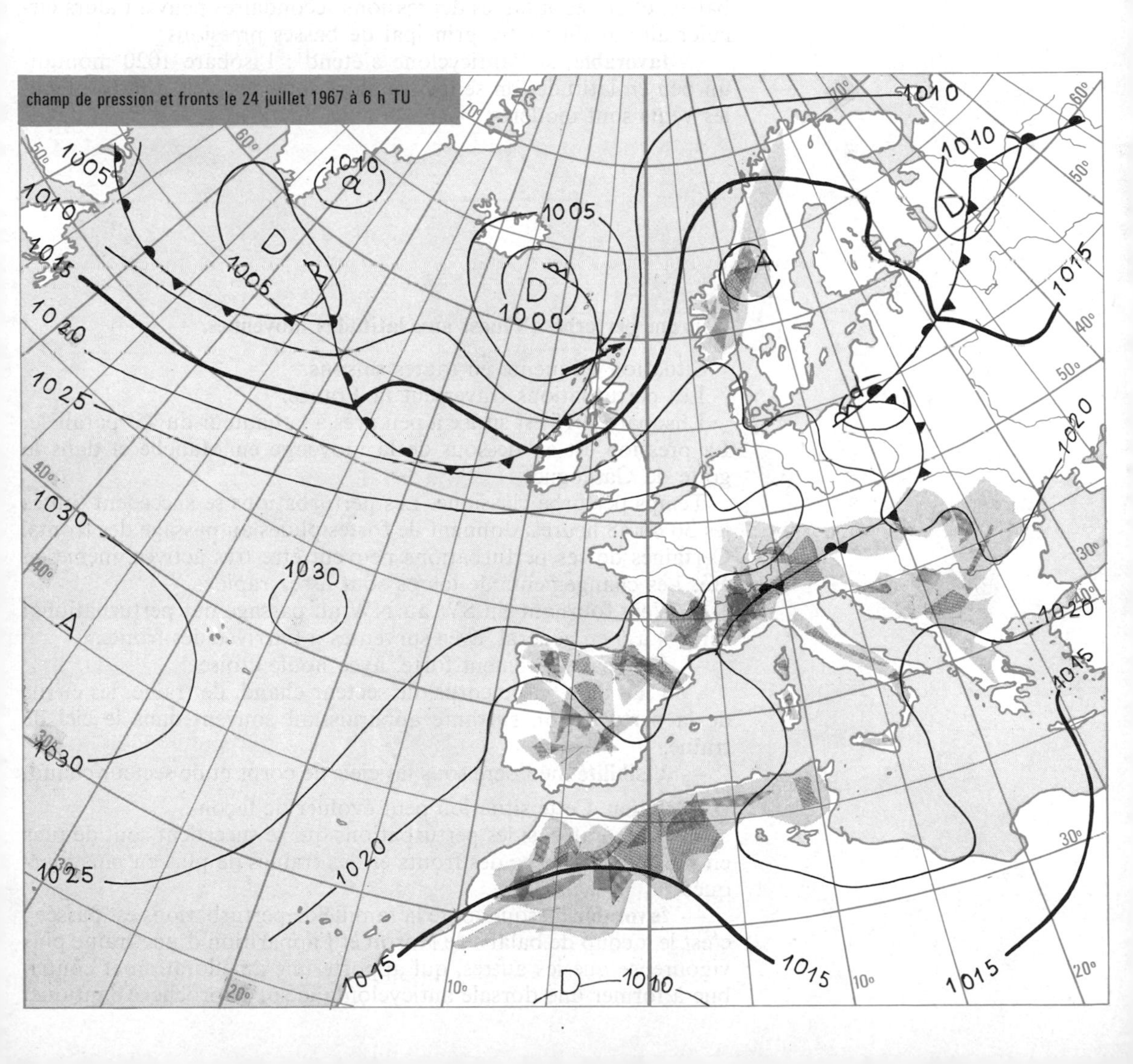

Le temps n'est que légèrement perturbé sur la Bretagne et sur la Manche. Pluies faibles ou nulles. Belles éclaircies et améliorations rapides.

— **Vent** d'Ouest dominant, assez régulier, de force 3 à 5, avec quelques rafales au passage des perturbations.

— **Mer** agitée en Manche, houle modérée.

— **Ciels** variés : alternance de ciels d'intervalle, de marge chaude, de zone de liaison, parfois de traîne.

— **Visibilité** bonne en général, réduite par brume dans les marges, et par stratus dans les zones de liaison.

Evolution. Cette situation peut évoluer d'une façon :

— **défavorable,** si l'anticyclone des Açores s'affaiblit : la pression baisse, et de redoutables dépressions secondaires peuvent alors circuler autour du centre principal de basses pressions;

— **favorable,** si l'anticyclone s'étend : l'isobare 1020 montant un peu en latitude, on se trouve alors sous des ciels d'intervalle et les vents sont modérés.

Courant perturbé d'Ouest aux latitudes moyennes.

Situation fréquente en toutes saisons.

Les perturbations traversent la France.

L'isobare 1015 est située à peu près à la hauteur du 45e parallèle. La pression est en dessous de la moyenne en Manche et dans le golfe de Gascogne.

Temps perturbé classique. Les perturbations se succèdent toutes les 36 ou 48 heures, donnant de fortes pluies au passage des fronts. Certaines de ces perturbations peuvent être très actives, même en été. Les changements de temps sont assez rapides.

— **Vent** tournant du SW au NW au passage des perturbations; force 4 à 6 en général, avec surventes à l'arrivée des fronts.

— **Mer** passagèrement forte, avec houle croisée.

— **Ciels** de tête, de corps, de secteur chaud, de traîne, les cirrus de la perturbation suivante apparaissant souvent dans le ciel de traîne.

— **Visibilité** médiocre sous les ciels de corps et de secteur chaud.

Evolution. Cette situation peut évoluer de façon :

— **défavorable,** si les perturbations qui se succèdent sont de plus en plus creuses, avec des fronts et des traînes de plus en plus marqués;

— **favorable** lorsque toute la famille de perturbations est passée : c'est le « coup de balai » de Noroît et l'apparition d'une traîne plus vigoureuse que les autres, qui apporte une amélioration et contribue à former une dorsale anticyclonique sur le proche Atlantique.

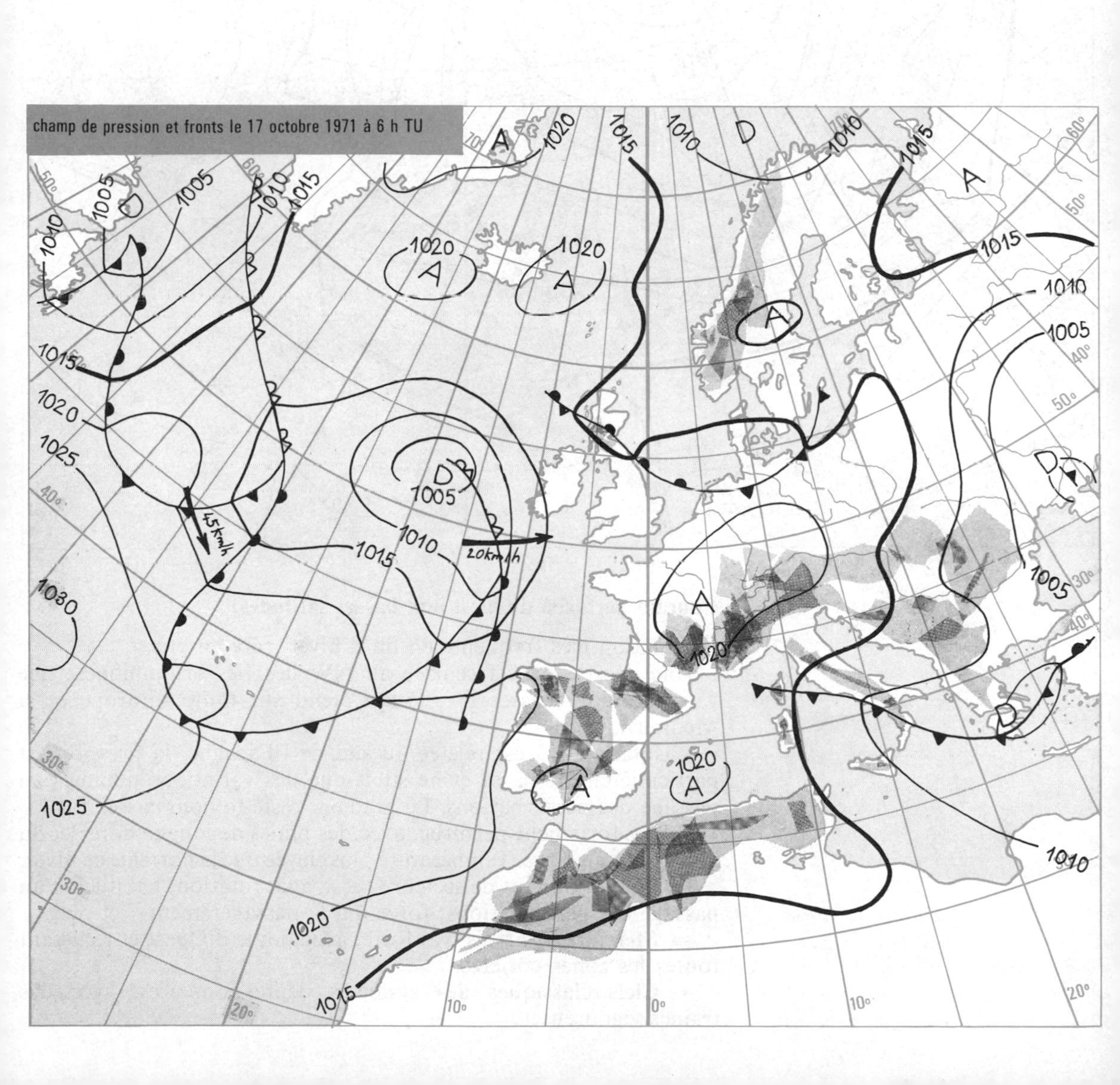
champ de pression et fronts le 17 octobre 1971 à 6 h TU
45km/h
20km/h

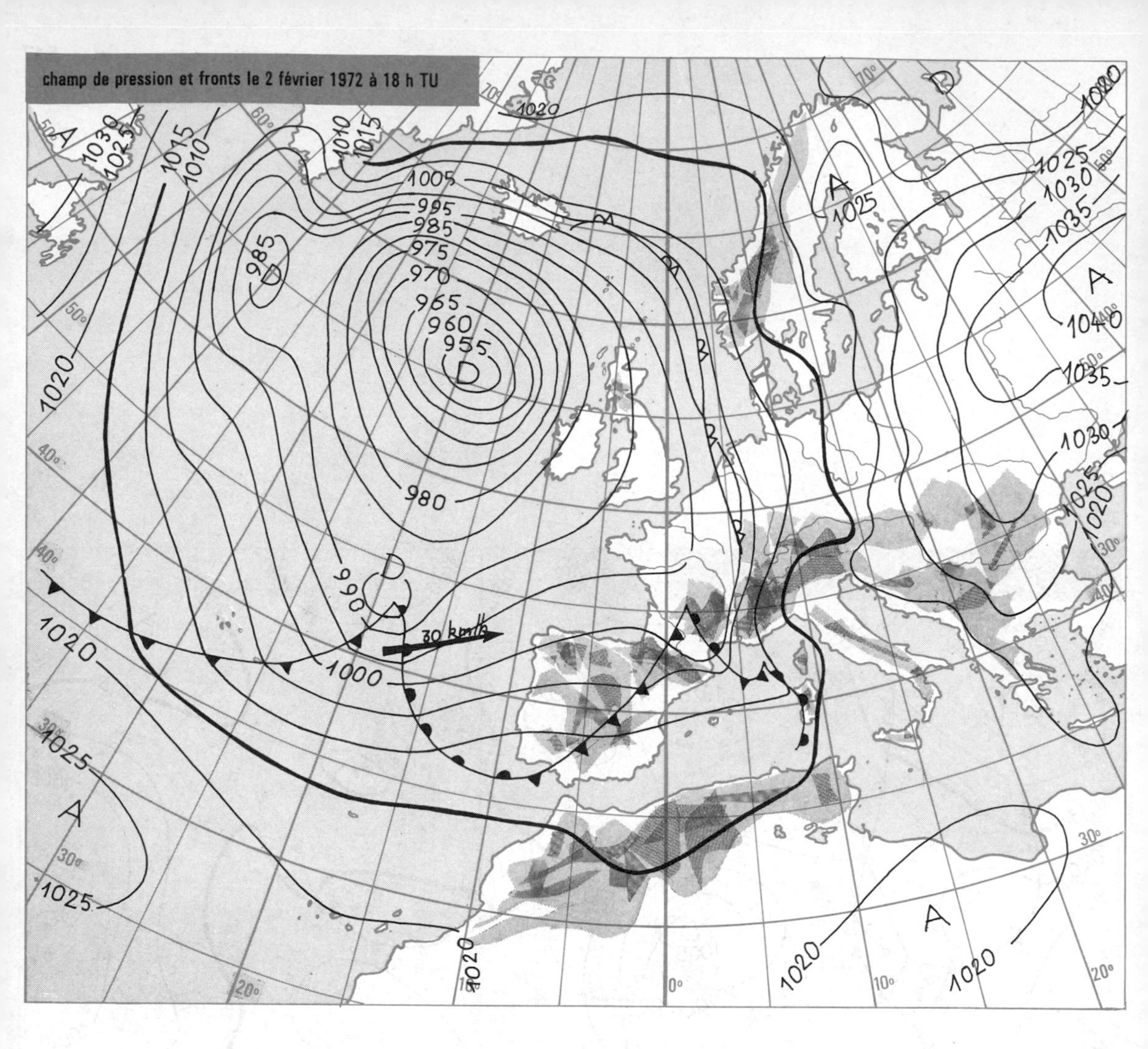

Courant perturbé d'Ouest aux basses latitudes.

Situation très fréquente en fin d'hiver, rare en été.

Une dépression est centrée au NW des Iles britanniques; une vaste zone de basses pressions s'étend sur toute l'Europe et la Méditerranée.

L'isobare 1015 est rejetée au sud de l'Espagne, la pression est particulièrement basse et ne subit que des variations minimes au passage des perturbations. Le gradient reste toujours assez fort.

Temps fortement perturbé, avec des pluies de longue durée et du gros temps au large. Température plus élevée que la normale en hiver.

— **Vent** dominant de secteur Ouest, avec rotations habituelles au passage des perturbations; force 4 à 6, passagèrement 7 et plus.

— **Mer** forte, parfois très forte, avec houle d'Ouest envahissant toutes les zones côtières.

— **Ciels** classiques des systèmes dépressionnaires, avec des traînes vigoureuses.

— **Visibilité** très variable, parfois nulle dans les secteurs chauds, très bonne dans les traînes.

Evolution. Cette situation peut évoluer de façon :

— **défavorable,** si l'isobare 1015 remonte en latitude : le gradient augmente, et des coups de vent se produisent;

— **favorable,** si la dépression se comble : le gradient diminue, le vent mollit. Mais la houle persiste encore longtemps.

Courant perturbé de Nord-Ouest.

Situation fréquente en été, surtout pendant le mois de juillet.

L'anticyclone des Açores s'étend au large du golfe de Gascogne, un courant de perturbations circule au nord de cet anticyclone.

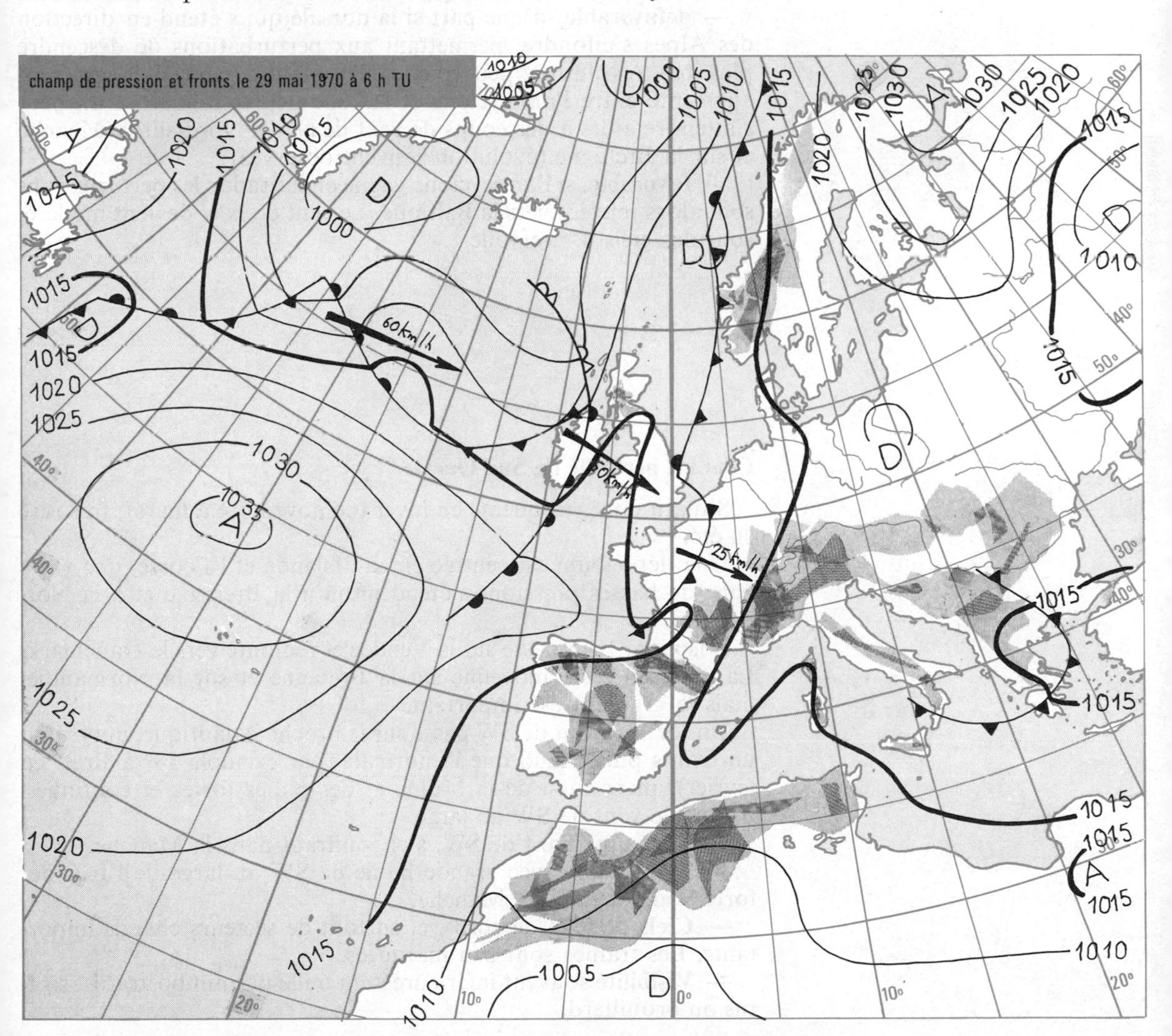

champ de pression et fronts le 29 mai 1970 à 6 h TU

L'isobare 1015 traverse les Iles britanniques. La pression est relativement haute et varie peu au passage des perturbations.

Beau temps au large, plus frais que la normale sur les côtes, avec averses fréquentes surtout en Manche.

— **Vent** de NW dominant, très instable. Turbulence et rafales.

— **Mer** belle avec houle modérée de NW.

— **Ciels** de marge chaude, de corps et surtout de traîne, les fronts froids ou les occlusions à caractère de front froid étant la dominante de ce genre de perturbations. Ciels d'intervalle entre les perturbations.

— **Visibilité** généralement bonne, réduite sous les grains ou dans les averses. Brume rare.

Evolution. Cette situation peut évoluer de façon :

— **défavorable**, d'une part si la dorsale qui s'étend en direction des Alpes s'effondre, permettant aux perturbations de descendre plus bas (évolution peu fréquente); d'autre part si le gradient augmente entre l'anticyclone et la zone dépressionnaire : on peut s'attendre alors à des coups de vent de NW à Nord sur la Manche et sur la Bretagne (évolution souvent observée);

— **favorable,** si l'anticyclone gagne en latitude : les perturbations sont alors rejetées vers la Baltique. Le vent de NW devient modéré, sous des ciels d'intervalle.

Courant perturbé de Sud-Ouest.

Situation très fréquente en hiver (de novembre à mars); très rare en été.

Une dépression est centrée entre l'Islande et l'Ecosse, une vaste zone de basses pressions s'étend jusqu'à la Bretagne et à la Normandie.

L'isobare 1015 passe sur la Vendée et remonte vers le Danemark. La pression reste moyenne sur la Bretagne et sur la Normandie, mais le gradient est important.

Un fort courant de SW passe sur le proche Atlantique, apportant un temps plus chaud que la normale (par exemple 18° à Brest en février), mais aussi de la bruine et des pluies fortes et continues. Coups de vent de SW au large.

— **Vent** dominant de SW, s'engouffrant dans la Manche.

— **Mer** grosse avec grande houle de SW au large de l'Irlande; forte houle de SW en Manche.

— **Ciels** de tête, de corps, et surtout de secteurs chauds importants. Les traînes sont peu marquées.

— **Visibilité** souvent inférieure à un mille par nimbostratus, stratus ou brouillard.

Evolution. Cette situation peut évoluer de façon :

— **défavorable,** d'une part, si le gradient augmente : des coups de vent sont à craindre; d'autre part, si de petites dépressions secondaires se développent et circulent à la hauteur de la Manche : il peut alors se produire, localement, des tempêtes de courte durée mais violentes;

— **favorable,** si le courant de SW se décale vers le Nord; le vent mollit et peut même devenir très faible. C'est « le calme après la tempête ».

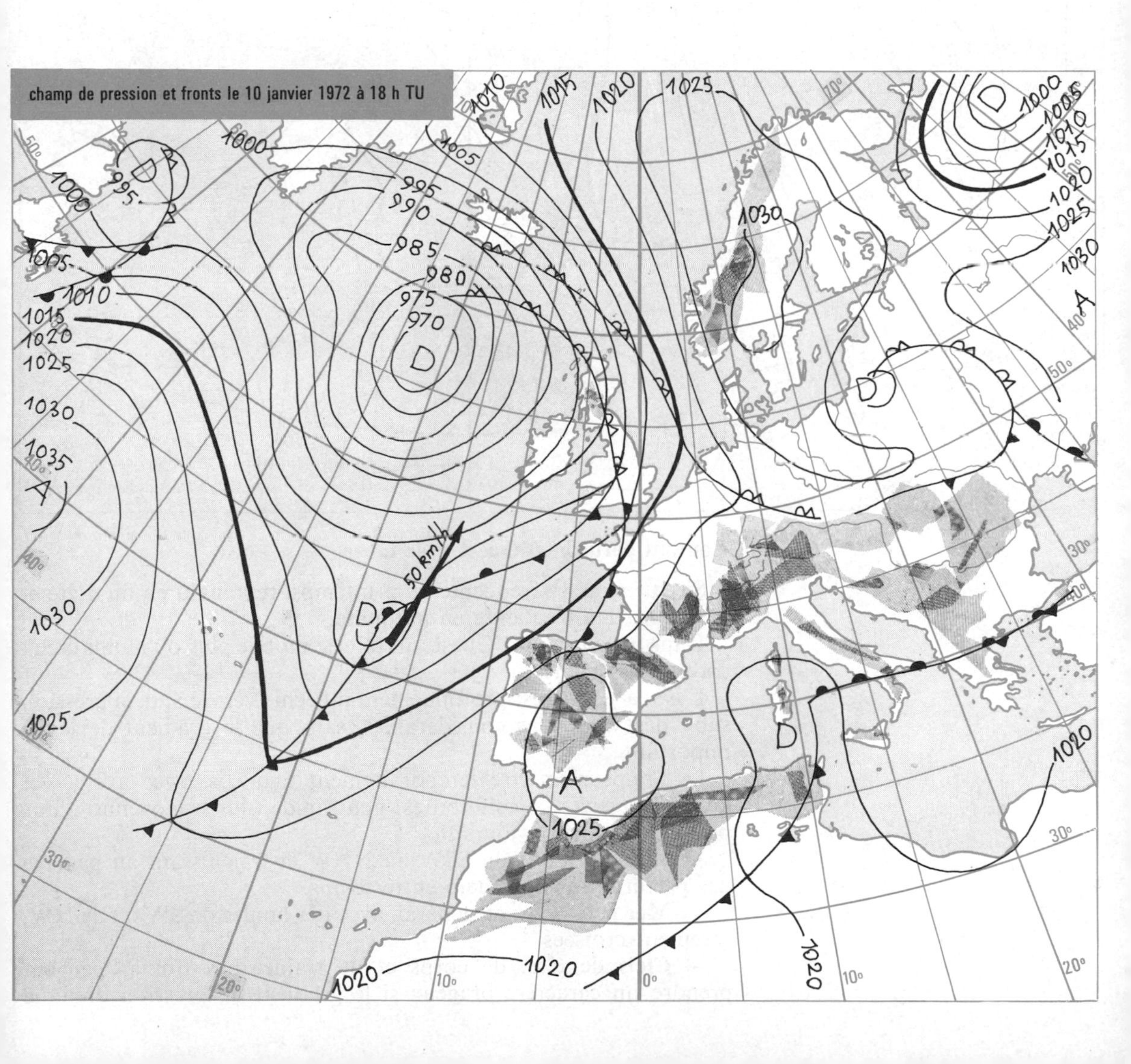

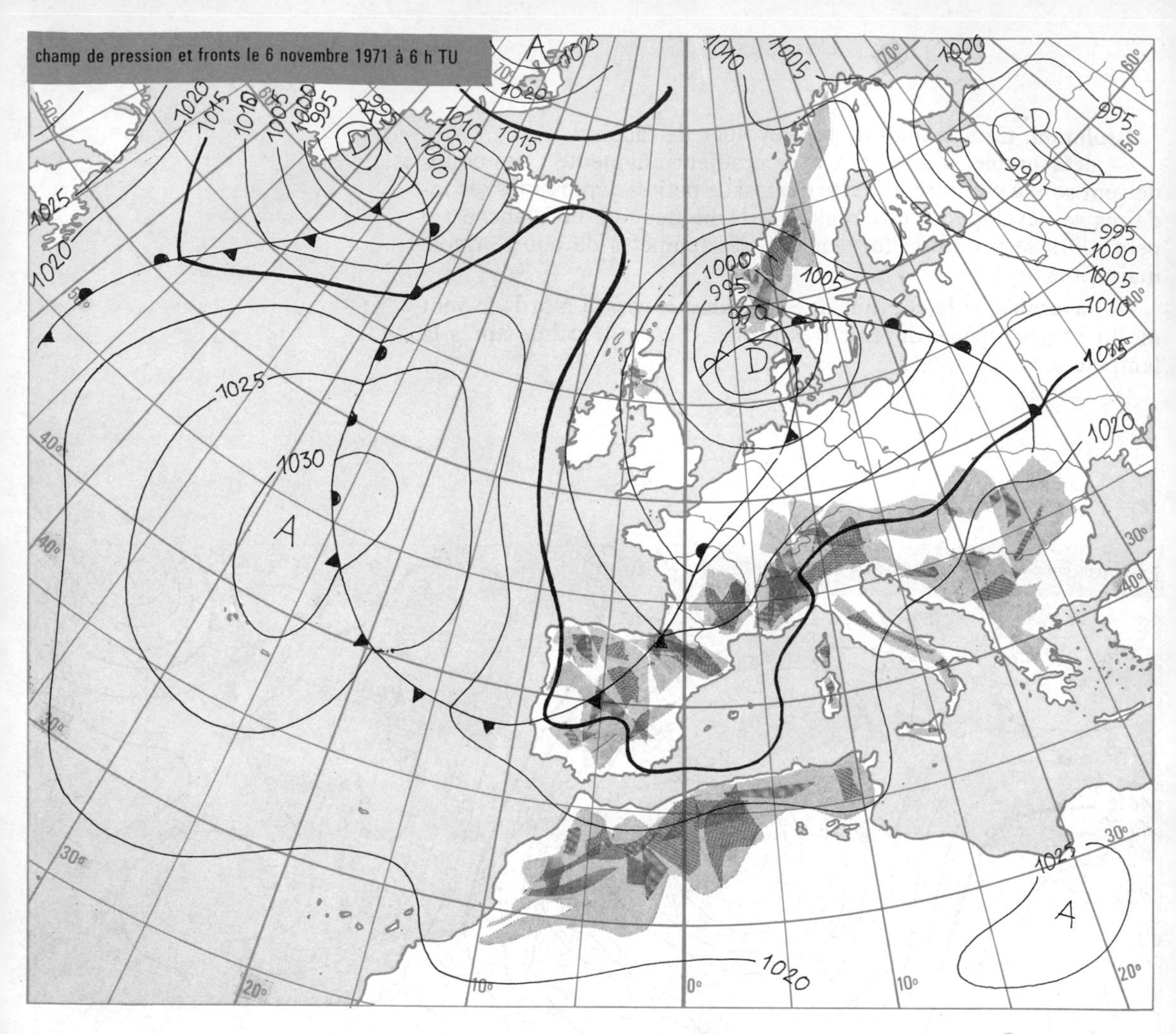

Courant perturbé d'Ouest avec talweg.

Situation assez fréquente au printemps, reprenant en fin d'été et devenant très fréquente en automne.

Dans un courant d'Ouest, un talweg mobile plus ou moins creux traverse la France.

L'isobare 1015 est profondément infléchie vers le Sud, la pression subit des variations considérables, sans que le gradient devienne important.

Le temps peut être temporairement mauvais, avec averses et grains orageux. L'évolution est peu rapide (durée moyenne d'une perturbation : trois jours).

— **Vent** tournant du SSW au NNW et fraîchissant au passage des perturbations; modéré entre temps.

— **Mer** peu agitée en général, avec des houles de SW ou de NW, rarement croisées.

— **Ciels** de tête, de corps et de traîne. Les traînes peuvent prendre un caractère orageux si le gradient de pression diminue sensiblement; on voit alors apparaître des ciels pré-orageux ou même orageux.

— **Visibilité** limitée sous les nimbostratus, sans que le temps soit vraiment bouché.

Evolution. Cette situation peut évoluer de façon :

— **défavorable,** si elle prend un tour orageux, ou si une descente d'air polaire direct vient réactiver une perturbation en cours;

— **favorable,** si l'anticyclone des Açores remonte en latitude : le temps perd son caractère orageux.

Courant perturbé dans un col.

Situation très fréquente en fin de printemps et au début de l'été.

Une zone de pressions relativement basses reliant deux dépressions s'étend d'Ouest en Est à la latitude des Iles britanniques.

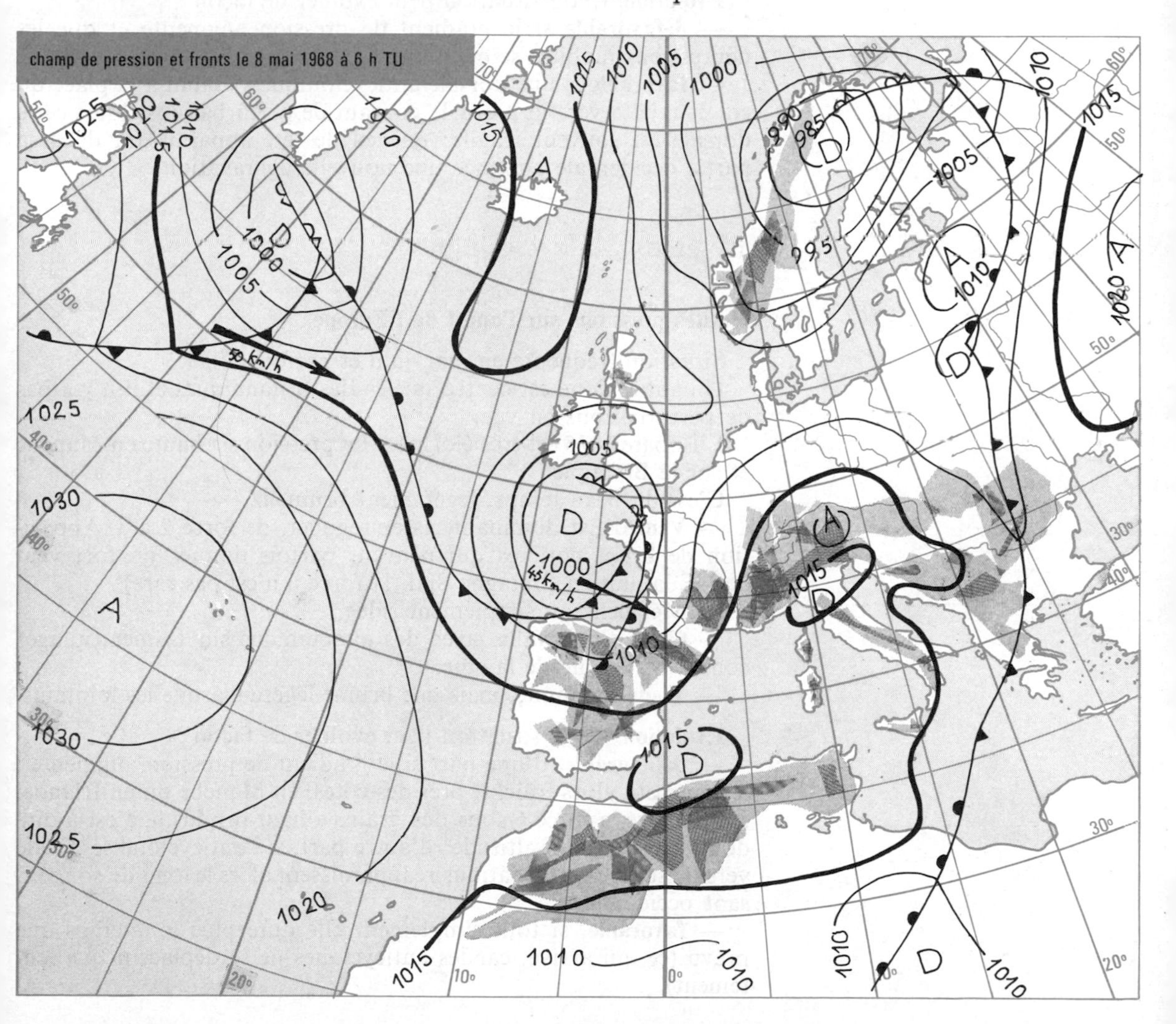

champ de pression et fronts le 8 mai 1968 à 6 h TU

L'isobare 1015 passe de part et d'autre de ce col. La pression est au-dessous de la moyenne à l'ouest de la Bretagne et en Manche, mais ne subit pas de variations considérables.

De petites dépressions mobiles courent d'Ouest en Est dans le col isobarique, donnant des pluies de courte durée. On constate un temps plus froid que la normale au nord du col, un temps plus chaud que la normale, assez sec et peu nuageux, au sud.

— **Vent** bien établi de secteur Ouest avec rotations au passage des perturbations, en général sans surventes notables.

— **Mer** peu agitée à agitée avec houle d'Ouest.

— **Ciels** d'intervalle ou de zone de liaison.

— **Visibilité** passagèrement réduite dans les zones de liaison et au passage des fronts chauds.

Evolution. Cette situation peut évoluer de façon :

— **défavorable** si le gradient de pression augmente et que les dépressions mobiles se creusent;

— **favorable** si une dorsale anticyclonique s'établit à la place du col et rejette vers le Nord le courant de perturbations. Mais cette dorsale est souvent fragile; un ciel de tête apparaissant dans sa partie occidentale annonce une nouvelle aggravation.

Régimes anticycloniques.

Hautes pressions sur l'ouest de l'Europe.

Situation fréquente en mai, juin et parfois juillet.

Un anticyclone est centré sur les Iles britanniques et il n'y a pas de perturbations en vue.

L'isobare 1015 est très éloignée. La pression est haute en Manche et sur la Bretagne.

C'est du beau temps, légèrement brumeux.

— **Vent** d'Est dominant, assez régulier, de force 2 à 3. Apparition de brises côtières qui peuvent parfois donner un fort vent de NE la nuit en Bretagne Sud (la force 6 n'est pas rare).

— **Mer** belle ou simplement ridée.

— **Ciels** d'intervalle, avec des altocumulus sur la mer; nuages convectifs le long de la côte.

— **Visibilité** bonne, mais une brume légère masque les lointains.

Evolution. Cette situation peut évoluer de façon :

— **défavorable,** d'une part si le gradient de pression augmente : le vent peut alors fraîchir près des côtes, en Manche ou en Irlande, et atteindre la force 6 sous des grains « haut-pendus », c'est-à-dire dont la base est en altitude; d'autre part, si l'anticyclone se décale vers l'Est : les perturbations réapparaissent alors le long de son versant occidental;

— **favorable,** si tout simplement elle dure plus longtemps que prévu (ce qui arrive, car les anticyclones ne se déplacent que lentement).

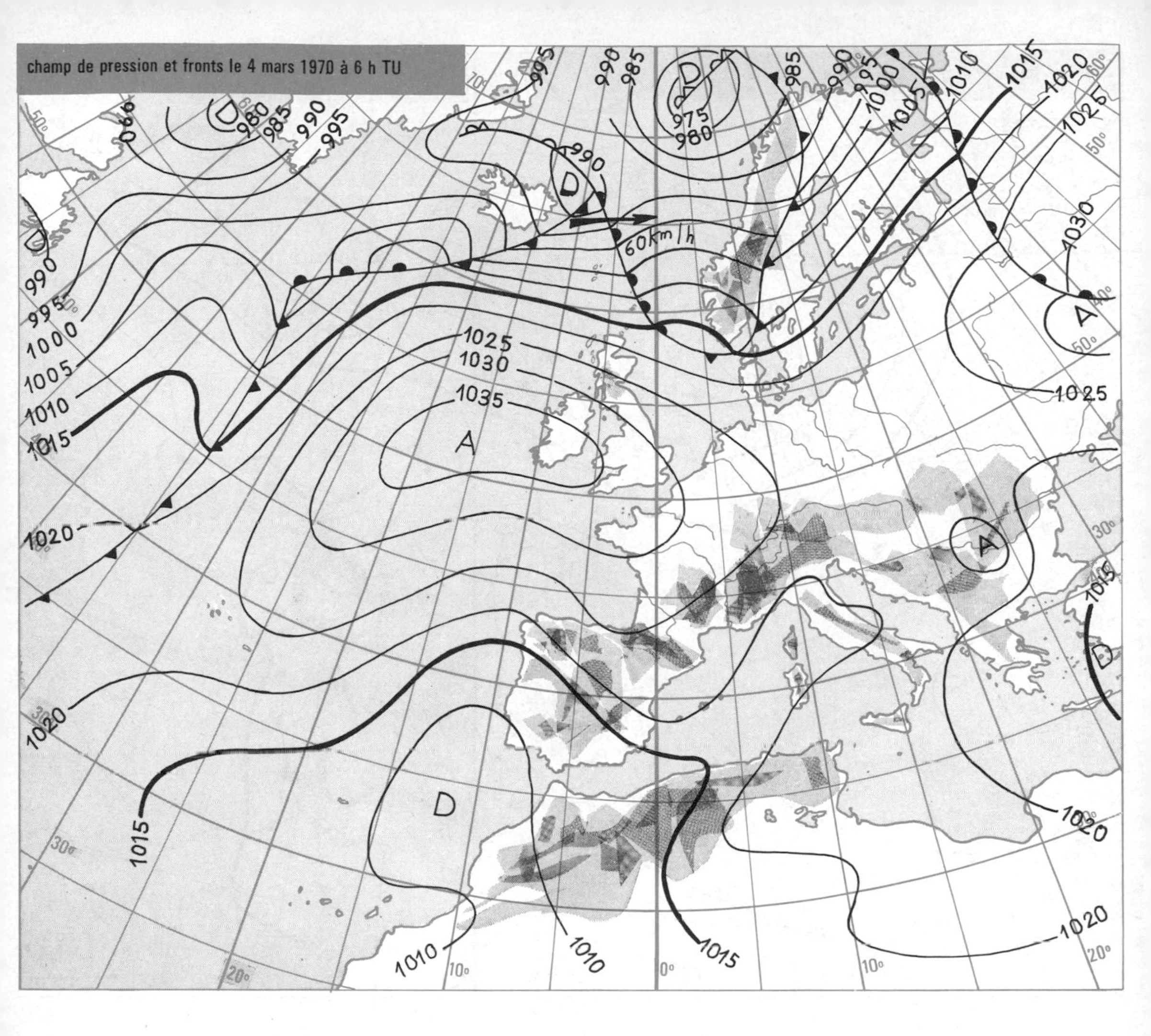

Crête de hautes pressions orientée Ouest-Est.

Situation caractéristique de la fin de l'été (septembre).

Une crête anticyclonique s'établit à la hauteur de la Manche. Il n'y a pas de perturbations organisées.

L'isobare 1015 est très éloignée du golfe de Gascogne, la pression est haute, et son gradient faible.

Temps sec légèrement brumeux sur mer, frais la nuit et assez chaud le jour.

— **Vent** d'Est faible; calmes sur la Manche, jeux de brises.

— **Mer** belle ou simplement ridée.

— **Ciels** d'intervalle.

— **Visibilité** bonne, sauf éventuellement le matin près des côtes (brouillard).

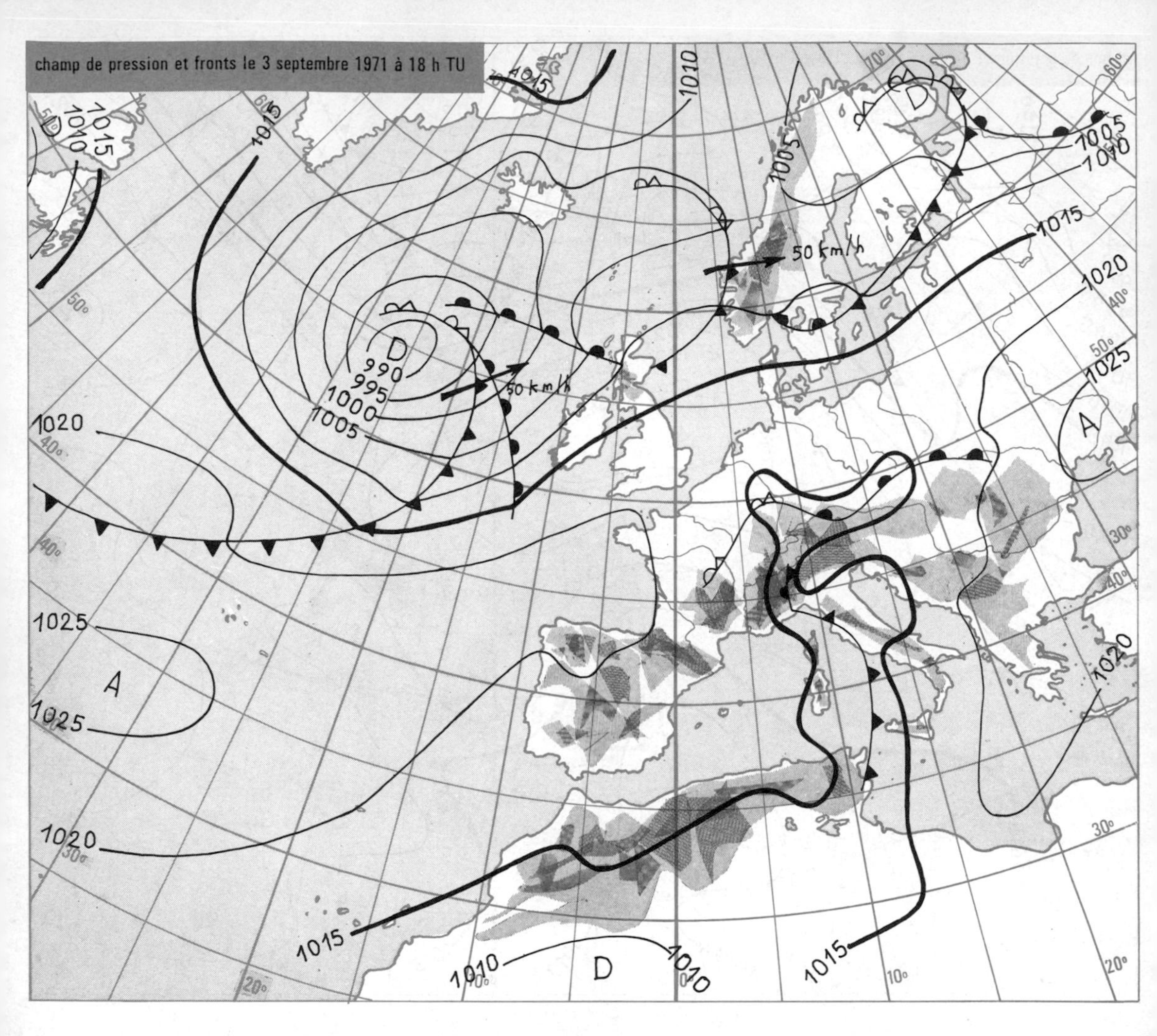

Evolution. Cette situation peut évoluer de façon :

— **défavorable,** si la crête s'effondre : les perturbations traversent alors les Iles britanniques du nord au sud, et sont souvent accompagnées de grains importants;

— **favorable,** si le gradient augmente un peu, assurant un vent de force 3 à 4 nettement plus agréable pour naviguer.

Crête de hautes pressions orientée Nord-Sud.

Situation fréquente de mai à fin juillet.

Une crête anticyclonique recouvre les Iles britanniques, le nord de la France et l'Espagne. Les perturbations passent au large, et seules leurs bordures, très atténuées, atteignent l'ouest de la France.

L'isobare 1015 encadre la crête, qui est d'ailleurs très fragile (souvent 1018 mb). Le gradient de pression est donc très faible : on se trouve dans un marais barométrique.

Temps chaud et sec, calme en mer, mais des dépressions orageuses peuvent apparaître sur le golfe de Gascogne.

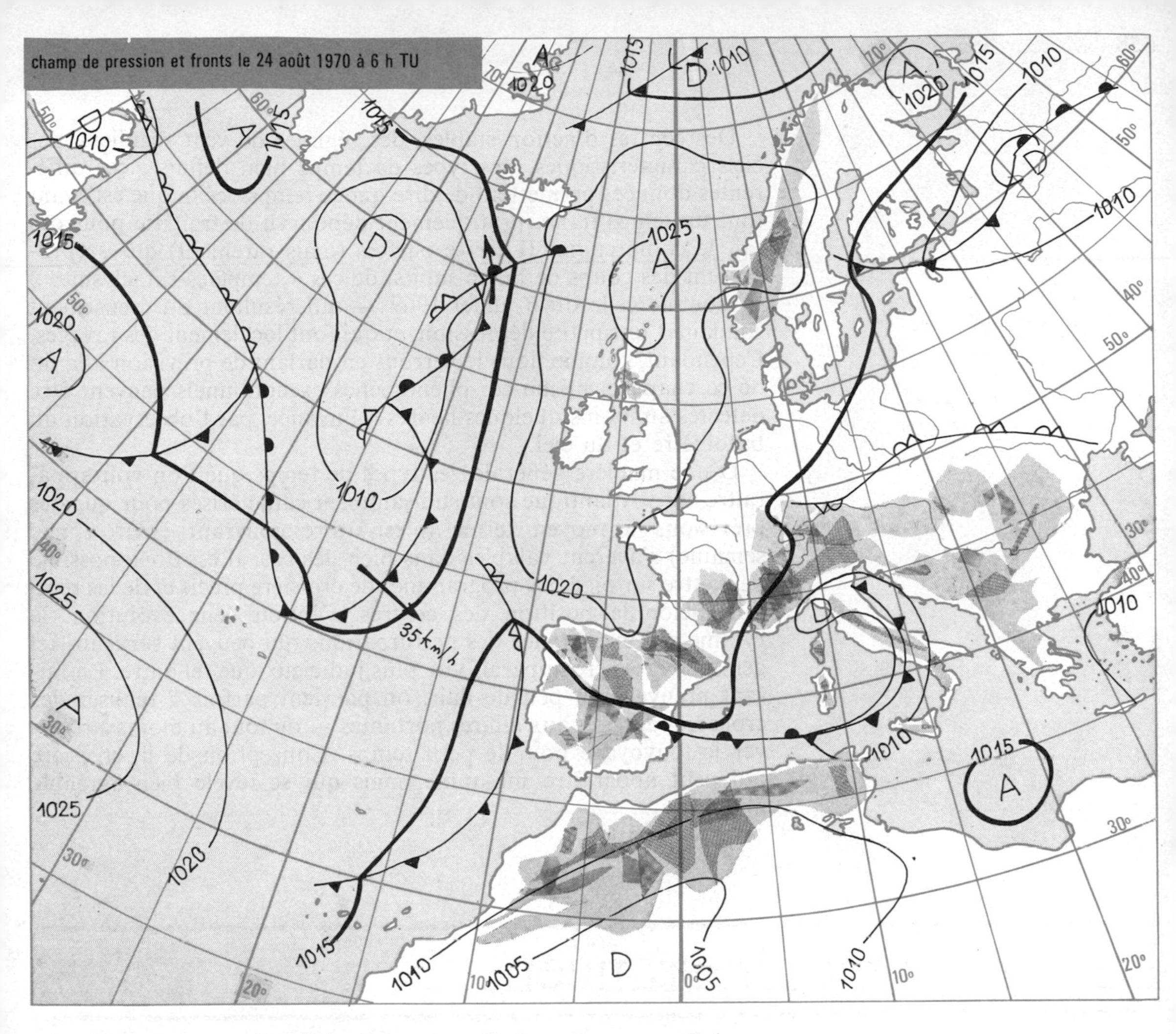

— **Vent** nul ou très faible, de secteur Sud en Bretagne. Calmes dans la Manche. Etablissement de brises locales.

— **Mer** calme; une longue houle de SW peut parfois atteindre les côtes.

— **Ciels** d'intervalle en mer, parfois de tête ou de marge atténuées. A terre, ciel d'instabilité, évolution diurne des nuages avec développements orageux : « orages de chaleur ». Ciels pré-orageux et orageux (orages frontaux) lorsqu'une bouffée d'air océanique plus frais passe sur la terre surchauffée.

— **Visibilité** bonne en général, limitée sous les grains.

Evolution. Cette situation peut évoluer de façon :

— **défavorable,** si la crête s'effondre : les perturbations traversent à nouveau les Iles britanniques; elles sont généralement atténuées, mais constituées dans leur bordure antérieure d'air chaud souvent instable (cumulonimbus dans le front chaud);

— **favorable** si la crête se renforce : le gradient augmente, le vent fraîchit, la tendance orageuse disparaît.

Des centres d'action stables, des régimes de vent réguliers, des ciels caractéristiques, des types de temps bien définis : ces différentes données permettent de dire que le temps océanique est avant tout un temps franc, pratiquement dépourvu de traîtrise pour qui sait le comprendre. Il arrive parfois (mais rarement) que se produisent des coups de tabac subits, de ces « tempêtes-cataclysmes » — comme celle du 6 juillet 1969 — qui résultent du creusement soudain d'une petite dépression, et qui font localement des ravages. Cependant, comme nous le verrons en parlant de prévision à la fin de ce chapitre, même ces phénomènes exceptionnels peuvent être détectés au moins quelques heures à l'avance, par l'observation du baromètre et du ciel.

D'une manière générale, les types de temps que l'on voit apparaître sur l'Atlantique sont suffisamment caractérisés pour que des prévisions à moyen terme (c'est-à-dire couvrant environ une semaine) s'avèrent valables dans bien des cas. Il est donc possible de mettre sur pied des programmes de croisière précis et de les remplir. Selon la position des centres d'action, leur évolution, le rythme et l'importance des perturbations qui peuvent survenir, tel genre de croisière apparaît vite plus judicieux que tel autre. En faisant preuve d'un peu de flair, on parvient parfois à réaliser des croisières entières aux allures portantes — ou tout au moins à réserver le louvoyage pour le petit temps. Conception de la croisière qui peut apparaître mesquine, mais qui se révèle bien agréable à l'usage...

Le temps méditerranéen

La Méditerranée a la réputation d'être un domaine à part, où le temps ne suit pas la règle du jeu. Le plaisancier familier des côtes de l'Atlantique, habile à repérer les signes qui, dans cette région, précèdent généralement les changements de temps, peut en effet se sentir quelque peu « trahi » par le ciel lorsque, dans le golfe du Lion par exemple, il essuie des coups de vent qu'aucun nuage n'a annoncés, ou lorsqu'il constate qu'un front d'allure débonnaire, stationnaire depuis quelques jours, tout à coup se réveille et devient très actif...

Il aurait tort d'en déduire cependant qu'il doit faire table rase de ses connaissances et qu'il lui faut reconsidérer toutes choses d'un œil autre. En réalité, il n'y a pas vraiment une météorologie spéciale de la Méditerranée, et toutes les lois fondamentales que nous avons exposées au chapitre précédent restent valables ici. Les phénomènes qui s'y produisent ne sont pas d'une nature particulière. S'ils prennent parfois un tour un peu surprenant c'est essentiellement pour les raisons suivantes :

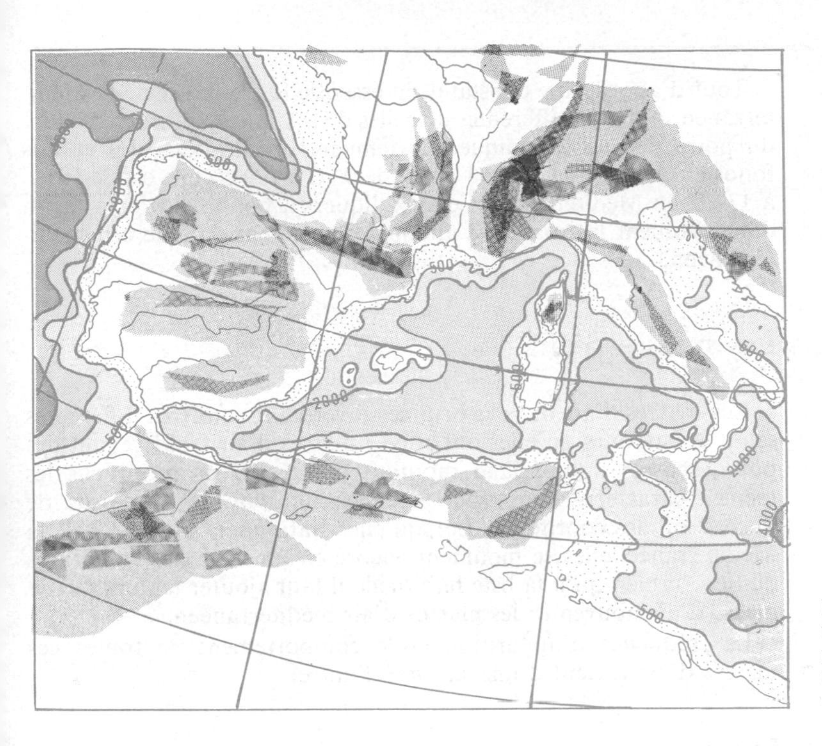

La Méditerranée constitue un véritable réservoir de chaleur, et cela pour deux raisons : hauteur des montagnes environnantes; faible profondeur du seuil de Gibraltar (450 m).

— La Méditerranée est un domaine fermé, possédant en quelque sorte ses eaux et son ciel propres, une personnalité que les influences extérieures ne parviennent jamais à éliminer complètement.

— Tout autour de cette mer, les contrastes thermiques sont considérables et soumettent les masses d'air qui y circulent à des évolutions très rapides.

— Enfin et surtout, sur ses côtes, le relief est important et très compartimenté. Il est à l'origine de phénomènes locaux bien précis, suffisants pour masquer parfois la situation d'ensemble.

Pour comprendre le temps qu'il fait en Méditerranée, il faut sans doute s'attacher plus spécialement à l'étude de ces particularités, mais il importe en premier lieu de les situer dans leur contexte. Nous ferons donc d'abord un tour d'horizon rapide des conditions d'ensemble : masses d'air en présence, centres d'action qui les gouvernent, régimes généraux qui s'établissent au fil des saisons. Ensuite nous entrerons dans le détail, en axant notre étude sur la partie de la Méditerranée qui nous intéresse le plus immédiatement, c'est-à-dire sur son bassin occidental.

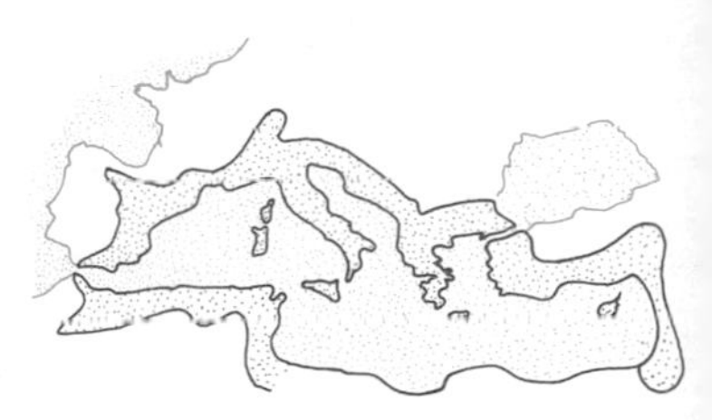

Limites du domaine méditerranéen.

Vue d'ensemble

Tout d'abord, une constatation essentielle : les eaux de la Méditerranée sont fort différentes de celles de l'Atlantique, en particulier du point de vue thermique. La température de l'eau des grands fonds en Atlantique est de l'ordre de 0° C à 12° C; elle est de 10° C à 13° C en Méditerranée. Cela explique, en bonne partie, la façon dont évoluent les masses d'air qui parviennent dans le ciel méditerranéen.

Les masses d'air.

Ces masses d'air ont des origines diverses et sont très différentes selon le parcours qu'elles ont suivi : masses d'air froid venant des pôles, masses d'air chaud montant des tropiques n'ont pas les mêmes caractéristiques selon qu'elles ont voyagé au-dessus de l'océan ou des continents. Lorsqu'elles stationnent au-dessus de la Méditerranée, elles se modifient encore en fonction des conditions du lieu, si bien qu'à la liste habituelle il faut ajouter ici un type de masse d'air nouveau : les masses d'air méditerranéen.

La fréquence d'apparition et le comportement de toutes ces masses d'air varient d'une saison à l'autre.

En hiver.

Parmi les **masses d'air polaire maritime** qui atteignent la Méditerranée, certaines sont d'abord descendues du Groenland jusqu'aux Açores, elles se sont fortement réchauffées et chargées d'humidité durant ce trajet; d'autres, nées également dans les parages du Groenland, ont coupé au plus court à travers la France et sont donc moins chaudes et moins humides. Certaines (plus rares) viennent directement des régions arctiques, elles ont fait ce même parcours très rapidement et sont encore très froides lorsqu'elles arrivent. Dans tous les cas, ces masses d'air, réchauffées par la base durant leur parcours sur l'océan, sont déjà instables et le deviennent encore plus, à des degrés divers, lorsqu'elles abordent cette mer plus chaude. Leur arrivée est souvent marquée par l'apparition de nuages cumuliformes sur le relief.

Les **masses d'air polaire continental,** qui recouvrent en hiver de vastes étendues (de la Scandinavie jusqu'aux Balkans et aux plateaux d'Asie Mineure), sont stables en elles-mêmes, mais deviennent également instables en entrant en Méditerranée; toutefois elles sont peu chargées d'humidité et ne donnent pas lieu en général à des formations nuageuses importantes.

Les caractéristiques des **masses d'air méditerranéen** dépendent de la température des eaux de surface; celle-ci est de l'ordre de 13° C à 16° C, du mois de novembre au mois de mars. La mer étant plus chaude que les basses couches de l'atmosphère, celles-ci se réchauffent et se chargent d'humidité. Ces masses d'air sont donc instables, et propices au développement de nuages cumuliformes. Elles ressemblent beaucoup aux masses d'air des régions tropicales de l'Atlantique.

En été.

Les **masses d'air polaire maritime** atteignent moins souvent la Méditerranée. Lorsqu'elles y parviennent, fortement réchauffées sur leur parcours, elles ont un caractère d'instabilité très marqué qui déclenche systématiquement des situations orageuses.

Les **masses d'air polaire continental** restent cantonnées à l'extrême-nord de l'Eurasie. Toutefois la situation isobarique est telle qu'un courant régulier s'établit des régions polaires jusqu'à la Méditerranée centrale et orientale : ce sont les **vents étésiens.** L'air froid, passant sur les plaines surchauffées d'Eurasie devient très chaud et très sec. Parvenant sur une surface maritime plus fraîche, une inversion de température se produit qui entraîne une grande stabilité dans les basses couches : temps stable et beau.

Les **masses d'air tropical maritime** parviennent très évoluées en Méditerranée. Elles n'interviennent que dans le bassin occidental et peuvent y être assimilées à de l'air polaire maritime chaud; elles sont instables.

Toutes ces masses d'air nous sont déjà connues. Nous décrirons un peu plus en détail les masses d'**air tropical continental** (air saharien). Celles-ci sont absentes en hiver, et se manifestent sur mer surtout au printemps. Il s'agit d'un air très chaud, très sec, chargé de poussières; de son refroidissement par la base résulte une inversion de température, donc une grande stabilité dans les basses couches.

C'est en air chaud saharien qu'on peut trouver en Méditerranée les vents les plus réguliers et les plus durables, favorables à la navigation à voile, mais avec des conditions nuageuses peu plaisantes si l'invasion d'air chaud a de l'ampleur.

Les nuages caractéristiques de cet air chaud sont :
— des altocumulus *floccus* et *castellanus*, au début;
— des altocumulus orageux à plusieurs niveaux ensuite;
— parfois des cumulonimbus élevés;
— des stratus et du brouillard la nuit et le matin.

En été, cet air de type saharien (qui peut être originaire non seulement du Sahara mais aussi de l'Asie Mineure, des Balkans et même de l'Espagne) est présent sur presque toutes les régions bordant la Méditerranée, mais s'avance peu au-dessus de la mer, et ceci pour plusieurs raisons :

— Un courant de mousson important s'établit vers le centre de l'Afrique et l'on constate le plus souvent un flux d'air allant de la Méditerranée vers le Sahara.

— Même phénomène, de plus grande envergure, pour la zone de l'Asie. Les vents allant de la mer vers les déserts n'étant autre que les étésiens déjà cités.

— L'air saharien originaire des Balkans ou de la Turquie est repris dans le courant des étésiens et associé à de l'air un peu moins chaud, d'origine polaire continentale.

— L'air saharien qui se forme sur la péninsule ibérique est un noyau isolé qui ne persiste que s'il y a un flux général de composante sud, et il tend alors à envahir l'Europe occidentale plutôt que la Méditerranée. Si le flux général est de NW, l'air continental chaud ibérique est rapidement rejeté en altitude.

Comme au printemps, lorsque ces masses d'air très instables entrent en Méditerranée (ce qui se produit le plus souvent en fin d'été et intéresse plutôt le bassin oriental que le bassin occidental), elles deviennent très stables dans les basses couches. Elles donnent alors lieu à des formations de brouillard et de stratus sur les côtes de Libye et jusqu'à Malte. Cependant, elles s'humidifient en altitude tout en restant très instables : si une invasion d'air polaire se produit en même temps, il y a systématiquement formation d'orages violents, parfois avec des bases de nuages très élevées.

Les **masses d'air méditerranéen** ont à peu près les mêmes caractéristiques qu'en hiver : elles sont instables dans les basses couches. Toutefois si ces masses d'air sont passées sur le continent avant de stagner sur la Méditerranée, une inversion de température se produit dans les basses couches (la mer étant moins chaude que la terre) qui empêche tout déclenchement de la convection. Sur le relief, en revanche, les formations cumuliformes sont souvent plus importantes qu'en hiver.

Les centres d'action.

Sur les régions atlantiques, le champ de pression apparaît en général comme un ensemble bien organisé : les lignes d'égale pression se rangent très régulièrement autour des dépressions et des anticyclones, centres d'action qui occupent de vastes espaces. En Méditerranée, tout n'est pas aussi clair. Il n'existe pas d'anticyclone permanent comme celui des Açores. Les centres d'action ont des dimensions réduites et une existence souvent éphémère. L'analyse du champ de pression s'avère donc en général beaucoup plus complexe. Toutefois les principaux centres d'action qui gouvernent le temps sur l'Atlantique jouent ici aussi un rôle essentiel.

En hiver.

L'anticyclone des Açores ne dépasse pas le 40e parallèle, la zone dépressionnaire d'Islande descend très bas en latitude. L'anticyclone sibérien s'étend sur le continent, une dorsale le prolongeant vers l'Ouest jusqu'aux Alpes. Cette dorsale disparaît fréquemment lorsque les perturbations du front polaire pénètrent jusqu'en Méditerranée.

Une dépression s'établit sur la mer Tyrrhénienne, résultant des dépressions d'origine atlantique et de dépressions se formant sur

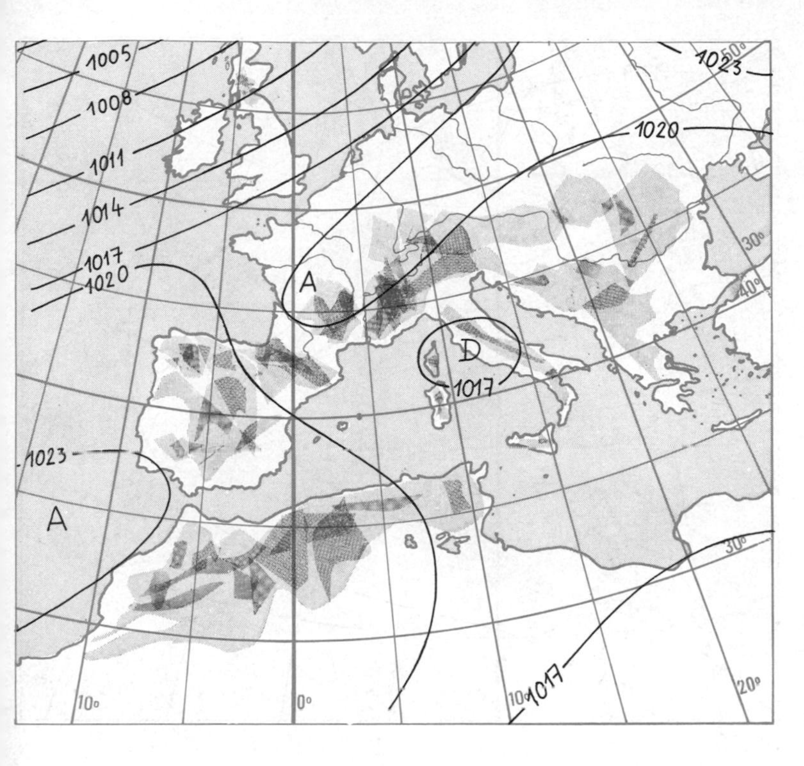

Situation isobarique moyenne d'hiver.

place (mais un anticyclone peut la remplacer de temps à autre). D'autres petites dépressions apparaissent classiquement en des points particuliers de la Méditerranée : Baléares, golfe de Gênes, mer Egée.

Seul l'anticyclone sibérien est un centre d'action stable. Les autres figures du champ isobarique moyen d'hiver sont liées à des situations très diverses.

Le temps est variable sur le bassin occidental de la Méditerranée, avec dominance des courants de NW sur le golfe du Lion, d'Ouest de la Corse à la Tunisie, de Sud du golfe des Syrtes à la mer Egée.

Sur l'Adriatique on trouve un temps un peu moins variable, avec nette prédominance du flux de NE froid.

En été.

L'anticyclone des Açores se développe vers le Nord. Cependant sa partie orientale s'effondre de temps à autre, laissant passer des perturbations d'origine atlantique qui peuvent encore atteindre, atténuées, la Méditerranée.

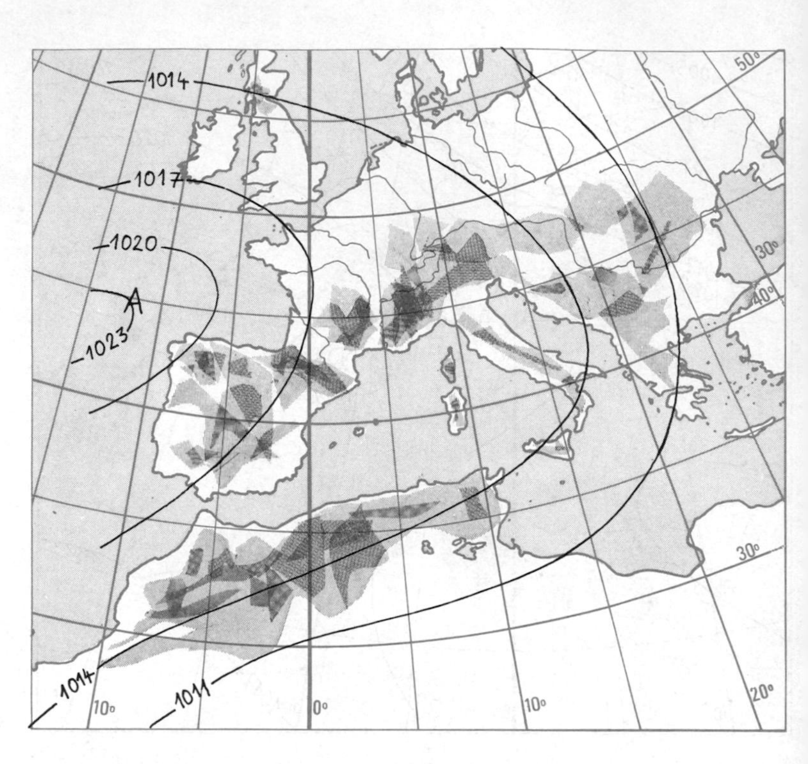

Situation isobarique moyenne d'été.

Il en résulte, pour le bassin occidental, un régime variable au gré des perturbations du front polaire, le flux dominant étant de NW, faible, ce qui n'exclut pas des coups de vents violents de toutes directions.

En même temps règne sur l'Europe orientale un marais barométrique, lui aussi sujet aux fluctuations des perturbations du front polaire.

Une très vaste dépression relie les régions subtropicales asiatiques et africaines. L'apparition de cette dépression en été est systématique et durable. Les plus basses pressions sont situées dans la région du golfe Persique. Il en résulte, sur le bassin oriental de la Méditerranée, le courant de Nord à NE très régulier et permanent des vents étésiens (ce courant est lié à la mousson d'été de l'océan Indien, elle aussi dirigée par la dépression centre-asiatique, et il présente la même régularité qu'elle). Les perturbations orageuses du marais barométrique européen débordent peu dans le courant des étésiens, où l'on trouve d'excellentes conditions de navigation à voile. Au cœur de l'été, ce courant peut intéresser l'Adriatique et la Tyrrhénienne.

Régimes perturbés.

D'une manière générale, les régimes perturbés s'établissent en Méditerranée durant les mois d'hiver. Il existe toutefois des exceptions, principalement en ce qui concerne la partie nord du bassin occidental (golfe du Lion, mer de Ligurie, mer Tyrrhénienne).

Les perturbations du front polaire, nous l'avons remarqué au paragraphe précédent, atteignent le bassin occidental surtout en hiver et au printemps. Elles ne sont pas rares en été, mais sont alors atténuées et se font sentir surtout par leur traîne (coups de vent de NW). En hiver, elles peuvent être très actives, les masses d'air méditerranéen donnant une nouvelle jeunesse aux fronts chauds. Elles peuvent persister durant plusieurs jours d'affilée, apportant les grosses pluies d'hiver et souvent des tempêtes de NW. Les invasions d'air froid qui leur succèdent donnent lieu, en toute saison, à l'apparition du mistral et de la tramontane, célèbres vents dont nous aurons à reparler.

Des perturbations issues des Açores ou des côtes du Maroc surviennent parfois; elles intéressent surtout le littoral africain puis le bassin oriental. Elles n'engendrent de tempêtes que lorsqu'elles interfèrent avec des perturbations originaires du nord de l'Atlantique. Mais elles donnent des pluies abondantes dans presque tous les cas. Leur saison normale est le centre de l'hiver : décembre, janvier et février.

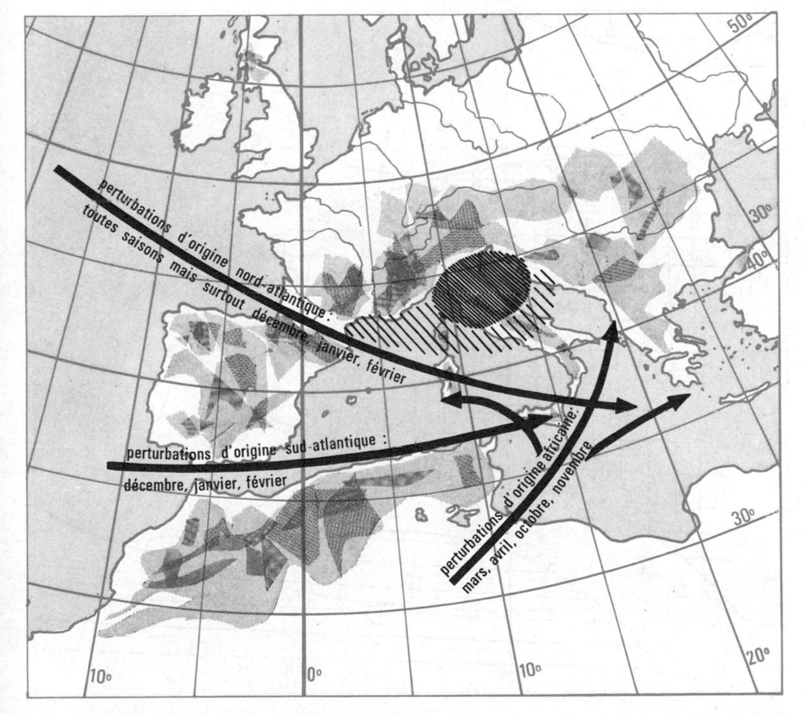

Principaux courants perturbés et zones de cyclogénèse.

Les perturbations d'origine africaine prennent naissance en bordure des régions sahariennes, lorsqu'une dépression existe sur celles-ci et que survient une invasion d'air froid à la suite du passage d'une perturbation atlantique. Ces conditions se trouvent souvent remplies au printemps (le Sahara est déjà très chaud) ou à l'automne (le Sahara est encore très chaud). Le déplacement de ces perturbations est lent et fantaisiste, leur activité modérée. Elles peuvent intéresser n'importe quelle zone de la Méditerranée, mais principalement sa partie centrale et orientale.

Il faut enfin remarquer ces « zones de cyclogénèse » dans lesquelles en toutes saisons, des petites dépressions ont tendance à se former, ou qui se font très accueillantes aux perturbations venues d'ailleurs. La plus remarquable de ces zones est celle qui s'étend du golfe de Gênes à la mer Tyrrhénienne et au nord de l'Adriatique. Dans ces régions le gradient de pression est généralement plus fort, et par conséquent les vents sont plus violents qu'ailleurs.

Régimes anticycloniques.

Des situations anticycloniques s'établissent :

— En été, lorsque l'anticyclone des Açores déborde sur l'Europe et la Méditerranée occidentale.

— En hiver : lorsqu'une bande continue de hautes pressions

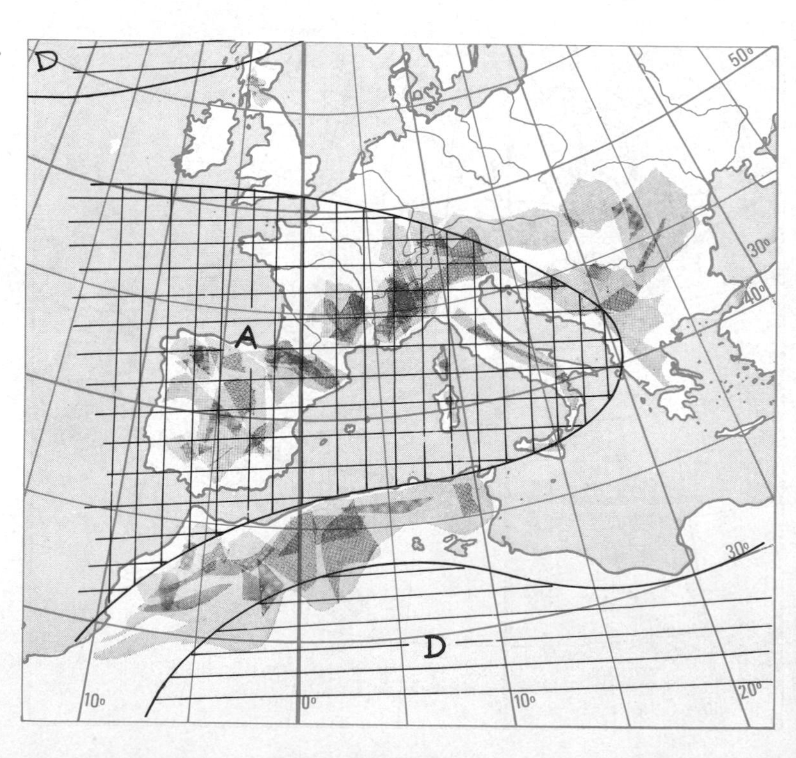

Régime anticyclonique stable d'été.

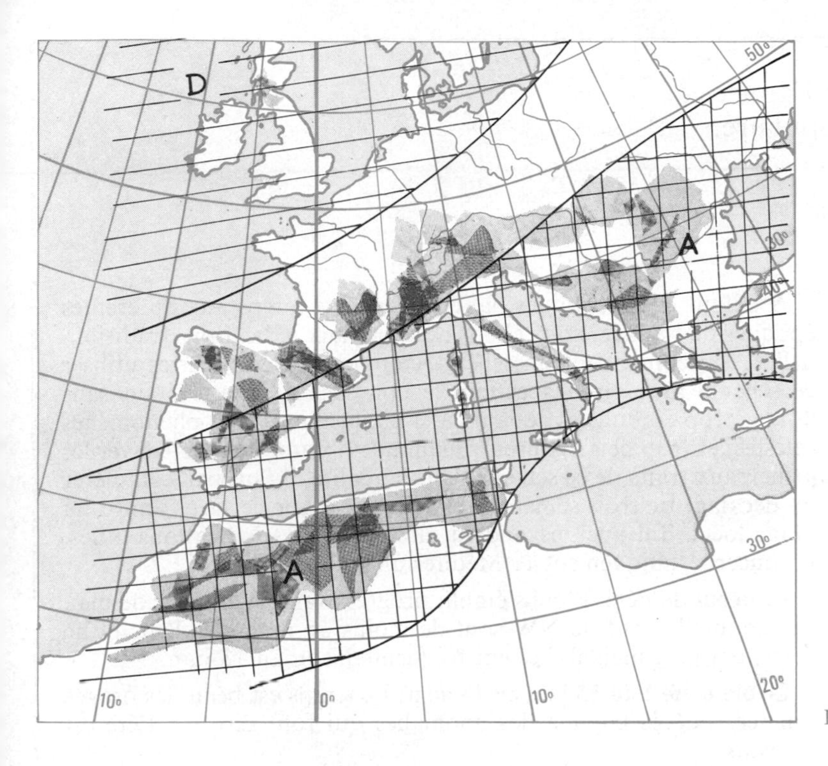

Régime anticyclonique stable d'hiver.

s'étend de l'anticyclone des Açores aux anticyclones saharien et eurasien; il s'agit alors de situations stables, persistant plusieurs jours.

— En toute saison (et fréquemment en été dans le bassin occidental) lorsque des dorsales mobiles traversent la région méditerranéenne. Ces dorsales s'établissent à l'arrière des invasions d'air froid, entre deux perturbations.

Toutes ces situations, comme en Atlantique, sont caractérisées par du beau temps, avec peu ou pas de vent. Mais à l'inverse de ce que l'on constate en Atlantique, les brouillards et les nuages bas y sont peu fréquents, sauf sur le littoral africain et dans le nord de l'Adriatique.

On rencontre des conditions assez différentes selon la partie de l'anticyclone dans laquelle on se trouve :

— Dans sa partie orientale, les vents sont très faibles, de secteur NW en pleine mer, peu favorables à la navigation à voile. Par contre les brises côtières y sont assez fortes. Celles-ci ont leurs caractéristiques propres et nous leur consacrerons plus loin un paragraphe particulier.

— Dans sa partie centrale, on trouve un temps moins plaisant. Souvent le soleil est caché par des nuages en couche presque continue, stables (stratocumulus de subsidence) surtout en mer. Le vent y est pratiquement inexistant. Près des côtes les brises sont régulières, mais faibles.

Le temps au cours de l'année suivant la tradition populaire.

A défaut de statistiques liant les types de temps aux différentes époques de l'année, nous allons nous fier aux indications traditionnelles, qui constituent un schéma commode. Il faut certes utiliser ce schéma avec circonspection, le bon sens populaire étant sans doute trop indulgent quant à l'importance des phénomènes célestes, et trop peu rigoureux quant à leur date. Pour retrouver les principaux traits de ce schéma dans la réalité, il faut parfois tolérer un décalage de trois semaines, et accepter d'appeler gros temps un orage local. Tel quel, cependant, il contient des indications utiles. Il concerne uniquement la Méditerranée occidentale.

Le début de l'été. L'été s'établit progressivement à partir de mai. Les coups de vent de NW sont de moins en moins violents et ne persistent pas, mais ils restent fréquents jusqu'au 15 juin.

Le plein été : du 15 juin au 15 août. Le temps est beau, les orages sont considérés comme des anomalies qui font dire : « l'été est mauvais ».

Les coups de mistral ne sont pas fréquents et ne durent pas. Ils peuvent néanmoins être très forts.

La fin de l'été. Elle commence avec l'orage de la « mi-août », qui a la réputation d'être violent. Suit une période perturbée, presque froide, durant huit à quinze jours. Il pleut, le vent est irrégulier. Puis « l'été s'installe à nouveau ». Il fait moins chaud qu'en juillet, mais le temps est réputé plus stable. Les vents de mer sont faibles, les brises côtières régulières.

La tempête d'automne. Elle est réputée se situer à la fin de septembre ou au début d'octobre, et l'on dit qu'elle commence par un violent coup de SW; « le temps se détraque » pour plusieurs semaines.

Le mauvais temps d'hiver. On le situe du 15 novembre au 15 janvier. Succession de « tempêtes » classiques, souvent violentes.

Le beau temps d'hiver. On dit qu'il y a toujours une période stable, de quinze jours à un mois, entre le 15 janvier et le 15 mars. Mais aussi que février a toujours au moins une mauvaise décade, et qui déborde parfois quelque peu au-delà du mois. Dans ce cas, il s'agit des « prestacci », des jours que février a prêté à mars.

Le printemps. En avril et au début mai, le temps redevient doux, mais il pleut souvent.

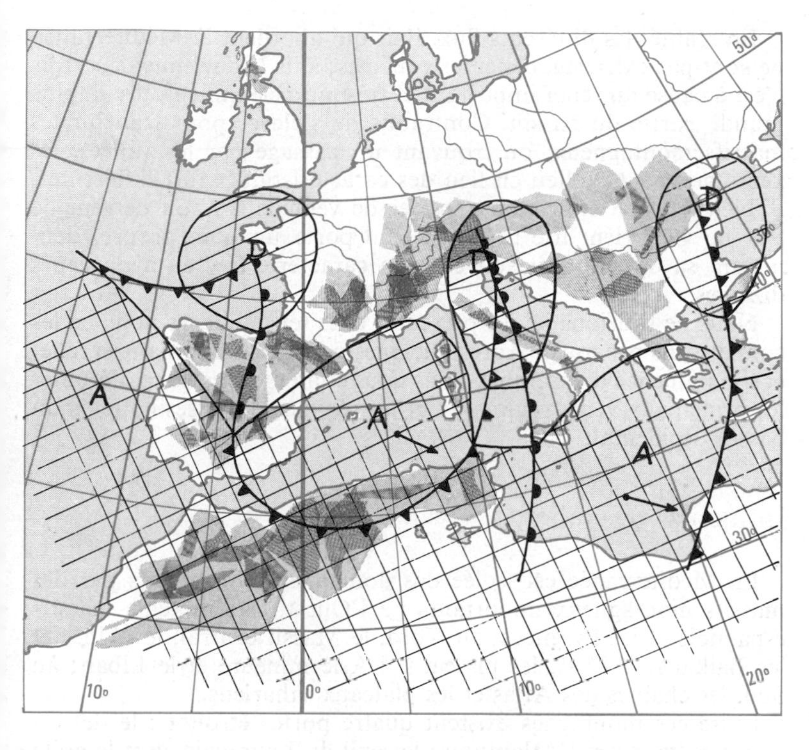

Dorsales anticycloniques mobiles.

— La partie occidentale est le domaine des vents de SE, Sud, ou SW en mer. Sur les côtes, les brises sont très faibles ou nulles. Le temps est chaud, ensoleillé. Au large, le vent est faible ou modéré, mais, la mer étant peu agitée, on a des conditions de navigation faciles et l'on peut faire de la route.

Lorsque la situation anticyclonique est le fait d'une dorsale mobile, il ne faut pas perdre de vue que le mauvais temps n'est jamais bien loin. Il est d'ailleurs souvent annoncé par les cirrus *émissaires*, que nous avons déjà vu apparaître dans d'autres ciels.

Les vents régionaux

Au cours de cette analyse d'ensemble, un certain nombre de particularités du temps en Méditerranée sont déjà apparues : évolutions rapides dues à la présence de masses d'air très contrastées, grande variété du champ de pression, centres d'action furtifs, régimes de vents complexes. L'essentiel reste pourtant à dire, et principalement sur ces vents dont les manifestations peuvent paraître non seulement complexes, mais même tout à fait anarchiques à un plaisancier habitué aux régimes réguliers de l'Atlantique.

En réalité, les différents flux d'air qui abordent la Méditerranée ne sont pas extravagants en eux-mêmes; s'ils le deviennent parfois c'est à cause du relief important et très morcelé qui entoure la plus grande partie du bassin. Contraints de s'élever pour franchir les massifs montagneux, ou trouvant un passage par les vallées, les vents prennent de lieu en lieu des caractéristiques fort différentes. Si bien qu'en Méditerranée, parler de vent de NW ou de vent de SW ne veut rien dire : chaque vent porte un nom propre, définissant sa direction et souvent son caractère. Il y en a plusieurs dizaines.

Nous ne saurions ici les présenter tous (et d'ailleurs nous ne les connaissons pas tous). Après quelques données concernant le relief et son influence d'ensemble, nous nous contenterons donc d'étudier les principaux vents régionaux et les régimes de brises côtières du bassin occidental.

Influence du relief.

La Méditerranée est isolée des domaines environnants par des massifs montagneux importants : à l'Ouest, les différents massifs espagnols et les Pyrénées; au Nord, le Massif central, les Alpes et les Balkans; à l'Est, les plateaux d'Asie mineure et le Liban; au Sud, les chaînes des Atlas et les plateaux sahariens.

Entre ces montagnes existent quatre portes étroites : le détroit de Gibraltar, vers l'Atlantique; le seuil du Lauragais, vers le golfe de Gascogne; le couloir Rhône-Saône, vers l'Europe; le couloir Dardanelles-Bosphore, vers la mer Noire. Par ailleurs, de Gabès à Alexandrie, la côte ouvre directement sur les grands déserts africains.

Au milieu du domaine, on trouve encore d'autres montagnes : les Apennins, qui s'étendent sur toute la longueur de l'Italie et constituent la limite entre le bassin occidental et le bassin oriental.

Comportement de l'air froid.

Tous ces massifs montagneux, même les moins élevés, constituent des obstacles importants aux mouvements des basses couches de l'atmosphère. Ils gênent assez peu les masses d'air chaud, qui circulent généralement en altitude, mais en revanche arrêtent ou freinent considérablement les masses d'air froid, surtout (et c'est le cas le plus fréquent) lorsque celles-ci sont peu épaisses. On constate alors le phénomène suivant : l'air froid, contraint de s'élever le long des pentes, se refroidit par détente; s'il est humide, il donne de nombreuses précipitations sur le versant au vent; ayant perdu une partie de son humidité, il se réchauffe rapidement en descendant sur l'autre versant, et parvient au pied de la montagne nettement plus chaud qu'il ne l'était auparavant. Ce phénomène n'est rien d'autre que l'effet de fœhn, que nous avons longuement analysé au chapitre précédent pour illustrer les différents états de l'air.

Cet effet de fœhn se produit sur le bassin occidental de la Méditerranée à chaque invasion d'air polaire maritime. L'air froid ne devient pas obligatoirement très chaud, le ciel n'est pas forcément dégagé, mais il n'en reste pas moins que la réputation de la côte d'Azur — son ciel bleu, sa douceur — est largement due à ce phénomène. On peut dire en somme que le relief, laissant pénétrer les masses d'air chaud, limitant les effets des masses d'air froid, est directement à l'origine du climat privilégié que l'on constate dans cette région.

Climat privilégié jusqu'à un certain point, car il faut compter aussi avec les quatre portes dont nous avons parlé plus haut. Celles-ci n'offrent aucun obstacle à l'air froid, bien au contraire : il s'y engouffre, et son action se trouve renforcée par un « effet de couloir » entre les montagnes. C'est pourquoi Gibraltar, les Dardanelles, mais surtout le golfe du Lion sont des zones de vents violents et de tempêtes fréquentes.

Toutes ces données se retrouvent à l'échelon local. Dans le détail, en effet, le relief qui borde les côtes apparaît très morcelé, de nombreuses vallées alternent avec les montagnes. Dans chacune de ces vallées, l'air froid trouve un débouché. Dès lors, tout au long de la côte, on rencontre des vents bien particuliers, qui n'ont qu'un lointain rapport avec le vent synoptique. Leur écoulement est généralement très turbulent, ils soufflent en rafales irrégulières, avec parfois des composantes verticales.

Il n'est pas nécessaire que le relief soit important pour qu'apparaissent ces vents aberrants, ni que les couloirs soient très marqués pour qu'ils deviennent violents. On peut le constater le long des côtes du Cap Corse, ou de n'importe quelle petite île montagneuse :

Effet de fœhn caractérisé.

à chaque petite vallée correspond un col par lequel l'air se précipite furieusement (il existe même une différence de pression importante entre les deux versants). Si l'air est suffisamment instable, les tourbillons peuvent déclencher des trombes marines spectaculaires, intéressantes à regarder de loin. Entre les couloirs où le vent souffle, l'air est pratiquement calme. Il va sans dire qu'on ne peut imaginer de conditions plus défavorables pour la navigation à voile.

En définitive il apparaît que tous ces phénomènes sont d'autant plus brusques et violents qu'ils sont plus localisés : le grand mistral issu du couloir Rhône-Saône est certainement plus maniable que les « raggiaturi » du Cap Corse. De même, une invasion d'air froid limitée aux très basses couches est plus dangereuse qu'un vaste mouvement, où l'écoulement est suffisamment important pour devenir régulier en dépit du relief.

Annonces de l'air froid.

En été, les invasions d'air froid sont toujours liées à des mouvements d'ensemble, elles sont prévisibles, et effectivement prévues par les services météorologiques. Mais en hiver elles peuvent se déclencher très brusquement, même par très beau temps, et leur prévision est presque impossible. Les cumulus, nuages types de l'air froid, ne peuvent être considérés comme des indices annonciateurs car, lorsqu'ils apparaissent, l'invasion d'air froid est déjà commencée. De plus il peut y avoir des invasions d'air froid sans aucun nuage, quand cet air est sec.

On peut dire cependant que l'apparition le long des crêtes et sous le vent de celles-ci, de cumulus déchiquetés et rabattus en forme de rouleaux est un indice certain d'écoulement d'air froid irrégulier et dangereux : il est alors préférable de ne pas s'approcher trop près de la côte.

L'apparition d'altocumulus *lenticularis* peut être également considérée comme l'annonce d'une arrivée d'air froid. En revanche, il est très rare qu'une telle invasion se produise lorsqu'on observe dans le ciel des nuages moyens autres que ces altocumulus.

Pour en terminer avec cette analyse des rapports de l'air froid et du relief méditerranéen, il est bon de signaler encore un phénomène, assez particulier, qui survient sur les côtes exposées aux invasions d'air chaud, en hiver, lorsqu'il y a de la neige sur les montagnes. Une calotte d'air froid, stable, s'est formée sur les surfaces enneigées et un écoulement régulier de cet air s'établit dans les basses couches vers la mer. L'air froid étant très dense par rapport à l'air chaud, celui-ci ne peut atteindre les côtes voisines des surfaces neigeuses. Les vents chauds de SW à SE sont alors arrêtés à 2 ou 3 milles de la côte, un vent faible soufflant de la terre les remplace. Ce phénomène intervient en particulier dans le jeu des brises côtières.

A l'issue de cette analyse, on comprend aisément qu'il puisse y avoir en Méditerranée une grande variété de vents, et que chaque

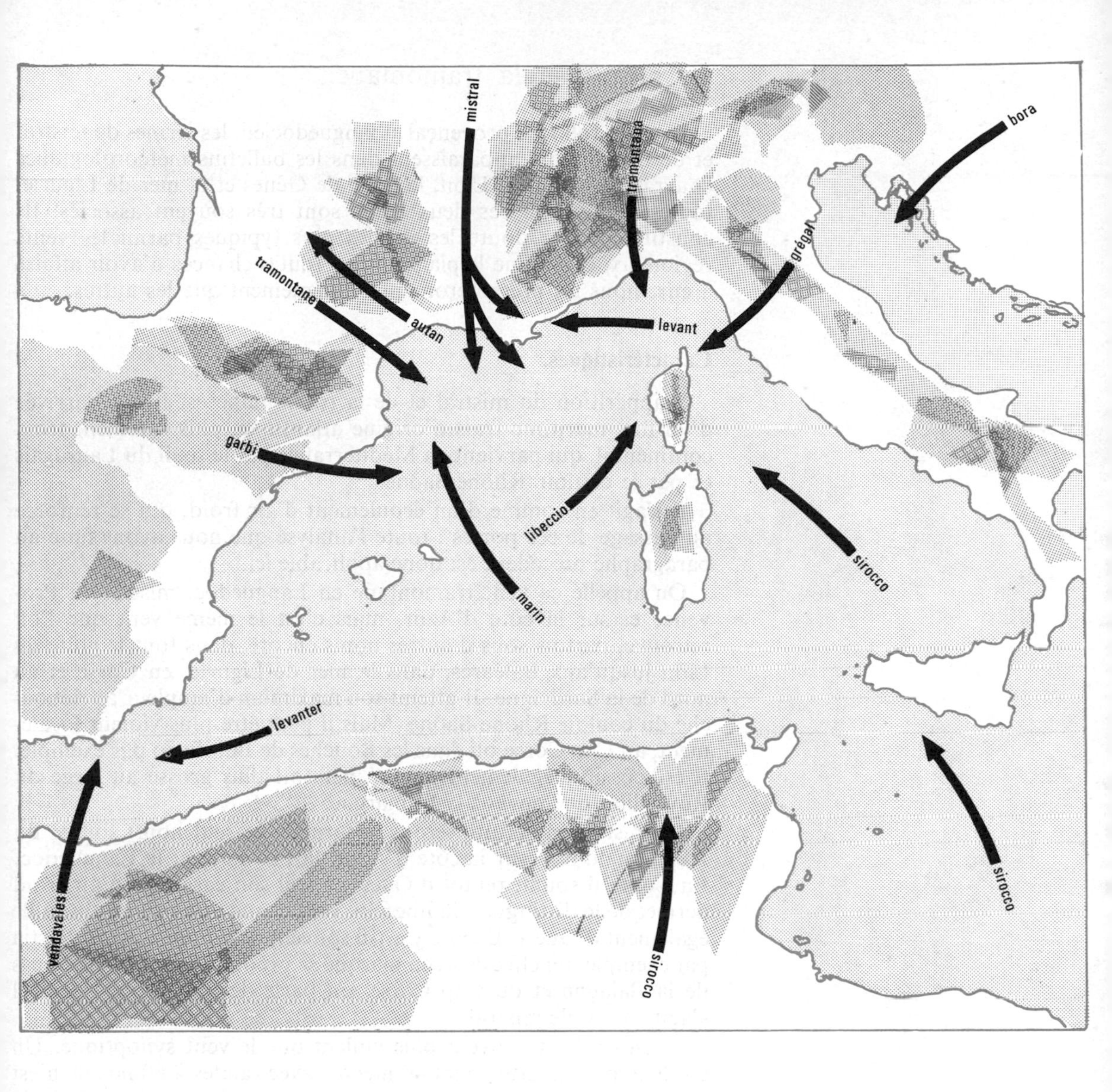

Principaux vents locaux.

vent possède des caractéristiques propres. Il est donc nécessaire maintenant de les étudier l'un après l'autre, du moins les plus importants d'entre eux.

Le folklore méditerranéen comporte une collection remarquable de noms pour désigner ces différents vents. Ces dénominations sont très précises, tiennent compte non seulement de la région où tel vent se produit, mais aussi de sa direction, de sa vitesse, parfois même des caractéristiques de sa turbulence et des effets qu'elle produit. Cette terminologie a été très largement adoptée par les services météorologiques, qui l'utilisent dans leurs bulletins.

Le mistral et la tramontane.

Issus du folklore provençal et languedocien, les termes de mistral et de tramontane apparaissent dans les bulletins météorologiques couvrant le golfe du Lion, le golfe de Gênes et la mer de Ligurie, toutes régions où ces deux vents sont très souvent associés. Ils constituent sans doute les cas les plus typiques parmi les vents régionaux, et comme le plaisancier a toutes chances d'avoir affaire à eux, nous les présenterons plus longuement que les autres.

Caractéristiques.

L'apparition du mistral et de la tramontane est liée à l'arrivée d'un flux maritime frais d'origine atlantique, plus rarement froid continental, qui parvient en Méditerranée par le seuil du Lauragais et par le couloir Rhône-Saône.

Il s'agit en somme d'un écoulement d'air froid, qui se renforce au passage de ces portes : toute l'analyse que nous avons faite au paragraphe précédent est donc applicable ici.

On appelle ce vent tramontane en Languedoc, mistral en Provence et sur la côte d'Azur, mais c'est le même vent que l'on retrouve, parfois sous d'autres noms encore, dans tout le golfe du Lion jusqu'aux Baléares, dans la mer de Ligurie, en Corse et au nord de la Sardaigne. Il atteint son maximum d'ampleur au débouché du couloir Rhône-Saône. Mais il peut être plus violent localement, au Cap Corse ou dans les Bouches de Bonifacio par exemple. Il est possible également que la mer soit plus grosse au large du Roussillon que devant la Camargue.

Le mistral (nous utiliserons désormais ce seul nom) souffle du Nord ou du NW sur la côte d'Azur, la Provence et le Languedoc. En Corse, il souffle plutôt d'Ouest et seul son caractère d'air froid permet de le distinguer du libeccio, vent chaud et violent qui souffle également d'Ouest. Encore y a-t-il souvent des confusions : à Bastia par exemple, un effet de fœhn marqué se produisant sur les hauteurs de la Balagne et du Cap Corse, on parle de libeccio, alors qu'il s'agit en fait de mistral.

Le mistral est souvent plus violent que le vent synoptique. Un coup de mistral atteignant 40 nœuds, avec rafales à 60 nœuds n'est pas exceptionnel. Sa durée moyenne est de l'ordre de trois à six jours consécutifs. Mais il peut souffler durant quelques heures seulement, ou au contraire pendant quinze jours. Dans ce dernier cas, qui se produit surtout en saison froide, il correspond à un régime perturbé de NW s'étendant sur toute l'Europe occidentale. Les accalmies temporaires que l'on constate parfois sur les régions soumises à ce régime ne concernent pas la Méditerranée : le mistral y persiste.

Le mistral est généralement plus fort de jour que de nuit (la force maximum de jour est égale au double de la force minimum de nuit). Ces variations sont plus nettes sur les côtes qu'au large;

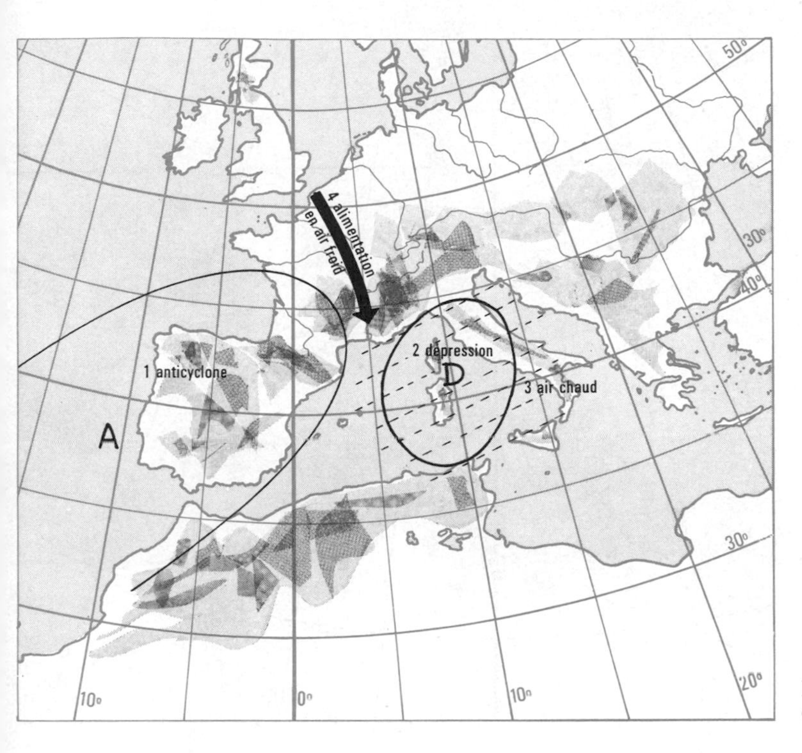

Les quatre conditions de l'apparition du mistral.

elles sont plus nettes également si le ciel est clair, et si le mistral correspond à une invasion d'air plus froid que l'air qui l'a précédé. Elles sont marquées en fait par des variations de turbulence plus que de vitesse.

Il est bon de savoir que l'amélioration de la nuit n'est en général qu'une rémission, et que si on la constate le long de la côte, on risque fort de la voir disparaître si l'on prend le large.

L'apparition du mistral est liée à quatre conditions :

— Etablissement d'une dorsale anticyclonique sur le SW de la France.

— Dépression sur la Méditerranée occidentale. Le mistral soufflant dans la partie occidentale de cette dépression, c'est la position de celle-ci qui détermine son champ d'action.

— Présence d'air chaud stagnant dans la zone de la dépression (air méditerranéen). S'il y a remontée d'air chaud d'origine africaine dans la partie orientale de la dépression, le temps est exécrable mais le mistral est limité.

— Alimentation en air froid.

Il n'est pas absolument nécessaire que ces quatre conditions soient remplies. La troisième en particulier, est « facultative ».

L'arrivée du mistral est annoncée de façon différente selon l'endroit où l'on se trouve :

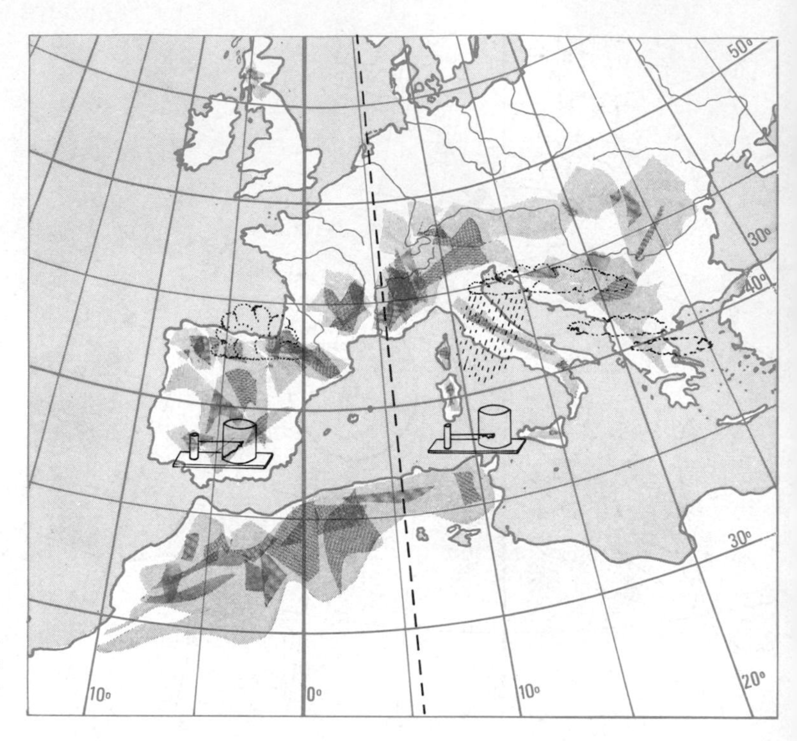

Le mistral s'annonce de façon totalement différente selon qu'on se trouve à l'est ou à l'ouest du 6e méridien Est.

— A l'ouest du 6e méridien Est : le baromètre monte; la pluie cesse, la nébulosité diminue, la température baisse;

— à l'est de ce même méridien : le baromètre descend; il pleut ou il a plu; le vent est modéré ou faible et l'on constate cependant une houle importante.

Les caractéristiques du mistral varient selon que les quatre conditions fondamentales se trouvent plus ou moins remplies; toutes sortes de nuances sont possibles, et il faut, de plus, se défier des appréciations des riverains : à Nice par exemple, tout vent froid est appelé mistral, même s'il vient du SW... Nous envisagerons ici quatre grands types de mistral.

Le mistral « local ».

Mistral limité à la vallée du Rhône, à la Camargue et au nord du golfe du Lion. Très fréquent et modéré.

Il suffit qu'une seule des conditions fondamentales existe pour qu'il se déclenche :

— hausse de pression, même peu importante, de la Gascogne au centre de la France;

— ou encore dépression thermique en Méditerranée, cas fréquent par régime non perturbé : un vaste anticyclone couvre l'Europe occidentale, et l'on constate simplement une légère baisse de pression sur le golfe de Gênes et la mer Tyrrhénienne; le mistral souffle l'après-midi;

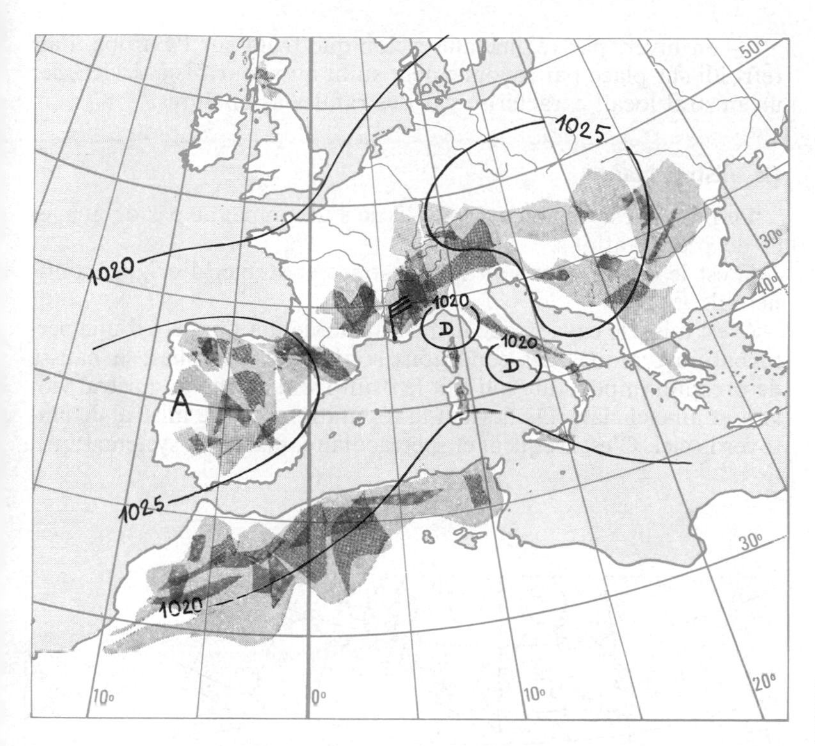

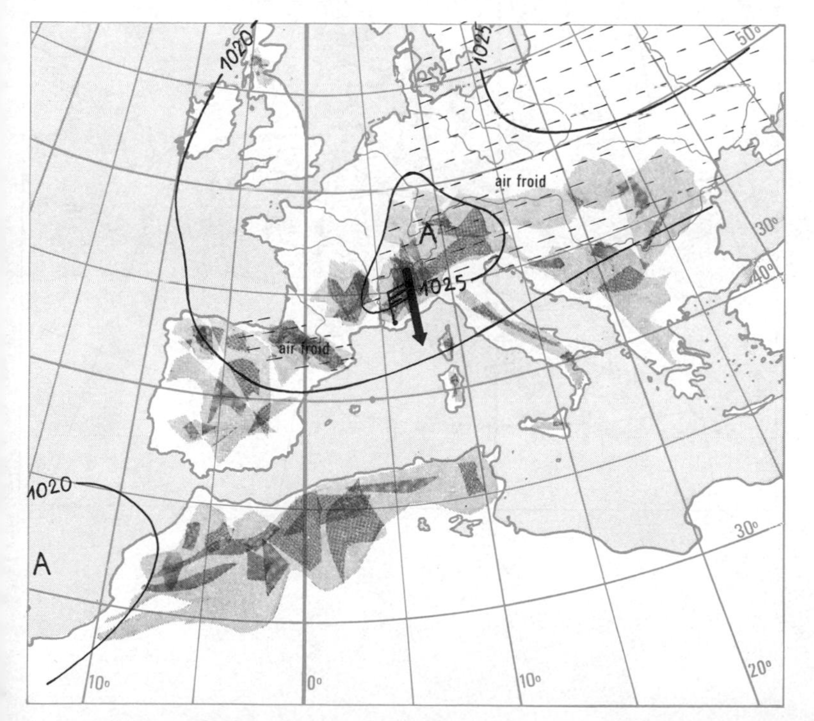

Deux situations isobariques propices à l'apparition du mistral local.
En haut : hausse de pression sur le sud-ouest de la France.
En bas : anticyclone et air froid sur l'Europe centrale.

— en hiver, par régime anticyclonique froid sur l'Europe, l'air refroidi sur place par rayonnement suffit aussi parfois à déclencher un mistral local, caractérisé par des rafales assez dures.

Le mistral blanc.

Le mistral est « blanc » lorsqu'il ne s'accompagne pas de nuages et de précipitations.

C'est le cas lorsque l'air froid est sec et stable, d'origine continentale.

C'est aussi le cas lorsque le mistral survient à l'arrière d'une perturbation typique. Les conditions sont toutes remplies, la hausse de pression importante qui suit le front froid donne un mistral violent et un ciel clair. De là vient la réputation qu'a le mistral de nettoyer le ciel. C'est fréquent et spectaculaire, mais non systématique.

Mistral blanc.

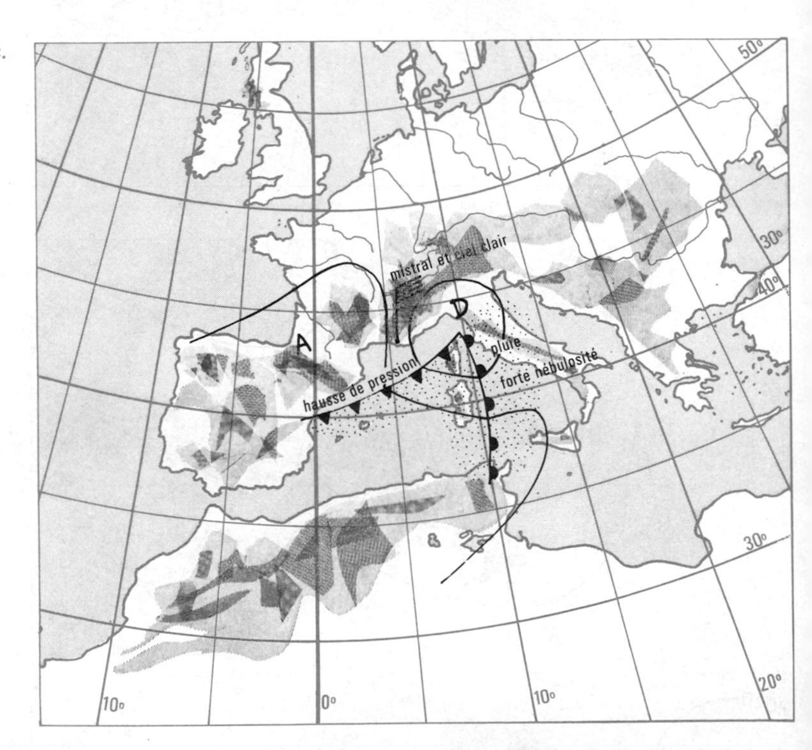

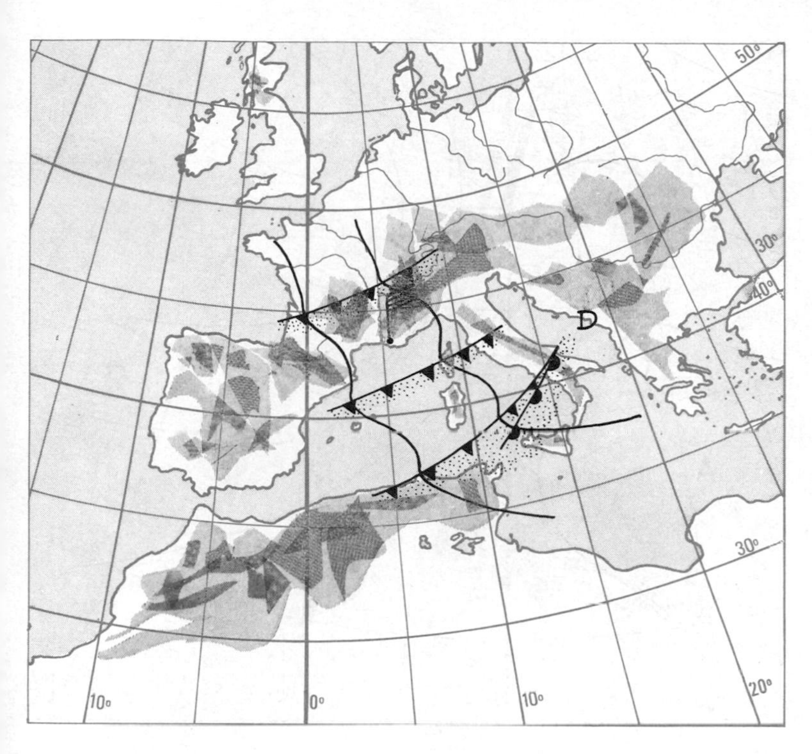

Mistral noir.

Le mistral noir.

Lorsque l'air froid d'origine polaire maritime est humide et instable, le mistral est « noir », car il s'accompagne d'un ciel couvert de nuages bas, souvent doublés de cumulonimbus qui apportent des grains. En hiver, il peut neiger.

Le mistral noir survient à chaque fois qu'il n'y a pas de hausse de pression importante, et que l'on observe le passage de multiples fronts froids secondaires. Entre chaque front, brève amélioration du temps, mais le vent ne faiblit pas.

Il faut remarquer que très souvent, le mistral est blanc sur la Provence et sur la mer, alors qu'il est noir en Corse. Cette particularité est due à l'effet de fœhn, et peut persister plusieurs jours de suite. Vue des côtes de Corse, la mer est alors très lumineuse, et contraste vivement avec le ciel.

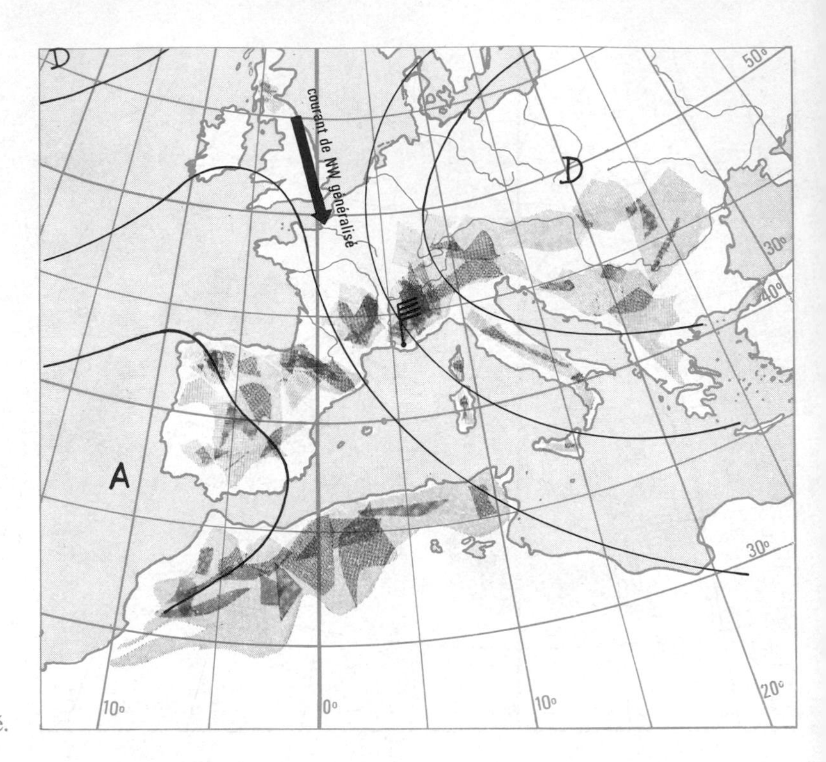

Mistral généralisé.

Le mistral généralisé.

Le mistral généralisé est lié à un vaste courant de NW qui intéresse toute l'Europe occidentale. Il survient en toutes saisons mais le plus souvent au cœur de l'hiver, et l'on a alors un mistral noir, jusqu'à ce que la dépression qui commande le courant de NW se soit suffisamment décalée vers l'Est. Le mistral devient blanc avec la hausse de champ de pression. Un tel courant de NW peut s'étendre jusqu'aux côtes de Tunisie. Le vent est fort partout, mais plus particulièrement dans les « régions à mistral ».

Fin du mistral.

Le mistral s'atténue ou cesse lorsque les quatre conditions fondamentales tendent à disparaître. Cela peut se produire de différentes façons; nous ne citerons ici que les deux plus classiques.

Affaissement de la dorsale anticyclonique de Gascogne. Une famille de perturbations d'origine atlantique descend vers la Méditerranée. Après le passage de la première perturbation, la dorsale anticyclonique apparaît, le mistral souffle. L'arrivée de la deuxième perturbation interrompt l'alimentation en air froid. La pression baisse; la température devient plus douce; des cirrus envahissent le ciel, suivis de nuages moyens; le vent faiblit et tend à s'orienter à l'Ouest ou au SW.

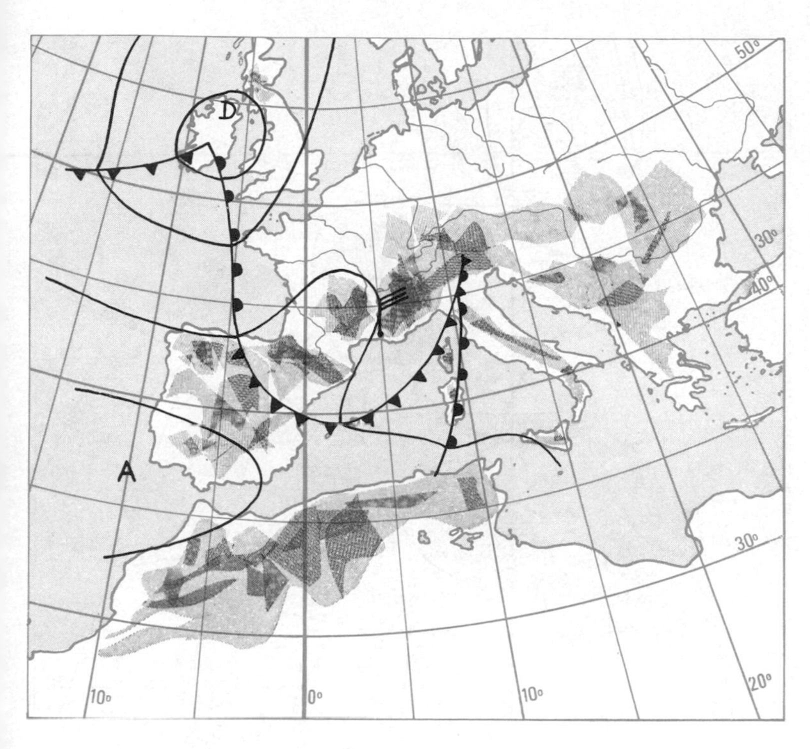

Une dorsale anticyclonique se forme à l'arrière d'une perturbation : le mistral souffle.

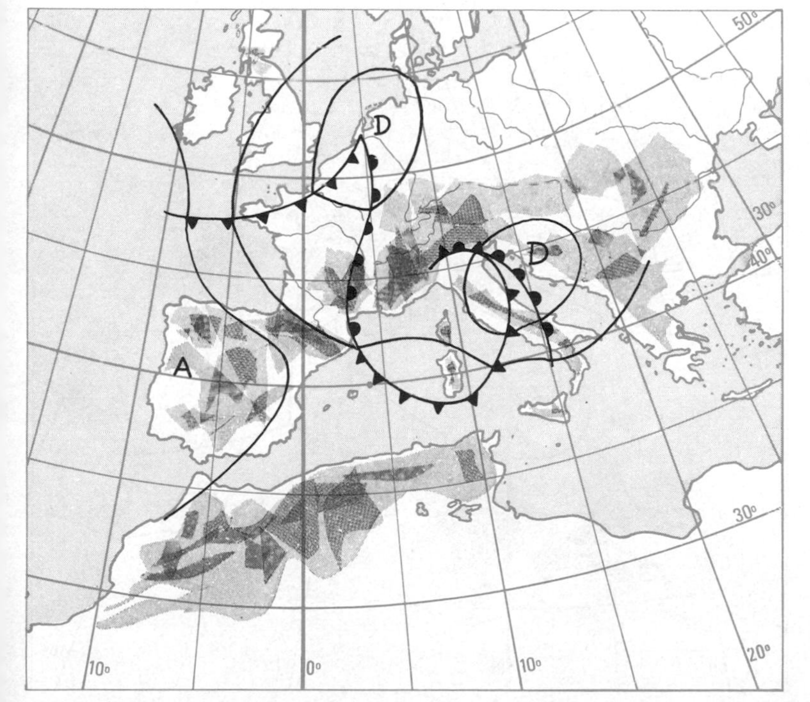

Une seconde perturbation survient : le mistral cesse; mais il s'agit d'un simple répit.

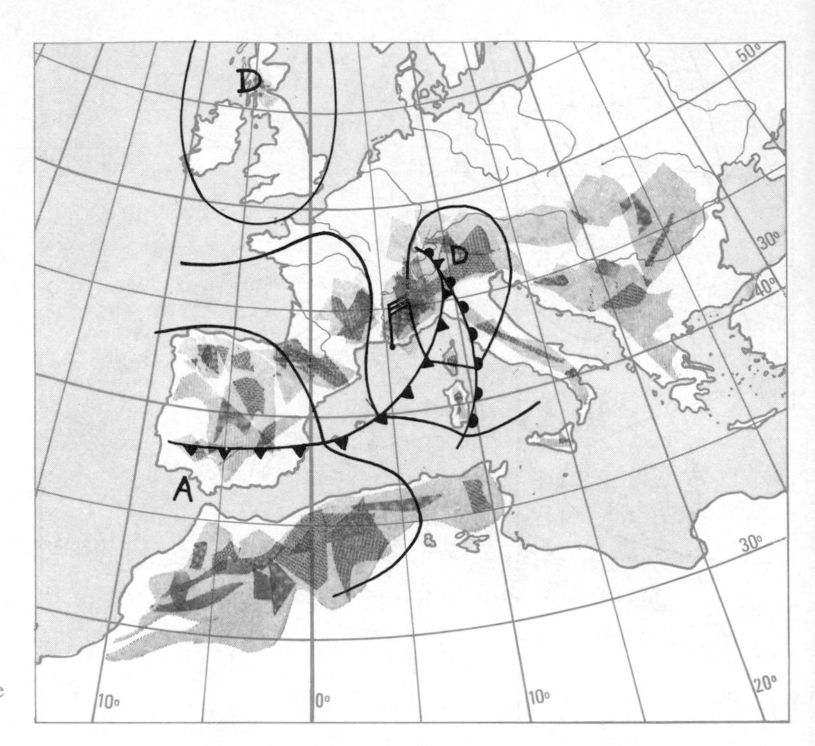

La dernière perturbation d'une famille vient de passer : le mistral souffle.

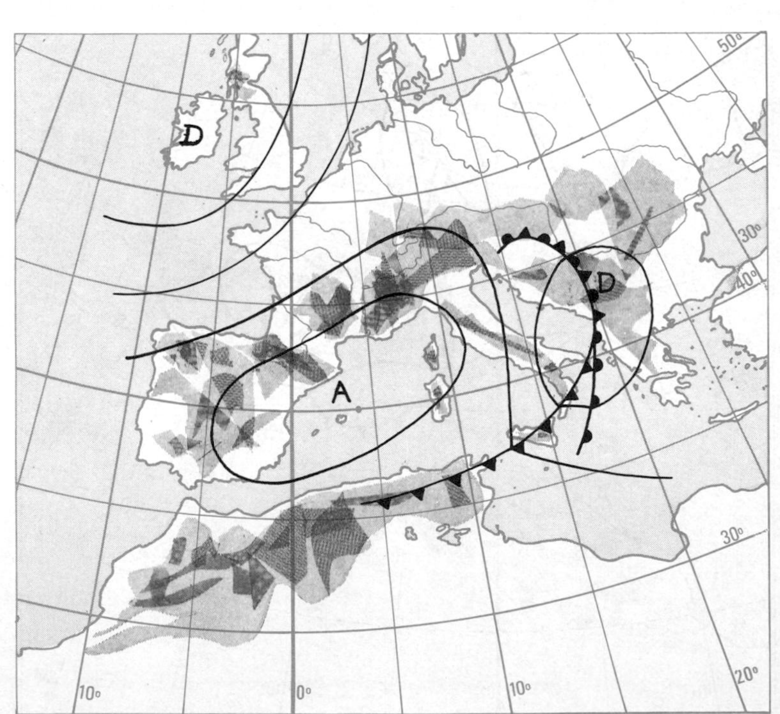

L'anticyclone se développe : le mistral cesse progressivement et cette fois pour de bon.

La fin du mistral correspond alors à une amélioration du temps rapide et nette, mais peu durable. Une nouvelle aggravation suit : d'abord pluie et vents de SW, puis nouveau coup de mistral après le passage du deuxième front froid.

C'est dans ces conditions que se vérifie le dicton local : un coup de mistral bref ne rétablit pas le beau temps.

Extension de l'anticyclone vers la Méditerranée. Les hautes pressions de l'Europe occidentale s'étendent vers le Sud. La dépression du golfe de Gênes et de la mer Tyrrhénienne se comble ou se décale vers l'Est. On évolue progressivement vers un régime anticyclonique, le mistral faiblit peu à peu.

Notons qu'une telle situation est favorable à une traversée de Marseille vers la Corse ou la Sardaigne : bon vent de Nord au départ, tournant au NW puis à l'Ouest, tout en faiblissant en cours de traversée. Et beau temps pour la suite. Un coup de mistral qui persiste et qui ne faiblit que lentement rétablit le beau temps.

Sur 100 cas de mistral supérieur à 25 nœuds en mer, on a pu noter 38 évolutions du premier type, 62 évolutions du second type. Le plaisancier bloqué au port par le mauvais temps peut donc considérer l'arrivée du mistral comme un événement heureux : il ne sera pas trop souvent déçu.

La tramontana.

S'établissant du golfe de Gênes à la mer Tyrrhénienne, la tramontana est un vent de Nord à NE qui intéresse la côte ouest de l'Italie et l'archipel toscan, mais qui peut aussi atteindre et déborder la Corse.

Ce vent fait souvent suite à un coup de mistral; après l'invasion d'air froid sur l'ouest du bassin, un régime anticyclonique s'établit, avec formation d'une dorsale jusqu'à la plaine du Pô, cependant que les basses pressions se sont établies et persistent sur l'Italie méridionale.

Rarement très violente, la tramontana est cependant assez dure au large du Cap Corse, lorsqu'elle enchaîne sur le coup de mistral. Plus souvent, elle permet une navigation agréable par belle brise.

En hiver, la tramontana est souvent le prolongement de la **bora,** vent saisonnier soufflant sur l'Adriatique. Elle est alors extrêmement turbulente. Le gradient de pression dans les basses couches est important, un anticyclone étant solidement installé sur l'Europe centrale avec prolongement sur les Alpes. L'air froid d'origine balkanique est très sec et arrive en Méditerranée après avoir franchi les Apennins, sans qu'il y ait d'effet de fœhn (air sec, pas de précipitations). Si le courant est suffisamment puissant, il atteint et franchit la chaîne corse. Ces soulèvements orographiques désorganisent l'écoulement plus qu'ils ne le freinent, et l'air froid arrive par rafales brèves et violentes, interrompues par des périodes de calme. Ces bourrasques sont parfois très localisées et peuvent échapper au réseau météorologique.

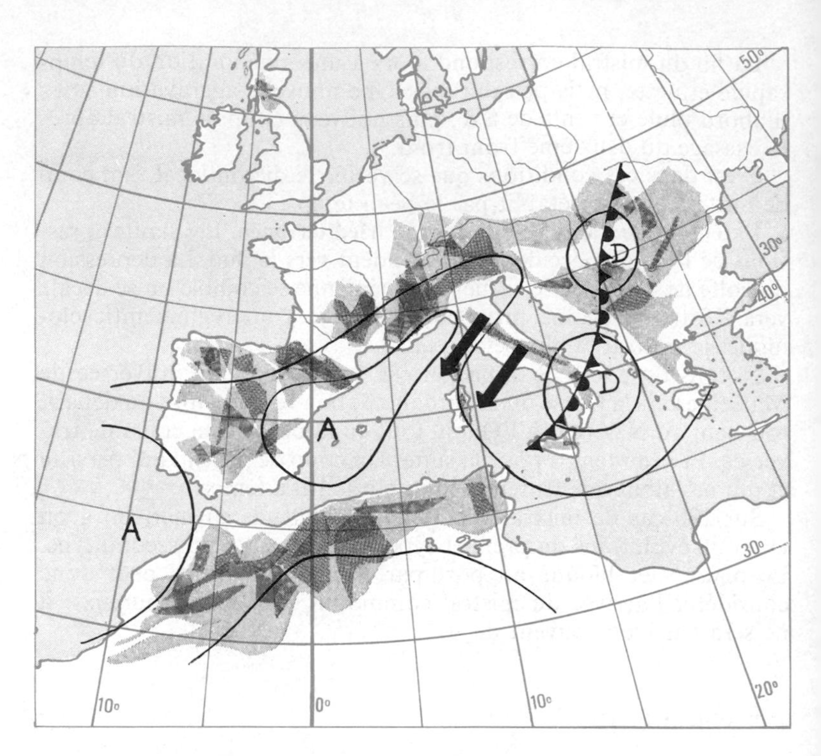

Tramontana après coup de mistral.

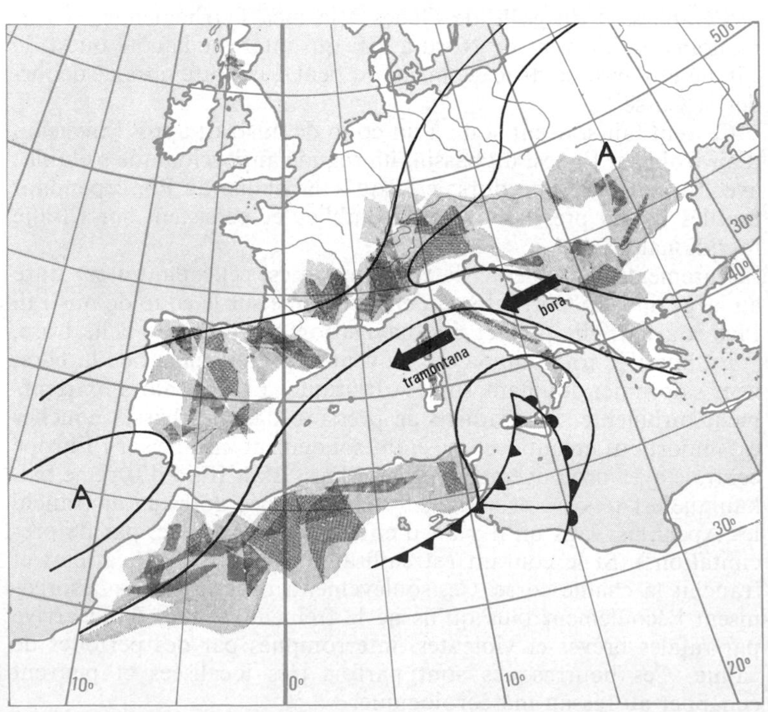

Tramontana en hiver.

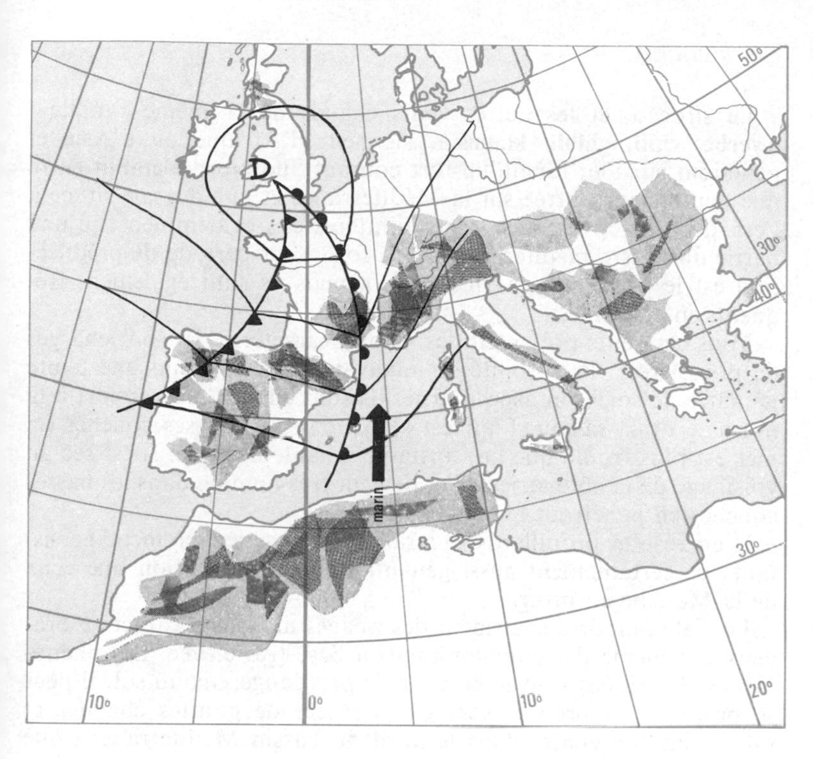

Doux et humide, le marin est à la Méditerranée ce que le suroît est à l'Atlantique.

Le marin.

Le marin est un vent doux ou chaud, humide, accompagné de pluies qui souffle du SE, du Sud ou du SW sur le golfe du Lion et les côtes avoisinantes.

Ce vent ne présente aucun caractère météorologique particulier, puisqu'il correspond au cas très classique du vent pluvieux que l'on observe systématiquement à l'avant d'un front chaud. Il mérite cependant une mention spéciale parce qu'il est l'opposé et presque l'antagoniste du mistral. Bien que moins fort que ce dernier, il lève une mer assez dure sur les côtes de Provence, son fetch étant important. Sur les côtes du Languedoc, il s'allie à l'**autan,** vent chaud local.

On peut reprendre ici et préciser une remarque faite précédemment. L'hiver, lorsque la situation se prête à un mistral local (air froid sur terre, montagnes des Cévennes et de Provence enneigées), il arrive que le marin ne puisse atteindre la côte. On assiste à ce spectacle curieux : le ciel est couvert de nuages typiques de front chaud, il pleut, et cependant le mistral, assez faible il est vrai, souffle jusqu'à plusieurs milles des côtes. Lorsqu'on s'écarte un peu plus, tout change : le vent est de Sud, nettement plus chaud. On a retrouvé le marin perdu.

Le sirocco.

Le sirocco, et les autres vents chauds de la même famille : **leveche, chili, ghibli, khamsin,** viennent d'Afrique ou d'Asie et pénètrent sur mer lorsqu'un fort courant Sud-Nord s'établit entre une dépression centrée sur la Méditerranée et une dorsale située à l'est de celle-ci. De tels vents n'intéressent évidemment qu'une partie du bassin méditerranéen à la fois. Leur période de prédilection est le printemps (avril ou mai), mais ils sont également fréquents en automne.

Tous ces vents présentent les mêmes caractères. Ils sont chargés de poussières : la visibilité est mauvaise, le ciel prend une teinte jaunâtre, le soleil un aspect terne. Ils sont chauds par rapport à la normale de la saison. L'air est stable dans les basses couches (la mer est plus froide que lui), instable à haute altitude. Il est sec au voisinage de la côte africaine et devient très humide dans les basses couches en pénétrant au-dessus de la mer.

Il en résulte brouillards et stratus bas, particulièrement persistants et certainement aussi gênants pour la navigation que ceux de la Manche en hiver.

Le ciel comporte également des nuages moyens à caractère orageux, ou même des cumulonimbus à base très élevée. Les phénomènes électriques sont intenses mais peu dangereux au sol. Il peut se produire de brèves averses composées de gouttes chaudes et sales, plus fréquentes dans le nord du bassin Méditerranéen que dans le sud, mais jamais durables ni abondantes. Le vent est fort mais rarement violent. La houle est très importante (pour la Méditerranée), car le fetch est long et de tels vents peuvent persister plusieurs jours.

Somme toute, mis à part le brouillard (qui ne se produit pas partout) et la houle (qui présente l'avantage de ne pas être courte comme c'est le cas le plus fréquent en Méditerranée), les conditions sont plutôt favorables à la navigation à voile. Inconvénient : on ne profite pas du soleil méditerranéen (mais il y a d'autres cas!).

Si on s'éloigne vers l'Est, le temps s'améliore, mais il n'y a plus de vent.

Si on s'éloigne vers l'Ouest (ou que les centres d'action se décalent vers l'Est), on trouve un temps très mauvais dans la partie ouest de la dépression : pluie et orages violents.

Il existe encore un certain nombre de vents régionaux, ou plutôt locaux, qui ne possèdent pas de caractéristiques suffisamment générales pour être analysés ici. Nous les citerons un peu plus loin, en récapitulant les données des diverses régions du bassin occidental. Il faut auparavant envisager un dernier phénomène important : celui des brises côtières.

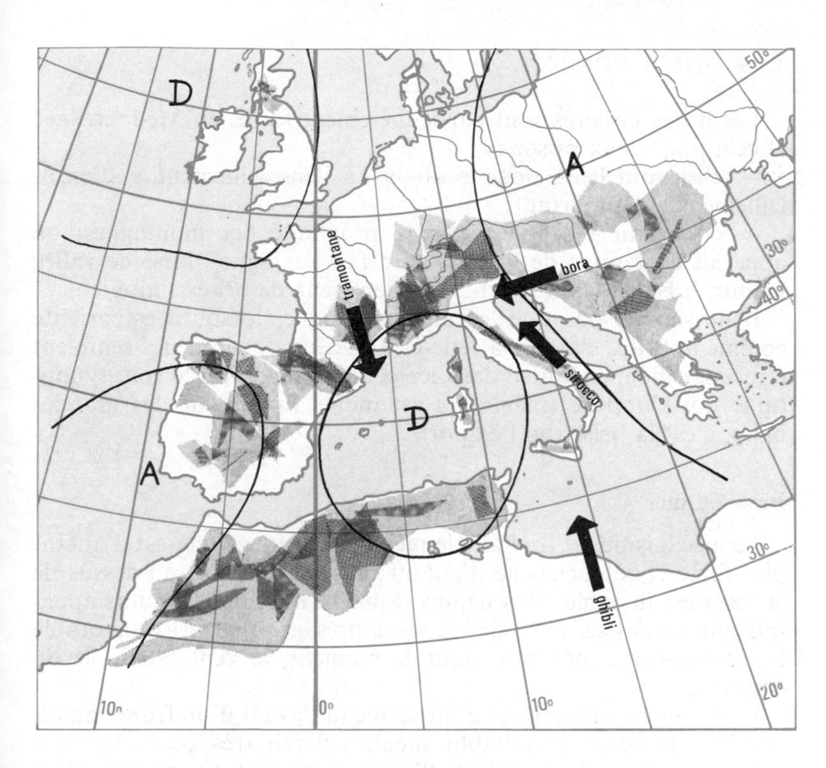

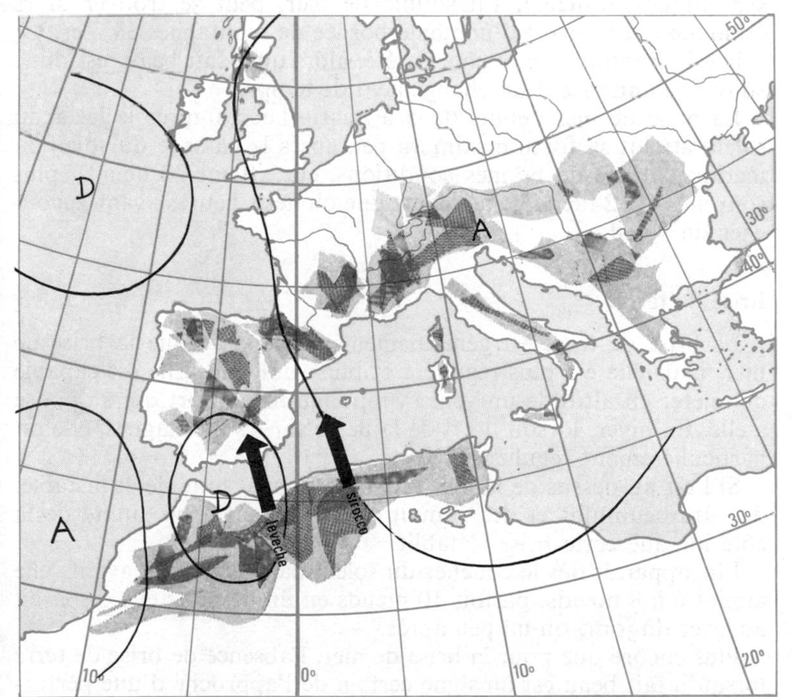

Selon la position des centres d'action, le sirocco souffle sur l'est ou l'ouest du bassin.

Les brises côtières.

Les brises côtières sont particulièrement fortes en Méditerranée et cela pour deux raisons :

— elles sont liées, nous le savons, à l'ensoleillement, et l'ensoleillement est important;

— elles sont renforcées par la proximité des montagnes, où apparaît un régime de brises tout à fait analogue : **brise de vallée** le jour, **brise de mont** la nuit. Les deux jeux de brises s'ajoutent.

Il ne semble pas que le vent synoptique, lorsqu'il est orienté comme la brise, s'ajoute à celle-ci. Les deux phénomènes semblent être assez indépendants : dans les petites baies, c'est le vent synoptique qui s'impose (même s'il est moins fort); dans les grandes baies, c'est la brise qui l'emporte.

Brise de mer.

Le mécanisme est toujours le même. La brise de mer est d'autant plus forte et se déclenche d'autant plus tôt que l'air au-dessus de la terre est instable. Vus depuis la haute mer, des cumulus apparaissant au-dessus du relief laissent présager une brise favorable à l'atterrissage, même si, pour le moment, le vent est faible ou contraire.

En revanche une arrivée d'air stable (à l'avant d'un front chaud) empêche la brise de s'établir même s'il fait très beau. Le vent synoptique lui-même, s'il souffle de mer, peut se trouver alors « bloqué » à l'ouvert d'une baie bordée de montagnes élevées. Ce calme à proximité de la côte en été, alors qu'il fait beau, est donc souvent l'annonce d'un changement de temps.

La brise de mer débute deux à quatre heures après le lever du soleil, atteint sa force maximum peu après le passage du soleil au méridien; dans de bonnes conditions, elle atteint 20 nœuds, plus souvent 8 à 12 nœuds; elle meurt une ou deux heures avant le coucher du soleil.

Brise de terre.

La brise de terre est généralement moins forte que la brise de mer, mais elle est plus régulière et plus soutenue. Elle est capable de rejeter en altitude un vent synoptique même fort qui s'oppose à elle. En hiver, lorsqu'il y a de la neige sur les montagnes, elle est particulièrement régulière et forte.

Si l'air au-dessus de la mer est suffisamment humide et instable, des stratocumulus et des cumulus apparaissent à proximité de la côte lorsque cette brise s'établit.

Elle apparaît dès le coucher du soleil, parfois un peu avant; elle atteint 6 à 8 nœuds, parfois 10 nœuds en fin de nuit; elle disparaît au lever du jour, ou un peu après.

Plus encore que pour la brise de mer, l'absence de brise de terre lorsqu'il fait beau est un signe certain de l'approche d'une perturbation : cette absence indique une égalisation des températures au-dessus de la terre et de la mer.

Après le passage d'un front chaud, lorsque la pluie cesse et que le ciel se dégage, même partiellement, la brise réapparaît. Mais elle peut disparaître à nouveau durant le passage de la traîne, quand l'air est aussi froid sur mer que sur terre.

Domaine d'extension.

Il est d'usage d'admettre que les brises intéressent une bande côtière de 20 milles de large. Cette distance constitue en fait une limite extrême; elle doit être comptée à partir de la ligne littorale moyenne et non des pointes. La brise de mer ne l'atteint pas souvent, la brise de terre y parvient en général en fin de nuit.

Naturellement le jeu des brises est très variable selon le découpage de la côte. Chaque petite baie, à l'intérieur d'un golfe plus important, possède son propre régime, du moins au moment où les brises naissent. Lorsqu'elles prennent de l'ampleur ce régime s'harmonise avec celui de l'ensemble de la côte. Ceci est particulièrement vrai pour la brise de terre, qui prend en début de nuit autant de directions qu'il y a de petites baies et de petites vallées, et trouve un régime régulier et de plus d'ampleur en fin de nuit.

Ces brises sont caractéristiques du beau temps, et très favorables à la pratique du dériveur le long des côtes. En croisière, on sait que l'on peut compter sur la brise de terre pour quitter le port et atteindre le large en fin de nuit. A l'inverse, on peut profiter du maximum de la brise de mer pour faire un atterrissage au grand largue en début d'après-midi.

Le bassin occidental, région par région.

Nous rassemblerons ici un certain nombre d'indications sur les conditions de navigation que l'on peut trouver en différents points de la Méditerranée occidentale. Il ne s'agit là que d'indications très classiques, pouvant simplement servir de base à toutes sortes de découvertes particulières.

Languedoc, Provence, golfe du Lion, Nord-Baléares.

Lorsqu'on a dit qu'elle est la région du mistral, on a dit l'essentiel sur cette région. Signalons toutefois quelques points particuliers.

— Le vent de NE est parfois violent (voir la tramontana); il s'appelle **grégal** en Provence, **levanter** en Catalogne et aux Baléares. Il n'est pas fréquent.

— La brise de mer est, en été, régulière et soutenue (sans dépasser la force 4); elle réussit presque toujours à s'imposer sur le littoral, même par mistral. On retrouve ce dernier au large la nuit.

— La brise de terre se confond souvent avec le mistral, et tous deux empêchent le plus souvent le marin d'atteindre la côte.

Sur 100 cas de vent supérieur ou égal à 30 nœuds en mer, on a noté la répartition suivante :

— Mistral-tramontane : 88
— Marin : 3
— Grégal : 9

Cette région est celle où l'on observe le plus de cas de vent fort en Méditerranée. A Marseille, on compte en moyenne cent jours de mistral par an.

Sud-Baléares et Alboran.

Zone à caractère très méditerranéen dans son ensemble. En particulier, régime de brises régulier et systématique sur les côtes en été; moins régulier en saison froide.

En hiver, situation perturbée avec dépression centrée sur l'Oranie. Le vent qui souffle d'Est et amène la pluie, s'appelle le **solano.**

La région située à l'est de Gibraltar est une zone où s'affrontent les influences atlantiques et méditerranéennes, influences concrétisées par deux vents :

— **Levanter :** vent d'Est, méditerranéen, doux mais souvent irrégulier;

— **Vendavales :** vent de SW, atlantique, frais, humide, régulier. S'accompagne souvent d'averses.

L'une des caractéristiques de cette région est que l'on y passe brusquement d'un vent à l'autre.

Mer de Ligurie et autour de la Corse.

Le vent dominant est le **libeccio.** Mais cette désignation ne correspond pas à des caractères bien précis. Une chose est certaine : c'est un vent d'Ouest à SW, modéré à fort, chaud ou doux, sans excès. Il annonce ou accompagne le mauvais temps.

Nous avons vu qu'en Corse le mistral souffle en général de l'Ouest (voire de WSW), puisqu'il atteint la Corse quand la dépression qui en est partiellement la cause s'est décalée vers le golfe de Gênes ou la mer Tyrrhénienne. La seule différence entre le mistral et le libeccio est qu'à l'arrivée du premier correspond une baisse de température et souvent un éclaircissement du ciel, tandis que le second apporte un temps doux et pluvieux. Par mistral, on est dans de l'air polaire ou arctique maritime froid; par libeccio, dans de l'air polaire maritime chaud ou de l'air méditerranéen.

Mais lorsque le vent est de NW et apporte la pluie, on l'appelle aussi mistral (c'est du mistral noir).

Il est intéressant de faire ici une analyse un peu plus détaillée des différents régimes de vent autour de la Corse.

Cap Corse et nord de l'île.

Les vents d'Ouest dominent toute l'année avec un maximum de fréquence en été. Les vents forts — 70 % sont d'Ouest — dus à la cyclogénèse fréquente sur le golfe de Gênes soulèvent une mer forte sur la partie de la côte comprise entre le golfe de Galéria (au sud de Calvi) et l'extrémité du Cap Corse. Dans certains cas, par effet orographique dû au relief de la Corse, ces vents de dominante Ouest atteignent la force 7 à 9 au nord du Cap Corse sur une bande orientée Nord-Sud d'une dizaine de milles de large.

Côte est.

Par vents d'Ouest de force 6 à 7, sur la côte est, le vent est très faible mais peut acquérir, principalement entre le Cap Corse et Bastia (côte sous le vent), à l'ouvert des vallées, une force accrue.

D'une manière générale, lorsqu'on navigue près de cette côte, il faut se méfier des rafales violentes qui tombent de la montagne, même si le vent d'Ouest n'est que modéré.

La force du mistral et du libeccio est très atténuée au sud de Bastia, entre ce port et Porto-Vecchio. Pendant l'été la mer est relativement calme. Les vents d'Est sont rares. Lorsqu'ils se lèvent, la houle les précède généralement de quelques heures.

Côte sud, Bouches de Bonifacio.

Les Bouches de Bonifacio forment un site remarquable. Entre les côtes élevées et rocheuses de la Corse et de la Sardaigne, elles constituent un passage étroit où le vent est presque toujours violent. La légende veut que les monstres Charybde et Scylla aient sévi dans ces parages, ce qui n'étonnera sûrement pas les plaisanciers qui attendent dans l'excellent port de Bonifacio une accalmie suffisamment longue pour pouvoir reprendre leur croisière.

Sans simplifier de façon excessive, on peut dire que dans ces Bouches, le vent est soit Ouest soit Est, qu'il souffle soit à moins de 10 nœuds, soit à plus de 40. Une vitesse de 45 nœuds y est fréquente, même s'il fait très beau ailleurs.

Côte ouest.

A mesure que l'on remonte la côte vers le Nord, la direction dominante des vents se rapproche légèrement du NW. La transition est assez brutale à la limite nord de ce secteur, vers l'île de Cargalo au nord du golfe de Porto.

L'une des constatations les plus importantes que l'on puisse faire à l'issue de cette étude est celle-ci : en Méditerranée occidentale, la plupart des coups de vent — dus principalement au mistral et à la tramontane — s'accompagnent d'un ciel pur. Le plaisancier ne dispose pas de signes annonciateurs et ceci est d'autant plus ennuyeux que le vent s'établit parfois en quelques instants et qu'il est tout de suite violent. De plus, à tout moment, le vent peut changer, forcir, faire une saute plus ou moins brutale. Il faut être sans cesse prêt à changer de programme, à laisser porter à l'Est quand on voulait aller à l'Ouest, ou réciproquement. Sauf nécessité absolue, on ne s'obstine pas contre le mistral. Celui-ci lève une mer désagréable, avec des vagues très courtes et très creuses, qui cassent la vitesse du bateau et le moral de l'équipage. On ne peut imaginer de croisière « à contre-courant » du temps.

En fait, l'un des charmes de la navigation dans cette mer est peut-être, justement, de suivre et d'utiliser au mieux la situation météorologique sans chercher à remplir à tout prix un programme précis, en n'hésitant pas à changer d'itinéraire et à faire des escales imprévues, parfois prolongées, presque toujours plaisantes.

Une bonne préparation à la croisière en Méditerranée est peut-être la lecture d'Homère. Lorsque les vents ne sont pas favorables, le mieux est sans doute de faire comme faisait Ulysse : attendre patiemment. Mais comme lui, il faut aussi savoir ruser, et sauter sur l'occasion dès qu'Eole semble de bonne humeur.

Le temps qu'il fera

Le temps d'hier est bien connu, mais il a un inconvénient : on ne peut plus naviguer dedans. Cela le discrédite nettement aux yeux de la plupart des plaisanciers, que la nostalgie des vieilles lunes n'effleure guère. Beaucoup plus intéressant est le temps de demain, celui qu'on ne connaît pas et qu'il faudrait pourtant prévoir, si l'on veut choisir judicieusement sa route, élaborer une « tactique » (lorsqu'on fait la course) et surtout voir venir le mauvais temps.

La connaissance du temps passé est évidemment très utile pour la prévision du temps futur, puisqu'elle permet de repérer certaines constantes, certaines évolutions caractéristiques et les signes qui les annoncent. Cependant, lorsqu'il s'agit de déterminer la **couverture météo** (comme on dit) dont on disposera dans les jours à venir, il est bien certain que l'on ne peut compter uniquement sur ses observations personnelles, si expérimenté que l'on soit. Les analyses précédentes ont suffisamment montré que le temps qu'il fait, en un endroit précis, n'est qu'un aspect d'une situation d'ensemble qui déborde largement l'horizon de l'observateur; il résulte souvent de ce qui se passait la veille à des centaines ou des milliers de milles de là; son évolution ultérieure dépend donc avant tout de l'évolution de la situation générale. Celle-ci ne peut être connue que par les renseignements fournis par les services météorologiques, dont le réseau d'observation couvre le monde entier.

L'observation personnelle intervient en second lieu, essentiellement pour comparer le temps local aux données d'ensemble, pour tenter de voir, à partir du baromètre, de l'aspect du ciel et de l'état de la mer, s'il y a ou non concordance, si la situation évolue plus vite ou moins vite, dans la direction prévue ou dans une autre, si l'on va vers une aggravation ou au contraire vers une amélioration.

Ainsi défini, le rôle de l'observation paraît bien modeste. En réalité, il faut déjà des années de pratique pour parvenir à de tels résultats. C'est d'ailleurs pourquoi il y a fort peu de conseils à donner, en matière de prévision du temps : l'essentiel tient, nous l'avons dit en commençant, dans une bonne compréhension des bulletins météorologiques, et dans un long travail d'imprégnation personnelle, que nulle sollicitude venue de l'extérieur ne saurait remplacer.

Le bulletin météorologique.

Les renseignements qui intéressent les plaisanciers sont fournis essentiellement par les bulletins météorologiques diffusés à la radio et — lorsqu'on veut se livrer à une étude plus approfondie — par les cartes du Bulletin quotidien de Renseignements (dit : BQR) de la Météorologie nationale.

Les bulletins météo sont diffusés : sur grandes ondes par les postes nationaux (France-Inter, BBC), sur petites ondes par les stations régionales et sur la gamme Marine par les stations côtières de radiotéléphonie. Tous ces bulletins comportent dans l'ordre, et avec plus ou moins de précisions, les renseignements suivants :

— Avis de coups de vents éventuels, puis aperçu de la situation d'ensemble : caractéristiques du champ de pression, position des centres d'action, trajet des perturbations, position et vitesse de déplacement des fronts.

— Prévisions par zones.

— Tendance générale du temps.

— Relevé d'observations effectuées dans différentes stations côtières.

L'ensemble de ces renseignements donne un bon aperçu de la situation générale et de ce qui risque de se produire, à court terme, dans la zone où l'on navigue. Il importe toutefois d'en connaître les limites exactes.

Tout d'abord, il existe un décalage inévitable entre le moment où les observations sont faites, et celui où les prévisions sont diffusées. Un bulletin météo diffusé à 9 h par exemple, est élaboré à partir des observations faites à 1 h. La plupart du temps ce décalage n'est pas très gênant mais il peut le devenir en cas d'évolution très rapide. Il est bon de noter ici que les relevés d'observations des stations côtières donnés en fin de bulletin sont généralement plus récents que l'analyse d'ensemble (relevés de 7 h pour le bulletin de 9 h); ces relevés méritent d'être écoutés avec une attention par-

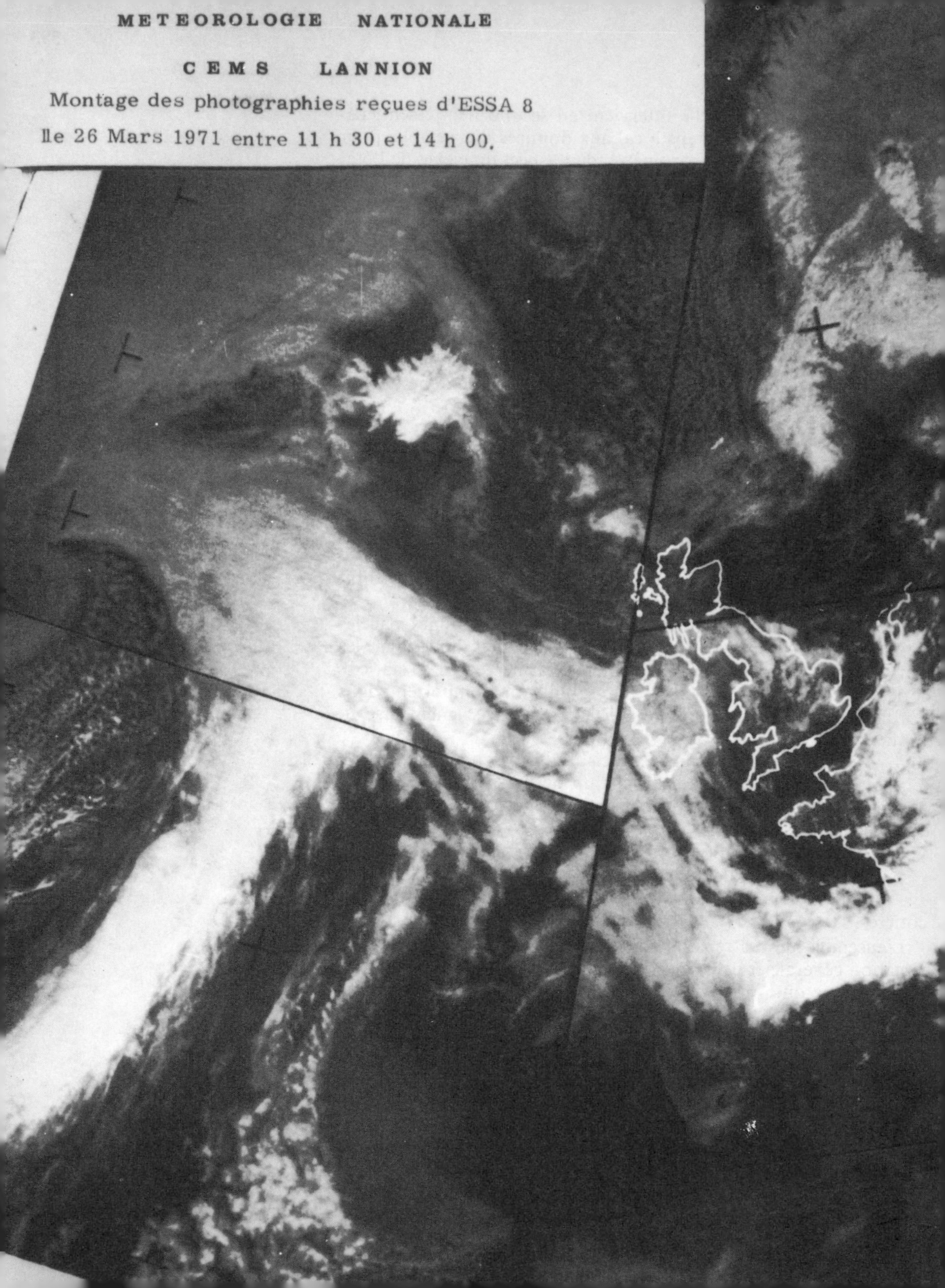
METEOROLOGIE NATIONALE
CEMS LANNION
Montage des photographies reçues d'ESSA 8
le 26 Mars 1971 entre 11 h 30 et 14 h 00.

ticulière car ils révèlent parfois des « anomalies » par rapport à la situation générale, et précisent le sens dans lequel l'évolution peut se faire.

D'autre part — et c'est la principale limite du bulletin, que nous avons déjà signalée — les prévisions que l'on reçoit concernent des zones très vastes. Elles ne donnent pas d'indications précises sur l'intensité que peut prendre très localement tel ou tel phénomène, ni sur son « horaire » exact. L'ondulation d'un front, par exemple, peut n'être pas signalée, et modifier cependant toutes les données prévues en tel ou tel endroit. De plus, et surtout en été, ces prévisions offrent souvent une simple gamme de possibilités, parmi lesquelles il faut choisir.

Ici intervient donc l'observation personnelle, et tout d'abord l'observation du seul instrument météorologique dont la présence soit indispensable à bord : le baromètre.

◄ Une perturbation classique, photographiée par le satellite météorologique ESSA 8. Ce genre d'observation est fondamental pour la prévision. On distingue parfaitement le front chaud, qui est en train d'atteindre les côtes de l'Europe; le front froid encore loin au large; le début de l'occlusion, là où les fronts se rejoignent; le **vortex**, tourbillon marquant le centre de la dépression (à l'extrême-gauche). L'Islande et la péninsule scandinave sont couvertes de neige.

France I, l'une des deux frégates météorologiques françaises.

Le baromètre.

Le *sorcier*, comme le nommaient les marins d'antan, mène dans son coin une vie silencieuse, avec des hauts et des bas qui rendent compte fidèlement des allées et venues dans l'atmosphère.

La valeur de la pression qu'il indique n'a, en elle-même, qu'une signification restreinte. Tout au plus peut-on penser que l'on est en régime anticyclonique si l'aiguille atteint et dépasse 1 020 mb, que l'on se trouve plutôt dans une zone dépressionnaire lorsqu'elle descend au-dessous de 1 010 mb (la valeur d'une très forte dépression, en son centre, pouvant être de 960 mb). Mais l'on peut aussi bien constater du mauvais temps avec des pressions de l'ordre de 1 015 mb. Il est bon en tout cas que le baromètre soit étalonné, c'est-à-dire qu'il indique la pression réelle : nous verrons que ceci est d'une importance particulière pour la prévision des phénomènes dangereux.

Mais ce qu'il importe avant tout de surveiller, ce sont en fait les variations de l'aiguille, qui permettent de connaître la **tendance.**

Ce terme de tendance est utilisé par les météorologistes pour définir la variation de pression (hausse ou baisse) dans un intervalle de trois heures.

Cette notion est très importante. On trouve d'ailleurs dans le BQR une carte des tendances, sur laquelle sont tracées les lignes d'égale variation de pression **(isallobares)**; ces isallobares prennent généralement la forme d'ellipses s'emboîtant les unes dans les autres et formant des **noyaux de variation de pression,** qui vont généralement par couples (noyau de baisse, noyau de hausse) et dont la mise en évidence est l'une des préoccupations principales des prévisionnistes.

Pour l'observateur isolé, cette tendance constitue également l'indication fondamentale. C'est elle qui peut annoncer de la façon la plus précise une évolution du temps. D'une manière générale, une baisse de 2 ou 3 mb en trois heures doit conduire à envisager sérieusement la possibilité d'une aggravation du temps; une baisse de 3 à 5 mb annonce l'approche d'une perturbation importante;

Le barographe est l'appareil idéal (quoique parfois tremblant) pour suivre l'évolution de la pression.

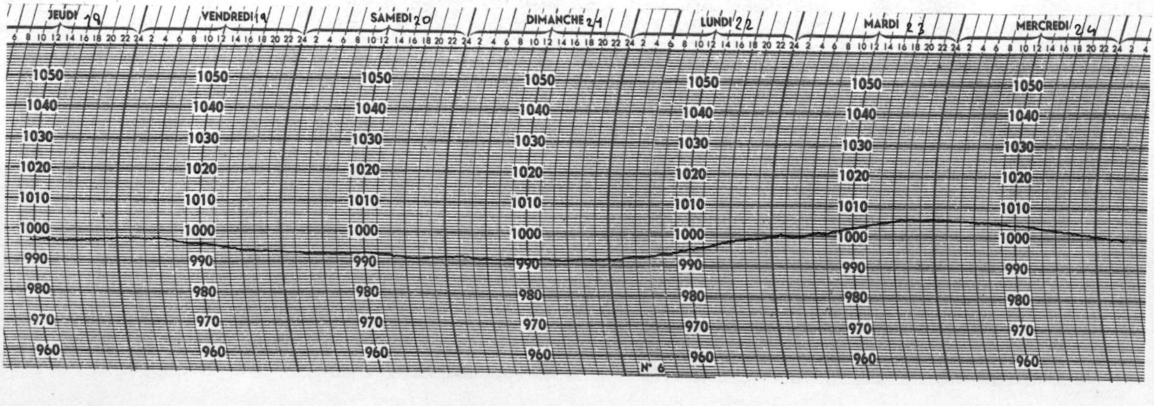

et si la baisse est supérieure à 5 mb, c'est qu'il se prépare quelque chose de pas ordinaire.

Sans doute ces affirmations appellent-elles quelques nuances. La tendance ne constitue pas une indication absolue; la violence d'une perturbation n'est pas exactement proportionnelle à la tendance négative qui l'a annoncée; il peut même y avoir des tempêtes avec tendance positive exclusivement, dans un flux d'air froid de secteur NW à NE par exemple. La plupart du temps, néanmoins, cette tendance, confirmée par l'observation, est essentielle : une tendance négative et l'apparition d'un ciel de tête laissent prévoir généralement que les choses vont se gâter. La tendance est même, parfois, la seule donnée dont on dispose, en particulier pour la prévision de certains phénomènes dangereux qui échappent aux mailles du réseau météorologique.

Prévision des phénomènes dangereux.

En mer, les phénomènes dangereux sont les phénomènes inattendus, ceux qui surprennent par leur soudaineté.

Parmi ces phénomènes, le plus à craindre est évidemment la **tempête-cataclysme,** généralement produite par une petite dépression d'allure inoffensive, qui brusquement se creuse à proximité de la côte et fait des ravages avant même que les services météo aient pu signaler le danger.

Ce genre de tempête est heureusement rare, mais non exceptionnel : on en a observé six en Bretagne en vingt ans; deux d'entre elles ont eu lieu en été, celle du 6 juillet 1969 étant la plus meurtrière de toutes puisqu'elle fit treize morts parmi les plaisanciers.

La rapidité avec laquelle se manifestent de tels ouragans rend

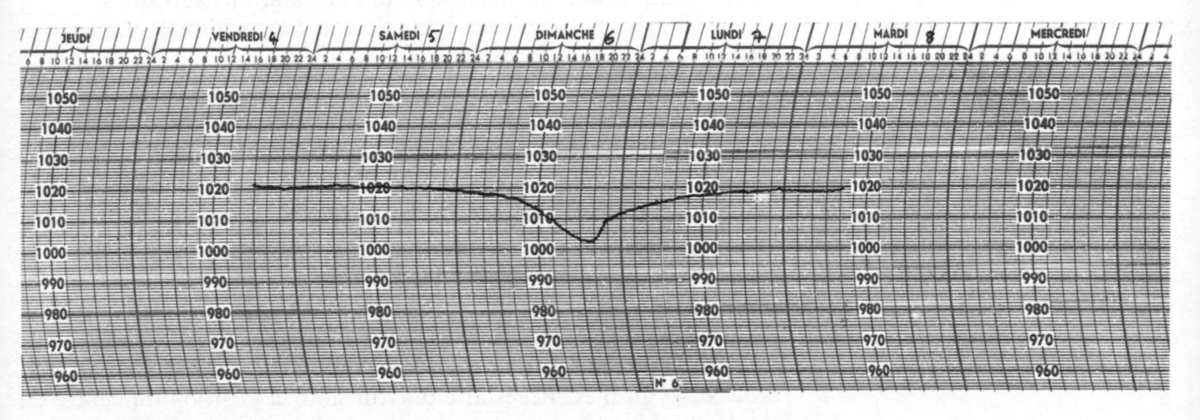

Une chute caractéristique : celle qui fut enregistrée à Dinard lors de la tempête du 6 juillet 1969.

évidemment leur prévision difficile. Ils se déplacent trop vite pour que la houle puisse les précéder. L'état du ciel fait certes imaginer que du mauvais temps arrive, mais il ne permet pas d'en soupçonner l'intensité. Seules, en définitive, les indications du baro-

Aux Glénans, le 6 juillet 1969. Sur un fetch de 500 m environ, la mer se creuse et déferle en quelques instants; les traînées blanches, très nombreuses, s'orientent dans le lit du vent; les embruns s'envolent. Le vent atteint la force 10.

mètre peuvent annoncer leur approche, au moins quelques heures à l'avance.

On peut en effet penser qu'il va se passer quelque chose de grave lorsqu'on fait une ou plusieurs des constatations suivantes.

— Le baromètre descend rapidement, la tendance étant supérieure à 5 mb en trois heures.

— Beaucoup plus tôt que prévu, la pression qu'il indique se rapproche ou devient inférieure à la valeur annoncée par le dernier bulletin comme étant celle du centre de la dépression. Cela signifie, ou bien que la dépression a accéléré, ou bien qu'elle s'est creusée, ou les deux à la fois.

— La pression atteint une valeur très basse alors que le vent demeure obstinément orienté au SE, donc que le centre de la dépression est encore loin.

On voit ici combien il est important d'avoir un baromètre étalonné, car c'est essentiellement par la comparaison entre la pression annoncée et celle que l'on constate que l'on peut être alerté. On voit aussi qu'il est nécessaire d'avoir noté la position du centre de la dépression, ainsi que sa direction et sa vitesse prévue.

Il importe de ne pas se laisser abuser par l'accalmie qui survient en général lorsqu'on se trouve près du centre de la dépression. Au cours de la tempête du 6 juillet 1969, sur la trajectoire de ce centre, on a constaté que le vent passait en quelques instants du calme à la force 12. D'une façon générale on sait d'ailleurs que le front froid d'une perturbation est plus redoutable que son front chaud et c'est particulièrement le cas ici.

D'autres phénomènes peuvent être dangereux malgré une violence moindre. Le danger est dû ici non pas à une absence de prévisions, mais plutôt à l'inattention des plaisanciers à leur égard. C'est le cas en particulier pour les **fronts froids secondaires,** dont on ne se méfie pas, alors qu'ils sont souvent plus violents que le front froid principal. Il faut donc être sur ses gardes lorsqu'on parle de tels fronts dans les bulletins, et aussi lorsqu'on remarque qu'après le passage du front froid « normal », le vent ne remonte pas vers le Nord (à plus forte raison lorsqu'il a tendance à redescendre légèrement vers le Sud, malgré la persistance d'un ciel de traîne). L'observation du ciel doit permettre enfin de prendre ses dispositions à temps, car l'arrivée de chacun de ces fronts est marquée par une ligne de grains comportant des cumulus *congestus* et des cumulonimbus.

Dans le même ordre d'idée, il faut encore veiller aux grains qui surviennent dans de l'air fortement instable et qui entraînent parfois des surventes nettement plus fortes qu'on ne le pensait : il n'est pas rare qu'un vent moyen de force 5 atteigne la force 7 ou 8 dans les grains.

On doit se méfier particulièrement lorsqu'on se trouve dans une situation orageuse. Ici, tout peut arriver. Par exemple : le vent est faible, de force 1 à 2, de gros nuages passent, donnant de fortes averses sans survente notable, et soudain, alors qu'on ne s'y attend plus, surgit un grain de force 6 et plus...

Comme dans bien d'autres domaines, l'expérience directe vient ici aiguiser le flair. Les chats échaudés en sont une preuve. Il est fort probable que certaines petites surprises aident mieux que des connaissances purement livresques à devenir un bon prévisionniste.

L'observation.

Savoir regarder le ciel suppose un long apprentissage. Pour passer de la théorie à la pratique, l'observateur honnête et qui ne veut pas se payer de mots doit traverser l'immense désert de la perplexité. Traversée austère (et cependant lumineuse), dont on lui souhaite de garder toujours quelque trace, le portant à nuancer ses affirmations, à douter de ses découvertes, à ne pas les figer en catégories trop étroites. Entreprise solitaire, pour laquelle on peut tout au plus suggérer une marche à suivre, comportant les principaux points suivants :

— S'abonner durant quelque temps au BQR, ou du moins étudier chaque jour la carte météo publiée par certains quotidiens.

— Ecouter les bulletins météo matin et soir, observer le ciel quatre fois par jour, le baromètre de même, puis faire sa prévision pour le lendemain.

— Le lendemain, comparer la prévision et la réalité, et analyser les différences sur la carte.

Durée du cheminement : plusieurs mois, et dans des saisons différentes.

Ensuite, il n'y a pas tellement de raison de s'arrêter. Si l'on perd le contact, il est essentiel en tout cas de ne pas attendre la veille du départ en croisière pour le renouer. Il faut se remettre dans le bain plusieurs jours à l'avance, prendre les bulletins, consulter les cartes, entrer en rapport également avec une station côtière pour obtenir des prévisions à moyenne échéance.

En mer, par la suite, la prévision est à base d'observation continue. Celle-ci constitue bien, en définitive, la discipline fondamentale. Grâce à elle, jour après jour, on prend l'habitude de « vivre » le temps. Inconsciemment, les variations de la température, les nuances de la lumière, les pulsations du vent sont perçues et enregistrées. Une nouvelle manière de réagir apparaît, qui rapproche peu à peu de la vérité. Et c'est ainsi qu'on devient fils du ciel.

cinquième partie

Navigation

Le terme de navigation, pris dans son sens restreint, recouvre l'ensemble des techniques qui permettent de se situer en mer, d'y choisir sa route et de contrôler à tout instant que l'on suit bien la route choisie.

Cette définition ne doit pas laisser croire que la navigation est une activité réservée aux propriétaires de grosses unités qui affrontent la haute mer; en réalité on commence à l'exercer dès l'instant où, s'étant quelque peu éloigné du rivage, on se retourne pour apprécier la distance que l'on a parcourue... Si l'on ne fait guère de navigation à bord d'un dériveur léger — sauf peut-être dans quelques cas précis, lorsqu'il s'agit de savoir quel est le meilleur bord à tirer entre cette bouée-ci et la suivante —, à bord d'un bateau de promenade ou d'un canot de pêche, il faut déjà être au courant de l'essentiel : savoir utiliser les points de repère qui jalonnent la côte, tenir compte des marées et des courants, savoir lire une carte marine et se servir d'un compas. En croisière côtière, cela ne suffit plus : il faut être capable d'utiliser des instruments et des méthodes plus complexes, pour faire le point, déterminer le cap à suivre, tenir une estime. Il s'agit déjà là d'une navigation très complète. C'est d'ailleurs dans l'optique de la croisière côtière que nous traitons cette partie, en tentant de faire le tour des connaissances indispensables à bord d'un petit croiseur comme le Mousquetaire par exemple, avec lequel on peut aussi bien faire du pilotage au milieu des cailloux que naviguer hors de vue de terre.

Nous avons eu ici deux préoccupations principales.

La première a été de mettre en évidence la très grande distance qui existe, en matière de navigation, entre la théorie et la pratique, surtout lorsque cette pratique a pour cadre la cabine d'un petit bateau. Il est facile d'être intelligent sur un sol stable; mais aucune méthode de navigation ne peut être considérée comme acquise tant qu'elle n'a pas subi l'épreuve du feu, c'est-à-dire qu'on ne l'a pas mise en pratique, à bord, dans des conditions inconfortables. En conséquence, nous nous sommes efforcés de donner aussi souvent que possible des façons de faire très simples, avec des points de repère permettant d'éviter les erreurs grossières. Si nous nous sommes laissés aller parfois à proposer quelques raffinements, on verra que ces raffinements ne sont utilisables — et n'ont d'ailleurs d'utilité — que par petit temps.

Notre second souci a été de réduire à leur plus simple expression les exposés théoriques et de les illustrer, voire même quelquefois de les remplacer purement et simplement par des exemples concrets. Il nous semble en effet que les techniques de navigation elles-mêmes ne constituent que le support d'une certaine manière de regarder, de raisonner, de réagir qui est propre au monde marin et qui est sans doute la chose essentielle à acquérir. A travers les exemples on comprendra peut-être mieux que la navigation est finalement un art, qui réclame tout à la fois rigueur et intuition, prudence et hardiesse (la hardiesse étant alors une sorte de prudence supérieure), humilité et obstination. On comprendra que pour certains elle soit une passion exclusive, une sorte de discipline « totale » où le raisonnement mathématique et le sens poétique apparaissent pour ce qu'ils sont, c'est-à-dire nullement étrangers ou opposés l'un à l'autre, mais alliés de toujours, œuvrant ensemble non seulement pour choisir la route mais aussi pour percer le sens des paysages que cette route traverse.

18. Points de repère et documents

On ne s'en va pas découvrir la mer avec, pour tout bagage, sa pipe et son couteau. Il faut des connaissances, pour ne pas se perdre. D'abord, il faut savoir reconnaître et utiliser les différents points de repère qui jalonnent la côte : de jour, les amers et le balisage; de nuit, les feux; dans la brume, les signaux sonores. Grâce à eux, on parvient tout à la fois à se situer et à garder ses distances vis-à-vis de la terre. Il faut également savoir évaluer une autre distance : celle qui sépare la quille du fond de l'eau. Donc, avoir une idée de ce qu'est la marée, apprendre à calculer la hauteur d'eau à toute heure et en tout lieu, faire attention aux courants que ses variations entraînent.

Tous ces renseignements élémentaires sont contenus dans des livres : les feux dans les livres des *Feux*, les marées dans l'*Annuaire des marées*, les règles de balisage un peu partout. Leur étude donne accès aux documents essentiels, qui sont la carte marine et les *Instructions nautiques*.

Dans ce chapitre nous tenterons de passer en revue tout à la fois les points de repère et les documents. Mais signalons tout de suite qu'il existe un ouvrage fondamental, dont nous aurons l'occasion de reparler souvent, et auquel il est bon de se référer si l'on veut tout savoir : c'est l'ouvrage nº 1 du Service hydrographique de la Marine, intitulé : *Renseignements relatifs aux documents nautiques et à la navigation*, plus communément appelé SH 1. On trouvera dans ce volume tous les renseignements que l'on peut espérer, et d'autres encore que l'on n'espérait pas. Aussi bien le chapitre qui suit n'a-t-il pas pour but de remplacer les documents officiels. Il entend simplement donner un aperçu d'un système assez complexe et en faciliter l'approche.

Les amers.

Les ancêtres avaient de bons yeux et un nez énorme. Les seuls points de repère dont ils disposaient pour se situer en mer leur étaient fournis par la côte elle-même. Tel sommet caractéristique du littoral ou de l'arrière-pays, tel monument remarquable —

Sur cette côte les amers ne manquent pas. L'an prochain il y en aura encore plus.

tumulus, menhir, temple à Bélénos, tour de guet romaine — tel rocher, tel bouquet d'arbres leur permettait de s'y retrouver et de regagner sans coup férir leur village.

De nos jours, les **amers,** c'est-à-dire les points fixes et bien visibles de la côte, sont toujours précieux. Il faut simplement prendre garde que le paysage évolue plus vite que jadis. Tel clocher, tel château d'eau, telle cheminée d'usine, dont la fonction première n'est pas d'aider le navigateur, peuvent se trouver masqués un jour par les progrès de la civilisation ou (plus rarement, hélas) de la végétation. Ne sont vraiment sûrs que les amers officiels, rocher blanchi, phare, pyramide, qui sont signalés dans les livres, soigneusement entretenus et gardés à l'abri de la spéculation immobilière.

Le balisage

Le balisage est l'ensemble des *marques* mises en place par le service des Phares et Balises (ministère de l'Equipement) à l'intention des navigateurs. Font partie du balisage : les bouées, les tourelles en maçonnerie et les balises proprement dites, qui sont des perches scellées dans le roc ou fichées dans le fond.

Reconnaître une marque.

Chaque marque possède une signification précise, qui est révélée par sa forme, sa couleur, le voyant qui la surmonte.

La forme (cône, cylindre, sphère, ogive, fuseau) ne constitue pas en elle-même une indication suffisante. Elle n'est pas codifiée de façon stricte, et bon nombre de tourelles sont plus vieilles que le règlement.

La couleur (rouge, noir, vert) est beaucoup plus importante. La couleur rouille indique simplement que la marque est mal entretenue, mais c'est chose extrêmement rare en Europe.

Le voyant (cône, cylindre, sphère, croix, T) permet en tout cas de lever les doutes, car il répète les indications données par la couleur, avec parfois quelques précisions supplémentaires.

Les marques sont réparties en deux systèmes :

— l'un sert à baliser les deux côtés d'un chenal (entrée de port, rivière, etc.) : c'est le **système latéral;**

— l'autre fait référence aux points cardinaux, pour signaler les dangers là où il n'y a pas de chenal défini : c'est le **système cardinal.**

Système latéral

Ce système est international : on le retrouve à l'entrée des chenaux et des ports du monde entier (ou presque).

Il est conçu en fonction du navigateur qui vient du large. Lorsqu'on sort d'un port, il faut donc prendre le contre-pied des indications qu'il donne.

Le système latéral comprend essentiellement des marques noires et des marques rouges, disposées de part et d'autre d'un chenal. Son principe est simple :

— **toute marque noire surmontée d'un voyant conique pointe en haut (et éventuellement d'un feu vert ou blanc) doit être laissée à tribord;**

— **toute marque rouge surmontée d'un voyant cylindrique (et éventuellement d'un feu rouge ou blanc) doit être laissée à bâbord.**

Ces marques sont habituellement numérotées. La numérotation commence à partir du large. Les marques rouges ont des numéros pairs, les marques noires des numéros impairs.

Tout cela est facile à retenir. Ceux qui ont la mémoire frileuse peuvent toutefois enfiler

UN TRICOT NOIR ET DEUX BAS SI ROUGES,

sornette commémorative qui signifie :

— UN TRI COt NOIR : impair, tribord, cône, noir

— DEUX BAs SI ROUGEs : pair, bâbord, cylindre, rouge.

On peut remarquer aussi que la couleur des feux correspond à celle des feux du bateau : rouge à bâbord, vert à tribord.

Dans certaines rivières côtières, les marques sont couvertes d'une peinture réfléchissante, très visible dans le faisceau d'un projecteur (dans ce cas, les cônes des marques de tribord sont peints en vert foncé).

Le système latéral comporte également des marques indiquant les bifurcations et les jonctions entre différents chenaux. Lorsqu'on rencontre une de ces marques, dont la couleur (rouge ou noir) est disposée en bandes horizontales sur fond blanc, il faut

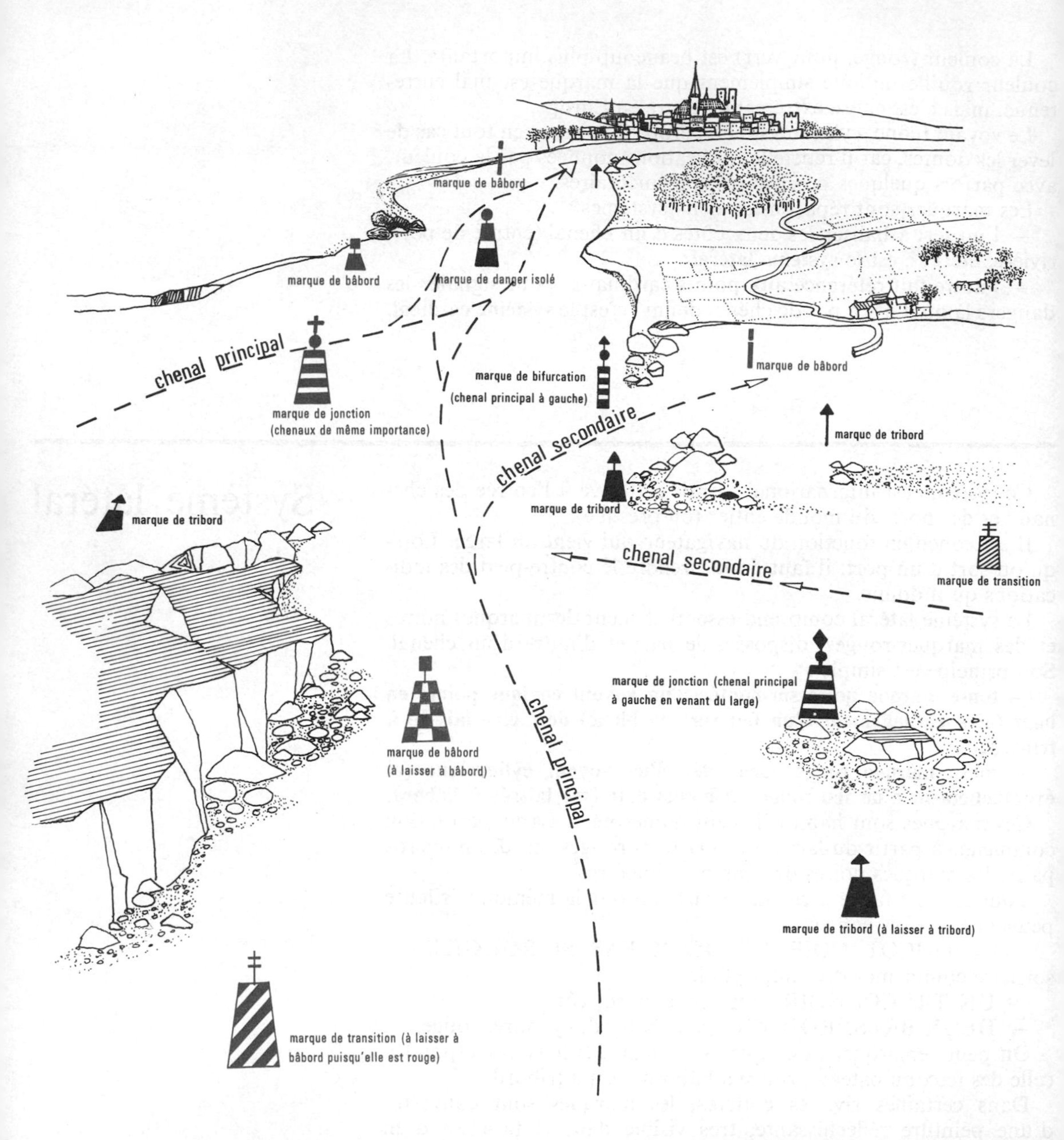

Toutes les indications fournies par le balisage sont données pour le navigateur venant du large.

savoir que la route à suivre ne sera clairement indiquée que par le ou les voyants qui la coiffent. Mais il n'est pas vraiment utile d'apprendre par cœur la signification de tous ces voyants (sauf à la veille d'un examen), puisque l'on a à bord les documents qui contiennent leur description. Dans le doute, on s'y réfère.

Sur certaines marques du système latéral, les couleurs sont réparties en damiers (noir et blanc, ou rouge et blanc). Cette disposition n'a pas de sens particulier; c'est un simple moyen de différenciation, employé par exemple pour rendre plus évidente une marque qui risque de se confondre avec le paysage.

Système cardinal

Utilisé presque uniquement en France, le système cardinal sert à baliser des points dangereux de la côte et certains dangers en mer. Son principe est également très simple : **une marque cardinale définit sa propre position par rapport au danger, et indique par le fait même la zone libre. Une marque cardinale Sud est placée au sud du danger, il faut donc passer au sud de la marque.**

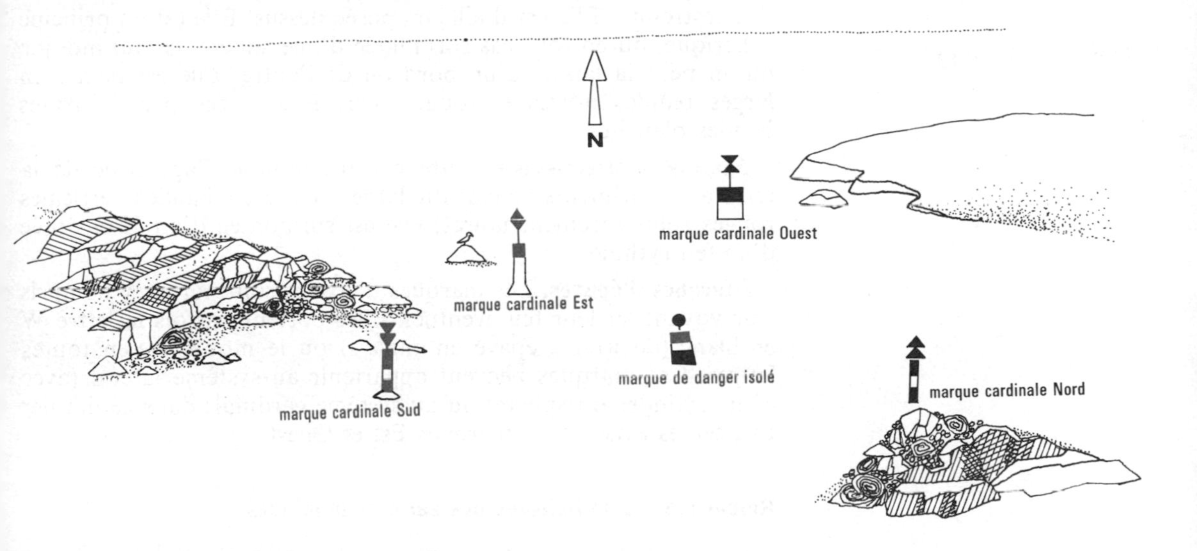

Les marques cardinales indiquent le point cardinal libre de danger.

La différenciation peut se faire de loin par la couleur des marques, et de près par la disposition de leurs voyants.

Les marques Nord et Ouest sont noires (Nord et Ouest = **NO**ir...). **Les marques Sud et Est sont rouges.** Mais le noir des marques Nord et le rouge des marques Sud sont coupés d'une bande blanche, tandis que sur les marques Est et Ouest la bande blanche est sous la couleur principale.

cardinale Nord : montre le haut de la carte

cardinale Sud : montre le bas de la carte

cardinale Ouest : en penchant la tête, on peut y voir un W

cardinale Est : on peut y voir un E

Si cela ne suffit pas, il y a les voyants. Deux cônes pointe en haut pour la marque Nord, deux cônes pointe en bas pour la marque Sud : c'est logique. Pour distinguer l'Est (deux cônes opposés par la base) de l'Ouest (deux cônes opposés par le sommet) on peut avoir recours au moyen idiot illustré ci-contre.

Il est bon de remarquer qu'une marque cardinale couvre un secteur bien délimité. Une marque Ouest, par exemple, indique que la route est libre dans le secteur NW-SW, et non pas dans le demi-cercle N-S. Le fait d'avoir parfaitement identifié une marque cardinale ne dispense d'ailleurs pas de regarder la carte.

Marques diverses.

Marque de transition. La marque de transition indique que l'on change de système de balisage; si l'on approche d'un port, que l'on passe du système cardinal au système latéral.

Cette marque est peinte de bandes obliques, rouges ou noires, sur fond blanc, et surmontée d'une croix papale (ressemblant à une croix de Lorraine, mais avec les deux branches de même longueur). Elle peut porter, selon le cas, un voyant de l'un ou de l'autre système.

Marque de danger isolé. Cette marque indique un danger d'étendue restreinte. Elle est d'ailleurs posée dessus. Elle est en principe sphérique, ou en tout cas surmontée d'une sphère, ce qui indique qu'on peut la laisser d'un bord ou de l'autre. Elle est peinte en larges bandes noires et rouges, parfois séparées par d'étroites bandes blanches.

Marque d'atterrissage. Cette marque indique l'approche de la terre aux bâtiments venant du large. Peinte en bandes verticales rouges (plus rarement noires) elle est surmontée d'un X et dotée d'un feu rythmé.

Marques d'épaves. Les marques d'épaves sont vertes, y compris leur voyant, et leur feu éventuel. Elles portent parfois la lettre W en blanc (de *wreck*, épave en anglais) ou le mot *épave* en toutes lettres. Ces marques peuvent appartenir au système latéral (avec cône, cylindre ou sphère) ou au système cardinal; dans ce dernier cas, seules existent les marques Est et Ouest.

Remarque sur le balisage des eaux britanniques.

Les Anglais ne connaissent pas le système cardinal. Toute marque est latérale et fait partie d'un chenal imaginaire, orienté dans le sens général du courant de flot.

Ces marques britanniques ont souvent, à première vue, un petit air bien à elles. Mais à y regarder de plus près, elles ne présentent pas de différence fondamentale avec les marques d'ailleurs, sauf sur un point : le cylindre des marques de bâbord y est remplacé par un tronc de cône.

Les feux

Sous le nom de feux, on regroupe les lumières émises par les phares, les bateaux-feu, les tourelles et les bouées. La nuit, tous ces feux donnent du paysage une définition simplifiée et remarquablement précise, à telle enseigne que les atterrissages sont souvent plus faciles de nuit que de jour.

La position et les caractéristiques des feux sont définies dans tous leurs détails dans les livres des *Feux*. Sur les cartes, ils sont représentés par des larmes (de couleur *magenta*) et décrits de façon sommaire.

Chaque feu est caractérisé par sa couleur, son type, son rythme et sa période.

Optique à deux éclats groupés.

Couleur. Blanc, vert, rouge. D'autres couleurs sont parfois employées, mais seulement dans les ports et dans les rivières.

Type. Les principaux sont : les feux fixes, les feux à éclats, les feux à occultations, les feux isophases et les feux scintillants.

— Feu fixe : lumière continue et d'intensité constante.

— Feu à éclats : les temps de lumière, dits « éclats », sont beaucoup plus courts que les temps d'obscurité.

— Feu à occultations : les temps d'obscurité, dits « occultations », sont beaucoup plus courts que les temps de lumière.

— Feu isophase : temps de lumière et temps d'obscurité sont d'égale durée.

— Feu scintillant : feu isophase à rythme rapide (plus de 40 alternances par minute).

Rythme. La répartition des temps de lumière et d'obscurité donne le rythme du feu.

Dans les feux à occultations, par exemple, on trouve trois sortes de rythme.

— Les temps de lumière entre chaque occultation sont toujours de même durée. Le feu est dit : régulier, c'est un feu à une occultation. Ex. : Basse-Bilien, à l'entrée de Bénodet.

— Les occultations, séparées par de brefs temps de lumière, sont groupées par deux, trois ou quatre, un intervalle de lumière assez long séparant chaque groupe. Ex. : Les Moutons, feu à 2 occultations.

Optique d'horizon (visible sur 360°). Contrairement à la précédente, cette optique ne tourne pas : le rythme est obtenu par allumage et extinction de l'ampoule. On peut donc obtenir un feu à éclats, à occultations, fixe, scintillant ou isophase.

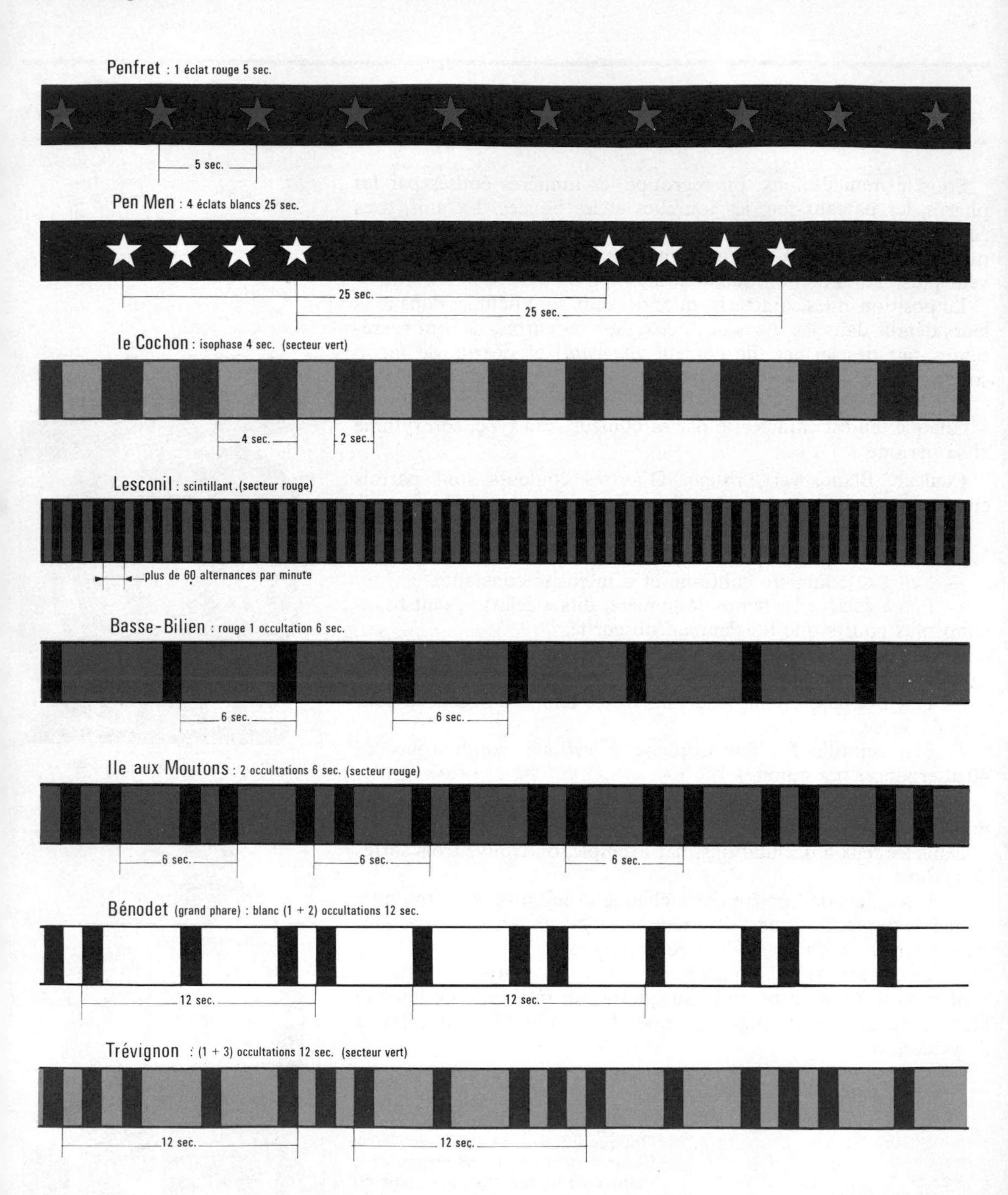
Penfret : 1 éclat rouge 5 sec.
5 sec.
Pen Men : 4 éclats blancs 25 sec.
25 sec.
25 sec.
le Cochon : isophase 4 sec. (secteur vert)
4 sec.
2 sec.
Lesconil : scintillant .(secteur rouge)
plus de 60 alternances par minute
Basse-Bilien : rouge 1 occultation 6 sec.
6 sec.
6 sec.
Ile aux Moutons : 2 occultations 6 sec. (secteur rouge)
6 sec.
6 sec.
6 sec.
Bénodet (grand phare) : blanc (1 + 2) occultations 12 sec.
12 sec.
12 sec.
Trévignon : (1 + 3) occultations 12 sec. (secteur vert)
12 sec.
12 sec.

— Les occultations sont groupées de façon irrégulière. Ex. : Trévignon, 3 + 1 occultations. Les occultations groupées sont séparées par des temps de lumière brefs, des temps de lumière nettement plus longs séparant de ce groupe l'occultation isolée.

Le principe est le même pour les feux à éclats.

Période. La période est le laps de temps au bout duquel un feu reprend les mêmes aspects dans le même ordre. Ex. : la période du feu de Trévignon est de 12 secondes; on peut compter aussi bien :

— de la première occultation du groupe de trois à la première occultation du groupe de trois suivant;

— de l'occultation isolée à l'occultation isolée suivante, etc.

Reconnaître un feu.

Par bonne visibilité, les feux donnent une indication précise et irréfutable. L'expérience prouve toutefois que les navigateurs débutants prennent facilement des vessies pour des lanternes, et surtout qu'ils ont tendance à voir dans le premier feu venu celui qu'ils ont envie de voir.

Pour identifier un feu, il ne faut pas commencer par lui donner un nom, mais se faire un œil objectif et déterminer tout d'abord, aussi sereinement que possible, ses caractéristiques.

La **couleur** est, en principe, évidente. Toutefois, lorsque le temps est à la brume, les feux blancs peuvent paraître rougeâtres.

Le **type** du feu apparaît sans équivoque lorsqu'il s'agit d'un feu à éclats ou d'un feu scintillant. Certains feux fixes, en revanche, peuvent être noyés dans les lumières de la ville. Certains feux à occultations ont l'air d'être isophases, et réciproquement. Pour déterminer la durée respective des temps de lumière et d'obscurité, le meilleur moyen est de compter mentalement (selon son rythme personnel, mais de préférence assez rapidement pour que le comptage soit régulier).

Le **rythme** du feu est découvert en comptant de la même façon, durant les temps d'obscurité (pour un feu à éclats) ou durant les temps de lumière (pour un feu à occultations).

Il est rare que l'on ait besoin de connaître la **période** (du moins en France, où l'on s'est arrangé pour qu'il n'y ait pas, dans les mêmes parages, deux feux dont seule la période soit différente). S'il faut lever un doute, on mesure la période en comptant en secondes (la récitation : A1, A2, A3, etc. donne en général une précision suffisante), ou bien l'on utilise un chronomètre.

Lorsqu'on a ainsi déterminé les caractéristiques du feu, on peut chercher son nom. Il est bon ensuite de faire des recoupements (position par rapport à d'autres feux, relèvements) pour acquérir une certitude définitive. Tout cela demande une certaine pratique et il ne faut pas manquer une occasion de s'y entraîner.

Le livre des Feux

Nous errons dans la région de Concarneau et nous voyons un feu vert, à occultations groupées par 1 et 3, avec une période de 12 secondes. Nous ouvrons le livre des *Feux*. Pas d'hésitation possible : c'est le feu de Trévignon (voir pages suivantes).

Et nous obtenons tout aussitôt une foule de renseignements complémentaires.

— Le feu de Trévignon, que nous voyons vert, présente d'autres couleurs dans d'autres directions (blanc et rouge). C'est un **feu à secteurs.** La couleur de chaque secteur ne constitue pas forcément une indication en soi. Souvent, le secteur blanc indique la zone libre (chenal d'entrée par exemple) tandis que les secteurs rouge et vert couvrent des dangers. Mais cela n'est pas systématique et seul l'examen de la carte permet de préciser les choses.

On peut remarquer que l'intensité lumineuse est différente selon la couleur : c'est le blanc qui a la plus grande brillance (tous les grands phares d'atterrissage ont des feux blancs), ensuite le rouge, enfin le vert.

— Dans la colonne suivante on trouve la **hauteur** du feu : 11 m au-dessus du niveau de la mer. Cette hauteur est donnée par rapport au niveau d'une pleine mer de coefficient 95.

— On trouve ensuite la **portée lumineuse** des différents secteurs. Il faut savoir qu'il s'agit d'une portée « nominale », définie par l'Association internationale de signalisation maritime comme la portée lumineuse dans une atmosphère homogène par une visibilité météorologique de 10 milles.

Certains pays peuvent avoir d'autres définitions. Notre livre des *Feux* reproduit telles quelles, sans les adapter, les indications des documents étrangers.

— La portée lumineuse du secteur blanc de Trévignon est de 13 milles. Mais, sous ce chiffre, on trouve un autre chiffre en italique : 12. Celui-ci indique la **portée géographique** du feu, c'est-à-dire la distance maximale à laquelle le feu peut être vu au-dessus de l'horizon apparent. Cette portée géographique est indiquée lorsqu'elle est inférieure à la portée lumineuse.

La portée géographique dépend de la hauteur de la marée et de la hauteur de l'œil de l'observateur (laquelle dépend de la taille du personnage et de la taille de son bateau). La portée géographique indiquée dans le livre est calculée pour un observateur dont l'œil est à 4,50 m au-dessus d'une pleine mer de vives-eaux, coefficient 95. Nous sommes rarement si haut perchés — mais un tableau placé au début du livre permet de faire le rétablissement voulu.

— Le livre donne ensuite la description de l'ouvrage qui porte le feu, et sa hauteur au-dessus du sol. Description fort utile : les phares sont de bons amers de jour. Et cela évite aussi de chercher désespérément une tour dans un coin où le feu est logé dans le grenier d'une maison.

— Dans la dernière colonne, on passe aux détails. Le décompte des différentes phases du feu est souvent très compliqué et susceptible d'embrouiller les idées, il vaut mieux ne pas le lire. La description des secteurs et de leurs limites est, par contre, très importante. On apprend ici que le feu de Trévignon comporte six secteurs : deux rouges, un obscur, deux blancs, un vert. Notre secteur vert couvre 34° : de 051° à 085°. Attention : les secteurs sont donnés **à la mer,** c'est-à-dire que les valeurs indiquées sont celles que le navigateur relève. Le secteur vert de Trévignon couvre donc une région située dans l'WSW du phare (et non dans l'ENE, secteur où l'on trouve surtout des troupeaux de vaches, et la ravissante chapelle de Saint-Philibert, joyau du XVIe siècle).

— Dans cette dernière colonne sont également donnés, selon les cas, des renseignements concernant les signaux de brume, les radiophares, le gardiennage des feux. Le (1) placé en tête de colonne pour Trévignon indique que le feu n'est pas gardé. Notons que les bouées ne sont pas gardées non plus (l'incompétence des cormorans est notoire). Il ne faut pas oublier qu'un feu de bouée peut tomber en panne et qu'il peut s'écouler un certain temps (surtout un certain mauvais temps) avant sa remise en service.

Les secteurs des feux sont donnés par rapport au navigateur venant du large. Un secteur indiqué : de 346° à 11°, balise une région située au sud du phare.

140 FRANCE

NUMÉROS	NOM Position approchée Lat. N	Long. W	CARACTÈRE Période Intensité lumineuse (candelas)	HAUTEUR du foyer au-dessus de la mer (mètres)	PORTÉE (milles)	DESCRIPTION Hauteur (mètres)
3855	Baie de Pouldohan 47.51	3.54	Fixe Vert 150	6	9	**Tourelle carrée blanche, sommet vert** **6**
3860	**Trévignon** 47.48	3.51	(1 + 3) Occ. 12 s Sect. B.R.V. B. 750 **R. 150 V. 90**	11	B. 13 *12* R. 9 V. 8	Tourelle carrée blanche, sommet vert 7
3864	Port-Manech (Pointe de Beg-ar-Vechen) 47.48	3.44	4 Occ. 12 s Sect. B.R.V. **B. 1 000** **R. 200 V. 125**	38	**B. 13** R. 9 V. 8	**Tourelle blanche, sommet rouge** 8

Fac-similé d'une page du livre des Feux *C 1967* et du fascicule de corrections nº 2.

16

NUMÉROS	NOM Position approchée Lat. N	Long. W	CARACTÈRE Période Intensité lumineuse (candelas)	HAUTEUR du foyer au-dessus de la mer (mètres)	PORTÉE (milles)	DESCRIPTION Hauteur (mètres)
*3830	*La Voleuse – Bouée* 47.49	4.03	4 Éclats Rouges 12 s	7	5	Bouée Card. Sud
3860	Trévignon		... ...	...	...	... ...
3910	POINTE DES CHATS		... ... 35 000	...	**22** *12*	... ...
4005	Lorient – Ancien port de commerce		Fixe Rouge 150	...	...	... ...

DE LA POINTE DE PENMARC'H À LORIENT 141

NUMÉROS	PHASES — SECTEURS D'ÉCLAIRAGE SIGNAUX DE BRUME — FEUX RATTACHÉS (1) Feu non gardé (2) Réflecteur radar (3) Signal de brume non veillé
3855	**(1) Vis. de 53° à 65° (12°)**
3860	(1) (Lum. 3 s; obs. 1 s) 2 fois; (lum. 1 s; obs. 1 s) 2 fois Rouge de 322° à 351° (29°) de 092° à 127° (35°) **Obscur de 351° à 004° (13°)** **Blanc de 004° à 051° (47°) – de 085° à 092° (7°)** **Vert de 051° à 085° (34°)**
3864	**Lum. 5 s; obs. 1 s; (lum. 1 s; obs. 1 s) 3 fois** **Vert de 296° à 303° (7°) [masqué par la pointe de Beg-Morg aux relèvements inf. à 299°]** **Blanc de 303° à 311° (8°) – de 328° à 050° (82°) – de 140° à 296° (156°)** **Rouge de 311° à 328° (17°)** **Blanc atténué de 050° à 140° (90°)**

17

NUMÉROS	PHASES — SECTEURS D'ÉCLAIRAGE SIGNAUX DE BRUME — FEUX RATTACHÉS (1) Feu non gardé (2) Réflecteur radar
3830	**(Lum. 1 s; obs. 1 s) 3 fois; lum. 1 s; obs. 5 s** **SIFFLET**
3860	**3860.1 – Feu Éclat Vert, pér. 4 s, au musoir du môle-abri**
3910	
4005	**EN COURS DE TRANSFORMATION pour devenir conforme au Livre des Feux** **4005.1 – SUPPRIMÉE**

Le feu de Trévignon et ses secteurs.

Autres documents.

L'Almanach du marin breton. Si l'on navigue uniquement sur les côtes françaises de la Manche et de l'Atlantique, on peut se dispenser d'avoir à bord le livre des *Feux* et utiliser l'*Almanach du marin breton*, qui contient toutes indications utiles et en plus des histoires drôles. Tous les feux, de Dunkerque à l'Espagne, y sont décrits. Leurs caractéristiques sont regroupées de façon claire et suivies, le cas échéant, de la description des alignements de nuit.

La carte. Les indications données par une carte de navigation côtière sont évidemment beaucoup plus succinctes. Les différents secteurs du feu y sont cependant tracés, et ses caractéristiques indiquées, dans un style sobre : F 4 o (12 s) S brv = feu à 4 occultations, période 12 secondes, secteurs blanc, rouge, vert. Lorsque la couleur du feu n'est pas indiquée, c'est qu'il s'agit d'un feu blanc.

Une chose est certaine : il faut utiliser les indications de la carte avec la plus grande circonspection, si elle n'est pas strictement tenue à jour. Il en est de même, d'ailleurs, pour le livre des *Feux*. Des modifications surviennent assez souvent, et l'une des tâches d'un bon pilote consiste à reprendre périodiquement ce travail de Sisyphe que constitue la correction des documents.

Corrections.

Les corrections au livre des *Feux* sont diffusées chaque jour sous forme d'AVURNAV (Avis urgents aux navigateurs) à la suite des bulletins météo, par les stations côtières, Boulogne, Le Conquet, etc. (dans ces AVURNAV on donne également la liste des feux éteints et des feux rallumés). Ces corrections figurent dans les parutions hebdomadaires d'*Avis aux navigateurs* publiées par le Service hydrographique. Enfin elles sont regroupées dans un fascicule de corrections, publié une fois par an. **Il faut posséder le dernier en date de ces fascicules (il annule les précédents) et le consulter en même temps que le livre.**

Ainsi, dans le fascicule de corrections nº 2 de 1970, retrouve-t-on le feu de Trévignon. Non qu'il ait été modifié, mais parce qu'on lui a adjoint un feu « rattaché » : feu à éclat vert, période 4 secondes, au musoir du môle-abri.

Certains livres des *Feux* sont réalisés sous forme de classeurs, ce qui permet d'échanger purement et simplement les pages périmées contre des « feuillets de remplacement » publiés chaque année.

Feux particuliers.

A côté des feux courants dont nous avons parlé, il existe un certain nombre de feux particuliers, parmi lesquels :

— Les **feux directionnels,** dans l'axe d'un chenal (comme le feu de Beuzec à l'entrée de Concarneau). Ces feux ont un faisceau étroit et sont plus intenses dans l'axe que sur les côtés.

— Les **feux auxiliaires,** établis sur le même ouvrage que le feu principal (comme à Penfret), couvrant un danger particulier ou indiquant une passe. Ces feux sont de faible puissance, pour n'être aperçus que de près.

On peut citer encore les **feux alternatifs,** qui présentent successivement dans une même direction des colorations différentes (feu du brise-lame de Guernesey); les **feux aéronautiques,** souvent occasionnels, émettant généralement une lettre de l'alphabet Morse (Portsmouth, Cherbourg, Biarritz). Enfin, certains feux à

Optique de feu directionnel. La lumière est plus intense dans l'axe que sur les côtés.

secteurs, qui d'un secteur à l'autre ne changent pas de couleur mais de rythme. L'un des plus remarquables est sans doute le feu du cap Corrubedo, non loin du cap Finisterre, qui présente 3 éclats rouges dans un secteur, puis 3+2 éclats rouges dans le secteur voisin. Il faut être très bien éveillé pour y voir clair.

Les signaux de brume

Quand le balisage ou les feux disparaissent dans la brume, les signaux sonores prennent le relais. Les anciens se souviennent encore des coups de canon que l'on entendait dans les parages du Stiff à cette occasion. Le canon n'est plus guère utilisé, et les principaux signaux actuels sont, par ordre de puissance décroissante :

— les diaphones, au son très grave (le Créac'h à Ouessant, le Guéveur à l'île de Sein);
— les sirènes, en général sur les phares;
— les trompettes, au bout des jetées des ports;
— les cloches et les sifflets, sur les bouées.

Les sirènes des phares ont en général le même rythme que le feu, avec une période plus longue (Armen : feu, 3 éclats - 20 secondes; sirène, 3 sons - 1 minute). Les cloches et les sifflets des bouées, étant actionnés par la mer, suivent son rythme à elle. Les caractéristiques des signaux de brume figurent dans les livres des *Feux*.

Tous ces signaux font ce qu'ils peuvent, mais dans bien des cas on ne peut en espérer une indication très précise, en particulier en ce qui concerne leur emplacement exact. Il faut savoir en effet que la brume déforme les sons, que l'on peut entendre faiblement le signal alors qu'on en est tout proche, et même l'entendre sur la gauche alors qu'il est à droite.

Cela dit, les signaux sonores sont néanmoins fort utiles, et les Mousquetaires de la base des Glénans de Baltimore le savent bien, qui ont pu faire par une nuit de purée de poix le tour du Fastnet sans voir le feu un seul instant. L'essentiel est de contrôler les indications données par ces signaux en faisant un usage immodéré de la sonde. La radiogoniométrie, dont nous parlerons plus loin, est également très utile...

Notons qu'il existe des signaux sonores sous-marins, encore peu utilisés mais, semble-t-il, fort efficaces.

Les marées

La marée est le mouvement périodique de montée et de descente de la mer, qui résulte de l'attraction exercée par la lune et le soleil sur les grandes masses liquides de la planète (une remarquable étude du phénomène figure dans le SH 1).

Ce mouvement n'est pas identique en tous points du globe. Dans certains océans, le cycle de la marée s'étend sur une journée entière. Sur les côtes d'Europe occidentale — les seules dont nous parlerons ici — ce cycle s'étend sur un peu plus de douze heures; la marée est semi-diurne. Il existe également des endroits où la marée est pratiquement inexistante : en Méditerranée par exemple.

Pleine mer, basse mer.

En portant sur un graphique les différentes hauteurs d'eau relevées au long des heures de la journée en un point donné (ne découvrant pas), on obtient une courbe de marée d'allure grossièrement sinusoïdale.

La mer monte pendant six heures et douze minutes, en moyenne : c'est la **marée montante,** ou **flot.** A la fin du flot, le niveau reste sensiblement constant pendant un certain temps : c'est l'**étale de pleine mer** (PM). Puis le mouvement s'inverse et la mer descend, pendant six heures et douze minutes en moyenne : c'est la **marée descendante,** ou **jusant,** jusqu'à l'**étale de basse mer** (BM). Et le cycle recommence.

La durée d'un cycle est donc de 12 h 25 en moyenne. La marée est décalée de 50 minutes chaque jour.

Vives-eaux, mortes-eaux.

Si l'on trace une courbe de marée durant tout un mois, on constate que la différence de niveau entre pleine mer et basse mer varie d'un jour à l'autre. L'**amplitude** de la marée est variable (on dit aussi que le **marnage** est plus ou moins grand).

Les variations d'amplitude sont liées aux positions relatives de la terre, de la lune et du soleil. Lorsque la lune et le soleil sont en conjonction ou en opposition **(syzygie),** l'amplitude est maximum : c'est la période des **grandes marées,** ou **vives-eaux.** Les vives-eaux se produisent donc au voisinage de la pleine lune et de la nouvelle lune. Ensuite, l'amplitude décroît, les marées **perdent.** Lorsque la lune et le soleil ne sont plus en phase **(quadrature),** l'amplitude est minimum : c'est la période des petites marées, ou **mortes-eaux.** Les mortes-eaux correspondent au premier et au dernier quartier de la lune. Ensuite l'amplitude croît à nouveau, les marées **ont du rapport,** jusqu'aux vives-eaux suivantes. Le cycle complet dure environ 14 jours et demi.

L'amplitude de la marée varie enfin d'une lunaison à l'autre, les plus grandes amplitudes étant constatées au voisinage des équinoxes de printemps et d'automne (marées d'équinoxe). L'amplitude des marées d'équinoxe varie elle-même d'une année à l'autre.

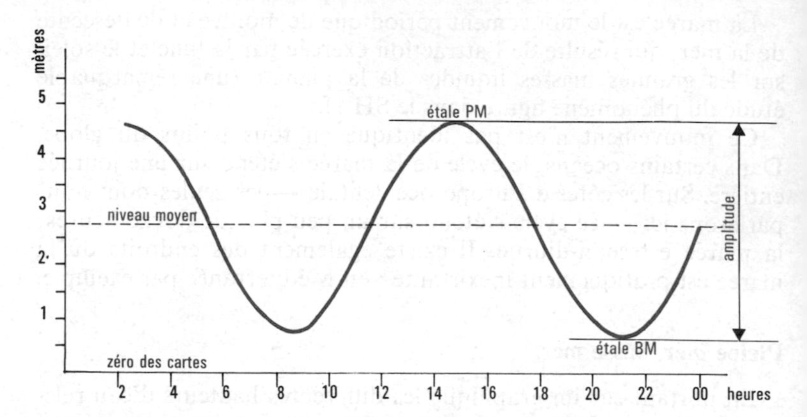

Courbe établie en période de marées croissantes : l'amplitude de la marée du soir est plus importante que celle de la marée du matin.

Grandeurs.

Le rythme de la marée présentant, sur nos côtes, une régularité certaine, on a pu définir un certain nombre de grandeurs qui permettent de connaître l'importance de la marée pour chaque jour de l'année, et les caractéristiques qu'elle prend en un lieu donné.

Coefficient. Le coefficient est une grandeur d'ordre général, qui indique l'importance de la marée en fonction de la position des astres. Ce coefficient s'exprime en **centièmes,** et les coefficients de référence sont :

C = 120 pour la plus grande marée connue (vive-eau maximale);
C = 95 pour les vives-eaux moyennes;
C = 70 pour une marée moyenne;
C = 45 pour les mortes-eaux moyennes;
C = 20 pour la plus faible marée connue (morte-eau maximale).

Niveaux. L'amplitude de la marée varie considérablement d'un point à un autre, en fonction des fonds et de la configuration de la côte. C'est ainsi que le même jour (donc pour un même coefficient) l'amplitude peut être de 11,2 m à Saint-Malo et de 4,6 m à Lorient.

Il faut toutefois remarquer que :

— en tous lieux, le rapport des amplitudes est égal au rapport des coefficients : l'amplitude en vive-eau maximale est six fois plus grande que l'amplitude en morte-eau maximale;

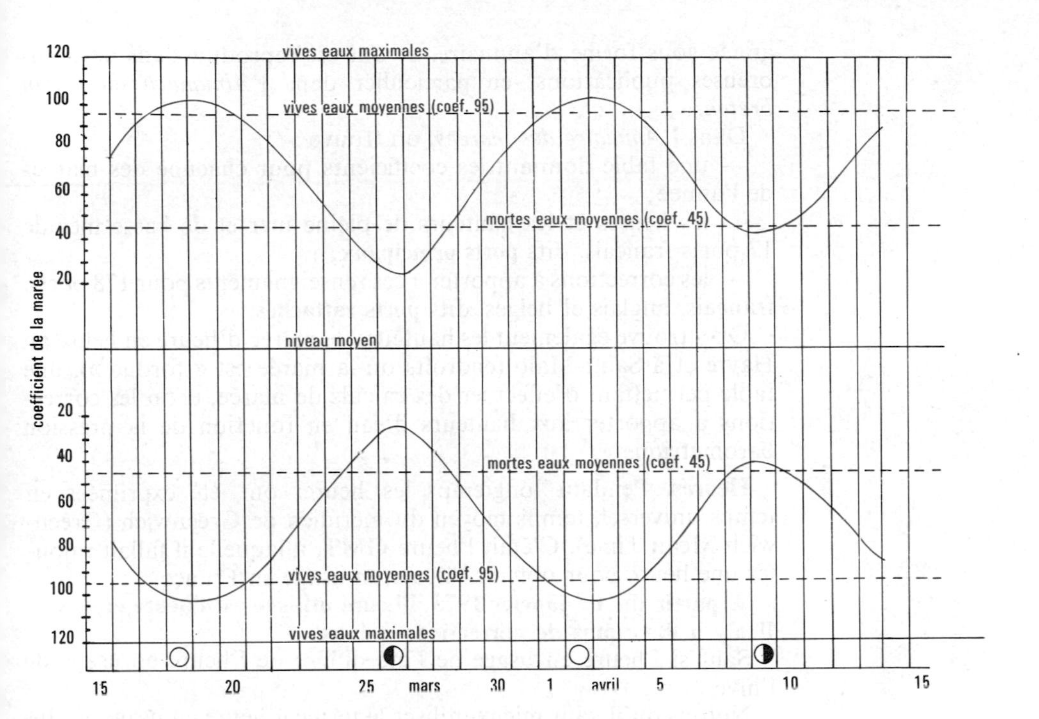

Le coefficient de la marée varie d'un jour à l'autre.

— **quelle que soit l'amplitude, dans un lieu donné le niveau de la mer est toujours le même à mi-marée.** Ce niveau de mi-marée est nommé **niveau moyen;** c'est une référence précieuse, nous le verrons.

Pour chaque lieu, une **unité de hauteur** est définie, qui correspond à la demi-amplitude des marées de coefficient 100 en ce lieu. Cette unité de hauteur est sans portée pratique pour nous.

Heures. L'onde-marée vient de l'Atlantique et progresse du Sud vers le Nord. On conçoit donc facilement que la pleine mer ne survienne pas à la même heure à Brest et à Calais.

On nomme **établissement** d'un lieu le retard moyen de la pleine mer d'équinoxe par rapport au passage de la lune au méridien du lieu.

En pratique, on ne se sert pas plus de cette notion d'établissement que de la notion d'unité de hauteur. On trouve en effet des renseignements plus simples et plus directement utilisables dans l'*Annuaire des marées*.

L'Annuaire des marées.

Le mouvement relatif des astres étant bien connu, il est possible de prévoir, pour chaque jour et en tous lieux, l'amplitude de la marée, les heures de pleine mer et de basse mer. L'ordinateur du Service hydrographique s'attelle à ce travail, qui est publié chaque année sous forme d'annuaire, et qui est reproduit dans de nombreuses publications, en particulier dans l'*Almanach du marin breton*.

Dans l'*Annuaire des marées*, on trouve :

— une table donnant les coefficients pour chacune des marées de l'année;

— les heures et les hauteurs de pleine mer et de basse mer de 17 ports français, dits **ports principaux;**

— les corrections à apporter à ces renseignements pour 178 ports, français, anglais et belges, dits **ports rattachés.**

On y trouve également les hauteurs de marée d'heure en heure au Havre et à Saint-Malo (endroits où la marée est « tordue »), une table permettant d'effectuer des calculs de marée, enfin les corrections à apporter aux hauteurs d'eau en fonction de la pression barométrique.

Heures. Pendant longtemps les heures ont été exprimées en temps universel, temps moyen du méridien de Greenwich (Greenwich Mean Time). C'était l'heure GMT, à laquelle il fallait rajouter une heure pour obtenir l'heure en usage en France.

A partir du 1er janvier 1975, l'heure utilisée est l'heure en usage. Il n'y a donc plus de corrections à faire.

Sauf si l'heure en usage de l'été diffère de l'heure en usage de l'hiver...

Notons qu'il vaut mieux utiliser le terme « heure en usage » plutôt que le terme « heure légale », qui peut prêter à confusion. Et qu'il demeure prudent, lorsqu'on utilise un document nautique de vérifier l'heure qui est employée.

Hauteurs. Les hauteurs sont exprimées en mètres, par rapport à un niveau de référence. Ce niveau de référence n'est pas le même en tous pays.

Certains pays, dont la France, ont choisi le **niveau des plus basses mers connues** (vive-eau maximale), et c'est en somme assez prudent : sauf cas particulier, la hauteur d'eau en un point donné n'est jamais inférieure à la hauteur indiquée par les documents.

Pour d'autres pays, le niveau de référence est le **niveau des basses mers moyennes de vives-eaux.** Lorsqu'on fait des calculs de marée pour les basses mers de vives-eaux supérieures à la moyenne, on trouve donc des cotes négatives, c'est-à-dire inférieures au niveau de référence.

Calculs de marée

Lorsqu'on navigue à proximité des côtes, on a de multiples raisons de s'intéresser aux variations du niveau de la mer. Le souci de conserver en toutes circonstances une marge convenable entre la quille et le fond de l'eau est sans nul doute la plus importante d'entre elles. Mais l'on peut aussi calculer la hauteur d'eau pour prévoir la configuration d'un paysage, pour savoir quelles roches seront émergées et quelles ne le seront pas, s'assurer des points de repère précis au milieu desquels on évoluera à l'aise. Enfin dans certains cas, particulièrement dans la brume, l'usage conjoint de la sonde et du calcul de marée permet de répondre à la question brûlante : où suis-je donc ?

Pratiquement, il s'agit toujours de trouver, pour un endroit donné :

— soit la hauteur d'eau à une heure déterminée,
— soit l'heure à laquelle on a telle hauteur d'eau.

Les données à connaître pour effectuer ces calculs sont : les heures et les hauteurs de PM et de BM, et dans certains cas le coefficient.

Lorsqu'on se trouve près d'un port principal, aucune difficulté : l'Annuaire fournit directement les données du port en question, pour chaque marée de l'année.

Lorsqu'on se trouve ailleurs, il faut tout d'abord repérer dans l'Annuaire les différences d'amplitude et d'heures qui existent entre le port « rattaché » près duquel on navigue et son port de référence. Disons-le tout de suite : dans la plupart des cas ces différences sont négligeables. On n'entreprend de faire les corrections que si l'on constate un écart de plus de 10 minutes, ou de plus de 0,30 m.

Dans l'Annuaire, on remarque que les corrections sont différentes selon que l'on se trouve en période de vives-eaux ou de mortes-eaux. Les corrections indiquées sont valables pour les vives-eaux moyennes (coefficient 95) et les mortes-eaux moyennes (coefficient 45). Si l'on veut connaître les corrections exactes qui correspondent au coefficient du jour, il faut interpoler ou extrapoler. Mais souvent ce travail fait apparaître des nuances mineures (sauf en ce qui concerne les estuaires) ; la plupart du temps, on peut se contenter d'appliquer les corrections de VE pour les marées de coefficient supérieur à 70, les corrections de ME pour les autres.

On peut se faire une idée de l'imprécision du calcul en évaluant la différence entre corrections de VE et corrections de ME.

Munis de ces données de base, nous pouvons désormais envisager les problèmes de façon concrète. Nous le ferons à partir d'un exemple précis.

Nous sommes le 9 juillet 1975 et nous naviguons dans les environs de Saint-Vaast-la-Hougue, sur la côte est du Cotentin. Disons tout de suite que ce n'est pas un hasard. Saint-Vaast est un port « rattaché », où l'amplitude et les heures de marée sont très différentes de celles du port de référence, qui est Cherbourg. Il va donc falloir envisager les problèmes dans toute leur ampleur.

Nous voulons connaître les heures et hauteurs de la marée de la nuit prochaine, et plus spécialement :

— quelle sera la hauteur d'eau à Saint-Vaast à 23 h 30,
— à quelle heure le niveau sera de 4 m.

La première chose à faire est de rechercher les données de base de la marée à Saint-Vaast.

COEFFICIENTS DE LA MAREE

Heures T. U. + 1 h.

Heure de la pleine mer à BREST - Coefficient en centièmes

	JUILLET 1975 h. m.	Coef.	AOUT 1975 h. m.	Coef.	SEPTEMBRE 1975 h. m.	Coef.	OCTOBRE 1975 h. m.	Coef.	NOVEMBRE 1975 h. m.	Coef.	DÉCEMBRE 1975 h. m.	Coef.
8	MA 4 05 16 28	76 81	V 5 18 17 40	102 106	L 6 23 18 44	115 111	ME 6 43 19 04	103 96	S 7 52 20 16	72 65	L 8 16 20 38	66 61
9	ME 4 50 17 12	86 90	S 6 02 18 24	109 110	MA 7 05 19 26	106 99	J 7 26 19 49	88 80	D 8 41 21 07	58 52	MA 9 01 21 26	56 52
10	J 5 34 17 56	93 96	D 6 45 19 06	109 107	ME 7 48 20 10	91 83	V 8 12 20 36	71 63	L 9 37 22 10	47 44	ME 9 53 22 22	48 45
11	V 6 19 18 41	98 98	L 7 28 19 50	103 98	J 8 34 20 58	74 65	S 9 03 21 34	55 48	MA 10 46 23 24	41 40	J 10 54 23 27	43 42

CHERBOURG

Heures T. U. + 1 h.

HEURES ET HAUTEURS DES PLEINES ET BASSES MERS

Lat. 49° 39′ N.
Long. 1° 38′ W.

JUILLET 1975						AOUT 1975						SEPTEMBRE 1975					
	Heures h. m.	Haut. m.		Heures h. m.	Haut. m.		Heures h. m.	Haut. m.		Heures h. m.	Haut. m.		Heures h. m.	Haut. m.		Heures h. m.	Haut. m.
8 MA	2 23 8 03 14 46 20 26	1,6 5,7. 1,5 6,0.	23 ME PL	3 22 8 59 15 42 21 18	1,4. 5,8 1,5 6,0.	8 V	3 38 9 16 16 01 21 39	0,9 6,4 0,8. 6,7	23 S	4 13 9 48 16 28 22 03	1,2. 6,0 1,3 6,1.	8 L	4 44 10 21 17 05 22 42	0,5 6,7. 0,6. 6,8	23 MA	4 43 10 16 16 57 22 31	1,3 6,1 1,3. 6,0.
9 ME NL	3 10 8 48 15 32 21 10	1,3 6,0 1,3 6,2.	24 J	4 01 9 37 16 19 21 55	1,3. 5,9 1,4 6,1	9 S	4 23 10 01 16 45 22 22	0,7 6,5. 0,7. 6,7.	24 D	4 43 10 17 16 57 22 32	1,2. 6,0 1,3. 6,1	9 MA	5 26 11 03 17 47 23 23	0,7 6,5. 0,9 6,5	24 ME	5 12 10 46 17 27 23 01	1,4 6,0 1,5 5,9
10 J	3 54 9 33 16 17 21 55	1,1 6,2 1,1 6,4.	25 V	4 37 10 12 16 53 22 28	1,3 5,9 1,4 6,1	10 D	5 06 10 43 17 27 23 04	0,6. 6,5. 0,7. 6,7	25 L	5 12 10 47 17 27 23 01	1,3 5,9. 1,4 6,0	10 ME	6 08 11 44 18 30	1,0. 6,2 1,3	25 J	5 42 11 16 17 57 23 32	1,6 5,8 1,7 5,7
11 V	4 39 10 17 17 01 22 39	0,9. 6,3 1,0. 6,5	26 S	5 09 10 45 17 26 23 00	1,3 5,9 1,4. 6,0	11 L	5 48 11 25 18 10 23 46	0,7. 6,4 0,9. 6,4.	26 MA	5 41 11 15 17 56 23 29	1,4. 5,8. 1,5. 5,8	11 J	0 05 6 51 12 29 19 16	6,0. 1,5 5,8 1,7.	26 V	6 14 11 49 18 32	1,8. 5,6 2,0

NOM DU PORT		LAT. N.	LONG.	Niveau Moyen	HEURES AU PORT DE RÉFÉRENCE				HAUTEURS AU PORT DE RÉFÉRENCE			
					Pleines mers		Basses mers		Pleines mers		Basses mers	
					V.E.	M.E.	V.E.	M.E.	V.E.	M.E.	V.E.	M.E.
		o ′	o ′	m	h.m.	h.m.	h.m.	h.m.	m	m	m	m
CHERBOURG	pages : 67-71	49 39	1 38W	3,78	**9 51 21 51**	**3 26 15 26**	**4 24 16 24**	**10 01 22 01**	**6,3.**	**5,0.**	**1,1.**	**2,5.**
Saint-Vaast-la-Hougue		49 34	1 16	3,80	+0 53	+1 08	+1 20	+0 58	+0,2.	+0,3.	−0,2.	−0,2.
Barfleur		49 40	1 15	3,79	+0 51	+1 00	+0 48	+0 35	+0,0.	+0,2	−0,1	−0,1
Omonville		49 43	1 52	3,76	−0 09	−0 14	−0 18	−0 26	−0,1	−0,0.	0,0	+0,1

PM et BM d'un port rattaché.

On cherche dans l'Annuaire les trois éléments dont on a besoin :
— marées de Cherbourg le 9 juillet,
— correction à effectuer pour Saint-Vaast,
— coefficient du jour.

On constate que le coefficient est de 90. Les corrections à utiliser sont donc les corrections de vives-eaux (VE).

Ce qui nous donne :

PM Cherbourg	21 h 10	6,2 m
Corrections	+ 53	+ 0,2 m
PM St-Vaast	22 h 03	6,4 m
BM Cherbourg	3 h 54	1,1 m
Corrections	+ 1 h 20	— 0,2 m
BM St-Vaast	5 h 14	0,9 m

Hauteur d'eau à un instant quelconque.

Ce ne sont pas les méthodes qui manquent, pour calculer les hauteurs d'eau. Il y en a pour toutes les circonstances et pour tous les goûts. Certains navigateurs sont allergiques aux croquis, d'autres n'ont pas assez de doigts pour compter jusqu'à douze. Nous proposerons donc ici plusieurs procédés pour faire plaisir à tout le monde (et spécialement à ceux pour qui les calculs de marée sont un passe-temps captivant). Mieux vaut pourtant prévenir tout de suite qu'il n'est pas toujours nécessaire de se livrer à des calculs très précis; très souvent on peut se contenter d'évaluations simples, comme nous le verrons après l'exposé des méthodes.

Méthode des centièmes.

Le Service hydrographique lui-même propose deux méthodes basées sur une division de la marée en centièmes.

◀ Fac-similés de l'*Annuaire des marées*. Dans les colonnes indiquant les hauteurs d'eau, on remarque qu'un point est parfois placé à la suite des décimètres. Il représente un demi-décimètre supplémentaire. Ce point est négligeable dans les calculs.

Détermination de la hauteur du niveau de la Mer à un instant quelconque de la Marée

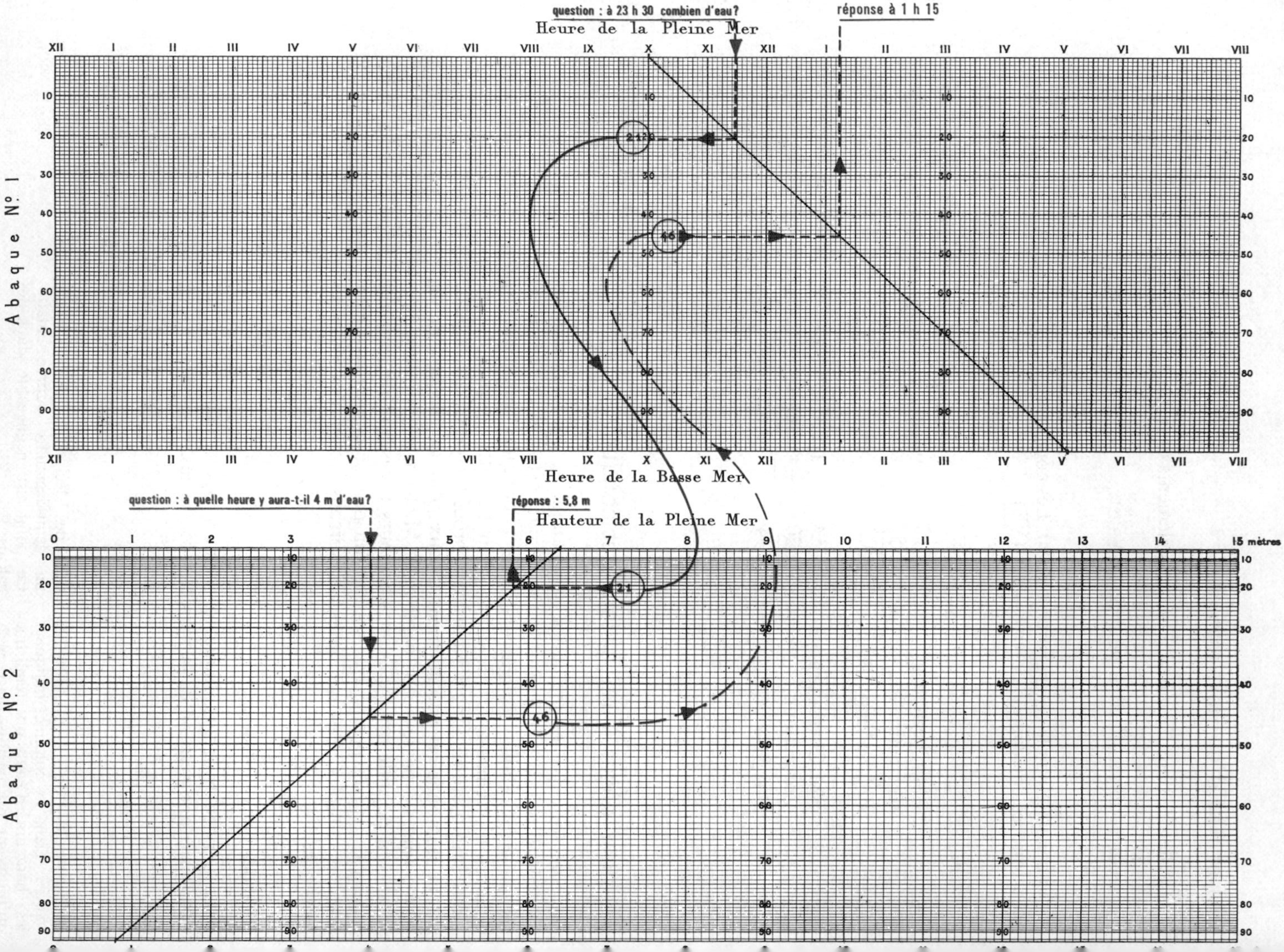

Abaque N° 1

question : à 23 h 30 combien d'eau?

réponse à 1 h 15

Heure de la Pleine Mer

Heure de la Basse Mer

Abaque N° 2

question : à quelle heure y aura-t-il 4 m d'eau?

réponse : 5,8 m

Hauteur de la Pleine Mer

15 mètres

L'abaque SH 4. C'est, sans nul doute, le procédé de calcul le plus simple, étant donné qu'il n'y a pas le moindre calcul à faire. A partir de l'heure des montres on obtient directement la hauteur d'eau, et réciproquement.

L'abaque SH 4 est constitué, en fait, de deux abaques, l'un concernant les heures, l'autre les hauteurs. Le seul travail à effectuer consiste à tracer une droite sur chaque abaque : l'une pour joindre l'heure de PM à l'heure de BM, l'autre pour joindre la hauteur d'eau à PM à la hauteur d'eau à BM.

A 23 h 30, la hauteur d'eau est de 5,8 m.

Le niveau 4 m est atteint à 1 h 15.

Les tables de l'Annuaire. Basées sur le même principe, les tables figurant à la fin de l'Annuaire sont d'un emploi un peu plus compliqué. Elles imposent de calculer d'abord l'amplitude et l'intervalle de la marée, et donnent comme résultat une différence de niveau ou un intervalle de temps par rapport aux hauteurs ou aux heures de PM ou de BM.

Méthode des douzièmes.

La méthode des douzièmes est fondée sur une constatation simple : la courbe de la marée est sensiblement sinusoïdale. D'une étale à l'autre, la mer monte ou descend de :

1/12 de l'amplitude pendant la 1re heure,
2/12 de l'amplitude pendant la 2e heure,
3/12 de l'amplitude pendant la 3e heure,
3/12 de l'amplitude pendant la 4e heure,
2/12 de l'amplitude pendant la 5e heure,
1/12 de l'amplitude pendant la 6e heure.

C'est ce que l'on appelle la **règle des douzièmes.**

L'amplitude étant divisée par 12, l'intervalle de temps entre deux étales divisé par 6, il devient très facile de connaître la hauteur d'eau d'heure en heure.

Remarquons simplement que l'intervalle étant en moyenne supérieur à 6 heures, l'**heure-marée** est différente de l'heure d'horloge. Cependant, on ne tient compte de cette différence que lorsque l'intervalle est très éloigné de la moyenne (ce qui arrive en Manche par exemple, où l'on trouve des intervalles de moins de 5 heures, ou de plus de 7 heures); pratiquement, on n'effectue la correction que si l'intervalle est inférieur à 5 h 30 ou supérieur à 6 h 30.

La règle des douzièmes peut être exploitée soit par le calcul, soit graphiquement.

◀ **Abaque SH 4.**
A la verticale de 23 h 30 (entre XI et XII h, sur la ligne supérieure de l'abaque des heures) correspond la ligne horizontale 21. Sur l'abaque des hauteurs, cette horizontale 21 correspond à la verticale 5,8. C'est la réponse. On fait l'opération en sens inverse pour trouver l'heure correspondant à une hauteur d'eau.

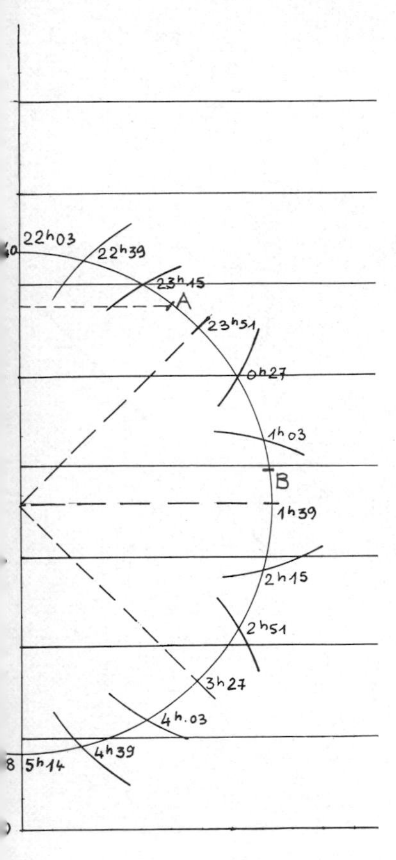

Pour diviser la demi-circonférence en douze : on trace trois rayons, l'un perpendiculaire à la verticale, les deux autres à 45°; à l'aide du compas réglé à l'écartement initial on trace, à partir des cinq rayons dont on dispose, les intersections voulues (les deux dernières étant obtenues à partir des intersections situées de part et d'autre du rayon horizontal).

Le calcul.

Première question : quelle sera la hauteur d'eau à 23 h 30 ?

1. Calcul du 12ᵉ $\left(\frac{\text{amplitude}}{12}\right)$

$$\frac{6{,}4 \text{ m} - 0{,}9 \text{ m}}{12} = \frac{5{,}5 \text{ m}}{12} \simeq 0{,}47 \text{ m.}$$

2. Calcul de l'heure-marée $\left(\frac{\text{intervalle}}{6}\right)$

$$\frac{(24 \text{ h} - 22 \text{ h } 03) + 5 \text{ h } 14}{6} = \frac{7 \text{ h } 11}{6} \simeq 72 \text{ mn.}$$

3. A 23 h 30, la mer descend depuis 1 h 30, soit 90 minutes d'horloge, qu'il faut convertir en minutes-marée en faisant une règle de trois : $\frac{90 \times 60}{72} = 75$ minutes-marée, soit $1\frac{1}{4}$ heure-marée.

La mer a donc baissé de 1,5/12ᵉ environ, soit : 0,70 m. A 23 h 30, la hauteur d'eau à Saint-Vaast sera de :

$$6{,}4 \text{ m} - 0{,}70 \text{ m} = 5{,}7 \text{ m}$$

Deuxième question : à quelle heure le niveau sera-t-il de 4 m ?

Quand le niveau atteindra 4 m, la mer aura baissé de : 6,4 m — 4 m = 2,4 m, soit un peu plus de $\frac{5}{12}$, $\left(\frac{2{,}4}{0{,}47} = 5{,}1\right)$.

La mer descend de $\frac{5}{12}$ en $2\frac{3}{4}$ heures-marée, soit 165 minutes-marée. Une règle de trois permet de transformer ces minutes-marée en minutes d'horloge : $\frac{165 \times 72}{60} = 198$ minutes, soit 3 h 18.

Le niveau sera de 4 m à :

$$22 \text{ h } 03 + 3 \text{ h } 18 = 1 \text{ h } 21.$$

Le demi-cercle. Sur une échelle verticale graduée en mètres, on trace un demi-cercle de diamètre égal à l'amplitude de la marée, en prenant soin de faire tomber BM et PM à la hauteur voulue. On divise la demi-circonférence en 6, ou mieux en 12 parties égales, qui correspondent aux heures ou demi-heures-marée.

Hauteur d'eau à 23 h 30 : le point A à 23 h 30 sur le demi-cercle est sur l'horizontale 5 m 75.

Heure à laquelle il y a 4 m d'eau : sur l'horizontale 4 m, au point B, on évalue 1 h 20.

Pour être lisible, ce graphique doit être réalisé sur papier quadrillé ou millimétré.

SAINT-VAAST-LA-HOUGUE. — MARÉE DESCENDANTE 27

12	13	14	15	16	17	18	19	20	21	22	23	HEURES P. M. BREST
16 56	17 54	18 52	19 52	20 52	21 52	22 50	23 51	*0 53*	*1 57*	*2 58*	*4 00*	HEURES P. M. ST-VAAST-LA-HOUGUE

HAUTEURS DE LA P. M. À BREST													APRÈS P. M. St V. La HOUGUE	
5,2.	**5,5**	**5,7.**	**6,0**	**6,2.**	**6,5**	**6,7.**	**7,0**	**7,2.**	**7,5**	**7,7.**	**8,0**	**8,2.**	*min.*	*h.*
4,7.	5,0	5,2.	5,5	5,7	5,9	6,1	6,3	6,4.	6,6.	6,8	7,0	7,2	*0*	***0***
4,7.	5,0	5,2.	5,4.	5,7	5,8.	6,0.	6,2.	6,4	6,6	6,7.	6,9.	7,1.	*15*	
4,7.	4,9.	5,2	5,4	5,6.	5,8.	6,0	6,2	6,3.	6,5.	6,7	6,8.	7,1	*30*	
4,7	4,9	5,1.	5,3.	5,6	5,7.	5,9.	6,1	6,2.	6,4.	6,6	6,7.	7,0	*45*	
4,6.	4,8.	5,1	5,3	5,5	5,7	5,8.	6,0.	6,2	6,3.	6,5	6,6.	6,8.	*0*	***1***
4,6	4,8	5,0.	5,2.	5,4.	5,6.	5,8	5,9.	6,1	6,2.	6,4	6,5.	6,7	*15*	
4,5	4,7.	4,9.	5, .	5,4	5,5.	5,7	5,8.	6,0	6,1.	6,3	6,4	6,5.	*30*	
4,4.	4,6.	4,9	5 1	5,3	5,4.	5,6	5,8	5,9	6,0.	6,1.	6,3	6,4	*45*	
4,3.	4,5.	4,8	5,0	5,2	5,3.	5,5	5,6.	5,8	5,9	6,0.	6,1.	6,2.	*0*	***2***
4,2.	4,4.	4,7	4,9	5,1	5,2.	5,4	5,5.	5,6.	5,7.	5,8.	5,9.	6,0.	*15*	
4,1.	4,3.	4,6	4,8	5,0	5,1.	5,2.	5,4	5,5	5,6	5,7	5,8	5,8	*30*	
4,0.	4,2.	4,4.	4,6.	4,8.	5,0	5,1	5,2	5,3	5,4	5,5	5,6	5,7	*45*	
3,9.	4,1	4,3	4,5	4,6.	4,8	4,9	5,0	5,1	5,2	5,3	5,4	5,5	*0*	***3***
3,8	3,9.	4,1	4,2.	4,4	4,5.	4,6.	4,7.	4,8	4,9.	5,0	5,1	5,1.	*15*	
3,7	3,8	3,9	4,0	4,1	4,2	4,3	4,4	4,4.	4,5.	4,6	4,7	4,7.	*30*	
3,6	3,6.	3,7	3,7	3,8	3,8.	3,9	4,0	4,0.	4,1	4,1.	4,2	4,3	*45*	
3,8.	4,0	4,1.	4,2.	4,3	4,3.	4,4	4,4.	4,4.	4,4.	4,5	4,5	4,5	*45*	
3,8	3,9.	4,0.	4,1	4,1.	4,1.	4,1.	4,2	4,1	4,1	4,1	4,0.	4,0	*30*	

Fac-similé de l'ouvrage S.H. 580 A (Table des hauteurs d'eau).
Attention : sur les anciennes Tables de hauteurs d'eau, les heures sont données en temps universel (heure GMT).

Table des hauteurs d'eau.

Il importe de savoir que le Service hydrographique édite, sous les nos 580 A et 580 B, une *Table des hauteurs d'eau*, établie à partir d'observations concrètes, et qui tient compte des particularités de la marée en chaque lieu. Donnant, de façon simple, les hauteurs d'eau de quart d'heure en quart d'heure, cette table est évidemment très utile lorsqu'on navigue dans des endroits où la marée est tordue. Lorsqu'on la possède il n'est plus nécessaire d'avoir l'Annuaire, il suffit de se procurer le supplément annuel aux tables 580, qui est un annuaire pour Brest. Brest est en effet le port de référence unique, pour les 84 ports figurant dans la table.

Avec cette table, les problèmes que nous avons à Saint-Vaast se résolvent ainsi :

1. Calcul de la PM à Saint-Vaast.
   Pleine mer à Brest le 9 juillet : 17 h 12.
   La PM de Brest ayant lieu 12 minutes après 17 h, la pleine mer à St-Vaast aura lieu 12 minutes après 21 h 52, soit : 21 h 52 + 12 mn = 21 h 04.
2. Hauteur d'eau à 23 h 30.
   Hauteur de la PM à Brest : 7,3 m.
   A 23 h 30, la mer descend depuis 1 h 26. Sur la ligne 1 h 30, dans la colonne 7,2, on lit : 6,0 m.
3. Heure à laquelle le niveau atteint 4 m.
   On cherche 4 m dans la colonne 7,2. Sur la ligne 4 m on trouve l'indication : 3 h 45 après PM à Saint-Vaast.
   Le niveau 4 m est atteint à :
   22 h 04 + 3 h 45 = 1 h 49.

Tables particulières.

Certains endroits de la Manche ont un rythme de marée bien à eux. Ainsi, en France, la baie de Saint-Malo et la baie de Seine; en Angleterre le Solent, entre l'île de Wight et la côte. On trouve dans l'Annuaire des tables particulières donnant la hauteur d'eau d'heure en heure à Saint-Malo et au Havre. Pour le Solent, le *Reed's Nautical Almanac* (sorte d'Almanach du marin grand-breton) donne tous les renseignements nécessaires.

Remarque sur les documents britanniques.

Les documents anglais concernant la marée sont assez différents des documents français.

— Ils fournissent les heures et hauteurs de la PM pour les ports principaux *(standard ports)* et les corrections à apporter pour les ports secondaires *(secondary ports)*, mais il faut calculer soi-même les heures et hauteurs de BM, à partir des indications fournies sur le niveau moyen et la durée moyenne de la montée.

Pour trouver l'heure de la basse mer, on retranche à l'heure de la pleine mer suivante la durée de la montée. Pour trouver le niveau, on retranche au niveau moyen la différence entre le niveau de la pleine mer et le niveau moyen.

— Jusqu'en 1974 les hauteurs étaient données en **pieds** (0,305 m). Elles sont maintenant données en mètres. Elles se rapportent encore souvent au niveau moyen des basses mers de vives eaux (MLWS). Toutefois on adopte peu à peu le système international, où le zéro des cartes correspond au niveau des plus basses mers connues (LAT).

Attention : il existe encore beaucoup de cartes où les hauteurs sont données en pieds!

— Il faut noter enfin que l'importance de la marée n'est pas donnée par un coefficient mais par la hauteur de la pleine mer à Douvres.

Petit lexique des marées anglaises.

HW	*High water*	pleine mer
LW	*Low water*	basse mer
Sp	*Spring*	vives-eaux
Np	*Neap*	mortes-eaux
ML	*Mean level*	niveau moyen
MHWS	*Mean high water springs*	pleine mer moyenne de VE
MHWN	*Mean high water neaps*	pleine mer moyenne de ME
MHW	*Mean high water*	pleine mer moyenne
MLWS	*Mean low water springs*	basse mer moyenne de VE
MLWN	*Mean low water neaps*	basse mer moyenne de ME
MLW	*Mean low water*	basse mer moyenne
LAT	*Lowest astronomical tide*	plus basse mer connue
CD	*Chart datum*	zéro des cartes
Ft	*foot, feet*	pied, pieds
	Rise	montée
	Duration of mean rise	durée moyenne de la montée
	Height difference	différence de hauteur
	Time	heure
	Time difference	différence d'heure
GMT	*Greenwich mean time*	temps universel
BST	*British summer time*	heure Europe centrale (heure en usage en France).

Les calculs et la réalité.

Quelle que soit la méthode que l'on utilise pour calculer la hauteur d'eau, il faut bien se dire que le résultat obtenu est approximatif. Dans l'exemple que nous avons pris, on peut d'ailleurs remarquer que le résultat n'est pas le même selon la méthode employée. Avec les méthodes qui supposent la marée sinusoïdale, le niveau 4 m est atteint un quart d'heure avant la mi-marée. Avec la Table des hauteurs d'eau, il est atteint un quart d'heure après la mi-marée; encore le résultat est-il différent selon que l'on fait le calcul à partir de la PM ou de la BM (10 minutes d'écart). Si l'on note par ailleurs que l'Annuaire indique 3,80 m de niveau moyen pour Saint-Vaast, il y a vraiment de quoi attrister les esprits soucieux de rigueur.

C'est en principe la Table des hauteurs d'eau qui donne les indications les plus exactes, mais les auteurs de cette Table estiment eux-mêmes que l'imprécision (aux alentours de la mi-marée en particulier) peut être de l'ordre de ± 0,30 à ± 0,40 m.

D'autres facteurs peuvent accroître cette imprécision. Ainsi, on oublie souvent de consulter la dernière page de l'Annuaire, où se trouvent les corrections à apporter au calcul en fonction de la pression atmosphérique. L'influence du vent lui-même, qui échappe aux estimations précises, peut n'être pas négligeable (± 20 à ± 50 cm). D'une façon générale, par hautes pressions et vent de terre, la hauteur d'eau risque d'être inférieure aux indications données par les calculs; supérieure quand la pression est basse et que le vent souffle du large.

Tout cela suffit à montrer que l'on peut se dispenser d'effectuer des calculs de marée très compliqués. On y attrape le mal de mer, ce qui accroît les risques d'erreur. Sauf cas particulier, le bon sens conseille plutôt de se fier à une estimation simple autour du niveau moyen; la prudence suggère de l'agrémenter d'une certaine marge, que l'on appelle : pied de pilote.

Niveau moyen et pied de pilote.

Le niveau moyen de la marée étant constant pour un endroit donné, on dispose là d'un point de repère toujours valable. Ce niveau moyen est indiqué par l'Annuaire pour chaque port, principal ou rattaché.

Selon la règle des douzièmes, le niveau de la mer varie d'un quart de l'amplitude pendant l'heure qui précède la mi-marée; d'un autre quart dans l'heure qui la suit. Il suffit de calculer ce quart (dans notre exemple : $\frac{5,6 \text{ m}}{4} = 1,4$ m) pour disposer, à partir du niveau moyen, de deux autres niveaux intéressants :

— une heure avant la mi-marée : 3,80 + 1,40 = 5,20 m

— une heure après la mi-marée : 3,80 — 1,40 = 2,40 m.

Cette « règle des quarts » semble suffisante dans la plupart des cas, surtout si l'on ajoute au résultat obtenu un pied de pilote confortable.

En principe, le pied est de 30 cm environ. En réalité on constate souvent que plus le pilote avance en âge, plus son pied s'allonge. L'expérience rend prudent en effet, et surtout on découvre vite qu'il est agréable de naviguer sans s'en faire, plutôt que de se demander tout le temps si l'on a pied ou non. Dans cet esprit il nous semble que le calcul des quarts, plus un pied de pilote égal à la demi-amplitude, assurent une décontraction parfaite (que ceux qui n'ont jamais touché nous lancent le premier pavé). C'est seulement lorsque les circonstances obligent à descendre en dessous de cette marge que l'on commence à faire des calculs plus précis.

Dans certains cas, on est bien obligé de se contenter de très peu. Disons que l'on peut raisonnablement réduire le pied du pilote à 30 cm si le temps est calme, le fond de sable, et si la mer monte...

Il ne faut pas manquer de vérifier ses calculs par l'observation directe à chaque fois que cela est possible. Une roche cotée sur la carte, au moment où elle affleure donne une indication précise. On trouve aussi, dans certains ports, des échelles de marée très commodes.

Courants de marée

Les variations de niveau de la mer entraînent l'apparition de courants, qui sont évidemment périodiques et dont le rythme est lié à celui de la marée.

On nomme **courant de flot** le courant qui est dû à la marée montante, **courant de jusant** celui qui est dû à la marée descendante. Ces définitions restent floues à dessein car, selon les endroits, le rythme du courant se trouve nettement décalé par rapport au rythme de la marée : près des côtes, la **renverse** du courant coïncide généralement avec les étales, mais, un peu plus au large, cette renverse peut avoir lieu à un moment différent et même à mi-marée.

La vitesse des courants est proportionnelle à l'amplitude de la marée, mais elle est très variable selon les endroits. En Manche les courants sont rapides : 4 à 5 nœuds en général. Ils atteignent des vitesses considérables dans certains chenaux : 10 nœuds dans le Raz Blanchard, 8 nœuds dans le Fromveur. Ils sont plus faibles en Atlantique, au sud d'Audierne (0,5 à 1 nœud) et ne se font sentir qu'à proximité de la côte, se renforçant (1 à 2,5 nœuds) aux embouchures de rivière, derrière certaines îles (Glénans, Noirmoutier, Ré) et atteignant 6 à 8 nœuds à l'entrée du golfe du Morbihan.

La direction de ces courants, quant à elle, est éminemment variable, en fonction de la configuration des fonds et du littoral. Lorsqu'on saura que le courant général de flot est orienté vers l'Est et le courant général de jusant vers l'Ouest, on ne sera pas beaucoup plus avancé. Pour obtenir des renseignements plus précis il faut, ici encore, plonger dans les livres.

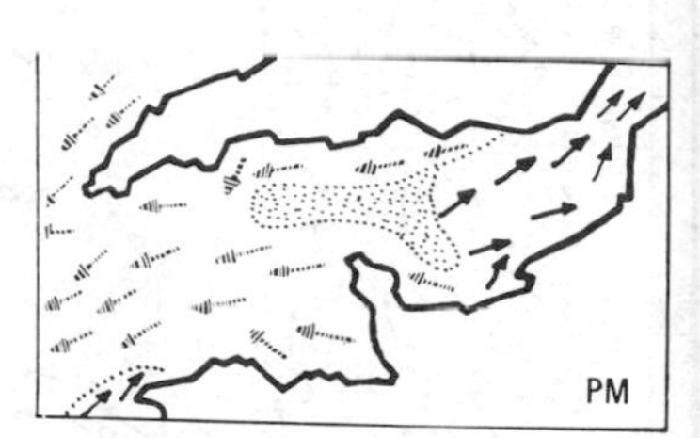

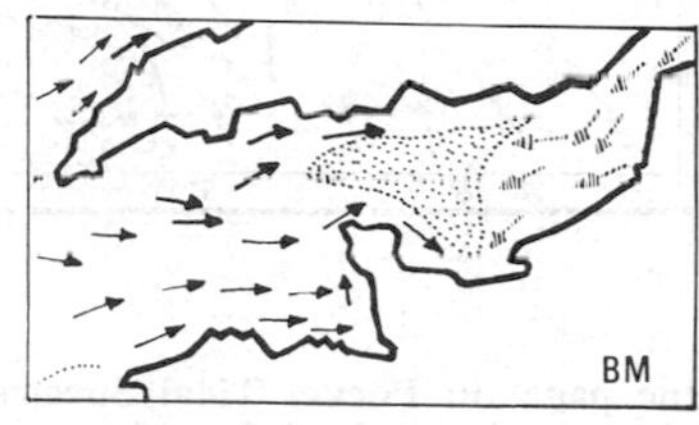

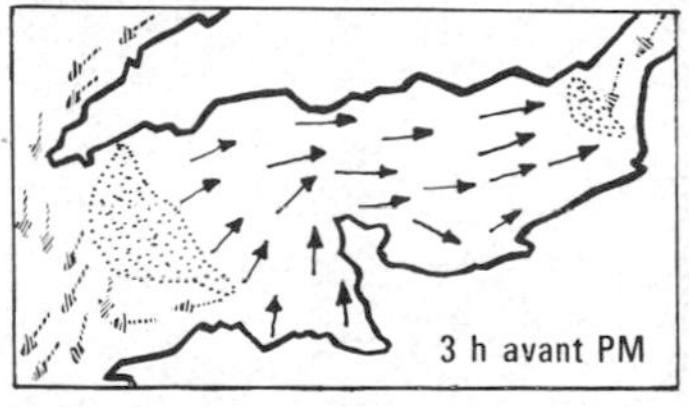

marées de Douvres ou de Boulogne

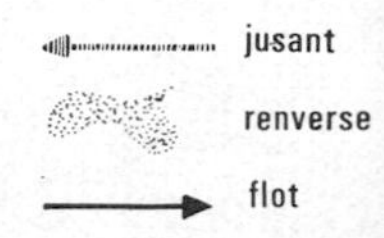

Les documents.

On trouve toutes sortes de renseignements généraux et particuliers sur les courants dans les *Instructions nautiques*. Bon nombre de cartes comportent **un cartouche** dans lequel la vitesse et la direction du courant sont indiquées, région par région et heure par heure. Mais il existe aussi des ouvrages spécialisés. En ce qui concerne la Manche, citons :

— Les *Pocket Tidal Streams Atlas*, fascicules édités par l'Hydrographic Office. Les *Pocket Tidal Streams Atlas* sont parfaits pour naviguer en pleine Manche mais manquent un peu de précision pour les zones côtières (sauf pour le Solent et les îles anglo-normandes, qui font l'objet de fascicules particuliers). Ils permettent toutefois de connaître les heures de renverse en tel ou tel endroit, et ce renseignement suffit dans la plupart des cas.

— Les cartes de courants des Editions maritimes et d'outremer, fort bien éditées, extrêmement claires et lisibles, et comportant en cartouche les courants particuliers du Havre, de la rade de Cherbourg et du Solent. Inconvénients : la Manche est répartie sur trois cartes; ces cartes coûtent beaucoup plus cher et sont plus encombrantes que les *Pocket Tidal Streams Atlas*.

On peut également utiliser le volumineux ouvrage n° 550 du Service hydrographique.

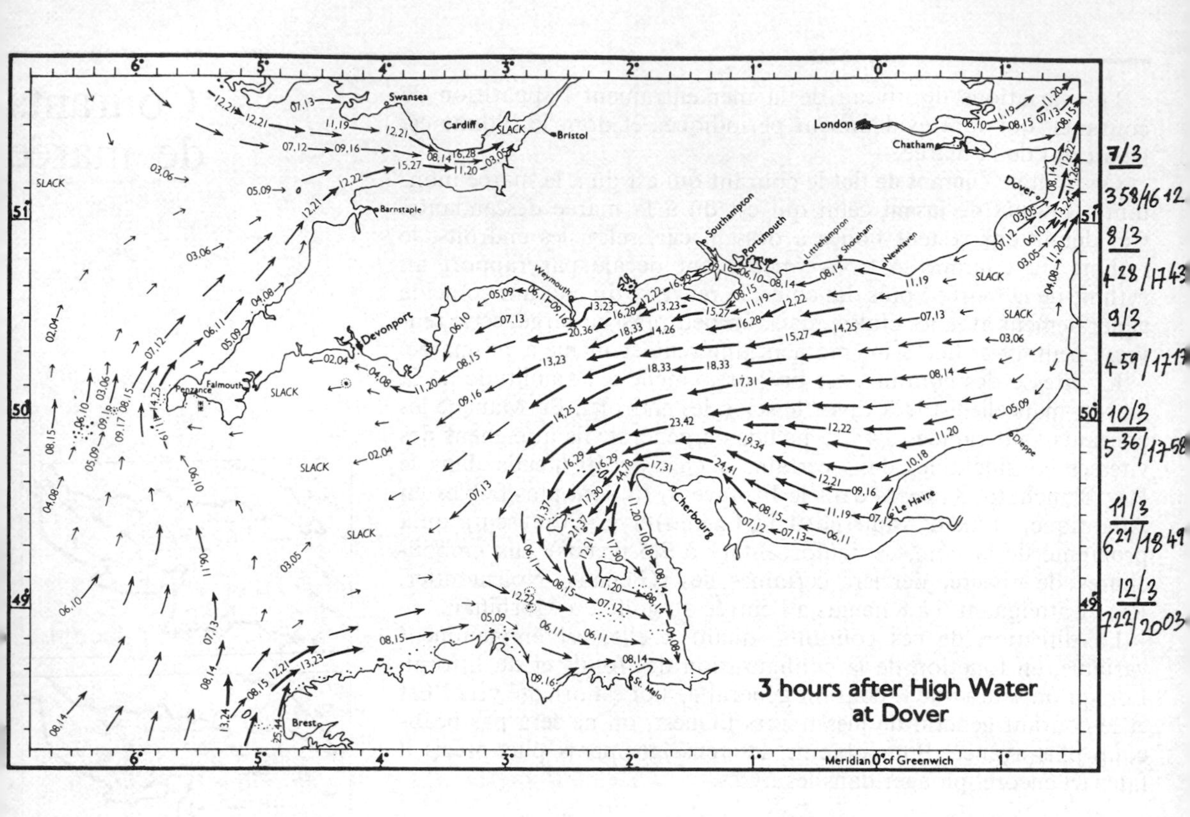

Une page du **Pocket Tidal Streams Atlas,** fascicule *English and Bristol Channels*. Dans la marge, le navigateur a noté, pour les six jours à venir, à quelles heures de la journée il retrouvera cette situation des courants.

Pour un emploi correct de ces documents il est bon de se reporter au SH 1, qui fournit à leur sujet des explications très claires. Notons simplement ici les données principales :

— La direction du courant est celle vers laquelle le courant porte (et non, comme pour le vent, la direction d'où il vient).

— Les heures sont indiquées par quatre chiffres accolés, précédés du signe + ou du signe —. Le signe + signifie : après la pleine mer, le signe — : avant la pleine mer. (On lit par exemple dans les *Instructions nautiques :* « Le courant porte à l'WSW vers + 0430 Cherbourg », c'est-à-dire 4 h 30 après l'heure de la pleine mer à Cherbourg).

— Les vitesses indiquées correspondent à des marées de coefficient 45 ou 95 (ME et VE moyennes); à partir de là on peut calculer la vitesse pour un coefficient quelconque, mais dans la pratique on se contente, en général, de choisir l'un ou l'autre des chiffres indiqués, en fonction de la marée du jour.

Ajoutons, une fois encore, que toutes les indications fournies par les documents sont approximatives. Il faut tenir compte des caprices du réel et tout particulièrement ici des fantaisies du vent. Un vent frais, soufflant plusieurs jours dans la même direction, peut créer à lui tout seul un courant de 1 à 1,5 nœud; il peut aussi renforcer ou ralentir d'autant un courant existant.

D'autre part, il est évident que les documents ne peuvent décrire avec minutie ce qui se passe dans chaque anfractuosité de la côte. Il faut apprendre à repérer soi-même l'itinéraire des petits courants d'intérêt local. Les points de repère ne manquent pas : traînées plus claires sur la mer, mouvement des algues du fond, friselis de l'eau contre une bouée, inclinaison des orins de casier, différences de clapot, traînées de mousse, etc.

Le courant est sans doute l'élément le moins évident d'un paysage; il n'en est pas moins une caractéristique essentielle. Dans certaines passes il peut constituer une barrière infranchissable. Lorsque le vent s'oppose à lui, la mer devient hachée, très désagréable, voire même impraticable pour un petit bateau. Enfin le courant complique sérieusement les calculs de navigation : nous aurons l'occasion d'en reparler dans les prochains chapitres.

La carte

La carte marine est, pour le navigateur, le document de base. Elle donne une représentation graphique très précise de la mer et des côtes et comporte en plus, sous une forme abrégée, une foule de renseignements concernant les amers, le balisage, les feux, les courants et bien d'autres choses encore.

Le principe de la carte est bien connu de ceux qui étaient attentifs à l'école. Nous le rappellerons à tout hasard.

Le principe.

Constatant l'étendue du monde et soucieux de s'y retrouver, les hommes ont imaginé un système de repérage simple, basé essentiellement sur une sorte de quadrillage de la surface du globe.

On trace des lignes parallèles à l'équateur, entre celui-ci et les pôles : ce sont les **parallèles;** puis des lignes perpendiculaires à l'équateur et se rejoignant aux pôles : ce sont les **méridiens.** Il suffit ensuite de choisir un parallèle et un méridien de référence; n'importe quel point du globe peut être situé avec exactitude par rapport à eux.

Sa position par rapport au parallèle de référence définit la **latitude** du lieu. Sa position par rapport au méridien de référence définit sa **longitude.** Latitude et longitude sont des mesures angulaires qui s'expriment en degrés et minutes [1].

1. Le degré est divisé en 60 minutes. La minute était naguère divisée en 60 secondes, mais on préfère maintenant utiliser la division décimale. Tous les documents anciens, les cartes en particulier, ne sont pas encore corrigés.

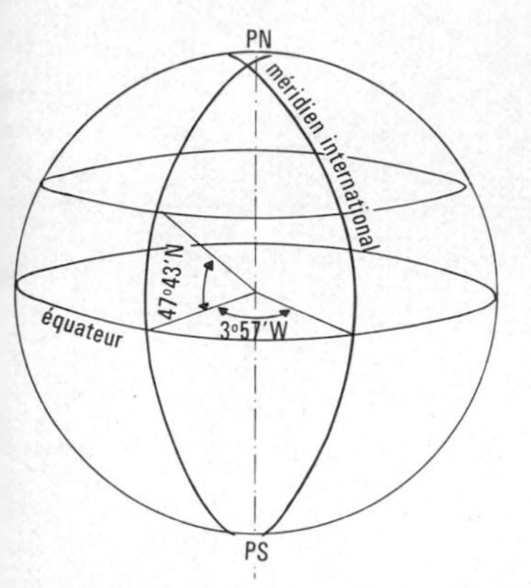

Le phare de Penfret est à 47° 43′ N et 3° 57′ W.

Latitude. L'axe des pôles forme un angle de 90° avec le plan de l'équateur. La latitude 0° a été attribuée à l'équateur, la latitude 90° (Nord ou Sud) aux pôles. Toutes les latitudes sont donc comprises entre 0 et 90° Nord ou Sud et sont mesurées par rapport à l'équateur. Ainsi, la latitude de l'île de Penfret : 47° 43'N, correspond-elle à l'angle que fait avec le plan de l'équateur la droite imaginaire reliant Penfret au centre de la terre.

A cet angle correspond une distance à la surface du globe. La minute de latitude équivaut à 1 852 m [1]. Cette distance a été retenue comme unité de mesure : c'est le mille marin.

Minute de latitude = Mille marin = 1 852 m.

L'île de Penfret est à 2 863 milles de l'équateur.

Longitude. Aucun méridien ne s'imposant de lui-même comme méridien de référence, on en a choisi un : celui qui passe par Greenwich, en Angleterre. Le globe étant divisé en 360°, la longitude est comptée à partir du méridien de Greenwich, 180° vers l'Ouest, 180° vers l'Est.

La longitude de Penfret est : 3° 57' W [2].

La longitude ne permet pas de mesurer les distances, puisque les méridiens ne sont pas parallèles entre eux.

Projection de Mercator. Sur une carte marine cependant, les méridiens sont bel et bien parallèles entre eux. C'est que la représentation d'une surface convexe sur une surface plane ne s'obtient pas sans quelque déformation. Il faut renoncer, soit à l'exactitude

1. La terre n'étant pas parfaitement sphérique, la minute de latitude a, en fait, une longueur variable. Elle vaut 1 842,78 m à l'équateur, et 1 861,55 m à la latitude de 85°.

2. Par convention internationale, les abréviations des points cardinaux sont : N, S, E et W. On devine que ce sont les abréviations anglaises qui ont été retenues.

En dépit des apparences, la route orthodromique est la plus courte. On peut s'en rendre compte en tendant une ficelle à travers l'Atlantique sur un globe terrestre.

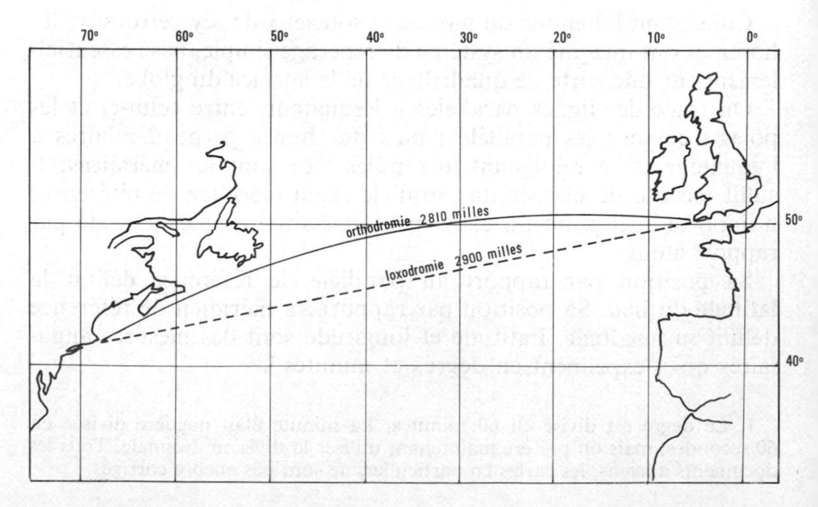

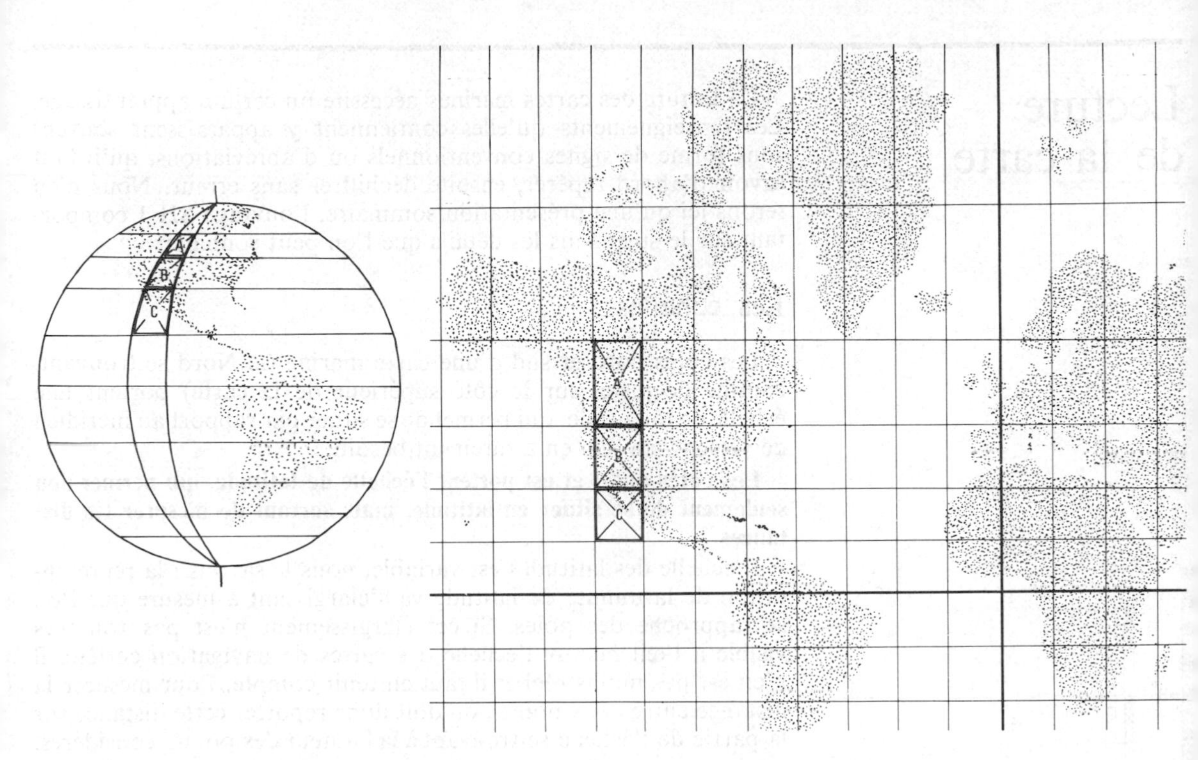

Selon le principe de la projection de Mercator, un angle sur le globe terrestre doit être représenté par le même angle sur la carte. Pour que cette condition soit réalisée, il faut que l'échelle, c'est-à-dire le rapport entre les distances sur le globe et les distances sur la carte, soit la même dans toutes les directions.
Sur le globe, la distance entre les méridiens diminue à mesure que l'on s'éloigne de l'équateur; sur la carte, cette distance reste constante, ce qui revient à dire que l'échelle sur les parallèles augmente avec la latitude. Il faut donc augmenter l'échelle sur les méridiens dans les mêmes proportions.

de la représentation des angles, soit à l'exactitude de la représentation des distances. La mesure des angles étant essentielle en navigation, les cartes marines sont en général réalisées selon le système de projection de Mercator. Sur la carte les angles correspondent à la réalité. Les distances, en revanche, ne sont exactes qu'à l'équateur; plus on s'éloigne de l'équateur, plus la représentation « s'étale ». Au voisinage des pôles la déformation est considérable : le Groenland, sur une planisphère, semble être aussi grand que l'Afrique, alors qu'il est en réalité quatorze fois plus petit.

De cette déformation il résulte aussi que le plus court chemin d'un point à un autre ne correspond pas, sur la carte, à une ligne droite. Si l'on tend une ficelle sur un globe terrestre entre deux points situés sur le même parallèle, on constate que la ficelle prend naturellement la position d'un **arc de grand cercle** (cercle dont le centre se confond avec le centre de la terre) : le trajet le plus court ne suit pas le parallèle. Or, sur la carte, les parallèles sont rectilignes. Le navigateur qui veut aller droit doit donc peu à peu changer de cap... La route droite est nommée **orthodromie;** la route selon la carte, **loxodromie.** Précisons tout de suite que l'on n'a pas à tenir compte de cette particularité en croisière côtière ou semi-hauturière, où les distances parcourues ne sont pas telles que la différence entre orthodromie et loxodromie puisse se traduire par un nombre appréciable de milles.

Lecture de la carte

La lecture des cartes marines nécessite un certain apprentissage. Les renseignements qu'elles contiennent y apparaissent souvent sous forme de signes conventionnels ou d'abréviations, qu'il faut savoir d'abord repérer, ensuite déchiffrer sans erreur. Nous n'en ferons ici qu'une présentation sommaire, l'ouvrage SH 1 comportant sur le sujet tous les détails que l'on peut souhaiter.

Les échelles.

Les côtés nord et sud d'une carte marine (le Nord se trouvant, comme de juste, sur le côté supérieur de la carte) portent une échelle de longitude, qui permet de se situer par rapport au méridien de Greenwich. On en a rarement besoin.

Les côtés ouest et est portent l'échelle de latitude, qui permet non seulement de se situer en latitude, mais surtout de mesurer les distances.

L'échelle des latitudes est variable, nous le savons : la représentation de la minute de latitude va s'élargissant à mesure que l'on se rapproche des pôles. Si cet élargissement n'est pas toujours visible à l'œil nu sur l'échelle des cartes de navigation côtière, il n'en est pas moins réel et il faut en tenir compte. Pour mesurer la distance entre deux points, on doit donc reporter cette distance sur la partie de l'échelle se trouvant à la hauteur des points considérés.

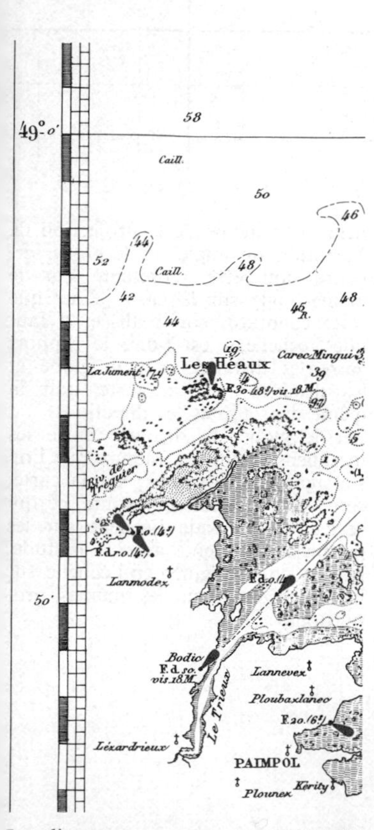

Les distances se mesurent sur l'échelle des latitudes. Du phare de Bodic au phare des Héaux, il y a 6 milles.

Les niveaux.

Trois zones bien distinctes sont représentées sur les cartes :

— la mer, c'est-à-dire les endroits où il y a toujours de l'eau : zone en blanc ou en bleu;

— la terre ferme, où il n'y a jamais d'eau : zone d'un gris uniforme et cernée d'un trait noir continu;

— l'**estran,** espace intermédiaire qui est tantôt sous l'eau tantôt à sec : zone grisée, de trame variable selon la nature du fond.

Le **relief sous-marin** est figuré par des courbes de niveau que l'on appelle **lignes de sonde,** et par des **sondes** (indications de hauteur d'eau) réparties entre les courbes de niveau.

Pour les côtes de France, les sondes sont exprimées en mètres, par rapport à un niveau de référence qui est le niveau des plus basses mers (coefficient 120). On appelle ce niveau : **zéro des cartes** marines (0 CM).

Tous les pays n'utilisent pas le même niveau de référence. Celui des côtes anglaises, par exemple, est le niveau des basses mers de vives-eaux moyennes (coefficient 95).

A chaque fois que l'on se sert d'une nouvelle carte, il faut donc vérifier dans la légende de la carte quel est le niveau de référence utilisé.

Il faut lire attentivement le cartouche d'une carte, en particulier pour connaître le niveau de référence utilisé.

Les **cotes de l'estran** sont égalcment cxprimées en mètres, et par rapport au même niveau de référence. Mais sur la carte le chiffre de la cote est souligné. 3,5 indique un point qui émerge de 3,5 m aux basses mers de référence.

Les **altitudes terrestres** sont également exprimées en mètres, mais par rapport au niveau de référence choisi pour le nivellement général de la France (NGF), qui correspond à peu près au niveau moyen de la mer. Pour éviter toute confusion avec les sondes, les chiffres sont suivis d'un m.

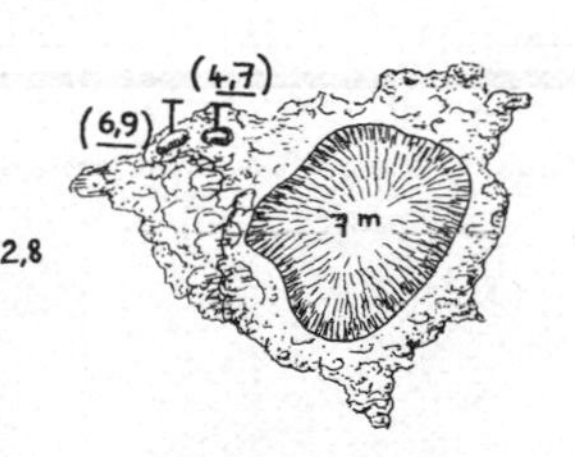

On n'utilise pas le même niveau de référence pour les sondes et pour les altitudes.

Le paysage.

Echelles et niveaux constituent des indications de base, mais la carte contient bien d'autres renseignements qui, tous ensemble, définissent une vision du monde propre aux navigateurs. Sur la carte, la terre ferme devient un désert, un simple support de points de repère : seuls subsistent ses sommets, ses édifices remarquables, ses plus beaux arbres. Le monde ne commence vraiment qu'au bord de la terre, avec des frontières extraordinairement précises. C'est un monde elliptique, fait d'espaces libres entre des choses dûment balisées. La moindre bouée y prend les proportions d'un village. Les points rouges des feux attirent l'œil, comme le font la nuit les feux eux-mêmes. En vérité un paysage marin ressemble étrangement à sa carte. Celle-ci laisse même pressentir les ambiances.

Pour apprendre à lire une carte, il n'y a qu'un seul moyen : la regarder longtemps, et la confronter au paysage qu'elle décrit. Nous ne donnerons donc pas ici de précisions supplémentaires sur ce sujet. On trouvera déjà de quoi s'instruire sur la carte des Glénans placée en encart dans ce livre. Il faut aussi en regarder d'autres : les soirs d'hiver, quelques bonnes cartes valent toute une télévision.

Corrections et soins à apporter aux cartes.

Le relief sous-marin peut changer (alluvions, bancs de sable) et surtout le balisage subit des modifications assez fréquentes ; d'où la nécessité de tenir les cartes à jour. Nous avons déjà parlé des *Avis aux navigateurs* publiés par le Service hydrographique et signalant ces changements. Ces avis sont reproduits, du moins pour nos régions, dans divers périodiques et dans les journaux locaux. Il faut les consulter (tout en restant vigilant : une correction peut être transmise avec du retard).

Sur cette carte la dernière correction portée en 1971 est signalée par l'ensemble *5107*
63
51 : numéro de la semaine au cours de laquelle la correction a été publiée dans les *Avis aux navigateurs*.
07 : numéro d'ordre dans cet avis.
63 : 63e correction effectuée sur cette carte depuis 1954, année de la dernière édition. Pour être sûr que toutes les corrections ont bien été portées sur la carte : les chiffres inférieurs des ensembles doivent se suivre, ou bien ces ensembles doivent être reliés par la préposition *à*.

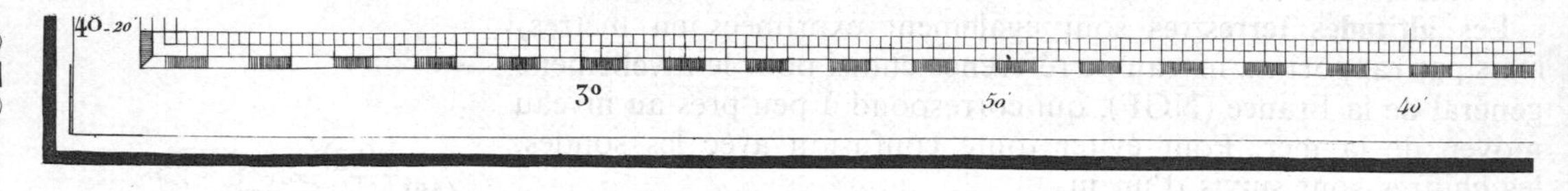

Corr: 1954-*2629* à 1956-*3703* à 1958-*0501*-*0920* à 1962-*0618* à 1963-*2503* à 1965-*4712* à 1968-*4006* à 1969-*1602* à *4820* à 1970-*1410*-*5105* 1971 1210 5107
1 11 18 19 34 36 50 53 55 57 60 61 62 63

Pour effectuer proprement une correction sur la carte, on utilise de l'encre indélébile (en principe violette) et l'on indique à l'extérieur du cadre, en bas à gauche, le numéro de cette correction, ce qui permet de savoir par la suite jusqu'à quelle date les corrections ont été faites.

Les cartes sont fragiles, et chères. Le seul vrai moyen de ne pas les abîmer à bord est de disposer d'une table aux dimensions des cartes (quitte à rogner celles-ci). Sur un petit bateau, où la place manque, le carton à dessin muni d'un élastique à chaque coin nous semble une bonne solution de remplacement; il sert tout à la fois de rangement et de table.

Des cartes que l'on conserve roulées sont difficiles à utiliser. Pliées en deux ou en quatre, elles sont presque immédiatement illisibles aux plis et se déchirent vite (il faut, à tout le moins, les plier avec la face imprimée à l'intérieur).

Pour réparer une carte, on double l'endroit déchiré avec un morceau de vieille carte, collé avec une bonne colle de bureau. Attention aux rubans adhésifs : s'ils ne sont pas de très bonne qualité, ils s'étirent au déroulage; lorsqu'ils reviennent ensuite à leur dimension première, la carte fait des plis.

On peut aussi revêtir les cartes d'un enduit plastique. D'après notre expérience, celui-ci peut résister longtemps, mais il n'est plus possible de faire les corrections de la carte elle-même.

Pour travailler sur une carte sans l'abîmer, on utilise un crayon mi-dur (marqué HB) et une gomme douce. Sur enduit plastique, on utilise un crayon particulier, dit « crayon de laboratoire ».

Précisons enfin que toute carte porte un numéro d'ordre, qui permet de la désigner sans risque de confusion. La liste des cartes figure dans les Catalogues-index du SH (nº 8 pour les côtes de France), dans les *Instructions nautiques* et dans l'*Almanach du marin breton.*

Les Instructions nautiques

Les *Instructions nautiques* sont le fruit d'une expérience qui remonte à la nuit des temps. Elles sont la somme des observations faites, sous toutes les latitudes, par des générations de marins. Somme constamment vérifiée, mise à jour, enrichie, qui constitue un document irremplaçable.

Les *Instructions nautiques* doivent être consultées en même temps que les cartes : elles en sont, en quelque sorte, la légende très détaillée. Rédigées à l'origine pour les navires de commerce, elles voient évidemment les choses d'un peu haut (des renseignements destinés aux bateaux de plaisance commencent toutefois à y apparaître, et cette tendance s'affirmera sans nul doute dans l'avenir). De toute façon, même les indications concernant les gros bateaux sont intéressantes, pourvu que l'on fasse l'effort d'adaptation nécessaire.

Chaque volume des *Instructions nautiques* est divisé en deux parties. La première est consacrée à des renseignements généraux sur la région considérée : météorologie, océanographie, géographie, réglementations, routes du large, atterrissages. La seconde est une description détaillée de la côte, avec ses dangers, ses amers, le balisage (de jour), les marées, les courants, les chenaux, les mouillages, les ports et leurs ressources. Ces renseignements sont complétés par des croquis et des profils de côte. Les *Instructions nautiques* des côtes de France comprennent également un volume de planches (plans de ports, photos panoramiques de côtes, etc.).

Chaque volume est désigné par : une lettre indiquant la série à laquelle il appartient, un numéro d'ordre en chiffre romain correspondant à une zone donnée, enfin l'indication de l'année d'édition. Ainsi, le volume concernant les côtes Nord et Ouest de la France porte la référence *C (II) 1974*.

Le Service hydrographique publie périodiquement des fascicules de corrections ou des feuillets de remplacement qui annulent et remplacent les précédents. Une nouvelle édition de l'ouvrage annule l'édition et les corrections antérieures.

Le travail fantastique que représente la mise à jour continuelle de ces documents est effectué avec une rigueur absolue. Les erreurs ou les omissions sont très rares, compte tenu du nombre de renseignements fournis. Le Service hydrographique demande d'ailleurs aux navigateurs de lui signaler ces erreurs et omissions, et il faut le faire.

Ajoutons encore que les *Instructions nautiques* permettent non seulement de trouver son chemin dans un paysage, mais aussi d'accéder à une compréhension très fine du paysage lui-même. Nous aurons l'occasion d'en reparler à la fin du cours, lorsque nous tenterons de préciser la notion de paysage marin.

19. Navigation côtière

Maintenant on peut s'en aller. Les renseignements soigncuscment rangés les uns à côté des autres dans le chapitre précédent vont commencer à prendre un sens. Les amers seront utilisés en alignements, pour faire du pilotage à proximité de la terre. Lorsqu'on sera un peu plus loin, on en prendra des relèvements, pour faire le point et préciser sa position sur la carte. Sur la carte aussi, en tenant compte des données du moment, de la dérive et du courant, on tracera sa route et l'on en déduira le cap à donner au barreur.

Pilotage, point, choix du cap, telles sont les activités essentielles du navigateur en vue des côtes. Il reste évident que la navigation côtière, c'est aussi bien autre chose.

Le pilotage

Dans une région riche en amers, lorsque la visibilité est bonne, on peut naviguer en se situant et en progressant par rapport à ce que l'on voit : on fait du pilotage.

Les documents à utiliser sont : la carte, essentiellement; accessoirement les *Instructions nautiques*, l'*Annuaire des marées*, le livre des *Feux*. Le seul instrument indispensable est un petit morceau de ficelle.

En dépit de cette simplicité de moyens, le pilotage est une technique extrêmement précise, et qui réclame une grande rigueur de méthode. On peut, certes, se contenter d'approximations lorsqu'on navigue sur une aire parfaitement dégagée, sans dangers immédiats : le jeu des « positions relatives » permet de se situer à peu près, et c'est souvent suffisant. Mais tout change lorsqu'on arrive près de terre, lorsqu'il faut s'engager dans une passe étroite, longer une côte semée d'écueils. Se fier à son flair, à la justesse de son coup d'œil, devient alors parfaitement hasardeux et ceci pour une raison précise : en mer, il est impossible d'évaluer correctement les distances à vue d'œil. Il faut pouvoir compter sur autre chose que sur des impressions. Le pilotage consiste essentiellement à chercher des points de repère sur la carte, et à rendre ces points de repère utilisables au moyen d'un système simple : les alignements.

Les alignements.

Lorsque, pour un observateur, deux amers se profilent exactement l'un derrière l'autre, ils sont alignés, ils constituent un alignement. Conséquence immédiate, et infiniment précieuse : l'observateur se trouve sur le prolongement de la ligne qui joint les deux amers...

Il suffit de choisir de bons alignements sur la carte, de savoir les retrouver dans la réalité, et le monde (côtier) est à nous. Avec un bon alignement droit devant, on peut s'enfiler dans la plus étroite des passes. Avec un bon alignement de chaque côté, on peut circuler entre des dangers. Avec deux bons alignements on peut se situer très exactement (on est à l'intersection des deux lignes...). En prenant un alignement on peut aussi, comme nous l'avons vu au chapitre 1, observer la dérive du bateau, savoir si on avance ou si on recule. On peut encore, avec un alignement, trouver un autre alignement. Bref, pour le pilote averti qui contemple sa carte, chaque rocher est gros d'une foule de traits de crayon prêts à jaillir d'un côté ou de l'autre pour établir un pont avec un autre rocher, et livrer la clef du plus hermétique des paysages.

Mais il faut de bons alignements. Et donc, pour commencer, de bons amers.

Une bouée n'est pas un bon amer, malgré sa silhouette précise : elle se déplace un peu selon le vent et le courant, et cela suffit pour l'éliminer. Il en est de même d'un bateau au mouillage. Il faut des amers absolument fixes.

Il faut des amers aussi « ponctuels » que possible : une colline sans sommet bien marqué n'est pas un bon amer. Une maison trop proche non plus (mais sa cheminée, peut-être). Les phares, les balises sont des amers parfaits, et d'autant plus qu'ils sont facilement identifiables.

Moins identifiables sont les rochers (mais ce sont souvent les seuls amers possibles). Il faut les examiner sur la carte avec un soin particulier. Prendre garde à leur taille, à leur hauteur, à leur forme (qui peut changer avec la hauteur d'eau). Un rocher perdu au milieu d'un tas de rochers de même hauteur que lui (ou caché derrière un plus gros!) ne peut servir à rien. Un rocher trop gros, un îlot, une pointe ne peuvent être utiles que par leurs **tombées** (leurs bords), mais alors il faut prendre garde à l'estran qui peut prolonger ces tombées à marée basse et décaler complètement l'alignement.

On ne peut citer tous les cas possibles. D'une façon générale, disons qu'un alignement est d'autant plus précis que les amers sont plus éloignés l'un de l'autre, qu'ils sont plus étroits et plus hauts.

Remarquons encore que des amers placés de part et d'autre de l'observateur ne peuvent absolument pas constituer un alignement utilisable, sinon pour les oiseaux de mer et autres gallinacés qui ont un œil de chaque côté de la tête.

En revanche, deux amers légèrement décalés l'un par rapport à l'autre peuvent faire un alignement valable dans certains cas. On parle alors d'alignement « ouvert ». Par exemple : le rocher W ouvert à droite de la balise X; le phare Y ouvert à 2 largeurs à gauche de la tourelle Z. On utilise ce genre d'alignement, soit parce qu'on ne trouve rien de mieux, soit parce qu'un danger est juste sur l'alignement des deux amers : il suffit alors que l'alignement reste ouvert pour que le danger soit paré.

Lorsqu'il s'agit de tracer sa route avec précision dans une région très encombrée, le choix des alignements suppose un raisonnement souvent complexe. Il faut en quelque sorte organiser le paysage autour de la route choisie, et la plupart du temps ce paysage ne paraît pas avoir été spécialement conçu pour cela. Tout l'art du pilotage consiste précisément à transformer le hasard en nécessité.

Cela exige une certaine discipline. Tout définir à l'avance sur la carte : la route, les alignements, les moyens de retrouver les amers dans la réalité. Ne rien laisser dans l'ombre, pousser chaque raisonnement jusqu'à ses conséquences extrêmes. Un doute vaut une erreur. Lorsque tout paraît clair, prévoir en plus des solutions de rechange. Une fois engagé dans le paysage, ne pas inventer une variante de dernière minute, qui risque toujours de conduire à une impasse. Ne pas se laisser distraire : trouver ses amers d'abord, admirer ensuite.

Ces règles du jeu sont simples. La façon de raisonner l'est beaucoup moins : elle est affaire de circonstances. Ici les considérations d'ordre général ne valent pas un bon exemple. Nous allons donc en proposer un, ayant pour cadre l'archipel des Glénans, région qui se prête particulièrement bien à ce genre d'exercice.

Pour suivre le raisonnement du pilote, il est nécessaire d'avoir le même matériel que lui : un fil et la carte des Glénans. Sur celle qui est encartée dans ce livre figurent d'ailleurs les alignements que l'on va utiliser.

Le soliloque du pilote

Pour suivre le pilote, voir la carte des Glénans, p. 656, hors-texte 1.

Je suis un marin et je viens de Groix. Je vais à l'île de Fort-Cigogne, dans l'archipel des Glénans, voir Sophie qui fait un stage au célèbre Centre nautique. Le vent est WSW, comme par hasard, et je suis en rogne.

L'entrée.

J'ai regardé les *Instructions nautiques* et la carte. L'archipel est un coin rempli de pavés, et entre les pavés il n'y a pas beaucoup d'eau. Pour faciliter la circulation là-dedans, les I.`N. signalent quelques amers remarquables : sur l'île de Penfret, un phare au nord, un sémaphore au sud; un autre petit phare sur un rocher, le Huic; le fort et la tour de Cigogne (et sans doute Sophie sur les remparts); un amer sur l'île Guiautec; une cheminée d'usine sur l'île du Loch; une maison blanche sur l'île Saint-Nicolas.

Mon bateau cale 1 m. La mer monte. Un rapide calcul de marée me permet de penser qu'il y aura environ 2,50 m d'eau quand j'entrerai dans l'archipel.

Devant moi, l'île de Penfret, très reconnaissable avec ses deux buttes, celle de droite portant le phare, celle de gauche le sémaphore. De quel côté passer ?

Entrer par le sud est tentant : la carte indique un vaste chenal, le chenal de Brilimec, avec un alignement qui me mène tout droit à Cigogne. Mais pour atteindre ce chenal il me faut contourner un certain nombre de dangers pas très évidents dans le SE, et ça ne me dit rien.

Mieux vaut entrer par le nord. Je passerai au ras de Penfret : le rocher qui prolonge sa pointe nord, Pen a Men, est **accore,** il n'a pas d'estran.

Passé Pen a Men, il y a une entrée très facile entre Penfret et un îlot nommé Guiriden, qui culmine à (8,8) et semble être le sommet d'un banc de sable émergeant largement (4). Entre Penfret et Guiriden, il y a de l'eau en quantité suffisante. Un seul point noir : un petit plateau rocheux, coté (1,8), en plein sur ma route. Quand j'arriverai il ne sera pas visible. Il faut donc que je longe Penfret un certain temps pour parer cette vacherie (dont j'apprendrai plus tard qu'on la nomme Tête de Mort; certains stagiaires du célèbre Centre nautique semblent la connaître intimement).

Une fois ce danger paré, tout est clair jusqu'à Cigogne. Il y a bien encore un (0,1) sur la route, mais j'ai assez d'eau pour passer dessus.

Mon problème est donc de me trouver des alignements de sécurité pour contourner la Tête de Mort. Il me faut d'abord un alignement orienté à peu près Nord-Sud, pour que je ne me laisse pas aller trop vers l'Ouest en entrant; puis un alignement Est-Ouest qui m'indique le moment où, ayant dépassé le caillou, je pourrai franchir la barrière représentée par mon alignement n° 1.

Alignement Méaban par Guiautec.

La carte indique un alignement d'entrée. C'est épatant, mais il est plein vent debout, je ne peux pas m'en servir (je m'apercevrai d'ailleurs, un peu plus tard, que cet alignement n'est pas très visible du pont d'un petit bateau). Il faut trouver autre chose. L'île Guiautec, au sud de la passe, est sûrement un bon amer puisque les I. N. parlent de sa balise. Reste à trouver un autre amer qui veuille bien s'aligner avec elle.

Je prends ma ficelle. J'en place un bout sur la balise et je balaye l'étendue entre la Tête de Mort et Penfret; je ne trouve rien. Au sud de la balise non plus (d'ailleurs, vu sa hauteur, on ne doit rien voir derrière). J'aurai peut-être plus de chance avec les tombées de l'île Guiautec elle-même. Côté ouest, non. Côté est, oui : dans un petit groupe de rochers nommés les Méaban, je trouve un (9,4) dont la tombée W peut s'aligner avec la tombée E de Guiautec. Ce (9,4) me va bien, parce qu'il est nettement plus haut que tous ses voisins. Et l'alignement est vraiment parfait pour parer la Tête de Mort : valable à marée haute, il le devient de plus en plus quand la mer baisse, car l'alignement des estrans m'écarte encore plus du danger.

Seulement, si Guiautec est facilement repérable, comment vais-je identifier à coup sûr ce (9,4) parmi les roches alentour ?

Il faut tout d'abord que je sache dans quel ordre les roches vont m'apparaître quand j'arriverai. Je place un bout de ma ficelle sur Pen a Men et je balaye la passe entre Guiautec et Penfret, d'Ouest en Est. La première chose que je rencontre, c'est Penfret soi-même : à la hauteur de la maison des gardiens du phare, un estran qui sera recouvert quand j'arriverai. Puis, dans le lointain des roches basses (3,9), (4,4); puis des roches assez hautes (7), (7,1) avec par devant, débordant de Penfret, un (5) qui risque de me les cacher en partie. C'est seulement lorsque je me serai dégagé un peu de Pen a Men que je pourrai apercevoir mon (9,4), et il sera sans doute plus ou moins soudé aux autres rochers. Mais si j'en crois ma ficelle, ce (9,4) est immédiatement suivi à gauche d'une étendue d'eau libre, avant deux rochers parfaitement accores, l'un de (6,4), l'autre, non coté, qui apparaîtront confondus. Je récapitule : mon (9,4) est le plus haut et le plus à gauche des rochers de Méaban, avec de l'eau à sa gauche. Il me semble que c'est assez clair.

Alignement Huic par (6,3) de Bananec.

Il me faut maintenant un alignement Est-Ouest, laissant la Tête de Mort dans le Nord. Sur la carte, l'alignement du sommet de Saint-Nicolas par le sommet de Bananec paraît splendide : il tombe pile sur le danger. Il me suffirait de l'utiliser en alignement ouvert... Mais je me méfie. Ces sommets-là, 12 m et 9 m, c'est pas les Grandes Jorasses, il doit y avoir du rond dedans, et un

Vue du point A. De droite à gauche : Guiautec et sa balise, les Méaban — le (7,1) puis le (5) qui lui est rattaché, le (9,4) et, plus loin, le (6,4) — enfin Penfret.

sommet rond par un sommet rond, c'est tout ce qu'on veut sauf un alignement sérieux. Laissons tomber.

Dans le NW de Saint-Nicolas, il y a le phare du Huic. J'aime bien les phares, c'est clair et net, identifiable à coup sûr. Il n'y en a aucun autre dans le coin, je vais essayer de m'en servir. Ma ficelle sur le Huic, et direction la Tête de Mort. Ce qu'il me faut apparaît tout de suite : un (6,3) tout en haut de l'estran N de Bananec. Il n'y a rien de mieux dans les parages. Mais comment vais-je l'identifier, celui-là ?

Une seule solution : reprendre la ficelle, en poser un bout sur Pen a Men et balayer le haut de l'archipel, du Nord vers le Sud. Les premiers cailloux qui apparaissent sont les Pierres Noires, Basse Cren, un tas de roches assez imprécis. Puis le Huic, juste entre un rocher, le Buquet, et une première île, Brunec. A nouveau des roches, très loin. Puis, au premier plan, le banc de sable de Guiriden, avec le sommet à (8,8). Et alors je m'aperçois que mon (6,3) de Bananec est pile derrière le (8,8). Donc invisible quand j'arriverai. En continuant un peu vers le Nord, je devrais le voir apparaître tout de suite à droite de Guiriden. Mais ce n'est pas sûr : le banc de galets au NW de Guiriden est peut-être assez haut pour me le cacher.

Il faut trouver une autre solution. En plaçant ma ficelle sur le Huic et en balayant l'étendue entre Guiriden et Guiautec, je vois que le Huic sera un moment masqué par Brunec, puis qu'il apparaîtra à sa gauche : le premier rocher qui passera ensuite devant le Huic est mon (6,3). Cette fois il n'y a pas à s'y tromper. De toute façon, si je ne le trouve pas au bon moment, je fais demi-tour et je recommence.

J'ai tracé mes alignements sur la carte et noté dans mon calepin la liste des amers, selon l'ordre dans lequel je dois les chercher :

— le Huic
— Brunec
— la balise de Guiautec
— le (9,4) des Méaban
— le (6,3) de Bananec.

Je suis paré. Bientôt la Tête de Mort sera derrière moi, je tirerai des bords assez courts sans trop m'approcher du Vieux Glénan (drôle de nom), et je mouillerai enfin, le cœur en fête, au pied des remparts de Fort-Cigogne.

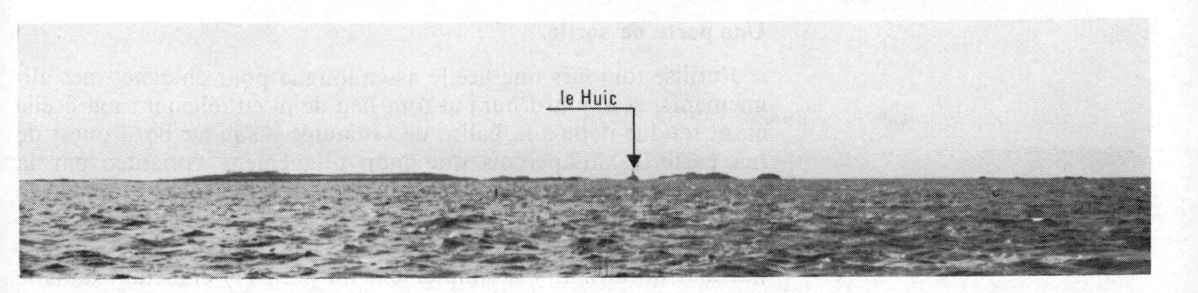

Vue du point B. Le Huic vient d'apparaître à gauche de Brunec. Le premier rocher foncé à sa gauche est le (6,3) recherché. Les rochers un peu plus clairs sont au deuxième plan.

La sortie.

Sophie n'était pas sur les remparts. Elle semble s'intéresser beaucoup plus à ses petits camarades barbus qu'à moi-même. Je m'en vais. Durant la veillée au coin du feu, sous les voûtes de Cigogne, j'ai entendu parler d'un passage assez trapu entre le Huic et le Gluet, je vais sortir par là. La recherche des amers me distraira de mes sombres pensées.

Ce matin, le vent est ESE. Le parcours paraît possible : je serai vent portant la plupart du temps. Dans le NW de Saint-Nicolas je devrai faire route un moment au NE et le vent sera peut-être trop pointu, mais il me semble qu'il y a assez de place là-haut pour que je puisse tirer un petit bord au besoin.

Quand je serai prêt, la mer sera basse. Il y aura environ 1 m d'eau. Donc pas question de passer entre Drenec et Saint-Nicolas, il faut que je contourne Drenec par le sud.

Entre Cigogne et Drenec on peut passer. Le (3) de la pointe W de Cigogne est bien visible. Mais le (1) qui est au milieu de la passe l'est moins. Je m'aperçois que ce (1) est juste sur l'alignement (8,8) de Guiriden par (4,5) de la pointe E de Bananec. Il me suffira donc, pour parer le (1), de garder cet alignement ouvert, c'est-à-dire d'avoir le sommet de Guiriden toujours à droite du (4,5) de Bananec. Du mouillage, je repère facilement ces deux amers.

Donc, j'appareillerai en faisant un large tour par le Nord, car il n'y a pas beaucoup d'eau près de Cigogne; je suivrai l'alignement ouvert que je viens de trouver, et quand je serai à la hauteur du (3) de Cigogne, j'inclinerai un peu ma route vers le Sud.

Alignement Guiautec par la Bombe.

Il me faut maintenant un alignement pour longer la côte sud de Drenec. Il y a une passe, avec assez d'eau, entre cette côte et un (2,5). Je place ma ficelle dans la passe et je trouve tout de suite un alignement magnifique par l'arrière : la balise de Guiautec par la Bombe. La balise, je la connais bien maintenant. La Bombe, je l'ai vue hier soir en arrivant, je l'aperçois d'ailleurs du mouillage : c'est un rocher tout à fait isolé et accore, je le retrouverai facilement de l'autre côté de Cigogne.

Une porte de sortie.

J'utilise toujours une ficelle assez longue pour chercher mes alignements, et aujourd'hui j'ai tout lieu de m'en féliciter : ma ficelle étant tendue depuis la balise de Guiautec jusqu'au bord ouest de ma carte, je m'aperçois que mon alignement Guiautec par la Bombe possède une seconde vertu remarquable : il me permet de sortir tout droit de l'archipel, si par hasard je ne trouve pas mes amers pour remonter vers le Huic (on ne sait jamais, je suis las, j'ai mal dormi). Il y a simplement un petit (1) embêtant dans le sud de la balise du Broch. Pour le parer, il faut que je précise un peu mon alignement : **la balise de Guiautec par la tombée N de la Bombe,** c'est parfait; d'autant plus que ça améliore mon passage dans le sud de Drenec en m'écartant un peu du (2,5).

Alignement Gluet par (8,2) du Bondiliguet.

Jusqu'ici les choses sont assez simples. Mais maintenant il me faut un alignement pour remonter vers le Nord après avoir paré Drenec. Dans tout le fatras de roches que je vois sur la carte, le Gluet m'attire : il est gros, il est haut, il doit pouvoir servir. Je trouve un alignement correct : le Gluet par le (8,2) du Bondiliguet. Mais pour le repérer, ça va être une autre affaire.

La tombée W de Drenec me semble assez accore. Je vais m'en servir de la même façon que j'ai utilisé Pen à Men hier soir. Je place le bout de ma ficelle sur cette tombée et je la fais tourner, en partant de l'Ouest, vers le Nord. Je dois voir apparaître successivement : la balise du Broc'h (la seule balise du coin) puis, de façon à peu près ininterrompue, un vrai défilé de rochers élevés : Castel-Bras, Karek Christophe, Castel-Bihan. Castel-Bihan doit être reconnaissable, il fait (10) de haut et il est absolument accore au NE, tout de suite à sa droite il y a un chenal assez large. Puis, dans le lointain, les deux têtes du Run. A partir de là, ça a l'air de devenir très compliqué, il y a des roches sur deux plans : au loin, le Run, le Gluet, le Huic; plus près, la série du Bondiliguet. Je verrai peut-être le Gluet, mais décidément je n'en suis pas très sûr.

Tout bien réfléchi, j'ai probablement intérêt à me repérer sur le Huic, une fois de plus. A partir du Huic, en revenant en arrière, je dois voir successivement : le (5) qui prolonge la pointe ouest de Saint-Nicolas et qui me cache la passe de sortie; au bout de ce (5), le (9,2) du Bondiliguet; puis, peut-être le (6,4), et tout au fond la masse du Gluet. Le premier rocher à gauche du Gluet est le (8,2) que je cherche.

Bien retenir ceci : l'alignement du Huic par la tombée W de Drenec me donne le (8,2) du Bondiliguet juste à gauche du Gluet.

Cela fait tout de même beaucoup de choses à repérer en même temps. Faudra avoir l'œil vif au tournant de Drenec. Et il est bon de prendre une précaution supplémentaire. Sur la carte, je mesure la distance entre l'alignement Huic–tombée W de Drenec et l'alignement Gluet–(8,2) du Bondiliguet : il y a 200 mètres. Vent arrière, avec cette jolie brise, je ferai au moins 5 ou 6 nœuds. En gros, je dois parcourir ces 200 mètres en une minute. Si au bout d'une minute et demie je n'ai rien trouvé, demi-tour. D'ailleurs j'ai un point de repère ultime : Rocher Job, un gros rocher isolé presque devant moi et que j'aurai sûrement identifié de loin. Si je commence à distinguer les alignements de berniques sur Rocher Job, c'est que vraiment j'aurai raté mon virage depuis un bon moment.

Une aire d'évolution.

Tout cela n'est pas absolument clair. Je crois qu'il est sage de me ménager une petite aire d'évolution dans le SW de Drenec, un coin où je puisse tourner en rond jusqu'à ce que j'aie trouvé mon alignement. Cette aire d'évolution, je la délimite avec trois alignements simples, dont deux sont déjà connus :
— Guiautec par la Bombe, qui me protège au Nord;
— Le Huic par la tombée W de Drenec, qui me garde à l'Est;
— enfin, le Broc'h par Rocher Job, ça ferme très correctement le triangle.

Je pourrai donc me promener là-dedans tout le temps qu'il faudra. Et je finirai bien par le voir, ce Bondiliguet de (8,2).

Je remonterai alors sur l'alignement Gluet–(8,2), presque jusqu'à celui-ci, et là je dois tourner à droite pour parer les deux derniers rochers, (6,4) et (9,2), qui me séparent de la sortie. Sur la carte, ça paraît bête comme chou, à se demander si j'aurai encore besoin d'alignement pour faire ce petit crochet-là. Mais c'est avec un raisonnement du même genre que j'ai perdu mon précédent bateau, le *Sophie VII*. D'ailleurs, pour faire ce crochet il faudra peut-être que je tire un bord, et je risque alors d'être complètement paumé si je n'ai pas de points de repère.

Une autre porte de sortie.

Je note en passant que, si j'en ai vraiment assez, je peux toujours à ce moment-là dégager franchement par l'Ouest, en laissant la balise du Broc'h à ma gauche. Je sors alors par le chenal royal des Bluiniers. Mais je suis têtu et je compte bien faire tout le parcours prévu.

Alignement Buquet entre (9,6) et (11).

Je place ma ficelle entre le Bondiliguet et Roc'h ar C'haor (un nom bien évocateur, pour qui sait le breton), dans l'axe SW-NE : la tombée N de Brunec, ou plus exactement du Buquet qui se trouve juste derrière, apparaît entre deux cailloux très proches l'un de l'autre, un (9,6) et un (11) qui doivent être bien visibles puisqu'ils sont très étroits.

Si j'ai besoin de tirer un petit bord, je peux le faire tranquillement en jouant sur cet alignement : la tombée N du Buquet juste visible à droite du (9,2) sera ma limite nord; la même tombée cachée derrière le (11) sera ma limite sud.

Comment reconnaître tout cela ?

Roc'h ar C'haor doit être visible sitôt passé l'alignement du Huic par la tombée W de Drenec : c'est le premier rocher sérieux à droite du Huic.

Ensuite, quand je suivrai l'alignement Gluet–(8,2) Bondiliguet, je surveillerai le défilé du paysage sur ma droite; passé Drenec, je dois voir apparaître Cigogne, puis le sémaphore de Penfret; à ce moment précis, mes deux compères (9,6) et (11) seront planqués juste derrière Roc'h ar C'haor. Je les verrai donc un instant plus tard. Et au fond, sur leur droite, Brunec. Pas de problème.

Alignement Fournou Loch par Drenec.

Il me faut un ultime alignement, Sud-Nord, pour franchir la passe entre le Huic et le Gluet, car il y a encore, comme par hasard, un (0,3) mal placé.

Pour trouver quelque chose de sérieux, je suis obligé d'aller chercher très loin, au sud de Drenec : le tas de cailloux de Fournou Loch, à l'ouest de l'île du Loc'h. Ce sont des rochers étroits et assez hauts (6,3), (6,8), (8,6), tiens : un (9), complètement à l'ouest du groupe, ce doit être le plus reconnaissable. Ce (9) juste visible à droite de la tombée W de Drenec, c'est parfait. Mais il est loin et si je veux le trouver il faut que je le repère beaucoup plus tôt, quand je passerai au sud de Drenec. En fait, je m'aperçois que je dois avoir Fournou Loch à peu près dans le cap au moment où je descends entre Cigogne et Drenec. C'est le tas de cailloux juste à droite de l'île du Loch, et le (9) est le plus à droite d'entre eux. Plus tard, quand je serai près de la sortie, je verrai les autres cailloux de Fournou Loch disparaître un à un derrière la tombée W de Drenec et il restera seul, lui, le (9), entre Drenec et Quignenec. Et si par hasard je le rate (ce n'est pas grave, j'ai de l'eau à courir), l'alignement tombée E de Quignenec par tombée W de Drenec me le fera savoir. Je n'aurai qu'à abattre pour qu'il réapparaisse.

Maintenant j'ai intérêt à noter soigneusement mes amers, et selon l'ordre chronologique dans lequel je dois les chercher.

Vue du point F. Aucun doute possible sur l'identité du (9) de Fournou Loch : il apparaît tout seul dans le fond, entre la tombée W de Drenec et la tombée E de Quignenec. On est sur l'alignement de sortie.

Vue du point C. Entre l'île du Loch à gauche et l'île de Quignenec à droite, un seul amas de roches important : Fournou Loch. Le plus gros rocher à droite est le (9), nécessaire pour prendre la passe du Huic.

Vue du point D. Dans ce paysage, on repère — derrière le Broc'h — Castel Bras, puis, dans l'ordre : Castel Bihan, le Run, le Bondiliguet, le (8,2) et, juste à sa droite, en deuxième plan, le Gluet. On constate qu'on ne s'est pas trompé car il reste deux gros rochers (6,4), (9,2), et un banc de roches plat (5) avant le Huic.

Vue du point E. Le (9,6) et le (11) encadrent la tombée N du Buquet. Le (11) se détache assez mal sur Brunec, mais on le distingue quand l'alignement change car les deux plans sont assez éloignés l'un de l'autre.

Au mouillage :	(4,5) de Bananec (8,8) de Guiriden La Bombe
En descendant vers le Sud :	(9) de Fournou Loch
Sur l'alignement Guiautec-La Bombe :	Rocher Job Le Broc'h Castel Bihan Le Run Le Gluet ? Bondiliguet ? Le Huic Le Gluet (8,2) Bondiliguet Roc'h ar C'haor
Sur l'alignement Gluet-Bondiliguet :	Sémaphore de Penfret (9,6), (11) Brunec, Buquet
Sur l'alignement Buquet – (9,6)-(11) :	Fournou Loch

Ensuite, faire cap sur Loctudy pour soigner ma migraine chez Joséphine.

Note ajoutée quelques jours plus tard : En préparant mes alignements, il y a une seule chose que je n'avais pas prévue : c'est que le parcours est prodigieusement beau, et que ça trouble.

Faire le point

Lorsqu'on s'éloigne un peu de la côte, la plupart des amers s'estompent dans le paysage. Bientôt ne subsistent plus que quelques points remarquables, éparpillés sur l'horizon. Les alignements se font rares, on ne peut plus espérer raisonnablement en trouver deux en même temps pour se situer.

Faute d'alignements, on procède alors par relèvements. La ficelle du pilote est remplacée par un matériel plus compliqué : compas de relèvement, règle-rapporteur. L'arithmétique cède du terrain à la géométrie. On commence à se prendre au sérieux : on fait le point.

Point par relèvements

Faire le point, c'est :
— prendre des relèvements,
— les corriger de la valeur de la déclinaison,
— porter les relèvements sur la carte,
— et critiquer le résultat.

Relever un amer.

Prendre le relèvement d'un amer, c'est mesurer l'angle sous lequel on voit cet amer par rapport à une direction de référence, qui est le Nord.

La mesure s'effectue à l'aide du compas de relèvement, compas que l'on peut tenir à la main et qui comporte un viseur et un prisme : on vise l'amer et on lit dans le prisme la valeur d'angle indiquée par la rose.

Autant dire tout de suite que cette mesure n'est pas très précise, surtout lorsqu'elle est prise du pont d'un petit bateau. Elle l'est d'autant moins que l'amer est plus éloigné, et la mer plus agitée... Il faut envisager la possibilité d'une erreur de ± 1° par calme plat, de ± 2° par temps moyen, et facilement de ± 5° par gros temps.

Pour réduire autant que possible cette marge d'erreur, il est bon, tout d'abord, d'apprendre à utiliser correctement le compas de relèvement. L'essentiel est de ne pas se fatiguer pour rien : si l'on porte d'abord le viseur de l'instrument devant son œil et qu'on balaye ensuite l'horizon à la recherche de l'amer, on en a vite plein le bras. Mieux vaut opérer dans l'ordre suivant : repérer l'amer; se mettre le compas à la hauteur du menton et attendre que la rose se stabilise; fixer l'amer, amener la visée du compas devant son œil, et lire.

Il faut prendre garde, d'autre part, à se placer en un endroit du pont où la rose ne risque pas d'être déviée par la proximité de masses métalliques. Nous reparlerons de ce problème un peu plus loin à propos du compas de route.

Corriger le relèvement.

Le compas indique le **Nord magnétique,** et l'on sait que celui-ci ne coïncide pas avec le **Nord vrai** (direction des méridiens). Avant de porter un relèvement sur la carte, il faut donc tenir compte de la **déclinaison,** c'est-à-dire de l'angle que fait la direction du Nord magnétique avec la direction du Nord vrai. La valeur de cet angle varie évidemment selon le lieu où l'on se trouve. Elle est également variable dans le temps, car le Nord magnétique n'est pas fixe : il va et vient au long des siècles.

Selon le lieu où l'on se trouve, la déclinaison est Est ou Ouest. Elle est indiquée sur la carte, ainsi que la valeur de sa variation d'une année sur l'autre. Dans la région des Glénans, par exemple, la déclinaison était de 10°50 W en 1945; diminuant de 8' par an, elle n'était plus que de 7°20 W en 1971, et elle continue à décroître.

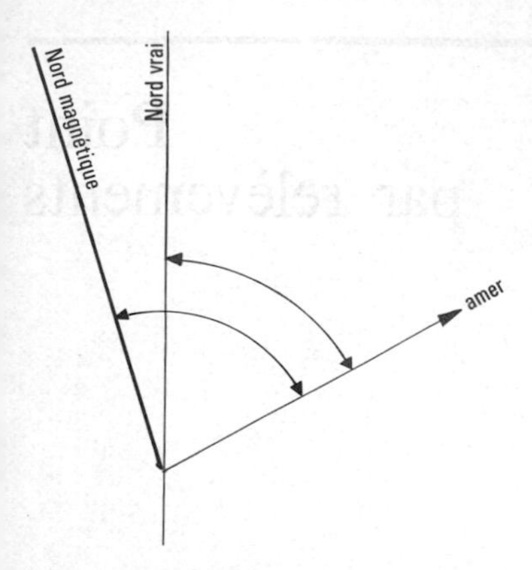

Quand la déclinaison est W, le relèvement vrai est plus petit que le relèvement magnétique.

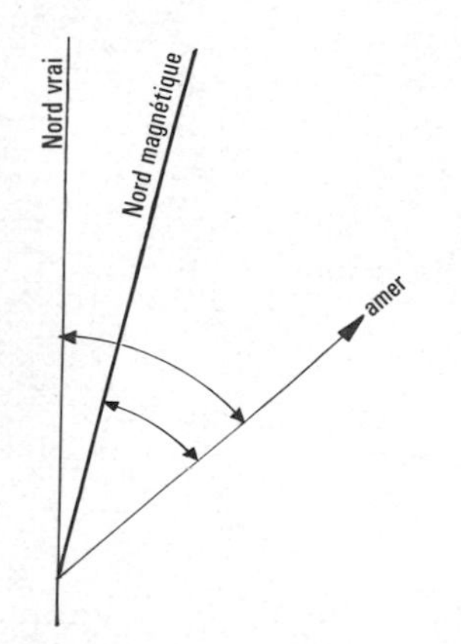

Quand la déclinaison est E, le relèvement vrai est plus grand que le relèvement magnétique.

Lorsque la déclinaison est Est, il faut l'ajouter à l'indication fournie par le compas. Lorsqu'elle est Ouest il faut l'en retrancher. On passe ainsi du relèvement magnétique au relèvement vrai.

Pour se souvenir du sens dans lequel la correction doit être effectuée,

— les matheux retiendront la formule :

$$Rv = Rm + D$$

D positive si elle est E

D négative si elle est W;

— les rêveurs se poseront la question : « Est-ce plus ou est-ce moins ? », et s'apercevront que poser la question c'est y répondre : EST plus, OUEST moins;

— les sceptiques feront rapidement le petit croquis ci-contre.

Dans tous les cas il est bon, en effet, d'avoir un truc pour savoir à coup sûr si l'on doit ajouter ou retrancher la déclinaison. Ce qui paraît évident lorsqu'on est installé dans un fauteuil l'est parfois beaucoup moins en mer, lorsque le bateau s'agite et qu'une nausée incertaine vient s'ajouter à un écœurement chronique pour faire un mal de mer vrai.

Porter le relèvement sur la carte.

Pour porter le relèvement vrai sur la carte, il faut disposer d'un rapporteur (pour reporter l'angle à partir d'un méridien) et d'une règle (pour tirer le trait). Comme il n'est pas commode de manier en même temps un rapporteur et une règle, on s'est ingénié à trouver des systèmes permettant d'avoir les deux instruments en un seul. En France, les règles-rapporteurs utilisées le plus couramment sont la règle Auto-cap, le Rapporteur breton et, surtout, la **règle Cras** (du nom de son inventeur, l'amiral Jean Cras).

Sur la règle Cras sont tracés deux rapporteurs comportant chacun une double graduation, ce qui permet de mesurer un angle aussi bien à partir d'un parallèle qu'à partir d'un méridien. Une flèche indique dans quel sens il faut orienter la règle, et c'est tout.

L'extrême simplicité de l'instrument est en fait assez déconcertante au premier abord, surtout pour qui craint les chiffres. Mais en promenant cette règle sur une carte on en comprend vite le principe. Pour porter un relèvement, il faut procéder par étapes :

1. Placer autant que possible la carte devant soi, avec le Nord en haut.

2. Poser la règle sur la carte, de telle façon que sa flèche soit dirigée, en gros, vers l'amer relevé. Cela suppose que l'on sache spontanément dans quel **quadrant** se trouve cet amer : un amer relevé au 213, par exemple, est dans le 3e quadrant.

3. Amener l'un des bords de la règle sur l'amer. Il est commode de poser la pointe d'un crayon sur l'amer et d'y appuyer le bord de la règle.

4. Faire glisser et pivoter la règle jusqu'à amener en même temps :

— le centre (marqué d'un petit rond) du rapporteur le plus Sud sur un méridien ou sur un parallèle;

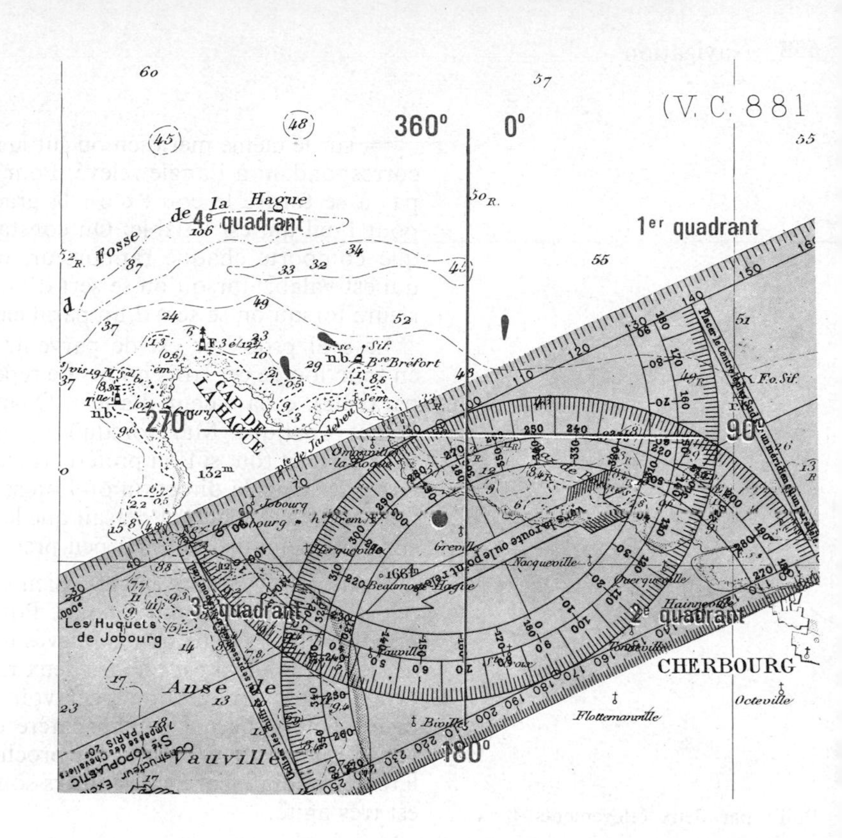

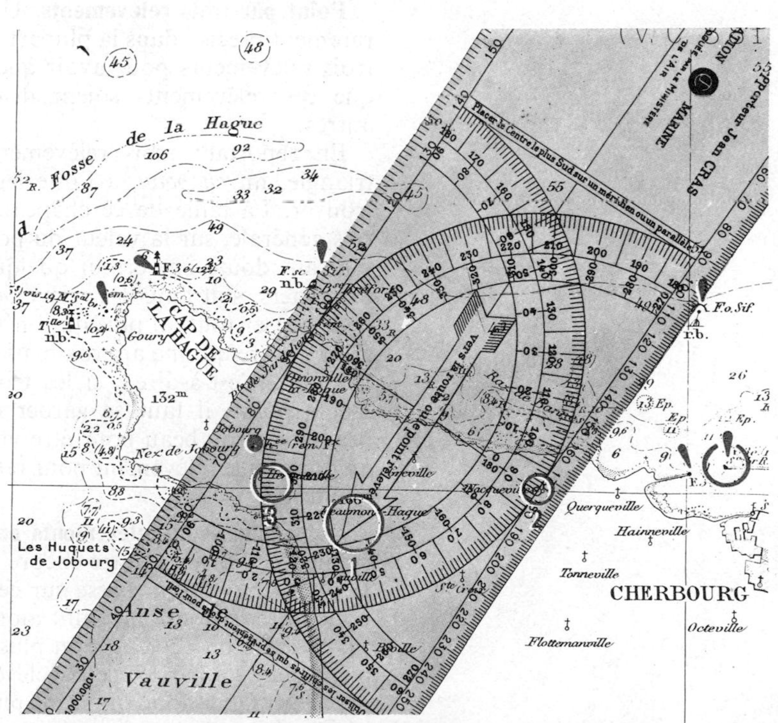

Le bon usage de la règle Cras.
Un navigateur se promène dans les parages du Cap de la Hague. Il relève la bouée Basse Bréfort au 213 vrai et veut porter ce relèvement sur la carte.
1. Sur la carte, il place sa règle Cras de telle façon que la flèche soit dans la direction de l'amer relevé. Le relèvement 213 est dans le 3e quadrant.
2. Il amène ensuite le bord de la règle sur l'amer, puis s'efforce de faire coïncider le centre du rapporteur le plus sud avec un méridien ou un parallèle. Ici c'est un parallèle (c'est donc sur la graduation intérieure du rapporteur qu'il faut lire le relèvement). La règle est maintenant en place : la flèche (1) dans la direction de l'amer; le centre le plus sud (2) sur le parallèle; le relèvement 213 (3) sur ce même parallèle. Pour matérialiser le relèvement, il ne reste plus qu'à tracer un trait à partir de l'amer. Le bateau est quelque part sur cette demi-droite.

— sur le même méridien ou sur le même parallèle, la graduation correspondant à l'angle relevé. Pour lire cette graduation, il n'y a pas à se tordre le cou : c'est la graduation qui se présente droit pour l'œil qui est valable. On constate que, des deux graduations que comporte chaque rapporteur, c'est la graduation extérieure qui est valable lorsqu'on se sert d'un méridien, la graduation intérieure lorsqu'on se sert d'un parallèle.

Le seul problème est de parvenir à placer exactement la règle en fonction de ces trois points de repère : l'amer, le méridien (ou le parallèle), et la valeur d'angle. Quand l'univers remue, c'est parfois acrobatique. Mais lorsqu'on y est arrivé, il ne reste plus qu'à tirer un trait (ou, si l'on préfère, tracer une demi-droite) à partir de l'amer et dans la direction où l'on se trouve par rapport à celui-ci. On a un relèvement et l'on sait que le bateau se trouve quelque part sur cette demi-droite, ou à peu près.

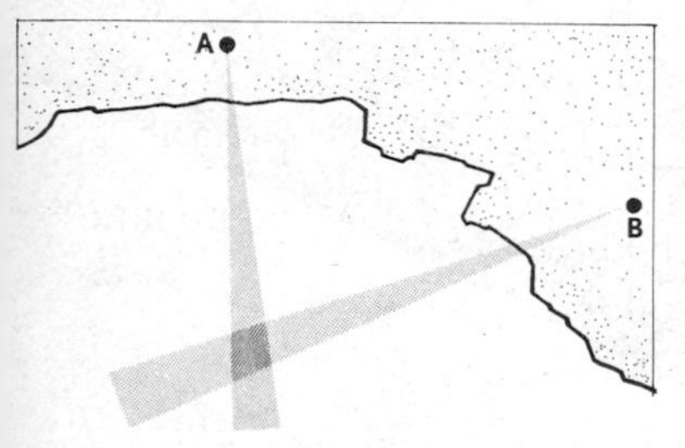

Point par deux relèvements.

Point par deux relèvements. Bien entendu il faut au moins deux relèvements pour faire un point. Pour que ce point soit valable, il importe que les deux amers relevés ne soient pas trop proches l'un de l'autre : l'idéal est que les deux relèvements se coupent à angle droit. Sur le croquis, on peut voir que l'imprécision des relèvements détermine un « quadrilatère d'incertitude », d'autant plus grand que les amers sont plus proches l'un de l'autre. Ce quadrilatère grandit encore si les amers sont très lointains et si le bateau est très agité.

Point par trois relèvements. Un point par deux relèvements est rarement précis : dans la plupart des cas il est nécessaire de prendre trois relèvements pour avoir quelque chose de correct. Il est bon que ces relèvements soient distants d'environ 60° les uns des autres.

En reportant trois relèvements sur la carte, on obtient un triangle, un *chapeau*, à l'intérieur duquel on doit en principe se trouver. La taille de ce chapeau donne une première indication, très générale, sur la valeur du point. Si le chapeau est immense, il y a sans doute une erreur quelque part : soit dans l'identification des amers, soit dans les relèvements eux-mêmes. S'il est petit, on peut penser tout au plus qu'il n'y a pas d'erreur grossière, mais ce n'est encore qu'une approximation. Et si par hasard il n'y a pas de chapeau, c'est-à-dire : si les trois relèvements se coupent en un même point, il faut se garder d'exulter car, sauf miracle, c'est beaucoup trop beau pour être vrai. Il suffit en général de prendre un quatrième relèvement pour retrouver immédiatement le sens des réalités.

Point par deux relèvements et un alignement. Il arrive tout de même que l'on rencontre encore un alignement de temps en temps. Le moment où l'on passe sur cet alignement est un bon moment pour faire le point : il suffit alors de prendre deux relèvements et sur la carte on obtient, non plus un chapeau, mais un simple segment délimité par les deux relèvements sur la droite issue de l'alignement. On a donc un point plus précis.

Critiquer le point.

Lorsqu'on a tracé ses relèvements sur la carte et obtenu un chapeau pas trop ridicule, il reste à critiquer le point et si possible à le préciser. Cela se fait essentiellement en confrontant la carte et le paysage. Sur la carte, à partir du point obtenu, on doit voir les éléments remarquables du paysage sous le même angle que dans la réalité.

Et puisque nous passons justement en vue de la pointe de Trévignon, profitons-en pour prendre un exemple.

Le temps est beau, nous avons des amers assez proches et bien placés : à gauche la tourelle des Soldats, au milieu le phare de Trévignon, à droite la tourelle de Men-Du.

Nous relevons : les Soldats au 342°
le phare au 19°
Men-Du au 69°

A ces relèvements il faut appliquer la correction de déclinaison indiquée sur la carte : 9°30' en 1955, c'est-à-dire, avec la diminution annuelle de 8' : 7°22' en 1971 (disons 7°).

Ce qui nous donne : les Soldats au 335°
le phare au 12°
Men-Du au 62°.

Les trois relèvements donnent un chapeau décent, dont il faut vérifier immédiatement la vraisemblance. Or, la carte et la réalité

Point par trois relèvements

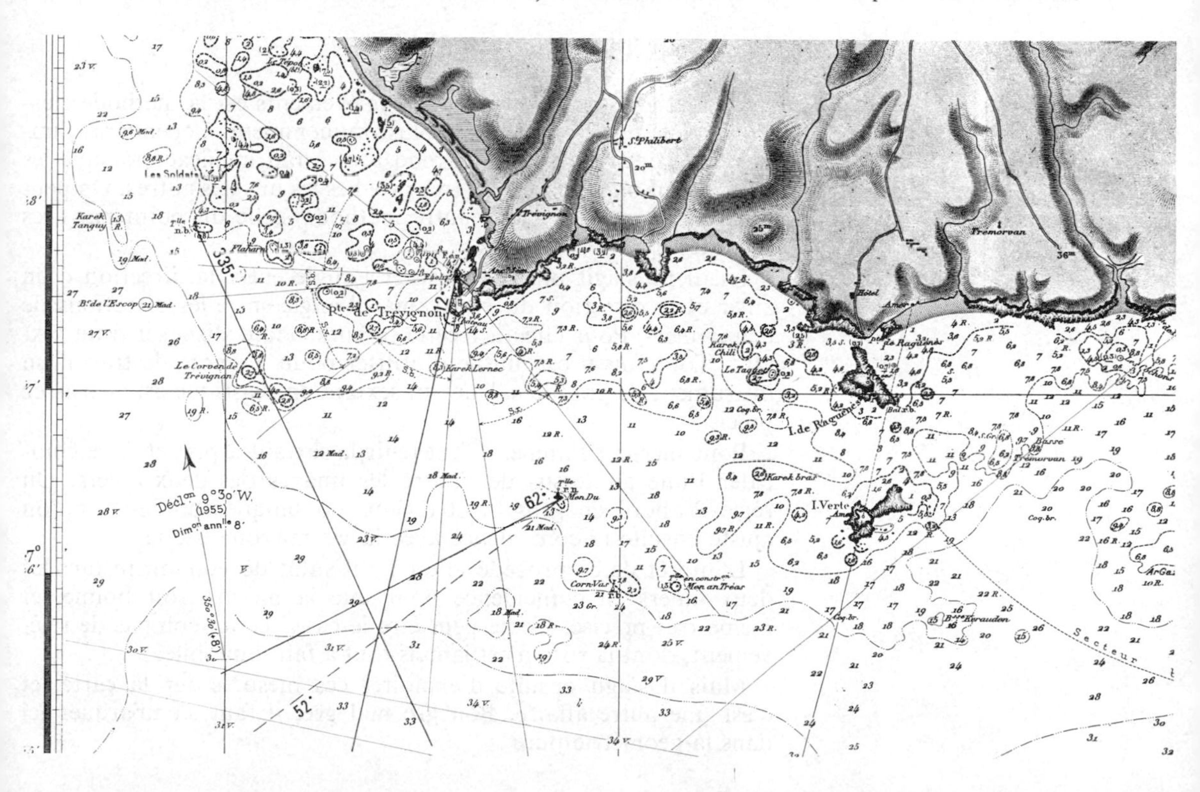

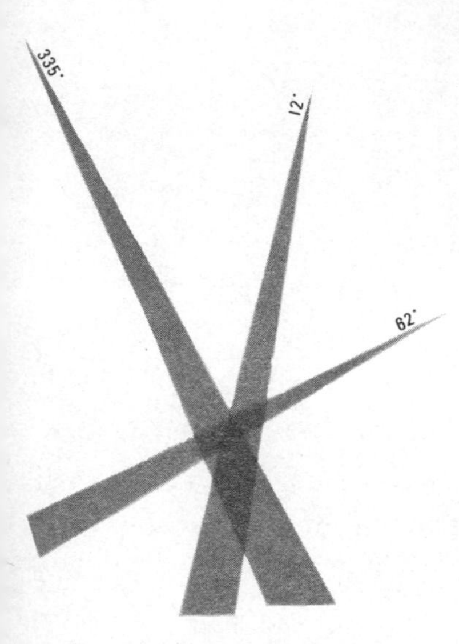

sont d'accord : le château de Trévignon est à droite du phare; la tourelle de Men-Du à gauche de Raguénès; la bouée de Corn-Vas à droite de l'île Verte.

Men-Du étant l'amer le plus proche, son relèvement est sans doute le plus précis des trois; il est donc probable que l'on se trouve dans le nord du chapeau.

On pourrait encore préciser les choses, en traçant « l'angle d'incertitude » de chaque relèvement, $\pm$ 2° par exemple, comme sur le croquis : en principe c'est dans le polygone le plus foncé que l'on doit se trouver.

En pratique, il n'est pas nécessaire de pousser la vérification si loin : on considère que l'on est au milieu du chapeau, mais sans éliminer complètement l'éventualité selon laquelle on pourrait bien être à côté... Une erreur est vite faite : supposons qu'en relevant Men-Du on lise sur le compas 59° au lieu de 69° (soit 52° vrai); le chapeau n'est plus du tout le même, il est tout petit mais complètement à côté de la question. Et pourtant, on a bien le château de Trévignon à droite du phare, et Men-Du à gauche de Raguénès. On a une seule chance de s'apercevoir de son erreur : sur la carte, Corn-Vas s'aligne presque avec l'île Verte, alors que dans la réalité elle est nettement à droite. Cela doit mettre la puce à l'oreille.

Le point par arcs capables.

La méthode du point par trois relèvements est la méthode classique, celle que l'on utilise le plus fréquemment. Cependant, l'imprécision des relèvements la rend tout à fait inefficace lorsque les amers dont on dispose sont très proches les uns des autres. On peut alors avoir recours à une autre méthode, celle du point par arcs capables.

Ici, il ne s'agit plus de mesurer l'angle entre la direction d'un amer et la direction du Nord, mais l'angle entre les directions de deux amers. Pour effectuer cette mesure, il faut disposer d'un sextant. Toutefois il est inutile d'utiliser pour ce genre de travail un instrument de grande valeur, un sextant en plastique est bien assez précis.

Pour mesurer l'angle, il faut tenir le sextant à plat et faire coïncider l'une au-dessus de l'autre les images des deux amers. On règle d'abord en gros l'instrument, on bloque son bras et l'on ajuste ensuite la coïncidence avec la vis micrométrique.

L'intérêt de ce procédé, c'est qu'il suffit de voir un instant les deux amers en coïncidence pour que la mesure soit bonne, et même très précise. Ce ne peut être le cas avec un compas de relèvement, dont la rose n'est jamais tout à fait immobile.

Mais il s'agit ensuite d'exploiter ces mesures sur la carte, et c'est une autre affaire. Bon gré mal gré, il faut s'embarquer ici dans la géométrie pure.

Le principe.

Le lieu géometrique des points d'où l'on peut voir deux points, A et B, sous un angle α, est un arc de cercle passant par A et B.

En français, cela signifie qu'ayant relevé l'angle entre les directions des amers A et B, on peut construire à partir de cet angle un cercle passant par les deux amers, et que l'on est assuré de se trouver quelque part sur ce cercle.

Relevant de la même façon l'angle entre la direction de l'amer B et celle d'un autre amer C, on peut construire un second cercle, passant par B et C, et ce cercle coupe le précédent en un point qui n'est autre que la position même de l'observateur.

La mise en œuvre.

On approche de Jersey, venant du SW, et l'on identifie trois amers peu éloignés les uns des autres : A, le phare de la pointe Noirmont; B, le phare de la Corbière; C, le phare de la pointe Gros-Nez.

— On mesure au sextant l'angle entre A et B : 17° (angle α); puis l'angle entre B et C : 22° (angle β).

— On trace une droite reliant A et B.

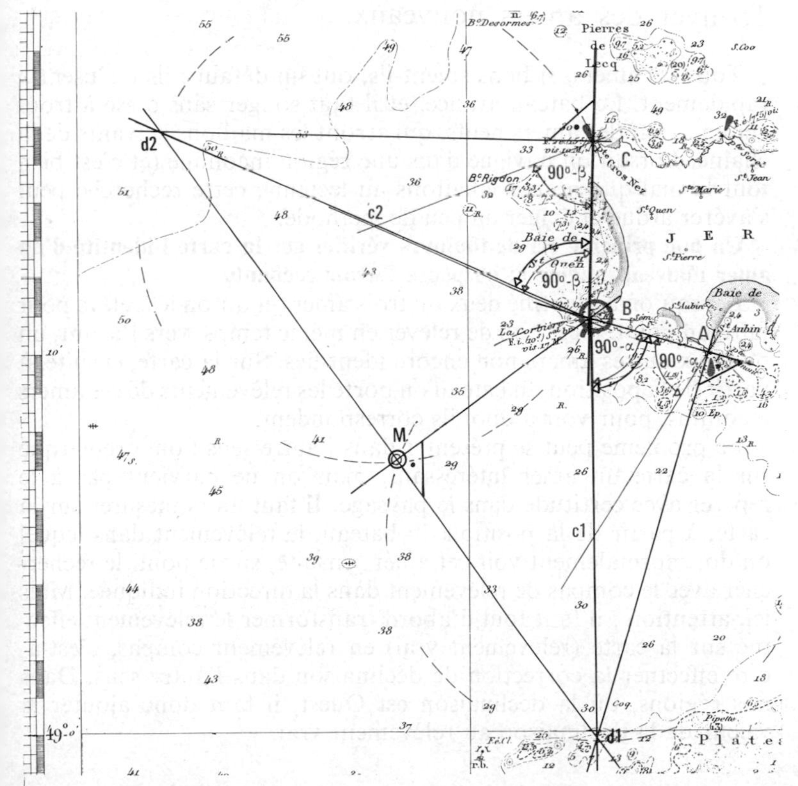

Point par arcs capables. En rouge, construction à l'aide d'un compas; en noir, construction par les perpendiculaires.

— A partir de A, on trace une autre droite faisant avec AB un angle de (90° — α).
— De même à partir de B.
— L'intersection de ces deux droites est le centre c1 du cercle passant par A et B.
— On procède de la même façon avec B et C, pour obtenir le centre du cercle c2 passant par B et C.
— Les deux cercles se coupent au point M : c'est la position du bateau.

Si l'on ne possède pas de compas, ou si les arcs de cercle à tracer sont trop grands pour le compas que l'on a, il est possible de se débrouiller d'une autre façon :
— Par B, mener la droite faisant avec AB l'angle (90° — α).
— Par A, mener la perpendiculaire à AB.
— Les deux droites se coupent en un point d1.
— De même, mener par B la droite faisant avec BC l'angle (90° — β), et par C la perpendiculaire à BC. On obtient d2.
— Tracer une droite reliant d1 et d2.
— La perpendiculaire au segment d1-d2, issue de B, donne la position M du bateau.

Trouver des amers nouveaux.

Tous les amers, si bons soient-ils, ont un défaut : ils « s'usent » rapidement. Le bateau avance, et il faut songer sans cesse à trouver en avant des amers neufs, qui seront les maillons suivants de la chaîne. Lorsqu'on navigue dans une région inconnue (et c'est bien tout le mal que nous souhaitons au lecteur), cette recherche peut s'avérer ardue et exiger un peu de méthode.

Un bon principe est de toujours vérifier sur la carte l'identité d'un amer nouveau, même si on pense l'avoir reconnu.

Lorsqu'on a identifié deux ou trois amers et qu'on les relève pour faire un point, il est bon de relever en même temps, vers l'avant, un ou deux autres amers non encore identifiés. Sur la carte, ensuite, à partir de la position du bateau on porte les relèvements de ces amers inconnus, pour voir à quoi ils correspondent.

Le problème peut se présenter dans l'autre sens : on a remarqué sur la carte un amer intéressant, mais on ne parvient pas à le repérer avec certitude dans le paysage. Il faut alors mesurer sur la carte, à partir de la position du bateau, le relèvement dans lequel on doit normalement voir cet amer; ensuite, sur le pont, le rechercher avec le compas de relèvement dans la direction indiquée. Mais ici, attention : il faut tout d'abord transformer le relèvement effectué sur la carte (relèvement vrai) en relèvement compas, c'est-à-dire effectuer la correction de déclinaison dans l'autre sens. Dans nos régions, où la déclinaison est Ouest, il faut donc ajouter la valeur de la déclinaison au relèvement vrai.

Pour s'y retrouver une bonne fois dans ces histoires de corrections, on peut se souvenir que, **tant que la déclinaison est Ouest :**
— si le relèvement **descend** du pont vers la table à cartes, on doit le **diminuer** de la valeur de la déclinaison;
— si le relèvement **monte** de la table à cartes au pont, on doit l'**augmenter** de la valeur de la déclinaison.

Malgré toutes les précautions que l'on peut prendre, on n'est jamais complètement à l'abri d'une erreur grossière. Ici, comme ailleurs, le bon sens est l'ultime moyen de contrôle. Si le point obtenu montre, par exemple, que l'on a progressé de 12 milles en une heure, il y a de quoi froncer les sourcils. De même si ce point fait apparaître une dérive de 15° dans la direction d'où vient le vent... La vraisemblance est un amer à ne jamais perdre de vue.

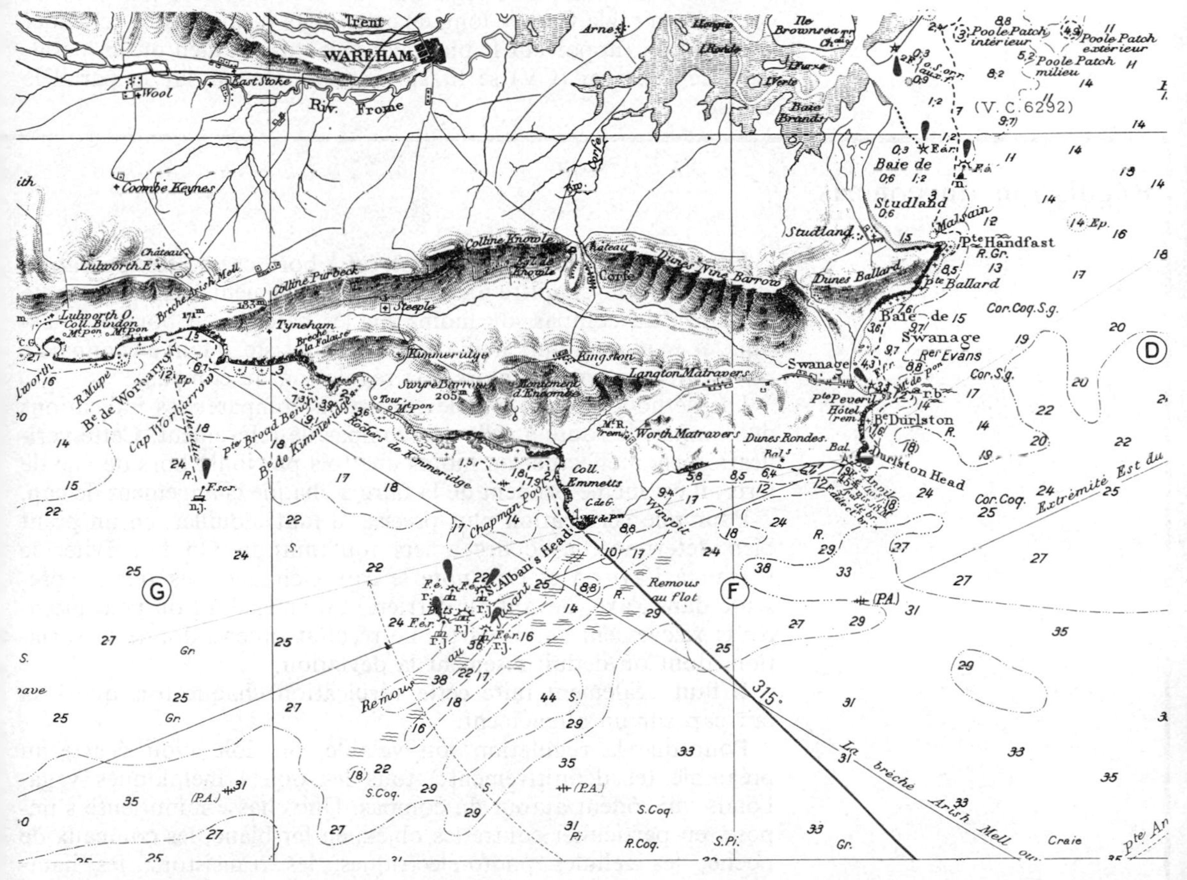

Venant de Cherbourg, on veut atterrir sur Durlston Head pour entrer ensuite en baie de Poole. Dans la grisaille, on aperçoit la côte... Rien d'identifiable si ce n'est une tombée de terre assez nette, sur la gauche. On la relève au 315° vrai. En promenant la règle Cras sur la carte, on réalise que ce ne peut être que St Alban's Head; on est donc plus à l'Ouest que prévu.

Donner un cap au barreur

Barrer à vue, c'est-à-dire faire cap sur un objectif visible, est très agréable. Mais ce n'est pas toujours possible. On n'a pas forcément un point de repère devant soi; la visibilité peut être réduite; il faut souvent compter avec la dérive due au vent ou au courant. Dans ces différents cas, il est nécessaire de suivre un cap au compas.

Pour donner au barreur le cap à suivre, le navigateur doit transformer en cap-compas le cap vrai qu'il a mesuré sur la carte. C'est ce qui s'appelle : **faire valoir la route.**

1. Mesurer le cap vrai. Cela se fait commodément de la manière suivante : on place une règle sur la route à suivre, puis on fait coulisser la règle Cras le long de cette règle jusqu'à faire coïncider le centre du rapporteur le plus sud avec un méridien ou un parallèle. Le cap vrai (CV) se lit sur le méridien ou sur le parallèle choisi.

Régulation du compas.

Le choix d'un emplacement correct à bord et une compensation éventuelle (voir chapitre 6) suffisent généralement à éliminer toute déviation du compas, du moins sur les bateaux en bois, en plastique et en aluminium. Si une déviation subsiste, il faut en connaître la valeur : on procède alors à la régulation du compas.

La méthode la plus simple consiste à comparer les indications du compas de route à celles du compas de relèvement. Cette vérification est à effectuer au moins une fois par jour; hors de vue de terre, il est même prudent de la faire à chaque changement de cap.

Pour une vérification plus précise, il faut mouiller, en un point bien déterminé, avec des amers tout autour. On fait éviter le bateau à l'aviron et l'on note le cap à chaque fois que se présente dans l'axe (devant ou derrière) un amer dont on peut mesurer le relèvement sur la carte. Le résultat obtenu donne la variation, dont on déduit aisément la déviation.

Il faut également faire cette vérification chaque fois que l'on fait cap sur un alignement.

Pour que la régulation soit valable, on doit avoir écarté au préalable (et définitivement!) tous les objets métalliques vagabonds qui rôdent autour du compas. Une chasse minutieuse s'impose, en particulier contre les objets en fer-blanc, les couteaux de poche, les cellules photo-électriques, les transistors, les haut-parleurs... Ne pas oublier de regarder sous le cockpit, où se cachent les perturbateurs les plus sournois.

2. Transformer le cap vrai en cap-compas. Ici, il faut tenir compte non seulement de la déclinaison mais aussi, éventuellement, de la déviation du compas de route. Pour connaître la valeur de cette déviation on doit avoir effectué la **régulation** de l'instrument (voir encart ci-dessous). La somme algébrique de la déclinaison et de la déviation constitue la **variation** (dont le symbole est : w). Si la variation est Est, on la retranche du cap vrai. Si elle est Ouest, on l'ajoute. Dans nos régions, où la variation est pratiquement toujours Ouest, le renseignement **montant** de la table à cartes vers le pont doit être **augmenté** de la valeur de cette variation.

$w = D + d$

Donner un cap au barreur est donc un travail assez simple, du moins lorsque ce cap doit mener directement au but et qu'il n'y a à tenir compte ni de dérive, ni de courant. Mais c'est plutôt rare. Dès que le vent n'est pas portant, le bateau dérive peu ou prou. S'il y a du courant, c'est encore autre chose. Il faut alors parvenir à estimer l'importance de ces éléments perturbateurs et en tenir compte dans le calcul du cap.

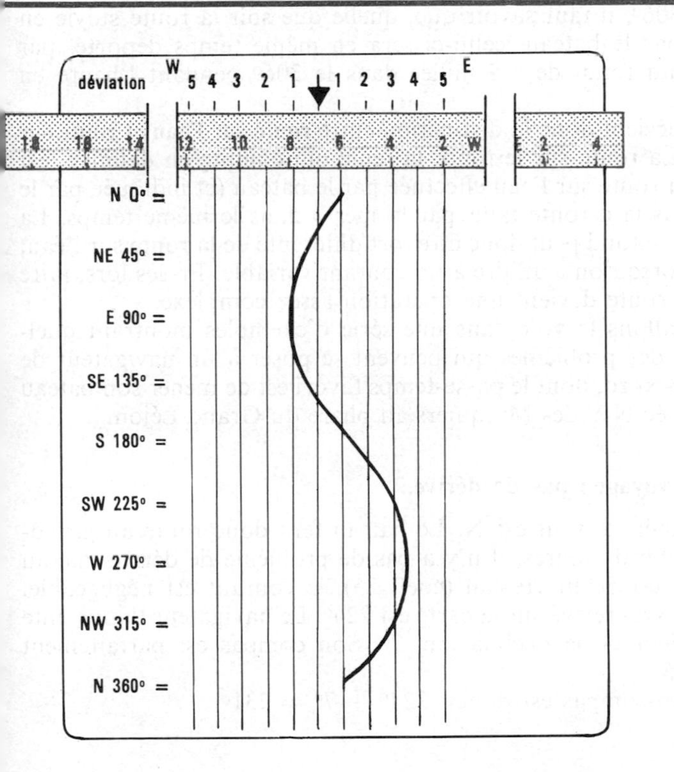

Cette table, facile à fabriquer, permet d'obtenir la variation sans calcul. On trace tout d'abord la courbe de déviation du compas, telle qu'elle ressort des observations faites au cours de la régulation. Ici on voit, par exemple, que lorsqu'on a cap au NW (315°) la déviation est de 3° Est.
La réglette mobile est graduée selon la même échelle que l'échelle de déviation. On affiche la déclinaison du lieu sous la flèche (ici 7° Ouest). On lit directement la variation pour chaque cap : au 315°, elle est de 4° Ouest.

Evaluation de la dérive et du courant.

Evaluer la dérive est avant tout une question d'habitude et de familiarité avec son bateau. Il faut penser à l'observer souvent, à noter ses variations selon l'allure suivie, la voilure portée, la force du vent. Près de terre, les occasions ne manquent pas de faire des évaluations précises. Passant à toucher une bouée, par exemple, on s'applique à suivre rigoureusement un cap à partir de cette bouée; au bout d'une dizaine de minutes on relève la bouée : la comparaison entre le cap-compas et le relèvement-compas permet de connaître la valeur de la dérive. Autre méthode : faire un point, puis suivre un cap précis, faire un nouveau point un peu plus tard et mesurer l'angle de la dérive sur la carte.

Evaluer le courant est souvent plus difficile. Ici, c'est la mer elle-même qui se promène, dans un sens ou dans un autre, entraînant avec elle tout ce qui flotte (et qui n'est pas amarré au fond). La plupart du temps on ne peut que se fier aux indications fournies par les documents et les cartouches des cartes où, lorsque la région décrite l'exige, force et direction des courants sont détaillées heure par heure et selon le coefficient de la marée. Lorsqu'on lit par exemple qu'entre PM – 6 et PM – 5 le courant est de 1,5 nœud dans le 306°, il faut savoir que, quelle que soit la route suivie en surface par le bateau, celui-ci sera en même temps déporté, par rapport au fond, de 1,5 milles dans le 306° pendant l'heure en question.

Ici intervient donc la distinction entre **route sur l'eau** et **route sur le fond.** La route sur le fond, la seule qui compte en définive, est égale à la route sur l'eau effectuée par le bateau (et indiquée par le loch), plus la « route faite par la mer » dans le même temps. La route sur le fond peut donc être fort différente de la route sur l'eau, surtout lorsqu'on a affaire à un courant variable. Et dès lors, faire valoir la route devient une opération assez complexe.

Nous allons le voir dans une série d'exemples montrant quelques-uns des problèmes qui peuvent se poser à un navigateur de Bretagne-Nord, dont le passe-temps favori est de mener son bateau de la bouée NW des Minquiers au phare du Grand Léjon.

Premier voyage : pas de dérive.

Ce jour-là, le vent est N. Le bateau fera donc route au grand-largue tribord amures, il n'y a pas de problème de dérive due au vent. On est en morte-eau (coef. 25), le courant est négligeable.

Le cap vrai relevé sur la carte est 224°. Le navigateur l'augmente de la valeur de la déclinaison, 7°. Son compas est parfaitement compensé.

Le cap-compas est donc : 224° + 7° = 231°.

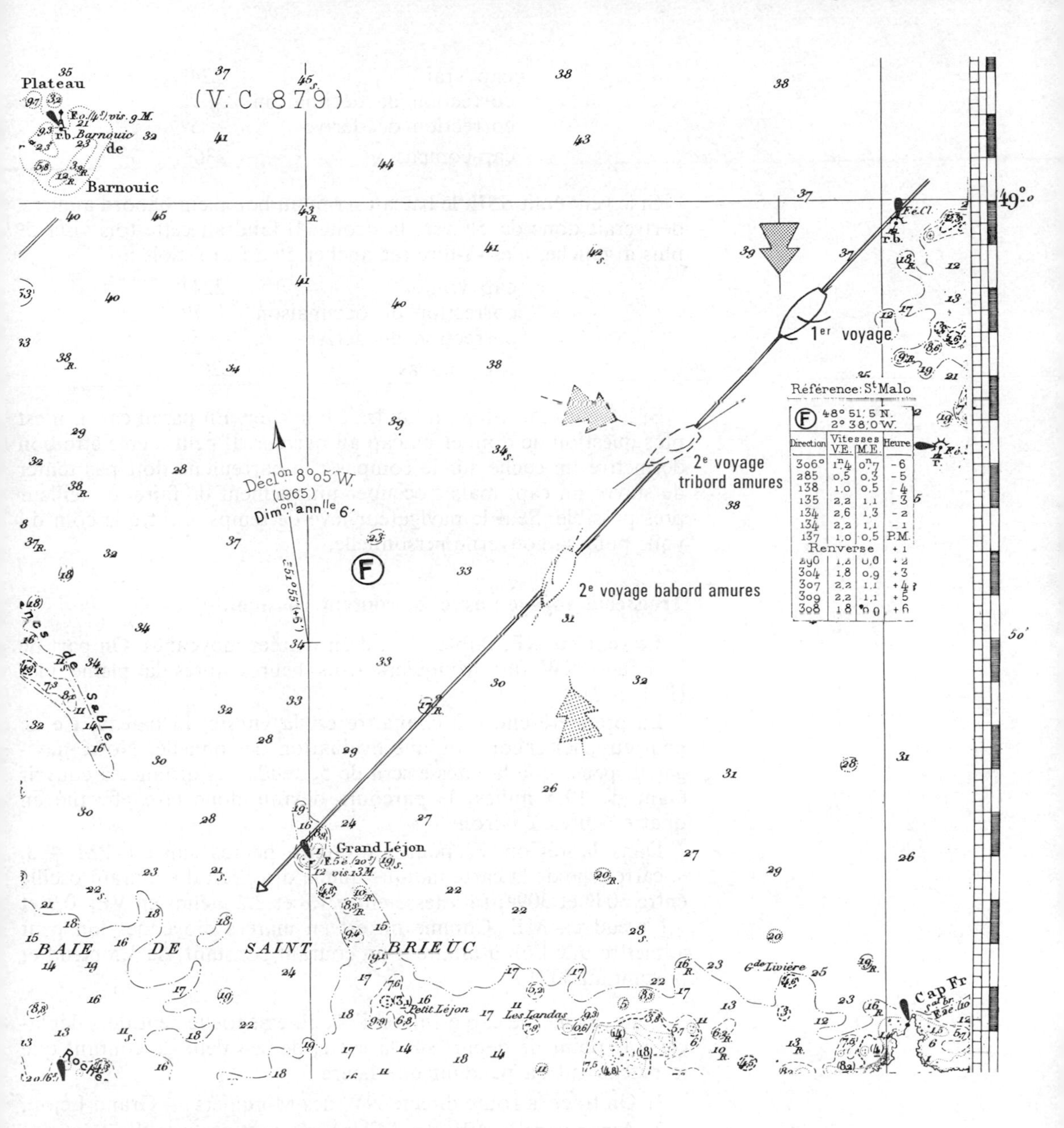

Orientation du bateau par rapport à la route vraie en fonction de la dérive due au vent.

Deuxième voyage : avec dérive.

Cette fois le vent est WNW. Le parcours sera donc effectué au près bon plein tribord amures; à cette allure le bateau va dériver sensiblement. Le navigateur, qui connaît bien son bateau, estime cette dérive à 5°, vers la gauche naturellement. Pour arriver pile sur le Grand Léjon, il doit donc viser 5° plus à droite, c'est-à-dire ajouter 5° au cap. Le calcul se présente ainsi :

cap vrai	224°
correction de déclinaison	+ 7°
correction de dérive	+ 5°
cap-compas	236°

Si le vent était SSE, le bateau serait au bon plein bâbord amures, dériverait donc de 5° vers la droite. Il faudrait cette fois viser 5° plus à gauche, c'est-à-dire retrancher 5° au cap. Soit :

cap vrai	224°
correction de déclinaison	+ 7°
correction de dérive	— 5°
cap-compas	226°

Si le vent était SSW, il faudrait louvoyer. En pareil cas, il n'est plus question de donner un cap au barreur. Il peut même être bon de mettre un cache sur le compas : le barreur ne doit pas tenter de suivre un cap, mais s'occuper uniquement de faire le meilleur près possible. Seul le navigateur lève de temps à autre le coin du voile pour sa gouverne personnelle.

Troisième voyage : avec un courant constant.

Le vent est NE, faible. On est en marées moyennes. On part de la bouée NW des Minquiers trois heures après la pleine mer (PM + 3).

La première chose à connaître est la vitesse du bateau. Ce ne peut être, ici encore, qu'une évaluation personnelle. Notre navigateur pense que la vitesse sera de 5 nœuds. La distance à couvrir étant de 19,5 milles, le parcours devrait donc être effectué en quatre heures, environ.

Dans la région F, pour les quatre heures suivant PM + 3, le cartouche de la carte indique que la direction du courant oscille entre 304° et 309°; sa vitesse entre 1,8 et 2,2 nœuds en VE, 0,9 et 1,1 nœud en ME. Comme on est en marées moyennes, on peut admettre que l'on a affaire à un courant constant, de 1,5 nœud et portant au 307° .

Pour calculer le cap à suivre, il s'agit essentiellement de « déplacer » le point de départ sur la carte, de la valeur de courant que le bateau subira pendant une heure.

1. On trace la route directe NW des Minquiers — Grand Léjon.
2. A partir de la NW des Minquiers, on trace une droite représentant une heure de courant : cela nous donne le point A, à 1,5 mille dans le 307° vrai de la bouée.
3. En prenant le point A pour centre, on trace à l'aide d'un compas un arc de cercle de 5 milles de rayon (vitesse du bateau sur l'eau). Cet arc de cercle coupe la route directe au point B.
4. On trace la droite AB, on mesure l'angle qu'elle fait avec le Nord : 206°. C'est le cap vrai.

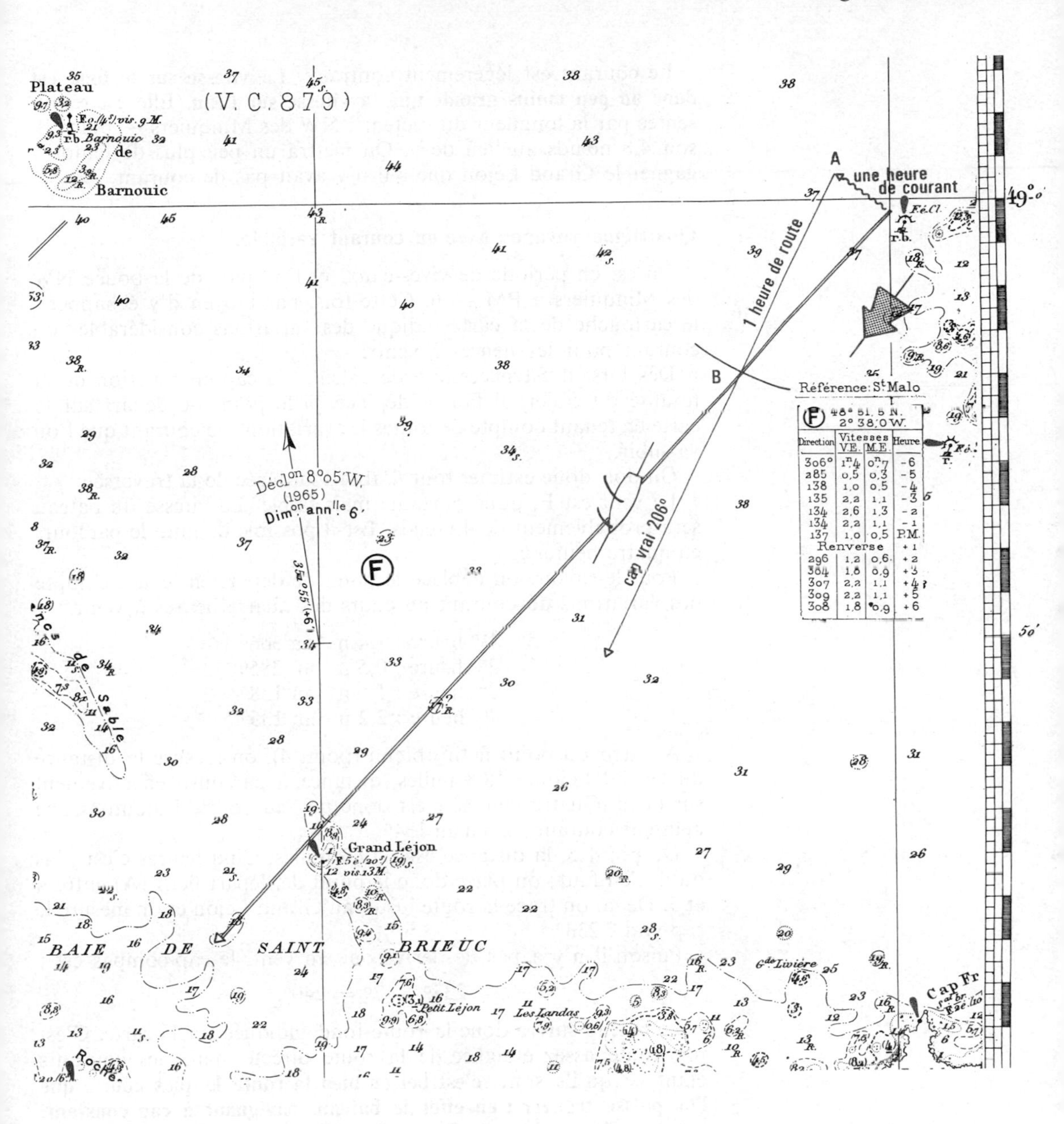

Reste à calculer le cap-compas. Puisque le vent est NE, le bateau sera au vent arrière : il n'y a pas de dérive.

Nous avons donc :

cap vrai	206°
correction de déclinaison	+ 7°
cap compas	213°

Orientation du bateau par rapport à la route vraie, dans un courant constant.

Le courant est légèrement contraire. **La vitesse sur le fond est donc un peu moins grande que la vitesse sur l'eau.** Elle est représentée par la longueur du vecteur : NW des Minquiers — point B, soit 4,8 nœuds au lieu de 5. On mettra un peu plus de temps à gagner le Grand Léjon que s'il n'y avait pas de courant.

Quatrième voyage : avec un courant variable.

On est en période de vives-eaux, et l'on part de la bouée NW des Minquiers à PM — 6. Cette fois, pas moyen d'y échapper : le cartouche de la carte indique des variations considérables du courant pour les heures à venir.

Dès lors, il est nécessaire de calculer le cap en fonction de la totalité du trajet; il faut « déplacer » le point de départ sur la carte en tenant compte de toutes les variations de courant que l'on va subir.

On doit donc estimer tout d'abord la durée de la traversée.

Le vent est E, donc portant; mais faible. La vitesse du bateau sera probablement de 4 nœuds. Est-il possible de faire le parcours en quatre heures ?

Pour le savoir, on déplace le point de départ en tenant compte des variations du courant au cours des quatre heures à venir :

1re heure : 1,4 n au 306°
2e heure : 0,5 n au 285°
3e heure : 1 n au 138°
4e heure : 2,2 n au 135°

A partir du point fictif obtenu (point 4), on mesure la distance du Grand Léjon : 18,8 milles, distance à parcourir effectivement sur l'eau. Quatre heures, c'est donc un peu court. Rajoutons une heure de courant : 2,6 n au 134°.

Du point 5, la distance est : 19,3 milles. Cinq heures c'est plus qu'il n'en faut; on place donc le point de départ fictif (A) entre 4 et 5. De là, on trace la route jusqu'au Grand Léjon et on mesure le cap vrai : 233°.

Puisqu'il n'y a pas de dérive due au vent, le cap-compas est :

$$233° + 7° = 240°.$$

Le bateau suivra donc la route-fond indiquée sur la carte. C'est une route assez éloignée de la route directe, mais, les courants étant ce qu'ils sont, **c'est bel et bien la route la plus courte que l'on puisse trouver : en effet le bateau, naviguant à cap constant, fera le trajet en ligne droite sur l'eau.** Sur le fond, il aura parcouru 20,5 milles, et sur l'eau 19,3 milles seulement.

Notons que dans un pareil cas, et lorsque la région comporte des pavés en abondance, il est souvent prudent de faire le tracé de la route sur le fond, pour savoir exactement où l'on va passer.

Remarquons encore que lorsque la direction du vent semble imposer un trajet au louvoyage, il ne faut surtout pas renoncer

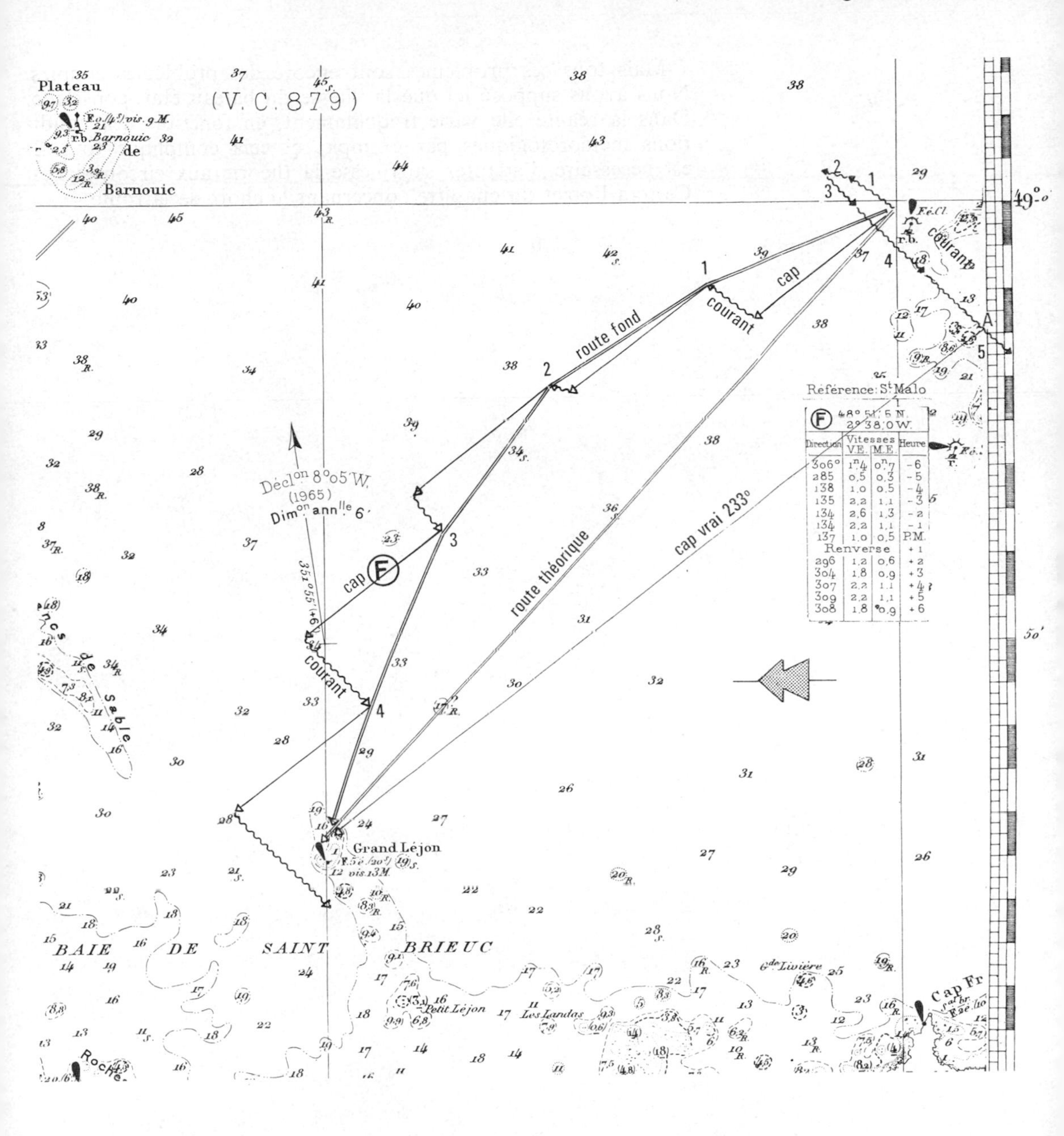

Direction	Vitesses V.E.	Vitesses M.E.	Heure
(F) 48° 51',5 N. 2° 38',0 W.			
306°	1n,4	0n,7	-6
285	0,5	0,3	-5
138	1,0	0,5	-4
135	2,2	1,1	-3
134	2,6	1,3	-2
134	2,2	1,1	-1
137	1,0	0,5	P.M.
Renverse			+1
296	1,2	0,6	+2
304	1,8	0,9	+3
307	2,2	1,1	+4
309	2,2	1,1	+5
308	1,8	0,9	+6

Détermination du cap avec un courant variable

à faire les constructions que nous venons d'expliquer : on peut très bien s'apercevoir en effet que le « détour obligatoire » imposé par les courants permet de faire toute la route au près bon plein, sans louvoyer le moins du monde!

Mais tous ces problèmes sont encore des problèmes simples. Nous avons supposé ici que la vitesse du bateau était constante. Dans la réalité elle varie fréquemment, en fonction des conditions météorologiques par exemple, et cela complique tout. Il est nécessaire d'adapter sans cesse la théorie aux circonstances. Ce sera l'objet du chapitre concernant le choix de la route.

20. Navigation au large

Dick Sand, novice à bord du brick-goélette *Pilgrim* qui effectue la traversée Auckland-Valparaiso, est promu capitaine à la suite de circonstances dramatiques au cours desquelles l'état-major et presque tout l'équipage ont péri. Désespéré mais courageux, le jeune garçon entend mener son bateau à bon port. Ne sachant faire le point à l'aide des astres, il doit se fier uniquement à l'estime, c'est-à-dire à l'évaluation de la route parcourue chaque jour selon les indications données par le compas et le loch. Malheureusement, il y a un traître à bord. Le traître parvient à placer un morceau de fer sous le compas, et celui-ci est dévié de 45° vers l'Est. Il s'arrange aussi pour que la ligne du loch casse. Là-dessus, survient une tempête épouvantable qui entraîne le bateau vers le SE, puis vers le NE, à une vitesse impossible à apprécier. Et c'est ainsi que Dick Sand, passant le cap Horn sans le voir et prenant Tristan da Cunha pour l'île de Pâques, échoue finalement son bateau sur les côtes de l'Angola en croyant arriver en Bolivie. Une telle erreur sur l'estime est sans équivalent dans les annales maritimes, et il est bon d'ajouter qu'*Un capitaine de quinze ans* est sans doute l'un des plus joyeusement bâclés des romans de Jules Verne. Mais la leçon demeure : le plus fier des capitaines ne peut rien contre une estime faussée à la base.

Pour nous qui, en principe, n'avons pas de traîtres à bord, l'estime demeure le plus sûr moyen de se situer hors de vue de terre, et c'est cette méthode que nous analyserons en détail dans ce chapitre. Comme il est encore assez rare que nous traversions le Pacifique (et même l'Atlantique), nous ne parlerons pas de la navigation astronomique, qui n'est vraiment utile que dans ces grands cas-là. On peut évidemment, au cours de longues croisières, utiliser cette méthode pour le plaisir, mais il nous a paru hasardeux de chercher à résumer ici les règles d'un jeu finalement assez compliqué. Il existe d'excellents ouvrages sur le sujet, et qu'il faudrait consulter de toute façon : nous les indiquerons en bibliographie.

Après l'étude de l'estime, nous envisagerons les différentes techniques qui permettent de préciser la position à l'approche de la terre. Le seul vrai problème de la navigation au large semble bien en effet être celui de l'atterrissage. Il n'est d'ailleurs pas nécessaire de venir de loin pour que ce problème se pose : il suffit d'être surpris par la brume à quelques encâblures du bord, ou par la nuit le long d'une côte mal éclairée. Ces méthodes sont donc à connaître même si l'on n'a pas l'intention de naviguer en haute mer : perdre un jour la terre de vue est sans doute le rêve de tout apprenti-marin, mais c'est aussi le risque qu'il court à chaque fois qu'il va sur l'eau.

L'estime

L'estime consiste à évaluer à partir du cap suivi, de la distance parcourue, de la dérive et du courant, la route effectuée par le bateau depuis sa dernière position connue.

Porter l'estime sur la carte — ce que l'on appelle **corriger la route** — est une opération très simple en soi. Elle consiste à :
— corriger le cap-compas de la valeur de la variation et de la dérive pour obtenir le cap vrai;
— à partir du cap vrai, tracer la route-surface et y porter la distance parcourue;
— enfin déplacer éventuellement le point obtenu de la valeur du courant que le bateau a subi.

C'est en somme l'opération inverse de celle qui permet de faire valoir la route. Pour faire valoir la route, le navigateur raisonnait au futur, sur des probabilités. Pour corriger la route, il doit tenir compte de ce qui s'est effectivement passé, des conditions et des circonstances dans lesquelles le bateau a progressé, et qui ne sont jamais aussi simples, aussi schématiques qu'on le prévoyait. Apprécier correctement les données de l'estime, telle est bien la difficulté principale; cela suppose une attention sans faille, un sens aigu de ce qu'est la mer et la vie en mer.

Ici la personnalité du navigateur apparaît dans toute sa splendeur. A bord, le navigateur est un homme qui possède un certain quant-à-soi et qui en même temps met son nez partout. Son royaume est la table à cartes (le lieu où l'on pense) mais rien de ce qui fait la vie du bord ne lui est étranger. Il observe tout, enregistre tout et n'en dit pas grand-chose. Il constate, ne juge pas. Psychologue autant que technicien, il a son opinion sur chaque barreur, sait à quoi s'en tenir sur le comportement du bateau à telle ou telle allure, avec telle ou telle voile. L'état de la mer, les sautes de vents, le temps à venir, tout l'intéresse. Il semble mener une perpétuelle enquête, envisageant toutes choses sous un angle bien à lui. A table, lorsque la vaisselle s'envole dans un coup de gîte, il tire de ce fait des conclusions différentes de celles de l'équipage. Lorsqu'il va pisser entre les haubans, il contemple avec attention la deuxième vague d'étrave. Se retournant dans sa couchette, il écoute et médite encore. Enfin, le moment venu, faisant la somme de ses observations et de ses ruminations, il pose la pointe de son crayon sur la carte et dit : nous sommes ici.

Comment peut-il le savoir ? Il n'est évidemment pas question de recenser les mille et un détails qui font la précision d'une estime. La science s'apprend dans les livres; l'art, non... Tout au plus peut-on énumérer ici quelques principes propres à guider le navigateur débutant.

Appréciation des données.

Disposer d'une « dernière position connue » très précise est une garantie importante quant à la valeur de l'estime future. Lorsqu'on se trompe au premier bouton, même si l'on fait attention ensuite on est toujours mal boutonné.

Alors même qu'on n'a pas l'intention de quitter la terre de vue, le navigateur est sur ses gardes. Inutile de faire fiévreusement un point toutes les vingt minutes lorsque la visibilité est parfaite et que la météo annonce, par exemple, un temps frais et instable; mais si l'on a des raisons de craindre la brume, il est prudent de faire au moins un point par heure, et à chaque changement de cap.

Le cap suivi.

Est-ce que le barreur tient bien son cap ? Préoccupation majeure. De la cabine, on peut contrôler discrètement le cap suivi sur un compas annexe ou sur le compas de relèvement. Tel barreur n'aime pas le vent arrière, il a toujours tendance à venir au grand largue : noter la différence. Tel autre, au près, serre trop le vent : la dérive sera plus forte. Tel autre est novice, il barre toujours 5° trop à droite : lui donner un cap 5° plus à gauche... Décidément le bateau embarde : il faudrait faire revoir son réglage pour faciliter le travail du barreur, etc.

Au près, ne pas donner de cap à suivre; cela ne facilite pas l'estime en dépit des apparences : si l'on suit un cap et que le vent varie plus ou moins, comment évaluer la dérive ? Si l'on se contente de barrer en fonction du vent, la dérive est toujours la même et c'est ce qui compte. Tout le problème évidemment, à cette allure comme aux autres, est que le barreur sache (et ose!) indiquer le cap moyen qu'il a suivi. L'inexpérience disparaît plus vite que l'amour-propre.

La dérive.

La force du vent, l'allure suivie, l'état de la mer, le réglage du bateau, les qualités du barreur : cela fait autant de degrés de dérive en plus ou en moins. Ne pas manquer de vérifier l'importance de cette dérive si tout à coup un point de repère se présente. Mais ne pas en avertir le barreur : il s'appliquerait pendant la vérification et celle-ci n'aurait plus aucune valeur... Ce qui compte c'est ce que le barreur fait, et non ce qu'il peut faire.

La distance parcourue.

On se fie au loch, mais à condition de bien connaître le tempérament de son instrument : certains lochs sont optimistes, d'autres pessimistes. Beaucoup sont infidèles quand la vitesse est faible.

Le loch à hélice est à surveiller de près. L'hélice peut avoir reçu un coup depuis sa dernière utilisation et se mettre à tourner plus vite (ou moins vite) que prévu. Elle peut aussi accrocher une algue et se bloquer purement et simplement. Il faut donc jeter un coup d'œil sur le compteur et noter ses indications très régulièrement, toutes les heures par exemple; songer à estimer en permanence la vitesse du bateau, pour pouvoir évaluer malgré tout la distance parcourue si l'instrument tombe en panne.

Le courant.

Les documents officiels, c'est bien; les observations personnelles, c'est mieux. Les données sur les courants ne sont pas très certaines et l'on sait que le vent peut tout bouleverser. La rencontre d'un flotteur de casier ou d'une bouée est une aubaine : on peut connaître la direction exacte du courant, se faire une idée de sa force. Lorsqu'on a besoin d'une estime précise, dans la brume près de terre par exemple, un flotteur aperçu mérite le détour.

Au large, parfois, il est difficile de déterminer le sens de déplacement du bateau. On peut alors utiliser la ligne de sonde, ou mieux une fine ligne de pêche munie d'un plomb assez lourd. On mouille le plomb en donnant beaucoup de mou à la ligne. La direction que prend le fil lorsqu'il se tend indique à peu près dans quel sens on se déplace par rapport au fond.

Le livre de bord.

L'ensemble des indications portées sur le livre de bord, est en quelque sorte le fil d'Ariane qui permet au navigateur de reconstituer pas à pas la route parcourue. **On doit donc y noter régulièrement toutes les données de la navigation :** caps (celui qu'on a demandé et celui qui a été suivi), indications du loch, force et direction du vent, état de la mer, nom du barreur — mais aussi toutes les circonstances : virements de bord, modifications de voilure, évolution du temps, points effectués (et par quel moyen), rencontres faites. Aucun événement n'est a priori insignifiant.

Il est essentiel de ne porter sur le livre de bord que des données brutes : cap compas et non cap vrai, chiffre relevé au loch et non évaluation de la distance parcourue, etc. Si chacun, au moment de noter ses observations, y va de sa petite interprétation personnelle, les risques d'erreur sont multipliés par le nombre d'équipiers et les données peuvent se trouver irrémédiablement faussées.

Le livre de bord doit être tenu en permanence, même lorsqu'on ne prévoit pas de faire d'estime. Celle-ci peut toujours devenir nécessaire. D'autre part, en cas d'accident ou d'avarie, le livre de bord constitue un élément d'appréciation fondamental.

Tenir un livre de bord est d'ailleurs obligatoire à partir de la 3e catégorie de navigation. Mais il est bon de le faire même en 4e et en 5e catégorie.

L'incertitude.

Quels que soient le flair et la rigueur du navigateur, il est rare que l'estime donne un point absolument précis. Il y a une marge d'incertitude dans chacune des données, et en faisant le point on fait aussi le total des incertitudes.

Ce total est plus ou moins lourd : tout dépend des conditions rencontrées. Naviguant dans une région sans courant (ou dont le courant est exactement connu), à une allure portante, dans un vent moyen et régulier, par mer belle, on peut compter que l'incertitude est réduite et l'évaluer à 4% environ de la distance parcourue. En revanche, s'il a fallu louvoyer par petit temps dans des courants mal connus, ou bien prendre la cape dans du mauvais temps, l'incertitude est grande, elle peut atteindre et dépasser 10 %.

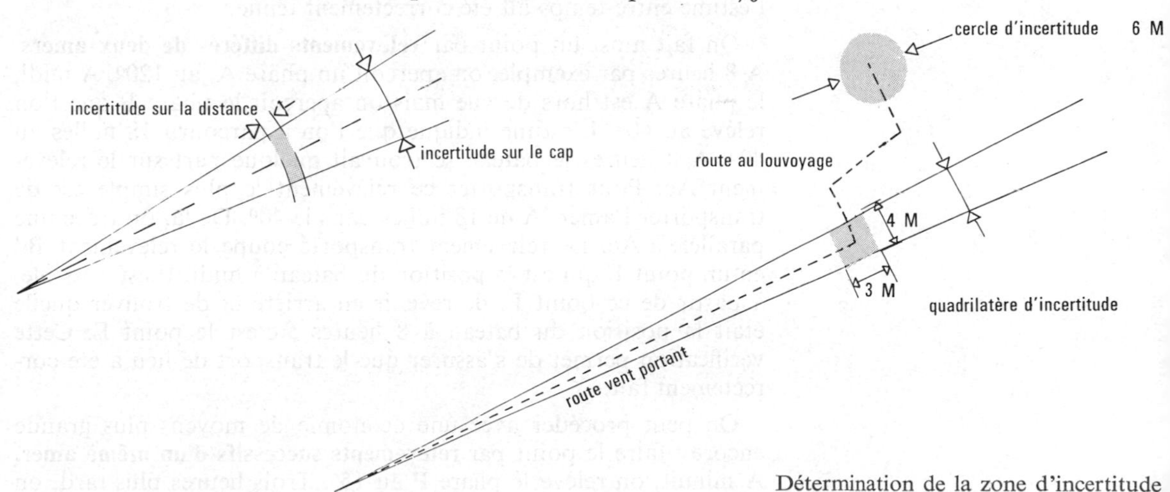

Détermination de la zone d'incertitude

Lorsqu'on a effectué un trajet en ligne droite, la zone d'incertitude est délimitée sur la carte de façon assez précise : c'est un quadrilatère, plus long que large si l'incertitude tient plus à la distance parcourue qu'au cap suivi, plus large que long dans le cas inverse. Mais si l'on a dû louvoyer, cette zone d'incertitude ne peut être valablement représentée que par un cercle, dont le diamètre correspond à la valeur de l'incertitude maximale; on est, en principe, au milieu du cercle.

Plus la distance parcourue augmente, plus le cercle d'incertitude grandit, on dit que **l'estime vieillit.** Il ne faut évidemment pas manquer une occasion de la rajeunir, en particulier au moment de l'atterrissage. Transport de lieu, intercalaire de sonde sont des traitements rustiques mais efficaces; une cure radio-électrique peut également lui rendre sa vigueur. Il y a aussi le hasard des rencontres... Toutes ces méthodes, que nous allons analyser maintenant, permettent de préciser les choses. Encore faut-il remarquer qu'on ne peut apprécier la valeur des renseignements qu'elles fournissent que si l'estime elle-même est correctement tenue. Celle-ci reste donc bien, dans tous les cas, la technique fondamentale.

Transport d'un lieu

Le lieu dont il s'agit est un lieu géométrique : relèvement ou arc capable, ou encore droite de hauteur en navigation astronomique.

Le principe du transport est très simple. On sait que pour se situer il faut connaître au moins deux lieux qui, par recoupement, font un point. Mais si l'on ne dispose que d'un seul lieu, on peut très bien le « mettre en réserve » jusqu'à ce qu'on en trouve un autre. On transporte alors le premier lieu de la valeur du chemin parcouru : il recoupe le second et le tour est joué, à condition que l'estime entre-temps ait été correctement tenue.

On fait ainsi un point par **relèvements différés de deux amers.** A 8 heures par exemple, on aperçoit un phare A, au 120°. A midi, le phare A est hors de vue mais on aperçoit le phare B que l'on relève au 60°. L'estime indique que l'on a parcouru 18 milles au 40°. A 8 heures le bateau se trouvait quelque part sur le relèvement Ac. Pour transporter ce relèvement le plus simple est de transporter l'amer A de 18 milles dans le 40°. De là, on trace une parallèle à Ac. Le relèvement transporté coupe le relèvement Bd en un point F qui est la position du bateau à midi. Il est possible, à partir de ce point F, de revenir en arrière et de trouver quelle était la position du bateau à 8 heures : c'est le point E. Cette vérification permet de s'assurer que le transport de lieu a été correctement fait.

On peut procéder avec une économie de moyens plus grande encore : faire le point par **relèvements successifs d'un même amer.** A minuit, on relève le phare P au 15°. Trois heures plus tard, on

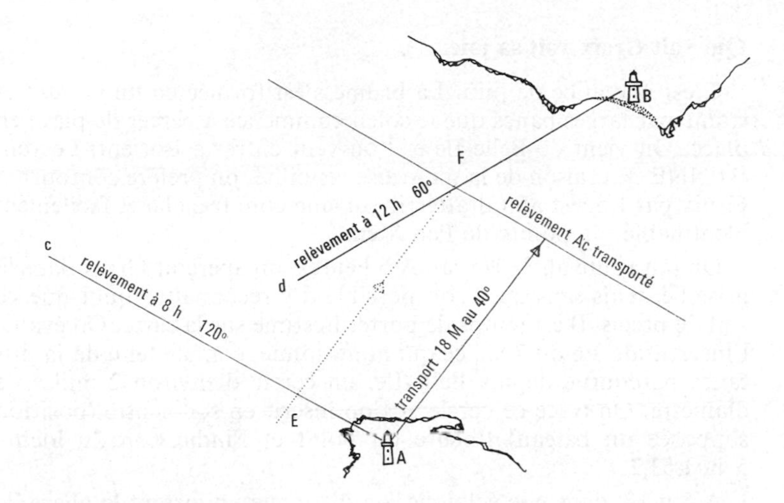

Point par relèvements différés de deux amers.

ne voit toujours que ce phare P; on le relève cette fois au 64°. L'estime indique que durant ces trois heures on a parcouru 12 milles dans le 290°. Le relèvement Pa, transporté de la valeur de l'estime, coupe le relèvement Pb au point M, qui est la position du bateau à 3 heures du matin.

Ce système de transport d'un lieu, si simple dans son principe, est riche de possibilités. Rien n'interdit en effet de transporter un même lieu plusieurs fois de suite, de le faire louvoyer en même temps que le bateau et de le confronter à plusieurs lieux différents. Un exemple détaillé montrera le genre de raisonnement à tenir pour effectuer un atterrissage au moyen de ce procédé.

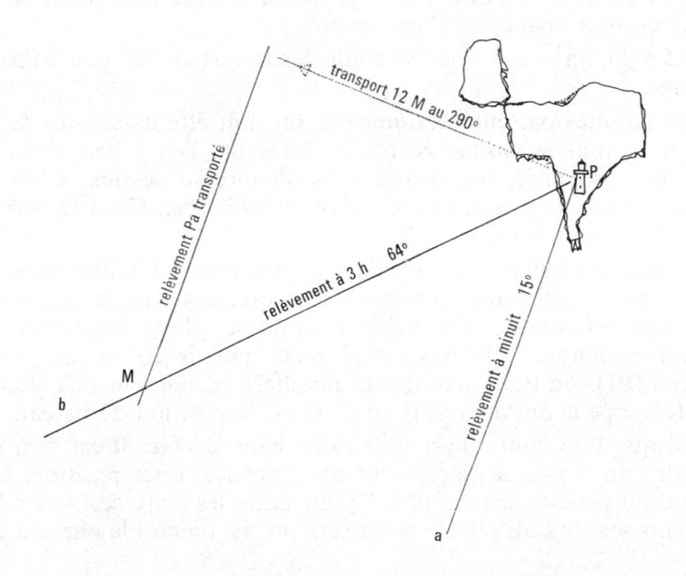

Point par relèvements successifs d'un même amer.

Qui voit Groix voit sa joie.

Voir la carte de Groix, p. 657, hors-texte 2.

C'est une aube de juin. La brume s'est formée en fin de nuit et traîne par larges bancs que le soleil commence à percer de place en place. On vient de Belle-Ile et l'on veut entrer à Lorient. Le vent est NNE. En raison de la mauvaise visibilité, on préfère contourner Groix par l'ouest afin d'atterrir sur une côte franche et facilement identifiable : la pointe de Pen Men.

On fait route au 330° vrai. A 5 heures, on aperçoit Groix dans la grisaille, mais sans qu'il soit possible d'y reconnaître quoi que ce soit de précis. Il est temps de porter l'estime sur la carte. On évalue l'incertitude à 6 ou 7 %, ce qui nous donne, compte tenu de la distance parcourue depuis Belle-Ile, un cercle d'environ 2 milles de diamètre. On trace ce cercle et l'on inscrit en son centre (position supposée du bateau) l'heure du point et l'indication du loch : 5 h, L53,2.

A 5 h 12, dans une éclaircie, on distingue un instant le phare de Pen Men. On le relève aussitôt : au 50 vrai. C'est le relèvement I. Ce relèvement porté sur la carte montre que l'estime était un peu optimiste : on a fait moins de route qu'on le pensait. En tout cas la zone d'incertitude n'est plus désormais le cercle initial, mais une « tranche de gâteau » (en rose écœurant sur la carte), d'une longueur égale au diamètre du cercle et d'une largeur correspondant à l'imprécision supposée du relèvement. Le bateau est, en principe, au point A.

Il est cependant prudent de raisonner comme si l'on se trouvait dans la position la plus défavorable, c'est-à-dire au point B. Pour parer Pen Men à partir du point B, on calcule qu'il faut faire encore 1,3 milles dans le 330° avant de virer de bord. On virera donc à loch 55. La marge sera suffisante pour qu'on ne risque pas de « se payer » la pointe, tout en passant assez près d'elle pour avoir quelque chance de l'apercevoir.

A 5 h 25, on vire et l'on fait route désormais au 70° vrai bâbord amures.

Les minutes passent. Maintenant, on doit être assez près de la pointe et tout le monde écarquille les yeux. Peu à peu, dans la grisaille ensoleillée, une masse plus sombre se dessine. C'est la côte. Et voilà le phare. On le relève au 145° vrai. C'est le relèvement II. Il est 5 h 48, loch 56,7.

Depuis le virement de bord on a parcouru 1,7 milles dans le 70°. Il faut maintenant transporter le relèvement I de la valeur de la route parcourue. On déplace donc le phare lui-même de 1,3 milles dans le 330° puis de 1,7 milles dans le 70° et, du point obtenu (P1), on trace une droite parallèle au relèvement I. Cette droite coupe le relèvement II en C. C'est la position du bateau.

Puisque l'on continue à voir assez bien la côte, il est bon de prendre un troisième relèvement pour préciser cette position. On attend un petit moment : plus l'angle entre les deux derniers relèvements sera grand, plus le point sera précis. Bientôt le phare n'est plus visible mais on voit encore la pointe elle-même. On la relève juste avant qu'elle ne disparaisse, au 205°. Il est 5 h 55. Loch 57,3. On a parcouru 0,6 mille depuis le point C.

On trace ce nouveau relèvement, qui est le relèvement III. Puis l'on déplace de 0,6 mille les deux relèvements qui ont fait le point C (P 2 et P 3). En définitive on obtient un chapeau D, à l'intérieur duquel le bateau se trouve probablement.

Par curiosité, on peut s'amuser à retracer, à partir du milieu du chapeau, la route que l'on vient de parcourir réellement. On constate que lorsqu'on a aperçu Pen Men pour la première fois à 5 h 12, on se trouvait en fait au point E.

Et qu'à 5 heures, lorsqu'on a tracé, à partir de l'estime, le cercle au milieu duquel on pensait se trouver, on était en réalité au point F, à l'extrême limite de l'incertitude...

Navigation à la sonde

Quand tout disparaît dans la brume, un point de repère demeure fidèle, inébranlablement : c'est le fond. Le fond est une campagne précise avec ses plaines et ses vallons, ses cultures diverses, ses chemins creux : il peut fournir des indications de toutes sortes. Il possède surtout cette particularité, extrêmement commode, de remonter vers la surface lorsqu'on approche de terre : il prévient. Pour atterrir sans visibilité on dispose donc de cette ressource ultime : se diriger à l'estime vers un endroit où l'on sait trouver, d'après la carte, des fonds aisément identifiables, et sonder.

La conduite à tenir varie selon les fonds que l'on a sous la main : parfois une ligne de sonde déborde tous les dangers de la côte et il suffit de la suivre pour arriver au port; parfois, il est nécessaire de se situer de façon précise et l'on utilise alors un intercalaire de sonde. Mais tout dépend d'abord de l'appareil à sonder dont on dispose.

Sondeur et sonde à main.

Le sondeur électronique et la sonde à main ne sont évidemment pas des instruments comparables. Le sondeur permet de sonder à grande profondeur, donne une indication précise et continue. La sonde à main n'est vraiment précise que sur les petits fonds (moins de 15 m) et ne donne qu'un renseignement de temps en temps. Au-delà de 20 m, on peut tout au plus savoir si l'on se trouve entre telle ou telle ligne de sonde. Il n'est donc pas possible de suivre les mêmes raisonnements selon qu'on dispose de l'un ou de l'autre de ces appareils. L'un permet de se situer avec, parfois, une précision rigoureuse. L'autre permet surtout de sentir l'approche des dangers et d'en faire le tour.

La technique du sondage à main.

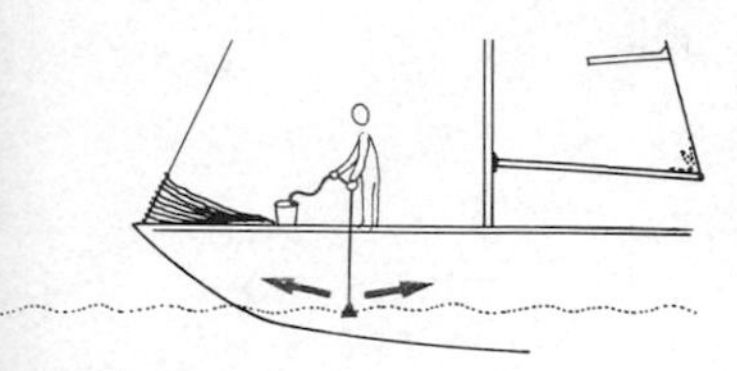

1. Le lanceur imprime au plomb un mouvement de balancier.

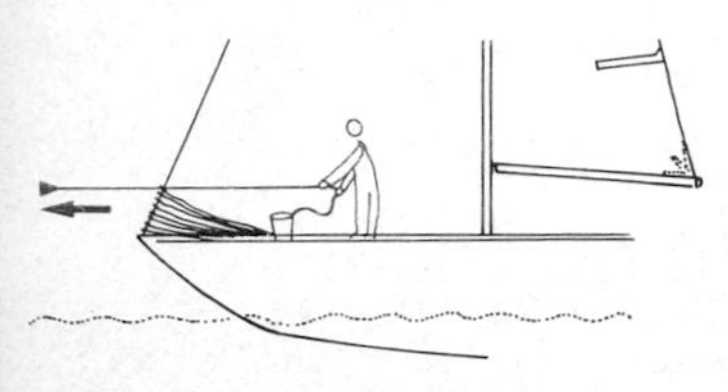

2. Il l'expédie le plus loin possible en avant...

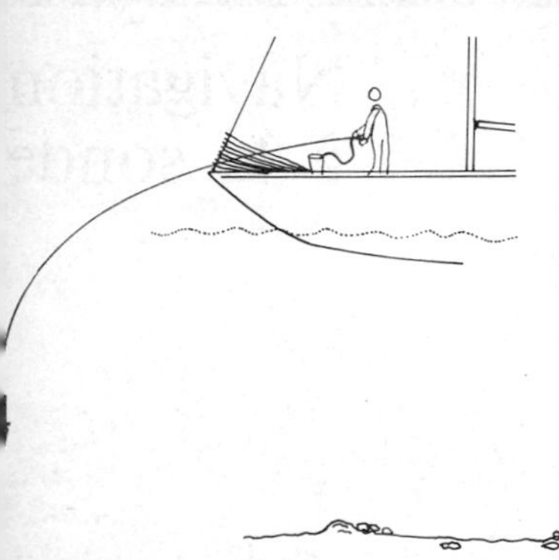

3. ... et laisse filer la ligne entre ses doigts.

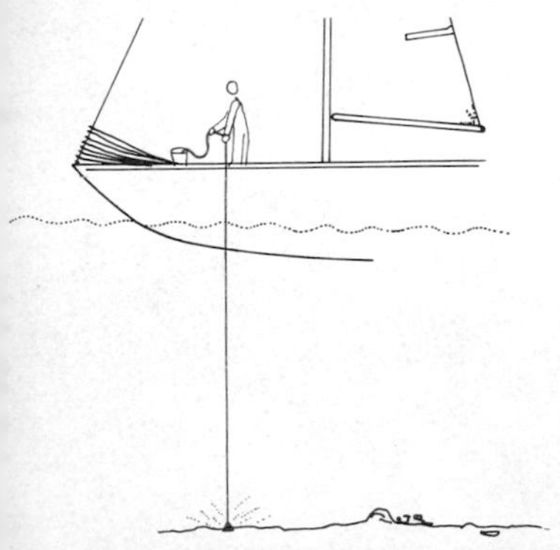

4. Il faut que le plomb soit au fond quand le bateau passe à la verticale.

Autre différence, et de taille : l'utilisation du sondeur ne réclame ni compétence ni endurance particulières de la part de l'opérateur. Pour se servir correctement d'une sonde à main, il y a au contraire une certaine technique à acquérir.

Lorsqu'il s'agit de prendre une mesure précise, dans des petits fonds, on procède de la façon suivante. La ligne est préparée dans un seau ou posée en vrac sur le pont. Le lanceur se tient en général sous le vent, à peu près à la moitié du bateau. Il tient la ligne dans la main sous le vent, le plomb au ras de l'eau. Il s'efforce d'imprimer au plomb un mouvement de balancier et de l'envoyer le plus loin possible vers l'avant, afin qu'il ait le temps de toucher le fond avant que le bateau ne le dépasse. Plus le bateau va vite, plus il faut lancer loin. Certains champions lancent à 15 m. Les antiféministes prétendent que certaines championnes font le vide autour d'elles lorsqu'elles entreprennent de balancer l'engin. On ne saurait les croire, mais il faut tout de même faire attention.

En touchant l'eau, le plomb fait un plouf qui laisse une trace visible à la surface. Quand on passe à la hauteur du plouf on tend la ligne à la verticale pour repérer l'endroit qui affleure.

Dès que les fonds ont quelque importance le résultat est aléatoire, car bien souvent le bateau passe avant que le plomb n'ait touché. S'il est absolument nécessaire d'avoir une mesure précise, il faut pratiquement stopper ou en tout cas avancer à vitesse très réduite.

A partir de 20 m de fond, la sonde à main permet surtout de repérer les lignes de sonde. La technique est alors un peu différente. Si l'on veut savoir, par exemple, à quel moment on atteindra la ligne de sonde des 20 m, on prépare la longueur de ligne voulue, c'est-à-dire : 20 m, plus la hauteur d'eau au-dessus du zéro des cartes selon l'heure de la marée, plus la hauteur du franc-bord et celle du balcon arrière. On amarre la ligne à celui-ci. Un équipier lance le plomb de l'avant du bateau, et aussi en avant que possible. La ligne doit être tendue lorsqu'on passe à la hauteur du plouf (si elle ne l'est pas, c'est qu'on va trop vite). Lorsqu'on a dépassé le plouf, on relève la ligne, et le suif placé sous le plomb indique si l'on a touché ou non.

Sonder à grande profondeur.

Pour être vraiment utile en croisière hauturière, un sondeur électronique doit pouvoir sonder jusqu'à 100 m au moins. Dès lors, loin de terre, il peut fournir toutes sortes de renseignements précieux. Lors d'une traversée de la Manche par exemple, entre Torquay et Paimpol, une estime prématurément vieillie par des calmes et des louvoyages incertains peut trouver une seconde jeunesse au passage sur la Fosse Centrale où le sondeur indique brusquement, et sur une courte distance, des fonds de plus de 100 m. Venant du large par temps bouché et voulant atterrir sur Penmarc'h, coin mal pavé s'il en est, on sait que l'on n'a aucune inquiétude à se faire tant que la ligne de sonde des 100 m n'est pas atteinte.

L'atterrissage sur Groix, décrit au paragraphe précédent pour illustrer le transport d'un lieu, pouvait être lui-même résolu de façon très différente, en utilisant le sondeur. Au moment où l'on aperçoit le phare de Pen Men pour la première fois, un coup de sonde permet de se situer immédiatement. Grâce au relèvement, on sait que le bateau se trouve quelque part sur la droite issue du phare, mais le sondeur indiquant une profondeur de 45 m, on ne peut être que dans les parages immédiats du point E.

Ces quelques exemples donnent simplement une idée des possibilités du sondeur. Il est certain qu'un tel appareil rend à bord des services au moins aussi précieux que ceux de la gonio.

Suivre une ligne de sonde.

Avec un sondeur, suivre une ligne de sonde est extrêmement simple. Mais nous l'avons vu, c'est également possible avec une sonde à main. Naturellement il ne faut pas que le bateau aille trop vite, ni que l'on soit obligé de louvoyer. Suivre une ligne de sonde c'est en fait, la plupart du temps, essayer de ne pas trop s'en écarter.

Reprenons une dernière fois l'exemple de Groix, pour examiner le profil des lignes de sonde autour de la pointe de Pen Men. On voit que si la brume s'était épaissie, il était fort possible de contourner cette pointe en toute sécurité et sans jamais l'apercevoir, simplement en suivant pas à pas la ligne de sonde des 20 m, qui déborde largement tous les dangers.

Autre exemple : l'entrée du port de Concarneau. On est pris par la brume à 1,5 milles au sud du Cochon. On sonde et l'on trouve moins de 10 m d'eau. On fait tout aussitôt route au NW, pour retrouver la ligne de sonde des 10 m, que l'on suit en la laissant toujours un peu à tribord. On arrive ainsi au Cochon, à partir duquel on peut s'engager dans le chenal à l'estime, en évitant de franchir de part et d'autre la ligne des 5 m.

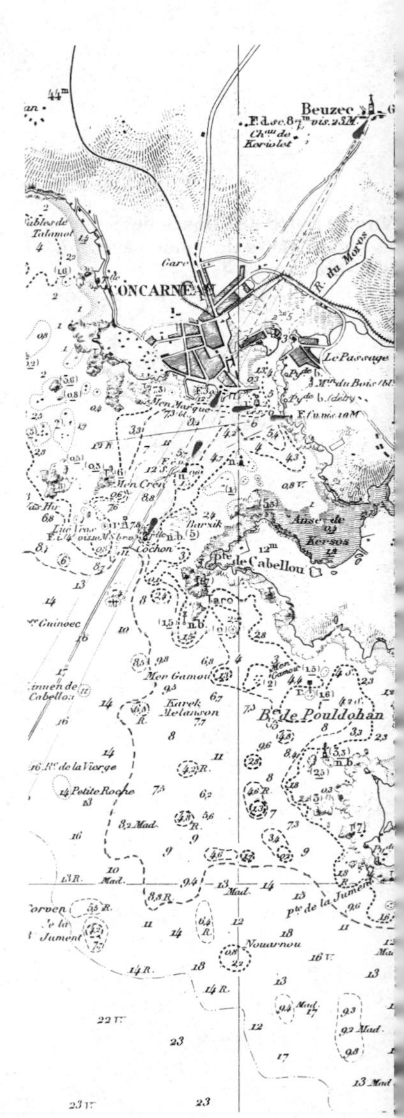

Par temps bouché, on peut parvenir jusqu'à la tourelle du Cochon en suivant la ligne de sonde des 10 m.

Intercalaire de sonde.

On ne dispose pas toujours d'une ligne de sonde qui puisse servir de garde-fou et mener directement au but. Dans bien des cas, il faut procéder de proche en proche, c'est-à-dire chercher à atterrir d'abord en un endroit identifiable à coup sûr, qui permet de faire le point avant de poursuivre.

Pour faire le point à l'aide de sondages, il faut souvent porter l'estime d'une façon particulière, en utilisant un **intercalaire de sonde.** Cet intercalaire est un papier transparent que l'on quadrille, de façon à pouvoir le déplacer sur la carte parallèlement aux méridiens et aux parallèles. C'est en somme une carte muette, avec le Nord en haut.

A l'approche de l'atterrissage, on porte sur ce papier, dans le sens de déplacement du bateau, la route-fond suivie et les sondes relevées, en respectant scrupuleusement l'échelle de la carte. Ensuite il ne reste plus qu'à promener le papier sur la carte pour essayer de faire coïncider les sondes de l'un avec les sondes de l'autre... Parfois, lorsque les sondes sont très caractéristiques, on parvient ainsi à se situer du premier coup et avec une précision étonnante. Parfois aussi, ce n'est pas évident, il faut revenir sur ses pas, recommencer, et cela sans cesser de tenir l'estime à jour... Bel exercice de persévérance. Et nous allons en donner un exemple assez compliqué, exprès.

Un atterrissage sur les Bancs de Sable.

Voir la carte des Bancs de Sable et l'intercalaire de sonde page 657, hors-textes 3 et 4.

On fait route de Granville vers Lézardrieux. C'est la période des mortes-eaux. A 4 h 30 du matin (PM — 6) le navigateur fait un point qui situe le bateau à 2,3 milles au sud de la bouée SW des Minquiers. Le loch est à 87. Vent de NW force 4. On est au près tribord amures et le cap moyen est 280°.

Beau temps, belle mer, bonne visibilité. Le navigateur estime qu'il n'est pas nécessaire de tracer la route et va se coucher.

A 7 h 15, il est brutalement extrait de sa couchette : la brume est là. Un coup d'œil au-dehors lui prouve qu'en effet la visibilité est tombée à un demi-mille environ. Que faire ? Peut-on continuer et tenter un atterrissage à la sonde, ou bien va-t-il falloir se contenter de louvoyer doucement en attendant que la brume se lève ?

Première chose : regarder la carte. Existe-t-il sur la côte vers laquelle on se dirige un point d'atterrissage possible, un endroit facilement identifiable et parant largement les dangers ? Oui : il y a les Bancs de Sable, devant Paimpol. Ils sont très reconnaissables à la sonde : lente remontée des fonds jusqu'à la ligne des 20 m, puis moins de 20 m pendant un mille environ, puis chute brutale à près de 30 m. Il semble que l'on puisse trouver facilement ce dos d'âne et sans confusion possible car aucun autre endroit, au nord ou au sud, ne présente les mêmes caractéristiques. Si l'on parvient à se situer correctement sur les Bancs, il deviendra possible ensuite de trouver la bouée des Basses du SE, à partir de laquelle ce sera un jeu de rallier l'entrée du Trieux en progressant de bouée en bouée.

Mais se situer sur les Bancs de Sable n'est sûrement pas facile. La solution consiste sans doute à passer plusieurs fois dessus pour préciser les choses, en utilisant un intercalaire de sonde. Quoi qu'il arrive, on ne court aucun risque en essayant : si l'on ne s'y retrouve pas, il sera toujours possible de reprendre le large et d'attendre.

Il n'y a plus qu'à se mettre au travail.

Reconstituer la route parcourue.

Le livre de bord contient les renseignements suivants sur ce qui s'est passé depuis 4 h 30.

Samedi le 21 Juin 1969
De : Granville
à : Lezardrieux

Port de référence : St Malo
Milles parcourus dans la journée :

MARÉE

Cœff. 50	Matin heure	Matin hauteur	Soir heure	Soir hauteur
PM	1047	9,5	2308	9,8
BM	0522	3,4	1740	3,8
Amplitude		61		60
Durée	0525		0528	

0 3 6 9 12 15 18 21 24
1038
1036
1034

HEURE	CAP	LOCH		VENT Dir.	VENT Force	BARO.	NUAGES	VISI.		
00 00	280	62		NW	4	1033,5	0	5-10		appareillage de Granville pour le Trieux
0100	280	67,5		NW	4	1034	0	5-10		
0 115 0200	280	73		NW	4	1034	0	5-10		au Sud de Chausey
03 00	280	79,5		NW	4	1034,5	0	5-10		
3.45	280	84		NW	4	1034,5	0	5-10		au Sud à 2 M environ de la b Sud des Minquiers
4.30	280	87		NW	4	1035	0	5-10		Sur l'alignement des bouees W des Minquiers à 2,3 M au Sud
500	280	89,5		NW	4	1035	2/8 brume	?		horizon brumeux.
06 00	277	95		NW	4	1035	2/8 brume	?		le vent a tendance à refuser
700	275	100,5		NW	4	1035,5	2/8 brume	?		
7.15	275	102		NW	4	1036	brume	0		la brume tombe brusquement.
09										

A l'aide de ces données, il faut tout d'abord savoir où l'on est. On fait un point pour 7 h 30, loch 103,5.

On trace la route-surface, en tenant compte de la déclinaison : 7° W, et d'une dérive de 6° vers la gauche. Cela nous donne, par rapport aux caps notés sur le livre de bord :

2,5 milles au 267° vrai
5,5 milles au 264° vrai
8,5 milles au 262° vrai.

Ensuite, on trace la route-fond en déplaçant le point de la valeur de courant indiquée par le cartouche de la carte, soit :

P M — 6 : 0,7 M dans le 306°
P M — 5 : 0,3 M dans le 285°
P M — 4 : 0,5 M dans le 138°.

Reste à critiquer le point obtenu.

Le bateau a fait en moyenne 6,5 nœuds. Le loch, à cette vitesse est pessimiste d'environ 6 %. Sur la distance parcourue (16,5 milles) cela fait près d'un mille d'écart. Déplaçons le point d'un mille en avant, dans la direction moyenne suivie : 264°.

Les barreurs assurent qu'ils ont tenu leur cap à ± 2°, ce qui représente une incertitude équivalant à 7 % de la distance parcourue.

Mais l'incertitude liée aux courants est plus grande : on l'estime à 10 % de la distance parcourue.

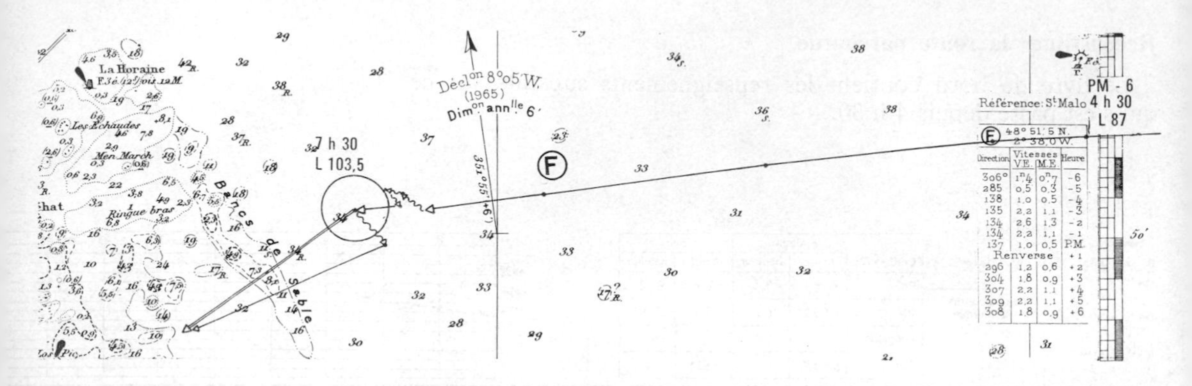

Direction	Vitesses V.E.	Vitesses M.E.	Heure
306°	1^{n}4	0^{n}7	-6
285	0,5	0,3	-5
138	1,0	0,5	-4
135	2,2	1,1	-3
134	2,6	1,3	-2
134	2,2	1,1	-1
137	1,0	0,5	P.M.
Renverse			+1
296	1,2	0,6	+2
304	1,8	0,9	+3
307	2,2	1,1	+4
309	2,2	1,1	+5
308	1,8	0,9	+6

On retient l'incertitude la plus importante; ce qui nous donne, autour du point obtenu, un cercle d'incertitude de 1,7 milles de diamètre.

Donner un cap au barreur.

Maintenant il s'agit de bien viser. Pour avoir le maximum de chances, on va chercher à atterrir sur le milieu des Bancs de Sable. La route-fond est au 235°. Avec le courant, cela nous fait une route surface au 246°, plus 4° pour la dérive (4° seulement car on n'est plus au près), plus 7° de déclinaison. Cap-compas : 257°.

D'après le point, à 7 h 30 on se trouve à 2,2 milles des Bancs de Sable. Compte tenu de l'incertitude, il faudra commencer à sonder assez tôt, disons : lorsqu'on aura parcouru encore 1,5 milles, c'est-à-dire à loch 105. D'ici là, on préparera le tableau des hauteurs d'eau.

Allons-y. Et que celui qui tient à nous suivre commence par reproduire sur un papier-calque notre tracé, sinon il risque fort de nous perdre en cours de route.

Premier passage.

A 8 h 30, on touche la ligne de sonde des 20 m. Loch 105,5. On loffe tout aussitôt pour venir au près. Les fonds continuent à remonter. Loch 106 : 10 m; à 106,1 : 8 m. Puis descente brusque à 106,2 : 20 m. C'est la chute prévue, signalée d'ailleurs en surface par la présence de quelques casiers. Les flotteurs ont tendance à couler, preuve que le courant est assez fort. Sans doute plus d'un nœud, mettons 1,3 nœuds. Les orins penchent vers le 150°.

On vire.

Le navigateur a déjà commencé à porter la route sur l'intercalaire. A partir de la route-surface et du courant, il trace la route-fond. Les distances, étant mesurées sur l'eau, sont d'abord portées sur la route-surface, puis transportées sur la route-fond parallèlement au courant.

Deuxième passage.

Tout de suite après le virement de bord, on a retrouvé la ligne de sonde des 20 m, à loch 106,3. Le fond s'est maintenu ensuite entre 20 et 10 m, sans sonde bien caractéristique, jusqu'à loch 107,4 où l'on a retrouvé les 20 m. Le navigateur porte sur son intercalaire la route suivie durant ce second passage de la même façon que pour le premier. On se retrouve donc désormais à l'est des Bancs de Sable et l'on continue un moment au près bâbord amures, le temps de confronter l'intercalaire et la carte pour voir où l'on en est.

Ce n'est pas encore très précis. Durant le premier passage on a trouvé moins de 20 m d'eau sur plus d'un demi-mille : on est donc passé sur une partie assez large des Bancs de Sable. Surtout, on a enregistré une sonde à 8 m. On ne peut donc pas être plus au sud que les sondes indiquées 9,7 et 8,1 sur la carte, aux alentours de 48° 48', 8. Mais à la réflexion ce ne peut être cela, car l'indication 8 m a été relevée juste avant la chute des fonds et non au milieu des Bancs. Il est donc probable que l'on est passé un peu plus haut, sur les sondes 8,7 situées vers 48° 49'. C'est en tout cas la position la plus sud possible. La position la plus nord possible ne peut, de toute évidence, être au-delà de 48° 50', 5.

Avec les indications fournies par le deuxième passage, il semble bien que ce soit la position la plus sud qui soit la bonne. Mais en déplaçant l'intercalaire sur la carte, on voit qu'il y a plusieurs solutions possibles. Ce n'est pas forcément celle qui paraît « coller » le mieux qui est valable. Tout est encore trop imprécis. Il faut virer et recommencer.

Troisième passage.

On vire à loch 108,6. On retrouve le bord des Bancs de Sable à loch 109,3 puis l'on enregistre successivement :

loch 109,8 : 10 m
loch 109,9 : 4 m (bonne chose!)
loch 110 : 10 m
loch 110,1 : 20 m

et à nouveau la plongée au-delà de 20 m.

Sans aucun doute ce coup de sonde à 4 m doit nous aider à préciser notre affaire.

A première vue, il semble bien que l'on soit passé sur le versant nord de cette petite colline, cotée 4,5 à ses extrémités, située entre 48° 49', 9 et 48° 50', 3. L'intercalaire et la carte s'ajustent en effet très bien ainsi, et en ce qui concerne le premier passage la solution la plus sud serait donc la bonne.

Mais on ne peut encore l'affirmer. Peut-être est-on passé sur le versant sud de cette petite colline; c'est très possible. Peut-être est-on passé encore plus bas, sur la sonde des 4,9 située par 48° 49', 5 (encore que cette dernière position paraisse peu vraisemblable, étant donné la route parcourue lors du deuxième passage).

En tout cas, il faut en avoir le cœur net. On vire à nouveau, à loch 110,4.

Quatrième passage.

Les Bancs de Sable continuent à être fidèles au rendez-vous : on retrouve la ligne des 20 m, à loch 111,2. Le fond remonte jusqu'à 10 m à loch 111,6. A 111,8 : 10 m encore, puis ça redescend. A 112,2 : 20 m. On est une fois de plus de l'autre côté. Non : à 112,9 on trouve tout à coup 12 m. Puis à nouveau, plus de 20 m.

A quoi peut correspondre cette indication 12 m isolée ?

La sonde 11, située sur la carte au NE de Basse Bec bras (à 48° 51', 7) semble être la plus plausible. L'ennui, c'est que le tracé de l'intercalaire ne coïncide pas bien avec la carte, du moins si l'on est vraiment passé sur le versant nord de la petite colline au troisième passage. Si l'on est passé sur le versant sud, le quatrième passage s'ajuste mieux, mais c'est le premier passage qui ne correspond plus à rien !

Il y a quelque chose d'anormal. Tout se passe comme si le trajet tracé sur l'intercalaire était quelque peu distendu par rapport au trajet qui semble probable sur la carte. Hypothèse la plus vraisemblable : on a dû sous-estimer le courant. Celui-ci étant plus fort, la route effectuée serait moins nord et moins rapide qu'on le pensait.

C'est probablement ce qui s'est passé. On devine en effet qu'en resserrant un peu le tracé de l'intercalaire, on obtiendrait une coïncidence bien meilleure, d'un bout à l'autre.

Si cette hypothèse est bonne, avec la route que l'on fait actuellement, on va rater la bouée. Il faut virer.

Cinquième passage.

On vire à loch 114,2. A loch 114,7 les fonds remontent à 20 m, puis se maintiennent un long moment entre 20 et 10 m. A loch 115,2 : 20 m à nouveau, puis la chute. Les coups de sonde de ce cinquième passage collent bien avec la sonde 11 du passage précédent. Il faut virer de bord une dernière fois, et bientôt, en principe, on devrait voir la bouée.

Remarquons qu'aucune des sondes que l'on a relevées n'a été vraiment décisive en elle-même. Mais l'ensemble du raisonnement paraît se tenir : les différents passages sur les Bancs de Sable forment une suite cohérente et l'éventualité d'une erreur grossière paraît tout à fait exclue.

Maintenant, si l'on rate la bouée, on peut au moins se dire qu'on a fait ce qu'on a pu et louvoyer au large, le cœur en paix. en attendant d'y voir plus clair.

Radionavigation

La navigation effectuée à l'aide de moyens radio-électriques est tout à fait comparable à celle que l'on réalise, de nuit, à l'aide des feux. Dans les deux cas il s'agit en effet de se situer en relevant des « amers actifs », dont les caractéristiques sont connues. Seuls les moyens sont différents; au lieu d'utiliser des ondes lumineuses et un récepteur optique (l'œil), on se sert d'ondes radio-électriques, et d'un récepteur radio qui transforme ces ondes en son.

La radiogoniométrie et le système Consol sont les deux aides radio-électriques les plus utilisables à bord d'un petit bateau.

Radiogoniométrie

L'émetteur.

Les amers actifs utilisés en radiogoniométrie sont des **radiophares** (presque toujours installés dans les locaux d'un phare classique) qui émettent un signal bien précis, sur une fréquence déterminée, dans la gamme des grandes ondes.

Pour éviter un encombrement des fréquences, les radiophares sont généralement groupés par trois ou par six sur une même « ligne ». Ils émettent à tour de rôle et toujours dans le même ordre. Le signal émis par chaque radiophare dure une minute et comprend :

— l'indicatif du radiophare, groupe de deux ou trois lettres morse, répété plusieurs fois pendant 22 secondes;

— un trait long, pendant 25 secondes;

— la répétition de l'indicatif pendant 8 secondes;

— un silence de 5 secondes, après lequel le radiophare suivant attaque.

Les caractéristiques des radiophares sont données dans l'ouvrage nº 191 du Service Hydrographique intitulé *Radio-signaux à l'usage des navigateurs*. On les trouve aussi sur les *Cartes de radio-signaux à l'usage du petit cabotage, du yachting et de la pêche*, très commodes et suffisantes pour un petit bateau; dans le *Reed's Nautical Almanac ;* ou encore, pour les côtes françaises de la Manche et de l'Atlantique seulement, dans l'*Almanach du marin breton*.

Le récepteur.

Le récepteur est un poste radio sur lequel on peut brancher une antenne mobile dite antenne goniométrique (ou cadre, ou gonio). L'antenne utilisée à bord des petits bateaux est un barreau de ferrite, généralement solidaire d'un petit compas.

Lorsque le récepteur est réglé sur la fréquence d'un radiophare [1], l'onde radio-électrique émise par celui-ci induit dans l'antenne gonio un courant dont l'intensité varie selon l'orientation de cette antenne elle-même. C'est exactement ce qui se passe avec un transistor ordinaire, qu'il faut orienter par rapport à la station émettrice si l'on veut avoir son content de musique. L'intensité est maximum — et par conséquent le son lui-même est maximum — lorsque le barreau de ferrite est perpendiculaire à la direction de l'émetteur. L'intensité est minimum, c'est-à-dire que l'on n'entend plus rien, lorsque la ferrite est dirigée vers l'émetteur. C'est cette extinction du son que l'on cherche pour prendre le relèvement du radiophare : elle est plus précise que l'intensité maximum. Lorsque la plage de silence a quelque étendue, on fait pivoter l'antenne de part et d'autre pour repérer les « bords » de l'extinction, et le relèvement du radiophare correspond au milieu de cette plage.

On lit directement le relèvement magnétique sur le compas. Notons que les antennes fixes ne sont pas munies de compas mais d'un cercle de gisement qui, comme son nom l'indique, permet de connaître le **gisement** du radiophare, c'est-à-dire l'angle entre sa direction et l'axe du bateau. Pour obtenir le relèvement vrai du radiophare il suffit alors d'additionner le gisement et le cap vrai du bateau (en retranchant éventuellement 360°).

Le relèvement obtenu est exact « à 180° près » c'est-à-dire que l'on ne sait pas à quel bout du barreau de ferrite se trouve le radiophare. Certains appareils sont munis d'un dispositif permettant de lever le doute, mais sauf cas particuliers (radiophare sur un bateau-feu, et brume épaisse de surcroît) il n'y a guère d'ambiguïté possible.

Lorsque le bateau est très loin du radiophare, une opération supplémentaire s'impose : le navigateur doit faire la **correction de Givry,** qui permet de porter sous forme de droite sur une carte Mercator le relèvement, qui est un arc de grand cercle. En réalité, à bord d'un petit bateau qui s'éloigne quelque peu de la côte, les relèvements de radiophares deviennent vite imprécis, et ils sont la plupart du temps inutilisables au moment où il deviendrait nécessaire de leur appliquer la correction de Givry. Signalons simplement qu'à 50 milles d'un radiophare la correction maximum est de

1. Les documents donnent la **fréquence** des radiophares, exprimée en kilohertz (kHz); le cadran du récepteur est souvent gradué en mètres, c'est-à-dire qu'il indique des **longueurs d'onde.** Pour passer de la fréquence à la longueur d'onde on applique la formule $L \text{ (en m)} = \dfrac{300.000}{F \text{ (en kHz)}}$.

l'ordre de 1,4 mille; à 100 milles, elle est de 3,7 milles; à 200 milles, de 5,3 milles. La correction est nulle pour les relèvements nord ou sud car, rappelons-le, les arcs de grand cercle que constituent les méridiens apparaissent comme des droites dans la projection de Mercator.

Valeur des relèvements gonio.

Un relèvement gonio est rarement précis, et cela pour de nombreuses raisons. Les unes tiennent à la façon dont se propagent les ondes. Les autres sont liées à la réception elle-même.

Propagation des ondes. Les ondes ne se propagent pas toujours en ligne droite : elles peuvent être déviées par le relief, subir une réfraction lorsqu'elles passent en oblique de la terre à la mer; l'onde directe peut encore entrer en interférence avec l'onde indirecte réfléchie par l'ionosphère (c'est ce que l'on nomme : l'erreur de nuit).

L'erreur due à la réfraction peut atteindre 5° quand le relèvement coupe la côte sous un angle inférieur à 30°. L'erreur de nuit est souvent très importante. Elle est spécialement marquée au lever et au coucher du soleil. Ce sont donc les plus mauvais moments pour prendre un relèvement gonio; les meilleures heures sont celles du milieu du jour.

Réception. De nombreux facteurs se liguent pour fausser le renseignement à la réception.

En premier lieu les ondes radio-électriques peuvent être déviées, au voisinage de l'antenne, par les masses magnétiques du bord. C'est surtout le cas sur les bateaux en acier ou en béton : il faut alors disposer d'une antenne fixe dont on a calculé l'erreur (en faisant une courbe de déviation comme pour les compas fixes). Sur les autres bateaux, on peut utiliser une antenne mobile, mais la nécessité de la maintenir à l'écart des masses magnétiques doit demeurer sans cesse présente à l'esprit. Penser aux haut-parleurs, aux écouteurs, et tout spécialement aux écouteurs stétoscopiques : si l'on a tendance à tenir l'antenne très près de soi, il faut se mettre ce genre d'écouteurs derrière la tête et non sur la poitrine.

La qualité du récepteur lui-même entre en ligne de compte. Sa sélectivité surtout : si plusieurs émetteurs se superposent l'audition devient très difficile et très désagréable avec un poste peu sélectif.

Le mauvais état de la mer peut être aussi une cause d'erreur importante. Au creux des vagues on n'entend plus rien et l'on risque de confondre extinction accidentelle et extinction vraie.

En définitive, l'habileté de l'opérateur est un facteur déterminant pour la précision du relèvement : pour obtenir un renseignement correct, il faut sans aucun doute une grande habitude, un pouvoir de concentration énorme et aussi, bien souvent, un estomac bien accroché.

Ajoutons enfin que, même si les meilleures conditions sont réunies, il reste difficile d'apprécier à sa juste valeur le degré de précision d'un relèvement. Si l'heure est propice, la réception claire, la plage d'extinction de l'ordre de 5°, on peut envisager une incertitude de ± 2° par beau temps, de ± 5° par mer agitée. Si la réception est brouillée et la plage d'extinction large (10° à 20°) on ne peut guère espérer une précision supérieure à ± 4° par beau temps, ± 7° à 8° par mer agitée.

Quand l'heure n'est pas propice, l'erreur qui entache le relèvement est en général impossible à évaluer.

Faire un point gonio.

Pour obtenir un point à peu près précis, il faut prendre plusieurs relèvements de chaque radiophare, puis choisir pour chacun d'eux la valeur la plus vraisemblable (qui n'est pas forcément la valeur moyenne). Dans de bonnes conditions, trois relèvements de chaque radiophare suffisent, mais dans certains cas il est nécessaire d'en faire cinq ou six pour obtenir un résultat correct. On ne fait pas tous ces relèvements à la suite, mais plutôt à une ou deux heures d'intervalle, en transportant à chaque fois le point de la valeur du chemin parcouru entre-temps.

Chaque phare n'émettant que toutes les 6 minutes, il faut compter souvent 30 à 45 minutes pour faire un point. On conçoit que la concentration et la résistance au mal de mer soient des facteurs si importants pour la précision de ce point. La concentration est facilitée si l'on dispose d'écouteurs, permettant de s'isoler aussi complètement que possible de la vie du bord. Mais surtout, le travail est beaucoup plus rapide et simple si l'on possède un poste muni de deux circuits de réception distincts; ainsi, on peut passer d'une chaîne à une autre par une simple manœuvre de boutons. Sur un poste muni d'un seul circuit, la recherche des fréquences est éprouvante et fait perdre beaucoup de temps (il est utile de repérer les fréquences sur le cadran avec un crayon gras).

Dans l'exemple qui suit on dispose, par chance, d'un récepteur à double circuit.

Un bateau venant du Fastnet, fait route vers Swansea. La mer est forte, la visibilité médiocre. A l'approche des côtes anglaises, on veut faire un point gonio, pour préciser le point porté à l'estime sur la carte. Ce point comporte une imprécision évaluée à 7 % de la route parcourue, soit un cercle d'incertitude de 12,5 M de diamètre.

Les radiophares utilisables sont : Tuskar Rock (au SE de l'Irlande), Mizen Head (au SW de l'Irlande), Rock Bishop (à l'Ouest du Pays de Galles), Round Island (aux Scilly), Lundy Island (dans le canal de Bristol), Créac'h (à Ouessant).

Ils sont répartis de la façon suivante :

Minutes	Fréquence :	308 khz	296,5 khz
0	. . . .	. . . .	Tuskar Rock
1	. . . .	Mizen Head	
2	. . . .	. . . .	Rock Bishop
3	. . . .	Round Island	
4	. . . .	. . . .	Lundy Island
5	. . . .	Créac'h.	

En calant le poste sur les deux fréquences, il est possible de capter dans l'ordre : Mizen Head, Rock Bishop, Round Island, Lundy Island. Ensuite, on peut s'accorder deux minutes de repos car il n'est pas utile de prendre Tuskar Rock, dont la portée est insuffisante, non plus que Créac'h qui est un peu loin et au-delà de la Cornouaille (en passant sur les terres, les ondes peuvent être perturbées).

En 24 minutes, on obtient les relèvements suivants :

Mizen Head à : 270°,275° / 277°,286° / 283° / 273°
Rock Bishop à : 346° / 349° / 356° / 345°,348°
Round Island à : 198°,197° / 210° / 208°,210° / 207°,206°
Lundy Island à : 120° / 127° / 128° / 117°

Certains radiophares ont pu être relevés deux fois par émission, sauf Lundy Island qui est peu clair.

Ces relèvements étant faits, il faut maintenant raisonner quelque peu pour choisir les plus vraisemblables d'entre eux.

Mizen Head : les relèvements sont assez dispersés; on choisit de prendre la moyenne (277°), mais sans trop s'y fier car il y a une différence de 16° entre les relèvcments extrêmes.

Rock Bishop : on retient 347° car 356° semble un accident (la moyenne serait 349°).

Round Island : on choisit 208°, moyenne des cinq derniers chiffres, car 198° et 197° semblent des erreurs.

Lundy Island : même procédé que pour Mizen Head; on prend le relèvement moyen, soit 123°.

Ces relèvements sont portés sur la carte. Il reste à analyser le résultat :

— Le relèvement de Mizen Head, 277°, est certainement mauvais. Pour le justifier, il faudrait en effet une erreur de 40° au moins sur Lundy Island qui est tout proche; en outre, l'estime est là.

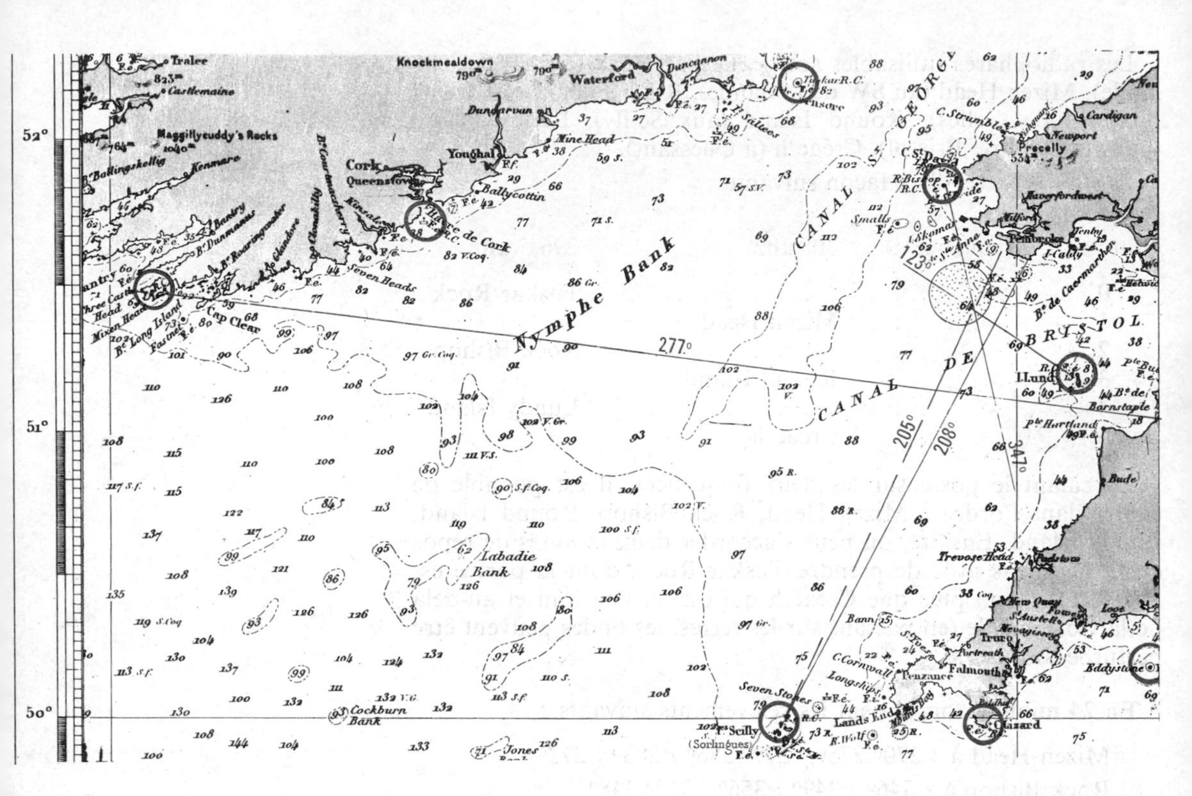

Point gonio à l'entrée du canal de Bristol. D'après l'estime, le bateau se trouve dans le cercle pointillé; les relèvements de radiophares aident à préciser la position, mais la valeur de ces relèvements ne peut être appréciée qu'en fonction de l'estime elle-même...

— Il semble que l'on soit dans l'ouest du relèvement de Round Island, ce qui indiquerait que 198° et 197° n'étaient pas si faux que cela. On fait donc la moyenne générale des relèvements de Round Island : cela nous donne 205°. Du coup, le chapeau formé avec les relèvements de Lundy et de Bishop est presque trop beau pour être vrai. Tenant compte du relèvement de Round Island, on peut raisonnablement penser que le bateau se trouve un peu à l'est du chapeau. On risque donc d'apercevoir le bateau-feu Helwick plus tôt que l'estime ne le laissait présager.

Faire route sur un radiophare.

Lorsqu'un radiophare est situé à proximité du port où l'on se rend, ou sur la route que l'on doit suivre, on peut fort bien utiliser ce radiophare pour faire route : on s'efforce tout simplement de le garder toujours dans le cap.

Il faut évidemment s'assurer que cette opération (appelée « homing » par les Britanniques) est réalisable sans danger, c'est-à-dire que l'on peut s'approcher du phare sans risquer de rencontrer quelque caillou. Ainsi, il est très possible de faire du « homing » sur le phare des Roches-Douvre si l'on vient du Nord, mais c'est tout à fait déconseillé si l'on vient du Sud : il suffit de regarder la carte pour comprendre pourquoi.

Le système Consol

Le Consol est un dérivé de la radiogoniométrie. Dans ce système, le radiophare émetteur envoie un signal qui n'est pas le même dans toutes les directions. C'est en somme l'équivalent d'un feu à secteurs, mais ici les secteurs sont très nombreux et si étroits qu'ils peuvent être assimilés à des droites, c'est-à-dire à des lieux géométriques. La simple écoute du signal permet de savoir, grâce à une carte spéciale, dans quel relèvement se trouve l'émetteur. Avec les relèvements de deux émetteurs, on fait un point.

L'émetteur.

Un radiophare Consol comporte trois antennes omni-directionnelles, qui sont alignées. La précision du signal est maximale quand on se trouve sur la médiatrice de la ligne passant par ces trois antennes; elle est minimale (et même nulle) quand on se trouve dans le prolongement de cette ligne. Il y a en fait, à chaque extrémité de la ligne, un secteur douteux d'environ 50° (ce sont des secteurs obscurs en quelque sorte).

Le radiophare, après avoir donné son indicatif, émet une série de traits puis de points, ou de points puis de traits; 60 au total. Au cours de cette émission, il y a une sorte de passage à vide, de moment flou, nommé **équisignal,** qui sépare les traits des points ou réciproquement. Cet équisignal est décalé d'un relèvement à l'autre, si bien que l'on détermine le relèvement du radiophare en comptant le nombre de points (ou de traits) avant l'équisignal, puis le nombre de traits (ou de points) après. Les signes perdus durant l'équisignal sont attribués, en fin de décompte, moitié aux points moitié aux traits, de telle façon que le total des signes soit toujours égal à 60.

La même combinaison de points et de traits ne peut se retrouver à moins de 20° d'écart. Si l'on a un doute sur sa position, un relèvement gonio du même radiophare ou l'estime suffisent à le lever.

Les caractéristiques des radiophares Consol et la liste des cartes figurent dans l'ouvrage n° 192 du Service hydrographique. On les trouve aussi dans l'Almanach du Marin Breton. La portée de ces radiophares étant très grande, la « couverture Consol » de toute l'Europe est assurée par quatre radiophares seulement : Stavanger en Norvège, Bushmills en Irlande, Plonéis en France, Lugo en Espagne.

Les cartes Consol sont des cartes marines ordinaires qui portent en surimpression les relèvements des radiophares, avec une graduation donnant pour chaque relèvement l'indication du nombre de points ou du nombre de traits que l'on doit entendre avant l'équisignal.

Le récepteur.

On peut capter des signaux Consol avec un récepteur ordinaire, sans antenne particulière, pourvu que sur ce récepteur la bande des grandes ondes s'étende suffisamment loin au-delà de Radio-Luxembourg.

Avec un tel poste toutefois, il est souvent difficile de faire la distinction entre les traits et les points car l'onde émise n'est pas modulée (en jargon de métier c'est une onde A1 ; les ondes A2 et A3, elles, sont modulées et servent à la transmission, l'une des signaux morses, l'autre de la parole et de la musique). Pour obtenir une meilleure audition, il faut disposer d'un récepteur muni d'un oscillateur de fréquence (en jargon : BFO).

Valeur des relèvements consols.

Les ondes radio-électriques du système Consol subissent les mêmes lois de propagation que celles des radiophares ordinaires. On doit donc se défier des erreurs dues au relief terrestre, à la réfraction, aux interférences. La précision des relèvements Consol varie aussi avec la distance et de façon inattendue :

— à moins de 30 milles de l'émetteur, elle est nulle : on ne peut pratiquement pas utiliser le Consol;

— entre 30 et 150 milles, elle est généralement bonne, quelle que soit l'heure d'écoute;

— entre 150 et 600 milles les interférences entre l'onde directe et l'onde indirecte peuvent introduire des erreurs ou même rendre les relèvements impossibles;

— au delà-de 600 milles, la réception et la précision des relèvements sont à nouveau bonnes, et peuvent le rester jusqu'à 1 200 milles de jour et 1 500 milles de nuit.

Le SH1 donne un tableau indiquant la valeur moyenne de l'erreur, selon la position que l'on occupe par rapport à la médiatrice de la ligne des antennes. Il est bon de s'y référer lorsqu'on se met à l'écoute d'un radiophare éloigné de plus de 200 milles.

Notons par ailleurs que le système Consol présente des avantages importants par rapport à la gonio : la précision des relèvements ne dépend pas de la qualité du récepteur; elle reste excellente quel que soit l'état de la mer.

Faire un point Consol.

Voir la carte Consol page 720, hors-texte 5.

Reprenons l'exemple de la traversée Granville-Lézardrieux décrite à propos de la navigation à la sonde. Au cours de cette traversée il est possible de se situer à l'aide du système Consol, pourvu que l'on ait à bord la carte nº 4 587 *bis* portant les relèvements de Plonéis et de Bushmills et que l'on dispose d'un récepteur muni d'un BFO (Bushmills est inaudible sur un récepteur ordinaire).

Lors d'un premier point, l'écoute de Plonéis (indicatif FRQ) donne une première fois : 44 traits — 13 points; une deuxième fois 45 traits — 12 points. Les signes manquants étant attribués moitié aux traits moitié aux points pour obtenir un total de 60, on se trouve donc à peu près sur le relèvement 46 traits de Plonéis.

Bushmills (indicatif MWN) donne une première fois : 6 points — 51 traits; une deuxième fois : 7 points — 51 traits. Le relèvement est donc : 8 ou 9 points.

On se trouve au point 1 marqué sur la carte entre Saint-Malo et les Minquiers.

Plus tard, l'écoute de Plonéis donne 12 points — 48 traits; celle de Bushmills : 57 traits — 3 points. On se trouve au point 2. On voit que le point par relèvement Consol n'exige pas de calculs très compliqués et se passe de commentaires.

Remarquons qu'on peut recevoir des renseignements précieux, de Plonéis tout seul, lorsqu'on cherche à se situer sur les Bancs de Sable, et cela avec un transistor ordinaire. Plonéis est en effet situé très près de Radio-Luxembourg. Quand la sonde annonce que l'on a atteint les Bancs, le relèvement de Plonéis : 20 points — 40 traits permet de savoir immédiatement à quelle hauteur on se trouve. Ensuite, la progression vers le Nord peut être suivie avec précision, et lorsque Plonéis lance 32 points et 28 traits, on est à coup sûr dans les parages immédiats de la bouée Basses du SE.

Ainsi le plus commun des transistors peut-il devenir, si l'on possède la carte Consol, un instrument de navigation appréciable. Il permet, à tout le moins, de s'entraîner pendant l'hiver, lorsqu'on se trouve loin de la mer : à Paris comme à Brégançon on peut capter les signaux de Plonéis, apprendre peu à peu à distinguer les points des traits et à reconnaître la ligne d'équisignal. Et qui dira la nostalgie que met au cœur le son du Consol le soir au fond des bois ?

Radiogoniométrie, Consol, constituent des aides précieuses, mais il serait dangereux de leur accorder une confiance totale. « **Chacune de ces aides radio-électriques,** lit-on dans le SH1, **ne doit pas fournir une information à laquelle le navigateur puisse exclusivement et aveuglément se fier.**

Il appartient à ce dernier, compte tenu de la précision qu'il peut attendre de chacune de ces aides en fonction de sa position estimée, de l'utiliser en concurrence avec toutes les autres aides à la navigation (radio-électrique ou non) dont il peut disposer, en établissant un compromis pondéré entre les diverses sources de renseignements à sa disposition.

En particulier, l'aide radio-électrique ne doit pas exclure les simples reconnaissance et observation des amers, toutes les fois que cela est possible. »

On ne saurait mieux dire.

Rencontres de cargos

Pour terminer ce tour d'horizon des moyens de se situer en mer, il faut encore citer celui-ci, peu orthodoxe mais très efficace, qui consiste à relever le cap suivi par les cargos de rencontre. L'apparition d'un cargo, en effet, ne doit pas être considérée comme un fait isolé, imputable au seul hasard. Ces bateaux empruntent des routes dont le tracé d'ensemble est aussi précis que celui d'un réseau ferroviaire, avec des grandes lignes, des voies secondaires et des bifurcations. En relevant le cap suivi par un cargo, on peut en général savoir sur quelle ligne il se trouve et par conséquent disposer d'un lieu tout à fait valable.

Il existe des routes de cargos bien connues : en Atlantique, Ouessant - Cap Finisterre; en Manche, côté France, Ouessant - les Casquets - la Bassurelle; côté Angleterre : Bishop Rock (Scilly) - Lizard - Start Point - Royal Sovereign. Ces routes sont de véritables boulevards, avec séparations de trafic aux carrefours (séparations indiquées sur les cartes par des bandes roses d'environ 2 milles de large). D'autres routes, moins importantes, peuvent être aisément déduites du cap suivi par le cargo rencontré : il suffit souvent de placer la règle Cras sur la carte, dans la direction relevée. Les *Instructions nautiques*, d'autre part, fournissent des renseignements sur l'activité de tel ou tel port, et par conséquent sur le genre de bateaux qui les fréquentent. On apprend vite à faire la distinction entre un bananier (tout blanc et qui va à Dieppe), un minéralier (tout noir et qui vient de Cardiff) et un bateau de guerre (tout gris et qui va et vient).

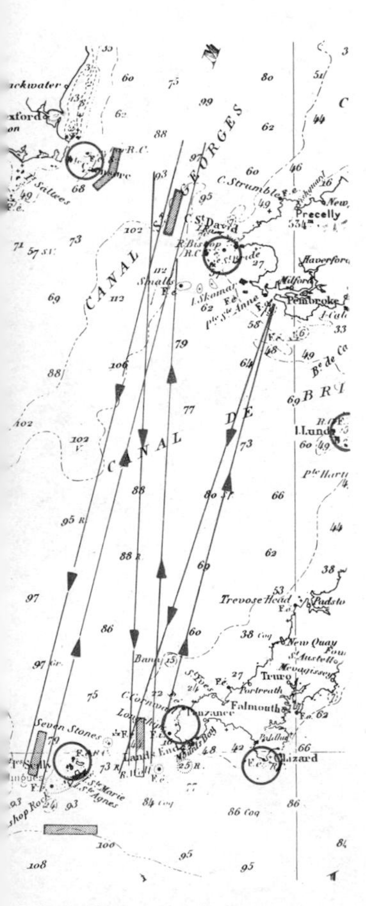

Principales routes de cargos à l'ouvert du canal de Bristol.

Sur le fragment de carte ci-contre sont portées les principales routes de cargos passant à l'ouvert du canal de Bristol, entre la Manche et la mer d'Irlande. L'une de ces routes va de Bishop Rock aux Smalls; elle est empruntée par les bateaux venant d'Atlantique-Sud. La deuxième, qui est la route directe du Cap Finisterre à Liverpool, passe entre Rocher Wolf et les Seven Stones (qui ont rendu tristement célèbre le *Torrey Canyon*). La troisième, empruntant le même passage, rejoint le grand port pétrolier de Milford Haven.

Au cours de la traversée Fastnet-Swansea, que nous avons décrite à propos du point gonio, le croisement de ces lignes de cargo constitue une bonne occasion de rajeunir l'estime au bon moment. Si l'on rencontre un cargo qui fait route au 0° vrai, on peut être assuré de se trouver sur la ligne Rocher Wolf-Smalls; si le cargo fait route au 15° vrai, on est probablement sur la ligne Rocher Wolf-Milford Haven... à moins que l'on n'ait pris beaucoup de retard et que l'on soit seulement sur la ligne Bishop-Smalls, où les cargos suivent à peu près le même cap! Mais il y a 26 milles de distance entre les deux routes et il faut que l'estime soit bien mal tenue pour qu'une confusion soit possible.

Pour relever avec précision le cap d'un cargo, on attend en général le moment où, croisant sa route, on voit ses mâts de charge bien alignés les uns derrière les autres. Lorsqu'on ne croise pas sa route, on ne peut pas faire un véritable relèvement mais tout au moins une estimation, qui s'avère souvent suffisante.

L'atterrissage

Le premier membre de l'équipage qui aperçoit la terre a droit à la double, c'est une règle à ne pas oublier. Mais ensuite l'essentiel reste à faire : il faut atterrir, c'est-à-dire reconnaître la terre que l'on a aperçue et préciser la position du bateau par rapport à elle avant de poursuivre la route vers le port.

Pour atterrir, on choisit autant que possible son lieu et son heure. Le lieu idéal, c'est une côte accore, présentant un profil ou des amers très remarquables, précédée d'**atterrages** au relief caractéristique (tels les Bancs de Sable devant Paimpol). L'heure idéale, c'est la fin de la nuit : on se situe aisément par rapport aux grands feux d'atterrissage et l'on entre au port à l'aube. Même si l'on ne peut réunir des conditions parfaites, on sait que les ressources ne manquent pas : on peut transporter des lieux, sonder, « gonioter », « consoler », croiser des cargos et en dernier recours brûler des cierges. Mais l'essentiel est de critiquer avec minutie toutes les informations dont on dispose, et surtout de voir si elles se recoupent entre elles : tout doit concorder.

En réalité, il n'y a pas de conseils à donner pour l'atterrissage : c'est à chaque fois un moment unique en son genre, assez émouvant, et dont la qualité est étroitement liée à la qualité de la traversée que l'on vient de faire. Pour le navigateur, c'est la minute de vérité; le moment où, vérifiant la valeur de son estime, il gagne ou perd celle de ses camarades... Jusque-là le passé est clos sur lui-même, on ne peut jamais être sûr qu'il ne recèle pas quelque part un événement ignoré, venu en douce fausser les données les plus évidentes. A l'atterrissage on a parfois rendez-vous avec l'imprévu; c'est peut-être l'un de ses charmes.

21. La route

En mer, la route est à inventer. Les documents, les points de repère dont on dispose, les techniques qui permettent de se situer sont en quelque sorte les garants de cette liberté essentielle : pour se rendre d'un point à un autre il n'y a pas de route toute faite, c'est à chacun d'imaginer la sienne selon les circonstances, et selon son bon plaisir.

Le bon plaisir ne se discute pas. Certains ne songent qu'à musarder, à perdre tranquillement leur temps; d'autres ont le souci du confort et veulent éviter tout affrontement avec les éléments ; d'autres trouvent leur bonheur dans la vitesse. Il y a les réalistes et les rêveurs, les modernes et les anciens, ceux qui vont aux Scilly et ceux qui vont aux Sorlingues. L'état d'esprit dans lequel on navigue influe sans aucun doute sur le choix de la route, lui donne sa coloration générale.

Mais il y a aussi les circonstances. Lorsque l'étape a été choisie, la distance à parcourir évaluée, on ne sait rien encore de ce que sera la route. Selon la direction du vent, elle peut être très courte ou au contraire interminable. En réalité, la route ne se définit pas en termes de distance mais plutôt en termes de durée. C'est un certain nombre d'heures ou de jours passés en mer, dans des circonstances qui évoluent constamment : la hauteur d'eau qui croît et décroît, le courant qui s'inverse, le vent qui fraîchit, ou qui tombe, ou qui tourne, la mer qui s'agite ici et qui est calme là, le soleil que l'on a dans le dos ou dans les yeux, la brume qui rôde, la nuit qui vient.

Quel que soit l'état d'esprit dans lequel on navigue, toutes ces circonstances imposent au départ un travail de réflexion assez minutieux : on a le droit de choisir sa route, mais encore faut-il s'assurer que la route choisie est possible, raisonnable, contrôlable en toutes circonstances, qu'elle comporte au besoin des solutions de rechange. Autrement dit, choisir sa route c'est en premier lieu choisir une route sûre. Ensuite, mais ensuite seulement, on peut imaginer des fioritures.

Choisir sa route

Il est rare que l'on revienne de mer sans avoir appris quelque chose de nouveau, même si l'on s'est promené dans une région cent fois parcourue. C'est donc que chaque route, de toute façon, recèle une part d'inconnu — ou si l'on préfère, une part de risque. Choisir une route sûre, ce n'est pas éliminer tous les risques mais c'est, allant du connu vers l'inconnu, faire un vigoureux effort d'imagination, d'abord pour tenter de prévoir ce qui va se passer, ensuite pour ne pas être pris au dépourvu par l'imprévisible.

Les données à considérer sont de plusieurs ordres. Certaines sont permanentes et révélées en détail par la carte et les *Instructions nautiques :* ce sont les caractéristiques du paysage que l'on traverse, avec les mauvais lieux à éviter, hauts-fonds, dangers isolés, passages scabreux, routes de cargos, etc.; avec également les points de repères sur lesquels on peut compter : amers, feux, radiophares... D'autres données sont changeantes, mais bien connues, ce sont celles qui dépendent de la marée : la hauteur d'eau, les courants qui rendent certains passages possibles ou non. D'autres encore sont prévisibles dans une certaine mesure : la direction du vent, la visibilité, l'état de la mer en tel ou tel endroit. Reste l'inattendu : brutal changement de temps, avarie matérielle, erreur humaine, amer introuvable, bouée disparue...

Choisir sa route c'est confronter toutes ces données, voir comment elles s'organisent entre elles. L'ordre dans lequel on les examine ne peut en aucune façon être systématisé. Selon les cas, tel ou tel aspect du problème l'emporte : ici on a l'embarras du choix entre plusieurs routes, et c'est une question d'humeur; là, la route elle-même est évidente mais il faut s'assurer qu'il y a des solutions de rechange possibles; là encore, c'est le courant qui commande, etc.

Adieu donc à la théorie, voici quelques exemples.

De la Vilaine à Le Palais.

Voir la carte de la baie de Quiberon page 720, hors-texte 6.

Nous sommes à Tréhiguier, dans l'embouchure de la Vilaine. La prochaine étape est Le Palais, à Belle-Ile.

Sur la route directe, un haut-fond : le plateau de la Recherche, puis un obstacle de taille : la chaussée qui prolonge la presqu'île de Quiberon, avec l'île de Houat en plein milieu. Faut-il éviter ou non le plateau de la Recherche ? Tout dépendra du temps et de la route que l'on va choisir pour traverser la chaussée. Sur cette chaussée on voit trois passages : la Teignouse, le Béniguet, les Sœurs. Il existe une quatrième solution, qui consiste à faire le tour par les Grands-Cardinaux; c'est ce que les *Instructions nautiques* appellent le passage de l'Est.

Quel que soit le passage utilisé, la distance à parcourir pour rallier Le Palais varie peu : 28,5 M par le Béniguet, 29,5 M par la Teignouse et par les Sœurs, 30,5 M par les Cardinaux.

Premier choix.

Il fait beau. Le temps est bien établi, le vent soutenu de secteur NE, la visibilité bonne. Vitesse probable du bateau : 6 nœuds. On prévoit donc une traversée de 5 heures environ.

Avec ces vents, la mer ne doit pas être dure sur le plateau de la Recherche, on peut passer dessus, à condition tout de même qu'il y ait un mètre d'eau au-dessus du zéro des cartes.

La route par le Béniguet étant la plus courte, c'est à elle que l'on pense en premier lieu. Avec ces vents, le passage est aisé. Seul inconvénient : il n'est pas éclairé, on ne peut y passer la nuit.

La route par le passage des Sœurs semble un peu moins facile : les amers à utiliser sont lointains, il y a des risques de confusions. On ne peut non plus y passer de nuit.

La Teignouse est praticable de jour et de nuit, ainsi que le passage de l'Est.

Faut-il tenir compte de la marée ? Les courants sont relativement forts dans tous les passages (sauf dans le passage de l'Est), il est préférable de passer à marée descendante. L'heure d'appareillage la plus favorable est la pleine mer, on bénéficiera du courant portant durant toute la traversée.

En somme on a l'embarras du choix. Il semble qu'il n'y ait aucun piège et qu'en cas d'imprévu on puisse toujours rallier un port sous le vent : Houat ou tout simplement Le Palais. Seule précaution à prendre, peut-être, si l'on passe par le Béniguet ou la Teignouse : ne pas longer de trop près Houat ou la chaussée du Béniguet, où l'on pourrait se trouver en posture désagréable en cas d'avarie matérielle.

Second choix.

Cette fois le vent est assez frais de secteur Ouest et la visibilité incertaine. Au près, à 5 nœuds (ce qui représente une progression de 3 milles par heure dans le vent) on estime que la traversée durera environ 10 heures quelle que soit la route choisie. Si le vent est plein debout en effet, compte tenu des bords à tirer, les quatre routes sont équivalentes en distance.

Avec ce temps, la mer sera peut-être forte sur le plateau de la Recherche, il vaut mieux l'éviter. Dans les passes de la chaussée, elle risque d'être franchement mauvaise pendant toute la durée du jusant, quand le courant sera opposé au vent. Faut-il passer au flot ? Il n'est pas certain que l'on parvienne à gagner contre le courant en louvoyant. Les seuls moments propices paraissent être les étales, de pleine mer ou de basse mer.

Avantages et inconvénients des différentes routes :

— La Teignouse : la passe est assez large pour que l'on puisse y tirer des bords. En prenant cette route on reste à l'abri de la chaussée sur une grande partie du parcours.

— Le Béniguet : la passe est courte, mais trop étroite pour que l'on puisse y louvoyer; si le vent est plein ouest, on peut espérer la franchir sur un seul bord; mais si le vent descend un peu, non.

— Les Sœurs : en faisant route par là, on bénéficie peu de l'abri de la chaussée; le passage lui-même est long, étroit, les amers seront sans doute très difficiles à identifier; ce n'est sûrement pas une route sûre.

— Le passage de l'Est : ici le courant est plus faible qu'ailleurs; en passant à bonne distance des Grands-Cardinaux, sur les fonds de 30 m, on rencontrera sans doute une mer moins mauvaise que dans les passes; on peut louvoyer tout à son aise. Inconvénients : au-delà des Grands-Cardinaux, on fait une partie du trajet hors de tout abri; de nuit, si la visibilité est médiocre, on ne dispose que d'un seul feu, celui des Cardinaux.

A quelle heure appareiller pour passer la chaussée au bon moment ? Pas question de sortir de la Vilaine durant le flot. En partant à pleine mer, on rate l'étale de basse mer à la Teignouse et au Béniguet. Il faut donc appareiller vers la fin du jusant pour passer à l'étale de pleine mer. Si l'on choisit de prendre le passage de l'Est, la question est plus simple : on peut sans doute passer à toute heure, en arrondissant bien les Cardinaux. Le plus intéressant semble être de quitter Tréhiguier à pleine mer, pour franchir le passage en fin de jusant.

Quelles sont les solutions de rechange en cas de pépin ? Tant que l'on se trouve dans la baie de Quiberon, on peut toujours retourner dans la Vilaine. Si l'imprévu survient dans les parages de la Teignouse, on a sous le vent le port de Houat, Port Navalo, à la rigueur la Trinité. Sur la route qui mène au passage de l'Est, on peut laisser porter vers la Turballe ou le Croisic. Tous ces ports sont accessibles à toute heure de marée.

Si une solution de rechange devient nécessaire à la sortie de la Teignouse ou de Béniguet, il peut y avoir un moment difficile, car il faut déjà être largement dégagé des passes pour pouvoir laisser porter vers le SE. En fait, on peut faire demi-tour. Il vaut tout de même mieux éviter de passer le Béniguet avec les dernières lueurs du jour car le repasser en sens inverse de nuit est manifestement imprudent.

Reste à envisager une dernière question, déterminante si la visibilité est mauvaise : quels sont les moyens dont on dispose pour contrôler sa route ? Trouver l'entrée du passage de la Teignouse dans la boucaille, ou même l'entrée du Béniguet n'est sûrement pas facile. La seule route raisonnable est alors celle qui contourne tous les dangers, c'est-à-dire celle du passage de l'Est : on peut faire tout le parcours à l'estime, puis atterrir sur la pointe de Kerdonis qui est parfaitement franche.

Au total, avec le temps qu'il fait, la route par l'Est est donc la plus sûre. La route par les Sœurs, ou même par le Béniguet est hasardeuse. La route par la Teignouse, possible si la visibilité demeure suffisante.

Mais le temps peut changer. Si l'on se trouve, par exemple, en fin de dépression, si l'on prévoit que le vent va remonter au Noroît et la visibilité s'améliorer, on peut considérer les choses autrement : la route par la Teignouse sera plus courte, et sitôt le passage franchi on pourra faire cap sur Le Palais vent portant. En passant par les Grands-Cardinaux, il faudra au contraire louvoyer longtemps, la route sera peut-être moins sûre, parce que plus longue et plus fatigante. En revanche, si le vent doit descendre au suroît, la solution du passage de l'Est est sans doute la meilleure. Encore faudrait-il prévoir à quel moment le vent va tourner, se demander s'il ne va pas changer de force, et quel aspect va prendre la mer...

De Concarneau à Royan.

De Concarneau à Royan, il y a 85 milles. La route peut être effectuée en ligne droite, en passant à l'extérieur des îles : Groix, Belle-Ile, Noirmoutier, Ré, Oléron. C'est une traversée très réalisable pour un bateau de croisière côtière, un Mousquetaire par exemple : filant 5,5 nœuds dans un bon vent portant, il peut faire le parcours en 34 heures.

Mais le Mousquetaire n'est pas fait pour affronter la haute mer. Il est donc nécessaire de trouver, tout au long de la route, des abris pouvant être gagnés rapidement, si le mauvais temps s'annonce, ou simplement si un incident quelconque oblige à renoncer au projet initial.

A l'aide de la carte et des *Instructions nautiques*, on dresse donc la liste des ports qui présentent des garanties suffisantes, c'est-à-dire : qui sont facilement repérables, bien balisés, accessibles à toute heure de marée, de jour comme de nuit, et qui procurent un abri sûr contre les vents de secteur Ouest.

A partir de Concarneau on trouve : Port-Tudy à Groix, Sauzon et Le Palais à Belle-Ile, puis le Croisic, Pornic, le Bois de la Chaise à Noirmoutier, Port-Joinville à l'île d'Yeu, les Sables-d'Olonne, Ars-en-Ré, les abris du Perthuis d'Antioche (la Rochelle, île d'Aix-Chateau-d'Oléron) et enfin Royan.

Cette guirlande de ports sous le vent est-elle suffisante pour qu'une solution de secours existe à tout instant, en tout point de la route ?

Le problème se pose ainsi : à partir du moment où la météo annonce un coup de tabac, il faut pouvoir rallier un abri en 3 ou 4 heures, en 6 heures au maximum; il faut penser d'autre part à une avarie possible, rendant le bateau très peu manœuvrant : on admet que, dans le pire des cas, avec un gréement de fortune, il est encore possible de loffer jusqu'à environ 30° du vent arrière.

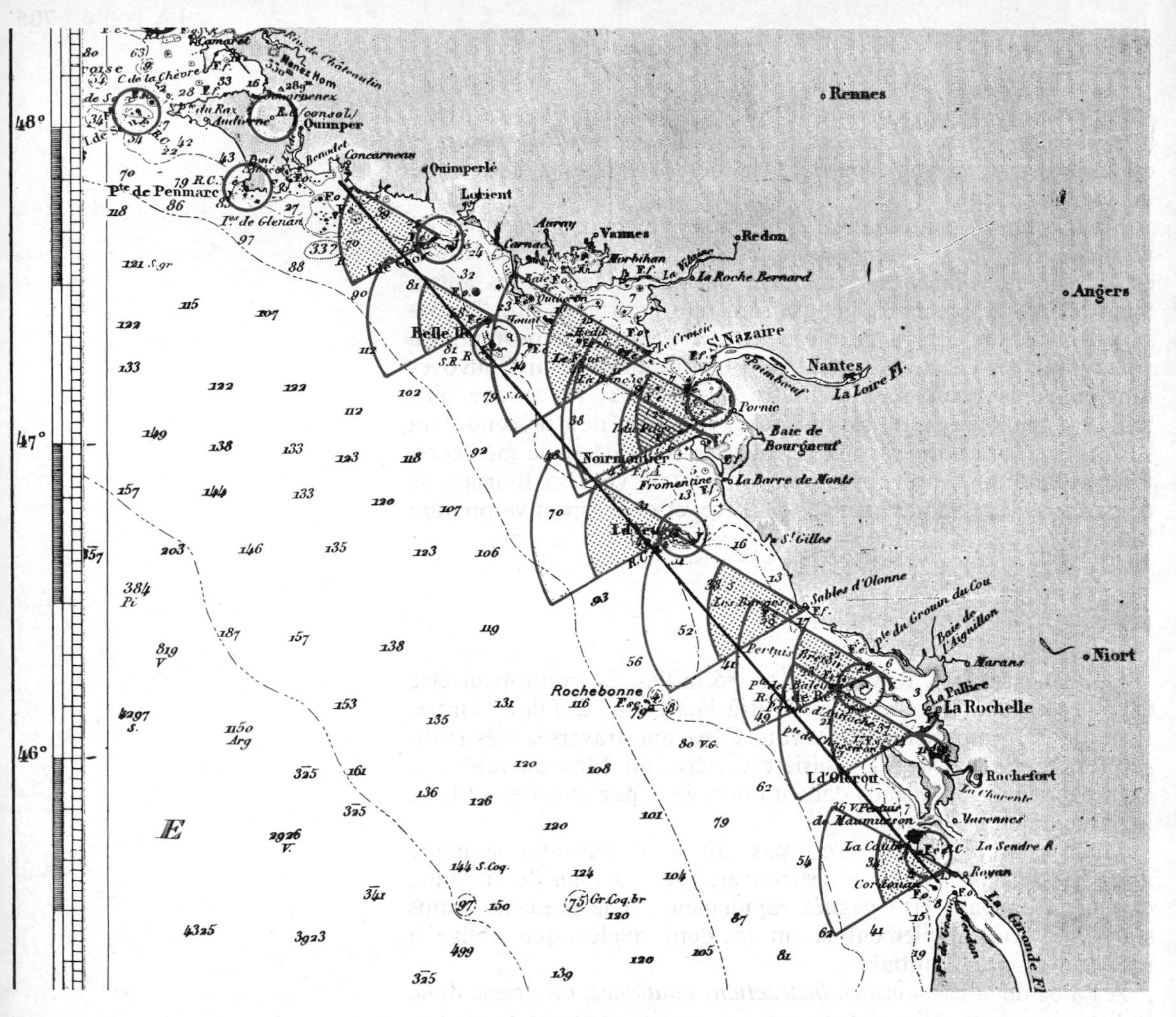

Choisir une route sûre c'est aussi prévoir des sorties de secours. Si l'on veut effectuer le trajet direct Concarneau-Royan à bord d'un Mousquetaire, par exemple, il faut tout d'abord s'assurer que l'on dispose à tout instant d'abris sûrs sous le vent, en cas d'avarie ou de mauvais temps d'Ouest.

On peut considérer qu'il existe devant chaque abri un secteur privilégié, de 60° d'ouverture d'angle environ (un Mousquetaire, même désemparé, peut presque toujours loffer jusqu'à 30° du vent arrière) s'étendant jusqu'à 20 milles au large (zone sombre, possibilité de repli en 4 h), à la rigueur jusqu'à 30 milles (zone claire, repli en 6 h).

On constate que sur le parcours Concarneau-Royan il existe trois « blancs », trois moments de la route durant lesquels le bateau se trouve au vent d'une côte sans abri : entre Groix et Belle-Ile, au vent de Belle-Ile, entre Chassiron et Royan. Il faut trouver une solution, adaptée à chaque cas et tenant compte des circonstances.

Dans ces conditions, devant chaque abri, il y a une sorte de zone privilégiée, un « secteur de sécurité » que l'on peut tracer sur la carte. On voit tout de suite que la route directe Concarneau-Royan n'est pas entièrement couverte par ces secteurs de sécurité. Il y a quelques « blancs », qu'il faut examiner de près.

Le premier se situe tout de suite après Groix : entre Lorient et Quiberon, la côte est en effet dépourvue d'abri. S'il fait beau, cela n'est évidemment pas inquiétant, on peut faire la route directe sans souci. S'il fait moins beau, on peut avoir intérêt à infléchir légèrement sa route vers le large de façon à se trouver très vite dans le secteur de sécurité suivant, qui est celui de Sauzon.

Après la pointe des Poulains, nouveau « blanc » : on passe tout près de la côte sauvage de Belle-Ile, très belle mais fort peu accueillante. Même par beau temps, il est bon de s'écarter un peu pour pouvoir fuir d'un côté ou de l'autre de l'île si un ennui matériel survient. Si la météo n'est pas très bonne, il vaut mieux quitter délibérément la route directe et passer sous le vent de l'île elle-même.

Si l'on est passé au vent, on se trouve à nouveau hors des secteurs de sécurité devant l'embouchure de la Loire. Mais le cas est ici un peu particulier : on est simplement un peu loin des abris, ce qui n'est à considérer que si le temps est vraiment menaçant.

On est bientôt dans le secteur de sécurité de l'île d'Yeu relayé immédiatement par celui des Sables-d'Olonne : il apparaît ici très nettement qu'en cas de mauvais temps, passer sous le vent de l'île d'Yeu ne serait pas une bonne option, car on se trouverait au vent d'une côte sans abri.

Reste un dernier « blanc », le plus sérieux : entre la pointe de Chassiron et Royan. Ici, les prévisions météorologiques sont capitales. Si l'on craint un temps dur, il vaut mieux relâcher dans le Perthuis d'Antioche en attendant une amélioration; si le temps est maniable, il est prudent une fois encore de prendre du large pour gagner rapidement le secteur de sécurité de Royan.

En somme le tracé des différents secteurs de sécurité met en évidence trois zones où, en cas d'ennui, on ne dispose pas de solution de rechange absolument sûre : après Groix, au vent de Belle-Ile, et au vent d'Oléron. Mais ce tracé fait apparaître en même temps une solution qui n'est pas forcément évidente au premier abord : dans les trois zones, la sécurité ne consiste pas à se rapprocher de terre mais à s'écarter vers le large, ce qui permet de se trouver plus rapidement dans un nouveau secteur sûr.

Bien entendu, ce raisonnement n'est valable que pour le genre de bateau que nous avons choisi, c'est-à-dire le Mousquetaire ou un bateau de même catégorie. Un bateau plus petit, un Corsaire par exemple, ne peut de toute façon effectuer cette traversée d'une seule traite, et pour lui les problèmes se posent de façon différente : pour faire l'étape Groix - Belle-Ile, il lui faut déjà des conditions météorologiques favorables; sinon, il doit attendre. Pour un croiseur hauturier au contraire, la sécurité est souvent au large, et il peut éviter systématiquement tous les secteurs les plus rapprochés de la côte.

Ces quelques exemples ne font pas le tour du problème du choix de la route. Ils s'efforcent simplement de faire sentir les principes d'un raisonnement qui doit parfois être poussé beaucoup plus loin. C'est ainsi qu'il faudrait encore attirer l'attention sur un certain nombre de pièges occasionnels, nés tout à coup d'une conjonction malencontreuse des éléments et du paysage.

Piège, la jolie baie sans abri, quand le vent fraîchit et tourne juste comme il faut pour en boucher l'entrée : la baie de Porto et le mistral par exemple, ont mis cette plaisanterie au point depuis longtemps. Piège, la chaussée sur laquelle le courant porte, quand le vent mollit tout à coup : au sud de la Chaussée de Sein pendant le flot, c'est une mésaventure plus que désagréable. Piège ce chenal dépourvu d'amers (tel celui qui s'étend entre les Roches de Saint-Quay et la côte) si l'on est obligé de louvoyer et que la nuit survient avant qu'on ait fini. Piège le chenal de la Gaine (entre les Héaux-de-Bréhat et Tréguier) par les belles soirées ensoleillées, quand on s'aperçoit tout à coup que les amers ne sont plus visibles à contre-jour. Piège encore tel ou tel chenal, quand la brume s'y insinue... On pourrait multiplier ce genre d'exemples. Ce qu'il importe de faire remarquer, c'est qu'il n'y a, en fait, rien de sournois dans tout cela, rien d'absolument imprévisible. Dans presque tous les cas, la météo, un peu de jugeotte, un brin de flair, permettent d'éviter les surprises.

En définitive, une route sûre est une route sur laquelle on dispose d'une certaine marge de tous points de vue : marge par rapport aux dangers de la côte naturellement, mais aussi par rapport au mauvais temps, aux avaries, à la fatigue; marge que l'on prévoit dans les manœuvres elles-mêmes, en virant largement avant les obstacles (surtout après un long bord), en changeant de voilure en temps voulu... C'est la route suggérée par le dicton de l'ancienne marine à voile : « *Si tu veux vivre vieux marin, arrondis les pointes et salue les grains.* » C'est une route où il y a de l'eau à courir et des solutions de rechange. C'est aussi, et peut-être essentiellement, une route facile à vérifier, riche en points de repère de toutes sortes. Le long travail sur les cartes, la mise en œuvre de techniques de navigation un peu compliquées sont parfois rendus impossibles par le plus banal mal de mer. La fatigue multiplie les risques d'erreur. Il faut pourtant savoir où l'on en est et l'on est heureux alors de se trouver sur un chemin peuplé d'amers indubitables ou de feux dénués d'équivoque.

Améliorer sa route

Une même route peut être plus ou moins confortable, ou plus ou moins rapide. Sur le chapitre du confort, il y a peu à dire : lorsqu'on souhaite être tranquille on comprend très vite qu'il faut éviter de prendre la mer à rebrousse-poil; que la côte et les îles, selon le vent, aménagent des zones plus abritées que d'autres;

qu'une route effectuée vent portant est plus agréable qu'une route obligeant à un louvoyage forcené. Ce n'est pas pour rien que l'on dit des gens sombres qu'ils ont « une figure de vent debout »... Choisir une route confortable, c'est d'ailleurs, d'une certaine façon, choisir une route plus sûre, puisqu'elle permet de ménager les forces de l'équipage.

Choisir une route rapide procède évidemment d'un autre état d'esprit. Remarquons toutefois qu'aller vite peut être également une question de sécurité : même lorsqu'on est bien décidé à prendre son temps, il est bon d'être capable de déterminer à tout instant quelle est la route la plus rapide, par exemple pour rallier un port si le mauvais temps menace. Aller vite peut permettre aussi d'étendre son rayon d'action : sur une croisière de deux semaines, en gagnant une heure par-ci par-là, on peut s'offrir en fin de compte, une escale supplémentaire, imprévue, et qui sera peut-être la meilleure.

Mais aller vite, c'est aussi, pour beaucoup, faire la course. Sur ce point, qui engage la conception même que l'on a de la voile et des bateaux, les opinions sont partagées. John Illingworth, le célèbre coureur de haute mer, écrit : « Conduire un bateau pendant une course océanique signifie lui faire donner sa vitesse maximum par tous les temps que l'on rencontre. » Son compatriote Hilaire Belloc, vieux bourlingueur bourru, et trop peu connu, répond : « Il faut attendre de son bateau (de celui qui est un vrai compagnon) un comportement rationnel. Il faut se dire que lorsqu'il file sept nœuds, il marche bien, et que, quand il en file neuf, il est agité et qu'il se portera mieux après une nuit de repos. »

Nous tenons là le type même du débat absolument inutile mais passionnant. Puisqu'il paraît qu'on ne peut le poursuivre ici, conseillons simplement à ceux qu'il intéresse de lire conjointement *Course-croisière* d'Illingworth et *Naviguant à la voile* de Belloc. Cela les mènera très loin.

Et contentons-nous ici de considérer qu'un jour vient où l'on en a assez de ne pas comprendre certaines choses : pourquoi d'autres, qui ont pourtant le même bateau, vont toujours plus vite; pourquoi on est toujours du mauvais côté quand le vent tourne; pourquoi on tire toujours le mauvais bord dans le courant. Vient un moment où l'on a envie d'améliorer sa route. La recherche prend ici l'allure d'un jeu, qui n'exige pas forcément que l'on ait l'esprit de compétition, mais qui est passionnant en soi. Il consiste à se montrer à la hauteur de ces partenaires subtils que sont la mer, le vent et le courant. Chercher la route la plus rapide dans ce monde mouvant a quelque chose de fascinant : on s'aperçoit alors que la mer est une sorte de labyrinthe.

Nous tenterons ici de donner les principales règles du jeu, et d'indiquer dans quel sens il faut œuvrer pour en découvrir les finesses ultimes.

Le plus court chemin.

A première vue, on pourrait penser que la route la plus rapide pour se rendre d'un point à un autre est la route la plus courte. C'est en effet très souvent le cas, et c'est toujours cette éventualité qu'il faut envisager en premier lieu, même lorsqu'on se sait capable de construire des parcours moins simples. Il est indéniable que la ligne droite conserve en mer certaines des vertus qui lui ont valu son succès sur les routes terrestres.

Il arrive toutefois que l'on puisse aller plus vite en s'écartant de la route directe, lorsque sur cette route directe, l'état de la mer, la direction du vent, ou un courant ne permettent pas au bateau de donner sa pleine mesure. On sait déjà qu'il est bon d'éviter les hauts-fonds pour des questions de sécurité, mais il est évident qu'il faut les éviter aussi si l'on veut aller vite, car la mer qu'on y rencontre parfois, courte, escarpée, hachée, moutonnante, peut stopper complètement le bateau. On va plus vite en eau calme. On va plus vite également en eau profonde. Cuthbert Mason, dans son livre *Deep Sea Racing*, a démontré que sur des petits fonds la vitesse d'un bateau de fort déplacement est limitée à V (en m/s) $\approx 3\sqrt{H}$ (H étant la hauteur d'eau exprimée en mètres) : c'est-à-dire qu'il ne peut faire plus de 4 nœuds dans 2 m d'eau, plus de 5 nœuds dans 3 m d'eau, etc. Ce facteur est plus gênant pour les grosses unités que pour les petites, mais à lui seul il peut justifier que l'on évite de naviguer sur des hauts-fonds.

Il peut être bon également de se dérouter en fonction du vent : pour éviter une zone de calme ou pour chercher un vent meilleur; pour prendre une allure à laquelle le bateau va plus vite; pour se placer en fonction d'une saute de vent prévue.

On peut enfin se dérouter pour bénéficier d'un courant portant, ou éviter un courant contraire, ou pour tirer meilleur parti du courant que l'on est obligé de subir.

Dans tous les cas, le problème qui se pose est le suivant : sur le « crochet » que l'on a choisi de faire, obtiendra-t-on un gain de vitesse suffisant pour parvenir plus vite au but que si l'on avait suivi la route directe ? La réponse n'est pas toujours évidente, loin de là, et l'on risque fort, si l'on ne calcule pas soigneusement son coup, d'y perdre plus que d'y gagner.

Le temps que l'on gagne ou que l'on perd en évitant des hauts-fonds n'est guère estimable de façon précise. C'est à chaque fois un cas particulier. Le véritable jeu commence lorsqu'il s'agit de se dérouter pour une question de vent.

Jouer avec le vent

Eviter les zones de calme, les zones où le vent est trop fort, où il est trop debout : voilà des évidences faciles à énoncer, beaucoup moins simples à mettre en pratique. Par petit temps et brises folâtres, l'art qui consiste à guetter les risées et à s'y maintenir coûte que coûte (parfois au prix d'étranges détours) cet art relève surtout d'un sens aigu de l'observation. Aux abords des côtes il prend un tour encore plus subtil et celui qui n'a pas une parfaite connaissance des lieux en reste souvent confondu. Dans de telles conditions, spéculer sur le vent revient parfois à peser des ailes de mouches sur des balances en toile d'araignée. Les documents officiels ne peuvent être ici d'aucun secours. Signalons que l'on trouve toutefois un certain nombre de renseignements sur la psychologie des vents dans les ouvrages de Jacques Perret (spécialiste de la navigation évasive, pour qui l'unité de temps est le laps). Ces renseignements seront jugés plus ou moins utiles selon que l'on navigue avec Descartes ou sans.

L'utilisation des brises côtières repose sur des données déjà moins aléatoires. Brise de terre soufflant la nuit, brise de mer s'établissant dans l'après-midi méritent souvent que l'on fasse un détour, lorsque le vent général est faible (ou mal placé). Le problème est de savoir jusqu'à quelle distance de la côte leur influence se fait sentir. Cela dépend des côtes et des jours; la distance varie entre 5 et 10 milles, parfois moins, rarement plus. Encore faut-il penser à se rapprocher à temps.

En fait, dans tous les cas où le vent est faible, il est extrêmement difficile de prévoir ce que l'on va gagner en se déroutant. Un allongement de route de 100 % pour se rapprocher de terre le soir peut s'avérer très rentable s'il permet de bénéficier durant toute la nuit d'une bonne brise au lieu de rester encalminé au large. Il peut être désastreux si le vent se lève au large pendant ce temps-là. Comment savoir ?

C'est seulement lorsque le vent prend de la consistance qu'il devient possible de fonder son raisonnement sur des bases à peu près stables. Encore ne faut-il pas oublier que, parfois, le vent tourne... Avant de se lancer dans des calculs savants et des constructions acrobatiques, il est bon de se tenir au courant de la météo et de prévoir. Toutes les données sont soumises à ce préalable hypothétique, et c'est là que parfois le jeu prend des allures de jeu de hasard.

En définitive, ce que l'on peut gagner en jouant avec le vent n'est vraiment mesurable que dans deux cas principaux :

— lorsqu'on se déroute pour naviguer à une allure plus rapide,

— lorsqu'on se déroute pour bénéficier d'une saute de vent prévue.

A bien y regarder, le deuxième cas n'est d'ailleurs qu'une variante du premier, et c'est sur celui-ci qu'il faut raisonner d'abord.

Pour savoir si l'on gagne du temps en allant plus vite sur une route plus longue, on doit évaluer : d'une part l'importance du détour, d'autre part le gain de vitesse obtenu, puis comparer.

Evaluer l'allongement de la route.

L'allongement de la route est souvent moins grand qu'on ne l'imagine.

Sur le croquis ci-dessous, on peut constater qu'en s'écartant de la route directe AB d'un angle *a*, puis en rejoignant B sous un angle *b*, on allonge la route de la distance DC + CE, distance qui est naturellement fonction de la valeur des angles *a* et *b*.

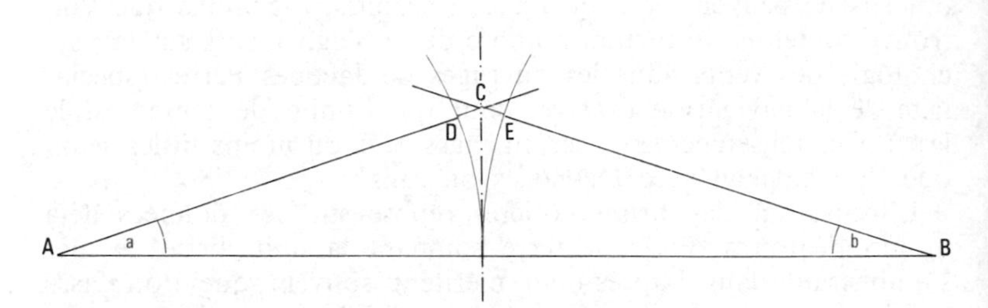

La première constatation que l'on peut faire est assez encourageante : dans le cas présent l'allongement de route paraît assez faible. Les calculs effectués pour différentes valeurs d'angles *a* et *b* viennent confirmer cette impression :

pour 5° : 0,4 %	d'allongement	pour 20° : 6 %	d'allongement
pour 10° : 1,5 %	—	pour 25° : 10 %	—
pour 15° : 3,5 %	—	pour 30° : 15 %	

En somme, on peut estimer qu'un écart de 20° par rapport à la route directe n'entraîne pas un allongement de route déraisonnable. Au-delà, les proportions s'aggravent et le jeu n'en vaut plus la chandelle, à moins que l'on ne soit vraiment sûr d'obtenir un gain de vitesse très important.

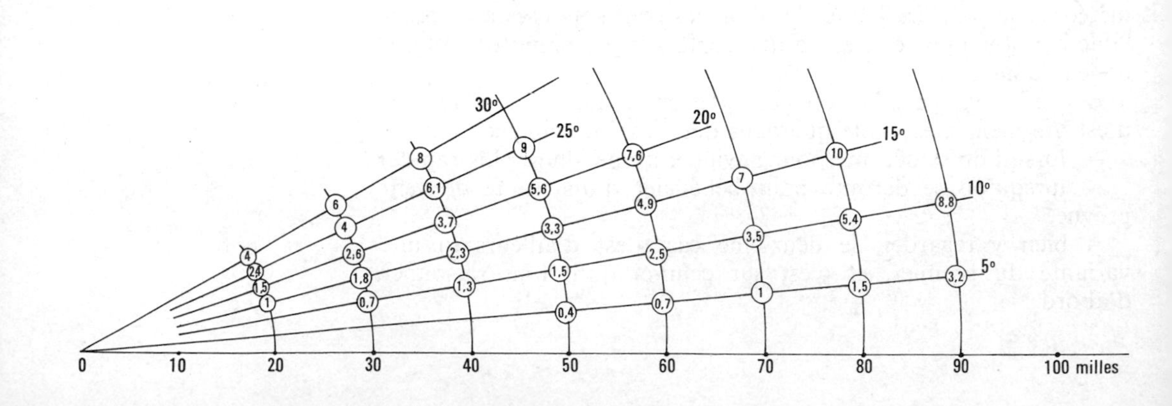

Evaluer le gain de vitesse.

Pour évaluer le gain de vitesse que l'on peut attendre d'un changement de direction, il faut bien connaître les possibilités de son bateau, à chaque allure et dans des forces de vents différentes. On peut évidemment se contenter de simples estimations. On peut aussi disposer de renseignements très précis, et utilisables en permanence, si l'on prend la peine de mesurer soigneusement la vitesse du bateau aux différentes allures et de construire des diagrammes permettant de comparer les vitesses entre elles.

Naturellement un diagramme de vitesse n'est valable que pour le bateau sur lequel il a été fait, et pour les conditions (force de vent, état de la mer) dans lesquelles les mesures ont été effectuées. Les diagrammes que nous présentons à la page suivante ne constituent que des exemples. Ils ont été réalisés sur un bateau léger, de 8 m de flottaison (dont la vitesse critique est donc : $2,4\sqrt{8} = 6,8$ nœuds). Tels quels, ils sont intéressants à regarder car ils révèlent certaines constantes, certaines caractéristiques qui sont celles de la plupart des bateaux modernes.

L'une des courbes a été établie par temps assez frais, l'autre par petit temps. Une première constatation s'impose : les différences de vitesse d'une allure à l'autre sont beaucoup plus marquées par petit temps que par temps frais. Ceci est important, et mérite même d'être considéré comme la toute première règle du jeu :

Se dérouter pour aller plus vite n'est valable que par petit temps. Par temps frais (si aucune saute de vent n'est prévue) il vaut mieux se tenir sur la route directe.

En s'écartant de 10° de la route directe sur 30 % du parcours, on n'allonge sa route que de 0,7 %.

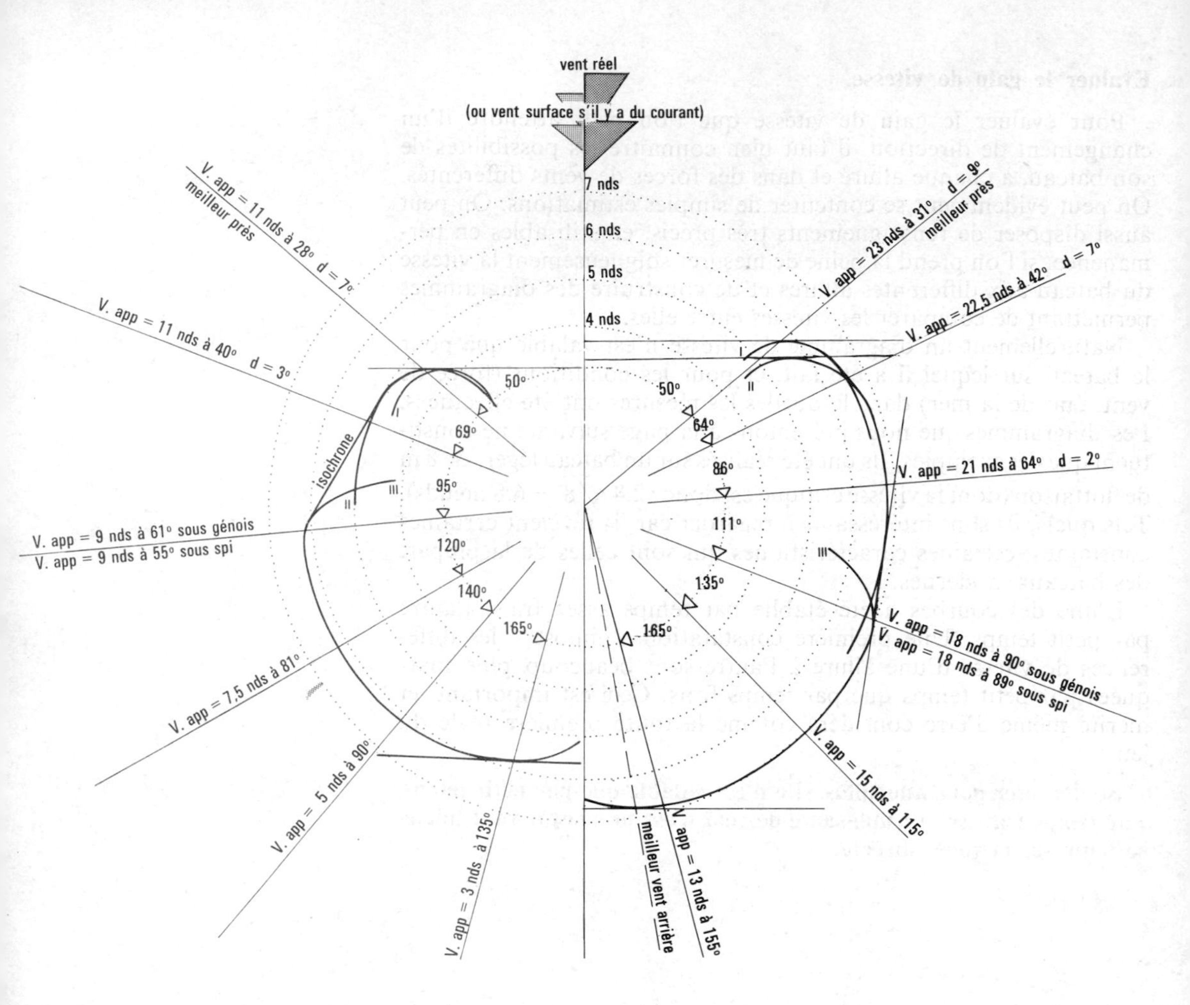

Diagrammes de vitesse établis sur un bateau de 8 m de longueur à la flottaison (vitesse critique : 6,8 nœuds). En rouge, diagramme établi par vent de 8 nœuds. En noir, diagramme établi par vent de 19 nœuds.

Courbe I : sous foc.
Courbe II : sous génois.
Courbe III : sous spi.

Sur la courbe établie par petit temps, on remarque des variations de vitesse importantes dans trois secteurs : celui du vent debout, celui du vent arrière et celui du vent de travers.

Vent debout : le « creux » du diagramme correspond naturellement au secteur de louvoyage.

Vent arrière : il apparaît que le bateau va plus vite lorsqu'on s'écarte un peu, de part et d'autre du plein vent arrière, ce qui suggère qu'il pourrait bien y avoir aussi une sorte de « secteur de louvoyage » de ce côté-là.

Vent de travers : la brusque accélération que l'on constate correspond au moment où le spi devient plus rentable que le génois.

Entre ces secteurs, la courbe présente un aspect très régulier, la vitesse varie peu : du bon plein au petit largue, du largue au grand largue, on voit mal comment un changement de direction pourrait permettre un gain de vitesse; de toute évidence, à ces allures la route directe est la plus rapide.

En revanche, on peut se poser des questions pour les trois secteurs où la vitesse varie. Lorsque le but à atteindre est situé dans le secteur du vent de travers, ne gagne-t-on pas du temps en filant au largue sous spi durant une partie du parcours, puis en terminant au petit largue ? Lorsque le but est juste sous le vent, ne l'atteint-on pas plus vite en tirant des bords grand largue plutôt qu'en piquant droit dessus au plein vent arrière ?

En ce qui concerne le secteur du vent debout, le problème est évidemment différent : ici, de toute manière, on ne peut progresser qu'en faisant des détours; il s'agit seulement de savoir si certains détours ne sont pas meilleurs que d'autres.

Les diagrammes permettent en tout cas d'évaluer avec précision le gain de vitesse que l'on obtient pour tel ou tel changement de cap. Ils permettent aussi, nous allons le voir, de connaître le gain de temps qui résulte de telle ou telle combinaison d'allures.

Evaluer le gain de temps.

Prenons le cas du vent debout. A l'aide du croquis ci-contre, il est aisé de voir que le lieu géométrique des points qui peuvent être atteints dans un même laps de temps en louvoyant est une droite, perpendiculaire à la direction du vent, et tangente aux bords supérieurs du diagramme de part et d'autre du secteur dc louvoyage. Les points de tangence de la droite et du diagramme indiquent avec précision quel est le meilleur près possible, sur l'une et l'autre amures.

Selon le même principe, il est possible de connaître l'ensemble des points que l'on peut atteindre dans un même laps de temps en « louvoyant » de part et d'autre du vent de travers ou de part et d'autre du vent arrière. Dans les deux cas, tous ces points sont situés sur une droite tangente aux bords du diagramme. Cette droite — que l'on nomme **isochrone** — permet donc de savoir exactement ce que l'on gagne par rapport au chemin que l'on aurait parcouru en faisant la route directe. Ses points de tangence avec le diagramme permettent également de savoir quel est le « meilleur petit largue », le « meilleur largue » ou les « meilleurs grands largues » à adopter.

Pour toutes les allures où la route directe est la route la plus rapide, l'isochrone se confond naturellement avec le diagramme.

Il est grand temps de voir maintenant quels raisonnements on est amené à tenir dans la réalité; d'abord dans un vent constant, ensuite lorsqu'une saute de vent est annoncée.

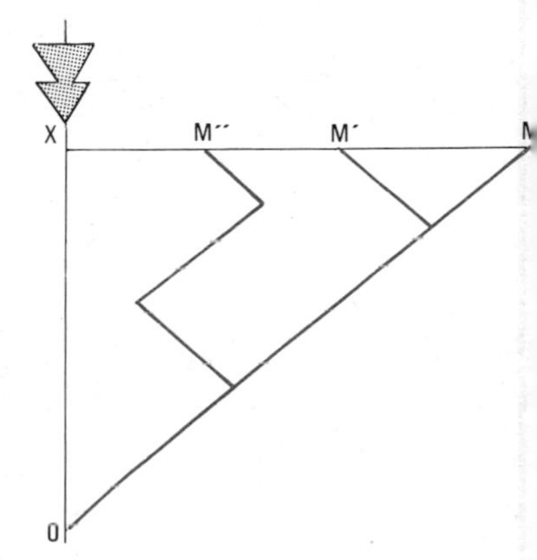

OM = OM' = OM''. Partant de O, tous les points que l'on peut atteindre dans le même laps de temps en louvoyant sont situés sur une droite perpendiculaire à la direction du vent.

Etablir un diagramme de vitesse.

Un diagramme de vitesse est la représentation graphique, pour une force de vent donnée, des possibilités d'un bateau aux différentes allures.

Pour le construire on trace, à partir d'un point origine O, selon les routes suivies et par rapport au vent réel, des vecteurs d'une longueur proportionnelle à la vitesse du bateau. Le diagramme (ou polaire) de vitesse est la courbe qui relie l'extrémité de tous les vecteurs.

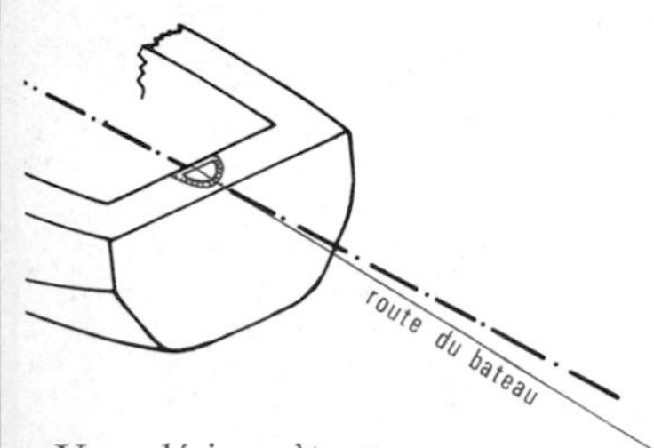

Un « dérivomètre » facile à réaliser.

Appareils de mesure.

Pour établir de tels diagrammes, il est nécessaire de disposer de certains instruments de mesure. Mais il n'est pas indispensable que ceux-ci soient électroniques, des appareils beaucoup plus simples et moins coûteux peuvent faire l'affaire.

• Pour mesurer le cap du bateau par rapport au vent réel, il faut un compas de route.

Pour mesurer la dérive, on peut construire soi-même un « dérivomètre ». Prendre un rapporteur d'écolier assez grand (10 cm de rayon), le fixer tout à l'arrière du bateau, le rond vers l'arrière et le côté droit perpendiculaire au bateau. En son centre fixer une ligne fine (genre ligne de pêche) d'une dizaine de mètres et munie d'un plomb de 100 à 200 g. On lit la dérive sur le rapporteur.

Pour mesurer la vitesse, les lochs à bateau et les lochs mécaniques à hélice sont parfaits, souvent plus commodes que les lochs électroniques, car ceux-ci sont trop sensibles aux variations de vitesse momentanées.

Pour mesurer la vitesse du vent, il faut un anémomètre : anémomètre à main (de prix raisonnable) ou placé en tête de mât (plus cher). Le « Ventimètre », très bon marché, peut être suffisant; son inconvénient majeur est de n'être sensible qu'à des vents de plus de 6 nœuds.

Pour mesurer l'angle entre l'axe du bateau et le vent apparent, il faut une girouette, qui doit être en tête de mât. Ce peut être une « manche à air » comme on en voit sur les aérodromes ou le long des autoroutes, ou une feuille de tôle comme sur les toits. Pour permettre une bonne évaluation de l'angle le support doit être muni de deux branches de chaque bord, branches que l'on règle à des angles caractéristiques (provisoirement 60° et 40°). Si on est très riche, on peut s'offrir un appareil électronique combinant girouette et anémomètre.

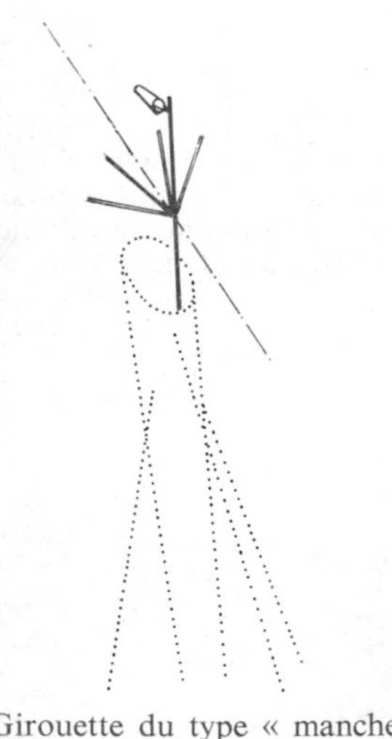
Girouette du type « manche à air » avec branches réglables.

Construction du diagramme.

Il faut d'abord connaître le vent réel. On trouve sa direction, soit au vent arrière, soit en prenant la moyenne des caps suivis au près sous les deux amures. On mesure sa vitesse au vent arrière en faisant la somme des vitesses du vent apparent et du bateau. Si le vent apparent est trop faible pour être mesuré, ce n'est pas grave, on pourra le faire plus tard.

On mesure ensuite, à chaque allure, la vitesse et la route du bateau. On suit le cap au compas, cap que l'on corrige éventuellement de la dérive pour obtenir la route. Pour que le diagramme soit réaliste il faut un grand nombre de mesures : tous les 10° à 15° au grand largue et au largue; tous les 5° lorsqu'on approche de la limite du spi, puis entre le petit largue et le près.

Au cours de l'opération, on vérifie au moins une fois la vitesse du vent. Si l'on dispose d'un appareillage très complet, on note pour chaque cap la vitesse et la direction du vent apparent. Si l'on ne dispose que d'une girouette rudimentaire, on note la vitesse du vent apparent aux angles où sa direction est aisément repérable (90°, 60°, 40°). Comme le vent apparent est bien plus frais à ces allures qu'au vent arrière, ce n'est que par brise expirante que le ventimètre est insuffisant.

En faisant la petite construction ci-dessous, on peut alors vérifier la valeur des mesures.

On fait trois diagrammes : l'un avec le spi, l'autre avec le génois, le troisième avec le foc. On trace sur un même graphique les trois courbes obtenues pour une même force de vent, ce qui permet de savoir sans hésitation quelle est la voilure la mieux adaptée à l'allure et quel est le cap le plus rentable.

N. B. Il est intéressant (mais non indispensable) de noter sur le diagramme la force et la direction du vent apparent pour un certain nombre d'allures, car ce sont les seuls éléments dont on dispose quand on navigue.

Lorsqu'on a établi plusieurs diagrammes, pour des forces de vent différentes, on peut régler les branches de la girouette sur deux allures bien caractéristiques : par exemple l'allure à laquelle on peut hisser le spi et l'allure à laquelle il faut abandonner le génois pour le foc.

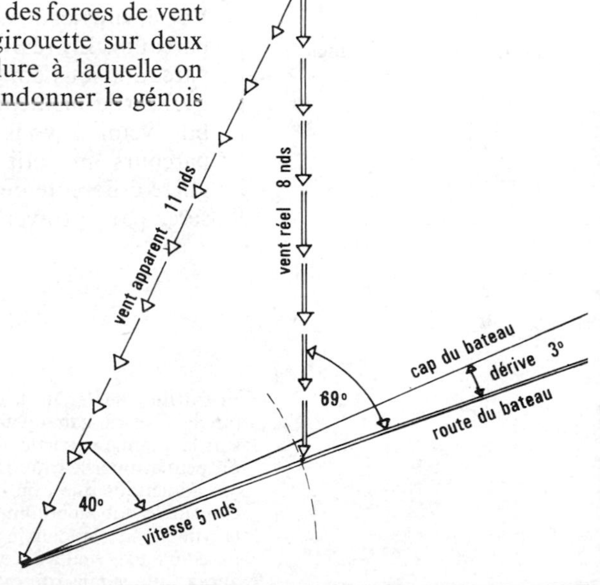

Vérification des mesures pour un angle cap-vent apparent de 40°.
Les données dont on dispose sont :
- vent réel : 10 nœuds
- vent apparent : 11 nœuds
- vitesse : 5 nœuds
- dérive : 3°.

On trace le vecteur vent apparent (2 cm par nœud, par exemple), puis le vecteur cap. En ajoutant la dérive on obtient la route. Le vecteur qui ferme le triangle représente le vent réel. On le mesure : 8 nœuds. Il y a donc une erreur quelque part.

Vent de travers.

Vous êtes dans les parages de la bouée SN 1, au large de l'embouchure de la Loire, et vous faites route sur Belle-Ile. Le vent est léger, de Suroît. Votre bateau marche à 5 nœuds, et vous êtes en train de méditer vaguement sur la question éternelle : *to spi or not to spi*. Vous ne connaissez pas très bien votre bateau, vous n'avez jamais entendu parler de « tactiques de course » et d'ailleurs vous n'avez aucune raison de rallier Belle-Ile en vitesse. Simplement vous avez un peu envie de naviguer sous spi et il vous paraît possible, à l'allure où vous êtes, de le porter. Vous vous décidez enfin, et l'on hisse. Malheureusement vous vous êtes trompé : votre spi porte mal, et le bateau ne va pas plus vite.

La pensée que vous avez travaillé pour rien vous écœure, et vous décidez de laisser porter légèrement pour que votre spi serve à quelque chose.

Vous abattez donc de 10°, et constatez aussitôt que tout va beaucoup mieux. Le spi tire correctement, la vitesse passe à 6 nœuds. C'est extrêmement agréable.

Vous jetez tout de même un regard sur votre carte pour voir où vous mène cet écart de conduite. Vous vous apercevez qu'il n'est pas très important et que vous pouvez sans risque continuer un moment ainsi. Le bateau allant plus vite, la perte de temps ne sera pas très grande en définitive.

Le moment où il faut remettre cap sur le but ne dépend pas de l'angle de déroutement (angle a) mais uniquement du gain de vitesse obtenu. Il s'évalue en fonction du gisement du but (angle c). Plus le gain de vitesse est important, plus on peut attendre.

Gain de vitesse	angle c
10 %	25°
15 %	30°
20 %	34°
25 %	37°

C'est alors que germe dans votre cerveau débile l'idée que votre gain de vitesse est en fait considérable par rapport à l'allongement de la route. C'est exact, et nous vous signalons que si vous décidez de faire la moitié du parcours sous spi, puis de piquer ensuite sur Kerdonis, vous n'avez allongé votre route que de 1,5 %. Votre vitesse a augmenté de 20 % sur cette première partie du parcours. En réalité vous pouvez même faire plus de la moitié du parcours sous spi, vous y gagnerez encore. Si vous voulez savoir quel est le meilleur moment pour rentrer le spi et faire cap sur le but, veuillez vous reporter au tableau ci-contre. Vous finirez le parcours au petit largue, allure à laquelle votre vitesse ne sera guère différente de celle que vous faisiez sur la route directe. Vous serez par le travers de Kerdonis beaucoup plus tôt que prévu.

En fonction de l'angle de déroutement (angle a) et du gain de vitesse obtenu sur la première partie du parcours, on peut évaluer le gain de temps total (en admettant que l'on a su remettre cap sur le but au bon moment et que la vitesse sur la deuxième partie du parcours est égale à celle que l'on aurait faite sur la route directe).

Gain de temps (en %)

Gain de vitesse		10 %	15 %	20 %	25 %
angle a	5°	6	9	12	15
	10°	3	6	8	11
	15°	1,5	3	5	7
	20°	1	1,5	3	4,5

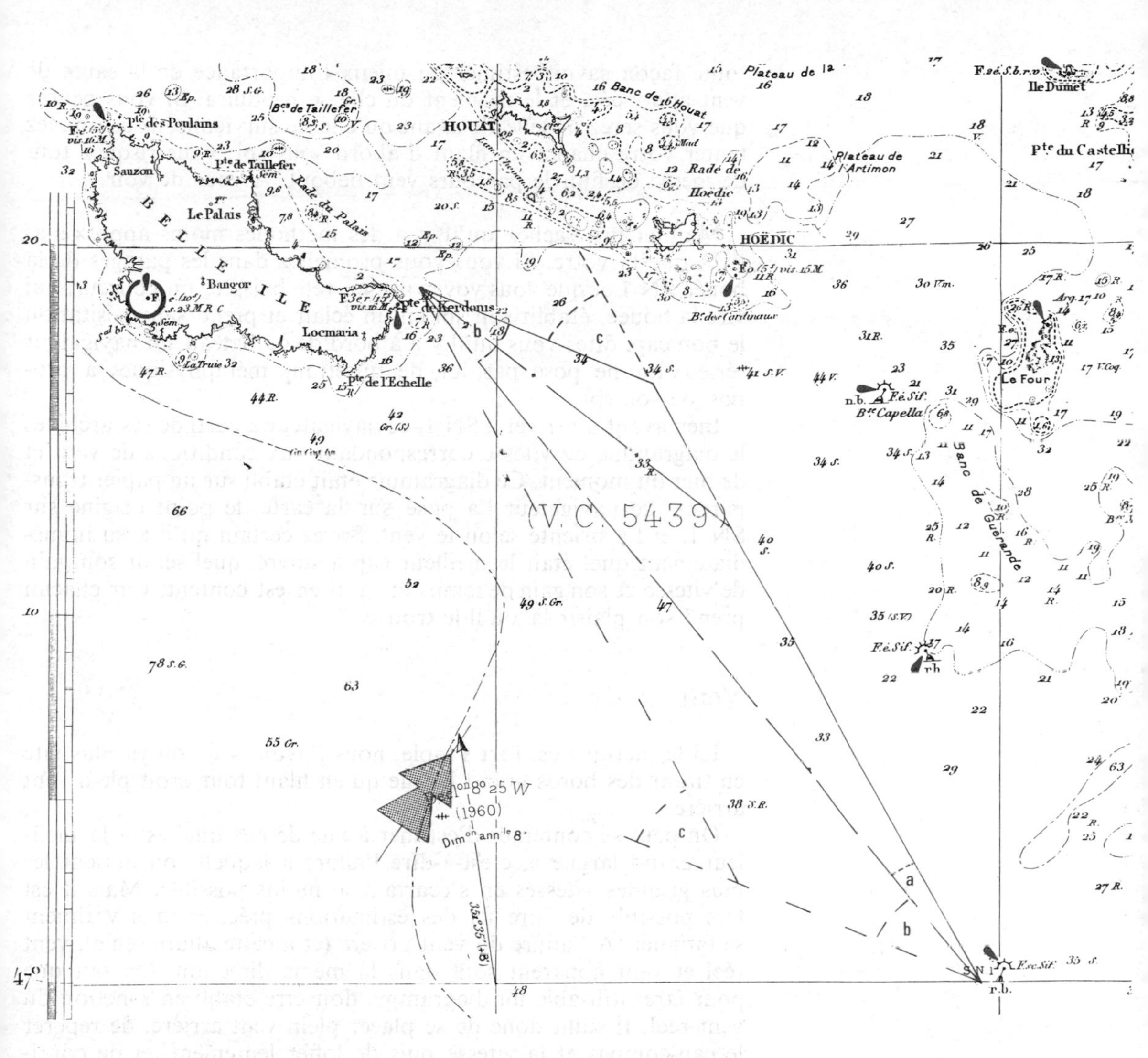

Entre SN 1 et Kerdonis, par vent léger de SW, trois possibilités : faire la route directe; abattre pour pouvoir porter le spi, puis finir au petit largue; commencer par tirer le bord petit largue et finir sous spi.

La météo annonce-t-elle que le vent doit tourner vers le Sud? Il est très possible alors que vous fassiez tout le parcours sous spi. Si elle annonce au contraire que le vent doit remonter vers le Nord, il faudrait alors envisager de faire la première partie du parcours au petit largue. Pour savoir à quel moment vous pourriez ensuite piquer sous spi sur Kerdonis, il vous faut d'abord savoir de façon précise à quelle allure votre spi devient efficace; puis tracer sur la carte à partir de Kerdonis, une droite figurant votre route à cette allure; et rejoindre cette route au petit largue. En réalité, si le vent doit remonter, il vaut mieux, peu instruit comme vous l'êtes, renoncer au spi et faire la route directe. La prudence conseille en effet de ne se dérouter que si l'on en tire un profit immédiat, à moins d'être très sûr de soi. Il faudrait de toute façon savoir estimer au mieux l'importance de la saute de vent annoncée, et le moment où elle se produira. Si vous pensez que vous serez à Belle-Ile avant qu'elle ne survienne, vous pouvez tenter votre chance en filant d'abord sous spi; vous risquez tout de même de finir le parcours vent debout. A vous de voir.

Maintenant, sachez qu'il y a des méthodes moins approximatives que la vôtre. Si vous vous promenez dans les parages de la bouée SN 1 et que vous voyez passer, tête baissée, un coureur, qui vire la bouée, établit son spi en un éclair et prend sans hésitation le bon cap, dites-vous qu'il y a à bord de ce bateau un navigateur sérieux qui ne pose pas, lui, de questions métaphysiques à propos de son spi.

Bien avant d'arriver à SN 1, ce navigateur a sorti de ses archives le diagramme de vitesse correspondant aux conditions de vent et de mer du moment. Ce diagramme était établi sur un papier transparent. Le navigateur l'a posé sur la carte, le point origine sur SN 1, et l'a orienté selon le vent. Soyez certain qu'il a su immédiatement quel était le meilleur cap à suivre, quel serait son gain de vitesse et son gain de temps et qu'il en est content. Car chacun prend son plaisir là où il le trouve.

Vent arrière.

Ici la tactique est fort simple, nous l'avons vu : on va plus vite en tirant des bords grand largue qu'en filant tout droit plein vent arrière.

On peut se contenter d'estimer à vue de nez quel est « le meilleur grand largue », c'est-à-dire l'allure à laquelle on obtient les plus grandes vitesses en s'écartant le moins possible. Mais il est très possible de faire ici des estimations précises sans vraiment se fatiguer. A l'allure du vent arrière (et à cette allure seule), vent réel et vent apparent sont dans la même direction. On sait que pour être utilisable un diagramme doit être établi en fonction du vent réel. Il suffit donc de se placer plein vent arrière, de repérer le cap-compas et la vitesse puis de loffer lentement, et de continuer à mesurer la vitesse de 5° en 5°. En très peu de temps, on sait quel est le meilleur angle de louvoyage, pour la force de vent du moment tout au moins. Même si l'on ne va pas jusqu'à faire un diagramme, on peut noter ces choses dans un coin du livre de bord.

Faut-il tirer des petits bords ou des grands bords ? Tout dépend de l'évolution ultérieure du vent. Si le vent ne doit pas changer de direction, ou si l'on n'en sait rien, tirer des petits bords est en général plus prudent (bien que le temps perdu dans les manœuvres de virement lof pour lof ne soit pas négligeable). Si l'on s'écarte trop de la route directe, en effet, il suffit d'une légère saute de vent au dernier moment pour qu'on se trouve contraint de courir l'ultime bord plein vent arrière, ce qui fait perdre tout ou partie du bénéfice acquis jusque-là en louvoyant. Lorsqu'on s'écarte peu, au contraire, une saute de vent est soit sans effet, soit bénéfique. A moins qu'elle ne soit supérieure à 80°, c'est-à-dire qu'elle contraigne à rentrer le spi. Lorsqu'une saute de vent de cette importance est prévue, il faut renoncer au louvoyage et prendre tout de suite l'amure qui sera imposée un peu plus tard par la rotation du vent; autrement dit, loffer du côté d'où le vent doit venir.

Vent debout.

Comment améliorer sa route lorsque le but à atteindre est situé dans la direction d'où vient le vent ? Ici les questions tactiques prennent un tour bien particulier : le bateau est au près, et il ne s'agit pas de se demander si un écart peut permettre un meilleur gain dans le vent, puisque par définition le près est l'allure qui permet ce meilleur gain. Aussi bien, tant que le vent ne tourne pas, le problème se pose-t-il en termes très simples.

Théorème du vent debout.

Prenons plusieurs bateaux identiques, remontant tous à 50° du vent. Ces bateaux sont répartis au hasard sur une ligne BC et s'apprêtent à louvoyer pour gagner le point A. L'angle BAC, dont la bissectrice est le lit du vent, est égal au secteur de louvoyage, c'est-à-dire à 100°.

Il est essentiel de savoir que tous les bateaux situés sur la ligne BC sc trouvent, compte tenu des bords à tirer, à égale distance dc A. On pcut vérifier sur le croquis que deux bateaux partant du même point D, et tirant des bords différents, parcourent exactement la même distance pour rallier A, et qu'en tout point du trajet — par exemple à mi-parcours, en D' et en D'' — leur pro-

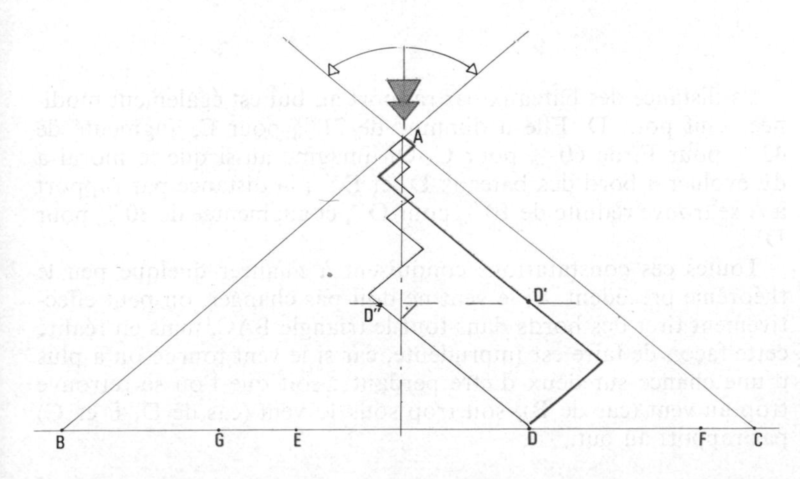

Compte tenu des bords à tirer, tous les bateaux situés sur la ligne BC sont à égale distance de A. On peut le vérifier sur les parcours D' et D''.

gression est identique. En revanche, les bateaux qui se trouvent à gauche de B, ou à droite de C sont plus éloignés du but et mettront plus de temps pour l'atteindre.

Au près, la route la plus courte se trouve à l'intérieur d'un angle égal au secteur de louvoyage et dont la bissectrice est l'axe du vent; toutes les routes y sont équivalentes en distance.

Théorème du vent qui tourne.

Mais voici que le vent tourne, de 25° vers la gauche, et tout est bouleversé. Le nouvel angle de louvoyage est xAy et la projection sur sa bissectrice de la position de chaque bateau montre que E est désormais la plus proche de A, suivi dans l'ordre par D, F et C. B n'est plus dans le coup. Un doute subsiste au sujet de G, qui est en dehors de l'angle de louvoyage, mais légèrement au vent de E. La distance GA n'est supérieure que de 10 % à la distance EA. G faisant désormais route au bon plein va plus vite. Ce gain de vitesse compensera peut-être l'allongement de la route.

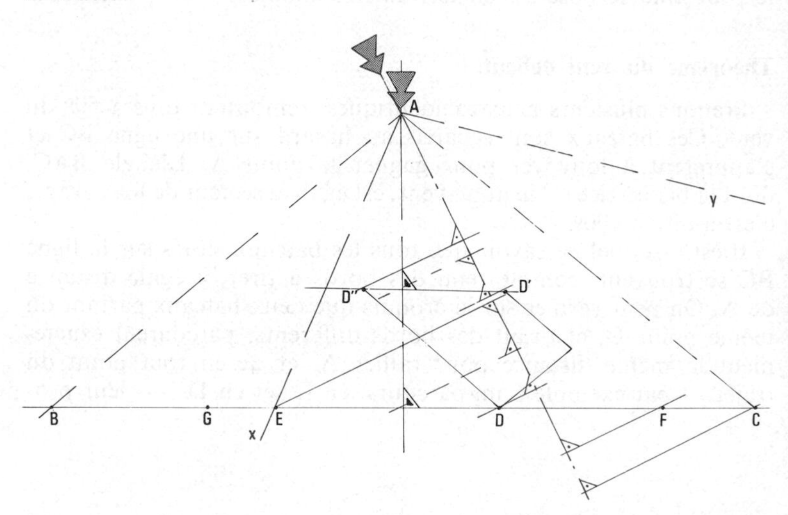

Le vent tourne de 25° vers la droite et toutes les données changent. Le bateau le plus avantagé est E. La route de D'' est raccourcie de près de moitié par rapport à celle de D'.

La distance des bateaux par rapport au but est également modifiée, sauf pour D. Elle a diminué de 21 % pour E, augmenté de 43 % pour F, de 60 % pour C. On imagine aussi que le moral a dû évoluer à bord des bateaux D' et D'' : la distance par rapport à A se trouve réduite de 10 % pour D'', et augmentée de 30 % pour D'.

Toutes ces constatations conduisent à nuancer quelque peu le théorème précédent. Si le vent ne doit pas changer, on peut effectivement tirer des bords dans tout le triangle BAC, mais en réalité cette façon de faire est imprudente, car si le vent tourne on a plus d'une chance sur deux d'être perdant : soit que l'on se retrouve trop au vent (cas de B), soit trop sous le vent (cas de D, F et C) par rapport au but.

En fait l'expérience prouve que **lorsqu'on ne sait pas si le vent va changer, ou de quel côté il va tourner, l'attitude la plus prudente consiste à louvoyer dans un cône de 10° ayant pour axe le lit du vent.**

Il faut remarquer ici que lorsque le but ne se trouve pas exactement dans le lit du vent, se pose le choix du bord qu'il faut tirer en premier lieu. En fonction de la règle précédente on voit que **le « bon bord » est celui qui rapproche le plus du but.** Dans notre exemple, c'est D'' qui a tiré le bon bord.

Maintenant, si une saute de vent est prévue, et si l'on sait dans quel sens le vent doit tourner, ceci n'est plus valable. Il faut ici encore regarder le croquis : lorsque la saute de vent survient, c'est D qui se trouve le plus proche du lit du nouveau vent, mais c'est pourtant E qui est gagnant. On peut en déduire immédiatement la règle suivante :

Lorsqu'une saute de vent est prévue, il faut se tenir du côté d'où le vent va venir.

Le problème est de savoir jusqu'où l'on doit aller de ce côté et quel cône de louvoyage il faut adopter. Pour cela, il faut tenter d'estimer aussi précisément que possible l'importance de la saute de vent. D'une manière générale on peut dire que : l'angle entre la direction du vent actuel et le côté au vent du nouveau cône de louvoyage ne doit pas être supérieur à la différence entre le demi-angle mort du bateau et l'angle de rotation prévu. Exemple! Si le bateau remonte à 45° du vent, et si l'on prévoit une saute de vent de 30°, la différence 45° — 30° = 15° indique que le côté au vent du nouveau cône de louvoyage ne doit pas être à plus de 15° du vent actuel. Lorsqu'on pense que le vent va tourner de 30°, on louvoie donc entre 5° et 15° de l'axe du vent actuel, du côté d'où le vent va venir.

Cette simple soustraction met en évidence une nouvelle règle : **plus la saute de vent doit être importante, moins l'on doit s'écarter de l'axe du vent actuel.** Si l'on prévoit une saute de vent de 40°, le calcul 45° — 40° = 5°, montre qu'on ne doit rien changer.

Retournons dans les parages où nous nous trouvions récemment, quelque part entre SN1 et Belle-Ile. Cinq bateaux identiques sont là, qui font route sur Kerdonis. Le vent est au NW (vent noir) et la météo annonce qu'il doit haler le Nord.

Voir la carte page 721, hors-texte 7.

A bord de chacun des bateaux on s'interroge, on s'efforce de raisonner sur la prévision météo et d'en déduire la conduite à tenir.

A bord du bateau A, on pense que l'on aura rallié Belle-Ile avant que la saute de vent ne se produise. On continue donc à louvoyer dans le cône de 10° (cône vert) axé sur le vent actuel.

A bord du bateau B, on croit que la saute de vent va se produire assez vite et qu'elle sera d'environ 30°. On fait donc le calcul : 45° — 30° = 15°. B tire un long bord bâbord amures pour venir se placer et louvoyer dans le cône gris, entre 5° et 15° de l'axe du vent actuel.

A bord du bateau C, on ne se demande pas quelle sera l'importance de la saute. On se dit que plus on sera au vent, mieux cela vaudra. C entame un long bord vers le NE, sans prévoir le moment où il virera.

A bord du bateau D, on pense que la rotation du vent sera faible : 20° environ. 45° — 20° = 25°. D part louvoyer dans le cône rose situé entre 15 et 25° de l'axe du vent actuel.

A bord du bateau E, on estime au contraire que la rotation du vent sera importante : de 40° environ. 45° — 40° = 5°. On ne s'écarte donc pas.

Ainsi, pour des raisons diamétralement opposées, le bateau A et le bateau E restent dans le même secteur, tandis que tous les autres cherchent à s'élever dans la direction d'où doit venir le vent.

La saute de vent survient, elle est de 20° (vent vert). Comptons les points.

Pour A et pour E, la route est raccourcie de 6 %. Pour B, elle est raccourcie de 11 %. Pour D, elle est raccourcie de 21 %.

C est parti trop loin : il est en dehors du nouveau secteur de louvoyage. Mais il est nettement au vent de D et la distance qui le sépare du but n'est supérieure que de 9 % à celle de D. Peut-être le gain de vitesse obtenu en marchant au bon plein compensera-t-il l'allongement de route qu'il s'est ainsi offert.

Il est intéressant de voir ce qui se serait passé avec des sautes de vent différentes.

Si le vent tourne de 40° (vent gris) : la route de A et de E est raccourcie de 22 %; B est en dehors du secteur de louvoyage mais compensera peut-être par sa vitesse au bon plein son retard sur A et E; D et C ne sont plus dans la course : il faudrait que la vitesse de l'un augmente de 10 %, celle de l'autre de 18 % pour qu'ils arrivent au but en même temps que les autres.

Si le vent tourne de 60° (vent rouge) : tout le monde est en dehors du nouveau secteur de louvoyage; A et E sont les plus proches du but.

Si le vent tourne à l'envers de 20° (vent rose) : la route de C est allongée de 16 %; celle de D de 10 %; celle de B ne change pas; celle de A et de E diminue de 6 %.

De tous ces résultats, on peut tirer les conclusions suivantes.

— Le gagnant est celui qui prévoit le mieux la valeur de la saute de vent.

— Celui qui choisit la route directe est toujours bien placé. Il est gagnant dans trois cas : si le vent ne tourne pas, s'il tourne beaucoup, et s'il tourne à l'envers.

— Dans tous les cas, faire un grand écart ne rime à rien.

A plusieurs reprises, nous avons remarqué que des bateaux se trouvant en dehors du nouveau secteur de louvoyage, mais au vent de leurs confrères, ont quelque chance de rattraper le temps perdu, puisqu'ils font cap sur le but au bon plein et vont plus vite que ceux qui naviguent au près. Ceci nous conduit à envisager un cas particulier : lorsque le but vers lequel on se dirige peut être atteint d'un seul bord au près, il peut être judicieux parfois de laisser porter un peu, pour gagner de la vitesse, si l'on prévoit une saute de vent avant la fin du parcours : soit que le vent refuse de plus de la moitié de l'angle mort, soit qu'il adonne un peu.

Il est évident que selon la distance qui sépare du but, et selon le contexte météo, on ne raisonne pas du tout de la même façon : plus le but est éloigné, plus on a de chances de voir le vent tourner en cours de route : si le front polaire déploie son activité sur la région où l'on navigue, les choix à faire concernent les heures à venir; dans une situation anticyclonique c'est plutôt une question de jours; dans un régime de mousson, c'est une affaire de saison...

Quelques traversées de la Manche.

Pour récapituler, nous envisagerons la conduite à tenir lors de différentes traversées de la Manche, dans une situation météo classique : une dépression vient de passer, une autre est annoncée; le vent est au Noroît et doit prochainement redescendre.

Si l'on va des Scilly à Bréhat (cap 115°), la route directe impose l'allure du vent arrière, mauvaise allure de toute façon. Mais il serait regrettable de tirer des bords au grand largue, comme on le ferait si le vent ne devait pas tourner. Ici, il risque de tourner au point que l'on ne puisse plus porter le spi. Il est donc préférable de loffer quelque peu tribord amures et de se maintenir sur ce bord : on a ainsi des chances de faire la traversée d'abord au grand largue puis au largue.

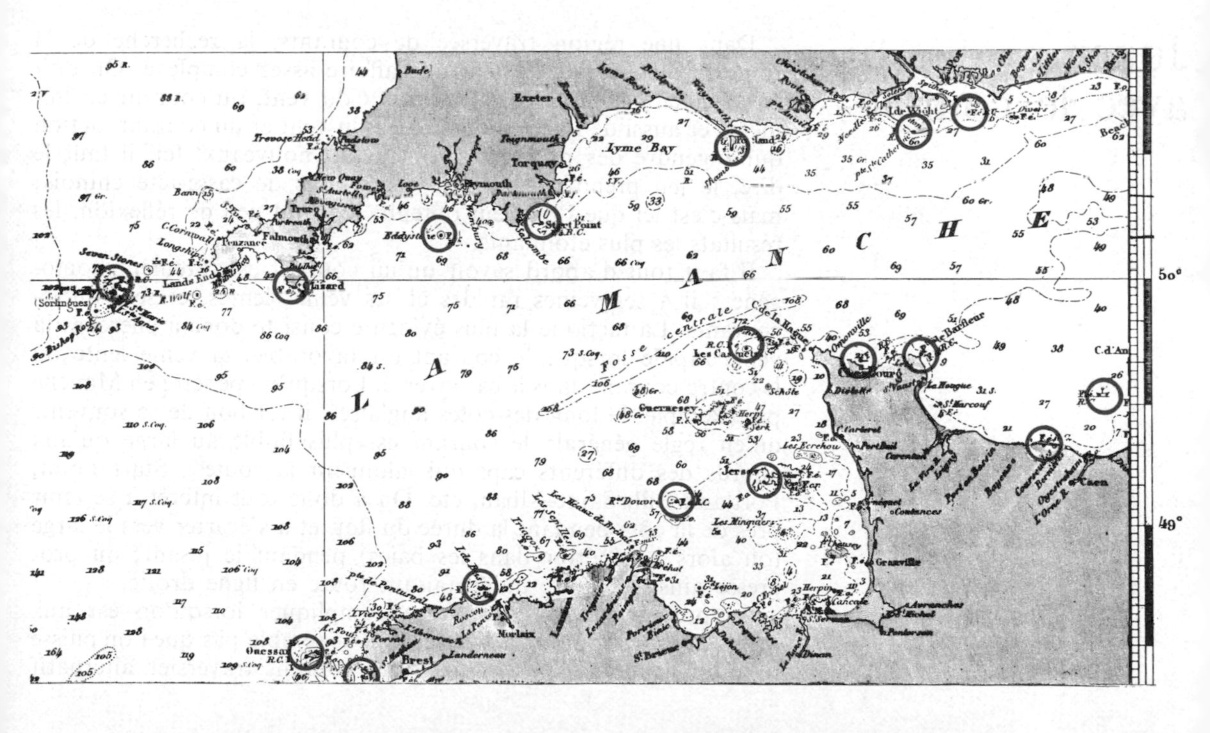

De Torquay à Bréhat (cap 169°), la route directe se fait au grand largue. Mais pour les mêmes raisons que précédemment, on a tout intérêt à loffer du côté d'où le vent va venir. Si l'on prévoit que le vent va tourner dans la première partie de la traversée, il est bon de loffer de 15° dès que l'on a passé Start Point. On loffe de 5° seulement si l'on pense que la saute de vent n'aura lieu qu'en fin de parcours.

De Plymouth à Ouessant (cap 199°), on est au largue sur la route directe. Ici un choix s'avère difficile et il devient important de savoir à quelle hauteur va passer la dépression annoncée. Si elle passe au nord, le vent ne redescendra peut-être pas plus bas que l'Ouest : loffer à la limite du spi dès le départ est alors intéressant. Si le centre de la dépression doit passer sur la Manche, il est probable que le vent retournera jusqu'au Sud, peut-être même au SE. Dans ces conditions, laisser porter de 15° par rapport à la route directe peut être de bonne tactique. Mais il faut être assez sûr de soi, car ce choix est hardi. Enfin si l'on pense que le vent ira s'établir au SW, il est inutile de chercher midi à quatorze heures, c'est la route directe qui est la meilleure : il s'agit de se trouver le plus près possible de Ouessant lorsque le vent prendra sa figure de vent debout.

Jouer avec le courant

Dans une région traversée de courants, la recherche de la route la plus rapide devient une affaire assez complexe. On doit en effet tenir compte tout à la fois : du vent, du courant en lui-même et aussi de l'action conjuguée du vent et du courant, action qui engendre des problèmes tout à fait nouveaux. Ici, il faut le dire, le jeu prend quelquefois des allures de casse-tête chinois; mais c'est ici que l'on peut obtenir, avec un peu de réflexion, les résultats les plus étonnants.

Il faut tout d'abord savoir qu'un courant est rarement homogène : il a ses veines rapides et ses veines lentes, et ses contre-courants. La tactique la plus évidente consiste donc à chercher la veine rapide lorsque le courant est favorable, la veine lente ou le contre-courant dans le cas inverse. Lorsqu'on pénètre en Manche par exemple, le long des côtes anglaises, il est bon de se souvenir qu'en règle générale le courant est plus faible au large qu'aux abords des différents caps qui jalonnent la route : Start Point, Portland Bill, Saint-Alban, etc. On a donc tout intérêt à se tenir près de la côte pendant la durée du flot, et à s'écarter vers le large (ou alors à pénétrer dans les baies) pendant le jusant; on progresse ainsi plus vite qu'en faisant route en ligne droite.

Le problème commence à se compliquer lorsqu'on est aux prises avec un courant traversier. S'il ne semble pas que l'on puisse tirer un avantage quelconque d'un courant traversier alternatif (qui déporte le bateau équitablement, d'un bord puis de l'autre) il apparaît, en tout cas, que l'on peut en tirer un sérieux désavantage en s'efforçant de lutter inutilement contre lui. Nous avons déjà étudié cette question au chapitre « Navigation côtière » lorsque nous avons fait la distinction entre route sur le fond et route sur l'eau. Si l'on cherche à s'opposer au courant pour faire une route droite par rapport au fond, le bateau fait plus de route sur l'eau (il y a plus d'eau à passer sous sa quille, si l'on ose dire) et la durée du parcours s'en trouve donc allongée. L'exemple de la traversée de la Manche, illustré ci-contre, montre au contraire qu'en se laissant déporter en toute simplicité par le courant, 6 heures d'un côté, puis 6 heures de l'autre, et en conservant un cap constant, le bateau suit une route sinusoïdale par rapport au fond mais avance en ligne droite sur l'eau, et que c'est bien là la route la plus courte possible.

Pour trouver la route la plus courte dans un courant traversier alternatif, le principe est donc toujours le même : **il faut faire la somme des courants que l'on aura à subir pendant la durée du parcours,** puis déplacer son point de départ sur la carte de la valeur trouvée : on voit alors le cap qu'il faut prendre et conserver de bout en bout.

Mais c'est ici que l'affaire devient palpitante : car la route la plus courte ainsi déterminée n'est pas forcément la route la plus rapide; il peut être intéressant de la rallonger quelque peu pour aller plus vite!

Il faut ici tenir compte d'une notion nouvelle, qui est la clef de toute navigation en finesse dans les courants : la notion de vent-surface.

Le vent-surface.

Quand un bateau pénètre dans un courant, le vent change pour lui. Le bateau se déplaçant sur un plan qui est lui-même mobile, le vent qu'il reçoit désormais n'est plus le vent réel, mais une combinaison de ce vent réel et du vent dû à la vitesse du courant. C'est ce « nouveau vent » que nous appellerons **vent-surface.** Ce n'est pas un vent théorique : c'est lui qui lève ces vagues si caractéristiques dans les raz, c'est lui que l'on ressent à bord d'un bateau qui est en dérive dans un courant.

Lorsque le vent réel est fort, et le courant faible, ce vent-surface n'a évidemment pas une très grosse importance; en revanche, par petit temps, la différence entre vent réel et vent-surface peut devenir très sensible. Lorsqu'un vent réel de 5 nœuds, par exemple, s'oppose à un courant de 3 nœuds, on ressent à bord un vent-surface de 8 nœuds; si le vent réel et le courant vont dans le même sens, le vent-surface n'est plus que de 2 nœuds. Lorsque vent réel et courant forment un angle entre eux (et c'est bien sûr le cas le plus fréquent) le vent-surface diffère du vent réel non seulement en force mais aussi en direction.

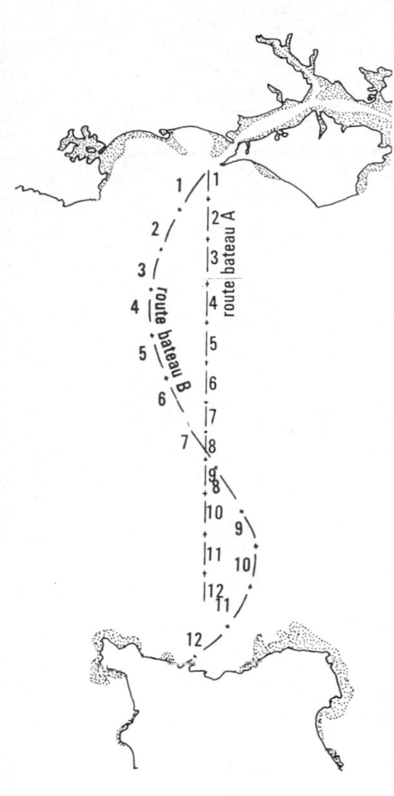

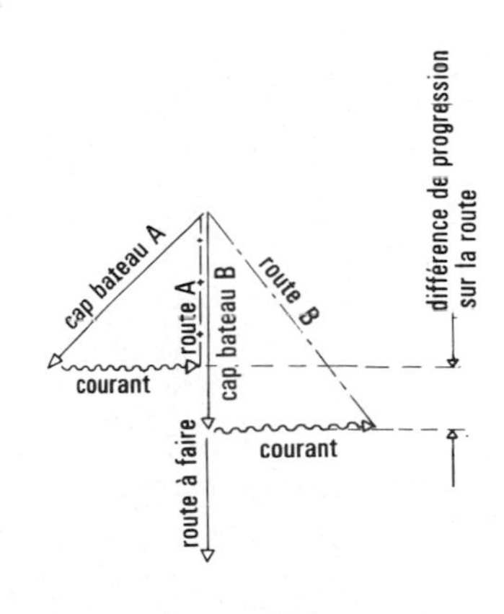

Une traversée de la Manche en 12 heures (du Solent à Cherbourg). Le bateau A lutte contre le courant pour suivre une route droite par rapport au fond. Le bateau B se laisse déporter par le courant, il suit une route sinusoïdale par rapport au fond mais droite sur l'eau. En dépit des apparences, c'est la route la plus rapide.

Le jeu dans les courants se fonde essentiellement sur la constatation suivante : puisque le vent-surface dépend en partie du courant, ses caractéristiques varient lorsque le courant varie. Dès lors, puisque les variations du courant sont prévisibles, n'est-il pas possible de prévoir également les variations du vent-surface, et d'en tirer parti ?

Constructions.

Nous retrouvons ici l'excellent navigateur qui, au chapitre « Navigation côtière », a déjà accompli quatre fois pour nous la traversée : Bouée NW des Minquiers — Grand Léjon. Il entreprend aujourd'hui un cinquième voyage, dans des conditions proches du quatrième, c'est-à-dire en période de vives-eaux, et en quittant la NW des Minquiers à P M — 6. Seule différence : le vent qui était NE la dernière fois, est venu à l'Ouest et a un peu fraîchi : force 3.

Notre homme estime qu'il peut faire le parcours en 5 heures environ, s'il n'a pas à louvoyer. Il calcule son cap de la même façon que lors des voyages précédents : déplaçant son point de départ sur la carte de la valeur des courants qu'il aura à subir pendant 5 heures, il obtient son cap vrai qu'il corrige de la déclinaison et de la dérive pour obtenir le cap-compas.

Sur place, à P M — 6, il constate qu'il fait le cap très facilement, et qu'il peut gagner le Grand Léjon au bon plein. Mais le courant doit s'inverser au cours des heures suivantes : à P M — 3, il doit être de 2,2 nœuds dans le 135°. Dès lors une question se pose : quand le courant tournera, de quelle manière le vent surface évoluera-t-il?

Pour prévoir les caractéristiques du vent-surface à P M — 3, il faut connaître ses composantes, c'est-à-dire le vent réel et le courant qu'il y aura à cette heure-là. Les caractéristiques du courant sont connues. Quant au vent réel, il faut le découvrir maintenant (on admet qu'il ne changera pas dans les trois heures à venir).

Or, lorsqu'on navigue dans du courant, il est tout à fait impossible de connaître directement le vent réel (à moins de mouiller). On ne peut que le « reconstituer », à partir du vent-surface et du courant.

On recherche le vent-surface de la même façon que l'on a cherché le vent réel pour établir des diagrammes de vitesse. Les données du courant étant connues, il n'y a plus ensuite qu'à faire une construction très simple sur la carte. On trace le vent-surface sous forme d'un vecteur (AC), orienté comme le vent en question et d'une longueur proportionnelle à sa force (tant de nœuds, tant de milles). En C, on porte le courant (vecteur CD, correspondant à 1,4 n dans le 306°). Le vent réel est alors représenté par le vecteur AD.

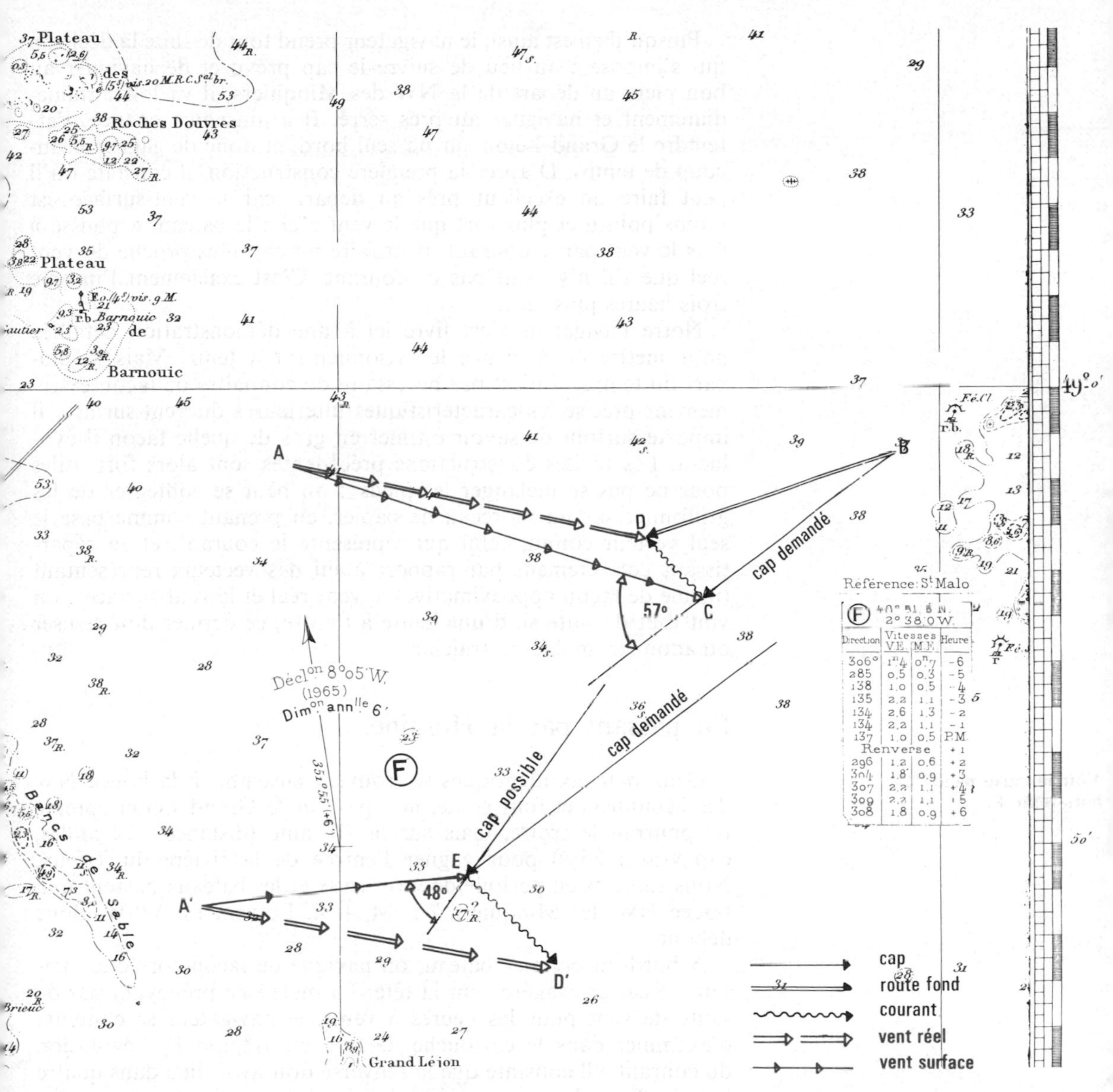

Direction	Vitesses V.E.	Vitesses M.E.	Heure
306°	1n4	0n7	−6
285	0,5	0,3	−5
138	1,0	0,5	−4
135	2,2	1,1	−3
134	2,6	1,3	−2
134	2,2	1,1	−1
137	1,0	0,5	P.M.
Renverse			+1
296	1,2	0,6	+2
304	1,8	0,9	+3
307	2,2	1,1	+4
309	2,2	1,1	+5
308	1,8	0,9	+6

Prévoir l'évolution du vent-surface. En haut : à partir du vecteur vent-surface actuel (AC) et du vecteur courant actuel (CD) on obtient le vecteur vent réel (AD).

En bas : à partir du vent réel (A'D') et des caractéristiques du courant (D'E) d'une heure donnée, on obtient les caractéristiques du vent-surface pour l'heure en question.

Ici, on voit que le vent-surface doit mollir et refuser.

Pour connaître le vent-surface à PM — 3, il faut refaire le même genre de construction en sens inverse, c'est-à-dire en partant cette fois du vent réel A′D′, et en portant en D′ le vecteur courant (2,2 n dans le 135°). Le vent-surface est alors représenté par le vecteur A′E. Et notre navigateur constate immédiatement que ses craintes étaient fondées : après la renverse du courant, le vent va mollir et refuser très nettement. Il sera plus faible de 34 %, et de 20° plus pointu que le vent actuel. On ne pourra plus faire le cap demandé, il faudra louvoyer pour atteindre le Grand Léjon.

Puisqu'il en est ainsi, le navigateur prend tout de suite la décision qui s'impose : au lieu de suivre le cap prévu et de naviguer au bon plein au départ de la NW des Minquiers, il va loffer immédiatement et naviguer au près serré. Il a ainsi une chance d'atteindre le Grand Léjon sur un seul bord, et donc de gagner beaucoup de temps. D'après la première construction, il constate qu'il peut faire un excellent près au départ, car le vent-surface est moins pointu et plus fort que le vent réel : le bateau, « poussé » vers le vent par le courant, peut faire un cap plus proche du vent réel que s'il n'y avait pas de courant. C'est exactement l'inverse trois heures plus tard.

Notre navigateur s'est livré ici à une démonstration détaillée pour mettre en évidence le raisonnement à tenir. Mais la plupart du temps, il n'est pas nécessaire de connaître de façon extrêmement précise les caractéristiques ultérieures du vent-surface, il importe surtout de savoir estimer en gros de quelle façon il évoluera. Les petites constructions précédentes sont alors fort utiles pour ne pas se mélanger les pieds : on peut se contenter de les griffonner sur un morceau de papier, en prenant comme base le seul vecteur connu, celui qui représente le courant, et en répartissant correctement par rapport à lui des vecteurs représentant (même de façon approximative) le vent réel et le vent-surface : on voit tout de suite si, d'une heure à l'autre, ce dernier doit refuser ou adonner, mollir ou fraîchir.

En passant par la Horaine.

Voir la carte page 721, hors-texte 8.

Deux bateaux identiques se trouvent ensemble à la bouée NW des Minquiers et font route, non pas sur le Grand Léjon comme on pourrait le croire, mais sur la Horaine (distance : 24 milles, cap vrai : 258°) pour gagner l'entrée de la rivière du Trieux. Nous sommes en période de vives-eaux et les bateaux passent à la bouée NW des Minquiers à P M + 4. Le vent est WSW, donc debout.

A bord du premier bateau, on navigue de façon correcte, mais sans se casser exagérément la tête. La météo ne prévoyant pas de saute de vent pour les heures à venir, le navigateur se contente d'examiner dans le cartouche de la carte (région F) l'évolution du courant : il constate que la renverse doit avoir lieu dans quatre heures. Pour le moment, il choisit de partir tribord amures, c'est-à-dire sur le bon bord, celui qui rapproche le plus du but.

Au bout de deux heures, il réalise que le bord tribord amures n'est plus le meilleur et qu'il faut virer. Décision d'autant plus judicieuse que l'on va profiter ainsi de la fin du jusant pour aller se placer de telle façon qu'il n'y ait pas ensuite à lutter contre le flot.

On tire donc un bord bâbord amures. Une heure trente plus tard (3 h 30), le navigateur estime que l'on est désormais suffisamment bien placé, et qu'on peut virer. On repart donc tribord amures. Mais au cours de la cinquième heure, le vent refuse peu à peu, le cap correspond de moins en moins à ce que l'on espérait, le courant de flot qui s'est établi aggrave encore les choses : il faut virer. Une demi-heure plus tard (5 h) on est à nouveau correctement placé, on peut virer. Mais ce bord tribord amures est une catastrophe, au bout d'un quart d'heure il n'y a plus d'hésitation possible : il faut virer. Cette fois ça y est : on passe la Horaine. La traversée a duré six heures et demie.

Mais lorsqu'on arrive à Loguivy, on constate que le collègue avec qui l'on naviguait de conserve au début du parcours est déjà au mouillage, bien rangé, propre et net, et que l'équipage est en train d'embarquer dans l'annexe pour aller à terre. Comment s'est-il donc débrouillé ?

A bord de ce deuxième bateau, le navigateur s'est simplement demandé quelle influence les variations du courant allaient avoir sur le vent. Faisant, à partir des données du courant et pour chacune des six heures à venir, la petite construction expliquée au paragraphe précédent, il s'est aperçu que le vent-surface allait progressivement haler le Sud et mollir : en fin de parcours, il sera de 25° plus sud que le vent actuel, et plus faible que lui de 35 %.

Dans ces conditions, il est évident, d'après le croquis, que le meilleur bord à tirer est le bord tribord amures pendant les trois premières heures de route et le bord bâbord amures pendant la cinquième et la sixième heure. Pendant la quatrième heure, durant laquelle le courant commence à tourner, les deux bords se valent. Mais, dans le cas présent, si l'on continuait la route tribord amures durant la quatrième heure, on se trouverait trop au sud par rapport au but. On vire donc à la fin de la troisième heure. Et l'on passe la Horaine avec trois quarts d'heure d'avance sur l'autre bateau.

En choisissant ses bords en fonction de l'évolution du vent-surface, il faut bien remarquer que le navigateur a en fait choisi, à chaque fois, le bord qui rapproche le plus du vent réel. Car si l'on tire ses bords par rapport au vent-surface, c'est bien dans le vent réel que l'on progresse, et c'est celui-ci qui compte en définitive. D'où la règle à tirer de cet exemple : **Lorsqu'on navigue au près dans un courant variable en force et en direction, le bon bord est toujours celui qui rapproche le plus du vent réel.** Dans notre exemple le premier bateau a tiré trois mauvais bords : bâbord amures pendant la troisième heure, tribord amures au début de la cinquième et au début de la sixième heure.

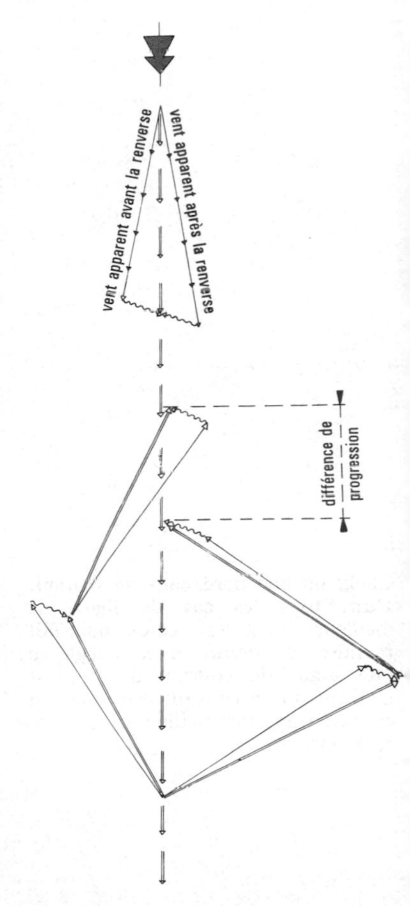

Même dans un courant, le bon bord est toujours celui qui rapproche le plus du vent réel! C'est donc le bord sur lequel on fait le meilleur près (un près meilleur que s'il n'y avait pas de courant) : ici, tribord amures avant la renverse, bâbord amures après.

Cette même règle se trouve exprimée d'une autre façon par le croquis ci-dessous, qui s'efforce de résumer tous les cas qui peuvent se présenter lorsqu'on louvoie dans un courant.

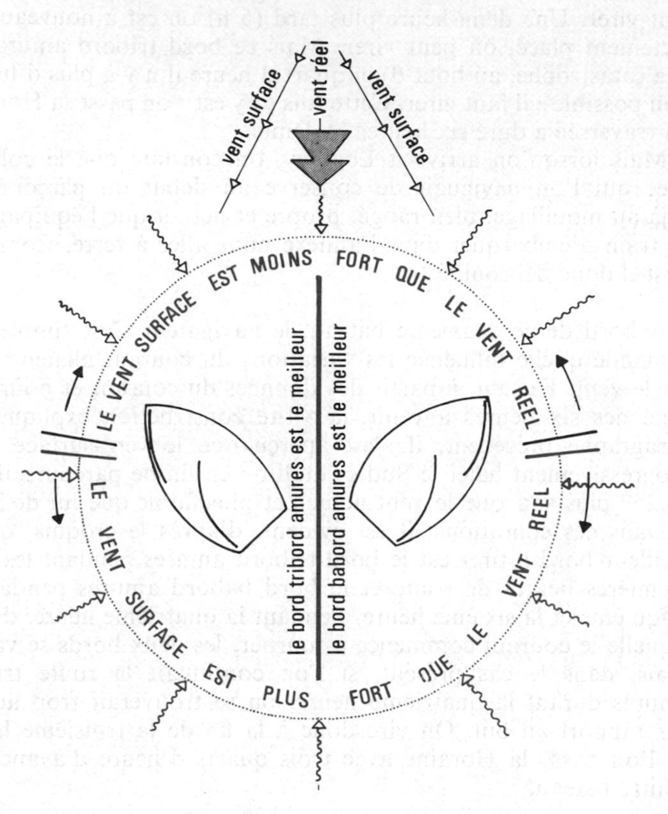

Choix du bon bord dans un courant. Dans tous les cas de figure, le meilleur bord est celui qui fait prendre le courant sous l'angle le plus aigu; un courant de face est meilleur qu'un courant traversier, un courant traversier meilleur qu'un courant portant.

On imagine bien que, dans la réalité, il faut parfois se cramponner sérieusement aux filières pour suivre les raisonnements jusqu'au bout et déterminer quel est le meilleur bord à prendre. Mais c'est ce petit effort de réflexion qui fait parfois les grands écarts entre des bateaux pourtant identiques. Comme le dit à peu près Alain Gliksman : « Les uns tirent les meilleurs bords et les moins mauvais, pendant que les autres tirent les moins mauvais et les pires... »

Deuxième couplet.

Voir la carte page 721, hors-texte 9.

Nos deux bateaux se retrouvent une nouvelle fois à la NW des Minquiers, à P M + 4, en période de vives-eaux et font route vers l'entrée de la rivière du Trieux. Mais cette fois-ci le vent est NNW, faible.

A bord du premier bateau, le navigateur, qui n'a pas encore tiré la leçon de l'exemple précédent, se contente de calculer le cap en fonction du courant que le bateau doit subir au cours de la traversée : il y a 27 milles jusqu'à l'entrée de la rivière, la vitesse estimée est de 3,5 nœuds, il faut donc prévoir une traversée de huit heures environ, le cap vrai est au 258° et allons-y.

Cette fois tout se passe bien et même mieux qu'on ne l'espérait, car au bout de quatre heures de route le vent adonne, passe au Nord : il devient possible de hisser le spi, la vitesse augmente d'un nœud. A la fin de la sixième heure, on s'aperçoit que le courant déporte le bateau vers l'Ouest : on abat de 10°, la vitesse augmente encore, et l'on arrive en trombe dans le Trieux avec une bonne heure d'avance sur l'horaire prévu.

Cependant, sur l'eau calme du port de Loguivy, l'autre bateau est là, qui se dandine tranquillement sur son mouillage, et sans doute depuis longtemps puisqu'on ne voit plus personne à bord...

Une fois de plus, à bord de ce second bateau, le navigateur s'est efforcé de prévoir l'évolution du vent-surface en fonction du courant. A l'aide des petits griffonnages habituels, il a su que le vent allait adonner et mollir à la renverse; il a constaté qu'il serait très largement possible de porter le spi durant la deuxième partie du parcours. Si largement, même, qu'une question s'est posée d'emblée : ne peut-on laisser porter dès le départ et faire tout le parcours sous spi ?

Une réponse précise à cette question nécessite, il faut le dire, tout un petit travail.

Il faut tout d'abord déterminer à quelle allure on peut hisser le spi, et la vitesse du bateau à cette allure. Ensuite, savoir quelle sera la route-fond suivie si l'on se maintient à cette allure durant toute la traversée.

On commence donc par hisser le spi, pour voir. Il s'avère qu'on peut le porter à 55° du vent apparent, et que la vitesse est de 4,5 nœuds.

A partir de ces données, et des données du courant, le navigateur fait la construction qui lui permet d'obtenir la direction et la force du vent-surface pour chaque heure de la traversée.

Il constate que le vent-surface est le même durant les deux premières heures. Connaissant sa vitesse et son cap actuels il peut tracer, à partir du vecteur vent-surface et du vecteur cap-vitesse, le vecteur route-fond pour ces deux premières heures.

Il relève ensuite sur un papier calque l'angle entre le vecteur vent-surface et le vecteur cap-vitesse. Puis il déplace ce calque sur le croquis, de façon à faire coïncider l'un des côtés de l'angle avec le vecteur vent-surface de la troisième heure de route; il obtient ainsi le vecteur cap-vitesse, et de là le vecteur route-fond pour cette troisième heure.

Procédant de la même façon pour les heures suivantes (tout en raccourcissant peu à peu les vecteurs cap-vitesse car le vent-surface mollit) il ne lui reste plus qu'à placer les uns à la suite des autres sur la carte les vecteurs route-fond obtenus pour savoir où cette plaisanterie va le mener. Il apparaît que l'on passe aisément la Horaine et que l'on fait le parcours en six heures. On arrive une heure avant l'autre bateau.

Si celui-ci est tellement en retard, ce n'est pourtant pas qu'il ait fait un détour : au contraire, il a fait le trajet direct sur l'eau. Mais le deuxième bateau, en allant plus vite, a subi moins longtemps que lui le courant contraire, et a fait en définitive une route sur l'eau plus courte : la différence est de 1,6 milles.

Remarquons encore que, si l'on dispose de diagrammes de vitesse, le travail se trouve, ici aussi, simplifié. Tout peut être prévu bien avant que l'on soit à la NW des Minquiers, puisque l'on sait d'avance à quelle allure on peut porter le spi, et quelle sera la vitesse du bateau. Mais si l'on veut être absolument rigoureux, il faut tenir compte du fait que le vent, en adonnant, va mollir, et donc utiliser des diagrammes différents pour le début et pour la fin de la traversée...

On peut enfin imaginer qu'au beau milieu de l'exercice survient une saute de vent parfaitement imprévue, qui d'un seul coup rend toute la paperasserie inutile, et permet au navigateur d'aller respirer un bon bol d'air.

22. Les paysages marins

Ce chapitre vient en conclusion de l'ouvrage. On ne prétend pas présenter ici une synthèse de toutes les choses dites dans les chapitres précédents, mais y exprimer plutôt quelques-unes des raisons profondes de la réalisation de ce livre.

Naviguer c'est savoir conduire et manœuvrer un bateau en tirant le maximum de ses possibilités, maintenues elles-mêmes au plus haut niveau par un entretien rigoureux; c'est savoir se diriger, de jour et de nuit, en évitant les dangers, en utilisant les courants, en prévoyant la direction et la force des vents et l'état de la mer; c'est savoir vivre à bord dans un esprit de sécurité et en sachant l'importance de l'équilibre humain et technique de l'équipage.

Naviguer c'est aussi être quelque part, en un lieu concret, c'est aller de lieu en lieu. Ce n'est pas seulement faire évoluer un mobile dans un système abstrait défini par de l'étendue, des forces, des mouvements et des obstacles; c'est aussi sentir, voir et comprendre des paysages marins.

On voudrait ici faciliter au lecteur l'appréhension de la notion même de paysage marin, lui apporter quelques éléments de méthode, et lui donner les moyens d'approche concrète de l'un quelconque d'entre eux.

Qu'est-ce qu'un paysage marin ?

Quand une notion est neuve, elle paraît toujours obscure. Puis, quand elle a éclairé les choses d'un jour nouveau et que tout le monde s'y est habitué, on dit qu'elle est évidente.

En France, sauf pour quelques gens de métier et pour quelques plaisanciers, un paysage marin c'est une notion neuve, donc encore choquante. Pour la plupart des terriens, la mer c'est la mer, une grande étendue d'eau, plus ou moins froide du Nord au Sud, avec des vagues s'il y a du vent, des rochers et des plages, des ports, des poissons et des oiseaux. On va à la mer.

Or cette mer — mêlée ou non à des terres, qu'elle pénètre dans de profonds estuaires ou qu'elle entoure des îles, qu'elle apparaisse parsemée de rochers ou de bancs de sable, ou qu'elle vive totalement libre : agitée de mouvements différents selon les régions, inégalement profonde et frangée d'un plateau continental varié, plus ou moins chaude selon les courants généraux, migrations des eaux tropicales ou des eaux polaires, ou remontées des eaux abyssales sur les bords des cuvettes continentales — cette mer n'est pas du tout pareille à elle-même en tous lieux.

Il faut d'abord bien comprendre que la mer est aussi diverse que les continents et leurs régions, et qu'il y a, plutôt que la mer, des mers, renfermant elles-mêmes des singularités innombrables. Cette diversité n'est pas anonyme, ni anarchique; il y a des frontières, des transitions, et chaque mer ou partie de mer a ses caractéristiques propres. Elle peut être définie, comprise, reconnue. Il y a des constantes, des permanences.

Il s'agit en somme de saisir que, non seulement la Manche et la Méditerranée, par exemple, ne sont pas semblables, mais aussi qu'à l'intérieur d'un système Manche ou d'un système Méditerranée (dont il faut connaître les données générales) on trouvera toute une série de zones, portant parfois elles-mêmes le nom de mer — mer Tyrrhénienne, mer Ionienne, mer Egée — puis de paysages où, selon les cas et les saisons, il sera difficile ou facile, agréable ou désagréable, de naviguer; que ce ne sont pas seulement les zones côtières qui diffèrent les unes des autres, mais les zones purement maritimes elles-mêmes, que la Grande Sole n'est pas comparable au golfe de Gascogne au large de l'Adour ou à la zone des alizés à la hauteur des Canaries.

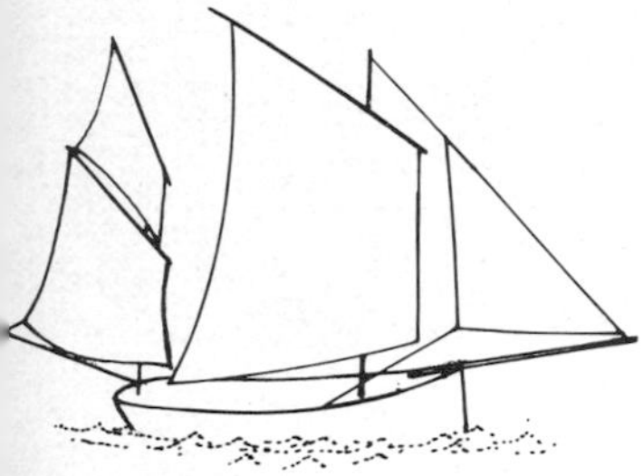

Lougre d'Etaples.

L'expérience est ici millénaire chez les peuples marins. Les Anciens déjà avaient inventé les Sept mers. La nature de la Méditerranée, ses divers « pays », au moins dans sa partie Est, avaient été largement décrits dans l'*Odyssée*. Les sagas norvégiennes racontent la Baltique et l'Atlantique Nord, qu'avaient découverts les Vikings. Les périples phéniciens et carthaginois avaient, de part et d'autre des colonnes d'Hercule, délimité plusieurs mondes marins. Les noms, apportés par l'Histoire, des océans et des mers, des golfes et des baies visent à définir des ordres et à qualifier des lieux homogènes. Les navigateurs, si on sait les écouter, certains pêcheurs surtout, parlent des lieux marins, étendus ou étroitement circonscrits, comme des paysans, des bergers ou des forestiers parlent d'un « pays » — vallée, plateau ou massif — avec ses champs, ses pâtures, ses clairières. Il faut avoir accompagné un pêcheur allant relever ses casiers à dix milles au large, naviguant deux heures à l'estime sans compas au petit matin, et retrouvant, souvent du premier coup, les flotteurs marqués d'un fanion noir, pour commencer à comprendre qu'un lieu de la mer, si semblable à tout autre lieu de la mer pour qui ne « sait » pas, est en réalité si différent, que ce soit par la couleur de l'eau, le sens des houles, les fonds, les orientations, le style; et que ce n'est pas de la magie. « Moi je connais de Penmarc'h à la pointe du Talut. Ici c'est toujours plus calme; là c'est souvent agité et, dans ce coin, le vent est toujours plus pointu; derrière cette roche les ancres tiennent, mais là c'est un faux abri et la houle le contourne, surtout quand le vent saute au Noroît; là il faut se méfier du Suet qui lève une houle de fond. Après je sais plus. » De même peut-on trouver des anciens cap-horniers ou des patrons de thoniers à voile ou des terre-neuvas, qui vous racontent la haute mer, où, pour être encore plus dépouillées, les diversités ne sont pas moins fortes.

Une manière passionnante de saisir la réalité des paysages marins est aussi de regarder les formes et les gréements des différents bateaux engendrés par les populations maritimes; pointus de la Méditerranée et caïques de la mer Egée, fermés dessus, peu profonds dessous, avec de longues quilles droites; sardiniers et thoniers portugais avec des arrières comme des crinolines à l'envers; lourds sinagots du Morbihan; pinasses d'Andernos et d'Arcachon, posées sur l'eau, héritage des colonies grecques; puissants bateaux pilotes de la Manche; larges, lourdes et plates barges hollandaises avec leurs dérives latérales. Ici il faut passer dans le clapot court, avoir une voile immense et légère pour capter de petites brises, mais pouvoir la descendre en un instant en cas de coup soudain de mistral, pouvoir tirer son bateau à terre, car peu de mouillages sont sûrs par tous temps. Là le poisson se prend par l'arrière et les rouleaux sont forts quand on rentre au port ou que les attelages de bœufs vous tirent à terre. Et ici il faut passer sur des petits fonds. Là il faut pouvoir s'appuyer profondément dans l'eau pour tenir toute sa voile pour équilibrer le courant, tandis qu'ici il faut labourer une mer forte en travaillant avec des vents frais; ailleurs il faut pouvoir écraser des vagues courtes et passer dans peu d'eau, et parfois s'échouer sur les hauts-fonds de sable. La visite de multiples petits chantiers de pêche sur les côtes Atlantique, en Manche, en mer du Nord ou en Méditerranée, et les causeries sur la digue en ont plus appris à certains des membres des Glénans que beaucoup de discours. Et il faudrait aussi comprendre le pourquoi des jonques chinoises, des pirogues polynésiennes ou des goëlettes nord-américaines.

Il faut sans doute dépasser en extension et en généralité les savoirs locaux, mais il faut bien être persuadé que les approches conceptuelles et systématiques des paysages marins, essentielles, n'ont de signification que si l'on arrive à la fin du compte à un résultat aussi remarquable que celui qu'obtiennent certains hommes de mer : la connaissance vraie, sens et raison mêlés.

On peut maintenant donner une définition un peu plus rigoureuse du paysage marin : un paysage marin c'est un ensemble maritime et des sous-ensembles, dont il faut savoir saisir les contours et les données dans leurs jeux réciproques. La prise de conscience ressort à la fois de l'intuition et des sens, de l'analyse et de la reconstruction en système.

L'éducation des sens.

L'intuition (que l'on pourrait se risquer à appeler une divination sensible) et les sens devront être éduqués. Les données de base ne sont pas familières : on est plus entraîné à reconnaître le bruit d'un vélomoteur dans sa rue que celui du ressac quand on vient du large, ou plus habitué à voir les mouvements des blés agités par le vent que celui des eaux vivantes des courants, retroussées par les risées. Les façons dont ces données se combinent sont subtiles et se tiennent dans les gammes étroites d'un univers perçu à deux dimensions, la troisième (le relief) étant soit le plus souvent caché sous l'eau et devant alors être déduit à partir de la carte, soit lointain s'il s'agit de la côte; présent mais non vécu, sauf quand on se plante et que la mer descend. L'éducation nécessaire s'apparente ici à celle que l'on doit se donner pour être à l'aise dans le monde des sons musicaux, pour pouvoir ensuite saisir leurs rapports et leurs mouvements réciproques.

Il faut apprendre à voir la terre à partir de la mer. C'est parfois un spectacle prodigieux. Si les Corses et les administrations chargés de la protection des sites avaient l'habitude de voir l'île de Beauté à partir de la mer, ils l'auraient immédiatement déclarée bien national et mondial. La mer est alors le parterre d'un théâtre en plans successifs fait de montagnes, de verdures et de villages. Ailleurs, au contraire, tout sera horizontal et plus subtil. Ailleurs encore, la côte vous menace de ses murailles et on cherche la brèche accueillante. Et souvent les villes sont belles, vues de la mer.

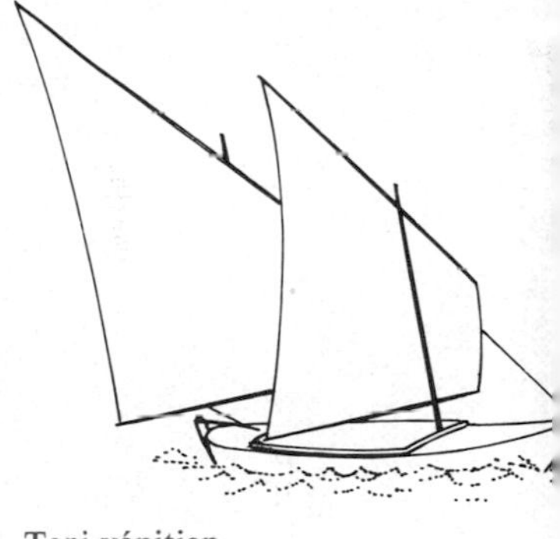
Topi vénitien.

Mais il faut aussi comprendre les alliances de la terre et de la mer. La nécessité d'une éducation n'apparaît jamais mieux que lorsque, pour la première fois, on va pénétrer dans un port inconnu et que l'on cherche les clefs des choses que l'on voit devant soi : « Ce clocher, cette falaise, ces lignes de quai, cette balise, j'ai eu bien du mal à les identifier mais j'ai encore plus de difficultés à comprendre comment ils s'organisent entre eux et à savoir par où il faut passer. » Qui n'a eu cette angoisse, le jour plus que la nuit, quand les rébus de l'horizon vous restent impénétrables et que le bateau avance à une vitesse que l'on a tendance à croire celle d'un torpilleur ?

Il faut aussi apprendre à lire le ciel qui commande à la mer; savoir distinguer un nuage en os de seiche en Méditerranée occidentale d'un nuage de beau temps, connaître les diverses sortes de cirrus, dont certains ne sont pas innocents, et pouvoir lire sur l'horizon la venue et la vitesse d'un grain; apprendre à lire la mer elle-même, connaître la bosse que fait un courant près d'un haut fond qu'annonce aussi certaine brisure de la houle, lire l'amorce et le fort d'un courant qui a parfois des allures de Rhône sous le pont de la Guillotière au printemps.

Il faut enfin savoir qu'un paysage marin n'est pas seulement une réalité spatiale, surfaces et volumes, comme l'est davantage un paysage terrestre; que ce n'est pas une valeur stable mais plutôt

Bateau lacustre.

une cohérence dans le mouvement, ensemble de réalités liées au temps et aux rythmes, avec en écho votre propre durée intérieure, temps conquis, temps perdu, temps de passer, de s'abriter, échouage ou liberté, lutte vaine contre le courant, victoire de justesse ou voie triomphale. Il faudrait aussi, comme à terre, faire une large part à la lumière.

Jne méthode l'approche : es permanences lans le hangement

Cette prise de conscience d'un nouvel univers, cette éducation des sens, cette connaissance des multiples lieux de la mer, comment l'obtenir sachant que l'expérience personnelle, résultant de multitude de perceptions, est la nécessité de base ? On ne peut pourtant pas, comme les anciens long-courriers ou comme les capitaines des navires corsaires ou de la marine en bois, avoir d'abord tout vu comme mousse puis comme matelot, avant de se risquer soi-même comme responsable. En fait la solution est plus simple, sinon plus facile. La connaissance en profondeur de deux ou trois ensembles maritimes et de leurs sous-ensembles, bien choisis pour leur diversité interne, connaissance comportant la claire vision des composantes essentielles, permet, avec un judicieux emploi des divers documents nautiques et, plus généralement, géographiques, de déceler l'existence et les caractéristiques d'autres ensembles non encore expérimentés par soi-même.

On sait qu'avec quelques données, elles-mêmes variables en intensité et extension, on peut parvenir à une infinité de combinaisons. Inversement, la variété infinie des paysages marins peut se ramener à une vingtaine de données, ou mieux de variables (ce que l'on pourrait appeler la *grille de base*). Sans doute chaque paysage comporte sa part d'irréductible, son caractère spécifique. Mais une seule région maritime, si elle est « riche » contient beaucoup des composantes essentielles. Lorsque une ou plusieurs régions ont été apprises complètement, une nouvelle région peut être abordée sans tutelle, à la condition de beaucoup lire et préparer, d'observer sur place, d'écouter en sachant interpréter; à la condition aussi d'y aller progressivement, en se ménageant à chaque fois plusieurs portes de sorties.

Plutôt donc que de s'épuiser, en réalité ou en imagination, à rechercher des descriptions sans cesse recommencées de chacun des littoraux ou de chacune des mers ou portions de mer, du Nord au Sud et de l'Est à l'Ouest, il faut d'abord, dans une région donnée, se familiariser avec les composantes essentielles; tant avec son corps, pour les connaître et être capables de les reconnaître avec ses sens, qu'avec sa raison pour pouvoir en comprendre les effets et les enchaînements. Ainsi pourra-t-on atteindre à la connaissance de la grille de base, que l'on pourra utiliser ensuite comme un véritable « check-list » des données à relever pour un lieu quelconque.

Ces données, on les trouvera dans les divers documents nautiques et on pourra assez aisément coter la grille pour un lieu donné. On pourra ensuite examiner le résultat et en déduire en imagination contrôlée la nature des lieux.

Les sources d'information.

Avant de définir ce que nous pensons être la (ou du moins une) grille de base et de tenter de l'appliquer à une étude de cas, étude éclairée de quelques comparaisons, par similitudes ou différences, il faut ici, au risque de répéter ce qui a pu être expliqué dans les autres chapitres, présenter les outils que l'on devra utiliser pour pouvoir établir, à priori, les données essentielles d'une région et de ses paysages marins.

Nous attacherons peu d'importance aux divers guides dont la plupart prétendent plus ou moins consciemment remplacer les connaissances générales et les documents de référence par de la cuisine toute faite. Ce n'est pas que ces guides, quand ils sont consciencieux, comme les excellents ouvrages d'Adlard Coles par exemple pour la Manche et les mers bretonnes, (ouvrages auxquels, il est d'ailleurs fait référence dans les *Instructions nautiques*, rare honneur!), ou les intéressants « Où naviguer » de la revue *Bateaux*, ou les cartes Blondel, soient inutiles; leur lecture donne des idées ou permet de compléter des connaissances. Mais l'approche intellectuelle qu'ils proposent ou risquent de provoquer est parcellaire. De plus, et c'est peut-être le fait principal, le monde marin est en variation continue, ne serait-ce qu'à cause des travaux maritimes réalisés chaque année et des modifications des divers balisages. Aucune organisation privée, même avec le développement actuel du marché de la plaisance, ne peut encore garantir une mise à jour permanente des informations nécessaires, que les services officiels, hors toute rentabilité commerciale, parviennent à peine à tenir. Or, si un retard ou une omission peuvent être sans importance ou du moins sans danger pour une carte routière (tout au plus découvrira-t-on des circuits inattendus), il n'en est pas de même pour les documents maritimes : un changement non connu de balisage par exemple peut entraîner une catastrophe.

Nous recommandons donc comme base les ouvrages des divers services hydrographiques, dont on ne dira jamais assez qu'ils accomplissent un travail admirable et irremplaçable. On regrettera simplement que le manque de moyens ne leur permettent pas d'utiliser encore plus complètement leurs archives du temps des voiliers et leur potentiel, au service de la plaisance.

Parmi les ouvrages français, à côté du SH 1, des admirables cartes marines, des cartes de courants, des livres des *Feux* et des *Radiosignaux*, de l'*Annuaire des Marées*, les *Instructions nautiques* prennent ici une importance particulière, et constituent sans nul doute le moyen d'approche fondamental. Elles « ont pour objet, dit le préambule, de fournir aux navigateurs tous les renseignements qui peuvent leur être utiles et qui ne figurent pas sur les cartes ou qui y sont indiqués trop sommairement ». Elles doivent être le livre de chevet du navigateur, tant en raison de la multiplicité des informations données que par l'aisance et la clarté de l'expression, modèle de style maritime. A ces ouvrages il convient d'ajouter quelques cartes géologiques et de géographie physique. Enfin on pourra lire, à titre complémentaire, les divers récits concernant la région maritime où l'on veut s'aventurer. Même, et parfois surtout, les récits anciens sont utiles. L'observation de la nature y prévaut, plutôt que les considérations techniques sur le matériel. Sans même parler des grands classiques comme le *Seul autour du monde sur un voilier de 11 mètres* de l'inimitable Slocum, *La Croisière de Perlette*, par exemple, racontée par Marthe Oulié, et dont le capitaine était Hermine de Saussure, est encore pleine d'enseignements pour qui veut affronter la mer Egée et le Meltem. Beaucoup ont depuis raconté leurs campagnes. On veillera cependant à ne pas prendre pour argent comptant les états d'âme, en forme de vagues monstrueuses ou de force 11, de ceux qui croient, parce qu'ils se sont lancés sur les flots, que le monde entier les regarde. L'humour, à la condition qu'il ne soit pas lourdement appuyé ou exagérément verbal, peut être un signe de crédibilité. La mer se prête mal au

icoteux de la baie de Seine.

genre héroïque. Elle est un milieu de vie avec ses difficultés, ses joies et parfois ses drames. Mais tous les paysages marins, Dieu merci, ne sont pas des faces-Nord.

Toute cette multiplicité pourra en un premier temps effrayer le débutant. Qu'il se rassure! La constitution d'une bibliothèque maritime, l'habitude de la consulter, la familiarité avec les cartes, la préparation minutieuse des croisières comptent parmi les joies les plus vraies de la navigation. Ce sont les supports à des imaginations précises, sans lesquelles il n'est pas de découvertes, même intérieures.

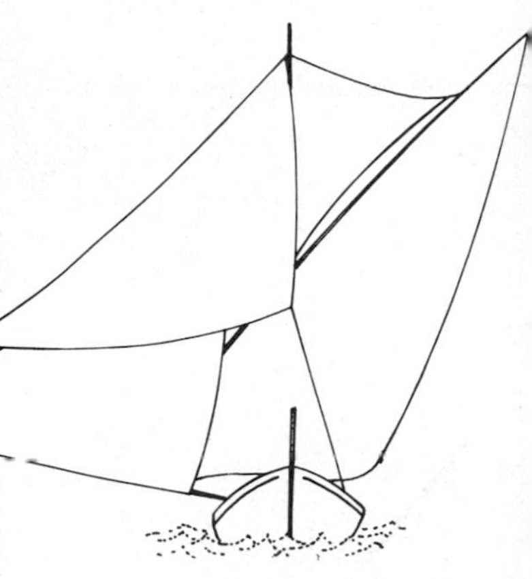

Tartane de la Méditerranée.

La grille proposée.

Venons-en à l'essentiel. Quelles sont les questions qu'il faut se poser à priori pour approcher et comprendre un paysage marin ? Et où se trouvent, précisément, dans les documents indiqués plus haut et quelques autres, les réponses à ces questions ?

Un peu arbitrairement mais de façon commode, les questions peuvent être regroupées en quatre familles selon qu'elles ont trait :

— aux conditions météorologiques du lieu considéré : orientations, forces et fréquences des vents, visibilité, températures, tendances orageuses;

— à la nature de la mer en ce lieu : fetch, systèmes de houle, température de l'eau, importance des marées, courants;

— à la géographie côtière et submarine du lieu : faciès de la région littorale et type de côte en découlant, profil et reliefs du plateau continental, orientations vis-à-vis du soleil, des vents, des houles, et des courants;

— à l'activité humaine et économique du lieu : équipements portuaires et services; balisages visuels, sonores, électromagnétiques; trafic; contrôles administratifs; richesses historiques et culturelles.

Les réponses se trouvent, pour la première famille, dans les *Instructions nautiques* (voir le titre « Météorologie » dans les renseignements généraux placés en tête de chaque volume) que l'on étudiera carte marine en main. La consultation des pilots charts, cartes de synthèse établies par les Américains, est également recommandée surtout pour la navigation hauturière.

Pour la deuxième famille, on consultera les *Instructions nautiques* (titre « Océanographie » dans les renseignements généraux et paragraphes « Marées et Courants » dans les divers chapitres), les annuaires des marées, les cartes marines et éventuellement les pilots charts.

Les questions de la troisième famille trouveront des réponses dans les *Instructions nautiques* et surtout dans l'étude des cartes géologiques (terrestres et, quand elles existent, sous-marines) et de géographie physique, menée en même temps que celle des cartes marines dont on examinera avec soin les sondes et les reliefs sous-marins que celles-ci révèlent; le tout comparé avec le système régnant des vents et des courants. Pour ceux que la géographie physique intéresse on pourra lire un ouvrage déjà ancien mais non encore remplacé : *Morphologie sous-marine et littorale* de André Guilcher.

Les questions de la quatrième famille trouveront leurs réponses dans le livre des *Feux*, dans celui des *Radiosignaux* et dans les *Instructions nautiques;* et, pour les services existants, l'économie de la région, son passé, on consultera utilement des manuels récents de géographie économique et humaine, des articles de revues présentant telle ou telle région nautique, la publicité faite par les ports de plaisance, les guides touristiques, les monographies régionales.

Au point de convergence des réponses obtenues, famille par famille on pourra aboutir à une synthèse, à la prise de conscience et aux définitions de la région considérée — caractéristiques communes à l'ensemble et lieux particuliers — dont on pourra tirer les conclusions pratiques souhaitables.

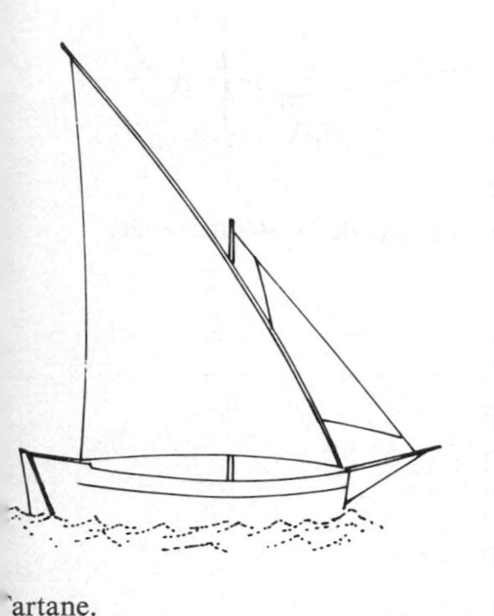

'artane.

Une question de méthode se pose ici. En pure logique on pourrait, en complément de la grille proposée, décrire les principaux types de paysages marins, expliquer notamment les typologies établies par le Bureau d'études nautiques concernant les bassins de croisières, les stades nautiques, les zones de campings nautiques. Une telle classification à priori, avant que le lecteur n'ait pris contact effectivement avec les données de base à propos d'un cas concret, nous a paru moins efficace que la méthode inverse, celle qui consistera à prolonger et élargir l'étude d'un cas en la rapprochant de ce que le plaisancier souhaite et peut faire avec son bateau. De plus une typologie découverte au fur et à mesure de l'analyse est beaucoup mieux comprise que lorsqu'elle est affirmée autoritairement.

Jne étude le cas : a Bretagne-Sud

Le mieux est alors de commencer tout de suite à essayer la grille sur un cas précis pour voir ce qu'on va obtenir.

Prenons une région très diverse, celle qui s'étend de Sein à l'embouchure de la Loire. A vrai dire la zone de Sein à Penmarc'h est une transition, Sein appartenant déjà à l'Iroise tandis que la Bretagne-Sud ne commence vraiment qu'à Penmarc'h (il suffit de voir, venant du Nord, comment en quelques instants la houle s'aplanit et la mer change, une fois passée la pointe, pour comprendre que l'on entre dans un nouveau pays). Mais comme la zone de Sein est riche de caractéristiques essentielles à notre étude nous l'avons annexée à la Bretagne-Sud.

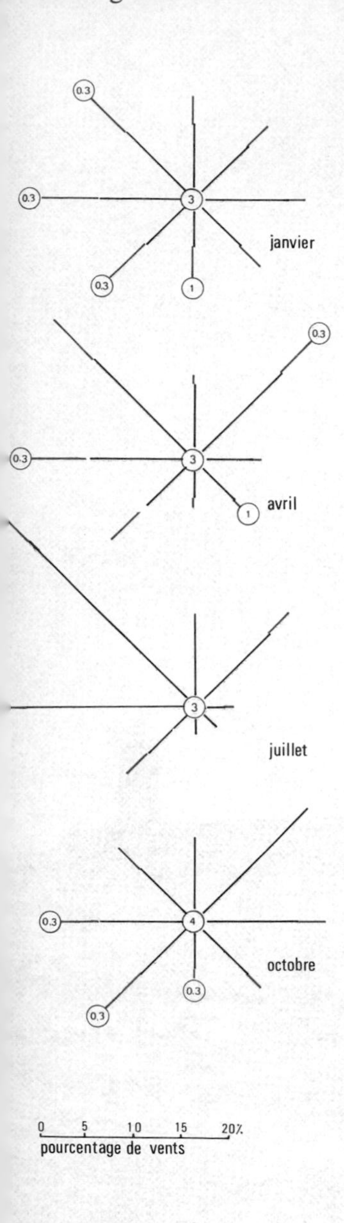

-équence des vents à la pointe du alut, d'après les *Instructions nauti-es.*

Munissons-nous des ouvrages nécessaires et notamment des *Instructions nautiques* « France (Côte Nord et Ouest) » volume de texte et volume de planches, du livre des *Feux* « Manche-océan Atlantique Est », de cartes marines à petits et grands points de Sein à la Loire, de la carte géologique et de la carte physique de la Bretagne. Et appliquons la grille.

Conditions météorologiques.

L'analyse dans les *Instructions nautiques* (édition 1966, série C, volume II) des textes et documents groupés sous le titre « Météo » (p. 1 à 42) montre que cette région de Bretagne-Sud, qui fait déjà partie du système golfe de Gascogne, se caractérise par des vents de SW à NW dominants, avec d'importantes séries de Nord et NE.

On prend comme point de référence la pointe du Talut qui est au centre de la zone, et non Ouessant ou Brest, trop au Nord, ou la Coubre, trop au Sud. Des tableaux donnent le relevé des vents en force et direction selon les saisons, les températures et la nébulosité. Ainsi pour le mois de juillet (calcul fait sur dix ans, avec trois observations quotidiennes, de 1946 à 1955) les vents de Nord et Nordé (brises de terre essentiellement, alors qu'au printemps et en automne, il s'agit de vents établis en rapport avec une météo générale) représentent 10% et 14%; les vents de Suroît 10%, d'Ouest 25%, de Noroît 28%; d'Est 4%, tandis que les vents de Sud et de Suet ne dépassent pas chacun 3%. Il y a 3 % de calmes. On note aussi que les vents forts représentent moins de 20 %. Les coups de vent (au-delà de la force 8) ont été exceptionnels.

Il convient cependant de savoir qu'un coup de vent reste possible et que, depuis la dernière édition des *Instructions nautiques*, a eu lieu en juillet 1969 un véritable petit cyclone, force 11 à 12, précisément sur cette zone. Résultant d'une situation météo heureusement assez rare, il fut sinon prévu du moins annoncé, ne serait-ce que par une chute verticale du baromètre, instrument essentiel qui doit être toujours le plus écouté ou plutôt le plus regardé... Mais il reste que, comme le montrent les observations portées dans les *Instructions nautiques*, les vents sont en général modérés en juillet en Bretagne-Sud.

On voit de même que la visibilité est bonne (deux jours de brouillard), que la température est douce (de 14°,5 à 20°,4, en moyenne; les pointes extrêmes étant de 8°,2 à 34°,4).

Une analyse un peu plus fine, jointe à un minimum de pratique, permettra de comprendre que, durant le mois de juillet, le temps se partage entre des régimes stables anticycloniques donnant des vents solaires le jour, avec parfois du calme en début d'après-midi, et un vent de terre, la nuit, de Nord à Nordé, souvent assez frais; et des régimes plus ou moins perturbés, liés à des passages de trains de dépressions au nord, et donnant successivement une séquence brève et mouillée de Sud à Suroît, suivie d'une séquence plus longue d'Ouest à Noroît, plus ensoleillée mais souvent plus raide, ceci généralement plusieurs fois de suite. Mais, de toute manière, si le premier régime est proche du paradis du navigateur débutant, le deuxième est loin d'être l'enfer.

En bref, si on relève aussi les observations pour les autres mois de l'été et de l'année tout entière et si on compare cet ensemble aux autres (Manche, Sud-Gascogne, Méditerranée-ouest par exemple) on peut conclure que la météo est plutôt clémente en Bretagne-Sud et surtout constante et donc prévisible. On pourra noter également qu'en dehors des mois extrêmes, novembre et décembre, qui posent quelques problèmes, la navigation n'est empêchée à aucune période par des vents fréquemment excessifs et soudains. Ce n'est pas non plus une région de brouillards persistants. Enfin les températures de l'air, même en hiver, comparées à celles de Dunkerque par exemple ou même à celles de Socoa, sont très douces et ne posent pas de problèmes insurmontables, même en navigation de nuit.

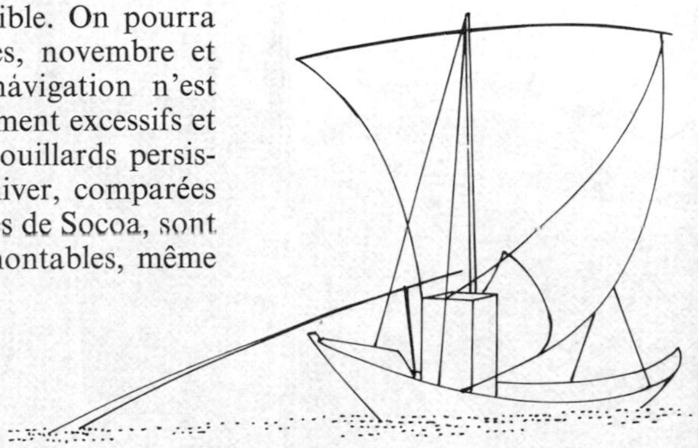

Rabello (transport de vin), Portugal.

La nature de la mer.

Pour pouvoir fixer les données essentielles : marées, courants, systèmes de houle, il faut consulter les cartes marines de la région, les cartes de courant, étudier dans les *Instructions nautiques* à la fois les textes regroupés sous le titre « Océanographie » dans les renseignements généraux (p. 43 à 65) et les informations données au cours des chapitres XI, XII et XIII sous les titres « Marées et Courants », à propos de chacun des secteurs de la zone considérée. Il faut également étudier l'*Annuaire des marées*, le point de référence étant alors Port-Louis, du moins pour le centre de la zone. (Au nord la référence est Brest, Saint-Nazaire au sud.)

On constate que l'amplitude des marées se situe entre 5 et 6 m en vives-eaux (maxima 7,77 m à Brest; 5,7 m à Port-Louis; 6,4 m à Saint-Nazaire), et entre 2 et 3 m en mortes-eaux; que les houles régnantes, issues de l'Atlantique, sont très généralement de Suroît à Ouest et ne constituent pas (au contraire du fond du golfe de Gascogne) un danger en elles-mêmes; que des courants généraux existent le long des côtes, liés au Gulf Stream, mais sont négligeables; que les courants de marée sont importants en certains points, soit liés à des estuaires, soit liés au dessin de la côte et aux reliefs sous-marins. On notera particulièrement, pour la région considérée, les systèmes de courants régnant à la pointe du Raz et à Sein, autour de la pointe de Penmarc'h, autour des Glénans, à l'extrémité et à l'intérieur de l'île de Groix, autour de Belle-Ile, à l'entrée de la baie de Quiberon (Teignouse et Béniguet); on notera de même les courants dans les estuaires; rivière de Pont-l'Abbé, Odet, Pouldohan, Aven et Belon, Laïta, Blavet, Etel, Vilaine, Croisic, ensemble du Morbihan (qu'il faut considérer à part, avec son réseau exceptionnel de courants).

Les températures, sans être élevées (entre 10° et 17°5) ne sont

jamais très basses. C'est une donnée à laquelle on ne pense pas assez souvent. Or elle est essentielle, tant par les conséquences que la température de l'eau peut avoir en cas d'homme à la mer, que dans les effets sur la température intérieure du bateau de croisière en hiver.

Cet ensemble de données permet de constater que la nature de la mer est à la fois plutôt facile et variée en Bretagne-Sud. Certes des courants existent, mais leur modération (sauf en Morbihan et dans le raz de Sein) et leur relative limitation dans l'espace permettent, soit de se familiariser sans danger avec eux, soit de naviguer en beaucoup de lieux en les évitant. La mer est rarement très grosse.

Bisquine de Cancale.

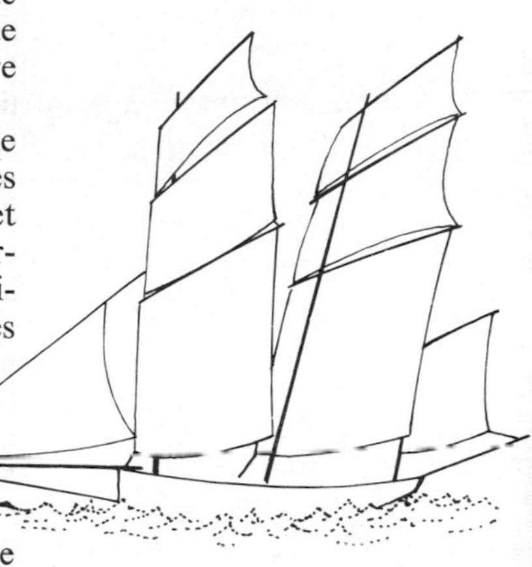

Le littoral.

Il est à souhaiter que se développe une remarquable initiative prise par le Bureau de recherches géologiques et minières à Océanexpo, lors du colloque international de 1970 sur les océans, à savoir la présentation de cartes géologiques en relief du plateau continental et du littoral dans la baie de Quiberon. Déjà existe dans le commerce une carte en relief (y compris sous-marin) de la Bretagne, des Chausey à Noirmoutier. Il n'est pas de meilleur outil pour comprendre le jeu réciproque des vents, des eaux et des terres. Cette figuration donne aux cartes marines une dimension que l'on n'est pas assez habitué à percevoir.

Un peu de géologie et de géographie physique permettent de comprendre la structure de cette zone orientée Ouest-NW, Est-SE. Tantôt granitique, tantôt schisteuse, parfois alluviale, la Bretagne-Sud est en cours d'effondrement depuis le début du quaternaire et a subi la transgression flandrienne qui a « ennoyé » les zones basses. Les îles et les récifs sont les témoins des bordures de paléovallées. La mer pénètre profondément dans les terres. On trouve des structures comparables, dites côtes à rias, en Irlande du Sud, en Cornouaille anglaise, au pays de Galles et en Galice. Dans le cas particulier de la Bretagne-Sud, les formes de la côte s'expliquent aussi par des surrections récentes, au tertiaire, précédant les effondrements et les ennoyages. Citons ici André Guilcher : « Tel paraît être le cas de la Bretagne méridionale entre Penmarc'h et la Vendée : les îles et archipels correspondent à des alignements anticlinaux à jeu tertiaire qui seraient faillés en plusieurs endroits : la même disposition se poursuit en arrière du trait de côte, et donne, dans les parties déprimées entre les blocs soulevés, des dépressions sublittorales alignées qui ont été ennoyées : anse du Pouldon (Pont-l'Abbé), baie de Kerogan (Quimper), rade de Lorient, rivière d'Etel, Morbihan oriental, traict du Croisic, Brière. »

En faisant, à l'aide des cartes diverses et des *Instructions nautiques*, la lecture du littoral — îles ou plateaux rocheux émergés ou peu profonds, relief du plateau continental, dessin et orientations de la côte, on relève du nord au sud les caractéristiques suivantes :

— De Sein à Penmarc'h, en dehors de la brèche d'Audierne, la côte est basse et rectiligne; il n'y a pas de protection contre les houles et les vents dominants. Ceux-ci peuvent venir en toute liberté de la lointaine Amérique, rien ne les arrête; la ligne de sondes des 100 m n'est pas éloignée. L'abri ne commence qu'avec un Noroît proche du Nord et se poursuit jusqu'au Suet. Par vents d'amont, c'est-à-dire les vents d'automne et de printemps de Nordé et d'Est, on peut naviguer près de la côte ou s'abriter facilement à Audierne, voire à Saint-Guénolé si l'on arrive à y entrer.

— De Penmarc'h (à partir de Guilvinec) à Lorient, on trouve un premier paradis. Des îles le gardent et protègent de la grande houle la plupart de ses jardins. A l'Ouest-NW du bassin, s'étend sur vingt milles carrés l'archipel des Glénans, prolongé au NW par les Moutons et des fonds de moins de 20 m jusqu'à la terre, continué à l'Est par Basse-Jaune, Basse Doun et l'île Verte. A l'est du bassin se dresse d'Ouest en Est la muraille de Groix sur six milles environ. En plus de leur fonction de môle, ces îles offrent des abris. Les Glénans enferment un véritable lagon protégé de la plupart des vents, surtout à marée basse. Groix offre, tout le long de sa côte nord, un plan d'eau abrité, zone de mouillage pour les navires et d'évolution pour les voiliers.

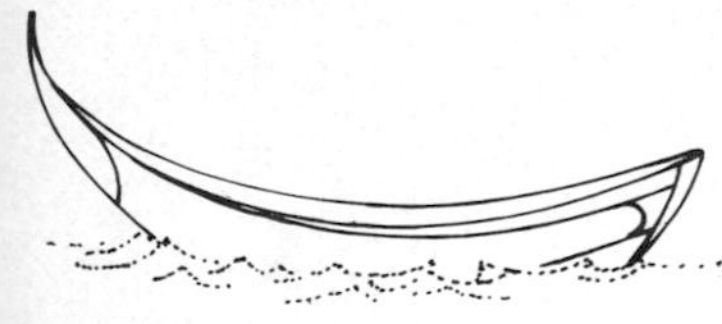

Sardinier du Portugal.

La partie ouest, granitique, de la zone, un peu trop pavée, est orientée de telle sorte que ses baies, ses criques, ses estuaires sont protégés de la plupart des vents et des houles dominants. Presque tous les ports et les abris (au moins leur entrée) sont accessibles à toute heure de marée, ce qui est essentiel. Plusieurs rivières à marée pénètrent profondément les terres. A noter qu'entre Bénodet et l'entrée de la baie de la Forêt il y a six milles sans abri, et que la pointe de Mousterlin déborde largement.

Le centre de la zone est un peu plus déshérité (mais non moins beau). Entre Pouldohan et l'entrée de l'Aven, pendant une dizaine de milles, la côte, exposée à l'Ouest et au Sud, n'offre que

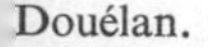

Douélan.

Golfe du Morbihan.

deux abris précaires, Trévignon et Raguenès (ce dernier assez franc quoique agité). Ensuite, jusqu'à Lorient, on trouve une nouvelle série d'abris dans une côte schisteuse, dont les rivières de l'Aven, du Belon, de Brigneau, de Merrien et de Douélan, accessibles pendant de nombreuses heures de marée, mais dont l'entrée est exposée aux vents dominants.

— De Lorient à Port-Maria de Quiberon et à Belle-Ile s'étendent vingt milles de côtes inhospitalières. Un seul abri : la rivière d'Etel, si belle et vaste mais dont l'entrée, barrée par un banc de sable et exposée aux houles et aux vents dominants, n'est pas toujours accessible. Au large, le plateau des Birvideaux crée une zone dangereuse.

— Passé Quiberon, s'étend entre Belle-Ile et Le Croisic un deuxième paradis : on y trouve Belle-Ile, Houat, Hoëdic, l'île aux Chevaux, l'île Dumet, qui, avec la presqu'île granitique de Quiberon, protègent des houles et vents dominants tout l'ouest de la zone, de Port-Haliguen à La Trinité et à l'entrée du golfe du Morbihan. Celui-ci, véritable mer intérieure, entièrement protégé

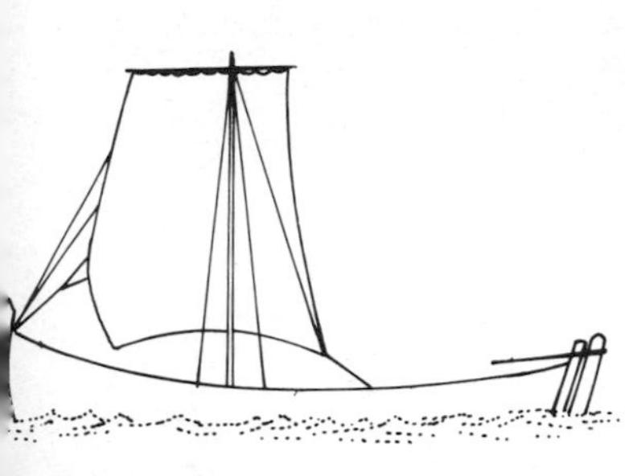

Bateau norvégien.

du large, bordé de granit et de schiste, à l'entrée duquel débouche la rivière d'Auray, est peuplé d'îles boisées.

La partie Est de la zone est plus difficile, côte schisteuse basse et parfois marécageuse, exposée aux houles et vents dominants. Des abris s'y ouvrent : Penerf, Keroyal et l'estuaire de la Vilaine, La Turballe, Le Croisic, mais leur abord est moins aisé que celui des abris de l'ouest, tous ne sont pas accessibles à toute heure de marée, comme le sont La Trinité ou Port-Haliguen, et ils sont assez éloignés les uns des autres. Il faut compter près de dix milles de la sortie du Morbihan à Penerf et plus de vingt pour Le Croisic.

Belle-Ile, forteresse de schiste, mérite une mention très particulière; la côte nord, orientée NW-SE, de la pointe des Poulains à la pointe de Kerdonis, est protégée des houles et des vents dominants et deux excellents abris s'y trouvent, Sauzon et Le Palais; un vaste plan d'eau calme la borde. La côte sud, dite sauvage, est exposée à tous les vents et houles du large.

A noter que la zone est largement parsemée de rochers, surtout à l'entrée de la baie de Quiberon et au large du Croisic.

L'activité humaine.

Cette famille de questions est toujours essentielle. Avant d'y répondre pour la Bretagne-Sud, soulignons que si, pour la France, les équipements portuaires et surtout les balisages, feux divers, radiophares, sont très abondants, il n'en est pas de même dans de nombreux pays, même en Europe, soit parce qu'ils sont sous-équipés, soit parce que, comme en Angleterre, l'habitude de la mer y est supposée si grande que l'on ne croit pas toujours nécessaire de numéroter ses rues. Si donc on veut voyager à l'étranger, il faut savoir que l'étiquetage des côtes n'y sera pas nécessairement aussi complet qu'en France. Soulignons aussi l'importance de la question du trafic, qu'il s'agisse des sorties massives des pêcheurs, la deuxième partie de la nuit, ou de leurs rentrées le soir, des armadas en chalutage, des passages de cargos sur les autoroutes de la mer, à Ouessant ou au Lizard par exemple. Il y a là un point essentiel pour le plaisancier, en raison des risques de collisions, et le trafic est donc toujours à considérer. Enfin l'attitude administrative (douanes, polices diverses, capitaines de port) d'un pays ou d'un port donnés est importante à connaître si l'on ne veut pas s'exposer à des mésaventures.

S'il n'est guère possible de connaître a priori, sinon par tradition orale, les habitudes mentales ou caractérielles de tel fonctionnaire dans tel port, on doit cependant savoir avec précision quelles sont les obligations administratives du lieu.

Cela étant précisé, on saura en lisant les *Instructions nautiques* et en consultant les livres des *Feux* et des *Radiosignaux* que la Bretagne-Sud est admirablement balisée et que, de jour comme de nuit, il est aisé de s'y repérer. On saura aussi, complétant l'information par la lecture de revues, que les équipements portuaires sont très nombreux, largement encore tournés vers la pêche, ce qui nécessitera un peu de doigté et de courtoisie si l'on veut se faire accepter, à Guilvinec, à Douélan ou La Turballe par exemple; mais alors quel accueil! D'importants équipements de plaisance sont réalisés peu à peu en divers endroits.

On verra aussi que, si le trafic de bateaux de pêche est important, surtout aux heures de sortie et rentrée, et que les risques de collision sont réels, la Bretagne-Sud, du moins en navigation côtière, est à l'écart des grandes routes qui empruntent la voie directe Cap Finisterre-Ouessant; et que c'est seulement au-delà de la bouée d'Armen que commencera la rencontre avec la ronde des cargos.

Pour le reste, qui peut se découvrir par plusieurs chemins, on dira simplement que si le Centre des Glénans a pu attirer tant de milliers de gens, jeunes ou moins jeunes, dans cette Bretagne-Sud, cela tient aussi à l'extraordinaire richesse en paysages et lieux historiques de cet ensemble de petites contrées, pays divers s'il en fut jamais, et que l'on espère que les Bretons sauront défendre contre les insultes d'un faux modernisme et la marée des résidences secondaires.

Vers d'autres rivages

On pourrait ici terminer sur quelques conclusions lyriques ou utilitaires : la Bretagne-Sud est un lieu idéal pour naviguer et surtout pour apprendre à naviguer, car on peut y présenter presque toutes les difficultés de la mer à une dose et à un niveau suffisamment légers pour ne mettre que rarement en péril le débutant. Cette région est à la navigation ce que l'Ecole est à la vie : un lieu d'apprentissage où l'on peut tâter sans trop de dangers les contours de la joie et de la mort. Les zones abritées y abondent, les ports se succèdent à un rythme rapide. Le régime des vents et des mouvements de la mer y reste modéré et prévisible. Une prise de conscience des divers paysages marins est relativement aisée, car, comme la campagne environnante composée de multiples « pays » distincts, le littoral n'est pas non plus uniforme. Les césures y sont claires et les diversités sont nettement lisibles.

Mais il faut aller plus loin et tenter de fonder des connaissances plus générales à partir de cette première expérience. Par hypothèse, le lecteur qui a suivi avec nous l'étude de cas était neuf, c'est-à-dire que son esprit n'avait pas encore reçu l'empreinte des choses de la mer. La première démarche est fondamentale car ce qu'il aura appris en naviguant en Bretagne-Sud, ou du moins en compulsant les divers documents qui la concernent, lui servira de première base mentale pour sa future connaissance de la mer. Il convient donc que cette base, cette référence, soit la plus solide possible et en même temps qu'elle soit « relativisée », comparée à d'autres au moins évoquées.

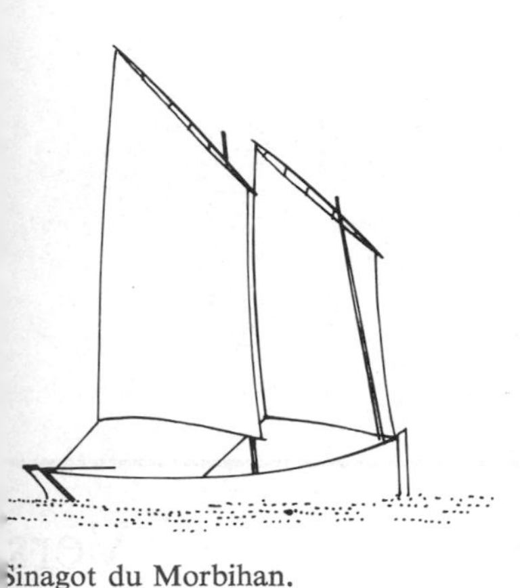
Sinagot du Morbihan.

Pour ce faire le plus simple est d'examiner à nouveau la Bretagne-Sud, au point de convergence des réponses à la grille, en se plaçant cette fois-ci du point de vue de l'usager : qu'est-ce que cette région permet de faire pour celui qui veut jouer avec la mer; qu'a-t-elle, de ce point de vue, de spécifique ou de comparable à d'autres régions; et que lui manque-t-il qui se trouve ailleurs ?

L'usager, on l'a vu au début du livre, peut être classé en quatre catégories :

— Celui qui ne demande à la mer, près de laquelle il habite ou vient passer ses vacances, que de lui apporter des plans d'eau adaptés à son dériveur ou à son petit canot. Si la géographie n'est pas trop perverse, il peut presque toujours trouver son affaire. Des conditions sont nécessaires cependant. Il est souhaitable que le premier coup de vent n'envoie pas tout le monde se perdre au large ou se briser sur les rochers; que l'organisation de la sécurité (visibilité et possibilités d'intervention) soit aisée; que la météo ne soit quand même pas trop fantasque, alternant calmes interminables et coups de vent insurmontables; que les courants soient faibles; il faut aussi pouvoir disposer de bases de départ où le bateau peut attendre à terre, partir, revenir. C'est le terme de **stade nautique** qui désignera le lieu recherché. Le stade peut être de dimension olympique et permettre toutes évolutions, il peut être plus modeste; il conditionne toujours la pratique du dériveur sportif et la petite sortie en mer sur bateau léger.

— Celui qui fait du **camping nautique** et qui doit pouvoir s'abriter très rapidement ou, du moins, tirer son bateau à terre. Tirer les bateaux à terre est une habitude très ancienne, si l'on se réfère à l'histoire et la légende et notamment à l'*Iliade* et à l'*Odyssée*, mais que la plaisance moderne redécouvre à peine, faute souvent de matériels et d'équipements adaptés. Que de blocs de béton inutiles auraient pu être évités parfois, si on avait posé correctement le problème, c'est-à-dire : comment conduire facilement un bateau à terre, au lieu de : comment le maintenir à flot à l'abri contre la mer et le vent.

Quoi qu'il en soit ici le bateau est petit : Maraudeur, Caravelle, Cigogne, dériveur de promenade. Il doit naviguer par mer calme ou protégée. Les côtes doivent être accessibles, plages ou simples cales abritées et zones d'échouage, le tout à un rythme assez serré, moins de deux milles entre deux points d'accueil. Le terrain où poser une tente doit être immédiatement proche. Les marées importantes sont souvent un obstacle.

— Celui qui fait de la croisière côtière et qui ne navigue qu'exceptionnellement la nuit, et qui donc cherche pour dormir un abri sûr. Son bateau cale de 0,7 m à 1,30 m. Il n'a pas envie de passer toutes ses vacances dans le même port d'où il sortirait le matin pour rentrer le soir. Il veut pouvoir s'abriter rapidement en cas de mauvais temps qu'il aurait mal prévu et qui le surprendrait en mer. Il souhaite rester dans une même région, au moins durant une saison de vacances, et éventuellement, sinon le plus souvent, y laisser son bateau l'hiver, car celui-ci est difficilement transportable autrement que par mer. L'année suivante il s'enhardira peut-être et ira rejoindre par mer un autre ensemble agréable.

Cet usager cherche un **bassin de croisière** où se marient agréablement ports d'équilibre (où l'on peut gardienner, réviser, faire réparer son bateau), petits ports de pêche et havres naturels où faire escale, mouillages forains bien calmes sous les îles ou au fond des baies. Il faut aussi que l'on trouve des refuges sous le vent, de telle sorte que l'on n'ait pas à lutter, au près, dans une mer difficile pour atteindre un abri au vent. Il s'agit en somme d'un ensemble très divers et harmonieux.

— Celui qui fait des croisières importantes et pour qui une étape de 100 milles est affaire habituelle. Il demandera à savoir si la côte comporte des approches commodes ou difficiles (en fonction des roches, courants, houles, visibilité, balisage), si elle possède un ou plusieurs ports en eau profonde accessibles à toute heure de marée à des bateaux calant de 1,5 m à 2,3 m; ports possédant les outillages et fournisseurs souhaitables et que l'on peut appeler **port d'accueil.** Il ne sera pas indifférent de savoir également s'il y a des mouillages forains abrités.

Ports d'accueil, bassins de croisières, zones de camping nautique, stades nautiques, voilà les biens — sans évoquer ici la haute mer et ses paysages spécifiques connus de quelques-uns : tropiques et pot au noir, environs des trois caps, grands bancs de pêche, zones de grands courants — que recherchent ceux qui veulent naviguer. Ces biens se trouvent-ils dans la région que nous venons d'analyser; en quelles régions sont-ils en plus grande abondance, de meilleure qualité, ou au contraire quelles régions en sont totalement ou partiellement dépourvues ?

Une réponse complète à la deuxième question suppose une vie. Mais on peut sommairement répondre à la première et donner pour la seconde quelques comparaisons ou aperçus. Ainsi on complètera le jugement concernant la Bretagne-Sud et on alertera l'imagination.

Stades nautiques.

Les stades nautiques, pour qui aime la régate et les dériveurs légers, sont innombrables en Bretagne-Sud. Il suffit de voir la multitude de clubs et écoles d'initiation qui ont fleuri en quantité de points : devant Loctudy et Bénodet, en baie de la Forêt, du Pouldohan, de l'Aven, dans les coureaux de Groix, au nord-est de Belle-Ile, en baie de Quiberon et de Carnac. D'autres régions sont également riches, offrent parfois des plans d'eau plus vastes, mais il n'y en a que quelques-uns à avoir des stades nautiques aussi abrités. Citons la rade de Cherbourg, la rade de Brest, la baie de Bourgneuf, la zone devant la côte nord-est de l'île d'Yeu, le Pertuis breton et la rade devant La Rochelle, le lac d'Hourtin, l'étang

Thonier de Concarneau.

de Thau, la rade de Marseille sous le Frioul, la rade de Toulon et celle d'Hyères et, en Corse, les baies de Saint-Florent, d'Ajaccio de Valinco et de Santa Manza.

Camping nautique.

Les zones de camping nautique sont également nombreuses en Bretagne-Sud, dans les rivières, sous les îles, le long de nombreuses plages, encore que les équipements à terre manquent cruellement et que le marnage, assez modéré, soit déjà suffisant pour épuiser le courage de qui tente, sans moyens particuliers, de remonter son embarcation à partir du bas de la plage à marée basse. Il faut le plus souvent mouiller en eaux abritées et, soit camper à bord, soit descendre à terre pour s'installer.

La Méditerranée est ici reine et principalement la Corse : que ce soit au nord à la pointe est du Cap, au nord-ouest tout au long du désert des Agriates; à l'ouest au-dessus de Carghèse, au sud-ouest en baie de Cupabia entre le cap Muro et Porto-Pollo; au sud et au sud-est, de Tizzano à Palombaggio avec quelques passages difficiles; puis à l'est l'île de Pinarello et, après Solenzara, les plages bordées de pins jusqu'aux abords de Posetta.

Pas de marnages, des plages et des criques où l'on peut remonter l'embarcation, pas encore (et on espère jamais) de routes côtières, le climat et l'eau que l'on sait. Mais le bateau idéal pour cette côte reste à inventer, le Maraudeur et ses frères étant plus adaptés à l'Atlantique. Ici il faut pouvoir, si l'on n'a pas été assez vigilant, forcer la toile et éventuellement le moteur pour rejoindre l'abri au vent, et le chavirage alors pardonne peu. La Cavale, idéale pour cette mer, cale trop d'eau et est surtout trop lourde pour être tirée à terre, du moins sans aménagements appropriés. Des essais sont en cours avec une Caravelle d'un type spécial.

Mais si on ne peut aller en Corse ou sur la côte dalmate, ou en Méditerranée orientale, il ne faut pas dédaigner la Manche et l'Atlantique. Beaucoup de zones existent. Au navigateur explorateur de les découvrir en serpentant le long des côtes, en se rappelant qu'il lui faut toujours pouvoir rapidement s'abriter ou se poser hors du ressac.

Malgré des marnages importants, et parfois à cause d'eux, la Bretagne-Nord notamment offre des possibilités inattendues.

Bassins de croisière.

C'est surtout avec ses deux bassins de croisière (de Penmarc'h à Lorient et de Quiberon au Croisic) que la Bretagne-Sud est exceptionnelle. Tout y semble sur mesure : distance des ports et des abris entre eux, multiplicité des mouillages, zones abritées où progresser contre le vent, météo prévisible.

Au nord du Havre, on ne trouve rien de semblable et il faut du courage et de la patience pour croiser entre Dunkerque et Fécamp devant des côtes rectilignes, sédimentaires ou surplombées de

Calanque de Sormiou

falaises, dans une mer courte parce que peu profonde, encombrée de bancs au nord et en n'ayant sur près de 200 milles de côtes que cinq ports où l'on puisse entrer à toute heure de marée. Il y a bien sûr plus au nord la Zeelande, devenue mer presque intérieure, et en face, derrière des bancs, la côte anglaise de la Tamise.

Entre le Havre et Barfleur on peut déjà beaucoup se promener, mais il faut tenir ses horaires car les ports ne s'ouvrent qu'aux marées, sauf le Havre et Saint-Vaast, et les équipements existent encore peu pour compenser une nature moins spontanément accueillante qu'en Bretagne-Sud. Un jour viendra où les remarquables possibilités de Courseulles, d'Isigny, de Carentan, de Saint-Vaast, pour ne citer que ceux-ci, seront mieux utilisées sous la pression des zones urbaines proches. Mais aujourd'hui le paysage marin est encore austère — comme il sied d'ailleurs à ce qui fut le haut lieu du débarquement — et l'attente de la marée est parfois pénible.

Passé la face ouest du Cotentin, où règnent marées puissantes et courants et vents d'Ouest, devant une côte sans abris facilement accessibles et que seuls peuvent fréquenter ceux qui en ont une excellente connaissance (Port Bail, Carteret, Goury nécessitent une sérieuse pratique), on trouvera l'extraordinaire mais assez délicat bassin de croisière franco-britannique, véritable parc maritime, s'étendant de Granville à Roscoff et l'île de Batz avec les Chausey et les Anglo-normandes. Marnages parfois considérables, courants violents, faible quantité de petits mouillages non asséchants (excepté au Trieux et aux Iles), ports derrière des portes, nécessité d'affourcher ou de s'embosser en mouillage forain avec de très grandes longueurs de câblots ou de chaînes, sans parler des béquilles en cas d'erreur à moins que l'on aime la vie penchée et parfois perchée, la Bretagne-Nord, surtout dans sa partie est, comporte des difficultés d'un cran nettement au-dessus de la Bretagne-Sud; les nuances deviennent dures réalités.

Trabacolo, caboteur de l'Adriatique

Les Héaux de Bréhat.

L'Iroise, traversée de courants, semée de roches loin en mer et que battent des houles énormes, est un bassin de croisière dur, difficile mais franc. Pour qui vient de Bretagne-Sud, la mer entre Sein et Ouessant semble animée d'une vie étrange et inquiétante. La rade de Brest, de plus en plus réservée à la Marine nationale, apporte malgré tout de multiples possibilités. Douarnenez, Tréboul, Morgat, Camaret, les Aber, Sein, Molène sont des objectifs excellents. Mais, surtout en avant-saison et en arrière-saison, quand le mauvais temps s'installe, on se sent faible et un peu misérable, et le bateau semble diminuer de taille avec chaque train de houle. Quand on revient en Bretagne-Sud, sitôt passé Penmarc'h, on comprend mieux son bonheur, et la mer, même par force 7, prend des allures bien sages.

Entre la Loire et les Sables-d'Olonne, il y a quelques lieux où naviguer en petite croisière, en baie de Bourgneuf et sous Noirmoutier, ou autour de l'île d'Yeu. Mais il s'agit de zones restreintes plus que de bassins de croisière, et il y a en définitive peu d'abris sûrs par tous les vents; et, par mauvais temps, tout le monde se retrouve dans les quelques mêmes ports que l'on s'est dépêché de rallier.

Le dernier mais remarquable bassin de croisière existant en France atlantique est bien entendu celui de La Rochelle, avec ses îles jusqu'à la Gironde. Moins varié que ceux de Bretagne-Sud, il offre, notamment dans ses pertuis, de vastes zones abritées.

La petite croisière est aussi possible à partir de Saint-Jean-de-Luz en direction de l'Espagne.

Rivière du Trieux.

Il y a bien sûr d'autres bassins de croisière en Atlantique, le long des autres pays d'Europe. Citons, outre l'Angleterre du Sud avec ses étonnantes rivières et les Scilly, la côte sud-ouest de l'Irlande de Baltimore à Dingle Bay où, dans des lieux admirables et protégés, sévit un régime de vents à variations rapides, ce qui rend toujours délicat le passage des caps. Citons enfin la côte de Galice en Espagne de l'Ouest avec ses baies, qui sont à elles seules des mondes maritimes complets, Arosa plus que toute autre, mais où l'eau est plus froide en plein été qu'aux Glénans au printemps.

En Méditerranée, française ou non, les bassins de croisière abondent. Chacun a ses lois, car la Méditerranée est la mer des conditions et des temps locaux. Beaucoup font rêver, mais certains n'ont pas assez de vent, comme ceux qu'enferment les îles dalmates. Nous ne citerons ici que celui du sud de la Corse. De Porto-Vecchio à l'est à Figari à l'ouest, jusqu'à Olbia en Sardaigne vers le sud, avec au passage Cavallo, les Lavezzi, Budelli, la Madalena, Caprera, il existe un ensemble comparable à la Bretagne-Sud. Il est plus souvent qu'on ne pense cruel, et les abris (qui, bien qu'imparfaits, comptent parmi les meilleurs de la Corse et de la Sardaigne) paraissent parfois bien éloignés quand on n'a pas un bateau qui puisse normalement trouver au large sa sécurité. Qui a navigué sans crainte au large de Concarneau, voire en Manche, a souvent sous le Pertusato rêvé à la Bretagne-Sud.

Pinasse d'Arcachon.

Il faudrait aussi parler de la mer du Nord vers l'Ecosse et les Shetland et la Norvège, de la Baltique aux replis innombrables. Les bateaux du Centre nautique des Glénans ont navigué dans leurs eaux comme dans celles des autres bassins évoqués et dans bien d'autres encore. Mais le Centre n'y a pas encore de base à proximité et nous ne pouvons promettre au lecteur de l'y conduire rapidement; tandis qu'en Corse, en Galice, en Irlande du Sud, en Bretagne Nord et Sud, en Languedoc, comme jadis la Hanse dans le Nord, le Centre nautique des Glénans a établi des comptoirs d'où rayonnent ses navires et ses caboteurs. Il suffit alors de quelques visites pour connaître plusieurs paysages marins et pouvoir les comparer à ceux qui bordent l'archipel des Glénans.

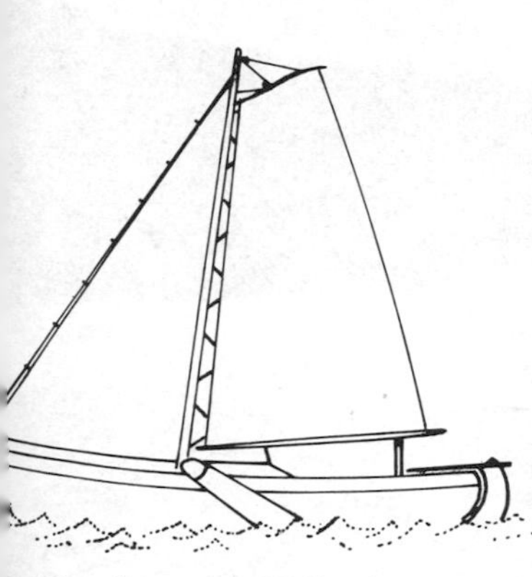

Voilier d'estuaire, Hollande.

Ports d'accueil.

En Bretagne-Sud, les ports d'accueil sont plusieurs : Bénodet, Concarneau, Lorient, La Trinité pour ne citer que les principaux. Les mouillages abrités en eau profonde se trouvent en de nombreux lieux : rivières, zones sous le vent des îles, fonds de baies. L'approche en venant du large, sans être dépourvue de problèmes — car il y a des cailloux, des chenaux pas trop larges, un important trafic dû à la pêche — reste aisée car plusieurs ports sont accessibles à presque toute heure de marée, les vents et les houles y conduisent, la visibilité est très souvent bonne.

On trouve ailleurs des conditions comparables, tout au long de la Côte du Devon ou de Cornouailles en Angleterre par exemple, ou dans la région de La Rochelle. La reprise de contact avec la terre sera également assez aisée dans l'Iroise, avec l'Aberwrach, Brest, Camaret et Douarnenez, à la condition de ne pas craindre la forte mer. Les choses iront déjà différemment dans la zone allant de l'île Vierge à La Hague où l'on ne trouvera, sauf dans les îles anglonormandes et dans le Trieux, de port en eau profonde que derrière des portes, avec, il est vrai, souvent de bons mouillages d'attente; où l'on doit donc tenir compte pour rentrer de l'heure des marées; où les courants nécessitent une navigation précise dans des chenaux difficiles bordés d'innombrables récifs. Le port du Havre, trafic excepté, est accueillant à qui vient du large, même si les marées y sont particulières et le clapot à l'entrée vigoureux; mais la baie n'offre guère de solution de rechange : Fécamp au nord est quasi inaccessible par Suroît et Ouest forts en raison du ressac entre les digues; Deauville est plein, et fermé durant de nombreuses heures; Ouistreham est derrière une écluse, Courseulles n'est accessible que peu de temps à chaque marée, Saint-Vaast-La-Hougue est loin à l'ouest. De même, Cherbourg, parfait abri, facile à atteindre, qui tend ses bras artificiels à qui vient d'Angleterre, est seul, sans voisins. Bayonne, Saint-Jean-de-Luz, Hendaye tout au fond du golfe sont parfois difficiles d'accès, Bayonne surtout, quand le vent dépasse la force 5 et que la houle venue d'Amérique vient s'accumuler sur les grèves; et l'on risque d'attendre longtemps pour pouvoir sortir, du moins en mauvaise saison. La côte d'Azur offre de nombreux ports, mais ils sont parfois difficiles à rallier contre le vent, quand il souffle du Nord.

Byzance.

Autrement dit, il ne faudrait pas conclure que, puisque peu de tempêtes empêchent de rentrer à Bénodet, Concarneau ou Lorient, tous les ports sont semblables, pas plus qu'il ne faudrait croire que seule la Bretagne-Sud est appelée à accueillir les croiseurs qui viennent du grand large. Ailleurs, il existe l'excellent et le moins bon. Mais il reste sûr que, pavés exclus, parfois gênants, la Bretagne-Sud est pour qui vient du large un sacré bon coin et que quand on a reconnu Penmarc'h on se sent mieux.

ozo de Malte.

Cette étude de cas et les rapides évocations qui l'accompagnent ne prétendent qu'à être une esquisse pour aider qui veut se préparer à aborder une région nautique nouvelle. On a simplement voulu marquer les permanences, les caractéristiques et les diversités qui constituent les paysages marins. On aura obtenu un résultat si le lecteur débutant a, en nous quittant, compris par exemple que la possibilité de prévoir l'évolution du temps en Bretagne-Sud, pour qui a pris l'habitude d'observer nuages et baromètre sur fonds de connaissance de la situation météo régnante, est un privilège déjà plus rare en Manche, où les variations sont plus rapides, et n'est plus du tout la règle en Méditerranée, où l'on navigue avec souvent une petite inquiétude au cœur et où il y a une extraordinaire diversité de temps locaux; s'il a compris aussi que les houles sages de la Bretagne-Sud ne sont pas les clapots croisés des alentours des Anglo-normandes ou les mouvements puissants de l'Iroise; qu'il est différent de pouvoir entrer dans un port quand on veut, ou de devoir pour le faire attendre la pleine mer; que la mer n'est pas nécessairement libre, passés les dangers côtiers et que, comme en mer du Nord, on peut être obligé de se faufiler entre des bancs et dans des chenaux dont le tracé n'est pas toujours clair, tandis que devant et derrière vous pressent les cargos; qu'en définitive rien n'est plus semblable en même temps que plus différent que les divers paysages marins où les variations les plus profondes sont souvent les plus subtiles.

Mais il faut maintenant laisser, à celui qui va s'évader de ce livre pour courir la mer, la joie de la découverte, sur un pont et dans les documents nautiques. Nous avons fait ce que nous avons pu pour l'y préparer, essayant de traduire notre expérience en termes simples, mais sans masquer les complexités et en ne faussant pas le jeu sous prétexte de faciliter les approches.

Un jour prochain, nous l'espérons, il en saura plus que nous aujourd'hui. De toute façon nous repartons nous aussi car, en mer et avec le vent, rien de ce qui est acquis n'est définitif, la vérité n'est pas toujours du côté des certitudes et trois vérifications valent mieux qu'une affirmation.

Index

Abaque SH 4 : 626.
Abattage en carène : 347, 199.
Abattée : 32; sous spi, 275.
Abattre : 31, 308.
Abordage : 349; prévention, 426-430; voies d'eau, 432-433; réparations, 199-203.
Abri : gagner un abri, 381; prévoir des abris sous le vent, 705-707.
Accastillage : du gréement dormant, 136-139; du gréement courant, 152-153.
Accidents de bord : 430-434; secourisme, 441-450.
Accompagner (la barre) : 109, 288.
Accore (côte) : 646.
Accostage : à quai, 337-339; d'un bateau, 349; d'un naufragé, 424-425.
Acier : coques, 188; câbles, 133-136, 148-151.
A contre : gîter à contre, 31; foc à contre, 293, 386.
A couple : amarrage, 338, 189; remorquage, 406.
Adiabatique (gradient) : 485, 486.
A Dieu vât! : 291.
Adonner : vent réel, 38; vent apparent, 278; vent-surface, 733.
Advection : 501.
Aérodynamique (force) : 75, 83-98.
Affaler : 23; un foc, 356; la grand-voile, 357, 304, 386; le spi, 371, 375, 276.
Affourcher : 327.
Affûtage (des outils) : 203-204.
AG 4 (alliage léger) : 132.
Aiguilles (de voilier) : 179.
Aiguillot : 18.
Air (atmosphère) : 482-492.
Ajut (faire) : 322.
A la mer : 613.
Alidade : 227.
Alignement : 31, 644.
Alizés : 508.
Alkiduréthanes (peintures) : 191.
Allongement (de route) : 712.
Allongement (d'une voile) : 76; influence sur le rendement, 86.
Allures : 37.
Allures de sauvegarde : 386-388.
Almanach du marin breton : 616, 621, 641, 689, 695.
A long pic : 329.
Altocumulus : 496-497; en ciel de tête, 527; en ciel de corps, 529; en marge chaude, 533; en ciel pré-orageux, 542; annonce de l'air froid en Méditerranée, 572.
Altrostratus : 498-499; en ciel de tête, 527.
Aluminium : coques, 189; espars, 132; couvertures, 439.
Amariné : 470.
Amarrage (du bateau) : sur coffre ou sur corps-mort, 335; à quai, 338, 340; à un ponton, 341.
Amarrage (individuel) : 421-422.
Amarre : voir Bosse d'amarrage.
Ame : d'un câble, 134; d'un cordage, 141, 148, 151.
Amers : 31, 603; choix, 644; identification, 662-663.
Amortir : 237.
Amplitude (de la marée) : 619.
Amure : 43; point d'amure, 19.
Ancres : 207, 208; manœuvres d'ancre, 319-333.
Ancre flottante ; 387.
Anémomètre : 227, 714.
Angine : 446.
Anglaise : 157.
Angle de dérive : 78-81.
Angle d'incidence : 75.
Angle mort : 41, 248, 286, 721.
Annexe : 228-230; manœuvre, 348-349; remorquage : 405-406.
Annuaire des marées : 621-625.
Anodes consommables : 184.
Antenne (gonio) : 225-226; utilisation, 690-691.
Anticyclone : 504; des Açores : 509, 518, 562-563, 566; eurasien : 510, 518, 563.
Antidérapant : peinture, 192; chaussures, 456.
Anti-fouling : 192.
A pic : 330-331.
Appareillage : d'une plage, 305-312; sur ancre, 328-333; d'un coffre ou d'un corps-mort, 335-336; d'un quai, 343-344.
Appareiller (décision d') : 381; 704.
Appels au secours : 439.
Appendicite : 450.
Apprêt (d'une voile) : 169.
Arc de grand cercle : 637, 690-691.
Arcs capables (point par) : 660-662.
Ardent (bateau) : 35; théorie 110-113; manœuvre, 255, 261, 280.
Arisée : 358.
Armer (le bateau) : 15-23; 242-244.
Arpège : 65-66; 127.
Arrêter (un cordage) : 141-142.
Arrière (vent) : 37, 38-39; théorie, 77 82, 92, 97; manœuvre, 266-277, 311, 314 324-325, 387-390; tactique, 720-721.
Arriver : 41.
Arrondir : 708.
Artimon : 98, 157, 160, 386.
Assécher : 344.
Assiette (du bateau) : 105, 243, 308.
Assurer : 20, 137.
Atmosphère : 479.
Atterrages : 699.
Atterrissage : 699; préparation, 316-317 marques d', 608.
Auloffée : 32; sous spi, 274; au viremen lof pour lof, 298; dans le mauva temps, 390.
Aurique (voile) : 55; rendement, 86.
Aussière : 210; mouiller sur, 319, 32 affourcher, 327; le bon usage des au sières, 342; comme traînard, 388; comm remorque, 400.
Autan : 573, 585.
Autocap (règle) : 656.
Au vent : 30.
Avale-tout : 152.
Avaries : de gréement, 431-432; d coque, 432-434.
Aviron : 230; l'art de la godille, 393-39
Avis urgent aux navigateurs (AVU NAV) : 617.

Bâbord : 20; marques de, 605.
Bâbord amures : 43; 427.
Balancine : de bôme, 162, 359; de ta gon, 167, 302-303.
Balcon : 197, 421.
Balisage : 604-609.
Ballant : 147.
Baromètre : 225; 596-597.
Barre (de gouvernail) : 18; garder barre droite, 34.
Barre de cabestan : 153.
Barre (vagues) : 516, 381.
Barre d'écoute : 19; choix, 161; rôle 254.
Barres de flèche : 18, 20; rôle, 117, 12 fixation, 130, 142.
Barrer : 34-35; au près, 255-257, 265; la lame, 262; au vent arrière, 271, 27 275, 465; au largue, 280-283; en r morque, 403, 405.
Barreur : 27, 283, 675.

Bas-étai : 116-117; réglage en route, 125, 128 ; au lof pour lof, 302-303.
Bas-hauban : 116; réglages, 124-125, 128.
Bas-ris : 157.
Basse : 382.
Basse mer : 619.
Bassins de croisière : 758-762.
Batasques : 116, 117 ; manœuvre, 290. 296.
Bateau : d'initiation, 12-19; de régate, 50-53; de promenade et de pêche, 54-57; de croisière, 58-66; de course-croisière, 67-68; choix pratique, 69-71; choix philosophique, 709.
Bateau (de loch) : 223.
Battre : 26.
Bavette : 176.
Beaufort (échelle de) : 24.
Beau temps : 536-539.
Béquiller : 345, 346, 348.
Béquilles : 231-232.
Béton (coques en) : 189-190.
BFO : 696.
Big boy : 374.
Bitte d'amarrage : de plage avant, 320; de quai, 340.
Biture : 321.
Bois : coques, 185-187; espars 130-132.
Bôme : 19, 130; réparation, 132; bôme à rouleau, 358; coups de bôme, 39, 42, 384.
Bora : 573, 583.
Bord (le bon) : 723, 731.
Bordé : 18.
Border : 32; border plat, 37.
Bordier : 399.
Bordure : 18; de grand-voile, 174; de foc 176; de spi, 178; tension, 122, 162-163, 363.
Bosse : d'amarrage, 231, 340; d'amure, 353, 360; d'empointure, 19, 21, 162-163, 361-362; de ris, 163, 362.
Bottes : 26, 456.
Boucaille : 530.
Bouchain : 16, 18, 187.
Bouche à bouche : 441-443.
Bouée de sauvetage : 422.
Bouées (balisage) : 604-608.
Bout (prononcer boute) : tout cordage sans nom défini.
Bout' au vent : 32.
Bout de sécurité : 421, 384.
Bout (de tangon) : 368, 165, 303.
Boute-hors : 55.
BQR : 593, 599.
Bras (de spi) : 165; réglage, 268-270, 303.
Brasser : 316, 374.
Brassière de sauvetage : 27, 422.
Brider : 250, 257.
Bridure : 141.
Brin (de palan) : 153.
Brisants : 516.
Brise : 24.
Brises côtières : principe, 490-491 ; Atlantique, 537; Méditerranée, 588-589.
Bronze (peinture au) : 192.
Brouillard : 501-502; givrant, 488.
Bruine : 497.
Brûlures : 447-448.
Brume : 501; signaux de, 618; navigation par, 430; navigation à la sonde, 684-689.
Bulletin météo : 593, 595, 599.
Buys-Ballot (loi de) : 506, 508.

Cabestan (ou winch) : 153, 156; installation, 197; bon usage, 354-355.
Câbles : gréement dormant, 133-136; gréement courant, 148-151, 154-155, 165; d'amarrage, 231; entretien au désarmement, 239-240.
Cabotage : 60-62, 756, 758-762.
Cabrage (angle de) : 282.
Cadène : 18, 138, 183-184.
Calculs de marée : 622-632; échouement, 348.
Calfatage : 185.
Calme : zones de, 508; type de temps, 555-557; 567, 569; navigation, 711; solutions, 393-406.
Cambrure (d'une vague) : 512.
Camping nautique : 56-57, 756-758.
Canot (prononcer canote) : 54-55.
Canots de sauvetage : 435-440; 391; 241.
Cap : 34; cap vrai, cap compas, 664-665; donner un cap au barreur, 664-671; incertitude sur le cap, 675-677.
Cape : courante, 386; sur ancre flottante, 387; sèche 390.
Capelages : 136, 347.
Capeler : demi-clefs à capeler, 145; (par extension), 27.
Capot : 194.
Cardan : suspension, 220, 233, 458; articulation, 137.
Carénage : nécessité du, 106; manœuvres pour caréner, 346-348; peintures de carène, 192.
Carène : 99-100; carène liquide, 103, 458.
Cargos (rencontres de) : 698.
Carré : 65, 66 : table du, 460.
Cartes marines : 635-641; feux sur la carte, 617.
Cartes Consol : 695.
Cartes de courant : 633.
Cartes de radiosignaux : 689-690.
Cartouche (des cartes) : 633.
Cat-boat : 13, 52; réglages, 120.
Catégories de navigation : 417-418.
Cat-way : 341.
Célérité (des vagues) : 513.
Centièmes (méthode des) : 625-627.
Centre de carène : 100.
Centre de dérive : 110-113.
Centre de gravité : 99-103; 458.
Centre de voilure : 110-113.
Centres d'action (météo) : 508-510.
Cercle de gisement : 690.
Chaîne : d'ancre, 206, 208-210; 319-322; de coffre ou de corps-mort, 211, 335-336.
Chaîne (d'un tissu) : 168-169.
Chaleur latente : 486.
Chandeliers : 197, 421.
Chapeau : 658-660, 681, 694.
Chariot (de barre d'écoute) : 161.
Chasser : 207.
Chaumard : 208-210, 412; dangers, 324, 430.
Chavirage : 44-46; 414-416; dessalage, 179.
Chef de bord : 291, 318, 391, 405, 420, 452-453, 470, 472.
Chenal : 428.
Cheville néoprène : 195-196.
Chili (vent) : 586.
Choix de la toile : 377-378.
Choix du bord à tirer : 723, 731-732.
Choix d'un bateau : 69-71.
Choquer : 32.
Choupage : 193.
Chute (d'une voile) : 18; de grand-voile, 173-174; de foc, 176; de spi, 178.
Ciels (types de) : 517, 525-544.
Cintrage (du mât) : 118-121.
Circulation atmosphérique : 508-511.
Cirés : 455-456.
Cirrocumulus : 496-497; en marge chaude, 533.
Cirrostratus : 498-499; en ciel de tête, 526.
Cirrus : 498; en ciel de tête, 526-527; en ciel pré-orageux, 540-542.
Ciseau à bois : utilisation, 199; affûtage, 204.
Ciseaux (voiles en) : 38.
Clair : 21, 207.
Clamcleat : 153.
Cockpit : 20.
Coefficient de la marée : 620, 624.
Coffre (mouillage sur) : 211-212, 333-336.
Col isobarique : 504; 553-554.
Colles : 196.
Coller : espars en bois, 131-132; une pièce sur une voile, 180.
Collimation : 228.
Compas : 220-222; régulation, 664.
Compas de relèvement : 222-223; utilisation, 655, 675.
Compensation : 221.
Composante de dérive et de gîte : 79.
Composante propulsive : 79.
Condensation : 486-487.
Conditionnellement instable (air) : 492.
Conduction : 480.
Conjonctivite : 444.
Conservateur de cap (compas) : 221.
Consol : 695-697.
Contre-écoute : 42, 353, 385.
Contre-gîte : 35.
Contre-plaqué : coques, 186-187; réparations, 199-201.
Convection : 481, 490-491.
Coques : 183-204.
Coques (dans les cordages) : 146.
Cordages : 140-147.
Coriolis (force de) : 506.
Corne (vergue) : 55.
Corps (d'une perturbation) : 525-526; ciel de corps, 528-529.
Corps-mort : 211.
Correction de Givry : 690-691.
Correspondant à terre : 418-419.
Corriger la route : 674.
Corsaire : 61-62, 70, 105, 261, 707.
Côtre : 55; gréement, 98; 386.
Couche limite : 106.
Couchette : 456-457.
Coudre : un coulisseau, 181; un mousqueton, 181; une voile, 179-180.
Couloir (effet de) : entre les voiles, 94-97; dans les vallées, 571.
Coup de froid : 443.
Coup de lumière : 445.

Coup de soleil : 445, 498.
Coup de vent : 24, 549, 551, 565, 597-599.
Coupe (d'une voile) : 172.
Couper : un câble : 149; un cordage, 141-142.
Couple (à) : amarrage, 338, 189; remorquage, 406.
Couple de rappel : 101-104.
Couple électrolytique : 184.
Courant (d'un cordage) : 21, 139.
Courants (de dérive et de densité) : 511.
Courants (de marée) : 633-635; manœuvres dans un courant, 325-326, 333-335, 338; état de la mer, 515; navigation, 666, 668-671, 676; tactique, 726-734.
Couronnement : 343.
Course-croisière : 67-68; 709.
Couteau de poche : 204.
Coutures (d'une voile) : 170; refaire une couture, 179-180.
Cras (règle) : 656-657, 663.
Creux (d'une voile) : 76; influence, 87; coupe, 172-178; réglage, 118-123, 126-128; au près, 252-254, 260-261, 264; au bon plein, 265, 266; au vent arrière, 267, 268; au largue, 279.
Croisière : 57-66, 756-757, 758-764.
Croissant (de bôme) : 358.
Cuisine : 458-459.
Cuisiner : 467-468.
Cuisinier : 459; habillement, 468; soins, 447.
Culer : 73, 293.
Cumuliformes (nuages) : 493.
Cumulonimbus : 495; en ciel de traîne, 530; en front occlus, 535; en ciel d'orage, 543-544, 599.
Cumulus : 493, 494-495; en ciel de traîne, 530-531; en ciel d'instabilité, 538; en ciel d'orage, 539-544; en Méditerranée, 572.
Cunningham (œillet de) : 122, 158, 171.
Cyclogénèse : 520.
Cyclone : 503, 511.

Dacron : 169.
Dame de nage : 19, 230.
Danger isolé (marque de) : 608.
Déborder : la voile, 32; un quai, 344, 431.
Debout (vent) : 22, 32; virer, 285-294; manœuvres, 305, 312, 315-316, 323-324; tactique, 721-725.
Déclinaison : 655-656; 663.
Décommettre : 140, 151.
Décrochage : 75-76; au largue, 278.
Dédrailler : 356.
Défenses : 231, 345.
Déferlante : 512, 263, 382, 388.
Dégager (une ancre) : 332-333.
Degrés : 220, 635.
Dégréer : un mât, 240; une écoute, 161.
Déhaler : 342.
Déjauger : 282.
Délover : un cordage, 146-147; un câble, 149.
Démâter : volontairement, 240; par accident, 431-432.
Demi-clef : 22, 143, 145.
Dépasser : 147.
Déplacement : 99.
Dépression : 504, 520, 523-524.
Déraper : 330.
Dérider : 124.
Dérive (aileron) : 12, 18, 19; rôle, 30-31, 78; réglage au près, 255-256, au vent arrière, 272, au largue, 280, 283, dans les virements, 296-297.
Dérive (due au vent) : 30; théorie, 78-83, 108, 111; au près, 248-249; évaluation, 666, 676, 716.
Dériveur : 12, 16, 18, 50-53.
Dérivomètre : 716.
Dérouter (se) : 710.
Désarmer : 236-242.
Dessalage : 179.
Descente : 383, 389.
Déshydratation : 445.
Détecteur de gaz : 434.
Détente (de l'air) : 484.
Détresse : 439, 440.
Dévers : 95, 253-254, 267.
Déverser : 119.
Déviation : 221, 664-665.
Diagrammes de vitesse : 714-717, 251.
Diamant : 207.
Diarrhée : 446.
Diesel : conduite, 216-219; manœuvres, 396-400.
Documents nautiques : 603, 633, 689-690, 695.
Dormant : gréement, 129-139; d'un cordage, 153, 161.
Dorsale anticyclonique : 504, 556, 557, 562-563, 569, 575, 580-581.
Douzièmes (méthode des) : 626-627.
Draille : 126.
Drisse : 19, 20; choix, 154-158, 164-165; étarquer, 355, 356; tourner, 147.
Droit-fil : 168-169.

Eau douce (réserves) : 462, 459.
Echancré (guindant) : 126-127, 175.
Echelle de Beaufort : 24.
Echelle de coupée : 425.
Echo-sondeur : 226, 681-683.
Echouage : 344-347.
Echouement : 348.
Eclairage : du compas, 222; de la cabine, 233; en navigation de nuit, 466-467.
Eclats (feu à) : 609-610.
Ecope : 22, 232.
Ecoulement de l'air : 75-77, 94-97.
Ecoute : 17, 21; choix, 158-161, 165, 353, 354-355.
Ecoute continue : 159.
Ecubier : 320.
Effets de foehn : 488, 570-571, 579.
Effets galvaniques : sur coques, 184, 189; sur gréement, 133, 240.
Elancements : 99.
Elastomères : 185, 193.
Electricité à bord : 233.
Eléphant : 137.
Elonger : 342.
Embardées : 273-275, 298.
Embouts de câble : 135.
Embraquer : 32.
Emerillon : 152, 165, 211.
Emménagements : 455-462.
Empannage : 39, 274-275; chinois, 298.
Empenneler : 326-327.
Emplanture : 18, 20.
Empointure (bosse d') : 19, 163, 361-36
Endrailler : 21.
Enfourner : 273, 277.
Engagée (ancre) : 332-333.
Engoujure : 18, 230.
Enture : 131.
Enverguer : 21.
Envoyez! : 291.
Epave (marque d') : 608.
Epissure : sur cordage, 142; sur câbl 150; mixte, 151.
Equilibre du bateau : de la coque, 10 105; sous voiles, 110-113.
Equilibre indifférent : 491.
Equipage : 454-455.
Equipier : 27, 28, 309-310, 313-314, 37 371, 300-301.
Equisignal : 695.
Erre : 41, 288, 290.
Erreur de nuit : 691.
Erse à bouton : 159.
Espars : 129-133.
Essence (dangers de l') : 212-213, 433.
Estime : 674-678.
Estran : 638-639.
Etablissement : 621.
Etai : 18, 116 ; tension, 122-123, 12 bas-étai, 116-117, 128, 302-303.
Etale : 619.
Etalingure : 209.
Etambrai : 18, 119.
Etanchéité : 185-190, 193-194.
Etarquage : moyens, 153, 156-158; pa le bas, 122, 126, 156-158.
Etarquer : 22, 355, 356.
Etouffer : 376.
Etrave : 18; vague d'étrave, 107, 67
Evaporation : 483, 486.
Eviter : 27-28, 319, 326.
Explosion : 433-434.

Faire côte : 391.
Faire le point : 654-664.
Faite tête : 325, 313.
Faire servir : 363.
Faire valoir la route : 664-666.
Fardage : 93, 287.
Faseyer : 32.
Fémelot : 18.
Ferler : la grand-voile, 365; le spi, 37 373.
Ferrite : 690.
Ferrures : 136-138; fixation sur bois, 13 sur métal, 133.
Fetch : 513-514.
Feux : 609-618.
Figures isobariques : 504-505.
Fil à voile : 180.
Filet à spi : 374.
Filières : 197, 160.
Filin : 140.
Filoir : 18, 152.
Finn : 52, 120.
Flambage : 117.
Flèche : 55.
Flexion du mât : 118-121.
Flot : 619.
Flottabilité : théorie, 99-100; réserves d 17, 198, 435.

lottaison : 107.
lush deck : 64.
oc : 19, 168; rôle, 94-97, 261; confec-
on, 175-176; réglage, 122-123, 126-127;
ıanœuvre, 352-357.
ocquier : 27.
oehn (effet de) : 488, 570-571, 579.
orain (mouillage) : 317.
orce aérodynamique : 74-75, 93.
orce de Coriolis : 506.
orce hydrodynamique : 78, 110.
orme (coque en) : 17, 186.
oudre : 434.
ourrage : 142, 210,
ractures : 449-459 ; 430-431.
raîchir : 38.
ranc-bord : 99.
régate : 206, 261.
réhel : 54-55.
réquence radio : 690, 225.
roid (dangers du) : 414-415.
rapper : 22.
ront : polaire, 503 : chaud, froid, 519,
26; froid secondaire, 522, 599; occlus,
21, 526, 535.
rontogénèse : 520.
rontolyse : 521.
uite (mettre en) : 387-390.
umigènes : 439-440.
uroncle : 445.
usées : 439, 430, 241.

affe : 205.
agner dans le vent : 36.
ain de temps : 715.
ain de vitesse : 713-715.
alhauban : 116.
aliote : 64-65, 107, 206.
alvanisation : 193.
alvanisé (acier) : câbles, 134-135, 148;
ointes, 192.
arant : de palan, 153; de béquilles,
32.
arbi : 573.
arcettes : 164, 360, 363.
ardes : 339.
arde-robe : 168.
ardiennage : 71, 236.
arnir un cabestan : 355.
atte : 216.
az (dangers du) : 433-434.
el-coat : 188, 203.
endarme : 136, 148-149.
énois : 168; confection, 175; réglage,
26-127; manœuvre, 270, 281, 316.
hibli : 586.
ilet de sauvetage : 27, 422.
irouette : 227, 716.
isement : 690.
îte : 31; théorie, 79, 81, 88-93, 107-108;
ombattre la gîte, 257.
lène : 146.
MT : 622.
odille : 230, 393-395.
oélette : 98.
onio : 225-226, 690-691.
orge de mât : 18; réparation, 132.
ousset de latte : 21, 174.
ouvernail : 18, 35; théorie, 108-110;
ntretien, 199.
ouverner : au près, 257, 263, 265; au
vent arrière, 274-275; au largue, 281;
sans safran, 310.
Gradient : vertical thermique, 484; adiabatique, 485-486; de pression, 508; vent
du gradient, 507.
Grain : 26; 530, 599.
Grande marée : 619, 348, 237.
Grand-largue : 37; théorie, 82, 92-93;
manœuvre, 266; tactique, 720-721.
Grand-voile : 19, 21-22, 33; théorie, 83-
93 : confection, 172-174; réglages, 121-
122, 127; manœuvre, 357-365.
Grappin : 207.
Gréement : 20; types, 98; dormant, 129-
139; courant, 139-167; réglages, 116-
128; avaries, 431-432; entretien, 239-
240.
Greenwich : 636, 622.
Gréer : 20-21.
Grégal : 573, 589, 590.
Guindant : 18; de foc, 175, 122, 126-127;
de grand-voile, 173, 121-122, 127; de
spi, 178, 269.
Guindeau : 319, 239.
Gulf Stream : 481, 501, 506, 511, 749.

Habillement : 26, 415, 455-456, 468.
Habitabilité : 58, 461-462.
Hale-bas de bôme : 19, 28; rôle, 254;
montage, 161, 162; usage particulier,
426.
Hale-bas de tangon : 369, 373; montage,
165-166; manœuvre, 302-303, 275.
Hale-dehors : 139.
Hale-haut : 167.
Haler : 342, 731.
Harnais de sécurité : 421-422.
Hauban : 15, 18; rôle, 116-117; choix et
montage : 133-138; réglages, 124-125,
128.
Hauteur d'eau : 620-622; calcul, 625-632.
Hauteur des vagues : 512.
Hauteur sous barrots : 64.
Hauts : 104.
Hauts-fonds : 516, 383, 710.
Hauturier : 57.
Hémorragie : 448.
Heures : 622; heure-marée, 627.
Hiloire : 18.
Hisser : 22; un foc, 352-357; la grand-
voile, 357-358; le spi, 369-370, 373-375.
Hivernage : 236-238.
Homme à la mer : 420-426.
Hook : 157, 314.
Hors-bord (moteur) : conduite, 213-216;
manœuvres, 396-400, 405-406.
Houle : 514-515.
Hublot : 193-194, 382-383.
Humidité relative : 485.
Hydrocution : 441.

Incendie : 433-434.
Incertitude (zone d') : 677-678, 680, 685,
694.
Infections : 445-446.
Insolation ; 445.
Instabilité (ciel d') : 538-539.
Instable (air) : 491-492, 494-496.
Instructions nautiques : 641-642, 744-746.
Instruments de navigation : 220-228.
Insubmersibilité : 59-60, 198, 435.
Intercalaire de sonde : 683-684.
Intervalle : 522; ciel d'intervalle, 536-
537.
Inventaire : 241-242.
Inversion de température : 492.
Isallobare : 597.
Isobare : 504.
Isochrone : 715.
Isophase (feu) : 609, 610.
Itague : 154-155.

Jas (ancre à) : 207, 324 (note).
Jauge : 67.
Journal de bord : 676-677, 685.
Jumelles : 429.
Jusant : 619.

K (point) : 593.
Ketch : 98, 386.
Khamsin : 586.
Klégécel : 198.

Labrador (courant du) : 481, 501, 506,
511.
Laisser draguer : 331.
Laisser porter : 38.
Laize : 169-170; disposition, grands-
voiles, 172-173, focs, 175, spis, 177;
refaire une couture, 180.
Laminaire (écoulement) : 75, 77.
Lampe : tempête, 233; étanche, 422.
Largue : 37; théorie, 81-82; 88-89, 92;
manœuvre, 277-284; tactique, 718-720,
732-734.
Larguer : une amarre, 340; un ris, 363-
364; les tours de rouleau, 364-365.
Latitude : 636.
Latte : 19, 22, 122, 173-174, 199.
Latte à trous : 137.
Lest : 12, 102, 104.
Levant : 573.
Levanter : 573, 589, 590.
Leveche : 586.
Levée du doute : 690.
Levier d'étarquage : 156.
Liaisons (coque) : 183.
Libeccio : 573, 574, 590-591.
Lieu (transport d'un) : 678-681.
Ligne de foi : 220.
Ligne de grains : 530, 599.
Ligne de sonde : 638, 683.
Ligne de vie : 197-198, 421.
Ligne légère : 210; choix, 206; ma-
nœuvre, 319-320, 322-323.
Limbe : 227, 228.
Livet de pont : 185, 187.
Livre de bord : 676-677, 685.
Livre des *Feux* : 612-618.
Livre des *Radiosignaux* : 689.
Loch : 223-225, 716.
Loffer : 31.
Lof pour lof : 40-41; 295-304.
Longitude : 636.
Longueur des vagues : 512.
Louvoyer : 43-44; manœuvre, 248-249;
tactique, 721-725, 730-732.
Lover : un cordage, 146-147, 226, 322;
un câble, 149.
Loxodromie : 637.

Mailler : 21.
Mailloche à fourrer : 151.
Maître-couple : 107.
Mal de mer : 469-472.
Manchon : 135.
Manille : 20, 152.
Manivelle : 431.
Manquer à virer : 286, 293.
Marais barométrique : 505, 556-557, 564.
Maraudeur : 56-57, 70, 756, 758-762.
Marconi : 86, 98.
Marées : 619-635.
Marge (d'une perturbation) : froide, 532; chaude, 533.
Margouillet : 164.
Marin (vent) : 573, 585, 590.
Marnage : 619.
Marques (balisage) : 604.
Massage cardiaque : 443.
Masquer : 385, 424.
Masses d'air : 489-503, 560-562.
Mât : 18, 20; tenue, 116-118; choix, 129-133; réglages, 119-121, 124-125; entretien, 131, 132, 239-240; rupture, 431-432.
Matelotage : 141-147.
Mâter : 20; se mâter, 21, 165, 298.
Matériel de rechange : 234.
Mayday : 439.
Mer du vent : 513-514.
Mercator : 636-637.
Méridien : 635, 656-658; de Greenwich, 636.
Mésentente : 472.
Métacentre : 101-102.
Mille marin : 636.
Millibar : 483.
Minute de latitude : 636.
Misaine : 98.
Mistral : 574-583, 589-590.
Mollir : 38, 128.
Monofil : 133-134.
Monotoron : 134.
Mordre : 354.
Mortes-eaux : 619.
Moteur auxiliaire : hors-bord, 212-216; diesel, 216-219; manœuvres, 396-400, 405-406.
Mou (bateau) : 35; théorie, 112-113; manœuvre, 255-256, 308.
Mou (donner du) : 320, 144.
Mouillage (matériel de) : 22, 206-212.
Mouillage forain : 317.
Mouiller : sur ancre, 319-328; sur coffre ou corps-mort, 333-335.
Mousquetaire : 62-63, 137, 206, 212, 261, 435, 601, 705-707, 759-762.
Mousqueton : de foc, 19, 21, 152, 181; de sécurité, 421; de tangon, 165.
Mousson : 510.

Nable : 17, 36.
Nager : 229.
Naufrage : 434-440.
Nautile : 64-65, 435, 206.
Navigateur : 674-675.
NE : Nord-Est, Nordé.
Nettoyage : journalier, 464, 468-469; de fin de saison, 238-239.
Nimbostratus : 500-501; en ciel de corps, 528-529; en front occlus, 535.
Nimbus (professeur) : 517.
Niveau moyen (de la marée) : 621, 632.
Niveaux de référence : 622, 639.
Nœud (vitesse) : 224.
Nœuds : 143-147; à plein poing, 159; d'ajut, 322; de capucin, 159; de grappin, 22; en huit, 21.
Nord : vrai, magnétique, 655.
Noyade : risques de, 414-415; soins aux noyés, 441-443.
Noyaux de variation de pression : 596.
Nuages : 493-501.
Nuit (navigation de) : 466-467.
NW : Nord-Ouest, Noroît, note p. 636.
Nylon : 169.

Observation météo : 599-600.
Occlusion : 521, 534-535.
Occultations (feu à) : 609-611.
Octa : 536.
Œil : cousu, 142; épissé, 142.
Œillet : 171.
Œuvres (vives, mortes) : 99.
Optimist : 13.
Orage : 511; 539-544, 556-557, 561-562, 568; foudre, 434.
Orin : 323.
Oringuer : 323.
Orographique : 484.
Orthodromie : 637.
Outils : liste, 233-234; 203-204.
Ouvrir le plan de voilure : 254.

Pagaie : 395.
Palan : 153; 156-158, 426.
Panaris : 444-445.
Panne : 271; mettre en, 424.
Panneau : 382, 430.
Parallèle : 635; 656-658.
Paré : 291.
Passe : 644.
Passeresse : 239.
Pataras : 116-117, 125, 137.
Patte (d'ancre) : 207.
Patte à cosse : 171.
Patte d'oie : 18, 165-166.
Paumelle : 180.
Pêche (canots de) : 54.
Peinture : 190-192.
Pennon : 22.
Période : d'un feu, 611-612; des vagues, 513.
Permis moteur : 398.
Perdre : au vent, 30 : la marée perd, 619.
Perturbation : 519-535, 545-554, 565-566.
Peser : 22.
Petit temps : météo, 537; réglage du gréement, 123; manœuvre, 264-265, 276-277, 280, 393; tactique : 711.
Phare : 609, 644.
Pharmacie de bord : 450.
Phoscar : 422-423.
Pic (à) : 330.
Pied (mesure anglaise) : 630.
Pied de mât : 18.
Pied de pilote : 632.
Pièges : 707-708.
Pilotage : 643-654.
Pilot chart : 745.
Piper : 252.
Plaies : 448-449.
Plan de voilure : 254.
Planer : 107, 282-284.
Plastique : coques, 187-188 ; réparation 201-203; espars, 133; ordures, 469.
Plat-bord : 18.
Plate : 103.
Pleine mer : 619.
Plomb de sonde : 226; mouiller en, 328
Pocket Tidal Streams Atlas : 633.
Point (faire le) : par relèvements, 655 660; par arcs capables, 660-662; à l'estime, 675-678.
Point d'amure : 19, 21; confection, 174 176, 178; réglages, 122, 126, 158, 165 385; bosse d'amure, 163; cosse d'amure 138.
Point d'écoute : 19, 21; confection, 174 176, 178; réglages, 162-163, 361-362.
Point de drisse : 19, 21; confection, 174 176, 178.
Point de tire : 123, 159.
Pointe (clou) : 194-195.
Pointu (vent) : 258.
Poisson (de loch) : 223.
Polaire (courbe) : 83.
Polyant : 169.
Polyamide : cordages, 140; voiles, 169.
Polyester : cordages, 140; voiles, 169.
Polypropylène : 140, 164.
Polyuréthanes : 191.
Pompe : 433.
Ponçage : 190-191.
Pont : 17; flush deck, 64; étanchéité 185.
Ponton (amarrage à un) : 341.
Ports (manœuvres de) : 316-344.
Port d'accueil : 757, 762-764.
Portance (de la quille) : 78, 80-81.
Portée (d'un feu) : lumineuse, géographique, 613.
Porter (voiles) : 34.
Poulaines : 232-233.
Poulies : 152.
Poupée (de cabestan) : 153.
Poussée : 282.
Précipitation : 487.
Près : 37-38; théorie, 80, 84-87, 90, 94 96, 113; manœuvre 248-265, 384-385 tactique, 721-725, 728-732.
Près bon plein : 36-37; théorie, 84-87, 88 89; manœuvre, 265-266, 313, 359; tactique, 724-725.
Pression atmosphérique : 483, 490, 504 508, 523-524, 595-600.
Prestacci : 568.
Prévision météo : 592-600.
Prix d'un bateau : 70-71.
Profondeur (des vagues) : 513-516.
Projection de Mercator : 636-637.
Promenade (bateaux de) : 54-57, 756 584.
Provisions : 461-462, 468.
Puits : de dérive, 18; de moteur, 214

Quadrant : 656-657.
Quadrature : 619.
Quai (manœuvres à) : 336-344.
Quarts : 463-465.
470 : 53, 120.
Quête : 255, 124-125.
Quille : 12; théorie, 78, 102-104.

Raban : 358, 321.
Rabanter : 353, 365.
Râblure : 185.
Radar : 430.
Radio : 225-226; météo, 593-595; navigation, 697.
Radiogoniométrie : 689-694.
Radiophare : 689, 694, 695.
Rafales : météo, 492, 530, 543, 599-600; manœuvre dans une rafale, 263-264.
Ragage : 139; drisses, 155; écoutes, 160; voiles, 178; habits, 462.
Raggiaturi : 572.
Raide à la toile : 377.
Raide-à-raide : 343.
Raidir : 124.
Rail : de barre d'écoute, 19, 161; de bôme, 360; de mât, 357, 361; de pied de tangon, 167.
Ralingue : 21, 171; de guindant, 122-123, 126; de bordure, 360; coulisseaux, 181.
Rangements : 461-462.
Rappel : couple de rappel, 101-105; faire du rappel, 35, 257; rappel variable, 283.
Rappeler : 325, 331, 335.
Rapport de flottabilité : 99.
Rapport de marée : 619.
Rapporteur breton : 656.
Rayonnement : 480; brouillard, 501-502.
Raz : 382, 501, 516, 747.
Réa : 19, 152; cage à réa, 155-156.
Rechange : matériel, 234; habits, 456.
Réchaud : 458.
Reconnaître : un feu, 611-612; une marque, 604-605; la terre, 699.
Redresser (après chavirage) : 44-46, 414.
Red Rooster : 67-68.
Réduire la toile : motifs, 259-261, 276, 377; manœuvre, 358-365.
Reeds Nautical Almanac : 630, 689.
Réflecteur radar : 430.
Refuser : 38.
Régates : 50-53; stades nautiques, 757, 763-764.
Régimes anticycloniques : 518, 554-557, 566-569.
Régimes perturbés : 518, 545-554, 565-566.
Règle Cras : 656-658, 663.
Règles de barre et de route : 426-428.
Régulation du compas : 664.
Relèvement (point par) : 655-660.
Relief de l'atmosphère : 504.
Relief sous-marin : 638-639, 745-746, 751-754.
Remonter (au vent) : 86.
Remorque : 400-406.
Renforts : d'une coque, 183-184; d'une voile, 171.
Renverse (du courant) : 633.
Remplis : 131.
Réparations : coques, 199-203; espars, 131-132; voiles, 179-181; moyens de fixation, 194-196,
Réserves de flottabilité : 18, 198, 435.
Résistance à l'avancement : 105-108.
Respiration artificielle : 441-443.
Ressac : 515-516; rouleaux, 307, 314.
Retenue de bôme : 162, 275.
Retour (de drisse) : 21.
Rider : 124.
Ridoir : 124-125, 137.
Ringot : 152.
Ris : 358-364.
Risée : 258-259, 711.
Risette : 265.
Rivet : 196.
River (une pointe) : 201.
Rond (du guindant) : grand-voile, 173, 121; foc, 175, 126-127.
Rose des vents : 220.
Rouf : 56, 184.
Roule : 57.
Rouleau de bôme : 358.
Roulis : 104.
Route : sur l'eau, sur le fond, 665, 670, 727; choisir sa route, 702-708; faire valoir la route, 664-672; corriger la route, 674-678; améliorer sa route 708-734.

Safran : 17, 35, 108-110; entretien, 199; gouverner sans safran, 310; safran actif, 402, 397.
Saisir : 383, 466.
Sancir : 390.
Sangles de rappel : 19, 27.
Saturation : 485.
Sautes de vent : météo, 523-524, 537; tactique, 719-721.
Sauvegarde (allures de) : 386-389.
Sauvetage (canots de) : 435-438.
Scintillant (feu) : 609-610.
SE : Sud-Est, Suet.
Secourisme en mer : 441-450.
Secteur chaud : 520, 529-530.
Secteurs (feu à) : 612-613.
Sereine (La) : 66, 105, 107, 206.
Série : 14, 51.
Serre-câble : 149, 155.
Serrer (le vent) : 249.
Serrer (de la toile) : 358.
Service hydrographique de la Marine : 641, 776.
Sextant : 227-228, 660.
Sifflet : 422.
Signaux de brume : 618, 430.
Signaux de détresse : 439-440.
Silent-blocs : 216.
Sirocco : 573, 586-587
Slip : 347.
Sloop : 13, 98.
Soins aux noyés : 441-444.
Solaires (brises) : 537.
Solano (vent) : 590.
Sonde (objet) : description, 226; utilisation, 681-682.
Sondes (sur la carte) : 638.
Sondeur : 226, 681-683.
SOS : 439.
Soudure : des espars, 132; d'une extrémité de cordage, 141-142.
Soulager : 375; à la lame, 105.
Souquer : 21.
Sous le vent : 30; abri sous le vent, 381, 705-707.
Sous-toilé : 377, 292.
Spinnaker : 367-368; confection, 176-178; gréement, 164-167; hisser, affaler, 368-376; régler, 268-270; conduite au vent arrière, 273-276; au largue, 281; au virement lof pour lof, 300-304.
Spruce : 131.
Stabilisateur : 381.
Stabilité (du bateau) : 100-105.
Stable (air) : 491-492, 498-500.
Stick : 18.
Stratiformes (nuages) : 493.
Stratocumulus : 497; en ciel de corps, 529; en secteur chaud, 530; en front occlus, 535; en ciel de turbulence, 538.
Stratosphère : 480.
Stratus : 500; en ciel d'intervalle, 536; 550.
Sublimation : 488.
Suédoise (voile) : 168.
Superstructures : 184.
Surface mouillée : 106, 257.
Surfusion : 488.
Surjaler : 207.
Surliure : 141.
Surpatter : 207.
Sursaturation : 486.
Surtoilé : 377, 292.
Survie : 434-440.
SW : Sud-Ouest, Suroît, voir note p. 636.
Système cardinal : 607-608.
Système latéral : 605-607.
Système nuageux : 525; dépressionnaire, 526, 535; orageux, 540-541.
Syzygie : 619.

Table à cartes : 459-460.
Table des hauteurs d'eau : 629-630.
Tableau : 17, 230.
Tail splice : 154, 151.
Tall boy : 374.
Talon (de tangon) : 130, 167.
Talweg : 504-505, 552-553.
Tangage : 105.
Tangon : 130; ferrures, 138-139; gréement, 165-167; manœuvre, 370-376, 268-270, 300-304.
Taquet : 22, 153; fixation, 196-197, 184.
Taret : 186, 187.
Tas bien pensé : 320-321.
Taud : 239, 182.
Tempête : 548-551, 565-566, 598-599, 379.
Temps : clair, 536-537; à grains, 26, 530-531, 539-544, 598-600; bouché : brume, 501-502; types de temps, 528, 536, 546, 549, 550, 555, 586; signaux, 430, 618; navigation, 681-688.
Tendance : 596.
Tergal : cordages, 140; voiles, 169.
Térital : 169.
Térylène : 169.
Tête (ciel de) : 526-527.
Tête (faire) : 325, 313.
Tête de mât : 19, 116-118, 162, 164; de sondeur, 226.
Tête et cul (mouiller) : 328.
Têtière : 19, 21, 174.
Tétoron : 169.
Tirant d'eau : 348, 346.
Tire (point de) : 123, 159.
Tirer des bords : 43.
Tissu (de voile) : 168-170.
Toile à roulis : 456-457.
Tombée : 644.
Toron : 134.

Tosser : 335.
Touline : 401.
Tour mort : 22, 144-145, 320.
Tour de rouleau : 358, 364-365.
Tourmentin : 168, 386.
Tourner : 22, 147.
Tournevis (affûtage du) : 203.
Traînard : 387-388, 210.
Traîne (ciel de) : 530-531, 548-550.
Trainée : 282.
Trame (du tissu) : 168-169.
Tramontana : 573, 582-584.
Tramontane : 573-574.
Transfilage : 361.
Transition (marque de) : 608.
Transport d'un lieu : 678-681.
Trapèze : 35, 283-284, 288.
Travers (en) : 30.
Travers (vent de) : 34-36; théorie, 88-89; manœuvres, 307-311, 313-314; conduite, 277-284; tactique, 718-720.
Traversières : 339.
Tresse : 141.
Treuil : 157, 154, 161.
Tribord : 19, 20; amures, 43, 426-428.
Trinquette : 98; confection, 175-176; étai de, 116-117; manœuvre, 291, 386.
Tropopause : 480.
Troposphère : 479.
Trou de nable : 18.
T.U. : voir GMT.
Turbulence (ciel de) : 538.
Turbulent (écoulement) : 76-77, 96.
Types de ciels : 525-544.
Types de temps : 544-558.

Unité de hauteurs : 621.
Usure (lutte contre l') : annexe, 229-230; aussières, 210, 327, 403-404; aviron, 230; bosses d'amarrages, 340; câbles, 136, 148-149, 162, 239; cadènes, 138, 184; chaîne, 209; coque, 306, 347, 184; dérive, 199, 313; drisses, 155, 239, 273, 197; écoutes, 160, 197; mât, 131 : ridoir, 137; safran, 199, 308; voiles, 21, 162, 178-182, 240, 351, 357, 361, 363.

Vagues : 512-516, 598; manœuvre face aux, 262-263; 274.
Vague d'étrave : 107, 282, 675.
Variation : 665.
Vase : échouage, 346; tenue de l'ancre, 207-208.
Vaurien : 14, 16-17; 20, 21, 31, 34, 45, 46, 107, 119, 198, 206.
Veille (de nuit) : 466-467.
Vendavales : 573, 590.
Vent : origine, 504-508; force et direction, 24-26; sur la voile, 74-77; voir : arrière, debout, travers.
Vent apparent : 82, 265, 278.
Vent relatif : 82, 265.
Vent-surface : 727-730.
Verge : 207.
Vernis : 192, 131, 240.
Vêtements : 26, 415, 455-456, 462.
Videlle : 181.
Violon : de ris, 163; poulie-violon, 152.
Vire! : 291.
Vis : 195, 131, 133.
Viser : 655.
Vision nocturne : 466-467.
Vit de mulet : 19, 138.
Vitesse : critique, 107-108; sur l'eau, sur le fond, 670; sur petits fonds, 710.
Vives eaux : 619.
Voies d'eau : 432-433, 382-383.
Voiles : choix, 168-178; entretien, 178-182; manipulation, 351-377; hivernage, 240.
Voilier : 170, 180.
Voilure : centre de, 110-114; plan de, 254.
Volée (à la) : 331.
Volume de carène : 99.
Volumes de flottabilité : 17, 198, 435.
Voyants : 605-608.

W : Ouest, voir note page 636.
w : (variation), 665.
WC : 232-233.
Winch : voir Cabestan.

Yankee : 175, 176.
Yawl : 98.

Zéro des cartes : 638.
Zone interdite du vent debout : 32, 248-249, 721-725.
Zones de navigation : 417-418.

Bibliographie

Le bateau

Curry (Manfred), *L'aérodynamique de la voile*, Ed. Chiron.
Travaux de l' « Advisory Committee for Yacht Research », Université de Southampton.
Colin (A.), *Ancres et mouillages*, Ed. du Compas.
Gutelle (Pierre), *Voiles et gréements*, Ed. maritimes et d'outre-mer (E.M.O.M.).
70 nœuds et épissures, E.M.O.M.

La manœuvre

Brown (Alan), *L'école de la voile*, E.M.O.M.
Coles (K. Adlard), *Navigation par gros temps*, Ed. de la mer.
Elvström (Paul), *Maîtrise du voilier*, Laffont — E.M.O.M.
Herbulot (Jean-Jacques), *La bonne conduite du Vaurien*, As. Vaurien.
Kerviler (Marcel de), *L'art de la manœuvre*, Ed. Plaisance.
Pinaud (Yves-Louis), *Pratique de la voile*, Arthaud — Neptune.
Proctor (Ian), *La pratique du yachting léger*, Ed. Plaisance.
Touring Club de France, *Cours de voile*, T.C.F.
Wells (Ted), *La course scientifique en voilier*, Ed. Plaisance

Sécurité, vie à bord

Navigation maritime (Navires de plaisance de moins de 25 m), Décret et arrêté du 28 février 1969, Imprimerie des Journaux officiels.
Rapports annuels de la Commission de sécurité de la F.F.Y.V. sur les accidents de la plaisance, F.F.Y.V. (publiés chaque année dans *Glénans*).
Bourdereau (Henri), *La sécurité du navire de plaisance*, E.M.O.M.
Herbulot (Florence), *La cuisine à bord*, Laffont.

Météorologie

Bessemoulin (Jean) et Clausse (Roger), *Vents, nuages et tempêtes*, Plon.
Clausse (Roger) et Facy (Léopold), *Les nuages*, E. du Seuil.
Clausse (Roger) et Viaut (André), *La mer et le vent*, E.M.O.M.
Galzy (Jean), *Météorologie pratique*, Ecole de l'Air.
Mayençon (René), « Tempêtes et coups de vent », *Glénans*, n° 58.
Richon (Roger), *Cours de météorologie*, Ecole navale.
Viaut (André), *La météorologie du navigant*, Blondel La Rougery.
Viaut (André), *La météorologie*, Que sais-je ? n° 89, P.U.F.

Navigation

Bruce (Erroll), *La croisière de haute mer (Deep Sea Sailing)*, Ed. Plaisance.
Gliksman (Alain), *Au large*, Arthaud — E.M.O.M.
Hiscock (Eric C.), *Le bateau de croisière*, Ed. du Compas.
Illingworth (John H.), *Course-croisière (Offshore)*, Ed. du Compas.
Kerviler (Marcel de), *Navigation de croisière*, Ed. Plaisance.
Mason (Cuthbert), *Deep Sea Racing*, Phœnix House Ltd, London.
Queguiner (Jean), *Code de la mer*, E.M.O.M.

Pour une étude de la navigation astronomique

Flammarion (Camille), *Astronomie populaire*, Flammarion.
Kerviler (Marcel de), *Navigation astronomique*, Ed. Plaisance.
Oliveau (Maurice), *La navigation astronomique à la portée de tous*, Ed. du Compas.
Stern-Veyrin (Olivier), *Solitaire ou pas*, Arthaud.
« Navigation astronomique », *Glénans*, nº 66 et 69.
« La pratique de la navigation astronomique », *Glénans*, nº 65.

Ouvrages généraux

Barberousse (Michel), *Dictionnaire de la voile*, Ed. du seuil.
Bonnefoux et Pâris, *Le dictionnaire de la marine à voile*, Ed. de la Courtille.
Doliveux (Louis) et divers auteurs, *Le grand livre du yachting*, R. Kister.
Gruss (Robert), *Petit dictionnaire de marine*, E.M.O.M.
Merrien (Jean), *Dictionnaire de la mer*, Laffont.
Centre nautique des Glénans, *Cours de navigation des Glénans, tome I et II (épuisés)*, Ed. du Compas.

Revues

Glénans, Informations et documents.
Bateaux.
Les cahiers du Yachting.
Neptune-Nautisme.
Voiles et Voiliers.
Met-Mar (Météorologie Nationale)
Yachting Monthly.
Yachting World.
Yachts and Yachting.

Divers (ouvrages cités)

Belloc (Hilaire), *Naviguant à la voile (On Sailing the Sea)*, Amiot-Dumont.
Coles (K. Adlard), *Ports et mouillages de Bretagne-Sud*, Ed. Plaisance.
Coles (K. Adlard), *North Brittany*, Adlard Coles Ltd, London.
Guéret (Yvonnick), *Permis de conduire en mer*, E.M.O.M. — Hachette.
Guilcher (André), *Morphologie sous-marine et littorale*, collect. « Orbis », P.U.F.
Oulié (Marthe) et Saussure (Hermine de), *La croisière de « Perlette »*, E.M.O.M.
Perret (Jacques), *Rôle de plaisance*, Gallimard.
Perret (Jacques), *La compagnie des eaux*, Gallimard.
Slocum (Joshua), *Seul autour du monde sur un voilier de 11 m*, Ed. Chiron.
Verne (Jules), *Un capitaine de quinze ans*, Le Livre de poche.
Brassens (Georges), *Le grand Pan*, Disques Philips.

Adresses utiles

Centre nautique des Glénans, quai Louis-Blériot, 75781 Paris Cedex 16.

Secrétariat général de la Marine marchande.
Bureau de la plaisance, 3 place Fontenoy, Paris 75007
Publie une brochure (gratuite) contenant tous les renseignements administratifs (francisation, pêche, sécurité). Cette brochure peut être également obtenue auprès des quartiers des Affaires maritimes.

Météorologie nationale, bureau des relations extérieures, 73 rue de Sèvres, 92100 Boulogne.
Publie annuellement une plaquette (gratuite) contenant la liste des émetteurs français qui diffusent des bulletins de météorologie maritime, les horaires de ceux-ci, la liste des stations où il est possible d'obtenir des renseignements par téléphone.

Service hydrographique de la Marine, route de Bergot, 29283-Brest Cedex.
Fournit gratuitement la liste de ses agents.

Fédération française de Voile, 70 rue Saint-Lazare, 75009 Paris.
Fournit la liste des Clubs sportifs, la liste des Ecoles de voile et les règlements de course.

L'Annuaire du Nautisme (Editions de Chabassol, 30 rue de Grammont, 75002 Paris.)
Contient les adresses de tous les clubs, écoles, chantiers, entreprises de gardiennage, mécaniciens, loueurs, shipchandlers, etc., et des renseignements utiles pour la navigation : marées, radiophares, etc.

Table des chapitres

1. Commencement.

Choix du bateau d'initiation, 12. – Armer le bateau, 15. – Conditions de la première sortie, 23. – Première sortie, 27. – Quelques essais, 29. – Les allures, 34. – Les virements de bord, 40. – Le chavirage, 44.

Première partie : Le bateau.

2. Styles de plaisance, types de bateaux.

Régates, 50. – Promenade et pêche, 54. – La croisière, 57. – Le cabotage, 60. – La croisière côtière, 62. – La croisière hauturière, 65. – La course-croisière, 67. – Choix d'un bateau, 69.

3. Notions théoriques.

Le vent et la voile, 74. – L'eau et la quille, 78. – Comment marche un bateau, 78.
Les voiles, 83. – Rendement d'une voile, 83. Influence de l'allongement, 86. – Influence du creux, 87. – Le réglage et les allures, 88. – Les empêchements, 93. – Association de plusieurs voiles, 94. – Types de gréement, 98.
La coque, 99. – Flottabilité, 99. – Stabilité, 100. – Résistance à l'avancement, 105. – Le gouvernail, 108.
Equilibre du bateau sur sa route, 110. – Recherche de l'équilibre, 111.

4. Le gréement.

Réglages du gréement, 116. – Principe, 116. – Gréement de dériveur, 118. – Forme du mât, 118. – Forme de la grand-voile, 120. – L'étai, 122. – Gréement de croiseur, 124. – Réglage du mât, 124. – Le foc, 126. – La grand-voile, 127. – Mâts souples sur bateaux importants, 127. – Petits croiseurs, 128.
Gréement dormant, 129. – Les espars, 129. – Matériaux, 130. – Les câbles, 134. – Texture, 134. – Montage, 135. – Usure, 136. – Accastillage, 136.
Gréement courant, 139. – Les cordages textiles, 140. – Tressage et câblage, 140. – Matelotage, 141. – Faire des œils, 142. – Les nœuds, 143. – Lover, délover, 146. – Les câbles, 148. Epissure carrée sur câble, 150. – Epissure acier-textile (tail splice), 151. – Accastillage, 152. – Les drisses, 154. – Drisses de voiles d'avant, 155. – Drisses de grand-voile et d'artimon, 157. – Les écoutes, 158. – Ecoutes de voiles d'avant, 159. – Ecoutes de grand-voile et d'artimon, 160. – Barre d'écoute de grand-voile, 161. –

Manœuvres particulières, 161. – Hale-bas de bôme, 161. – Retenue de bôme, 162. – Balancine de grand-voile, 162. – Bosse d'empointure, 162. – Bosses de ris, 163. – Garcettes de ris, 164. – Gréement de spi, 164. – Drisse, 164. – Bras, 165. – Hale-bas de tangon, 165. – Balancine de tangon, 167. – Manœuvre de pied de tangon, 167.
Les voiles, 168. – Confection, 168. – Les tissus, 168. – Les coutures, 170. – Les grands-voiles, 172. – Disposition des laizes, 172. – Le guindant, 173. – La chute, 173. – La bordure, 174. – Focs et trinquettes, 175. – Disposition des laizes, 175. – Le guindant, 175. – La chute, 176. – La bordure, 176. – Les spinnakers, 176. – Disposition des laizes, 177. – Forme du spi, 177. – Pourtour, 178. – Entretien et réparation, 178. – Refaire une couture, 179. – Coller une pièce, 180. – Coudre un mousqueton, 181. – Coudre un coulisseau, 181. – Faire une videlle, 181.

5. La coque.

Points faibles, 183. – Types de construction, 185. – Bois massif, 185. – Bois collé, 186. – Plastique, 187. – Acier, 188. – Aluminium, 189. – Béton armé, 189. – Entretien, 190. – La peinture, 190. – La galvanisation, 193. – Travaux courants, 193. – Assurer l'étanchéité, 193. – Fixer des accessoires, 194. – Réparations, 199. – Réparer une coque en contre-plaqué, 199. – Réparer une coque en plastique, 201. – L'affûtage des outils, 203.

6. Matériel d'armement.

Les mouillages, 206. – Les mouillages embarqués, 206. – Les ancres, 207. – La chaîne, 208. – Les aussières, 210. – Les mouillages fixes, 210.
Le moteur auxiliaire, 212. – Le moteur hors-bord, 213. – Le moteur diesel, 216.
Les instruments de navigation, 220. – Le compas, 220. – Le compas de relèvement, 222. – Le loch, 223. – Le baromètre, 225. – La radio, 225. – La sonde et l'écho-sondeur, 226. – Girouette, anémomètre, 227. – Le sextant, 227.
Le bric-à-brac, 228. – L'annexe, 228. – L'aviron et sa dame, 230. – Les bosses d'amarrage, 231. – Les défenses, 231. – Les béquilles, 231. – Pompe, seau, écope, 232. – Les poulaines, 232. – L'éclairage, 233. – L'outillage, 233. – Le matériel de rechange, 234.

7. Désarmer, armer.

Le désarmement, 236. – Modes d'hivernage, 236. – Revue de détail, 238. L'armement, 242. – Première sortie, 243.

Deuxième partie : La manœuvre.

8. Conduite du bateau.

Au près, 249. – Recherche du meilleur près, 249. – La forme des voiles, 252. – L'orientation des voiles, 255. – L'équilibre du bateau, 255. – Comment gouverner, 257. – Vent irrégulier : la risée, 258. – Vent frais, 259. – Réduire la toile, 260. – Barrer à la lame, 262. – Vent frais irrégulier : la rafale, 263. – Vent faible, 264. – Au près bon plein, 265.
Au vent arrière, 266. – Réglage des voiles, 267. – Le spinnaker, 268. – Equilibre du bateau, 271. – Vent frais, 272. – Réduire la toile, 276. – Vent faible, 276.
Au largue, 277. – Réglage des voiles, 279. – Equilibre du bateau, 280. – Conduite au petit largue, 280. – Conduite au largue, 281. – Planer, 282.

9. Virer de bord.

Virement vent debout, 285. – Principes, 286. – Virement sur dériveur, 288. – Virement sur croiseur, 290. – Virement par vent frais, 292. – Assurer le virement, 293.
Virement lof pour lof, 295. – Passage de la grand-voile, 295. – Passage du spinnaker, 300.

10. Partir, arriver.

Départ de plage, 305. – Gouverner sans safran, 310. – Arrivée à la plage, 313.
Manœuvres de port, 316.
Manœuvres d'ancre, 319. – Préparation du mouillage, 320. – Oringuer, 323. – Mouiller vent debout, 323. – Vent arrière, 324. – Dans le courant, 325. – Sur plusieurs ancres, 326. – Appareiller sur ancre, 328.
Manœuvres sur coffre et sur corps-mort, 333. – Prise de coffre ou de corps-mort, 333. – Appareillage, 335.
Manœuvres à quai, 336. – Accostage, 337. – Amarrage perpendiculaire, 339. – Amarrage à un ponton, 341. – Appareiller d'un quai, 343.
Manœuvres d'échouage, 344. – Echouage pour caréner, 346. – Abattage en carène, 347.– L'échouement, 348. – L'annexe, 348.

11. Changer de voilure.

Le foc, 352. – A changer de foc, 353.
La grand-voile, 357. – Hisser, affaler, 357. – La prise de ris, 359. – Les tours de rouleau, 364. – Changer de grand-voile, 365.
Le spinnaker, 367. – Description, 367. – Le spinnaker de dériveur, 368. – Le spinnaker de croiseur, 372.
Le choix de la toile, 377.

12. Manœuvres de mauvais temps.

Préparation, 380. – Poursuivre sa route, 385. – Prendre une allure de sauvegarde, 386. – La cape courante, 386 . – La cape sur ancre flottante, 387. – La fuite libre, 387. – La fuite retardée, 388. – Durer, 389. – Mouiller, 391. – Faire côte, 391.

13. Godille, moteur, remorque.

La godille, 393. – La pagaie, 395. – Le moteur auxiliaire, 396. – Possibilités d'évolutions, 396. – Faire route, 399. – Manœuvrer dans un port, 399. – La remorque, 400. – A bord du remorqueur, 400. – Surveiller la remorque, 403. – A bord du remorqué. 404. – Remorquage par l'annexe, 405.

Troisième partie : L'équipage.

14. La sécurité.

Sécurité du dériveur, 412. – Le lieu, le temps, 412. – Le froid, la fatigue, 414. – Décisions à prendre, 415.
Sécurité du croiseur, 416. – Catégories de navigation, 417. – Le correspondant à terre, 418. – Un homme à la mer, 420. – Prévention, 420. – Manœuvres de repêchage, 423. – Abordages, 426. – Règles de barre et de route, 427. – Risques d'abordage, 428. – Par temps bouché, 430. – Accidents de bord, 430. – Avaries de gréement, 431. – Voies d'eau, 432. – Incendie, explosion, 433. – Naufrage, survie, 434. – L'insubmersibilité,

435. – Le canot pneumatique, 435. – Vie à bord, 438. – Les appels au secours, 439.
Secourisme en mer, 441. – Noyade, 441. – Ennuis courants, 445. – Brûlures, 447. – Fractures, 449. – Appendicite, 450.

15. La vie à bord.

Les hommes, 452. – Le chef de bord, 452. – L'équipage, 454. – Les choses, 455. – Habits, 455. – Couchette, 456. – Cuisine, 458. – Table à cartes, 459. – Rangements, 461. – Le rythme de vie, 463. – Les quarts, 463. – Naviguer, 465. – La nuit, 466. – Cuisiner, 467. – Nettoyer, entretenir, 468. – Souffrir, 469. – Le mal de mer, 469. – La mésentente, 472. – Etre bien, 473.

Quatrième partie : Météorologie.

16. La vie de l'atmosphère.

L'air, 482. – Etats de l'air, 484. – Les masses d'air, 489. – Air chaud, air froid, 489. – Brises côtières, 490. – Air stable, air instable, 491.
Nuages, 493. – Nuages d'instabilité, 494. – Nuages d'instabilité limitée, 497. – Nuages de stabilité, 498. – Brouillards, 501. – Classification des masses d'air, 502.
Le vent, 504. – Direction du vent, 504. – Vitesse du vent, 508. – Circulation générale, 508.
Le vent et la mer, 511. – Les vagues, 512. – La mer du vent, 513. – La houle, 514. – Les vagues et les obstacles, 515.

17. Le temps qu'il fait.

Le temps océanique, 518. – Perturbations du front polaire, 519. – Ciels de perturbation, 525. – Tête, 526. – Corps, 528. – Secteur chaud, 529. – Traîne, 530. – Marge froide, 532. – Marge chaude, 533. – Front occlus, 535. – Ciels de beau temps, 536. – Ciel d'intervalle, 536. – Ciel de turbulence, 538. – Ciel d'instabilité, 538. – Ciels d'orage, 539. – Ciel pré-orageux, 540. – Ciel orageux, 542. – Types de temps, 544. – Régimes perturbés, 545. – Régimes anticycloniques, 554.
Le temps méditerranéen, 558. – Vue d'ensemble, 560. – Les masses d'air, 560. – Les centres d'action, 562. – Régimes perturbés, 565. – Régimes anticycloniques, 566. – Le temps selon la tradition populaire, 568. – Les vents régionaux, 569. – Influence du relief, 570. – Le mistral et la tramontane, 574. – La tramontana, 583. – Le marin, 585. – Le sirocco, 586. – Les brises côtières, 588. – Le bassin occidental, 589. – Languedoc, Provence, golfe du Lion, Baléares, 589. – Sud-Baléares et Alboran, 590. – Mer de Ligurie et autour de la Corse, 590.
Le temps qu'il fera, 592. – Le bulletin météorologique, 593. – Le baromètre, 596. – Prévision des phénomènes dangereux, 597. – L'observation, 599.

Cinquième partie : Navigation.

18. Points de repère et documents.

Les amers, 603. – Le balisage, 604. – Système latéral, 605. – Système cardinal, 607. – Marques diverses, 608. – Balisage britannique, 608. – Les feux, 609. – Reconnaître un feu, 611. – Le livre des *Feux*, 612. – Autres documents, 616. – Les signaux de brume, 618.
Les marées, 619. – L'*Annuaire des marées*, 621. – Calculs de marée, 622. – PM et BM d'un port rattaché, 625. – Hauteur d'eau à un instant quelconque, 625. – Documents britanniques, 630. – Les calculs et la réalité, 631. – Courants de marée, 633.
La carte, 635. – Le principe, 635. – Lecture de la carte, 638. – Les échelles, 638. – Les niveaux, 639. – Le paysage, 640. – Les *Instructions nautiques*, 641.

19. Navigation côtière.

Le pilotage, 643. – Les alignements, 644. – Le soliloque du pilote (exemple de pilotage), 646.
Faire le point, 654. – Point par relèvements, 655. – Par deux relèvements, 658. – Par trois relèvements, 658. – Par deux relèvements et un alignement, 658. – Critiquer le point, 659. – Le point par arcs capables, 660. – Trouver des amers nouveaux, 662.
Donner un cap au barreur, 664. – Evaluation de la dérive et du courant, 666. – Choix du cap sans dérive, 666. – Choix du cap avec dérive, 667. – Choix du cap avec un courant constant, 668. – Choix du cap avec un courant variable, 670.

20. Navigation au large.

L'estime, 674. – Appréciation des données, 675. – Le livre de bord, 676. – L'incertitude, 677.
Transport d'un lieu, 678. – Relèvements différés de deux amers, 678. – Relèvements successifs d'un même amer, 678. – Qui voit Groix voit sa joie (exemple de transports de lieux), 680.
Navigation à la sonde, 681. – Sondeur et sonde à main, 681. – Sonder à grande profondeur, 682. – Suivre une ligne de sonde, 683. – Intercalaire de sonde, 683. – Un atterrissage sur les Bancs de Sable (exemple d'atterrissage à la sonde), 684.
Radionavigation, 689. – Radiogoniométrie, 689. – Faire un point gonio, 692. – Le système Consol, 695. – Faire un point Consol, 696. – Rencontres de cargos, 698. – L'atterrissage, 699.

21. La route.

Choisir sa route, 702. – De la Vilaine à Le Palais, 702. – De Concarneau à Royan, 705.
Améliorer sa route, 708. – Le plus court chemin, 710. – Jouer avec le vent, 711. – Evaluer l'allongement de la route, 712. – Evaluer le gain de vitesse, 713. – Evaluer le gain de temps. 715. – Diagrammes de vitesse, 716. – Vent de travers, 718. – Vent arrière, 720. – Vent debout, 721. – Quelques traversées de la Manche, 725. – Jouer avec le courant, 726. – Le Vent-surface, 727. – Evolution du vent-surface, 728. – En passant par la Horaine (exemple de tactique au près), 730. – Deuxième couplet (exemple de tactique au largue), 732.

:2. Les paysages marins.

Qu'est-ce qu'un paysage marin ? 737. – L'éducation des sens, 741. – Une méthode d'approche, 742. – Les sources d'information, 743. – La grille proposée, 745. – Une étude de cas : la Bretagne-Sud, 746. – Conditions météorologiques, 748. – La nature de la mer, 749. – Le littoral, 751. – L'activité humaine, 754. – Vers d'autres rivages, 755. – Stades nautiques, 757. – Camping nautique, 758. – Bassins de croisière, 758. – Ports d'accueil, 762.

llustrations

J. David : 187 b. – R. Decker : 16. – Ph. Doumic : 13. – G. Gassmann, Club des jeunes CERNUR : 64b. – J. D. Lajoux/RAPHO : 765. – Lanoue-Bateaux : 17, 51, 52, 53, 55, 56, 61, 68, 185, 186, 318. — Roger Perrin/ATLAS-PHOTO : 763. – Ministère de l'Equipement. Service des phares et balises : 609, 617. – Office national de Météorologie : 494, 495, 496, 497, 498, 499, 500, 501, 527, 528, 529, 531, 532, 533, 539, 542, 543, 594 595. – Studio J. Morillon : 65. – Eric Twiname : 77, 96. – UNESCO/A.T.L. : 740. – Jaquette : Claude Rives/Cedri. Toutes les autres photographies publiées dans cet ouvrage sont issues de la photothèque du Centre nautique des Glénans, et ont été prises par des membres de l'association.

Achevé d'imprimer en 1979 par l'Imprimerie-Reliure Maison Mame, Tours.
D. L. 2e TR. 1972, Ne 3020-8 (7475).